北京科学技术出版社

图书在版编目（CIP）数据

长江医话 / 詹文涛主编. —北京：北京科学技术出版社，2014.12（2021.10 重印）
ISBN 978-7-5304-7503-4

Ⅰ. ①长… Ⅱ. ①詹… Ⅲ. ①医话—汇编—中国—现代 Ⅳ. ① R249.7

中国版本图书馆 CIP 数据核字（2014）第 249908 号

策划编辑：侍 伟
责任编辑：章 健 赵 晶 王 微
责任校对：贾 荣
装帧设计：蒋宏工作室
责任印制：李 茗
出 版 人：曾庆宇
出版发行：北京科学技术出版社
社　　址：北京西直门南大街16号
邮政编码：100035
电　　话：0086-10-66135495（总编室） 0086-10-66113227（发行部）
网　　址：www.bkydw.cn
印　　刷：三河国新印装有限公司
开　　本：710 mm × 1000 mm 1/16
字　　数：787 千字
印　　张：44.25
版　　次：2014年12月第1版
印　　次：2021年10月第3次印刷
ISBN 978-7-5304-7503-4

定　　价：88.00元

《长江医话》

编辑委员会

《长江医话》编写经过

本书的编写始于1984年9月，首先由《五部医话》的组织者——全国中医基础理论整理研究会（秘书长冷方南同志到会），在长沙召开了长江流域八省一市中医学会的代表会议，会议经过民主协商，选定昆明铁路中心医院副院长詹文涛副主任医师担任主编，成都中医学院院长李明富副教授、湖南省卫生厅副厅长高德副教授、安徽中医学院妇科主任医师徐志华三同志任副主编，编委则根据专业的需要，由各省市中医学会推荐、主编审定而成。会议根据研究会对《医话》的要求，拟发了《长江医话》的征稿通知。接着，詹文涛主编在昆明铁路中心医院组建编委会办公室，负责处理日常事务，由信宜莉医师担任办公室主任，开始了全面的征稿工作。

1985年2月，《长江医话》首次编委会议在昆明市举行（除西藏、上海外，其余各省编委均到会）。会议检查了近半年来各省市的征稿、组稿工作进展情况，交流经验，提出问题。针对来稿体例不一的情况，会议形成了关于《撰写医话的参考意见》，为保证稿件质量及其以后的审稿工作打下了良好的基础。为了更广泛地征得高质量的稿件，会议拟发了《纪要》。长江流域各省市自治区卫生厅（局）和中医学会运用多种形式广为宣传编写《医话》的历史意义及其征稿办法，使这一工作在中医界形成了一个高潮，保证了本书的质量。截至1985年6月底止，共征得稿件3300多份，约300余万字，由办公室分类登记后，分别寄与各专业编委进行初审。

1985年8月，全体编委再次汇集昆明，在主编、副主编的统一领导下，分工负责对初审后的稿件进行审编。冷方南同志和北京科学技术出版社副总编辑韩丽娟同志到会指导。会议根据个别编委工作繁忙，无力胜任编审工作的情况，决定由下列同志组成《长江医话》的编委：段光周、马有度、王辉武、信宜莉、孟如、张六通、陈陶后、徐宜厚、孙之镐、肖国士、干祖望、陈建冲、邬尧清、顾乃强、刘炳午、李传芳、俞大祥、张沛霖、廖濬泉、来春茂、邓必隆、黎烈荣等26人。编委们本着认真负责的精神、日夜奋战二十余天，逐字逐句推敲修改，交叉审查，副主编分口把关，主编最后审定，精选出八十余万字的书稿。为防止漏审，会议结束后，主编又与陈陶后、段光周、王辉武、信宜莉四位编委一道对来稿进行复查。至此，《长江医话》第一稿诞生了。

1985年10月，主编根据出版社的要求，又请李明富、高德、邓必隆、王辉武、段光周等同志在成都对书稿进行复审、编目、定稿工作。这是本书的第二稿。定稿后的《长江医话》约七十五万字，于1985年10月底上交全国中医基础理论整理研究会冷方南同志，并转送有关专家审阅。专家们对本书的内容、特点等都予以充分肯定，并提出了宝贵的修改意见。

1987年9月，主编根据出版社的建议，再次召集陈陶后、段光周、信宜莉三位编委来北京与韩副总编辑一道，对书稿进行了交稿前的最后一次加工成型工作。至此，本书共收进487位作者的848篇文稿，约七十余万字。书中文稿内容丰富，记述真实，文笔精炼，各具特色，比较充分地展示了长江流域八省一市近代中医的学术水平和科研成果，达到了既定的编写目的。

在本书编写过程中，得到了云南省中医学会、昆明铁路中心医院、成都中医学院，以及长江流域许多著名中医专家学者的大力支持，在经费上得到了辽宁省本溪市第三制药厂和湖北中医学院的赞助，还有李今庸、孙国杰、夏翔、魏稼、毛美蓉、李芳、曹仁发、黎烈荣等同志，都为本书的组稿、审稿做过许多工作。

《长江医话》编委会

1987年9月于北京

胡　序

中华全国中医学会中医理论整理研究会组织编写的《北方医话》《南方医话》《燕山医话》《长江医话》《黄河医话》等五部反映我国近代中医学术进展的著述，经过两年多的时间，已经完成。

这五部医话，全国有五千余人参加撰稿，最后审定近三百万字。撰稿者，既有名老中医，又有学术上已近成熟的中年中医科技工作者，这个事实本身，就标志着我国中医界学术上的兴旺繁荣，是十分令人欣喜的。

我希望：像这样的理论和临床实践相结合的整理研究工作，今后能够继续开展下去。

当本书即将出版之时，编委会要我写几句话，特书之以共勉。

胡熙明

1985 年 10 月

谭　序

为了继承现代名老中医的学术经验，总结学有卓识的中年中医师的学术成就，中医理论整理研究会组织全国中医师参加征稿，编著《黄河医话》《长江医话》《燕山医话》《南方医话》《北方医话》，这项工作的意义十分重大而深远。

中国，是世界文明古国，中医药学就是我国古代文明中的一颗璀璨夺目的明珠。历史的发展将继续证明，勤劳智慧的中华民族对世界作出的新贡献，中医药学将是其中重要的组成部分。

希望中医药学术界的专家，不断创造出新的成绩，及时地将这些成就加以总结，升华为理论，丰富发展中医药学术体系，更好地为我国人民的保健事业服务，为人类健康长寿作出贡献。

中华人民共和国卫生部副部长　谭云鹤

1984年10月1日北京

裴　序

中医药学典籍浩如烟海，绚丽夺目。总结现代中医实践经验，编著成书，无疑地是为祖国医药瑰宝增光加彩。

这项总结、整理、研究工作，全国中医约有五千余人参加，经过了严格的审稿、统稿程序，在短短的两年多时间里，完成近三百万字著述，这实在是集体智慧的结晶。我为这部书的出版，感到由衷地高兴。

我希望中医药学界的科学技术工作者，继这部书出版之后，在不久的将来，还有新的著述问世。当此巨著出版之际，仅写上面一些话，表示祝贺。

中国科学技术协会副主席　裴丽生

1985 年 10 月 28 日

前　言

为了从多方面总结交流全国各地名老中医、部分中年中医师的各科临床经验和理论，中华全国中医学会中医理论整理研究会决定组织编写：

《燕山医话》（北京地区）。

《黄河医话》（陕、甘、宁、晋、鲁、豫、青、蒙）。

《长江医话》（川、藏、滇、鄂、湘、赣、皖、苏、沪）。

《北方医话》（辽、吉、黑、津、冀、疆）。

《南方医话》（浙、闽、黔、粤、桂、台）。

全国各级医疗、研究、教学单位的中医工作者，积极总结自己的临床经验，踊跃参加征稿活动。

医话内容，包括内科、妇科、外科、儿科、方药、针灸……，凡能用医话形式表达的，皆可撰写。

《五部医话》运用医话随笔体裁；所收载的文稿，大多具有短小精悍、内容充实、学术上有新的建树和较强的实用价值等特点。

作者除55岁以上的名老中医外，还收录了部分中年中医师（指1966年前高等中医院校毕业或具同等学历者）的文稿。

本丛书的编写，得到了卫生部谭云鹤副部长的鼓励和支持；书稿完成后，卫生部胡熙明副部长应本书编委会邀请，为之作序。

各部医话均成立了编委会，施行主编负责制。编委们认真审稿，层层把关，在提高书稿质量方面，作了大量工作。

在编写经费方面，得到了辽宁省本溪市第三制药厂对各部医话编委会的经费赞助。

五部医话在编写过程中，得到了各省、市、自治区卫生厅（局），各级中医学会以及主编所在单位的积极支持。各部医话的主编、副主编、编委，克服种种困难，创造条件，出色地完成了组稿、编审等各项工作。从本书的报批选题开始，一直到完稿，全过程中，得到了北京科学技术出版社傅亿伸社长和韩丽娟副总编辑的热情指导，在此一并致谢。

各编委会统定稿后，中医理论整理研究会学术秘书组又聘请若干位国内中医各学科的专家，认真审阅，提出了宝贵的删修意见。

尽管在编写过程中作了多方面的努力，但由于时间仓促，水平有限，错误和缺点在所难免，深望海内外热心中医药学术的专家、读者，随时提出批评指正意见。

学术秘书组

1985年12月3日

目录

001 中医发展与科学假说 …詹文涛
002 博览与精专 …马有度
003 诊余话借鉴 …江尔逊
003 学习中医话难易 …宋少僧
004 留心与创新 …吕敬江
005 习医说“度” …杜方步
006 法于往古，验于来今 …杨炳初
007 医理与临证 …戴会禧
008 有感于“不引古经一语” …廖伯筠
009 赞“计算机中医” …王占彬
0010 中西医印定成俗戒 …胡翘武
011 众里寻他千百度，却在灯火阑珊处 …李 锄
012 莫把祖国医学遗产言为来之西医 …干祖望
013 批卷审稿难 …干祖望
014 错 …干祖望
015 脏腑“藏”“泻”辨 …张六通
016 《伤寒论》的前身 …姜春华
017 “正气”刍议 …董胡兴
018 《内经》教学漫谈 …李济仁
019 简谈《金匮要略》的特点 …王廷富
020 沈括测雨 …李克光

021 记解放前成都的中医院 …李克光
022 忆壬申防疫队 …李克光
023 苏轼与中医 …李永安
023 万古长江论医源 …李筱圃
025 谈藏医对胚胎学的贡献 …强巴赤列
026 辨水液，别寒热 …朱裕魁
027 年长甚味，脾胃乃伤 …项　平
027 老年多虚中挟瘀 …冯涤尘
028 老年多虚中挟痰 …冯涤尘
029 特异体质举隅 …李克光
030 如疟非疟 …高　德
030 卫强不强 …高　德
031 探索病机宜精细 …黄　勋
032 脾升则肾肝亦升 …刘盛斯
033 大实有羸状，至虚有盛候 …师希尧
035 “回光返照”与“残灯复明” …敖保世
036 疾病与时间 …孙林森
037 辨证论治的科学性与艺术性 …佘亚东
038 不忽于细，必谨于微 …赵平瑗
038 肝气虚证的临床辨识 …潘文奎
040 辨证得失三则 …周博文
041 辨证小议 …袭嘉寅
041 谈诊病投剂之“火候” …许芝泉
042 阳虚湿滞有黄苔 …陈　奇
043 阳虚证具有两重性 …朱文锋
043 八纲余言 …杜煦电
044 诊病宜顺应时令 …谢昌仁
045 诊病当相天时、审地理、观人情，然后辨证施治 …许士衡
046 察色拮要 …张　震
047 舌象要略 …张　震

048 腻苔说异 …龚士澄
048 黄苔小议 …柯梦笔
049 临病人问所便 …沙一鸥
050 持脉之道 …张　震
051 脉诊一得 …柯雪帆
052 脉诊心得举隅 …吕敬江
053 漫谈脐诊 …夏奕钧
054 形气、病气与补泻 …王文雄
055 持重与逐机 …张　震
055 知常达变 …吕敬江
056 久病痼疾，治在缓图 …陈治恒
057 治病留人 …龚士澄
058 从势挽危难 …熊永厚
059 因天时治外感有得 …姚承济
059 中药西用戒 …胡翘武
060 “急则治标”治验举隅 …王漱予
061 风胜湿 …陶克文
061 非温无以化气 …张六通
062 谈谈“通则不痛” …朱裕魁
063 表里双解效力宏 …段光周
063 下法未必全在降 …项　平
064 攻下法拾零 …张云鹏
065 不可滥用大方重剂 …胡翘武
066 补不宜滞 …李孔定
066 脏腑补泻小议 …杨炳初
067 利机枢，治虚损 …董胡兴
068 至虚不受重补 …苏瑞华
069 误补益疾 …李浚川
069 滥补责医说 …李正全
070 《伤寒论》误治小议 …苏学卿

071 暑当与汗“皆”出，勿止 …皮袭休
072 治脾不忘肾，治肾不忘脾 …程为玉
073 治慢性病首重脾胃 …孟景春
073 治慢性病宜守方 …孟景春
074 治慢性病不忘“胃喜为补” …孟景春
075 老年病可否主攻论 …张觉人
076 老年病误治琐谈 …张觉人
077 和法贵在配伍精当 …项 平
077 话说食疗 …刘炳凡
078 “忌口”利弊谈 …黄惠安
079 临证浅识数则 …柴乐易
080 酸补和酸泻 …杨扶国
081 谈水气病的发汗与利尿 …杨扶国
082 疗效不佳宜十审 …吕敬江
082 中风热实，通下为先 …詹文涛
083 中风治血四法 …柯新桥
084 潜、豁、通、扶治中风 …陈 熠
085 用钩菊汤治疗中风的体会 …李子萼
086 中风重证用导法 …程亦成
086 “复瘫汤”治中风之风中经络 …曾自豪
087 中风偏枯的调治 …郭振球
088 “中风”气血论 …张云鹏
089 亡阴亡阳治验谈 …王正雨
090 厥逆释义与临证 …张云鹏
091 阴厥、阳厥治法辨 …彭元成
092 厥证治验 …颜亦鲁
093 痰热结胸救治 …詹文涛
094 跌仆昏迷，毋忘化瘀 …杜勉之
095 治热证神昏一得 …单会府
095 “闭”“脱”辨疑 …陈功泽

096 泄热、开窍、镇惊三法并进止惊搐 …李鸿翔
097 “风引汤”治脑干挫伤 …段光周
097 按内痈论治败血证 …信宜莉
098 漫话痧证 …苏东黎
101 治暴病须心细胆大 …熊继柏
101 休克型肺炎的辨证与急救 …黄道生
102 西藏高原感冒治疗一得 …胡胜利
103 感冒治疗中的散与补 …徐文华
104 外感盗汗，切忌止涩 …倪克中
105 太阳病有“下虚证” …曹永康
106 感冒亦能致“脱” …梅叔肱
106 温病辨证分析举例 …李聪甫
107 春城话风温 …何文丽
108 “风温”病常宜卫气同治 …陈孝伯
109 早春风热须虑其余寒之气 …傅锦瑜
109 春温多“阳热拂郁” …曹永康
111 冬温误治传里 …王 檠
111 温病过服寒凉有致“脱”之危 …梅叔肱
111 治温良机在气分 …张云鹏
112 透法在温病治疗中的应用 …颜亦鲁 讲述
113 温病用柴胡、葛根的体会 …戴 玉
114 “烧热病”治宜内清外透 …丁雪安
114 盛暑也有伏阴证 …屈自申
115 暑温痉厥 …郭辉雄
116 乙型脑炎后遗症治验 …唐品高
117 乙型脑炎诊治规律之我见 …夏 翔
118 湿温用下一得 …陈幼清
119 湿温病治疗中禁润与可润 …张腊荣
120 忌把湿证当虚治 …夏度衡
121 湿阻口干辨治琐谈 …米雪岚

121 回归热治疗忆旧 …来春茂
122 漫谈钩体病与温病的关系 …李明富
123 咳嗽从肝治 …任 何
125 咳嗽难医答客问 …熊寥笙
126 咳嗽“三辨”与“三忌” …李兰舫
127 咳嗽痰少宜细辨 …刘冰清
127 干咳并非全属燥 …朱佑武
128 一味黄芩治热咳 …彭参伦
128 阴虚之咳，养阴需兼收敛 …李家振
129 治咳嗽切忌清润过早 …谢昌仁
129 “白痰属寒”辨 …刘永年
130 咳嗽与解表 …赵平瑗
131 知常达变治干咳 …孟 如
131 支气管哮喘证治之我见 …姜春华
132 椒目“劫喘” …陈孝伯
133 河车大造丸治哮喘 …李正全
134 气喘重证治疗纪实 …魏承宗
134 利水止喘说 …杨乔榕
134 虚喘别论 …沈来法
135 对慢性频发性哮喘的治疗体验 …李传芳
136 漫谈缺氧 …李浩然
137 肺气肿简易诊法 …朱锡麒
138 老年咳喘的冬病夏治 …郝 朴
139 治咳喘重在清宣化痰 …张文伯
140 我治哮喘的经验 …吴 涛
140 “虚痛”诊治一得 …江尔逊
142 谈治胃脘痛的体会 …张镜人
142 胃痛屡发不可俱谓虚证 …颜亦鲁
143 乌英合剂治胃痛 …程仲凯
144 审证求因治反胃 …刘松林

144 腹中急痛与“建中” …龙治平
145 脾胃病辨治有“三要” …刘盛斯
147 胃痛调治立法思想简说 …董胡兴
148 胃病调养十六字诀 …尤焕文
148 略谈胃病从肾治 …李浩然
150 漫话胃病的自身调护 …陈厚忠
151 温中补气健脾治胃下垂 …陈安福
151 慢性胃炎的辨证用药 …胡建华
152 慢性胃炎治疗心得举隅 …万文谟
153 急性吐泻 …江育仁
154 呃逆随笔 …郑敬贤
155 呃逆变治法 …李鸿翔
156 吴茱萸汤治呃逆心得 …陈建冲
157 化瘀治呃逆 …严 冰
157 术后呃逆，切莫等闲 …李家振
158 伤科手法治呃逆 …王 惠
159 祖传验方治呕吐 …贺方礼
159 慢性泄泻治疗用药点滴经验 …姜春华
160 参桂芍草汤治疗慢性腹泻 …柯梦笔
161 晨泄不独肾阳虚 …张树田
162 抑肝扶脾治晨泄 …郭辉雄
163 四逆散治五更泄 …刘可成
163 治疗五更泄，不能概温肾 …彭述宪
164 用六味地黄丸治愈夏季五更泄 …范镇海
164 长江之滨话“泄泻” …孙 浩
165 邹润安论痞利证提要 …成奉觞
166 唐容川用败毒散治痢疾的经验 …江克明
167 危重疫痢，一剂见功 …王渭川
167 万氏和中丸治慢性细菌性痢疾疗效好 …邓来送
168 扶正祛邪话“乙肝” …姜春华

169 急黄——重症肝炎辨治一得 …卓董峰
170 温阳泻肝治急黄 …陈 奇
170 小议重肝用药 …胡国栋
171 急性黄疸型肝炎临证一得 …王士荣
173 略谈阴虚肝病 …章真如
173 温阳益气治肝炎 …李义昌
174 慢性肝炎论治拾遗 …万文谟
175 浅谈治肝炎五法 …李忠有
177 我是怎样治疗肝炎的 …张义尚
178 肝胆病治宜枢转 …姚承济
178 疏、柔、化、通治肝病 …刘炳午
179 肝炎临证浅见 …刘经训
180 改变给药途径，疗效得到提高 …邬尧清
180 熏黄亦有热，临证须详辨 …彭述宪
181 黄疸多湿郁，芳化不可少 …彭述宪
181 藿胆丸击中了“苦瓶” …沈祖法
182 治臌一得 …沙一鸥
183 膨胀治疗偶得 …帅 焘
184 章公妙手，起我沉疴 …伍楚雄
185 运用扶脾疏肝活血法治疗“肝硬化” …聂勋海
186 肾病综合征证治琐谈 …张镜人
187 肾炎治验 …李聪甫
188 肾炎证治小议 …万文谟
189 漫话肾炎 …王行宽
190 活血化瘀治肾炎 …张秀辉
190 慢性肾炎治脾肾宜分主次先后 …杨平阶
191 临证方可识真诠 …夏度衡
192 水血议 …戴裕光
193 溯本求源治水气 …曹远礼
193 疏凿饮子治水肿 …曾自豪

194 调理中州气机消水肿 …郭 仕
195 肾精亏损水肿 …李正全
196 紫玉饮治疗慢性肾炎 …张 择
197 从肝论治特发性水肿 …傅宗翰
199 水肿治肝一得 …夏奕钧
199 三消辨治 …郭振球
200 流行性“口燥”饮水病 …诸葛连祥
201 消渴重在治肾 …谢存柱
202 治糖尿病贵在温肾化瘀 …徐宝圻
203 清上固下谈“尿崩” …蒋立基
204 卧则口渴 …秦正生
204 磁术汤治疗糖尿病 …曾自豪
205 治石淋经验谈 …刘兴志
206 排尿石勿忘辨证 …陈爵彬
207 治淋不囿于“忌补” …叶继长
208 石淋治疗一得 …谌宁生
208 升降相佐治石淋 …李鸿翔
209 苦参汤善治乳糜尿 …李济仁
210 治乳糜尿应健脾化瘀生新 …徐宝圻
210 膏淋顽症，治宜通补兼施 …李传芳
211 补中益气治淋证 …熊振敏
212 温养督脉治劳淋 …陈幼清
213 釜底抽薪救癃闭 …郑惠伯
214 当归芍药散启癃闭 …郭辉雄
215 救治气郁癃闭有感 …张六通
215 癃闭证治别论 …王治强
216 麻黄连翘赤小豆汤治尿闭 …李石青
217 妊娠癃闭治验 …张鹏程
217 温肾活血法治慢性前列腺炎尿潴留 …唐品高
218 阴缩证治一得 …陈治恒

219 “阴中求阳”治阳痿 …张 魁
219 阳痿并非皆阳虚 …许雪君
220 血精论治分虚实 …程为玉
220 内外合治不能射精 …帅 焘
221 也谈“阴缩” …段生锦
222 男子不育与滋阴清火 …李观荣
222 治血谈丛 …颜德馨
226 “丹芍茅花汤”治愈老妇鼻衄 …张赞臣
226 彻上引下治鼻衄 …王正雨
227 咯血治法二议 …王希知
228 咯血治疗心得 …刘常春
229 泻肝治疗肺痨咯血 …罗明察
229 咯血 …许雪君
230 化瘀为主治疗大咯血 …邵 华
231 泻心汤控制大咯血 …陈趾麟
232 上消化道出血的治疗 …傅宗翰
233 泻心汤治疗血证 …赵业勤
234 甘草干姜汤治吐血 …陈功泽
235 出血证治两例 …朱彦彬
236 便血三说 …殷孝吟
236 治便血一得 …王行宽
237 顽固性尿血，治宜着力化瘀止血 …李传芳
238 治血小板减少性紫癜有感 …陈义范
238 过敏性紫癜与表寒里热 …徐宝圻
239 肌衄 …葛万祺
240 重用水牛角治肌衄 …郭辉雄
241 丹栀逍遥散治肌衄 …詹文国
241 妙用“逐瘀”治“怪病” …严 冰
242 益气以引血 …吴华强
243 蚊母草治紫斑 …李 良

244 “散血”小议 …刘永年
245 “再障”辨治点滴 …帅 焘
246 贫血与血虚 …程亦成
246 “风心”咯血宜行血不宜止血 …谢昌仁
247 当归生姜羊肉汤升白细胞 …来春茂
247 略论“过早搏动”的中医治疗 …夏 翔
248 心肌炎治疗管见 …曹永康
249 白喉毒陷心包的证治 …张恒泉
250 生脉散治疗心病的临床体会 …朱建孝
251 大剂麻辛附子汤治疗高度房室传导阻滞 …顾选文
252 消导法治疗心悸 …沈祖法
252 肺痨治验谈 …陆孝夫
253 肺痨咳嗽不可概用养阴润肺药 …罗明察
254 房劳伤寒蓄血 …朱秀峰
255 助阳化瘀治愈皮肤黑变病 …陈万举
255 阳虚发热 …罗 铨
256 附子理中汤退高热 …王士荣
257 真寒假热治验 …邓荫南
257 色素沉着论治有感 …巢伯舫
258 谈谈冠心病治疗的关键 …詹文涛
259 阳虚心痛的治疗体会 …李明富
260 真心痛并厥逆救治 …郑 新
261 “活血化瘀”并非治疗冠心病的唯一有效方法 …卓董峰
262 胸痹不独皆“冠心” …傅兆渊
262 硅沉着病胸痛治验 …杨 恕
263 治疗心绞痛要重视诱因 …陈绍园
264 徐迪华老中医诊治病毒性脑炎头痛点滴 …虞福祖
265 血府逐瘀汤治愈幼女顽固性头痛 …朱锡祺
266 血府逐瘀汤治愈顽固性头痛 …喻干龙
266 风湿挟瘀头痛治验 …诸葛连祥

267 太阴头痛 …王足明
268 “巅疾头痛”琐谈 …杨清龙
269 眩晕小识 …江尔逊
270 食积眩晕 …金如寿
270 “眩晕汤”治眩晕 …易希元
271 治疗梅尼埃综合征 …段集生
272 吐法治眩晕 …张文伯
272 眩晕治验四则 …肖 泗
273 漫话老年高血压病 …钟益生
274 升阳不等于升压 …刘冰清
275 补气降压小议 …李义昌
275 血压高未必忌麻黄 …黄淑芬
276 “建瓴”熄肝风 …郭 仕
277 引火归原降血压 …朱文锋
278 眩晕与瘀血 …王占彬
279 吴茱萸桂枝冬瓜皮汤治眩晕 …杨 恕
279 阳虚不寐 …孟 如
280 治癔病性失语一例有感 …余淦杰
281 夜游症治验 …谢 颖
281 夜游症 …王文正
282 “脑鸣”管窥 …彭开莹
282 治梅核气不能悉用半夏厚朴汤 …朱宗云
283 乌梅丸解失眠之苦 …胡翘武
284 加味半夏汤治不寐 …曾绍裘
285 胃不和则卧不安 …陶克文
285 心肾不交，须辨阴阳 …王希知
286 噩梦证治一得 …陈熔时
286 健忘症治疗一得 …吴昌续
287 异常嗜睡 …夏问心
288 情志病诊余随记 …曾师孔

289 “呵欠”琐谈 …刘永年
289 癫痫的辨证用药特点 …胡建华
290 调肝养血治癫狂 …蒋立基
291 癫狂从痰论治 …陈元新
292 “尸蹶”有救，“癫痫”可医 …李长茂
293 癫狂辨治小议 …马柏椿
293 平肝泻火治躁狂 …朱文锋
294 大剂清下治狂躁 …郭 仕
295 癫狂证与“脑醒定” …任 何
296 痫证治验一则 …聂勋海
296 菖蒲郁金汤治疗癫狂 …瞿绍泳
297 痫证何须尽重镇，因时调节方为本 …程 竑
298 蛔扰心神致癫疾 …刘常春
298 痿躄 …刘炳凡
299 业师冉雪峰论痿证及治验 …龚去非
300 痿证分虚实，清利见奇功 …伍杰夫
301 温通营卫除痿痹 …郭 仕
301 养血通络愈睑废 …肖国士
302 从《素问·痹论篇》得到治疗结缔组织病的启示 …丁济南
304 大剂乌头、附子为主治疗硬皮病 …詹文涛
305 治痹一得 …朱锡祺
306 湿热痹治验 …郑 新
307 治类风湿性关节炎用养阴法获效 …陈仁庆
307 龙胆草治膝关节积液 …蒋立基
308 寒湿腰痛论治一得 …张新基
309 历节病与肝肾 …孟 如
309 蛔厥治宜安驱并进 …李明富
310 “川楝焦楂汤”治疗蛔厥 …谢存柱
311 蛔病膝痛 …程亦成
312 蛔厥宜下 …沈达荣

312 “百部醋”灌肠治疗蛲虫病 …李长茂
313 雷丸粉治绦虫病 …吴震西
314 玉锁丹治丝虫病 …吴秀惠
315 家传“扫虫煎”治虫痞 …徐耿昭
315 脐虫治验 …张琼林
315 头汗腹胀兼作，痰瘀分消并举 …朱曾柏
316 腋汗如雨 …黄惠安
317 盗汗不尽属阴虚 …陈爵彬
318 阴汗当从肾治 …陈爵彬
318 绿汗 …杨振明
319 “脱影” …吴昌续
319 “脱影”论治 …周荫祥
320 疑难杂病从痰论治 …蔡丽乔
320 痰证拾零 …钟新渊
321 高脂血症治一得 …曹永康
322 从肺郁论治皮质醇增多症 …丁济南
323 临证琐谈 …夏睿明
324 阳虚便秘，治当温阳益气 …柯新桥
324 自我按摩治疗习惯性便秘 …朱锡祺
325 厥阴与阳明并病 …边正方
325 以意揣之，以理推之 …王官惠
326 食生灾，保和消 …扶兆民
327 奔豚气 …熊继柏
328 肺痈治疗活法 …袁求真
328 肠痈成脓亦可下 …熊继柏
329 棉油中毒的中医治疗 …戴会禧
330 蜂蛹中毒证治 …周 萍
330 治老年病亦当注意实证 …陈 熠
331 狐惑病治验 …诸葛连祥
332 狐惑病治验 …黄养民

333 甘寒凉血治狐惑 …朱宗云
334 高原病，多肺虚 …陈建冲
335 脐吹 …张琼林
335 黑尿 …刘炳午
336 无脉症 …刘炳凡
336 中药巧治顽噎 …汝丽娟
337 谈久病无脉 …徐有玲
337 郑声并非都属虚 …张广麒
338 清热泻肺治脱肛 …彭开莹
338 补肺止咳治尿失禁 …李鸿翔
339 杂证六则 …熊传鑫
341 临证用方举隅 …李石城
342 杂证治验二则 …刘炳钧
343 治癌琐谈 …吴贤益
344 治癌一得 …傅少岩
344 加减见眖丸治疗良性瘤 …魏承宗
345 用益气养阴方治疗肺积 …王羲明
346 用温化扶正法治疗肺部癌瘤 …罗本清
347 精神疗法与药物疗法并举救治肺癌 …郁文俊
348 霍奇金病治验偶得 …杨永澄
348 复方八角金盘汤治疗食管癌 …马吉福
349 疏肝解郁治噎膈 …王士荣
349 中医治疗多囊肾 …吴正本
350 重用疏肝行气活血化瘀剂治疗盆腔肿块 …高尔鑫
351 治肠痈误中一得 …程亦成
351 中药消“甲瘤” …李隆中
352 中医辨治大网膜综合征 …沈达荣
352 调肝与经前期紧张综合征 …毛美蓉
353 疏经散治疗经前期紧张综合征 …徐志华
354 经前乳胀治宜通阳 …杨善栋

355 经期头痛应分经用药 …杨升三
355 痛经辨证论治述异 …蔡小荪
357 痛经笔谈 …黄绳武
358 遵古训，治痛经 …李松龄
359 痛经之治，以通为主 …吴培生
359 栀子治痛经 …赵荣胜
360 类比推理治痛经 …沈祖法
360 谈湿热闭经 …李春华
361 山药治疗闭经 …刘时尹
362 血虚血瘀闭经辨异 …黄云亮
362 肝郁经闭治验 …杨善栋
363 暗经 …黄惠安
363 经期目衄（眼底出血） …王文珠
364 经期呃逆治验随笔 …夏桂成
364 经后头痛伴四逆证 …刘经训
365 活血化瘀法治疗绝经前后诸症 …赵棣华
366 妇科临证议"温经" …龙治平
367 治带五法 …毛美蓉
368 苓药芡苡汤治带下 …徐志华
369 淋带重症从苔脉论治 …夏桂成
369 治带下小议 …陈松筠
370 治带小识 …张忠鹏
370 浅谈崩漏 …王渭川
371 凉血化瘀治崩漏 …徐志华
372 "益肾调冲汤"治少女血崩 …赵荣胜
372 理中汤治崩漏 …查龙华
373 地榆苦酒疗崩漏 …王珍珠
373 漏血宜温 …夏问心
374 室女崩漏 …瞿绍泳
375 崩漏调治法刍议 …赵涵珠

375 治血崩奇方 …陈义范
376 用黑地黄丸治愈崩漏 …陈趾麟
377 用升提法治崩漏 …王正雨
377 用当归芍药散治疗妊娠病的体会 …徐志华
378 话说活血安胎 …乐秀珍
379 保胎首重固肾 …徐国经
380 “所以载丸”加减治滑胎 …李鸣真
381 “十三太保”治滑胎 …徐志华
382 南瓜蒂治习惯性流产 …吴子腾
383 滑脉辨妊娠 …宦世安
383 妊娠呕吐久则气阴两虚 …盛文彦
384 治晚期妊娠中毒症应注重健脾利水 …唐品高
384 妊娠高热服白虎承气汤，母子无恙 …肖俊逸
385 妊娠饵补致害 …李浚川
386 “胎教”有理 …黄云亮
387 逐月脏腑经络司胎说 …陈文忠
387 谈治疗孕妇损伤 …詹镇川
388 “产后宜温”不可全信 …徐有玲
388 产后勿以诸虚治 …黎烈荣
389 产后发热治用桂枝生化汤 …王治强
390 治产后发热管见 …刘云鹏
392 治产后高热一得 …许耀恒
392 产后中风（产褥热）辨治小议 …汪岳尊
393 活血祛瘀法治疗“人流”术后出血 …冯振兴
393 黄龙汤治疗产后癃闭 …张忠鹏
394 产后腹痛脉浮辨治 …夏问心
395 剖腹产后发热从瘀论治 …余莉芳
396 月痨病之治法 …李熊飞
396 “欲孕三难”说 …丰明德
398 消积扶正种双子 …张六通

398 毓麟珠治疗肾虚不孕 …杨文兰
399 谈谈不孕的治疗 …宛树修
400 肝郁不孕 …杨俊亭
401 五苓散加味治疗输卵管积液 …罗明察
401 气滞血瘀型不孕症（输卵管阻塞）证治 …庞泮池
402 情志与妇女养生防病 …黎烈荣
404 漫谈妇人桂枝汤证 …徐升阳
404 乳衄治验谈 …毛美蓉
405 治乳汁自出偶得 …蒋立基
406 加味香苏汤治乳痈 …周健纯
406 用四物合四苓汤治疗阴吹 …谢存柱
407 自拟穿山甲散治疗卵巢肿瘤 …敖保世
408 百合甘麦大枣汤治脏躁 …徐经凤
409 用中药熏洗治疗“外阴白斑” …黄莉萍
409 江陵妇女多气病，疏中寓补见奇功 …常庆武
410 女科变治琐话 …姚寓晨
412 治脏躁一得 …钟兰桂
413 谈小儿治疗用药 …熊梦周
414 阴阳证，二太擒 …曾绍裘
415 小儿用药一说 …黄少华
416 寓药于食，药食结合 …王益谦
416 其下者引而竭之 …李乃庚
417 过爱小儿，反害小儿 …汪受传
418 小儿疹、泻、咳三症相关 …李乃庚
419 桂枝加龙骨牡蛎汤运用于儿科 …江育仁
420 咳嗽皆以痰作祟 …肖正安
420 小议百日咳 …夏睿明
421 百晬咳证治 …廖伯筠
422 肺痈新方 …陈义范
422 小儿肺炎开闭为要 …王登科

423 保赤散的应用 …董廷瑶
424 桑菊饮合生脉散治疗小儿肺炎 …谢存柱
424 肺炎久不愈治宜益肺 …陈陶后
425 治疗小儿哮喘一得 …刘安澜
426 治喘首选麻黄 …朱大年
427 小儿寒哮论干姜 …孙　浩
427 乳蛾治验 …廖濬泉
428 古法新用治麻疹 …杨西邻
429 疹毒内陷 …张树田
430 议麻毒内闭 …饶宏孝
430 麻疹目衄 …熊继柏
431 滞颐 …王静安
432 议“前方获效，乃步原章” …王益谦
432 辨治小儿腹泻 …李聪甫
434 辨饥饿泄 …陈陶后
434 对重症婴儿腹泻之治疗 …沈六吉
435 毒泻要方治疗婴幼儿重症泄泻 …曾自豪
436 浅谈婴儿慢性腹泻 …郭锦章
436 愚人千虑，必有一得 …李乃庚
438 小儿虚秘治验 …陈治恒
439 对新生儿便秘要辨饥 …陈陶后
439 畏食证治琐谈 …汪受传
440 治畏食当顾本祛实 …蒋运祥
441 疳从肺治——论割脂 …翟兴明
442 通腑宣肺治疗先天性巨结肠症 …王足明
442 小儿摆头运动症 …饶宏孝
443 损其心者，调其营卫 …董廷瑶
444 治“奔豚”有感 …陈陶后
445 小儿紫癜证治浅谈 …廖濬泉
446 肌衄 …王静安

447 治小儿暑日鼻衄之得失 …陈国华
448 治小儿汗证一得 …胡大中
449 治汗证宜养心 …张邦福
450 解颅 …王静安
451 略谈“解颅”治法 …肖梓荣
451 小儿急症马脾风 …廖濬泉
452 补中益气汤加三核治疗小儿水疝 …谢存柱
453 虫痛抽搐 …肖正安
454 感“医不自医” …汪岳尊
454 清热泻火治遗尿 …赵逸云
455 漫谈小儿遗尿从三焦论治 …汪新象
456 巧辨寒痢 …高省身
456 诊余话胎黄 …郭锦章
457 “因时制宜”治发热 …杜本生
458 运用五轮辨证应掌握六条原则 …夏运民
458 目疾与头痛 …王明芳
459 眼科血证 …王明芳
460 浅谈眼科泻火法 …肖国士
461 鱼腥草巧治目疾 …吴茂慧
461 风热客目证治 …王林珍
462 苦瓜霜治眼部烧伤 …文日新
462 羌防退翳 …李传课
463 大发散治寒翳有卓效 …肖国士
464 泪溢析 …李传课
465 聚星障治验点滴 …喻千龙
465 内外合治眼睑基底细胞癌 …肖梓荣
466 治近视，求良方 …卯时江
467 逍遥散治夜盲 …秦裕辉
468 羚羊角配人参，磨眼治青盲 …黄佑发
468 温肝驱风治偏视 …秦裕辉

469 目昏非皆为虚，明目宜重开通 …王明杰
470 浅谈瞳神缩小治法 …李熊飞
471 祛痰湿，治视惑 …魏湘铭
471 单味黄连治视惑 …黄佑发
472 六君子汤加味治失明 …王正林
472 老年眼底病应从肾论治 …刘益群
473 睑垂眼胀从痰治 …王漱予
474 漫话“耳、鼻、喉” …干祖望
474 阳和汤用于复杂型脓耳一得 …谭敬书
475 鼻渊 …张赞臣
476 治萎缩性鼻炎一得 …段光周
477 益气固表祛风法治疗过敏性鼻炎 …夏 翔
478 实热重症宜注意煎服药法 …谭敬书
478 咽头白腐未必尽是阴寒 …吴仲磬
479 治失音非独治肺 …朱宗云
480 治喉喑不可概投寒凉 …王 军
480 声嘶失误 1 例 …来春茂
481 失音从脾论治 …沈来法
481 瘀血哽咽有验方 …储昌炳
482 治声带息肉 …张 魁
482 气陷失音 …李子萼
483 嘶哑失音治验 …诸葛连祥
484 嗌痹（慢性咽喉炎） …罗 铨
485 谈少阴伤寒喉痹 …李传芳
485 阳和汤可治喉喑 …胡安黎
486 “虚火喉痹”不可以阴虚概之 …李凡成
487 喉疳的诊治 …张赞臣
489 乳蛾 …张恒泉
490 长江下游与运河交叉点的喉科 …耿鉴庭
491 婴儿鹅口疮 …张恒泉

492 我对小儿口疮证治的体会 …田儒钦
493 白虎汤治愈口疮 …吴昌续
493 口疮琐谈 …师希尧
494 口内异味证治 …饶宏孝
495 舌肿如杵 …陈功泽
496 唇肿证治一得 …聂勋海
496 黑毛舌辨治 …秦正生
497 舌赤治验 …朱钧恺
498 木舌 …田儒钦
498 重舌 …田儒钦
499 痰包 …田儒钦
499 清上实下治牙痛 …张必烈
499 会厌 …熊大经
500 消托法刍议 …陈兴之
501 疡医琐谈 …钟以泽
501 仿“补盆修鞋”法 …王益周
502 漫谈疔疮走黄 …唐汉钧
503 疔疮走黄 …邓荫南
503 祖传验方——顾氏疔疮虫 …顾乃强
504 漫话疔疮忌口 …夏 涵
504 脱疽的辨证止痛 …朱海龙
505 脱疽治疗的经验介绍 …王寿康
506 血栓性静脉炎浅说 …陈慕莲
507 疽毒无神气，补养方为益 …欧阳恒
507 慢性复发性丹毒治验一得 …李 彪
508 论治外吹乳痈重通法 …顾伯华
509 排乳法治疗初期外吹乳痈 …谢德固
509 读肠痈篇随笔 …俞大祥
510 去宛陈莝话肠痈 …王子信
511 搭手治疗经验谈 …谢秋声

512 流注浅谈 …唐汉钧
513 漫话缩脚流注 …方致和
513 环形脱出内痔治疗点滴 …查龙华
514 痔瘘圣手，医德感人 …王维烈
515 拔核之术治瘰疬 …肖梓荣
515 因时制宜瘥肠结 …李 彪
516 屡治膝痹话四神 …俞大祥
517 治烧伤宜清凉 …黄德彰
518 砒枣散治疗皮肤癌 …周一先
518 瑶医治蛇伤，疗效分外高 …周 萍
519 吴海清外治法举隅 …吴鉴明
520 改良剂型话六合 …谢德固
520 下病上取，通调三焦——治水疝之一法 …王天位
521 生脉散术后应用一瞥 …刘盛斯
522 治疗骨折十要十不要 …易珍瑜
522 夹挤上颌系带治疗腰骶关节痛 …詹经山
523 皮鞋固定也能治疗足趾骨折 …熊昌源
523 望眼诊伤 …张录初
524 古方巧用，妙治颌脱 …蒋兴磊
524 补脾治创伤久溃不敛 …孙之镐
525 四肢骨折内治 …施维智
526 少女外伤切勿攻伐太过 …孙之镐
527 桂枝汤亦可用于骨伤科 …肖朝曦
528 脑震荡后遗症用“逍遥” …孙之镐
529 十痒十法 …徐宜厚
530 百花轻宣疗皮病 …徐宜厚
531 治瘾疹小议 …蒋海源
532 皮药治风癣举隅 …欧阳恒
532 补中益气治瘙痒 …雷声远
533 墨旱莲治稻田皮炎好 …张受喜

533 细皮风疹 …徐宜厚
534 疮疹从痰论治一得 …朱曾柏
534 胎敛疮琐谈 …徐宜厚
535 四仁汤治扁平疣 …龚景林
536 谈秃发辨治 …陈治恒
536 经方治皮肤淀粉样变有效 …王槐卿
537 翻花疮治验 …谢秋声
538 脱发证治六法 …龚景林
539 用桃红四物汤治疗脱发 …许雪君
540 辨证取穴八法 …杨兆民
541 针灸取穴贵精忌滥 …喻喜春
541 如何选有病之穴 …黄其波
542 “石门”穴可针灸 …蒲忠录
543 经外奇穴之我见 …戴念方
544 “三脘穴”与三焦 …唐 星
544 百会穴临证一瞥 …翟兴明
545 “全息律”与针灸 …唐 星
546 “共应论”的临床运用 …唐 星
547 冲任敏感人 …杨升三
547 诊余话艾灸 …罗济民
548 针刺熏灸治疗缠腰火丹 …周德宜
549 针刺厥证用三穴 …周德宜
549 艾条灸治疗褥疮 …宋毅勤
550 失语治验 …周德宜
551 “发泡灸”治疗痛经、不孕 …李 锄
552 谈谈热补凉泻手法 …江一平
552 行气非专乎手法 …王毅刚
553 谈针刺痛感 …江一平
554 用针之要，勿忘其神 …王毅刚
555 粗针补泻一得 …李明智

555 迟延性晕针 …江一平
556 顽症治验 …余仲权
558 按经分型针刺治疗坐骨神经痛 …罗永芬
559 治胸胁迸气伤重在疏通气机 …罗永芬
559 针刺为主治疗急性腰扭伤 …罗永芬
560 偏枯宜燮理阴阳 …王毅刚
561 对中风后腿膝无力，不忘“治痿独取阳明” …马瑞寅
562 针灸“天突”治哮 …彭荣琛
563 针刺治疗肠癌呃逆 …马以鼎
563 针刺消腹水 …夏治平
564 针刺治绦虫病腹痛 …肖木生
564 谈遗尿、尿潴留的针灸治疗 …马瑞寅
565 针刺关元、三阴交治遗尿 …高玄根
565 刺络治疗红斑性肢痛症 …喻喜春
566 刺络治疗登山后头痛 …喻喜春
567 针肾俞穴治霍乱 …秦正生
567 “同步”刺内关抢救脱证治验 …杜晓山
568 针灸治验趣谈十则 …傅少岩
571 针灸催产 …杨柏如
572 金津、玉液至贵谈 …周福荣
573 指按“天宗”的妙用 …曹仁发
574 指按“缺盆”治胸胁内伤作痛 …王 惠
574 双手循经掣痛治验 …肖木生
575 胸胁迸伤探源 …罗志瑜
576 推拿临证随笔 …李 良
577 “一指禅”推拿治疗不寐 …王纪松
577 针灸医话数则 …张沛霖
579 谈用药之轻重 …李孔定
580 谈中医的多剂型多途径给药 …徐有玲
580 临证违时用药小议 …高 德

581 君臣佐使琐谈 …禹新初
582 组方遣药弊端种种 …周少逸
583 倡导精方简药 …张琼林
584 用方服药琐谈 …李济仁
584 方药重叠随笔 …陈松筠
585 研究复方重要 …贝叔英
586 药物剂量应有规范 …李浚川
586 用药轻重小议 …屠揆先
587 汉药之秘在药量 …黄绳武
588 古方今用杂谈 …王足明
589 从银翘散袋泡剂谈保持传统剂型的意义 …汪新象
590 谈谈泡药的应用 …王秋琴
591 读“勿药有喜”后 …王明辉
591 处方务求正规 …许子建
592 中药名的避讳 …许子建
593 服药方法琐议 …张笑平
594 “成方医”误人说 …黄少华
595 经方时方不可偏废 …沙一鸥
595 治病用药，贵达病所 …俞大祥
596 病机是决定处方守变的关键 …张笑平
597 麻黄的妙用 …郑惠伯
598 大汗用大剂麻黄取效之验谈 …龚子夫
599 细辛治鼻衄之应用 …朱宗云
601 “火炉”话藿香 …黄少华
601 核桃肉能散风寒表邪 …陈文忠
602 谈葛根汤的临床应用 …陈治恒
603 栀子豉汤合藿香正气散用验 …王文雄
604 麻黄消水肿是利尿而非发汗 …屠揆先
604 辛温亦可治“炎症” …冯有麒
605 辛温散郁热 …王明杰

606 大黄救人屡建奇功 …郑家本
607 巧用大黄治久痢 …王辉武
608 大黄止衄有殊功 …李传芳
608 大黄治全身浮肿 …杨柏如
609 大黄小议 …张新基
610 巴豆制剂用于急症 …李石青
610 芦荟疗胁痛 …程华容 张人英
611 药贵采经拾贝 …俞大祥
611 生绿豆能治疗毒疮疖 …汪 济
612 小议柴胡退热的剂量与服法 …彭培初
612 吴棹仙老师论升麻鳖甲汤之用法 …李克光
613 用升麻拾偶 …彭开莹
614 清热止衄话羚羊角 …杨乔榕
615 玉女煎“如神”之妙 …李鸣真
616 黄连阿胶汤证治刍见 …范春如 姜达岐
617 “血热宜凉”之我见 …马剑云
617 略谈泻肾之方药 …潘文奎
618 知母镇静作用琐谈 …胡建华
619 从我与酸枣仁的缘分谈起 …马有度
620 酸枣仁配延胡索的启示 …马有度
620 钱乙方临床运用的体会 …廖濬泉
622 肉桂与桂枝的效用 …王正公
622 应灵活对待桂枝加桂汤之加桂 …汪 济
623 白通加猪胆汁汤治验 …廖濬泉
624 祝附子名不虚传 …江克明
624 附子煎药方法谈 …王慕尼
625 温阳止血用附子 …王金城
626 灵芝的功效 …何时希
627 灵芝的服法 …何时希
627 漫谈黄精 …曾立昆

628 龟睾的药效 …钟新渊
628 补中益气汤能升亦能降 …余亚东
629 黑故脂与千张纸 …许子建
630 阳中求阴话“左归” …黄绳武
631 炙甘草汤新话 …江淑安
632 当归生姜羊肉汤能减轻高山反应 …赵执棣
632 泰山盘石散具有多种治疗功效 …钱裔勤
633 女金丹述要 …汪绍懿
634 益气养阴法在内科临床的应用 …信宜莉
635 黄芪小议 …李浩然
636 一味莱菔子，功胜三剂药 …王益谦
637 谈谈海藻、甘草同用 …周静芳 刘复兴
638 消风和胃汤 …胡天雄
638 侥幸之得 …徐家彝
639 五苓散减肥降脂有殊功 …来春茂
639 蟋蟀、蚯蚓治尿闭 …陈文正
640 用药经验拾零 …李兰舫
641 医话三则 …陈 华
642 药话五则 …王希知
643 《伤寒论》方用半夏 …何国璧
643 十枣汤治疗悬饮的煎服法 …江淑安
644 生天南星的药效比制天南星好 …胡建华
645 薏苡仁清痰 …钟新渊
645 金沸草散琐言 …江尔逊
646 小青龙汤新识 …赵致镛
647 漫话云南虎潜丸 …汪绍懿
648 重用晚蚕沙治湿温 …吴子腾
649 蜈蚣临证得失谈 …刘复兴 周静芳
650 雷公藤传奇 …李志铭
651 郁金丁香配伍隅见 …宋知行

652 四逆散之妙用琐谈 …郑艺文
653 妙哉！柴胡疏肝散之配伍 …王希知
653 体阴用阳说“逍遥” …黄绳武
654 白芍临床应用一得 …夏 翔
655 湿病活血能增效 …王辉武
656 地榆治血崩 …陈之初
657 清热止血之佳品——莲子心 …屠揆先
657 芦荟的新用途 …孙 浩
658 卷柏止血，洵有殊效 …李 彪
658 止血妙药——童便 …龚子夫
659 白鹅血治癌别具新法 …来春茂
660 四物汤浅识 …杨升三
661 理中汤趣谈 …蒋立基
661 闲话“益母胜金丹” …刘炳午
662 紫草小用 …文日新
662 凤尾草治疗雷公藤中毒 …朱佑武

中医发展与科学假说

詹文涛

假说是自然科学研究中广泛运用的一种科学方法。它是根据已知的科学原理和科学事实，对未知的自然现象及其规律作出的一种假定性说明。科学假说具有两个显著的特点：一是有一定的科学事实为根据，建立在一定的实验材料和经验事实的基础上，并经过一定的科学论证；二是有一定的推测性质，它的基本思想和主导部分是根据已知的科学知识和科学事实推想出来的。它是否把握了客观真理，还有待于实践的证实，因此，假说本身就是科学性与假定性的辩证统一。纵观历史上中医学家的创新立说，都有意无意地运用假说这种科学方法为其先导，促进了中医学术的发展。《内经》根据“天覆地载，人居其中”的事实，提出了“人与天地相应，与日月相参”的科学假说，从而确立了整体恒动观，为中医学术的发生、发展奠定了坚实的理论基础。张仲景在《素问·热论篇》：“今夫热病者，皆伤寒之类也”“人之伤于寒也，则为病热”和《难经》：“伤寒有五，有中风，有伤寒，有湿温，有热病，有温病”的启示下，建立了以寒立论，以寒统热的科学假说，来研究外感病的发生、发展及其诊断、治疗规律，从而创立了以六经为辨证纲领的诊疗体系。温病学家在《伤寒论》六经辨证的基础上，提出了“温邪上受，首先犯肺，逆传心包。辨营卫气血虽与伤寒同，若论治法，则与伤寒大异”的观点，建立了“以热立论”的假说，从而开创了卫气营血，三焦的温热病辨证论治体系，大大促进了中医学术的发展，使外感疾病的辨证论治体系日臻完善。

中医学是一门既古老而又年轻的科学，它集中了中华民族几千年来与疾病作斗争的经验之大成，又与历代各门科学成就熔冶一炉，形成系统完整的中医学理论及治疗体系，其理论之博大精深，其经验之丰富，在世界科技史上都是独一无二的。但在当今“知识爆炸”，现代科技革命迅猛发展的形势下，中医学如何顺应历史的演变和科技的进步，既能坚持自身的发展轨道，扬已之长；又把现代最新科学成就拿来为我所用，促使自己与现代科学同步发展，实是中医学术进步的一个重大课题。巴甫洛夫说过：“初期研究的障碍，乃在于缺乏研究法。无怪人们常说，科学是随着研究法所获得的成就而前进的。研究法每前进一步，我们就更提高一步，随之在我们面前也就展现出充满种种新鲜事物的更辽阔的前景。因此，我们的头等重要任务乃是制定研究法。”总结历史，展望未来，在21世纪的今天，要使中医学得到全面的继承和发扬，再次冲出亚洲，走向世界，成为人类医学的重要组成部分，方法论的研究实属头等重要的课题。而建立科学假说，通过实践验证，创立科学理论的方法，则是中医发展常用的科学方法，至今仍有其重要的现实意义。

博览与精专 | 马有度 |

古往今来，凡是根底深、成就大的学问家，无不在知识的海洋中尽力吸吮营养，终于达到运用自如、巧夺天工的境界，唐代大诗人杜甫说得好："读书破万卷，下笔如有神。"

造诣深、贡献大的医学家，也无不如此。张仲景"勤求古训，博采众方"而成"医圣"；孙思邈博览群书、广收方药而为"药王"；巢元方如无渊博学识，岂能写出宏大精深的病因病理巨著；李时珍倘不"渔猎群书，搜罗百氏"，要想写出"中国古代的百科全书"，简直不可想象；赵学敏撰写《本草纲目拾遗》，参阅医药文献六百余种，写下的读书笔记，竟达"累累几千卷之多!"

的确，要想登上学术的顶峰，必须积累广博的知识，就像建筑金字塔一样，只有底宽顶尖，才能巍然屹立。

然而，你是否知道，不少大学问家在博览的同时，往往着重抓住一二部精粹佳作，熟读精思，反复研讨，因而终生受用不尽。韩愈得助于《史记》，柳宗元得益于《离骚》，王安石对一部《毛诗》更是"朝夕不离手"，获益尤多。医学家又何尝不是这样？姜春华的医学思想最受《医学源流论》的启发，任应秋研究《黄帝内经》的方法，最受《輶轩语》的影响，熊寥笙研究《伤寒论》以《伤寒来苏集》奠基，深受其惠。李聪甫在博览之中发现《医宗必读》《士材三书》和《医门法律》的议论精辟，见解独到，极有实用价值，于是深入精专，写下了几十万字的读书笔记，从此以这三部书作为业医的蓝本，并进而专攻脾胃学说，成为一代名医。金寿山初学医时因家境贫困，只买了三部医书：《伤寒论今释》《伤寒贯珠集》《金匮要略心典》，反复精读，读得破烂不堪，从此打下雄厚基础，终生受益。

可惜，人们比较注意学问家、医学家"读书破万卷"的"博"，却不大留意他们"重点攻一册"的"专"。而这往往正是他们获得成功的诀窍。

中医药书籍之多，浩如烟海，现存10万册以上。因此，首先选择几部精粹的古今佳作，重点研读，务求纯熟精通，进而广泛浏览，最后达到博览与精专的辩证统一。正如宋人黄山谷所说："泛滥百书，不如精于一也。有余力然后及

诸书，则涉猎诸篇亦得其精。”

诊余话借鉴 |江尔逊|

我曾在病房与西医一道工作二十余年，深知“他山之石，可以攻玉”。中医虚心地学一些现代医学知识，懂得西医的检查、诊断，对了解病情、观察疗效、判断转归等具有十分重要的意义。然而，事物总是一分为二的。若为西医的检查和诊断所束缚，而放弃中医的辨证论治，则必将寸步难行。所以我认为西医知识可供参考、借鉴，甚至为我所用，但辨证论治的原则无论何时何地都不能丢掉。近几年来，我曾按“蛔厥”辨证，以乌梅丸加减治愈多例西医诊断的“麻疹后脑病”；用苓桂术甘汤加减治愈迁延数月，迭经中西药治疗罔效的“间质性肺炎”属痰饮咳嗽者；用侯氏黑散、古今录验续命汤治愈“急性脊髓炎”及“多发性神经炎”；用黄连阿胶汤合芍药甘草汤，抢救治愈“蛛网膜下腔出血并败血症”；用独参汤加止血散抢救治愈 1 例“急性坏死性小肠炎”患儿术后便下鲜血不止的危证；用补中益气汤合当归芍药散治愈“妊娠急性阑尾炎”；用阳旦汤治“血小板减少性出血并荨麻疹”；用二金汤加减治黄疸、臌胀明显的“重症肝炎”“肝硬化”等等。对诸如此类的疑难重症，余都是在参考西医的检查、诊断之后，保持和发扬中医特色，运用辨证论治而取得满意疗效的。

（徐云虹　整理）

学习中医话难易 |宋少僧|

在一般人的脑海里总有一个印象：医难学。究竟难在何处？可以把它概括成4个方面：①中医属于古典文化遗产之一，不具备一定的古文基础，是很难理解古典医籍的；②学习中医，必须背诵一些有关歌诀，否则很难指导临床，运用自如；③初学者在疑难重病错综复杂的症状面前，往往判断不出癥结所在，甚至被难得手足无措、额上出汗；④虽然辨证清楚，往往在选方遣药上不够恰当，达不到治愈疾病的目的。这些难处，乃为初学者的共同感觉。怎样克服这些难处使之转化为易呢？除时间的过程外，最重要的还在于“功夫”二字。

谈到功夫，首先思想上必须树立为中医事业奋斗终身的信念，功夫才能下到实处，收益也就大。下面略举几条，供同道们参考。其一，古代医家大多自学成名，如今陈老年中医，大多中医工作者毕业于中医院校，在工作中仍要坚持自学。“大匠诲人，只能与人法，不能语人以巧”“只有状元徒弟，没有状元师傅”等诸如此类的谚语，都说明自修自学，何等重要。业中医者，欲达左右逢源，触类旁通，必须深钻自学，方能有效。其二，熟读古人书，方悟天下事。选读经典著作，参阅各家学说，又为学者当务之急。必要的章节条文，又应熟记于胸，我们强调，常用的方剂，其歌诀更要背熟。有人说：“背熟汤头歌，中医学会一半多”，虽然不尽如此，倒也说明背熟汤头歌诀的重要性。所谓“书到用时方恨少”，愿我同道，多读古人书，遇证方可做到胸中有数，找到病证的癥结所在。其三，要在临床工作中，不断总结有效的经验和无效的教训。没有总结，就没有提高。医者常说：“熟读王叔和，不如临证多”。这里包含着理论和实践两个方面，理论，实践，循环印证，才能不断提高，也只有这样，才能由不知到知，由知之不多到知之甚多，以致娴熟而精。其次，加强古文修养，有助于理解古典医籍。学习中医，由难转易的途径远不止此。科学路上无捷径，任何胸怀大志的学者，都是不畏艰难，克服困难，立志读书，总结提高，由熟能生巧而攀登到科学顶峰的。难和易、熟与巧，它们中间的桥梁，乃由“功夫”架成。“只要功夫深，铁杵磨成针”，这一勉励成语，一直在鞭策和启迪着有心人前进！

留心与创新 | 吕敬江 |

医学需要创新，对临床医生来说，主要是严谨从事临床，细致处理病证，发现好的苗头，立即抓住，并运用到临床中去，那怕是只鳞半爪，也不要轻易放过。有时久悬之疑难，竟解于一旦，真是“踏破铁鞋无觅处，得来全不费工夫”。不过，这就全靠“留心”二字。通过无意识地发现，有意识地重复实践，往往多有获益。笔者的一些经验，多数是用这个方法得来的。

1982 年秋，吾地“燥感”甚多，其证温（热）凉（寒）并见，似凉燥但有鼻干、结痂，唇红，咽痛，口鼻烘热火辣不适；似温燥又有痰白而稀，鼻塞流清涕，脉多不数。投杏苏散、桑杏汤诸方，皆不甚效，甚或使某些症状加重。一日，吾据证偶拟一方，由防风、连翘、薄荷、杏仁、甘草、桔梗、天花粉 7 药组成，一投即效。后经多次实践，均收效满意，一般二三剂可愈。遂命名为

“清燥饮”，并撰歌一首：燥伤肺卫温凉分，亦有温凉相间因，清燥饮用防翘杏，甘桔薄荷瓜蒌根。连续3年来，吾一直据证使用此方，并扩用到他时外感表证，只要兼有口鼻烘热（自觉口鼻冒火）火辣不适，用之亦有效。而且治疗口唇单纯性疱疹，效果亦好。此方是吾临床中“偶然”留心得来的。后通过不断地实践，从而创制了外感表证及口唇疱疹的治疗新方。

总之，“留心”与“创新”均赖于实践，通过反复实践，处处留心，直至把规律性的东西抓住。只有这样，才能逐渐形成自己独到的东西，达到创新的地步。可见留心与创新紧密相连。留心达到创新，创新来自留心。作为一个医者应该处处留心，以冀有所创新。

习医说“度”

杜方步

为医治病，意在救人。病有千端，法须万变，治病救人者，必须有胆有识，当机立断。“艺高胆大”，识是胆的基础。而星海无涯，人生有限，读不尽古今书，识不遍天下病。因之常有“读书三年，便谓天下无病可医，及治病三年，又感天下无方可求”之慨。究其原因，莫过于不得要领，枉费精力。而欲得要领，识得一个“度”字，或可于事有补。

一曰生理之度。天地万物，新陈代谢，均有规律可寻；人处其中，与内外环境相依为命，亦有生克制化原理可探；五脏六腑，四肢百骸，经络气血相安相助，相辅乃至相反相成，皆有规矩内在。如风、寒、暑、湿、燥、火，为自然界六种正常气候，但如果超出了人体的自然负荷范畴，即为“六淫”，便成了致病因素。喜、怒、忧、思、悲、恐、惊，为人之正常七情，然一旦过激，则必使所属脏腑戕伤，同样要致人于病态；“少火生气”“壮火食气”“气有余便是火”，说的也是这个道理。木、火、土、金、水，配肝、心、脾、肺、肾，五脏相生相克，然一脏功能亢进或衰退，便有“乘”“侮”的反常现象发生，致正常的相辅相成、相制相生关系脱节；五脏六腑相互表里，分工合作，然或脏或腑损伤，则表里相及，病变迭生。学医者能明此理，对一些生理常度了然于心，既知其特性，又知其共性，既明其常态，又明其在一定条件下的生理变态，便可见微知著，知常达变，临危不乱，处变不惊。

二曰病理之变。用药如用兵，是保存有生力量，还是“焦土抗战”？是关系战争胜负、治疗成败的大问题。故辨证论治，遣方用药，必须随时注意邪气消长、正气盛衰变化，决定孰攻孰补、孰进孰退。古人所谓“有故无殒，亦无殒也”“大毒治病，十去其六；常毒治病，十去其七；小毒治病，十去其八”等明训，一方面意在提醒我们，当邪盛正不甚衰之时，要大胆攻邪，不必“投鼠忌器”，另一方面意在告诫我们必须时时顾护正气。驱邪之目的即在安正。养虚遗患与玉石俱焚，均不可取。常见的晚期肿瘤病人，运用物理、化学疗法拼命杀灭癌细胞，结果总是两败俱伤，癌虽暂时降伏，正气也多同归于尽。

三曰药理之变。药有寒、热、温、凉四性，酸、苦、辛、甘、咸五味，升、降、浮、沉之能，这是就药物的性质决定作用趋向而言，此中也有“度”，超过了常“度”，其作用趋向就要减弱，甚至发生根本变化。大黄、黄连为泻火峻剂，然少量应用却是健胃佳品；苍、白二术为健脾燥湿、扶土止泻之要药，然也可用治便秘；枳壳既能宽中下气，又可升阳举陷；红花多则通经，少则养血等，多半与用量有关，遂有“中医治病之秘在量上”的说法。其他如借助炮制手段去除药物毒性，增强治疗效果，矫正不良气味，改变作用趋向，以及配伍上的“七情和合”等，都属于增强或限制“度”的措施。

法于往古，验于来今

杨炳初

“法于往古，验于来今”，这不失为古今医家取得成就的经验之谈。由于时代的变迁和科学技术的发展进步，在对疾病的认识和命名上，现代与古代有着较大的差异。这就要求我们在学习古代医学文献和辑录前人经验的时候，要悉心体察，才能做到古为今用，有助于祖国医学的继承和发扬。

宋代医学家许叔微在他的名著《普济本事方·卷三·风痰停饮痰癖咳嗽门》中，记述了他用单味苍术治疗“癖囊”的经验。许氏年轻时因勤奋好学，经常读书写作到深更半夜。他习惯于向左侧伏案写字，因此饮食多偏坠于左边。每当深夜感到困乏时，又常常要饮酒提神。上床后喜欢向左侧睡。初起感觉无殊，三五年后，渐渐感到酒从左边而下，漉漉有声，伴有胁痛，食量显减，十数天内定要呕吐酸苦水数升。许氏自己揣度病情，认为已成“癖囊”之疾，如潦水之窠臼，清者可行，浊者停蓄。不如采用燥脾以胜湿，崇土以填窠的方法，摒弃了通常应用的补、利药物，单服一味苍术。经过 3 个月的治疗，病症果然消除。自此一直坚持服药数年，不吐不呕，胸膈宽畅。饮啖和从前健康的时候一样。而且头晕目眩的症状也消失了，在灯下能书写很小的字。许氏认为这都是苍术的功量。

许氏所言之“癖囊”为何病？从其记述的主要症状分析，主要有饮食不易运化，食后即呈饱胀，或见嗳气，或伴泛酸，少动好静，餐后喜卧，口干而不喜多饮。此症与今时之胃下垂病颇为相似。为什么单味苍术能够治好此病呢？因许氏所患疾病的病机，系气失宣畅，痰饮水气久聚不散，停蓄胃腑所致，故采用温化痰饮，健脾燥湿之苍术后获效。那么，单味苍术能否用于治疗其他之胃下垂呢？金明渊老师说得好："要使医学不断发展，一定要法于往古，融会新知，验于来今"。在金老的指导下，余仿照许氏原意，给胃下垂病人服用单味苍术，每日15～20g,煎汤或用沸水浸泡，少量频饮，如啜香茗，连服1～3个月，不少病人竟获良效，可见许氏之说不假。

医理与临证

戴会禧

用医理指导临证，又通过临证充实医理。把医理和临证结合起来，才能不断提高医疗水平。下边我谈两条医理与临证的体会。

"病人有寒，复发汗，胃中冷，必吐蛔"（《伤寒论》第91条）。仲景教诫我们，对脾胃虚寒证和中阳素虚者，治法当以温运，禁用汗、下两法。为什么？因脾胃虚寒，脾阳必不振，运化则失常，用汗下之法，势必重伤其阳，是以禁用。这对指导临床实践是有重要意义的。曾治周某患儿，因腹部时痛，初经某医按蛔虫腹痛处理，用西药驱蛔数条，但腹痛不仅未减，反而喝水即吐，甚则吐蛔的症状。又投行气止痛剂，服后亦无明显好转，特来中医门诊。患孩腹满痛，食不下，大便软，小便清，面色少华，属脾胃虚寒证。素体阳虚，又经驱蛔药物（多含缓下剂，相当于下法）治疗，更重伤中阳，所以水入即吐，甚则吐蛔。其病机与本条经文颇相符。遂投以椒梅理中汤重用干姜进之，脾阳得运，蛔虫得安，一剂症减，二剂显效，三剂痊愈。我在长期医疗实践中体会到，脾胃虚寒之腹满痛，其腹满时轻时重，其痛绵绵，喜按喜温，大便常溏，必须重用干姜温运脾阳，则力大效速，可谓是临证一得。

"通阳不在温，而在利小便"（叶天士《外感温热篇》）提示后学在处理外感湿热郁阻阳气的病证时，应与杂病阳虚的病证予以区别。就是说，杂病证见阳虚，可用温补阳气法，湿热证见阳衰（实为阳气抑郁），则不可温阳，而必须用化湿通阳法。温阳与通阳有着本质的不同。阳气之得温与不得温，主要测之于四肢厥逆之得回与不得回；阳气之得通与不得通，主要测之于小便之得利与不利。温阳立足扶正，通阳立足祛邪。一寒一热，一虚一实，必须明辨。否则，差之毫厘，谬之千里。1981年10月诊治陈某患者，因阑尾炎手术后低热不退，由家属扶来就诊。粗略一看，面色苍白，头汗淋漓，并且四肢厥冷，给人印象疑似汗多亡阳证。详细诊察，其实不然。患者除上述症状外，自觉全身乏力，纳差，特别是汗出而黏，有汗臊味，发热在午后，舌苔黄厚而腻，脉濡数，更问其小便，告以色黄而短。审证求因，遂断为湿热证。其病机由于热处湿中，湿遏热外，故头汗出；湿遏热伏，热势不扬，故下午低热；湿为重浊阴邪，抑郁阳气，故全身乏力、四肢不温、面色苍白；湿热互结，气化不利，故尿黄而短；舌苔黄厚而腻、脉濡数均为湿热内蕴之象。遵叶天士“通阳不在温，而在利小便”之意，拟用分消宣化之法，通利小便，使三焦弥漫之湿下达膀胱而去，阴霾湿浊之气既消，阳气得通，则热邪自透矣。选三仁汤加藿香、佩兰以增强其化湿之力，加黄芩以增强其清热之功。患者服2剂后，病减一半，4剂后，诸症渐愈。

有感于“不引古经一语”

| 廖伯筠 |

今天，自然科学有了迅猛发展，人们对客观事物的认识不断深化，对疾病的认识和治疗提出了更高的要求。老一辈医家如王玉润、邓铁涛教授认为，祖国医学从清代后期以来发展缓慢，甚至一度处于停滞状态。对中医学术水平如何在理论和实践方面都取得突破性的进展，提出要以改革精神振兴中医，使之发出更加绚丽的光彩。

中医学术水平如何在理论和实践方面取得突破性进展，历代医家的长期实践为我们提供了很多宝贵的经验。《医宗金鉴·伤寒论注》指出，张仲景发明《内经》奥旨，并不引古经一语，皆出心裁，可资借鉴学习。张仲景“勤求古训”“博采众方”和“平脉辨证”，以卓越的辨证论治理论、宝贵的临床经验贡献于人类，并没有把《内经》奥旨视为僵死的东西，方使六经辨证脱颖而出。对仲景学说研究极精、行医五十年、学更十七师的叶天士，其著作虽有经言古训，更多的是启迪后世的自家心得。他关于温病卫气营血的理论，虽在《内经》中可以找到涓滴，亦不过借他山之石，可以攻玉耳。

现在诸多文章著作中，溯源探本者不少，或如数家珍，或如出一辙。医学在不断发展，永远不会停止在一个水平上，对祖国医学进行一番广搜精选，弃粗取精，固然是库中取宝的好办法，也要考虑我们今天认识了的事物，古人是否都早预见到了，恐怕有不少是人为的和机械的东西，禁锢了人们的思想，至少可以说还只是管窥一斑而未见全貌吧。这也许正是仲景、天士不引或少引经言古训的原因。

赞“计算机中医”

王占彬

电子计算机好像一座自动化的数字加工厂。目前，多以模糊集合论建立数学模型的方式，使之具有“学习”中医的能力。而中医学的特点主要是据“症”立“证”，随“证”施治。用模糊数学语言讲，“证”可看作是一种由相应的“症”所构成的模糊集合。“症”的不同的模糊集合、构成了不同的“证”。这样，就可通过对“症”“证”等模拟量化的办法，建立起反映中医诊疗思维规律的数学模型，从而为诊疗程序的编制、输入和储存，即计算机“学习”中医创造了条件。

中医的辨证施治与现代控制论之间也有着极其相似的类比关系。从控制论的观点看，由“辨证求因”“审因论治”构成的辨证施治过程，也可说是对病人（病理）的控制过程（其中也包括复诊这一反馈思想的应用）。电子计算机是同控制论一起成长起来的。时至今日，它不仅可作数值运算，而且具有逻辑判断能力，可以如同人脑一样，有识记、保存、再现和确认的本领，因而能够完整地模拟中医辨证施治的思维推理过程，高速地自动地按病人的临床信息，判别病变的“是非”，进行辨证施治。

“计算机中医”目前虽然还有不足之处，如还不能直接收集临床信息等，但它的优点不少：①由于它模拟的对象多是名老中医，而且通过科学方法对其经验作了加工整理，加上它不会“疲劳”，因而它的诊疗水平较一般中医要高。②由于它可实现名老中医不在场的诊治效果，且可“转让”“出售”“永世长存”，因而能够保证甚多的病人实际得到名老中医的诊治。使名老中医的经验永远以“活”的形式保留下来，造福于人类。③由于它记忆力强、贮存量大、模拟的是名老中医辨证施治的思维过程，又常“上班”，加上其程序修改补充方便，可通过实践不断去芜存菁、扩充兼容。因而在抢救和继承名老中医经验、培养和提高年轻中医技术水平、解决中医后继乏人方面，比单靠名老中医“传、帮、带”或撰文著书效果更好。④由于它不受情绪等因素的影响，“思想不开小差”。因而任何人都可望得到它精心的诊治。

总之，“计算机中医”的形成，为中医学的发展带来了春天。它是古老的中医学与新兴的电子计算机相结合的产物。它不仅能看病，而且疗效较高，这在中医发展史上可以说是一种新的突破。展望未来，前程似锦。

中西医印定成俗戒

胡翘武

三支力量的同步发展，中医、西医之间相互渗透，互相影响，这对发展、总结、提高中医不无裨益。然而，如不能正确地认识到两种医学之间还存在着一定的差异，盲目地滥用西医理论去解释中医，或用中医的病证去套西医的理论，甚至专恃检验之指标数据为依据，去辨中医之证，求疾病之因，套用西医的诊断去处中医之方药，就会严重地影响中医的疗效，自觉不自觉地降低中医的声誉。多年来，以中医的某证即相当于西医的某病，西医的某病即用中药的某方。如萎缩性胃炎即为胃阴不足，肝硬化腹水即为瘀阻水壅，高血压为肝阳上亢，胃下垂为中气下陷等。再如肺炎用麻杏石甘汤，乙型脑炎择白虎汤，半身不遂处补阳还五汤……，已印定成俗，只要一见西医之诊断，中医之处方便一挥而就。若肺炎之属风热袭肺，肺气闭阻，投以上方或有中病取效者。但肺炎之中医辨证除上列之证型外，尚有风寒闭肺、痰饮内渍、痰热恋肺、腑气壅塞之不同，更有气阴两亏、阳气虚脱之各异，一张麻杏石甘汤怎能统治得了其他证型之肺炎？又何能兼固气、血、阴、阳不足之正气？及见乏效时，便谓中药无能，或配以西药，或转诊西医，从不审少数之非。曾遇一西医诊为肾盂肾炎的女患者，尿常规：蛋白＋＋，白细胞＋＋＋，红细胞＋＋＋，脓细胞＋＋。某医以肾盂肾炎套中医之湿热下蕴，连续三诊皆采用清热利湿之八正散加减，且逐次增加剂量及药物，半月后诸症依然，尿常规如旧，医者束手无策，病者痛苦异常。余诊其脉沉濡不滑，舌淡苔薄白且润，虽尿频、急、痛，但无口干便结之证，此为下元虚寒，膀胱气化不利，法当温补肾阳，气化州都。处济生肾气丸为汤剂，一诊而病愈八九。可见，那种避中医辨证求因而不用，热衷以西套中印定成俗之风实不可再长。中医学是一专门学科，有自己的理论体系，数千年来，历代医家在这一体系的指导下消灾灭病，造福人类，有口皆碑。当然，其理论未必尽善尽美，要发展提高，这是每门学科必须遵循的规律，结合现代医学，依靠现代科学也是必要之举。但这种行之有效的辨证特色，世人皆知为中医之瑰宝，吾辈身为中医，更应忠实继承，灵活运用，加以发扬光大才是，切不可使这一特色束之高阁，而用以西套中印定成俗之方法取代之，如此风再长，中医特色必褪，中医前途渺茫矣。

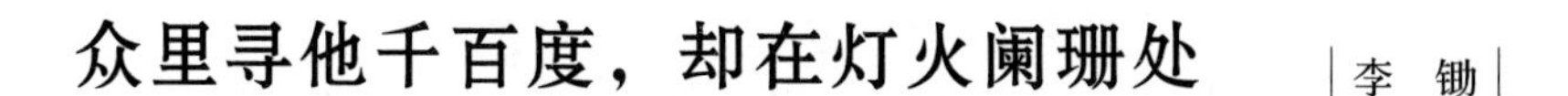

众里寻他千百度，却在灯火阑珊处

李　锄

中医古籍的整理研究，主要在于校勘和训诂，而校勘和训诂常互为影响，有因失校、妄校而误训者，有因难以训诂始知当先校勘者，故两者均须审慎从事。我在研究《难经》“喘息”以后，对此体会殊深。

《难经·六十三难》云：“诸蚑行喘息、蜎飞蠕动，当生之物，莫不以春生。”古今注家对其中“喘息”的解释，众说纷纭，因而引起我的注意，乃着手进行研究。

“蚑行喘息”一语，除《难经》外，亦间见于我国文史古籍。但是在文史古籍中，作“蚑行喘息”者少，而作“蚑行喙息”者多，而且“喙息”又符合《难经》原句中几个主谓词组并列的结构，因此我认为，《难经》此“喘”字当系“喙”字之误，从而认定这是一个校勘问题，当据《难经》原句结构并参《史记》《汉书》《淮南子》等文史古籍的有关文句，进行“理校”改正，自觉颇为言之成“理”。

“喘息”校勘为“喙息”以后，如何训诂，并不困难。“喙息”者，以口呼吸也。究竟有无以口呼吸的动物呢？于是接着我就进行有关资料的查证。结果还真有！蛙即是以口呼吸的。这很可支持改“喘”为“喙”的“理校”，至此我以为《难经》“喘息”问题已合理解决。

但是，出于慎重，我又对此“理校”反复研究，终于发现其“理”不足。因原句中并列的其他3个主谓词组均以虫豸之名为主语，且下文明言“莫不以春生”，此即《礼记·月令》“东风解冻，蛰虫始振”之谓；而蛙并非虫豸，可见将“喘息”理校为“喙息”并未中的。由于缺乏确证，难定是非，我不敢率尔操觚，乃将这一问题暂且搁置。

在查阅古籍时，有一次我偶然发现，《庄子》“惴耎之虫”释文云：“惴，本亦作‘蠕’又作‘喘’。这不是“喘”与虫类相关的资料吗！我顿时想到，解决《难经》“喘息”之端绪或即在此，乃循此以进，继续进行研究，终于确以《难经》此“喘”乃“蠕”之借字。至此，我始知《难经》之“喘息”，初看似为校勘问题，而实为一训诂问题也。这个问题不仅是《难经》的一个难题，而且也是一些注疏、训诂名家如颜师古、王念孙等所未能解决的问题，而我却得之偶然，实为侥幸。王国维曾引稼轩词“众里寻他千百度，回头蓦见（当作‘蓦然回首’），那人正（当作‘却’）在灯火阑珊处”，以喻治学业者必经之第三境界(《人间词话》)，我于此深有同感。

莫把祖国医学遗产言为来之西医

干祖望

余曾嘱急性咽炎患儿多进开水。其母夸余“老先生不错，亦用西医方法”。闻之者使人啼笑皆非。考急性病多进开水，《本草纲目》言之已详，称为太和汤，能“助阳气，行经络”而又可“取汗”。盖病属阴邪，遇阳即散。

其实非徒太和汤，即蒸馏水亦系祖国始创。《本草品汇精要》“甑气水，以物于炊饮饭时，承取”。

余要求进修生戴口罩。尔侪讥余“学洋医”。要知口罩，作自中国元代，事见意大利旅行家马可波罗《东方见闻录》中。西医使用仅 90 年，而中国使用则 700 年矣。

病家、进修生固不论，而身为中医者，亦将传家宝送予别人，殊深浩叹。将传家宝拱手送人，远远不止于此。例如：

病房髹漆浅蓝、浅绿，宗《冯氏锦囊秘录》：“青禾绿草，可以养目”之旨。高足病床，亦遵《寿世青编》：“凡人卧床，当令高，则地气不及”之遗训。

鼻子是胚胎发生最早的器官，为《汉书·杨雄传》第一次道破。之后《方言》之“兽之初生，谓之鼻。人之初生，谓之首”。《正字通》：“人之胚胎，鼻先受形”。

灌肠，最早为《伤寒论》之蜜煎导和《千金要方》之“猪羊胆”。可知中医用“开塞露”“甘油锭”式通便法已 1700 年。一般灌肠才 1300 年。

导尿，《医事启源》转引《千金要方》之方法，为用于男性，已沿用 1300 年。《卫生宝鉴》之用于女性者，亦 560 年。

鼻饲，始于《圣济总录》，已 850 多年。

11 世纪，世界上第 1 个人口喉在中国问世，事见《梦溪笔谈》。

《洪氏集验方》首先提出压迫颈动脉以止鼻大衄。

1861 年梅尼埃初次报道梅尼埃综合征，我国则在 1264 年《直指方》早已谈及。

《素问病机气宜保命集》之“耳聋治肺”“鼻塞治心”，揭开了咽鼓管阻塞可致暴聋、鼻甲肥大可致鼻塞之谜。

《儒门事亲》中初次介绍内腔镜钳取异物的方法。

用圈套器摘除鼻息肉，为《外科正宗》首创。

咽鼓管自行吹张法，开始于《保生秘要》。

道破听力骨导、膜导之谜的为《三因方》。

震动性耳鸣与非震动性耳鸣之首先发现者，为《素问玄机原病式》。

鼓膜按摩术，初见于《景岳全书》。

开口器为《焦氏喉科枕秘》发明。

《喉科秘钥》："于病人脑后，先点巨蜡，再从迎面用灯照看，则光聚而患处易见矣。"可知现在耳鼻喉科检查时的采光方式，在我国已沿用一百二十余年。

请君莫把祖国医学遗产家宝，言为来之西医。

批卷审稿难

|干祖望|

四十年批卷打分，二十载评文审稿，初则金睛一览，"明察秋毫"，横一个"×"，坚一个"——"，毛锥在握，横扫千军。逮至今日，渐感难以胜任，锐气荡然。无他，自知读书太少了。

南京中医学院第1届外科考试，内有解释"外溃"一辞，理应为"脓疡泄脓"，但答则谓"鼻衄"。余即打以一"×"。孰知《评琴书屋医略》赫然谓"瘟疫鼻衄，名曰外溃"。因之思及"天白蚁"一名竟指之病：白喉、脑鸣、喉痨，卷答其一，错乎对乎？诸如此类，不胜枚举。例如：

扁鹊有4人：一为黄帝、俞跗同时人，一为战国时人，一为著《内外经》者，一为所有名医。

牙齿有4种解释：①《内经》："上曰齿，下曰牙"。②《本草纲目》："两旁曰牙，当中曰齿"。③《疡医大全》："外板曰牙，内床为齿"。④牙即齿，齿即牙，一物两名。

咽喉位置有4说：①《喉科秘钥》：咽左、喉右。②《喉科秘本》：咽前、喉后。③《医碥》：喉前、咽后。④《重楼玉钥》：咽喉并行。

五官有8个内容：①《荀子·天论注》：耳、目、鼻、口、形。②《荀子·正名注》：耳、目、鼻、口、心。③《隋书·刘炫传》：口、耳、目、双手。④《灌顶经》：生、老、病、死、现任官员。⑤《灵枢·五阅五使》鼻、目、口唇、舌、耳。⑥《甲乙经》：鼻、目、口、舌、耳。⑦老《辞海》：耳（听）、目（视）、舌（味）、鼻（嗅）、皮肤（触）。⑧一般公认的是：眼、耳、口、鼻、喉。

五气有7种不同：①《素问·六节脏象论篇》：金、木、水、火、土。②《素问·阴阳应象大论篇》：喜、怒、悲、忧、恐。③《素问·刺法论篇》：青、白、赤、黑、黄。④《素问·六节脏象论篇》：臊、焦、香、腥、腐。⑤《素问·奇病论篇》的“此五气之隘也”的五气，专著脾气。⑥《史记·五帝纪》：东、南、中、西、北。⑦《周礼·天官·疾医》：肺、心、肝、脾、肾。

七窍有3种：①《周礼·注》：眼、耳、口、鼻。②《难经·三十七难》：眼、耳、鼻、口、舌、喉。③《史记·颛纪》的七窍，专指心而言。

七情有五种内容：

	喜	怒	忧	思	悲	恐	惊	哀	惧	爱	恶	欲	乐	憎
《素问·举痛论篇》	☆	☆	☆	☆	☆	☆	☆							
《济生方》	☆	☆		☆	☆	☆	☆	☆						
《记·礼运》	☆	☆						☆	☆	☆	☆	☆		
《佛学大字典》	☆	☆						☆		☆	☆	☆	☆	
《黄庭经》	☆	☆	☆						☆	☆		☆		☆

且看以上最常见者、普通之常识，尚且各说纷纭，何况其他。谁能遍读群书，宏观博览，以有限的知识，去蠡测无边的文海，试问谁具这种能耐？不能不深叹批卷难、审稿难矣。

错 | 干祖望 |

“昔”日“金”科玉律，今朝发现不对了，这叫“错”。在中国古代人物中错的很多。

1. 伊尹：大家都公认伊尹是创造汤药的鼻祖，错了。老友宋大仁教授曾做过考证，完全不是这么一回事。伊尹出身微贱，以善于烹调术而获得成汤的信任，登上了宰相的宝座；最后以篡夺王权而伏法。他根本和医药——不要说汤药，毫不相关。宋教授分析了错的铸成，是皇甫谧《甲乙经·序》“伊尹以亚圣之才……以为汤液”，把鸡汤、肉汤的汤液，误为煎煮的汤药。

2. 窦汉卿和《疮疡经验全书》：窦汉卿是针灸医生，事绩见《元史类编》。他根本没有写过外科医书。他仅有几部《针灸指南》《流注指要赋》《窦太师针灸》等针灸学书。《疮疡经验全书》系明代人窦萝麟手笔而托名窦汉卿的伪书。

因《古今图书集成》把它收入而误插在宋代著作中，从此把错误合法化了。

3. 王纶：写《明医杂著》的王纶，大家都误认他是医家。《明史稿·吴杰传》说他“举进生，迁礼部郎中，历广参政，湖广广西布政使。正德中以副都御史巡抚湖广，纶精于医”。《历代名人姓氏全编》：“由进士，除工部主事，改礼部仪制，转主客司员外郎，时鸿胪寺办事通事，……升广东参政，湖广右布政……”。可知他是一位典型的职业官僚。正因为不是临床家，所以临床经验并不丰富，故李时珍评他的《本药集要》是“别无增益，斤斤泥古者也”。其实他自己也承认不是医生，他在《明医杂著·序》中也称：“今方奔走仕途，何暇及矣”。

4. 王肯堂：一致都捧他为名医，其实他和王纶一样，也是大官僚，而且还是学者、书法家、藏书家。《古今图书集成》就这样肯定地说：“士大夫以医名者，有王纶、王肯堂”。《明史稿·方伎传》说他：“博学群书，兼通医学”。所以他的医学不过是兼通而已。在《伤寒准绳》自序中也自称“渔猎于书林，盖三十余年矣”。这个书林，当然内中含有医学。正因为他是精于医学，所以动起笔来，就不离乎医学，且看《四库全书提要》就记下了“其所著郁冈斋笔尘，论方药者十之三四。盖于兹一艺，用力至深，宜其为医家圭臬矣”。他也是“其母尝遘疾……乃锐志于方药”，动机也一如王纶。至于为什么大家误以为他是名医?《明史稿·王杰传》解答了这个问题，是以其尤精医理，故又附见于方伎传中，所以有识之士还是不承认他是医生的。例如《胤产全书·张序》：“若夫云间俞公之授是书，金坛王公之参是书”，就把和松江俞昌（字嘉言，洪武进士）这批文人名儒并论。至于当官，他做过检讨、南京行人司副和福建参政等。而他的小楷（有名的抄书家）和文才，在文坛上谁个不知郁冈斋主其人？郁冈斋的藏书也很有名。

5. 尤乘和《尤氏喉科》：尤乘与《尤氏喉科》根本风马牛不相关。其真正作者为无锡尤存隐。考明代御史周青，平一冤狱，当事人感恩之余，赠喉科外用方十七张。周传之于外甥无锡尤氏，尤氏即以此术发家，传至尤存隐断祧，赘一婿不肖，婿将此方分鬻于《沈氏尊生书》作者沈金鳌、《疫痧草》作者陈耕道之父石泉，以此广布医林。

脏腑“藏”“泻”辨

张六通

《素问·五脏别论篇》说：“五脏者，藏精气而不泻也，故满而不能实；六腑者，传化物而不藏，故实而不能满也。”据此，历代医家都把“藏精气”“传化物”分别作为脏、腑的总体功能，认为“藏”“泻”二字分别概括了五脏和六腑的特性。验之临床，肝不藏血，则上为吐衄，下为崩漏；大肠燥结，腑气不通，则成大小承气证。所以，上述认识应当说是正确的。但是对肺病有宣降之法，对肝病又有疏泄之方，对膀胱病有益气固脬之法，对大肠病亦有涩肠固脱之方，这又怎样用脏“藏”，腑“泻”的特性来解释呢？因此，前说难免有些偏颇。

其实，《内经》又何尝只讲脏“藏”、腑“泻”呢？例如在五脏之中，《素问·宣明五气篇》曰：“心藏神”，而《素问·灵兰秘典论篇》则说：“心者……神明出焉”；《灵枢·本神》曰：“脾藏营”，而《灵枢·营卫生会》则说：“营周不休”；《素问·六节脏象论篇》曰：“肾者，主蛰（当是衍文），封藏之本，精之处也”，而《素问·上古天真论篇》则说：“二八肾气盛，天癸至，精气溢泻……肾者，主水，受五脏六腑之精而藏之，故五脏盛，乃能泻”。还有“脾气散精”，肺主“通调水道”之类。又如在六腑之中，《素问·灵兰秘典论篇》载有“膀胱者……津液藏焉，气化则能出矣”；《素问·五脏别论篇》则有“胆者……藏于阴而象于地，故藏而不泻，名曰奇恒之腑”之称；《灵枢·胀论》有“胃者，太仓也”之说；《灵枢·本输》则有“小肠者，受盛之腑”之名。仅以上《内经》所论，则五脏藏中有泻当无异议，六腑泻中有藏也已昭然。本来，无“藏”就无所谓“泻”，无“泻”亦无所谓“藏”；五脏只藏不泻，则精气神无以为用；六腑只泻不藏，则“化物”、津液无所依存，这是十分明白的道理，脏腑均有“藏”“泻”，只是各有主次罢了。综观《内经》，个人认为脏腑的特性应该是：五脏以藏为本，藏不可闭塞，藏中有泻；六腑以泻为用，泻不可太过，泻中有藏。只有这样，才能使脏象学说在理论上符合祖国医学之“阴阳中还有阴阳”的朴素辩证法观点，并全面地指导临床实践。

当今，中医基础理论讲脏腑藏泻，仍旧但言其一，不述其二，这对于研究和发展中医脏象学说无疑是有害的，在实践中人们也几乎把“六腑以通为顺”当作口头禅，用以解释腑实证，言之成理，若遇六腑虚证，就不免自相矛盾了。故作以上小辨，仅为引玉之砖耳。

《伤寒论》的前身

|姜春华|

《汉书·艺文志》经方类中有《汤液经》32 卷，《艺文志》的前身《七

录》，是刘歆父子撰的。当时有没有《汤液经》的记载？然而《汉书》班氏的记载是肯定的，则前汉已有书。但班氏未署撰人，是否即后世所称商。伊尹？相传伊尹作《汤液》，历史上有此传说，犹如《内经》之托名黄帝，《本草》之托名神农。然此书在汉晋是流行书，六朝梁·陶弘景《辅行诀》（此书久佚，今人从敦煌发现藏卷）说："汉晋已还，诸名医辈张玑（机）、卫汜、华佗、吴普、皇甫玄宴、支法师、葛稚川、范将军等，皆当代名贤，咸师式此《汤液经》"。可见汉晋时代此书流传甚广，汉末张仲景则把《汤液经》原书补充为《伤寒论》。晋·皇甫谧《针灸甲乙经·序》说："伊尹以亚圣之才，撰用《神农百草》以为《汤液》，汉·张仲景论广伊尹《汤液论》为数十卷"。陶弘景也说："外感天行之病，经方之治有二旦，六神、大小等，昔南阳张玑依此诸方撰为《伤寒论》"。这两家都是说仲景论广《汤液》方，自撰为《伤寒论》。晋与六朝都距汉不远，其言可信，则《伤寒论》非仲景一人之书明甚，六经、经方、辨证论治可能原出《汤液论》。千年来，自唐·孙思邈录仲景书始，后之作注解阐述义理者，都颂扬仲景。然而也有个别持异议者，惟未为人所注意。如金·成无已《注解伤寒论·严器之序》说："仲景又广《汤液》，为《伤寒卒病论》十卷，其说可能来自《甲乙经》。"《活人书·辨序》吴澄说："张仲景著《伤寒论》，余尝叹东汉之文气无复能加西都，独医家此书渊奥典雅，焕然三代之文，心一怪之，及观仲景于序，卑弱殊甚，然后知《序》乃仲景所自序，而《伤寒论》即古《汤液论》"。吴氏从文字知《伤寒论》即《汤液经》，实千古只眼。

"正气"刍议

董胡兴

中医诊治疾病时，常言"正气存内，邪不可干"，何谓"正气"？历代医家各有发挥，现试从整体观的角度，谈谈对"正气"涵义的理解。

《内经》云："神者，正气也"（《灵枢·小针解》）。明代吴琨认为"血气，正气也"（《素问吴注》）。吴又可主张将元气归于正气(《温疫论》)。清代喻嘉言强调"凡治病，伤及胸中正气，致令痞塞痹痛也，此为医咎"（《医门法律·大气论》）。近医多称"卫气"即是"正气"。

以上所论，大都是从各自不同的学术观点及角度而言的。笔者认为，人体"正气"的涵义应以元气（即真气）为妥。因其由肾中之精气、脾胃之谷气、肺脏吸入之大气所组成，是构成人体正气的三个基本因素，无论是神、血气、卫气，还是胸中之大气，均以此为基础而转化。若言正气即卫气者，单从其防御功能而言是可以的，但与元气密切相关，只有正气盛，卫气方强。

因此，人体正气的涵义，应以元气作解。正气的强弱与否，主要决定于物质与精神两个方面。精、津、气、血、液属物质，来源于先天禀赋与后天水谷精微以及大气。精神因素包括外界刺激引起的情志（七情）变化和自我修养而产生的自控自节能力。从某种意义上讲，人的精神状态对体内正气影响甚大，可导致脏腑功能失调，防御外邪的功能减退，亦即正气虚弱。

《内经》教学漫谈

李济仁

《内经》文字深奥，涉及面广，学生有时感到难学费解，枯燥乏味，但它却是一门重要的基础理论课。据多年教学实践，我有以下三点体会。

删繁就简，详略有别

在教材安排上，我去除重复，将大致相同或关联紧密的内容归并，突出基本概念、基本理论，尤其是突出重点内容。如将《素问·灵兰秘典论篇》的“十二官”和《素问·六节脏象论篇》的五脏六腑以及《素问·五脏生成篇》的五脏所合、所生等内容集中讲解，使教材更加条理化，更具有逻辑性。在讲解上，对过于抽象而意义不大的内容就略讲；对临床有指导意义的脏腑经络、病因病机、诊法病证等内容则详讲、反复讲；对易于混淆的概念放在一起对比讲。此外，搜集一些《内经》中具有教育意义的内容专门讲。如《灵枢·经水篇》关于解剖的内容，《素问·刺法论篇》关于传染病的描述等，都是世界的最早记录。《素问·痿论篇》“心主身之血脉”《素问·举痛论篇》“经脉流行不止，环周不休”等对血循环的认识比 17 世纪英人哈维氏要早两千年，使学生进一步认识到中医药学的确是一个伟大的宝库，激发他们的民族自豪感和自信心，提高他们的学习热情。

由源及流，举一反三

《内经》作为中医学术的渊源，它的内容、观念与后世一脉相承，并被不断充实、发展、提高。我认为，讲课不仅要教给学生知识，也要教给学生好的学习方法。因此，在讲课中我尽量将《内经》的内容和后世对它的发展联系起来，使学生在获得一些系统知识，了解理论和学术发生、发展过程的同时，启

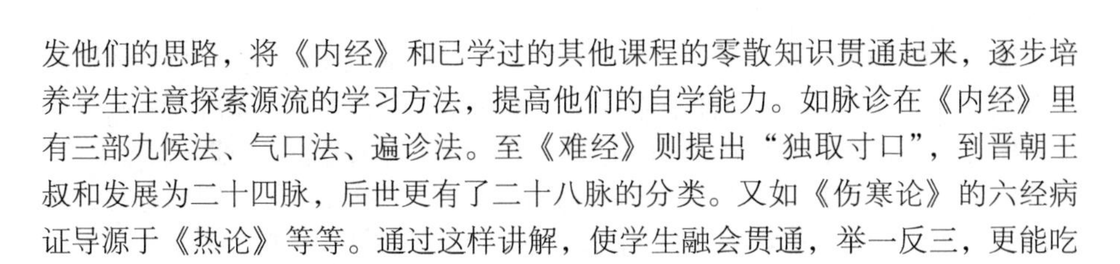

发他们的思路，将《内经》和已学过的其他课程的零散知识贯通起来，逐步培养学生注意探索源流的学习方法，提高他们的自学能力。如脉诊在《内经》里有三部九候法、气口法、遍诊法。至《难经》则提出“独取寸口”，到晋朝王叔和发展为二十四脉，后世更有了二十八脉的分类。又如《伤寒论》的六经病证导源于《热论》等等。通过这样讲解，使学生融会贯通，举一反三，更能吃深、吃透。

形象生动，联系实际

中医理论大都来自日常生活和临床实践的总结，反过来又指导着实践，这是它之所以历千年而不衰的根本所在。讲课中我注意联系历史、日常生活和临床实际，深入浅出地解释一些深奥的观点、术语，让学生容易理解，乐于接受，记忆深刻，加深对《内经》理论及指导意义的感性认识。如“十二官”的类比、金石药的补益作用、古人的养生思想等，通过联系历史背景、日常生活，就很容易理解；对一些生理、病理概念，术语，我大都结合临床表现、诊断治疗来帮助理解，并力求表述准确，语言通俗、形象。这样一来，课堂气氛活跃，枯燥抽象的理论变得生动、活泼，从而达到了让学生听得懂、记得住、学得活、用得上的目的。

简谈《金匮要略》的特点

王廷富

《金匮要略》是张仲景总结汉以前医学成就而写成的治杂病的专书。该书不仅内容丰富，而且有许多特点。一是编写特点：首篇为全书总纲，各篇之前是论，类似概论，论以后对证立方，每详于前而略于后。论述原文中，多用两病或几病论述，以便比较鉴别，类似“鉴别诊断学”。如中风之第 1 条，是中风与痹证鉴别；第 2 条第 1 自然段是“寒虚相搏，邪在皮肤”——风痱与㖞僻不遂之鉴别，第 2 自然段才是邪中浅深，反应中风轻重不同之区别。二是脉学特色：本书之脉与《伤寒论》不尽相同，《伤寒论》多以平脉辨证，《金匮要略》多用脉理阐发病理，从病理辨识疾病。如《五脏风寒积聚病篇》云：“趺阳脉浮而涩，浮则胃气强，涩则小便数，浮涩相搏，大便则坚，其脾为约。”而《呕吐哕下利病篇》则为“浮则为虚，涩则伤脾，脾伤则不磨，朝食暮吐，暮食朝吐、宿谷不化，名曰胃反”。前者为脾燥胃强之脾约证，后者为脾虚胃弱之胃反证，同是“趺阳脉浮而涩”，自释脉理和病理不同，当然病证有别。三是辨证特点：本书既辨病又辨证，是辨病与辨证相结合之典范。除八纲辨证外，还有气血辨证、经络辨证、津液辨证、三焦辨证，其实皆落实到脏腑。脏腑辨证是核心；病理辨证是关键。四是施治特点：除八法外，还有固涩、镇潜等法。又有未病治则、表里同病治则、新旧同病治则、扶正祛邪治则、同病异治、异病同治治则；另有“因势利导”“上病取下”“下病取上”“脏病治腑”“腑病治脏”“脏病治经”“经病治脏”“审因论治”“据理论治”等多种治法。五是方药和剂型特点：本书共 204 首方剂，其中内服有汤剂、丸剂、散剂、酒剂；外用有熏剂、洗剂、栓剂、粉剂、烙剂；既可内服又可外用的膏剂等 10 种剂型。汤剂占 10 种剂型中的 71.5%，其煎法、服法、服药后反应，均有记载和注明。方药组成既精且严又灵活，故后世医家推崇此书为“医方之祖”。本书方药，只要辨证精当，确能收到显著的疗效。

沈括测雨

李克光

北宋沈括是我国古代著名的学者。他博学多能，造诣精深，举凡数理、天文、音律、建筑、冶炼、医药等学科无不通晓，真不愧为我国古代杰出的科学家。沈括对中医学的五运六气也有较高的评价，在他所著的《梦溪笔谈》中曾说：“医家有五运六气之术，大则候天地之变，寒暑风雨，水旱螟蝗，率皆有法，小则人之众疾，亦随气运盛衰。”在沈氏的笔谈中还记录了一则他依据五运六气学说预测雨期的故事，大意是：在宋神宗熙宁年间，某年京城天旱，当政者多次祈祷，连续数日天阴，人众皆以为天将降雨，忽然一日天气转晴，烈日当空，此时身为司天监的沈括因事入朝，神宗问他何时得雨？沈括果断地回答：雨候已见，期在明日。在场的人皆以为连日天阴，气候转潮，尚且不雨，如今天气已转晴燥，岂能复望有雨。但到了次日，果然天降大雨。按封建王朝的专制律例，如果沈括的气象预报不准确，就难逃欺君之罪，罢职丢官倒是从轻发落，重则发配充军，甚至坐牢杀头，看来沈括当时所作的回答，却是相当有把握的。据沈括自己解释，他的气象预测就是按五运六气方法分析的。是时湿土用事，连日阴晦，本应天雨，但为厥阴所胜（风胜湿），因此未能降雨。后来突转骤晴，这是燥气入候，制胜厥阴风木（燥胜风），于是太阴湿土就不受厥阴风木克制，是为运气顺从，由是知其必雨。沈括在这篇笔记的结尾还指出，这种测候方法只适用于京城本地的气候特点，如在别处地域气候有差异，则测候方法亦当有所区别。他认为五运六气学说是很精微的，但只要肯认真加以研

究，其规律性还是可以掌握的。“其造微之妙，间不容发，推此而求，自臻至理。”从以上这个小故事，使我们看到沈括不仅学识渊博，而且治学态度相当严谨，他的勤奋好学和勇于实践的钻研精神，很值得我们学习。

记解放前成都的中医院

| 李克光 |

解放前，在国民党反动统治力图废止中医的年代里，成都市也曾有过两所由私人创办的中医院，一所名为中医医院，一所名为新中医疗养院。中医医院旧址在今解放中路（原名皮房街）清洁管理所斜对面的大院内。这所医院由成都已故名中医赵沅章于1938年筹资兴办，赵自任院长兼妇儿科医师，并邀请先君斯炽任医务长，余信芳老师任医药顾问，何伯勋老师任内科主任，先兄又斯为药房主任兼外科医师。此外尚有郑邦达、张锐思医师等参加住院医疗工作。医院设有门诊部及住院部，门诊每日约300人次，疾病流行时可达四五百人。住院病房10间，设有病床30张，收治病种以咳喘、胃肠病、心脏病、肾脏病等较多。夏秋季节亦收治一部分痢疾、伤寒、霍乱病人。住院治疗以中医中药为主，病势危急者亦配合西医救治，如注射、输液等。住院护理如清洁消毒、量体温、测血压等，均按新法进行。医院初开业时，由于人力配备较为齐整，且院址位于市中心区，房屋外观亦引人注目，因而就诊者颇不乏人，社会舆论反应良好，对于防治常见疾病，尤其是防止传染病的流行蔓延，起到了一定的积极作用。同时，由于中医医院的创办，也给当时私立四川国医学院解决了一部分学生临床实习的困难。可惜由于是私人办院，经费不足，兼以时值抗战期间，日机空袭频繁，再加上房租高昂，难于支付，勉强撑持至1940年冬，赵沅章老师已是债台高筑，贫病交加，在无可奈何的情况下，医院只得关门歇业，院内所有器材概行变卖抵债。医院一部分人员后来转到新中医疗养院工作。

新中医疗养院开办于1941年夏季。该院发起人为王旭光与傅启初，两人都是四川国医学院第2届毕业的开业中医，颇有改进中医事业的抱负。他们鉴于在市中心区开设医院房租太贵，乃筹集经费租得陕西会馆（即今陕西街蓉城饭店地址）开办新中医疗养院，由先君斯炽任名誉院长，仍约请何伯勋老师任内科主任，余信芳老师为顾问，王旭光、傅启初、曾敬光等医师承担住院治疗工作。该院病床仅20张，设备条件较差，且护理人员不足，故收治病种多为慢性疗养性质。这所医院开办两年多，经费也颇感困难，即使主要负责人员不计报酬，尽量减少开支，仍然是入不敷出。后来王旭光医师不幸病逝，兼之币制贬值，物价飞涨，傅启初医师身负重债，无力继续支持，医院于 1943 年冬被迫停办。

回想在苦难深重的旧社会里，上述这两所中医院虽然都是风雨飘摇，朝不虑夕，到头来都无法摆脱倒闭的厄运，但这两所医院的创办者和医护职工为中医事业而付出的巨大代价，以及他们的艰苦开拓精神，至今追忆起来，仍然令人敬佩。

忆壬申防疫队

| 李克光 |

壬申防疫队是解放前成都中医自发创办的防疫组织，建队于 1932 年夏季，是年岁次壬申，气候酷热，疾病流行，尤以霍乱为害最烈。当时国民党政府腐败无能，防治极不得力，以致疫情蔓延，死亡载道，四门过棺不绝。先君斯炽激于义愤，乃约集成都中医界同道蔡品三、罗春舫、谢子鹤、雷敬之、李懋勤、李德安、廖宾甫等十余人，组成壬申防疫队。吾兄又斯，时年十七，亦参加该队担任司药。队中所需各项经费，诸如制备各种中成药，编印卫生防疫宣传材料，概由队员私人解囊捐助，共襄义举。队员们每日深入到旧皇城坝、御河边及城墙边等劳苦大众居住区域，亦即发病最多之处，免费救治病人，同时散发材料，宣讲卫生防疫知识，并发动民众打扫环境卫生，灭蝇灭鼠。时值炎暑，烈日当头，队员们在恶劣的环境里，不辞辛劳，不怕染病，经过四十多天的艰苦奋斗，终于克服种种困难，战胜病魔，制止了疾病的流行，对保护劳动群众的身体健康，起到了积极作用。壬申防疫队这种崇高的救死扶伤的人道主义精神，在那风雨如晦、长夜难明的旧时代里，实在是难能可贵的，它给人们留下了深刻的印象，深深受到广大劳动民众的拥戴和赞扬。

壬申防疫队所采用的各种中成药，如白痧药、午时茶、益元散、通关散等，多具有简、便、廉、验的特点，其中尤以防疫辟瘟丹一药留给笔者的印象最深。该方系成都已故老中医蔡品三于 1932 年献出的家传秘方，全方由枯矾、雄黄、火硝、冰片、麝香、二郎箭、公丁香、荜茇、石菖蒲、猪牙皂、细辛、苍术等药物组成，用以治疗吐泻、腹痛，疗效卓著。近四十多年中，每值夏秋季节，先君斯炽即按此方配制散剂，广泛用于寒湿吐泻患者，其服法为每次服 1.5 ~ 2g，温开水送服，每日服药二三次。病轻者服一二次，吐泻可止；病重者连服 2 日即可奏效。笔者在整理先君生前学术经验时，为了表达对壬申防疫队诸老前辈的敬仰之情，爰将防疫辟瘟丹更名为壬申丹以资纪念。

苏轼与中医

|李永安|

苏轼（1037－1101年），字子瞻，号东坡居士，眉州（今眉山县）人，少聪慧，七岁读书，十岁能文，嘉祐二年（1057年）中进士，为北宋名臣，一代文豪。苏轼学问渊博，热心医事。元祐四年（1089年），住杭州知府，当时杭州大旱，饥疫并作，苏轼多方救济饥民，次年又慷慨解囊，私捐黄金五十两，同时拨出府库纹银两千缗，创办了一所病坊——安乐坊，为我国历史上第一所公私集资合办的中医院。

苏轼“研读医理，勤求古训”。他十分推崇《难经》，曰：“医之有《难经》，句句皆理，字字皆法，后世达者神而明之，如盘走珠，无不可者”。他“注重实践，博采众方”，加以推广。其撰著的颇有学术价值的医学杂谈及医方，如《东坡杂记》为研究祖国医学和医史提供了不少珍贵的资料，后人将其医学著述的一部分并入沈括（字存中）的《存中良方》，名为《苏沈良方》，又名《苏沈内翰良方》。此书涉及内、妇、儿、外、针灸、中药各科，载方一百七十余首。其中有秘传之方，有临刑遗方，可见其采集之广。如“圣散子方”系蜀人巢谷所秘传，治疗伤寒病甚有效验，为宋以后历代医家所称道。又如“小肠气方”和“远年里外臁疮方”，乃建安一军人吴美临刑泣念所遗之方，世人用之皆效。上海市中医文献研究馆编辑的《哮喘专辑》一书，还引用了《苏沈良方》“无碍丸”治疗老年脾虚水停致喘一案，为当今老年性支气管炎研究起到了很好的启迪作用。

俗话说：“不为良相，便为良医”，苏轼身为名臣，同时精究方术，其《苏沈良方》历代翻刻，中外流行，版本达数十种，是祖国医药学文献中的宝贵资料之一。

万古长江论医源

|李筱圃|

颂　诗

中华医药自炎黄，恰似江流浩荡长，
促进文明昭日月，诊疗疾疫保安康，

五千年历兴经籍，亿万人民丕炽昌，
服务工农奔四化，友邦钦仰岂寻常。

祖国医药学术，相传起源于上古时期，在四五千年的历程中，各个时期均有著名的医药学家，博古通今，创新发明。长江流域是中华医药发源地区之一，从古至今，医药学之名流，代不乏人，尤以明清为盛。仅就阅读书本所及，顺江流而下，列举名省著名中医学者数人，以贤景仰。

兰　茂　字芷庵，明·云南嵩明人，著滇南本草、韵语等。

李德霖　明·云南鹤庆人，精方脉，能治奇病。

唐慎微　字审元，宋·四川崇庆人，著经史证类备急本草。

唐宗海　字容川，清·四川彭县人，著中西汇通医书五种，血证论，伤寒、金匮浅注补正。

郑寿全　字钦安，清·四川临邛人，著医法圆通、医理真传。

庞安时　字安常，宋·湖北蕲水人，著难经辨、本草补遗。

李时珍　字东壁，明·湖北蕲州人，著本草纲目、濒湖脉诀。

李　梴　明·江西南丰人，著医学入门。

翁仲仁　字嘉德，明·江西信州人，著幼科三种。

喻　昌　字嘉言，清·江西新建人，著伤寒论篇、尚论后篇、医门法律。

华　佗　字元化，汉·安徽亳县人，著中藏经、五禽戏。

方有执　字仲行，明·安徽歙县人，著伤寒论条辨、本草钞。

汪　昂　字讱庵，清·安徽休宁人，著医方集解、本草备要、汤头歌诀、灵素汇纂约注。

夏　鼎　字禹铸，清·安徽贵池人，著幼科铁镜。

顾世澄　字练江，清·安徽芜湖人，著疡医大全。

余　霖　字师愚，清·安徽桐城人，著疫疹一得。

王肯堂　字宇泰，明·江苏金坛人，著证治准绳。

李中梓　字士材，号念莪，明·江苏华亭人，著士材三书、颐生微论，医宗必读、内经知要。

叶　桂　字天士，号香岩，清·江苏吴县人，著幼科新法。

徐大椿　字灵胎，清·江苏吴县人，著徐氏医书十六种。

吴　瑭　字鞠通，清·江苏淮阴人，著温病条辨。

吴有性　字又可，清·江苏吴县人，著温疫论。

汪　琥　字苓友，清·江苏长州人，著伤寒辨证广注、仲景中寒论广注。

以上所举，均系清代以前医学名家之万一，自古迄今，何止千万，著作之多，曷胜枚举，汗牛充栋，尚不足以形容其丰富。

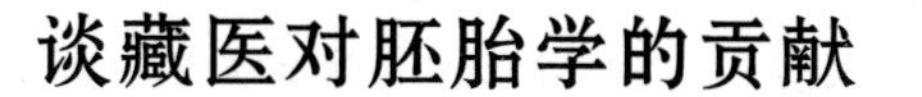

谈藏医对胚胎学的贡献

强巴赤列

藏医藏药已有2000年左右的悠久历史。它是祖国医学伟大宝库中的一颗灿烂夺目的明珠。早在公元前几个世纪，藏族劳动人民在与疾病作斗争的过程中，就已认识到动物、植物及矿物的某些部分有着解除身体病痛的作用，认为“有毒就有药”。随着人民对自然界的认识和生产的发展，逐步积累了丰富的经验。

人类的胚胎发育亦为藏医学者的重要研究课目之一。早在公元8世纪，藏医就开始了对胚胎学的研究，并初步论述了人体的胚胎发育。著名的藏医学家玉妥宁玛·云旦贡布（公元708年生于堆龙给纳）总结了西藏民间藏医的医术和经验，同时他还到印度、尼泊尔以及内地的五台山等地研究医学。经过几十年的努力，于公元8世纪编著成了藏医最著名的古代医学经典著作《四部医典》。在这部书中就指出了胎儿之所以能发育成熟，是全靠母亲的营养物质通过脐带供养胎儿的结果。书中写到：“用比喻来说，母亲、脐带与胎儿的关系就如水塘、水渠与庄稼的关系。母亲好比水塘，脐带好比水渠，胎儿好比庄稼，水塘的水通过水渠，滋润着庄稼，使人发育成长。”这个1100年前的比喻，至今看来，仍然是十分恰当的。

公元1285年，从地下挖出的《罗斑嘎汤》（意为“佛教遗教”）一书第34章中记载：“胚胎首先要经历鱼期，其次要经历龟期和猪期”。公元1689年，西藏发行了德斯·桑杰加措编著的《四部医典兰璃》成为通行全藏的对《四部医典》的标准注解本，该书第2部《论述本注解》中生动地描述了：“在胚胎发育中的鱼期时，胚胎形成长条形，因此称为鱼期。胎儿长出四肢，并分出头部，形状似龟，因此称为龟期。胎儿从龟期进一步发育，除了有四肢、头部外，还逐渐凸起所有器官，并能从母体中吸取混食，因此称为猪期”。不久，弟斯·桑杰嘉措又召集名画家兼藏医的洛扎·丹曾诺布等多人，在1704年绘成了配合学习《四部医典》所用的79幅珍贵而独特的彩色藏医药挂图，其中第2部第2章关于月经周期和胚胎发育的彩图五中明确地绘出：女子12岁来月经，50岁绝经，每月一次，来月经时，妇女常有腰部和下腹部胀痛，乳房发胀，情绪不稳定等表现。当怀孕后，38周即分娩，这些叙述都相当正确。同时，象征性地绘出胚胎在发育过程中要经历鱼期（相当于鱼纲动物）、龟期（相当于爬行纲动物）及猪期（相当于哺乳纲动物）等，这与动物进化过程中的几个重要阶段相吻合，顺序也完全一致。其中又谈到："从月经来潮起12天内就可受孕"，并说明胚胎发育的第5～9周为鱼期，第6周心脏和肝脏的血脉形成；第7周眼和头部的血管形成；第8周形成头部形象。自第10～26周为龟期，其间：第10周肩、髋部等突出的部位形成；第14周形成上臂和大腿；第15周形成前臂和小腿；第16周形成手指和脚趾；第17周形成内外连接的血脉，并认为第26周胎儿有记忆。第7个月"猪"期结束，第38周胎儿头部向下可以生产。

以上可见，藏医对人体胚胎发育的研究在下列几个方面远早于外国学者：

（1）胚胎是逐渐发育的，在发育过程中逐渐形成各种器官。

（2）胚胎的发育过程体现了动物进化过程的几个重要阶段，现已证明一切脊椎动物都起源于水栖的祖先—以鳃管呼吸的祖先，人类和鱼类有着间接的远缘关系。藏医把胚胎发育的第一阶段形象地比喻为鱼期，也客观地反映了这一关系。

（3）藏医形象地描述胎儿发育过程中出现的鱼期、龟期和猪期的顺序，是与脊椎动物的鱼纲、爬行纲、哺乳纲而后人类的进化顺序相一致的。

（4）藏医对人的胎儿、脐带和母体子宫之间的相互关系，在1100年前就有了比较科学和恰当的比喻。

（顾滨源　整理）

辨水液，别寒热

朱裕魁

某教师略知医，患小疾常自购药服之而愈。一日感冒，服药无效，乃求诊。问其主证：鼻塞流清涕。所服方药：桑菊片、银翘丸。以辛凉之剂疗风寒之疾，南辕北辙，焉能取效！余投苍耳子、辛夷、紫苏叶、白芷等品而愈。

一少年患腰部脓肿，切开后月余伤口不愈。某医注射青霉素、链霉素、庆大霉素等，仍缠绵不愈。我观其面白，流脓清淡如水，虚寒明矣。投以十全大补汤，并嘱炖鸡服食而愈。

有乳子患滞颐，遍服泻心导赤散、维生素 B_2、穿心莲等皆无效，颏下胸襟常湿，苦不堪言。察其舌淡而不红，口水长流而清稀，乃投丁黄理中汤加益智仁温补而止。

"病机十九条"云："诸病水液，澄澈清冷，皆属于寒"；"诸转反戾，水液浑浊，皆属于热"。辨水液而别寒热，最为简便易行，同道切勿小觑。

兹拟一表于下，览之一目了然。

水　液	寒　证	热　证
眼　泪	清澈而冷	浑浊而热
鼻　涕	清　稀	稠　浊
呕吐物	清澈无臭	有食酸臭
唾　液	清　稀	稠　黏
痰　液	清稀色白	稠浊色黄
小　便	清长量多，澄澈	黄赤短少，浑浊
大　便	质如鸭溏或清稀如水	色黄如糜或有脓血
带　下	白而清稀，无臭	浓稠黄浊，臭秽
脓　液	清　稀	稠浊

年长甚味，脾胃乃伤

|项　平|

王冰说："年之长者甚于味，……甚于味则伤于府。"这里的"府"，主要指胃肠而言，与脾密切相关。这便提示我们，老年人多自知体虚，急欲补养，甚于滋味，恣食甘肥，故脾之与胃，首当其冲，每致"饮食自信，肠胃乃伤"，而诸证丛生。现代研究证实，老年人多消化功能减退，胃肠黏膜逐渐萎缩，故饮食稍有不慎，即易变生脾胃疾患。这是老年发病学的一个特点。余曾调查502例60岁以上的内科老年住院病人，其主要病因为饮食不节者240例（47.81%），外感六淫者107例（21.32%），劳倦过度或久坐少动者88例（17.53%），七情所伤者59例（11.75%），其他原因者8例（1.59%）。其病理机制与脾胃失调有关者271例，也远较其他脏腑为多。由此可见，王氏之言绝非臆断。

当然，王氏此说并不排斥情志因素及六淫致病因素在老年发病学中的地位。王氏所言只不过是强调饮食不节在老年人的致病因素中的重要性而已。

老年多虚中挟瘀

|冯涤尘|

我们曾统计住院部的老年病641例，其中有瘀血表现者达270例。另据老年人的体格检查统计，即使是健康的老年人，也有程度不一的瘀血征象。据此

而推论“老年多瘀”。

瘀血的由来，主要是老年功能活动的衰退，气虚无力推动血液运行，因虚而致瘀。根据临床观察，老年瘀血证的特点是起病缓慢，男多于女，病程较长，随着年龄增大而逐渐加重，随着虚象突出而日趋明显。这就提示我们，治疗老年病不能忽视消除瘀血。活血化瘀法用于老年病人应恪守几条原则：①药量宜轻；②一种药最好有化瘀和补益的双重作用，或在方剂中配伍扶正之品；③宜用行血、活血类，少用或不用逐瘀搜剔药；④服药时间宜长。我们曾对老年瘀血患者270例的治疗进行分析，活血化瘀药中最理想的是丹参、当归、三七。全部病例单独用活血化瘀法，或适当配合扶正、祛邪的方法，总有效率达70%以上。

老年多虚中挟痰

| 冯涤尘 |

痰之起，源于脾肾。老年多虚，虚可生痰。因为痰是脏腑功能失调的病理产物，是机体内环境不能统一，津液不能回布、代谢障碍的结果，其或贮肺中，或留于经络。肺是娇脏，内藏清虚之气，外应皮毛。六淫外袭，肺气郁闭，气郁则津液不能敷布全身，留滞胸膈，蕴而生痰；或肺气不健，失其通调，水谷精气循行迟缓，游溢不畅，停滞在肺络中，瘀而成痰；或肺受侮，失清肃，浊阴不降，体液不循常道，从肺络中渗出，变化成痰；肝不敷和，疏泄失度，津液停积，化生痰浊，上逆迫肺，从清窍咳吐而出。心气衰弱，不能布化津液，或心阳式微，不能斡旋血液运行，亦可导致瘀血内停，聚而为痰水。痰瘀同源，同类互生，老年人多痰的原因也和瘀血增多有关，而且胶结久踞，为害人体。

针对老年有多痰的特点，治疗上要及时截断痰邪作祟的环节，扭转病势。此外，还必须重视消除生痰的根源，缓解因痰产生的症状。“见痰休治痰”，这是一句至理名言，和认真治痰并不矛盾。

痰是有形之物，停滞体内，随气升降，周流全身，导致一些奇病异疾。老年痰证可以从症状和体征表现出来，临证时当“治痰为先”，方中加用枇杷叶、胆南星，白芥子、陈皮、竹沥等可以达到化痰、祛痰、行痰、涤痰的目的，使气机疏通，症状改善。另外，有一部分疾病并非直接咯出痰涎，这是“痰之变幻”，但从病因病机分析、推测与痰浊有关。按病机立法治其痰，常获殊功。如对老年冠心病之用瓜蒌、半夏、枳实；对高血压之伍桃仁、茯苓、海藻；对偏瘫予胆南星、白附子、天竺黄；对心律失常配麦冬、石菖蒲、远志；对便秘投杏仁、瓜蒌；对痹证选白芥子、细辛，等等。清宫中帝王将相服的健身益寿医方，应用茯苓的机会很多；老年肾阴涸竭，常服杞菊地黄丸，方中茯苓是治痰专药，能轻身还少，却病延年。这些都是认真治痰的范例，能开拓我们治疗老年病的思路。

特异体质举隅

李克光

中医学的辨证论治，重视因时、因地、因人制宜，而对于病人体质的特异性，有时尤为强调，甚至可以本此作为诊断治疗的主要依据。这在《灵枢·阴阳二十五人》和《灵枢·通天》等篇章里，对此早已有所论述，对于后世研究体质学说有很大的启发。下面举出两则典型实例，以资证明个体之间确实存在特异性。

1. 北宋沈括所著的《梦溪笔谈》里记载有夏文庄其人，素体阳虚，异于常人，“才睡即身冷而僵”，宛如死去一般。“既觉，须令人温之，良久方能动。”有人见其外出，两车相连，车上载一高大棉帐，系用数千两棉花制成，赖此以保暖御寒。夏平日常服仙茅、钟乳、硫黄等助阳药物，从未间断，早晨常食钟乳粥，“有小吏窃食之，遂发疽，几不可救”。从以上所记述的服食、居处的特点来看，这位夏文庄公，显系特异之阳虚体质，在临床上亦属罕见。

2. 街邻周老，世居成都陕西街忠孝巷口，自谓从少壮直至八旬，很少患病，平时偶有小病，均自服黄连上清丸即愈，夏月常以六一散代茶，颇觉清爽。1952年春，周已年过八十，因游花会冒雨，返家后患时行感冒，自服上清丸半两，发热不退，时有谵语，其家属邀我急诊，脉象沉实搏指，舌苔老黄燥裂，显系阳明腑实之证，但虑其年事过高，未敢急下，遂仿黄龙汤之意，用调胃承气汤加人参，服一剂后，矢气频频，神识清楚，惟大便仍未下，且更加烦渴。周老告余云：“吾是火体，君无多虑，勿须再用人参，但重用大黄，吾病可愈。”余从其言，于原方中去人参，倍加大黄，尽一剂后，泻下燥矢数枚，随即身凉脉静，能进粥食。继用甘凉养胃之法，调治二日痊愈。后闻此老于1961年春逝世，时已年逾九旬。观其生前服药，大多偏于苦寒泻水，若非素体阳盛，岂能有如此亢盛之内热。凡此皆与体质之特异性有关，因志其大略，留待进一步探讨。

如疟非疟 |高　德|

《伤寒论》中"如疟状"见于原文第23、第144、第240条；"形似疟"见于第25条。"如疟状"与"形似疟"含义相近，字意雷同，故可谓凡四见。

原文第23条："太阳病，得之八九日，如疟状，发热恶寒，热多寒少，其人不呕，清便欲自可，一日二三度发。……面色反有热色者，未欲解也，以其不得小汗出，身必痒，宜桂枝麻黄各半汤。"；第25条："服桂枝汤，大汗出，脉洪大者，与桂枝汤，如前法。若形似疟，一日再发者，汗出必解，宜桂枝二麻黄一汤。"两条原文以发热恶寒如疟状或形似疟，反映太阳邪郁不解证的特点。但有的医家认为发热恶寒如疟状或形似疟系发热恶寒交替发作；有的医家以斯病证不属小柴胡汤证、亦不属疟疾而持否定意见（如明朝王肯堂、清朝尤在泾、柯韵伯等），却未明其具体所指，故值得深究加以明确。

如疟状与形似疟，从字面上看就不属疟疾，故仲景用"如""似"二字。另外，第23条以"其人不呕"除外少阳病；第25条以"汗出必解"否定少阳病，似可提示二证的发热恶寒并非交替出现。特别是原文第240条："病人烦热，汗出而解，又如疟状，日晡所发热者，属阳明也，脉实者，宜下之；脉浮虚者，宜发汗。下之，与大承气汤；发汗，宜桂枝汤。"条中的"如疟状"乃突出日晡时的潮热，其证"属阳明"只有发热而无恶寒，故无交替可言。

可见，如疟状与形似疟并不反映发热与恶寒之间的关系，只是强调某一症状或某一组症状出现呈阵发性。所以第23条的"如疟状，发热恶寒，热多寒少"，第25条的"若形似疟，一日再发者"，均指发热恶寒同时并见，但呈阵发性，故仍有太阳病的基本特点，绝非寒热往来，切不可以一"疟"字而误解真意。

卫强不强 |高　德|

《伤寒论》的荣弱卫强，出自第95条："太阳病，发热汗出者，此为荣弱卫强，故使汗出，欲救邪风者，宜桂枝汤。"系指以发热汗出为基本特点的太阳中风证的病理。荣弱卫强的机制，原文第12条用论脉的笔法提示过："太阳中

风，阳浮而阴弱，阳浮者热自发，阴弱者汗自出……”。文中“阳浮阴弱”虽指脉象，从后句解释热自发、汗自出，可知着意于病机，即荣弱卫强，又称卫强荣弱。

荣弱卫强病理的实质如何？是否营和卫均发生病理变化而失调？对此《伤寒论》的原文有较明确的解释。原文第53条：“病常自汗出者，此为荣气和，荣气和者，外不谐，以卫气不共荣气谐和故尔……复发其汗，荣卫和则愈，宜桂枝汤。”第54条：“病人脏无他病，时发热自汗出而不愈者，此卫气不和也，先其时发汗则愈，宜桂枝汤。”说明荣弱卫强乃相对而言，荣气本和，然对卫强则称荣弱，故病理的主导方面是卫强，即“卫气不和也”。

卫者卫外也，卫强则卫外为固，何能感受外邪而患太阳中风证？对此不少人迷惑不解。殊不知此处所指卫强仲景明言“不和”，即指病理性卫强，卫越强则营卫越不协调，其卫外功能就越差。是知卫强有生理、病理之异，《伤寒论》中的卫强当是病理性卫强。病理性卫强的外在表现是发热、脉浮和出汗。发热、脉浮乃邪盛与卫气相争于外的反映，故第12条指出：“阳浮者热自发”；出汗为“卫强”所致卫外不固的后果。

由于证属卫强邪盛，虽有出汗，仍当用适度发汗的治法以祛邪，即用治疗性发汗，损其“卫强”，使营卫调和，则病理性出汗即可自止。桂枝汤方桂枝、白芍并用，生姜、大枣同佐，服药后使病人遍身微似有汗，则使营卫调和，外邪得解，故为治疗卫强荣弱病理的贴切之方。

探索病机宜精细

|黄　勋|

治病之难，难在识病机；病机表现，有微有著。著者易明，微者难知。尤其在错杂迷离之际，对患者的病情掌握及临床治疗，更为棘手。1968年夏，余治一妇人刘氏，患甲状腺炎，初觉颈结喉右侧不舒，按之作痛。以后痛处逐渐肿大，每在下午畏寒发热（体温升至38℃），吞咽时疼痛更甚，牵引耳后，向肩部放射，酸胀难受，舌苔白腻而厚，脉象沉滑。余初以病人有肿、有痛、有热，脉沉而滑，苔腻而厚，毒性显然，湿热无疑，加之病人大便秘结，乃用仙方活命饮加大黄治之。患者大便虽通，病情依旧，甲状腺反肿大如鸡卵，按之质硬，如类石疽。尤其有肿有块而不红，改作阴毒用阳和汤论治，亦无效；又以其有块而肿硬，作痰核瘿瘤，治以软坚活血祛瘀，而俱如泥牛入海，一时对病人之病情无从把握，大有束手无策之感。

后仔细观察病人，虽在暑天，其身上恶寒，寒去发热，大腿尚须裹被，不然自觉寒风侵入骨髓。据此，则前认为挟热，已属非是，而痰核瘿瘤，病机为何，亦未探索。此病发热，腿犹恶寒，口不渴，苔不黄，岂不为“热在皮肤，寒在骨髓”？但仍惑于炎症之成见，佐以仙方活命饮加乌头、附子、细辛，以作药物侦察，服后痛稍止，由此而知，前用仙方活命饮而无功，今则当为乌头、附子、细辛之力。乃去一切消炎、解毒、去瘀、活血药，以温里散寒法，用麻黄附子细辛汤加生姜，服后1剂知，病情大有改善，寒热顿除。效不更方，继服5剂而肿块尽消。后同事建议加熟地黄，服后又肿痛，急除去，专服麻黄附子细辛汤3剂霍然而解。

此病之机不但隐而微，而且假象甚多，易于惑人，故为医者须细微观察。病为湿蕴，已无疑义，但非湿热，实为寒湿。肿块疼痛，恶寒发热，均为寒湿所生；寒邪在里，凝则湿滞，寒湿相搏则痛，寒湿互结则肿。因此，应通阳温里，散寒祛湿，寒散则湿化，湿去则气行，气血疏畅，肿硬得消，宜其用麻黄附子细辛汤之有效。

脾升则肾肝亦升

|刘盛斯|

黄坤载云：“脾升则肾肝亦升，故水木不郁；胃降则心肺亦降，故火金不滞”（《四圣心源》）。强调了脾胃升降在人身气机升降运动中，对肝、肾、心、肺之气的升降具有重要影响。现就临证所及，对“脾升则肾肝亦升”的实践意义谈点粗浅看法。

其一，在人体气机升降运动中，脾与肝肾关系密切。木生于水而长于土，土气冲和，则肝肾之气随脾气升发，如此则土荣而不郁，水温而精藏。若脾气不升，肝失所养，遂肝失升发之性，难以运血上溉头窍，目失养而睆睆无所见。治当升举脾气，待脾肝气升，血濡肝窍，则目视可明。曾治徐姓女患者，20岁，因患“子痫”住院，产后2日，双眼瞳孔等大，对光反射正常，但视物模糊，勉可辨识40cm内之指示数，而且面色苍白、少气懒言、纳呆，大便4日未解，小便淋漓难禁，舌质淡，脉沉细。诊为产后中气亏虚，清气不升，肝窍失濡，以补中益气汤化裁治之。1剂后，视力渐复，3剂尽，饮食、二便悉归正常。

其二，“太阴不升，则水木下陷。”木气下陷，则肝气郁滞；水气下陷，则肾精不秘，遂致遗精、带浊、崩漏等证从而生焉。部分医家以培土疏木之逍遥散、越鞠丸治之，使脾之清阳能升，遂肝气条达、肾气封藏而病愈者，临床并非鲜见。如成都中医学院冉品珍教授治一严重遗精患者，两载未愈，就诊前连夜自遗，甚达一夜遗二三次。视其面痿神疲，舌苔厚腻，脉缓弱无力、左关独大，诊为脾气不升，肝气下郁，肾失封藏。首用半苓汤及加减正气散，以运脾除湿，升降中焦。用药似与遗精无涉，但服8剂后，患者舌苔渐退，遗精大减。继用疏肝调脾之逍遥散，6剂后，遗精仅为偶作矣。患者终以正元丹、参苓白术散益脾善后而病愈体健。全案未用固肾涩精之品，而着意健脾，一旦脾气振奋，升降有序，则肝气升发条达，肾精固藏有权而疗效巩固。

但须明确，人体脏腑之气的升降运动极为复杂，本文强调“脾升则肾肝亦升”，不是说肝肾之气的升降纯然依赖于脾气，而是指肝肾之气在升降过程中除具自身运行规律及与心肺之气相联系外，尚受脾气升发的重要影响。故掌握脾气与肝肾之气的这种关系及其临床特点，对于辨治“水木下陷”之病，具有开拓思路、提高疗效的意义。

大实有羸状，至虚有盛候

| 师希尧 |

步入医林，将届三十秋，愧无造诣。每忆杏林生涯，医海沧桑，惟治“血臌”及“泄泻”2例，使我耿耿难忘于怀。“大实有羸状、至虚有盛候”之训，就是我面临疑难危重之证，搔首冥思苦想之际，借以释疑解惑、化险为夷、转危为安的指迷津。兹作一回顾以资借鉴。

血臌证

一女性患者，1974年3月来诊。其母告云：患者身染沉疴四载，百药服尽，如石沉海。家资费用殆尽，患者病势日沉，月来气息奄奄，旬日多次生命垂危。今闻某奇难杂证治多有验，特再延请救治，以竭心力。余乃诊视之，患者木然躺卧于车，骨瘦嶙峋，面容枯槁，毛发焦燥，语声低微，謇涩难言，两目黯黑，肌肤甲错。询问虽能答对，但断续低微。悉知：二便不通，夜难成寐，饮食甚少，口不渴饮，无寒热，不出汗。月经闭止3年。诊脉细弱而涩，因半年来渐渐口难开启，牙齿紧涩难开，而今舌诊只可见少许红燥舌尖。视其腹，形如抱瓮，大如临产妇，按压坚硬如石，青筋暴露，肚脐微凸，自觉腹满。

以上症情，为生平仅见。患者家属求治心切，欲辞不得。因思仲景有言：“腹不满，其人言我满，为有瘀血”“少腹满，应小便不利，今反利者，为有血也，当下之”“内有干血，肌肤甲错，两目黯黑”。参合所见，“血瘀”之证谛矣，病当属“血臌”无疑。舍攻下瘀血一法，何以救治！因而认定外无寒热，内有瘀血，大实之证，不攻何待！遂急欲书攻下瘀血之方，方书一半，又感踌躇。索思目下患者口不能张，药食难进。药不能进，何以言攻？谷食不入，正气安复？猛攻峻下不仅无益，反将偾事。停笔反复寻思，细审其口难张开，乃阳明之经“挟口，贯颊”“主润宗筋，束骨而利机关”，瘀血内阻，阳明络虚、致牙关涩闭难启，此“大实有羸状”中之羸象也。因思今不扶其羸，何以攻其实？迳直攻下，未免有失轻重缓急之辨。当此，标本兼顾，方为善策，乃另疏通补阳明兼化痰通络、活血化瘀之方试服。药用：人参、黄芪、当归、怀山药、丹参、赤芍、僵蚕、全蝎、地龙、白芷、柏子仁、半夏、化橘红、桑叶等，人参、黄芪因其性补，惟恐犯实实之戒，只敢用3钱（9g），药服1剂，尚属相投，患者神力稍增，口较前略张大。又思方中人参、黄芪，服后不仅不致热，神力反见增加，不妨加大人参、黄芪用量，“气行则血行”，遂放胆将人参、黄芪加为30g，果然效验倍增，药仅4剂，患者竟可张口吃饭，并能自行起坐，食量增加，而血臌之证依然。乃仿王清任三逐瘀汤之意改方为柴胡、香附、枳壳、郁金、当归、川芎、赤芍、红花、桃仁、醋三棱、醋莪术、肉桂等，仍加人参、黄芪各30g辅之，试服1剂，腹中雷然鸣响，绞搅难支，移时泻下絮状黑色腥秽败物甚多，自觉腹中松动，腹围缩小，腹壁略软，精神不减，反而饮食增加，可以下床勉强走动，只起立时头目稍感晕眩，脉略见滑，滞涩之象渐减。于此可见，扶羸利于攻实，攻实有助扶羸，“大实有羸状”之训诚然可信矣。遂恪守效方，或益人参、黄芪之量，或加五灵脂、土鳖虫、大黄、土牛膝、丹参之类，以增其攻下之力。依其脉症，灵活加减，守服3个月，进药四十余剂，泻下不计其数。八月初，患者的血臌竟得消除，唯月经仍不行，嘱其继服大黄䗪虫丸。服至年底计进43盒，月经始来潮，病告痊愈。此时患者形体丰腴，脸色红润，已能参加重体力劳动，与病时判若两人。随访至今，康健如常，村人因此传为佳话。

泄泻重证

患儿杨燕波，女，3岁，于1975年2月初，因食蒸红薯过量，傍晚遂腹痛不止，经当地医疗站治疗不效，送往县医院，服驱虫药后，腹痛虽止，乃致腹泻，进而发热，叠进针药无效。后转院，诊为：①腹膜结核？②肠结核？住院2个月余，每日泄泻不止，身热不退。竟至形瘦如柴，面色萎黄，虚惫已极，气息奄奄，几经病危，料难治愈。家属虑其儿殁于异地，诸多不便，遂决意出院返家待毙。途中幸未气绝，乃邀余诊视。

4月19日夜11时诊：患儿露睛偃卧，毛发枯焦，面无血色，两眼上翻，目

睛不转，啼不成声，神情烦躁，身热（体温 38.9℃）无汗，呼之只能微睁大眼为应，当日泄泻仍二十余次，粪色黄，气腥，略能进流汁饮食，脉细微略数，舌淡苔白薄。腹壁紧缩不硬，触按时略呈痛苦貌，呼吸微弱，心音低微，律齐。综观脉症，虚象毕露，诊为脾肾虚寒，表邪外郁。当即疏桂附理中汤 1 剂予服，因有表邪，肉桂改用桂枝，满以为药到病退。

次日诊视，患儿仍泄泻不止，身热不退，反增躁烦，遂感棘手，意欲婉言告退，奈患儿之父执意苦求设法一救，乃索思"至虚有盛候"之训，良久始悟，不禁赧然面赤，心中自责昨夜之非。遂再细审病史，详辨病机，乃知泻久，肝郁气滞，脾虚胃热，外邪郁表。改疏四逆散合喻氏进退黄连汤予服，药用柴胡、杭白芍、枳实、潞党参、川黄连（姜汁炒）、干姜、肉桂、黄芩、甘草，兼有表邪，再加紫苏叶。方成，其父视而诘之：孩子虚弱至此，黄连之施不知过寒与否？乃晓之以"至虚有盛候"之训，证之于昨夜之失，其父方诺。照方配服，药进 3 次，至夜身得微汗，体温下降至 37.4℃，能低声啼呼，口渴欲饮，略能多进流汁饮食，腹泻次数减少一半，手足微能举动，脉转细滑少力，数象稍去，舌质转淡，口唇干红。再按原方服 1 剂，患儿体和食增。惟腹泻不止，改投驻车丸合真人养脏汤加减：人参、山药、煨诃子、煨肉豆蔻、阿胶、木香、炮姜、泽泻、炒杭白芍、五味子、酒炒川黄连、生黄芪、炒白术、罂粟壳、甘草，另用红参 5g 煎水，山药 25g 研细，用红参水煮山药粉为糊食疗 1 剂，腹泻减至每日四五次，体温正常，神力更增，食量增加。遂守其方，以附片、乌梅、赤石脂之类随症加减。患儿接服 6 剂，腹泻方止，继以香砂六君子汤、右归饮加减善后乃安。

上述 2 例，可谓"大实""至虚"矣！从其临床表现证明，"大实有羸状，至虚有盛候"确非虚语，而在临床实践中，使我更深切地感到，对虚实的认识，不能截然分开，两者常常是互相关联着的，尤其当疾病发展到至极的时候，更是如此。

"回光返照"与"残灯复明"

|敖保世|

"回光返照"，是指由于日落时的光线反射，因而天空又短时地发亮的一种自然现象。"残灯复明"也是在灯油将燃尽时，火焰突然闪亮而后熄灭的一种现象。医学上常用来比喻人将死时所出现的一种短暂的兴奋。有的濒死病人，本已精气衰极，精神衰颓或蒙眬，或昏迷，或语言低微断续，可是却突然出现

精神转佳，或神志转清，语言清亮……。这种反常现象是病人体内脏腑精气将竭，一时暴露的假象，生命往往朝不保夕。《红楼梦》第九十八回：“黛玉白日已经昏晕过去，却心头口中一丝微气不断……此时李纨见黛玉略缓，明知是回光返照的光景”。就描述了这一现象。但这一现象并不是每个垂死病人所皆有的，这可能与病人的体质因素和疾病的转归不同有关。

“回光返照”“残灯复明”这一病理现象，是可以用中医的阴阳学说来解释的。《内经》说：“阴平阳秘，精神乃治，阴阳离决，精气乃绝”。说明阴阳二者是有物质基础的，它是产生神明（即人的精神意识、思维活动）的根源，二者互相依存，维持人体的正常生命活动。在病理过程中也互相影响；如果阴阳失调，就产生疾病，如果两者亡一，生命就最终结束。回顾多数温热病危重病人的死亡，大多是因为人体的阴精耗尽而最终使虚阳浮越，出现阴阳离决而死亡，这就是“残灯复明”的道理。灯油象征着“阴精”，火焰象征着“阳气”，而闪亮即逝的火光是浮越将去的“虚阳”，是“神明”出窍的一时表现。因此，复明是短暂的，也就是返照的回光。看来，“残灯复明”指出了事物的本质变化，而“回光返照”仅仅言及了事物的现象而已。

疾病与时间

孙林森

时间和疾病的关系在祖国医学书籍中论述甚多，如最早的医学巨著《内经》中提出的“春夏养阳，秋冬养阴”“夫百病者，多以旦慧昼安，夕加夜甚”等观点，都被临床实践证明是科学的。

《伤寒杂病论》是东汉名医张仲景一生医疗经验的总结。他在书中提出的六经欲解时各条，看来费解，其实道理很深。举“少阴病，欲解时，从子至寅上”一条分析，现已证实，“从子至寅上”（即晚上 11 点至次晨 5 点）这段时间，脑垂体的促肾上腺皮质激素和祖国医学中的肾阳在机体中具有同样重要的作用，故少阴心肾阳虚的病证，在“子至寅上”这段时间里容易自愈或治愈。

科学家们最近提出，人体内各种不同化学变化的节律很少是相同的，每一种节律都有它特殊的周期。如果人体生理系统受到冲击，使不显眼的各种身体反应为同步，即可出现病痛症状，这正是由于时间周期的变化而引起症状的产生，可见辨证论治一定要考虑时间因素。

临床上对于咳嗽病人，若寒热表现不明显而区别有困难时，常从“日咳三焦火，夜咳肺家寒”的时间角度立论。对白天咳嗽重的病人，以清热化痰为主；

对晚上咳嗽重的病人，以温肺化饮为主，疗效颇佳，儿童患者尤妙。

又如对虚证头痛、头晕病人，当辨其为气虚或血虚，以症状区分不明显时，可以从时间上分析。清晨、上午病重的，多为气虚；下午、晚上症状重的，多为血虚。治疗时便有所侧重。

笔者曾治一腰痛患者，每逢夜中 3 点开始疼痛，持续至天明即止，无明显症状可辨。后从时间角度分析，此时正是阳气渐旺阶段，病人可能为阴寒太过，阳气初增不能克之，随着阳气渐旺，与阴交争而致腰痛，投以温补肾阳之品，服 15 剂而愈。

辨证论治的科学性与艺术性

| 余亚东 |

辨证论治是中医理论在临床实践中的具体运用，它体现了中医治病的特色。但有些人议论辨证论治没有客观指标，没有统一规范，中医会诊“千个郎中千个方”。还有人说“这是中医的一大致命弱点”。笔者都不以为然，并且认为这正是中医区别于其他医学的特色之一，正是其优越性所在。我们知道，实践是检验真理的惟一标准。医学理论只要能指导临床，治得好病就是真理；西医用西药治好病是真理，中医用中药治好病也是真理。中医甲用甲法治好病是真理，中医乙用乙法治好病也是真理，因为他们都经受了医疗实践的检验，就证明是对的。这与真理只有一个并不矛盾，能治好病就是真理，治不好病就是谬误，真理当然只有一个。至于通过什么途径，运用什么手段，是可以灵活选择的。中医有很多流派，如经方派、时方派、易水学派，等等。有的用药清新轻灵；有的用药大刀阔斧；有的用药简练精悍；有的用药如韩信点兵，多多益善。确是“异曲同功”。能收到“殊途同归”之效。

俗话说：“用药如用兵”，这是很有道理的。用兵既要掌握军事原则，又要精通军事艺术；既要熟读兵书，用兵有法，布阵有方；又要机动灵活，出奇制胜，变化无穷，这样才能达到“用兵如神”的境界。像赵括那样的“纸上谈兵”，死搬教条，乃兵家之大忌。中医用药，强调辨证论治，对证下药，恰似用兵，既不能死搬教条，固执成方；亦不能头痛医头，脚痛医脚。既要讲原则性，又要有灵活性。喻昌说：“病千变，药亦千变。”这个变并不是漫无边际的乱变，“万变不离其宗”，是在一定的宗旨指导下的灵活变通，这个宗旨就是辨证纲领。辨证理论有八纲、脏腑经络、气血津液、六经、三焦、卫气营血等等，理当精通。因此笔者认为，中医会诊像诸葛先生与周郎在赤壁鏖兵前夕定计那样，各自在手心写个“火”字则能办到，也应该办到。而要求各自调兵遣将的具体部署完全相同就办不到了，也没有必要，大可不必苛求！明乎此就不会非难中医会诊“千个郎中千个方”了。所以中医在原则上是统一的，有客观指标的，可以规范化的，前贤称之为“准绳”；在具体运用上是灵活善变的，前贤称之为“权变”。作为一个合格的中医，就应该具有这种“知常达变”的气质。笔者认为这就是中医辨证论治具有科学性与艺术性相结合的特点。这不但不是中医的“一大致命弱点”，而恰恰是中医的“一大优点”“一大法宝”。

不忽于细，必谨于微

赵平瑗

“不忽于细，必谨于微”这句话，是我幼年学医时，家父再三叮嘱之言。它直接关系到辨证论治，故而铭记于心，时刻不忘。因为临床所见之症，多有相似之处，这就要求做到不忽略极其微细的变异。我们的辨证，正是从这细、微之中所求得的。只有通过认真而仔细的辨识，才能由表及里、去伪存真地洞悉病情真实之所在。例如：麻黄汤与大青龙汤证，二者同为表实证，若不加以诊察其细微之别，就会将大青龙汤证误以为麻黄汤证而投以麻黄汤，这就会使表实未解而里热更炽，从而加重病情。由此可见，临证时对患者的神、色、形、态之改变，语音、气息之异常等，均须从细、微之中获得可靠的信息以作为辨证的依据。

记得抗日时期，人们为了避日寇而躲进深山，发生疫病流行，皆相易染，患者日增。其病初起，颇似卫分表证，然医者投用银翘散而未能获效，用芳香化浊法却症情反增。吾父细心诊察，发现患者舌苔均白而厚腻，且渴不多饮。从这细、微的症状悟出山岚瘴气之特殊性，遂在银翘散中加入一味苍术，使患者卫分解、湿邪除，很快获愈。

肝气虚证的临床辨识

潘文奎

肝气虚证在《内经》中已有记载，历代医家及近代名医也曾提及，但临床上似少见，这主要是肝气虚证的症状涉及面广，极易与其他证候混淆，因此要认识肝气虚证，必须重视与其他病证的鉴别。

肝气虚弱，疏泄不及，可因虚致郁，兼有肝气涩滞之症，诸如情志不乐、胁肋隐隐胀痛、胸闷脘痞腹满等，此时必须与实证之肝郁区别。单纯之肝气郁结者，病情每随情志之抑乐而进退，病程短，并有肝气升发上逆之势；而肝虚兼郁者，其症情不以情志为转移，久病虚象多见，绝少肝气上逆之象，常见为孤僻寡欢，神呆怠惰，忧郁消沉，易现惊恐等。

从理论上讲，肝气虚证与肝血虚证一为气虚，一为血虚，泾渭分明，但两者均可见及头痛目眩、疲惫懈惰、发枯干涩、爪甲不荣、肢麻肤冷等症，临床上亦易混淆，从病机分析，《内经》曰："气主煦之，血主濡之"，肝气虚者重在筋腱痿废不用，诸如膝胫酸软，下肢痿弱，且多伴有肢冷怯寒等阳虚外寒之象；肝血虚者贵在筋脉拘挛麻木，常伴皮肤干燥、掌心灼热等阴虚内热之候，一张一弛，一寒一热，在气在血，是可分辨。余曾诊治一朱姓女病人，其头昏肢麻、神疲懈怠已历半载，他院按血亏论治，屡服铁剂、二至丸、养血膏等罔效，询知其头昏肢麻诸症每于闭目养神或安卧之后可缓，骤立之际旋即目眩头痛，甚则昏蒙有倾跌之感，察其舌质略红，苔薄白，脉沉细，查其红细胞、血红蛋白均正常，始悟及诸症貌似肝血不足，实系肝气虚怯，不能运血奉盈诸经，故从补养肝气着手，不择补血之品，经治半月，诸症遂消。

肝病传脾，肝气虚证导致脾疾，又极易与肝脾（胃）不调之证混淆，木不疏土之证是以纳少、脘腹胀满之中焦症状多见，胀系虚胀而非实满，绝少嗳逆、呕吐等肝胃之气升逆之象，脉多沉迟或细；肝脾（胃）不调者是肝气横逆犯中，临床上是一派脘腹阻胀、饱满、呕吐、呃逆、脉弦等实证表现。余曾治一丁氏肝炎患者，其以胁痛、脘胀、腹满、纳呆为苦，初从肝脾不调论治乏效，再诊时知其脘虽胀而喜按揉，腹虽满而不嗳腐，胁虽痛而隐悠不剧，改从温肝之法，病情迅速改观，此实系初期辨证之误也。

肾为肝之母，肝气虚常可累及肾虚，此与单纯之肾气虚衰酷似，临床上何以知系肝病及肾呢？可从两方面分辨之，一是肝气虚者常以巅顶空晕、目视䀮䀮、神思困顿、忧郁胆怯、肢乏力惫、运动迟缓等肝气升发不及之证，头目部表现多见，而肾气虚者见一派全身气虚之象，下元虚亏之候尤为突出；二是肝气虚者可伴有血虚之候，肾气虚者罕见有血亏之证。

肝气虚证的临床症状涉及面广，表现多端，诸如：神情方面的神呆消沉、精神怠情、惊慌易恐；目睛方面的目视䀮䀮、睛昏目盲、头目晕眩；筋爪方面的膝胫酸软、肢冷弛缓、爪甲失荣；胁肋方面的胁痛隐隐、悠悠不止、喜按喜揉；生殖方面的男子阴缩、囊冷、精少，女子经行衍期、滴漏不畅，等等。凡在临床上见是证时，注意思及肝气虚证，细加推敲，不难辨识，尤其在复诊无效时，更需注意是否初诊辨证有误。

辨证得失三则

周博文

证像白虎而非白虎汤证

翁姓女患者，28岁。怀孕六月有余，发病二十余天。初为外感寒邪，服药身痛除而发热不退，汗多湿透内衣，口渴，心烦，便秘，脉浮大而数，舌红苔薄黄。某医诊为“阳明经证”，处以白虎汤不效。邀我诊时，认为药证相符，然何以服之不应？细询其热不甚高（体温波动在38℃左右），口渴不多饮，汗出甚于夜，诊脉虽浮大而重按无力。再察其舌红为阴虚之象，苔黄薄而干系内热津伤。综合分析，虽证像白虎汤证，但病机非阳明气分大热。复思其重身气血易亏。辨证以阴虚内热立论，投当归六黄汤5剂。患者热退汗止，诸症悉除。

风寒头痛误为肝阳头痛

王姓女患者，52岁，患头部痉挛性剧痛月余。发作时，双手抱头翻滚。反复不已。诊脉弦而有力，舌质淡红，苔薄白。初步诊为肝阳头痛。余暗忖为何久治不效？乃索前医处方观之，亦皆从“肝阳上亢”论治，叠用羚羊角、天麻、钩藤、石决明之类罔效，前车当鉴，细思抽掣挛痛，非惟风邪为患，寒邪亦可致病，盖寒性收引故也。审其因，起病于夜间冒风受凉之后，失于表散；又屡进凉肝熄风之品，致寒邪里伏，不得外解，则疼痛愈演愈剧；脉弦固常生肝病，然亦多见于痛证；观其痛时抱头裹巾，有“热在皮肤，寒在骨髓”之悟。因而辨证为风寒头痛，遂予川芎茶调散改作汤剂予服，患者服1剂痛减，3剂即告痊愈。

湿热痹误认寒湿痹

朱姓男患者，突起腰痛，连及下肢，足不能步，且疼痛难忍。查患部无红肿发热之象，而身有畏寒怯冷之感，口不渴，二便如常，舌质略红，苔白厚满布，脉象弦滑。辨证为寒湿痹，投以五积散改为汤剂予服，不料连进5剂，痛势更剧，彻夜呼喊哭闹。复久按其脉，左关弦滑独见，且带数象，应主肝热痰浊。细察其舌象，舌体瘦小，舌质尖边红绛，亦主里热；舌苔虽白厚满布，但颗粒粗大如豆渣，多主实热湿浊；皆为湿遏热伏之象，因而舍证从脉从舌，按湿热痹痛论治，改进当归拈痛汤，1剂知，2剂痛大减，连进12剂，患者诸症消失，健步出院。

辨 证 小 议

袭嘉寅

辨证既是中医治疗学之精髓，又是医者理论水平高低、临床经验丰欠之标志，必须勤学医理，精通方书，识别药物，熟悉药性，方能突出中医特色。

1963 年，余治一男性病人，农民。因手指外伤，1 个月后，四肢抽搐，角弓反张。到某医院治疗，诊断为“破伤风”。经用西药治疗，效果不佳。转住中医院。患者恶寒发热，无汗，牙关紧，口半张，面呈苦笑容，神志尚清，语言謇涩，四肢痉直，角弓反张，频频发作。脉象浮紧，舌淡，苔白滑。初以搜风解痉、祛痰镇静之玉真散加朱砂、全蝎治疗，亦不见效。据其舌、脉，证为“破伤风”在表之候，属“痉证”之“刚痉”无疑。遂改用汗解法，以仲景之葛根汤，助以热粥治之，患者服药 2 剂，周身汗出而痉解病除。

破伤风病，中医、西医均有此病名，病因均为外伤后风邪病毒乘机侵袭而产生。所述症状亦很相似。中医“破伤风”有表里之分，“痉证”有刚柔之别。二者症状虽有相同之处，亦有不同之点。如“恶寒、发热、无汗、脉紧”为刚痉所特有，故而对上述病例按“刚痉”施治而获效。

又如，1984 年谢姓女患者来诊，她患病日久，面色淡白，少气无力，胁胀脘痛，食少便溏，呕吐清水。脉象缓滑。舌淡、苔微黄有津。西医诊为“胆囊炎”，治疗罔效。转中医治疗，他医根据西医诊断，认“炎”为“热”，使用清热解毒、消炎杀菌之剂。患者服后病情恶化，食水不进，呕吐频作，神怠嗜睡。此乃脾阳不足、胃气失和之证。余以附桂理中汤加法半夏、砂仁，温补脾阳、和胃降逆之法，投药数剂而病瘥。

西医学中“炎”证疾病多而广，但不完全等于中医的热证。所以临床上不能认“炎”为“热”。辨证应以中医理论为依据，运用中医诊断方法，对病人复杂的症状进行分析综合，四诊合参，判断疾病之病因、病位及性质，从而达到治愈疾病的目的。

谈诊病投剂之“火候”

许芝泉

余早年曾治一男性素有高血压病史之患者，忽然剧烈头痛，旋即神识昏糊，不能言语，右半身不遂。西医诊断为脑血栓形成。治疗1周后，患者神志已清，而右半身不遂未解，以中风后遗症邀中医会诊。我当时认为此乃气虚血滞，脉络瘀阻，遂投以习用的补阳还五汤。孰料经过两诊，患者服药10剂，不但半身不遂未见改善，反见颜面潮红、精神烦躁、不寐、头痛、呕恶、心悸、脉象弦劲而滑、舌苔黄腻、血压回升等一派风阳上扰之象。翻阅《医学衷中参西录·治内外中风方》篇，张锡纯指出："若遇脉虚而无力者，用其原方（补阳还五汤）可效，若脉实而有力，其人脑中多患'充血'，而复用黄芪之温而升补者，助其血愈上行，必至凶危立见"，余恍然大悟。患者神识虽清，而风阳并未尽熄，痰火依然内炽，当务之急，尤宜潜阳熄风，涤痰降火，以防复中，是时乃急予镇肝熄风、涤痰通络之剂，方用羚羊钩藤汤合黄连温胆汤加减。患者连服12剂，诸症次第消失，上肢已能举至肩部，下肢每日上下午各能坚持活动1小时，血压稳定，脉转细弱，黄腻之苔退净。至此，肝风已趋平熄，痰火不复上扰，用益气养血，化痰通络之方是其时也，遂再投补阳还五汤加味。患者连服20剂，下肢活动自如，治疗2个月而愈。

可见医之治病用药也要讲究掌握"火候"。审证察病，"知犯何逆，随证治之"。

阳虚湿滞有黄苔

陈　奇

阳虚湿滞者以白腻苔居多，亦有见黄苔者。临床以虚寒挟湿的胃痛和阳虚水肿易见黄苔。盖因湿浊停滞，阳虚者不能蒸化，胃气遏滞，如菜之沤黄，故见黄苔。其辨证多具下述特点：①苔色淡黄或灰黄，色泽光亮，刮之易去而露白底，多见于舌中、舌根部，厚腻成片，与湿热所致的深黄、老黄色，刮之不退者不同。②舌体滑润或胖嫩，与湿热所见的舌干燥、甚至起芒刺者不同。③舌质淡白少华，与湿热见舌边和苔底红赤者不同。除黄苔外，常伴有浮肿、脘痛喜按、畏寒肢冷、精神困倦、纳呆喜温、脉沉迟细弱等症。予干姜、附子、白术、茯苓等温阳渗湿之品，则黄苔自退，切勿误投苦寒之剂。如患者彭某，其面部及下肢浮肿，午后尤甚，伴神疲肢倦，短气，面色晦黄，舌质淡，苔薄黄滑腻，脉迟缓，此为阳虚湿滞之水肿，投予附片5g、黄芪12g、党参15g、茯苓12g、木防已12g、赤小豆12g、冬瓜皮10g。第3剂加当归10g，患者服5剂肿大消，精神转佳，舌苔转薄白而滑，脉较有力，守方再服3剂，肿全消，继予八珍汤善后而愈。

阳虚证具有两重性

朱文锋

或问阳虚的表现，医家每谓畏寒、肢凉、自汗、不渴、大便溏、尿清长、舌淡胖、面色白、脉沉迟无力之类。此说自然无错，然而这只是阳虚的一般证候。其实，阳虚尚可反映为某些特殊证候，如无汗或少汗、渴不欲饮或渴欲饮热、便秘不通、尿少不利、面色泛红如妆、唇舌紫暗、脉弱而数等。故曰阳虚证具两重性，即阳虚一般见寒证，但也可表现为某些“热”象。

盖人身阳气，既有温煦推动之功，关系于气化，又有司开合之能，涉及汗、尿的收摄与排泄等。如阳虚生寒，阴寒凝结，肠道失却温煦而活动迟缓不运，故可导致腹部冷痛而便秘；命门火衰，气化无权，不能蒸腾津液，泌别尿液，故症见尿少而浮肿；阳虚卫表不固可致自汗，而阳虚无力蒸化阴液则常见无汗或少汗；阳虚气血不荣，多见面白舌淡，而阳虚血行瘀滞，则色见紫暗；心阳不振，鼓动乏力，阳气浮动，其脉多为数而无力；面色泛红如妆则是阴寒盛于下、虚阳浮于上的表现……。由于这些症状正是从另一角度揭示了病情属于阳虚这一本质，故辨证时不可将其视之为假象而予以舍弃。对阳虚所表现的两重性症状，应从阳气的不同作用机制上加以理解。

阳虚的表现既然具有两重性，临床如何辨识？其一，“阳虚则寒”，肯定了阳虚者应以体弱病久，经常畏寒肢凉为主症。其二，中医辨证乃综合分析之结果，阳虚的一般症状，在病人身上常同时存在，而其特殊症状，则常不共现，只要全面分析，不难抓住其本质。其三，特殊症状的表现有其特点，如口虽渴而欲饮热，大便虽秘而便质不燥，脉虽数而必无力，面红如妆而必有下肢清冷等，这与实热证，阴虚证，自不相同。

八 纲 余 言

杜煦电

八纲是用来确定说明病变的大致部位、性质及正邪斗争状况的一种辨证方法，其特点是综合地反映了“证”的性、势、位三性，它指导其他具体辨证方法和确定治疗大法。但是，现行八纲尚不完备。例如其中阴阳二纲为病证阴阳与总纲阴阳之混称，燥湿二性则缺如。然而燥湿二性同八纲中的寒热二性一样，都反映了疾病阴阳变化的基本性质，具有普遍的指导意义。一般认为，阴胜则寒，阳胜则热，殊不知阴胜亦湿，阳胜亦燥。阴虚阳亢则燥，表达的是阴液虚则燥气亢而生燥证；阳虚阴盛则湿，即阳气虚，无以运化而水湿证成矣；阴胜阳虚则湿，即湿为阴邪，易伤阳气而湿证生；阳胜阴虚则燥，燥邪亢盛，损伤津液而为燥证。燥湿二性能从脏腑辨证、六经辨证、卫气营血辨证、三焦辨证中普遍反映出来，并为这些具体的辨证方法确定基本方向及拟定治疗大法。如肺阴虚，病初阴虚阳亢为燥，至中、末期，阴虚阳亢既为燥亦为热，故前期之大法为滋阴，中、后期之大法为滋阴并清热，再结合脏腑辨证，则知为肺阴虚及肺阴虚火亢证，治则为滋肺阴清肺火。再如阳明腑实证，邪热盛于胃肠，阳盛阴虚则或燥或热。热甚为主则以大承气汤清热攻下为法；燥甚为主则以增液承气汤增液润下为用。虽然至今尚未提出燥湿与寒热并列作为八纲，共同反映疾病的性质，但在古代许多医家及当今临床实际都是遵循着这一原则——寒热燥湿合以定性，温清润燥兼而以治。事实证明，它要比“寒热独以定性，温清孤立为治”切实得多。阴阳两纲实则混称了两个不同的概念——总纲阴阳与病证阴阳。总纲阴阳比八纲高一层次，是八纲的再一次的概括与分类，在概念上它们属于种属关系，因此宜于上升分立。这在《杂病源》《景岳全书·传忠录》就有“两纲”“六变”与“两纲”“六要”的分法。病证阴阳概念则较小，是对阴阳失调病证的概括，更不能与八纲并列。从八纲的特性看，总纲只是对八纲的矛盾划分，不能具体地确定性、势、位三性，又不能跨越八纲去直接指导具体辨证方法及拟定治疗大法。病证阴阳本身尚有待于八纲来说明其三性，它怎么又能与八纲并列呢？因此我认为宜将阴阳二纲分离出来，将燥湿补入八纲，修订之八纲为表、里、虚、实、寒、热、燥、湿。

诊病宜顺应时令

谢昌仁

去岁严寒季节，耄耋高龄的女书法家肖某，因感风寒而咳嗽，经治不愈，延请诊治，认系风寒外束，痰饮内伏，肺失宣利之咳嗽，处方5剂。但肖老仅服2剂即愈，其余3剂，肖老视为珍品，留而备用。

今春三月，咳嗽又发，肖老取出去冬之药煎服，3剂服完，咳嗽如旧，乃请余再去诊治，开药3剂，服后证情若失。肖老甚奇，遂问曰：“去年服药咳止，今用昔方为何不效?”答曰：“病虽同属咳嗽，发于一人，但因时令不同，病因有殊，去冬之咳，是因严冬季节，感寒诱发，故咳嗽频频，吐痰清稀，怯

寒背冷，苔白而润，前医药未中病，延时未愈，余用小青龙汤加味（麻黄、杏仁、甘草、茯苓、姜半夏、陈皮、桂枝、白芍、炙干姜、细辛、五味子）。宣肺祛寒化饮而效。今则阳春三月，感受风温，咳嗽咽燥，痰不易出，舌质较红，苔薄而黄，脉象濡数，故不可再用前方，服之必然无效，遂拟止嗽散加减（荆芥、桑叶、杏仁、桔梗、甘草、白前、百部、陈皮、紫菀）治疗而愈。中医治病贵在审病因，顺时令，讲究辨证施治。”肖老叹服。

诊病当相天时、审地理、观人情，然后辨证施治

| 许士衡 |

余县乡里市民，请医诊病，多不先言，必得医师先言其疾，方称上等，美其名曰“好脉性”。此风延袭已久，千年不衰。余经年累月与此辈人交往，习以为常，对常见病、地方病稍能掌握其大概规律，因而也能先言其疾梗概，然后顺水推舟也不至大出错言、自生尴尬，由此也博得了不少人的“称赞”。

甲子年，春多风雨，夏暑闷热，秋雨连绵，及至“麦种了，场上清”，一年农忙结束时，民病湿而就诊者不计其数。

万寿乡张妇，而立之年，由其夫陪同就诊，见其状，面容憔悴，体态臃肥，发髻蓬松，衣冠不整，两目懒开，目窠微肿，明堂阙庭皆有晦滞之色，苔色薄白，唇不鲜明，舌质淡胖，水气淋淋且边尖有齿痕，舌下诸筋暗红透青，脉缓而沉弱无力，此脾虚中运不足，升降之机失职，清浊不分，湿邪留中，精微不布，水湿不利，故而嘈杂似饥，但不欲食，痛在脘中，常连胁下。精其味则痛甚，粝其食则稍安，肢懒神疲，带下腰酸……。余尽言其疾，其夫由愁容顿现惊讶之色，小妇肿目全开，眩然不瞬，笑中带有几分诡谲之状说：“先生好神呀！”余正容不答，此故弄玄虚，不愿道破耳。

先是少妇苦胃脘痛数年。持续隐隐不休、阵发性加剧者半年矣，遇劳累感寒茹荤，或情绪急躁亦无暂安时，其夫示其检查报告单，遍及南京、扬州及天长医院检查：患慢性胃炎、慢性胆囊炎，叠进疏肝利胆、行气化瘀之剂数十帖，或有暂安，或无效应，闻余善用理脾，将信半疑，故而伸手给脉，不予一语，以此想试余可真有“脉性”耳。余据证拟方，用参苓白术散原方加木香、九香虫、细辛，3剂患者痛减，9剂嘈杂、懊侬、浮肿若失，30剂其人如常。腊月，夫妇同来寒舍辞年，称诸疾皆失。业医者，当看天时，通地理，知人情，然后辨证论治，切不可刻舟求剑。余操岐黄多年，居湿地而知治脾，知民情而能顺

乎其言，一年治病万余人，每日开方数十张，参苓白术散十居四五，以此化裁，用治肝炎、肝硬化、胃炎、妇科病，不一而足。余广泛用此，并非偏执，望勿以我言为“太卜之言地动，引君入瓮”为哂。

察色拮要

张震

望为四诊之首，凡精于此道者，古谓之神医。而神之所存，亦在气色。林之翰云“夫气由脏发，色随气华”，又谓人身诸色“内含则气藏，外露则气泄”。可见前人察色，乃气色并重，且认为其色调总以含蓄柔润为佳。

察色之法，总不外细审患者之面色、舌色、苔色、小儿指纹之色、二便之色以及各种分泌物（如痰、涕、白带、脓液等）之色泽而已。中医传统之色诊，内容宏富，项目繁多。《内经》言“知其要者，一言而终。不知其要，流散无穷”。故归结之，成一诀、得一表，庶可以简驭繁，便于习诵及掌握。

诀曰：

鲜明在表，沉晦入里；
浓干多实，淡润常虚；
红赤属热，浅白为寒。

（此为辨色六纲之一般规律，以四言二十四字赅之。其中所谓，色泽“鲜明”，并非“真脏色现”之“外露”；而“沉晦”亦非“含蓄”。因二者之预后佳劣各别，故当注意区分。）

附表：察色辨证表解

部位 / 性质 / 色别	颜面	舌部		指纹	病候总括
		舌质	舌苔		
白	虚，寒	寒，虚	常，表，寒	疳积	虚，寒，常
黄	湿（滞） 虚（晄） 热（鲜）		微热（淡） 热剧（深） 热极（焦）		热，湿
红	热	热盛（绛） 血热（深绛） 阴虚（少津）		寒（淡） 表（鲜）	热

青	风 寒 痛			风，惊，痛	风，痛
紫		血热极 瘀血（淡润） 寒		热（暗） 虚热（淡）	热
灰			血热（干） 虚热（淡）		
黑	寒， 痨，痛		热炽（干） 阴寒盛（润） 重危	瘀血	危

舌象要略

张　震

舌象是中医用以识别病情、判断预后、决定治疗的重要指征。患某些疾病，当全身症状尚不十分明显时，舌象常已开始出现一定程度之改变。其中尤以舌质之反应更为灵敏。如体内津液耗损或水饮停蓄之初，虽体表或其他部分尚未出现明显之燥象或湿象，而舌上津液却每见增减变化之苗头。同时，依据舌形状态、质色浅深、苔之消长转化等，便可窥测病情之进退、发展之趋势、脏腑之寒热、气血之盛衰，以及胃气之存亡等。诚为申斗垣所云“诸经之气，皆上注于舌，是以望舌可知脏腑经脉虚实寒热”。吴安坤亦谓“病之经络、脏腑、营卫、气血、表里、阴阳、虚实、寒热，毕形于舌，故辨证以舌为主”。

因舌质之组织颇近似人体内脏，所以甚至可把它看成是一种裸露在外的“半内脏”器官，或是体内脏器的“驻外代表”，从而通过舌诊便可实现《灵枢》所言“视其外应，以知其内脏”之揣度诊断法。

舌头虽是患者体内各种代偿功能的一个集中反映点，然而舌质与舌苔等各组成部分之间，却又有其自身之变化规律和内在联系，而且它们各自所提示的病理生理和诊断学意义也不是绝对的。因此，欲评价某一舌象之具体意义，应从整体情况出发，结合所患疾病之种类、名称、病情、证候以及病程阶段等全面判定。若按疾病总类而言，首先应分清内伤与外感。盖内伤舌象一般谓质重于苔；外感者，则苔重于质或质苔并重。

大凡内伤诸病，若偏于阴虚者，初起之际舌质多半稍红而少津。罹病日久，津伤较甚，则色变深红，或绛而干燥；舌形一般易见坚敛瘦小，甚而光剥无苔，形似镜面或状若猪腰等。偏于阳虚者，开始常见质色转淡，苔薄白而润。阳虚不运，水湿停聚，则舌形可变胖嫩，质淡白多津，苔似透明状；若体内阴寒特盛，则可于淡白之中微露青色，少数病员苔色亦可转黑，但苔必较薄而湿润，且着色不浓，状似国画中清描淡写之山水云烟。此是内伤疾病之舌象梗概，亦即"内伤多虚"之舌象一般。

至于外感病，如风邪等在表则舌质大多如常，苔仍薄白。邪渐入里，病势增剧，则苔渐变厚，挟湿则腻。进而化热，则舌质转赤，苔色渐黄；内有积滞或挟湿浊者，则苔黄腻而垢；湿热郁蒸较剧者，苔色可能变灰或发黑。邪入于营，则舌质深红或绛。此乃外感辨舌之要领。

腻苔说异

龚士澄

察舌以辨病，并不尽如书述，有可凭，有不可凭。姑举腻苔言：舌苔增厚如腻糊状，医书谓是湿邪壅阻，黄腻为肠胃湿热蕴蓄；白腻多为寒湿伤阳。此以舌苔辨病因，临床多验而可凭。若"饮食自倍，肠胃乃伤"之食积症，方书必云苔腻，则与事实殊异。我所经治之食积症，十之六七无腻苔。盖一伤于食则脘腹胀痛、干呕食臭诸症立见，而伤胃之物尚未腐酵熏蒸，苔不及长之故也。所以，苔不腻不可认为非伤食。然则伤食绝无腻苔乎？曰：间或有之。必经三五日，食物发酵后始见。一伤于食即见腻苔者，不过十之一二。又多为胃浊素重者。

医贵考实，不宜尽信书。

黄苔小议

柯梦笔

黄苔是舌诊中常见的一种征象，一般主里、主热，苔色越黄，热邪越重。但黄苔并非尽皆主热，据余所见，亦有主寒者。两者之别，须从苔色、苔质及全身症状来辨之。就黄苔本身而论，黄苔主热者，多见深黄或老黄或灰黄或如沉香色，或黄而干燥或老黄焦燥起刺，或黄腻，舌质偏红或红绛；黄苔主寒者，多见淡黄或浅黄而滑，或灰黄腻而滑，或黄滑腻而罩黑，或白腻而罩淡黄，或黄白相兼而滑，舌质偏淡或淡白而胖嫩。关于黄苔主热、主寒之机制，前者系实热或湿热（痰热）之邪侵淫脏腑所致；后者属中焦虚寒，湿、痰浊邪壅滞而成。诚如章虚谷所言："皆阳气不化，阴邪壅滞"之故。现代对舌诊之研究认为，黄苔的形成与炎症、感染、发热及消化功能紊乱等关系最大，临床所见炎症、感染、发热大都属实证、热证。至于消化功能紊乱形成的黄苔尚有寒热之别，不可不辨。例如胃肠有实热者，苔黄而干燥，脾阳失运痰湿中阻者，苔黄必兼滑腻。余今春诊一糜氏女性患者，48 岁，病起去年 9 月操持劳心，思虑伤脾，复加饥饱失常，劳逸失度，始则尚能支持，继则渐觉胸脘痞闷，纳谷减少，憎寒，越半载病情日重，以致形体不支，卧床不起，就诊时适逢春季，天气温和，患者仍衣著冬服，还嫌不能御寒。平素在家亦须重衾拥被，脚用热水袋取暖。其面色晦滞，口吐痰涎，清稀色白，频频不绝，每日约有两杯之多，胸闷如窒，欲长叹为快，大便溏薄，日行一二次，诊脉沉细无力，察苔黄腻而滑，舌中甚厚，舌质淡白。综观其证情，系由中焦虚寒、痰湿内盛、清阳被遏所致，方投附子理中汤合平胃散，温运中阳，蠲除痰湿。患者服药月余，诸症如释，饮食复常。在用药过程中，随着病情的改善，患者的舌苔由黄腻而滑转为淡黄滑腻，白腻罩黄、白腻，最终转为白薄苔，舌质亦由淡白转为淡红活润。方中附子、干姜两药用量共达 400g 之多。

此外，如苔腻而不板，厚而不滞，根苔黄滑，或兼淡黄而灰，不能尽作痰饮论治。这类舌苔常见于慢性疾病之恢复期，或其人素体湿盛，胃气蒸化之反映，不可视为病苔，否则燥之则损阴，清之则伤气。余友人冯君，曾因咳嗽就医，医者不知其素质，见其苔淡黄滑腻，断为痰饮，遂投燥湿化痰之剂，冯君 3 剂未服完，苔退而舌燥，咳咯鲜血，食欲大减。内伤杂病黄苔固然有寒热之别，然腻苔尚有板松之分。腻苔主湿、主痰是其常，常人见之是为变，知常达变，方能立于不败之地，切不可一见腻苔，即投温燥，以致偾事，不可不慎。

临病人问所便

沙一鸥

临病人问所便，语出《灵枢·师传》，是十问之外不可缺少的一问。这个"便"字，代表了病人的内在要求，通过询问，可以了解病人的喜爱与憎恶，对于探测病情，具有重要的意义。

临床上众所熟知的，如渴喜热饮者多寒，喜冷饮者多属热，腹痛喜温喜按多属虚、属寒等等，即属此类。忆 20 世纪 30 年代末，曾治一傅姓伤寒患者，当时民间习俗，拘守"饿不死的伤寒"之训戒，病者、医家俱不敢稍有逾越，其时病者已至湿温化燥、伤阴劫液，胃津被灼、胃气大伤阶段，症见午后低热，烦躁不安，口干脱津，已生口糜，杳不知饥，绝不思食，医者仍执禁食之戒，最后直至患者连粥汤也不想吃，胃气、胃阴俱有告竭之虑。我问病者："你想吃点什么?"答："我什么也不想吃，只想吃点盐水鸡蛋"。所谓盐水蛋，即开水加盐，打入鸡蛋，煮至蛋黄稍凝，即可取食的简便食品。我想目前用药已有大剂生地黄、石斛、玄参、麦冬，进一点鸡蛋，以有情食品，滋养胃阴，匡扶胃气，不会有害；且《伤寒论》少阴病虚烦不寐用黄连阿胶汤，其中尚有鸡子黄一味，何况病者属意殷殷，说明胃气尚有来复之望，因势利导，时不可失。奈病家顾虑重重，深恐进食不当，再生挫折，将更增危险。我竭力晓以利弊，且引《伤寒论》以说服病家，乃先予一枚鸡蛋，患者食后，意犹未足，即安慰病人，嘱多进一点盐开水，俟过一会儿如舒适，可再食。病者食后即得安睡，睡意深沉，醒后自觉口中津液自生，胸中舒适，乃更进鸡蛋一枚。从此以后，病者即胃开能纳，渐思饮食，烦热等症亦次第蠲除。这是40年前的旧话，时至今日，卫生知识普及，人民生活水平提高，已公认伤寒患者一概禁食是错误的。但却有另一种趋向，即不适当地过分强调营养。例如感邪发热未清，即勉进牛奶、麦乳精、猪肝汤等腥甜黏腻食品，意在加强营养。殊不知此时病人口黏乏味，最适合病人口味的倒是稀粥、菜粥、菜面、蔬菜羹汤之类，既适口，又开胃。又如肝炎患者，当其胸闷不适，食欲不佳，口黏苔腻之时，使勉进过多糖分，亦非患者所欢迎，甚至可加重满闷，反使胃气难醒，因此，这就要根据病情尤其要注意病者的意愿而有所变化。总之，病中进食与病后调养，以清淡养胃为主，以悦胃适口为宜。这些信息，可从"临病人问所便"中得来。问所便的内容很多，这里仅举一端而已。

持脉之道

张 震

脉诊是中医临证的重要诊查手段之一。通过正确的切脉所得到之诊断资料，常能提供辨证线索、揭示病机，并在一定程度上作为判断预后或决定治则的一种依据。然而，此法毕竟是难度较大的徒手诊查技术，只有在正确可靠的理论指导下，通过较长时间的认真实践，才能逐步掌握。

《内经》云："持脉之道，虚静为保"，其中"虚静"二字殊有深意。首言"虚"字，张志聪谓"当虚静其心志，守而勿失焉"。实则凡胸无成见，不迷信于脉，目睛未为一叶所障者，亦是虚其心志之属。如此则李时珍所言极是，他

说“世之医病两家，咸以脉为首务。不知脉乃四诊之末，谓之巧者尔。上士欲会其全，非备四诊不可。”

再论“静”字，兰芷庵倡“静审潜导”之说。喻嘉言则具体指出：“有志于切脉者，必先凝神不分，如学射者，先学不瞬，自为深造，庶乎得心应手。”

故，持脉之道在于彻底弄通脉诊之基本理论，对各种脉象之体态特征与病理生理机制、临床意义等均有所了解。诊脉之际，应掌握原则，以极端负责之精神，集中注意力，凝神细审，精详辨认。那么，即使在诊察某些伏脉或极为沉细难寻之脉象时，才不致于把医者自己指端小动脉之搏动等误为病人之脉象，或犯与此类似的其他错误。

脉诊一得

柯雪帆

28种脉是太多还是太少？有人认为太多太烦，主张简化。我认为，这要有分析，不能一概而论。对中医初学者讲课，可以精简些，讲重点，其余的让学生自己到临床上去体会。但对继承整理祖国医学这笔遗产来说，不仅28脉，就连一些怪脉也是宝贵的，不能轻易舍弃。脉象变化很多，就临床运用来说，28脉尚嫌不够。如胃痛病人的弦脉、痰饮病人的弦脉，与高血压病人阳亢时的弦脉，虽属一个名称，但指下感觉却有明显区别。胃痛病人的脉象属弦而力量大多不足（血压往往偏低）；高血压阳亢的病人，不仅脉见弦象，而且力量较强。细分起来还有区别：舒张压较高而收缩压不太高的病人，轻按脉弦象不明显，重按始见弦象，越重按弦象越明显，可以称为沉弦，也可称为牢脉；收缩压较高、脉压差较大的病人，轻按就有明显弦象，脉来时明显有力，脉去则相对减弱（近乎来盛去衰）。痰饮病人的弦脉多兼有滑象，可称弦滑。再如孕妇的滑脉与食积的滑脉显然有区别，指下可以明显感觉到，但用已有的脉学名称很难分别记录，只能统称滑脉。还有一部分气血不足病人（如贫血或心脏病人），也可以出现细滑带数的脉象，但力量较弱，脉去时力量更加不足，这种脉象确有滑象的感觉，但与孕妇和食积又有区别。这3种脉象，用28脉很难作出有区别的记录，只能混称滑脉。还有节律不整的脉象，变化很多，形态各异，病情轻重悬殊，但在28脉中有关节律不整的只有促、结、代、涩、散5种。有人对节律不整脉统称结代脉，未免粗疏，又缺乏具体分析。如既能结合中医辨证施治，又能结合心电图，具体地分析节律不整脉，将是发展中医脉学的一个重要步骤。

还有，妇女在月经期脉象也会有变化。如是一位常诊病人，对她的脉象比较熟悉，其月经来临，脉象变得比较宽大，比较有力，速率较快（可能是血容量较大的一种表现）。在临床上就可以察觉到，这种脉象有的在月经来潮前一天就出现了。但是这种脉象变化，难以用28脉来记录。

总之，我感到28脉不是太多而是太少。为了发展中医脉学，岂能受28脉之约束。临床诊脉水平不高，中医脉学势难发展。广泛、精细地描述各种脉象，无疑是一项重要的工作。

脉诊心得举隅

吕敬江

中医临床历来主张四诊合参。但在特殊情况下，为了把握住疾病的本质，也可以“舍证从脉”。而当今有不少医者，不论任何场合，恒习以问诊为主，叫做“问病治病”，竟忘了脉诊；或者为了应付病人，仅有切脉之举，而无辨脉之实，徒有形式而已；或对脉学所知无几，概以“脉缓”“脉浮”记之。千篇一律，终凭问诊处方，失误甚多。吾临床几十年，虽脉证并举，然恨脉法不精，甚至忽略辨脉亦间有之，其中稍有所得，终不能忘。

1976年8月，我院内科病房邀余会诊一肺结核咯血患者，其症为咯血不止，量多，口鼻皆溢。用西药止血，治疗1周未能控制，只得以输血补其所耗。吾诊后处犀角地黄汤加三七、紫苏子、牛膝为主方，2剂。临走，病者亲属问曰：“病体如何？服此方能止血否？”吾曰：“病势正张，宜加注意。此方服后若能保持原状，或略有转机，即为有效。”一实习生叩问其故。吾曰：“诊其脉洪数，此脉之逆也。《脉诀》有云：‘吐血最忌脉洪数’，‘浮洪吐衄总无功。’说明气火升腾，迫血上行外溢，不治则殆，治之亦不可速效。故曰服此方后病势稳定不发展，证明有效。”学生半信半疑。越两日，患者又来邀诊，谓血量大减。往而视之，见患者面、口、鼻皆洁，惟痰中带血少量。再诊其脉已转细弱稍数。仍守原方加减3剂。并告知患者及其亲属：“此方服后血当全止。”亲属犹疑然。归途中，学生再问其故。吾曰：“脉将静而转顺，气火已降矣”。3天后，患者果然血止。

这说明察脉之顺逆，可判断病势转归。否则，不仅“胸中无数”，甚至视危病于儿戏，竟大言：“无妨”，结果祸不旋踵，而悔之莫及。

漫谈脐诊

夏奕钧

脐诊，就是切按脐间的动脉，从其跳跃搏动的形态结合幅度变向的反映，以了解肾气的病理变化。临床上运用这一诊法，对于重症、外感热病及复杂的内伤病证而证脉疑似者，借脐诊所见，以全面了解病变的真情，具有一定的诊断参考价值。

脐诊诊法

当脐跳动，简称脐跃，亦称脐旁动气。脐诊的诊法，令病人仰卧，两足伸直，两手放置股间，医者用手掌心按病人的当脐，作轻、重、浅、深的按切，对脐跃动态的粗、细、缓、急、深藏、浮露，皆须注意，一如切脉推寻方法。所不同的，按切要上下左右移动，而上及于胃脘。

脐诊原理

祖国医学认为，当脐属肾，脐下三寸为丹田，是元气归藏之根。冲脉起于胞中，挟脐上行，至胸中而散，它为十二经脉之海，系于肾，又隶于阳明。据此，当脐筑动遂主要反映了冲脉动态。沈金鳌说：“肾间动气，即下丹田，为脏腑经络之根本，呼吸之门户，三焦之源头，名曰气海，贮其精血。”因此，下元亏损，或阴寒上潜等病变，脐跃常随之而反映出动态的变象。《素问·举痛论篇》说：“寒气客则脉不通，脉不通则气因之，故喘动应手矣。”又如吴坤安说：“动气筑筑然动于脐旁上下左右，甚而连及虚里心胁而浑然振动，此气血大亏，以致肾气不纳，鼓动而作也。”从上所述，确是很好的说明。

脐诊辨证

脐居腹部中央，腹笥为三阴经脉循行之处，且由有肝胆脾胃、大肠、小肠等脏腑器官，在应用脐诊时，须与腹诊相结合。正常人脐跃动气的形态与幅度，一般均纳藏较深而冲和有力，体瘦者稍呈浮显。在发生病理变化时，若见当脐筑筑，喘动应手，多为肾虚失纳，冲脉动逆。腹中柔软者，主因在虚；脐腹窒硬，少腹弦急者，则阴寒又盛。脐跃按之浮露，甚而躁急者，为下虚较甚，多见阴伤。脐跃粗大，渐浮于表，直至于脘者，则下元空虚已甚，中气衰而不能镇护，此际如出现少气、汗出、咽塞、呃逆、躁扰等任何一症者，其根元衰竭，阴阳有离决之变。尤其见于大病之后，或久泻久痢者，乃为亡阳之候，病多难治。

此外，脐跃动态变象也可见于其他病变，概之有三：①肾为水脏，若水停下焦而上逆的，可见脐下悸；②冲脉属肝，肝有伏热，或肝气横逆者，每可见此当脐筑筑；③在外感热病中，也可见于肠中积热冲激使然。

脐跃变象属于肾虚失纳，冲脉逆气，这是基本病理。盖肾为元阳之宅，与肝又是乙癸同源，在一定条件下，其病理演变并不局限于以上所述。常可见阴阳并伤，或肾寒肝热、寒火杂见等一类证候。因此，在辨证时，应与全身症状、脉舌变化，相互参证，始能得出正确的诊断。

形气、病气与补泻

王文雄

有余者泻之，不足者补之，这是《内经》治疗虚实的大则。但何谓有余，何谓不足，何者有余，何者不足，又当细细审别。关于此，《灵枢·根结》提出了形气、病气的有余、不足，与补泻应用的关系，其谓：“形气不足，病气有余，是邪胜也，急泻之。形气有余，病气不足，急补之。形气不足，病气不足，此阴阳俱不足也……形气有余，病气有余，此谓阴阳俱有余也，急泻其邪，调其虚实。”形气者指形体外貌；病气者，谓邪气。据东垣所释，病来潮作之时，精神增添者，是为病气有余，若精神困乏，是为病气不足，形盛为有余，消瘦为不足。故我于临证时，掌握补泻的应用，即以形气、病气的有余、不足为依据。尤其在治疗危急重症时，更是以此为准则，可以做到“谨熟阴阳，勿与众谋”，准确地进行辨证。

案 1：1962 年冬月某晚，成都老药工陈某来我寓闲谈，至 10 时始归，时北风凛冽，雨雪纷飞。是夜 2 时，忽听有人叩门甚急，开门见陈某之女，曰：“父患急病，腹痛，不能言语，势甚危急，请急往救之。”及至，见陈某踡卧床上，重被覆之，面色青惨，腹痛难忍，语声低微，似气息不能接续。诊其脉迟微而模糊，舌润有津，再询其妻，知冒风雪后行房，寒邪深入少阴，应急急温补阳气，散寒回厥以固脱，拟服下方：

制附片 60g（先煎），干姜 15g，肉桂 6g（冲），炒小茴香 15g，龙骨、牡蛎各 30g，吴茱萸 9g，炙甘草 3g。

但其家人谓，陈某平日耐劳无病，有病则皆服清凉药品，姜桂附恐不能受。吾对之曰：“《内经》有训，‘形气有余，病气不足，急补之’，但服无妨。”次

早 10 时，我又往看望，见陈某已坐在床上，面色已转红润，自称腹已不痛，稍能进食。后以温剂调理而愈。

案 2：我媳崔氏，平素体健。于产后 5 日突然高热，汗大出，恶露不行，肢体倦怠，语声低微，诊其脉沉涩。此产后气虚血瘀之证，故以清魂汤加太子参 30g，嘱服之。或曰："如此高烧，兼恶露不行，参恐不能用。"余曰："经有明文，形气有余，病气不足，急补之。丹溪亦有言，产后气血大虚，宜先补养，虽有杂证，以末治之。"故毅然予服，仅 1 剂则儿媳汗敛而恶露行、体温亦降至正常。

（刘采倩　整理）

持重与逐机

|张　震|

辨证论治，须熟谙病机变化之一般规律与特殊情况，通晓治法上"逐机"与"持重"之辩证关系。

凡证情有变或已显露变化之苗头，则应立即抓住时机，调整治法、更方换药，俾能因势利导地协助受病之体战胜疾患，此谓逐机。至若审证确切，治法不谬，而投药数剂仍无效验者，则当细析原委，摒除药力不足或显效时间未到等因素所造成之假象，判明真情，从而守方不变，专心治疗，是为持重。

具体而言，持重之法多施用于病根深痼或病程较长，估计非短期所能奏效者，因而在一段时间内坚持既定的治疗方针，不轻易改弦易辙，以冀通过量的积累而求得质变，最后战而胜之，这是治法之坚定性与专一性的表现。逐机之法，旨在捕捉有利之治疗时机，及时采取灵活机动、短暂有力之一助或一击，以影响或改变体内正邪双方之力量对比，使之有利于病体之康复。若正邪交争而正已不支者，当急扶其正，使之转弱为强；邪势特盛者，则可猛攻其邪，令邪势由优转劣，俾正能胜之。故逐机亦非全为权宜之计，而是治法上主动灵活之表现。故持重与逐机二者不可偏废，贵在医者之权衡揆度与准确判断。

知 常 达 变

|吕敬江|

医技之提高，主要靠临床实践。而实践之好坏，在于医者集思广益，知常

达变，做到举一反三，启发创新，方可提高。

例如，反复感冒，一般责之肺气虚损，卫外不固，多用“补中益气汤”“玉屏风散”之类，益气固表，多数有效。然对少数气虚及阳虚者，效果不甚显著。盖肺主气，气属阳，气之极在肾。故对反复感冒缠绵不愈者，以温补肾阳入手，常可收桴鼓之效。某年冬，吾患感冒，恶寒，鼻塞，咳嗽。先按“风寒”论治，时轻时重，历经半月方愈。因思素体阳虚，常觉形寒腹背冷，继配得右归丸加黄芪3剂，服后1剂症减，2剂病愈。后每至冬季，始觉形寒背冷时，则配服右归丸加黄芪数剂，形寒即止，感冒亦很少发生。由己及人，凡遇素体阳虚，易于感冒而从不发热或感冒缠绵难愈者，每以本方施治，效果满意。

又如头晕一症，其中有属于“高血压”者。一提到“高血压”，医者很容易与“阳亢”联系起来。即使辨证属于“阳虚”，也不敢使用温阳药，惟恐温阳“升压”。

1982年，其医遇一“高血压”患者，辨证本为阳虚，然连续几次门诊均不敢使用温阳药，只用“平肝潜阳”“化痰降浊”等常法施治，其症不减，血压亦不降。某日，患者来诊，正值吾在。某医测得血压有增无减，因而问曰：“血压老是降不下，何故?”吾诊得患者肥胖，舌淡胖边有齿痕，苔薄白，头晕形寒，脉稍滑。曰：“试按阳虚论治，方取右归饮加牛膝。”其医曰：“方中附子温阳可升压，能用吗?”吾曰：“有是证则用是药，不必顾虑。”遂处方5剂。再诊时，患者症减，血压较前下降。继守服原方10剂，症状消失，血压降至正常。

从上述2例可见知常达变之重要。留心于常中求变，做到知常达变，不断有所发现补充，则国医之完善、更新与日俱增矣。

久病痼疾，治在缓图 |陈治恒|

在临床上，有的病例本属慢性，由于日久郁结已深，或为痰浊凝聚，或为瘀血阻络，或两者兼而有之，病已发生了形质改变，可谓根深蒂固，人病真气则不能驱散其所结之邪，此时医者或病家，若冀其速效，实不可能，有时操之过急，往往偾事。前代医家早有守法守方之论，或以丸药缓图之法，根据个人临床体验，其说并非虚语。其实，此种病情，只要辨证不误，治疗方向正确，方药能够切中病机，就不要轻易改弦更张，自乱阵脚，否则便难以收功。但应说服病家，密切配合治疗，方可缓缓取效。

1973年秋，成都铁路局曹某，19岁。体质素健。一日突然发现右耳下后方长一拇指头大之硬性包块，不痛不痒，故不介意。后经家属劝去某医院检查，诊断为“腮腺混合瘤”，建议立即住院手术治疗，且需先作活检，再确定手术范围。由于患者不愿做手术，遂求治于余。察其包块，外不发红，皮色正常，只是按之如石，丝毫不能移动，脉象弦缓，余无它见。详询之，患者近年因家事不太愉快，平素喜食肥甘炙煿厚味。余窃思之，此当系毒邪凝聚，化生痰浊瘀血，阻结而成。除劝其不要紧张之外，可先服一段时间中药，观察有无效果，再考虑是否手术。于是以软坚散结、活血解毒为法，处以穿山甲珠、浙贝母、三棱、莪术、昆布、海藻、夏枯草等味与之，约服药3个月，包块推之可轻度活动，并无初起时之石硬。始终守法守方不变，只是药量和药味有所增减，先后历时1年有余，患者服药达百余剂，包块全部消失，至今未见复发。

1975年夏，余在德阳开门办学时，乡一干部患慢性血吸虫病，经驱虫治疗后，肝脾肿大一直不消除，经西医检查，肝大在右肋下3cm，质中，脾大8cm，经常食欲不振，倦怠乏力，时而腹胀，西医建议切脾。患者要求进行中药治疗，遂来求余诊治。观其面色微黄，舌质略有瘀紫，苔白，脉沉弦缓。此乃虫蛊癥积之候，余本着坚者削之、留者攻之、结者散之、虚者补之的原则，拟攻补兼施之方1剂，嘱作为丸药，长期服用，以缓图之。药用：人参、白术、黄芪、鳖甲、茯苓、鸡血藤膏、莪术、丹参、茵陈、郁金、谷芽、麦芽、砂仁、鸡内金、白芍、青皮、香附、胡桃树枝、大枣、甘草等为方。患者服药1个月后，自觉精神、饮食好转，腹胀消失，于是信心增强。先后共服丸药5料，处方基本未变，时经1年多，患者健康状况明显好转。后去成都某医院检查，肝在肋下可及，脾大2cm，以后一直情况良好，至今仍在坚持工作。

治病留人

|龚士澄|

1942年夏末，龚某年十七，偕友于濞水畔纳凉。友青岛人，善泳，强之游。归即病，发热，汗出，身困，背微恶寒，形如伤寒，但脉洪大而数，右大于左。医以入水受寒湿，与香薷饮加味解表和中。服后，汗大出，齿燥，头晕痛，面赤心烦，不恶寒反恶热，尿赤，口渴引饮。暑温已成，医投白虎汤合益元散，患者服尽热仍炽，舌质红绛，脉促，神昏口噤，手足瘛疭，暑邪内闭心包，肝风内动矣。诸医惟事清热、熄风开窍，以开口器撑口，强灌安宫牛黄丸、紫雪丹，经一昼夜犹不知人，举家惶恐。

一老医应邀夜至。先生通晓百家，尤精于景岳学说，重补益二字。亦认为斯证明系暑温邪闭，但只知“所急在病，而全不知所急在命”（景岳语），命必不保。指出当务之急，急在留人治病。迳用大量生地黄、熟地黄（各60g）、黄芪、党参（各21g）为君，辅以当归、黄芩、连翘、淡竹叶，患者尽1剂，至天明即含糊索饮，神识渐清。再服1剂，患者热退、搐定，汗已少。病者但以舌干而硬、吐词不灵、燥屎艰于排出为苦，先生投增液承气汤，便得解，津生舌柔，且能进流质食品。续予甘凉滋补调治数日而愈。

景岳云：“阴虚而神散者，非熟地之守不足以聚之；阴虚而火升者，非熟地之重不足以降之；阴虚而燥动者，非熟地之静不足以镇之”。用当归、地黄所以补精血，党参、黄芪所以益元气，峻补阴精气血以留人保命；用黄芩、连翘除炎热，淡竹叶清心以疗疾，合为留人治病妙方，力挽颓势，患者并未因滋腻之剂而遏邪塞窍。盖温邪热度最速，业已化燥伤阴，动风闭窍，扶正育阴即能托邪。然非学验俱富者不能为，诚师景岳而又别出心裁者。

从势挽危难

熊永厚

病势，即疾病发展变化的趋势。从病势这个独特的角度予以辨治，常可使一些屡治乏效的疑难危重病证迎刃而解。

从势辨治，必须首先对疾病的发展变化趋势作出准确的预测。所谓预测，是根据事物的连续性原理，采用趋势外推法，将疾病的发生，发展曲线延伸到未来。

影响疾病准确预测概率的因素大致有三：其一，是否熟悉和掌握各种疾病发展变化的特点和规律；其二，是否了解被预测病例过去到现在的变化情况；其三，对疾病现阶段的表现特点，是否有足够的或特殊的可供综合分析以期作出准确判断的信息。

对病势的处理方法不外两种：一是“扭转”，即“因其势而导之”；二是“截断”，即“先安未受邪之地”。

其临床具体运用可分两种情况：一是根据某病总的发展趋势，作为辨证立法、处方用药的依据。例如戴北山说：“不论表证罢与未罢，但兼里证即下。待痞满燥实俱全是为下之太迟。”戴氏根据什么对温病运用下法提出这个与伤寒截然相反的治疗原则呢？因温疫为病，发病急骤，其势凶猛，传变迅速。该病总的发展趋势是最易化燥伤津。所以应尽早逐邪外出，保其津液。

二是对临床表现典型，辨证比较明确，选方用药也较合理，而疗效却不甚理想的病例，医者的目光应敏锐地搜寻出提示疾病发展趋势的“隐性”症状，再结合病势予以辨治，可明显地提高疗效。例如欧阳履钦治一人，烦热痰嗽，痰中带血，怔忡不寐，日渐消瘦，脉细，苔薄白。其弟子欧阳锜以其失血有热，于炙甘草汤中去生姜、桂枝，加远志、炒酸枣仁。患者服后烦热少退，诸症未减。欧阳履钦诊之曰：“苔薄白而有津，舌质淡红，外症虽阴虚多，从舌苔辨之，已露气虚之机，只宜减姜桂，不宜去姜桂”。依此书方，患者服十余剂而痊，就是“从势挽危难”的范例。

因天时治外感有得

姚承济

昆明地处亚热带季风性湿润气候，四围群山环抱，北有乌蒙山系，蜿蜒连绵，挡住南下昆明的寒流；西有玉案山，太华山麓为屏，强劲的西风至此已为强弩之末；东南以鸣凤山、梁王山为障，挡住南来的热浪；更有五百里滇池镶嵌其中调节寒热。这样特殊的地区环境使昆明地区形成了冬无严寒、夏无酷暑、四季如春的气候。

昆明老一辈医学家治疗表证的用药经验，春令多用薄荷、防风、紫苏梗、前胡、桑叶、桔梗等轻宣肺卫之品；夏季常有藿香正气散、三物香薷饮、清暑益气汤等芳香疏利之剂；秋季以玄参、麦冬、桑叶、杏仁益阴清化。冬季以葛根、桂枝、桑枝、独活等辛温疏利。这正是综合了昆明地区气候、地理特点以及人体秉赋强弱的独特用药规律。因此，“轻宣疏化”就成了昆明地区特有的四时祛邪大法。1984 年我们以“清宣疏化”作为感冒专病的医理设计，将我省名中医姚贞白老师的薄荷饮、藿曲平胃汤、玄麦桑杏汤、葛根防风饮等临床验方输入电脑，通过鉴定后投入临床使用，半年来诊治了二千余例不同证候的感冒病人，不仅疗效卓著，而且取得了良好的社会效益。

中药西用戒

胡翘武

中药是在中医的理论指导下，服从于治则治法，根据其各自不同的性味、功能、归经而发挥治疗作用。配伍有君臣佐使的分工，诚有相辅相成、相得益彰之妙用。故中药在配方中，除发挥它们本身的作用外，还可配伍发生各种不同的协调作用而产生卓效。如黄芪本为甘温益气之品，伍防风可益气解表，配茯苓能益气利水，配川芎、红花又能益气化瘀，伍党参、白术更能补中益气。鉴于西药毒不良反应之不可避免，探索中药之药理，提取其有效成分，制成针药广泛运用于临床，也为现代医学研究的课题。但中药西用对号入座，绝不可取代辨证用药。诸如山楂、泽泻、何首乌降脂；杜仲、桑寄生、黄芩降压；玉竹、枳实、附子抗心功能不全；金银花、大青叶、板蓝根抗病毒；五味子降转氨酶等不胜枚举。虽是对中药药理的新认识，但绝不能取代在中医理论指导下的中药本身的性味功用。曾见一例转氨酶颇高的乙型肝炎患者，某医意欲速降其转氨酶，以大剂单味五味子研粉令其吞服，半月后患者非但转氨酶未降，且湿热壅滞之症状有增无减，如面垢臃肿、脘腹痞满、便秘溲黄、舌红苔黄腻等，易医改投清热利湿、疏肝和胃之法后，诸症日减，转氨酶亦渐正常。诸如大便常规一见白细胞就投黄连，小便常规有红细胞辄进白茅根……，余目睹者众，甚以此法传于后学，询之授者之师，也无指责之言，浸习日久，不觉其非。如是而再，中医之效从何而来，是当为戒。

“急则治标”治验举隅

王漱予

临床所见病证，除一般体质、新感者外，往往证非单一，尤其是慢性病，错综复杂。医者在辨证论治上，辨其标本急缓，可以提高诊疗效验。

1970年6月，余任教于平江，当地一何姓农妇，50岁，患急证肩舆求诊。观其肌瘦颧红，咳嗽气急，呕呃呻吟，俯仰不便；询其病史，患肺痨已10年，潮热盗汗。近5日来，并发脘痛彻背，痛不欲按，脉沉细而弦，察其舌质红，苔白厚。余据现症，从结胸论治，处以小陷胸汤加味，余待后议。在旁见习学员见患者症备结核，对所处之方能否中病感到怀疑。余以本病原发结核，但不若脘腹痞结疼痛、呃逆之所急，宗《素问·标本病传论篇》所云：“先病而后中满者，治其标”的理论，急则治其标，予以解说，因其未曾实践，未敢信服。5日后，患者步行来复诊，其痛、呃逆诸候基本缓解，遂改投保肺固金为主，辅以养胃宽胸之法治疗，并邀前次见习学员共诊。该生见本案果如预见，从而深刻领会中医辨证治疗从整体观出发、从标从本的实践意义。

风 胜 湿

陶克文

祖国医学认为人与外在环境的关系密切。人的生理活动和疾病的发生，一般是随着四时气候的变化、地理环境的不同、生活习惯的差异，而产生相应的改变。所以对疾病的治疗，强调因地、因时、因人制宜的治疗原则。

抗日战争时期，吾师张简斋先生执业于四川重庆，每天就诊的患者多达百余人次。先生常说：重庆地处长江上游，山高雾重，湿邪偏盛，人多病湿。当按照《内经》“风胜湿”的治疗原则，灵活施治，方可取得较好的疗效。故处方多加上风药，如羌活、防风之类。具体运用是根据患者体质的强弱、疾病的在表在里及其寒热虚实的不同，提出“风胜疏化”、或“风胜和化”、或“风胜托化”、或“风胜导化”等治则。然后在这些突出“风胜湿”治则的思想指导下，进行立方遣药，或解表，或和里，或温经，或清络，或益气，或补血，或升清，或导浊等等，多能得心应手，疗效满意。其学术思想和用药经验，遵古而不泥古，确有独到之处，适合因地、因时、因人制宜的特点，体现了中医辨证论治和整体观的科学性，反映了中医的特色。

非温无以化气

张六通

1973年初秋，吾在某医院授课之余，应约为一职工家属诊病。患者为一男青年，由其母陪同而来，当时余暑犹盛，常人只穿衬衣，病人竟身裹棉袄，头戴棉帽。其母诉述，病者刚从农村调回武汉，原泻痢已拖延二三年，起先但泻下稀水，后则下坠不爽，间或夹带脓冻，断续作肠炎、痢疾治疗，服过不少消炎杀菌药物，因无所调理，遂反复发作，病情日重，以致如今之状。

患者自述现症一日泻下四五次，夹有白冻，腹部隐痛，周身畏寒，神疲肢软，不饥少食，每天仅能吃二两稀粥。察其面色淡白少华，形体瘦削，语声低微，唇舌淡白，苔薄白而滑，按其双手冰凉，皮肤欠暖，六脉沉微。综观其神色证候，认定为泻痢日久，真元下脱，已成形气俱衰的重症。在场同学讨论治法，有的提出应予健脾补气，谓之治本；有的主张止痢固脱，意先救标。余则谓：水谷之纳运赖于阳气，形体之充盛在于元气，患者形气俱衰、外内皆亏，是气之大伤而然。《内经》曰："阳化气""少火生气"，治之惟以温补脾肾之阳为先，阳化则气生，阳盛则气壮，非温则无以化气。遂以桂附理中汤加味，方中肉桂6g、附片18g、干姜12g，佐以人参、白术、茯苓等健脾益气。1周后复诊，患者自述精神稍好转，食稍有味，中午或可脱去棉衣，下利次数稍减，此乃阳复已现转机，按原方加减续服。1个月后患者饮食增加，四肢转温，大便日二三次，质稀，脉沉细，仍守原法加重益气之品用量，又服两月余，患者形气渐盛，面色转红润，饮食称佳，大便每日一二次，略稀，惟便后仍带少许黏液，此为余毒未尽，原方加金银花30g、甘草9g，服月余而尽。至此，病者所服仅附片一味已逾4kg，是以阳复则气充矣。

谈谈"通则不痛"

| 朱裕魁 |

"痛则不通、通则不痛"一语，不但言及病理，而且提示治法。

"不通"不单指腑实便结，还应包括气滞、血瘀、癥结、经络痹阻、癃闭、食积、虫积、结石、梗阻等。

"通"不单指通里攻下，还应包括行气开郁、活血化瘀、消积导滞、破癥、通络、逐水、驱虫、排石等。临床应用相当广泛。

仲景创承气治阳明腑实，大黄牡丹皮汤治肠痈，已树"通"之典范。笔者于此亦略有体会。

一肠梗阻病人，由西医外科诊断，认为可行非手术疗法。予以输液、抗感染，服硫酸镁、蓖麻油泻之不通，服中药复方大承气汤攻之不下。我虑其年近六旬，体质虚弱，舌上少津，改行润下，用麻子仁丸。患者服后呃逆。再诊觉得辨证不差，仍进原方加赭石60g。患者服后呃逆平，数小时后大便通下，诸症随之而解。

笔者之母，患慢性胆囊炎，经地区医院某主治医师诊断，扪得胆囊大如鸡蛋，建议作手术。母畏而拒之，改服中药。我以大柴胡汤加减，药用柴胡、栀子、茯苓、枳实、金钱草、白术、白芍、香附、乌梅、郁金、大黄、南沙参、甘草。母见方中有大黄，颇为不乐。但服后觉得舒服，再开处方时每嘱须用大黄。母服药1个月，复查胆囊已未扪及矣。我治急性胆囊炎或慢性胆囊炎急性发作，常芒硝、大黄同用，其利胆不亚于硫酸镁，止痛亦速。

治乳痈当予通乳散结，木通、漏芦、王不留行、路路通、穿山甲等均可酌加。治痢疾初起，里急后重，勿忘通因通用，大黄、槟榔在所必施。鼻病头痛，须通其鼻窍。尿痛石淋须通淋排石。诸如妇科、伤科、疮证、瘀血所致诸般疼痛，慢性持久或其痛如刺，须活血通络。凡此种种，难以尽述。

见痛虑及不通，治痛想到用“通”。医者知此，不无小补。

表里双解效力宏

段光周

余子幼年常患感冒，发则咳嗽咽痛，高热数日不退。经检查咽部，其双侧扁桃体肿大如桃。因图简便，故请西医诊治。发炎则消炎，轻则消炎片，重则抗生素，口服、肌注，频频施用。初尚见效，稍久则无寸功。患儿痛苦不堪，大人亦为之焦愁。时有西医好友劝用手术摘除扁桃体，病可立愈。我虑子年幼，恐不耐刀针，遂自作主张，改用中医药治疗。窃思其子自幼胃气强盛，饮食超量，肠中必有伏热。积热上熏，复加起居不慎，风寒之邪外侵，内外相感，结于咽喉，营卫壅滞，势必咽肿不消，咳嗽频频，发热时起。咽喉为肺胃之门户，门户不利，外邪易入，故屡治屡发，此时消壅散结当是治疗的关键。西药虽可杀菌消炎，但对既成之肿块（尤其是反复发作形成之肿块），效力似乎不大，中药则独有其长。然此病之成，本于内外相因。论治若单解其表，肠中积热必无从排泄；若单泻其热，又恐引邪深入，是宜表里同治。观刘河间防风通圣散之组方配伍，外散风寒，内泻热结，正与此证病机吻合。试用成药防风通圣丸，每日 2 次，每次 5g，连服 2 天，余子热退咳止。自此之后，凡遇旧病复发，即服用此药，立收显效。至今已逾 10 年，停用一切西药，扁桃体已复原如常。

中医治病，法中有法。就表里同病而言，先解其表为常法，先治其里是变法，若表里病相互影响者，则必须表里合治。《金匮要略·腹满寒疝宿食病》云：“寒疝腹中痛，逆冷，手足不仁，若身疼痛，灸刺诸药不能治，抵当乌头桂枝汤主之”。此种寒疝之所以灸刺诸药皆不能治，就在于忽略了表里证之间的相互影响关系，故必须使用乌头桂枝汤以表里双解之。仲景之心，跃然纸面，业医者岂不加意乎？

下法未必全在降

项　平

年前吾治一中年男子，周身皮肤焮红瘙痒，彻夜难寐，伴腹痛便秘，已 1

周未大便，曾用抗生素配合灌肠，效果不显。余拟泻下通便合疏风凉血方，患者前后服药近10剂，但诸症减而未已，大便通而复秘。窃思药不中的，其中必有缘由。遂耐心询问，穷究病史，始知患者3年前曾发现患“胃下垂”，症状表现乃一派中虚气弱之象，惜未能认真疗治。故于原方中酌加升麻、柴胡等升提之品，竟服2剂而便通痒止，再以补中益气方药善后而安。盖六腑以通为用，然惟有升降得道，腑气方能畅通。是案素有中虚气陷之证，故必略佐升提，有升有降，奏功自易。清代名医怀抱奇运用下法，主张“宜升不宜降”即为此意。可见临证运用下法，未必全在于降，配伍贵在权变，万不可因一方、一案而印定眼目。

攻下法拾零

|张云鹏|

攻下法是泻下邪热、攻逐结滞之法，凡热邪搏结、燥屎停滞、瘀血积聚、痰滞水结之证，均可用之。吴又可提出：“急证急攻”，实为临床经验之谈。余在临床急证中，应用攻下法，常建殊功，略抒一得之见。

中风闭证，多因肝阳暴亢，风痰上扰，血随风逆，血菀于上，临床上往往可见便闭不通。余遇此证，治以承气汤通下，兼以豁痰开窍，清热平肝，使腑通热泄，引血下行，气随血下，而得救者不少。

热厥之证，亦即厥深者热亦深，厥微者热亦微。唐容川擅治热厥，强调速战速决，以防疾病发展，主张用“急下存阴法”。余曾治肝胆热毒，腑气闭塞，热厥邪盛，治以复方大承气汤合黄连解毒汤，攻下与解毒并举，而热厥得除。

暑温发病急骤，传变迅速，无卫分过程，而见高热昏迷，苔黄等。余曾治暑温邪陷，阳明腑气不通，邪热上薰心包，治以牛黄承气汤加黄芩、黄连、石菖蒲、郁金、远志之品，竟获全功，并无后遗之症。

温热之邪，深入血分，血热炽盛，必见舌绛神昏、高热烦躁，余治一例热毒内陷，邪势鸱张，内迫神明，给以凉血之品与攻下之药合用，其效满意，血象恢复正常。正合叶天士“凉血散血”之义。

阳黄热重，临床多见面目俱黄、胁痛腹满等症，余治此证，恒以通下与祛痰解毒同用，均能获效，患者之肝功能亦可改善。

患肾病后期，由于脾肾衰败，湿浊凝聚，浊阴上逆，症见面色晦滞，不思饮食，恶心呕吐，头痛烦躁，甚则昏迷。余曾治阳虚血瘀，浊阴上逆，使用攻下法与扶正同用，仿温脾汤之意，温阳降浊，活血利水，不仅临床症状解除，

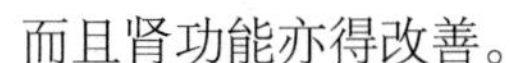

而且肾功能亦得改善。

患水肿后期，阳气衰微，水湿泛滥，小便不利，胸腹痞闷，全身浮肿，形成本虚标实之证，余以温阳与逐水并用，可挽生命于顷刻之间。曾治一例心肾阳衰，水气内停，脉络瘀阻的患者，处以附片90g、肉桂15g以温阳，葶苈子10g、黑白牵牛子各15g以通水，并加理气活血之品，竟获奇效，脱离险境。

攻下法，在内科急证领域中，确有卓越之功，但不是万能之法，应做到下之既要得其时，又要得其法。得其时谓不宜失下，得其法谓不得妄下。审证候之缓急，度邪正之虚实，察病机之原委，辨积滞之有无，遵循辨证论治之法则。

不可滥用大方重剂

| 胡翘武 |

大、小、缓、急、奇、偶、复，为中医处方之七种类型，沿用至今，仍不失其实用价值。根据不同病证，而处以相应类型之方剂，为临床医生所遵循之法规。重病用大方，危疾用重剂，取其效宏力专，挽狂澜于万一，救生死于顷刻，历代医案屡见不鲜。近年来未知何故，大方重剂之风有增无已。重病危疾尤且可宥，轻病弱体岂可效尤。曾治郭某，28岁，产后半年，气血未复，面容憔悴，唇甲惨淡，头昏目眩，少气懒言，纳差脘胀，月经或至期不潮，或届时淋漓不净。某医谓产后气血大亏，亟当补血益气为法，投以大剂人参养荣汤加阿胶、枸杞子、龙眼肉、龙骨、牡蛎，每日1剂。并加服中成药两仪膏，3日1瓶。2个月后患者诸症未减，反增食少神疲、焦虑不堪之症。其家境不丰，在一处诊治竟耗资达250元，再加上其他开支，被迫停药半月。余诊时，患者之诸症同上，舌淡苔薄白微腻，脉虚细，其气血不足之证昭然若揭，但以气阳亏虚，中气衰败，脾失健运为主。投以保元汤（党参10g、黄芪10g、肉桂3g、炙甘草4g）加鹿角霜15g、陈皮6g、炒谷芽15g。服5剂即收脘舒纳增之效，2周患者诸症悉减大半。窃思仲景而降，名医者代不乏人，处方用药皆酌之又酌，力求精简，功宏效伟。如桂枝汤、四逆汤、六味地黄丸、补中益气汤。及吴鞠通、叶天士辈所制之方剂，危重垂笃之病亦不过数味取胜，内伤杂病之疾皆以轻灵见功。而今之医者或谓中药效价太低，或谓小剂于病无济，或谓大方愈病迅速……，故大方重剂之风与日俱增。殊不知因畏惧中药价昂求治中医者日渐减少，中医诊疗日少，其经验何来，中医之发扬光大又从何谈起？故在振兴中医，保持中医特色的今天，简、便、验、廉的处方用药也为吾中医一大特色，不必要的大方重剂也当戒也。

补不宜滞 | 李孔定 |

“虚者补之”，是千古不易之法。但须补而不滞，才能充分发挥补药的效果，达到治疗的目的。治疗慢性虚损，尤其应加注意。因补药壅滞，纯补峻补，虚损之脏常难使之运化，故在治疗时，常把补、消两法合在一方之内，使补药补人体之虚，消药消补药之滞。异曲同工，各尽其妙。薯蓣丸、磁朱丸均用神曲，补中益气汤、五味异功散均用陈皮，小建中汤之用生姜、桂枝，归脾汤之用木香等，就是以这种思想为指导而于补剂中稍佐消散药的。我法前人处方之意，在治疗脾胃虚寒之证时，常于温补方中加入陈皮或神曲；在治疗肺肾虚寒之证时，常于温补方中加入小茴香或肉桂；在治疗脾胃虚热之证时，常于清润方中加入川楝子或谷芽；在治疗肺肾虚热之证时，常于清润方中加入木蝴蝶或橘核；肝虚施补，常加吴茱萸；心虚施补，常加远志，均每能获效。

如不能变通，滥施蛮补，常可出现胀满不饥，或食欲不振诸症，从而导致食量减少，气血之资源不足，纵使参茸杞地丘积于前，也是难免“求全之毁”的。

所谓“补而不滞”，系指补药不碍脾之运化，胃之受纳而言。补剂中佐以行气或消导之药，是用来调畅气机、醒脾开胃的。如此，可使药物和较多的食物营养共同来充实身体的匮乏，则消散药实际是间接的补药了。

然而，虚损毕竟当补，行气或消导药参与补剂之中，仅是防止补药可能出现的不良反应或兼治他症而已，不能直接治疗虚损，故消散药在补剂中所占的比例，一般不应超过1/3，否则，会犯虚虚之戒，导致不良后果。

脏腑补泻小议 | 杨炳初 |

在临床上，五脏病变常因先天不足，后天失养或久病伤正，消耗过度而表现为精气不足；六腑病变则多因饮食失节，起居失常，外邪侵袭而致食滞不化，气机壅塞，湿浊阻滞使腑失通降，糟粕停积，浊气内留。腑病与脏病相比，腑病多实，脏病多虚。在治疗时，脏病宜补，可根据其气血阴阳之偏虚而采用补气、养血、滋阴、温阳等不同方法。腑病宜通，可根据病邪阻滞的不同部位，分别予以通利、攻下、理气、化滞等通降之法，以逐邪外出。

腑病虽多实，脏病虽多虚，但腑病有虚证，脏病有实候。治腑之虚，要寓补于通，以恢复六腑通降为顺、以通为用的正常功能。治腑之虚当用补脏之法。因为脏腑互为表里，相辅相成，只有五脏精气充足，才能有助于六腑通降功能的恢复。如胃肠之气虚，可补益脾气，用建中汤、理中汤之属；津液不足，则予增液行舟，助其通降。膀胱之虚，需培补肾元，以助气化，应用六味地黄丸、金匮肾气丸等辈。治脏之实，在于使五脏浊气得以外泄，使气机疏泄有度，津血流畅不滞，才能有利于五脏藏精功能的正常进行。但五脏浊气之外泄，一定要通过六腑连接始能沟通内外。故治脏病之实，应予泻腑之法，如心肝火旺、肝胆壅实之证，可予导赤散、泻心汤、龙胆泻肝汤等方，应用淡竹叶、木通、车前子、大黄、龙胆草、柴胡等品以泻膀胱、通大肠、利胆汁，始可达到泄浊解热、去除壅实、疏调气机的功效。

利机枢，治虚损

董胡兴

“利机枢”是浙江会稽晚清时医家章楠（字虚谷），在其著《医门棒喝初集·虚损论》中所提出的一种治虚损妙法。其法以疏利肝胆，佐以凉润；温健脾胃，佐以滋润为主。章氏根据“虚损之人，气血既亏，阴阳运行不能循度，动多窒滞”的病理特点和人体清气出肝胆，资源发脾胃的道理。强调“欲培其根本，必先利机枢”，肝胆脾胃乃是关键。现就临证管见，谈谈应用其法的要领。

1. 掌握适应病证　利机枢法具有能使人身气机调畅、升降有节、气血生化有源的作用，主要适用于虚损患者中补之不受、攻之不耐之虚中挟实诸证。虚损日久，因呆补而致胀满或泄泻者，用之颇宜。若系肝胆郁滞，脾胃虚弱，本法更为适中。笔者曾用四逆散合六君子汤加减，治疗久病或老年虚弱患者之食欲不振，体质渐衰症，对于增进饮食和改善体质，均有明显的效果。肺病、肝病日久伤及脾者，亦可酌用。若肝阴亏虚者，单用疏利，即犯虚虚之戒；当阳气欲脱，阴气将竭之时，施以疏利，更伤其气，施以温健，则耗其津。

2. 权衡升降动静　利机枢法虽有调节气机的作用，但应注意权衡升降动静，以令其适度，方能维持脏腑的正常功能。如补养精血过于滋腻，则易碍脾胃升降之机；疏利气机过于辛窜，反耗伤阴血。升补中气应防虚阳浮越，平降逆气当虑阳气沉陷。在大队滋补品中佐理气，在辛香理气品中佐敛阴可使动静平衡。升提佐和降，降逆佐轻升。古代制方与现代用方都如此，切不可拘泥，顾此失彼，但要分清主次，同时注意时令特点。

3. 坚持随证设法　章楠利机枢法的运用，还要求医者“随证设法”，以防“正虚夹邪，执用补法，则锢其邪，执用攻法，则正气脱”。所谓随证以设法。如肝经郁滞当分寒热，寒滞宜疏利而兼温；湿热郁滞宜疏利而兼清。肝阳上亢因火郁当用清降，因阴虚当用滋降。脾胃虚寒，可施温健；脾胃湿热则宜清泄。虚损兼感，邪轻用补托，邪重急去邪，以防内外相合，使病势加重。对兼有瘀血、痰饮、宿食者，当酌用化瘀、消痰、导滞法治之，可使正气尽快恢复。

至虚不受重补

苏瑞华

补虚泻实是治疗常法，但由于临床见证的复杂多变，便产生了若干相应的变通治法。虚证当用补，但久病重病所形成的至虚至衰，却又往往不耐重补大补。

1976 年 9 月，我曾治一男性肺癌病人，为右肺中叶中央型原发性肺癌，肿块已有 3cm×7cm，边缘呈毛刺征。病人形羸神疲，面色暗滞，目视呆板，须发焦黄，肌肤甲错，毫无光泽，口唇失润，声低言微，不时干咳，少痰，时时喃喃自语，不知所云，午后及夜间时发烦热，自汗盗汗，健忘失眠，舌苔白干，但不渴饮，脉象沉细无力，前胸及髋关节疼痛如锥刺。经分析认为，此为肺癌晚期，肺阴大亏，精血枯竭，仅可对症治疗而已。因此，本保肺生津，益气养血之法，以大剂生脉散加当归、黄芪、赤芍、桑枝、冬瓜仁、白茅根等养阴通络止痛之品，其中人参每次 5g，药汁炖服。余自揣药证相应，服下总有小效。哪知患者服药后反见纳食更差，胸闷腹胀，气喘依然，疼痛丝毫未减。沉思良久，方知此病人，久病大伤正气，元阴大败，五脏疲惫，恐已不受大剂峻补，只宜小剂徐进，以图缓缓见功。于是将上方减轻用量再进，药过 3 剂，患者已不觉烦躁，口中和润，饮食稍进，自汗渐止，疼痛稍有休止。

大虚不受重补的情况往往出现在一些慢性虚损性疾病所致的大虚至虚阶段。此时脏腑已基本失去纳化、转输功能，突然承受大剂补药，脏腑本身往往会拒格不受，安能化生气血。此时，峻补不如平补。程钟龄说：“病邪未尽，元气虽虚，不任重补，则从容和缓以补之，相其机宜，循序渐进，脉证相安，渐为减药。”对于久病大虚用补，除了认证准确，掌握循序渐进的原则外，还应认真分析大虚之中是否潜藏余邪和其他兼证。在这方面，《外科正宗》的分析是很有见地的。它指出："受补者，自无痰火内毒之相杂；不受补者，乃有阴火湿热之兼攻。"

误补益疾

李浚川

虚者补之，固其所宜，反之为害。奈何世人不察，辄以补药为至稳、至当之剂，有强身延年之效，于是患者闻补则喜，医者投其所好，饵补之风盛极一时，为害滋甚！兹姑举一二，以见一斑。某君，因案牍之劳，渐觉精神疲惫，腰酸头重，伴遗精健忘。某医言其肾虚，用金匮肾气丸方，另加人参、鹿茸炖服。涉旬患者烦躁易怒，彻夜难眠，且口干咽痛，胸胁胀满。求治于余，诊其脉弦细而数，舌赤少苔且干，参以证情，知是温补助热，益气动火之害。乃用竹叶石膏汤合酸枣仁汤去人参、半夏。服数剂，患者烦躁大减，惟睡眠欠安，后以知柏地黄汤加麦冬、酸枣仁，调治1个月而平复。

又，某中年妇女，1年来月经延期，量少色紫，形体羸瘦，神疲纳呆。某医认为气血两亏，先投八珍汤，患者反增胀满不食；继进十全大补汤、人参养荣汤，更见烦渴胸闷。延余诊治，见其面色黧黑，肌肤甲错，两手掌起老茧，血瘀之征颇著。乃仿大黄䗪虫丸意，用当归尾、桃仁、川芎、赤芍、丹参、大黄、土鳖虫、生地黄、益母草、甘草等味，治疗月余，患者诸症悉除，面色正常，肌肤润泽，月事不延。后以八珍益母丸调治而安。

滥补责医说

李正全

观历代方药论述，具有确切补益功效的药物约二百余味；组方膏、丹、丸、散诸剂，则数以千计。凡属补益方药，历代素为医家所喜用，病者所愿服，世人乐于受之。凡补益方药，用之得法，证药相适，对于因正气虚损所致诸多病证，以及因先天禀赋不足，或体弱多病，或老年自衰太过，都具有扶正补虚，治疗疾病，增强抗力，延缓自衰之效，甚至可以固护生机，挽救危亡，其功可谓卓大也。

然笔者临证所见，其有本无虚损病证，仅以患者所述为依据，医者即滥施补益方剂；每因辨证失误，证药不相宜，而致误补。轻者延误治疗，加重病势；

甚者助邪害正，乃致损伤生机。不但未获补益之功，反致遗患无穷。

今世人多以人参、黄芪、鹿茸等益气助阳药为其补益佳品；鲜有知熟地黄、枸杞子、山茱萸等养阴生津药亦为补益之要药；各厂商亦以参茸制品广招顾客。如若确属阳气虚衰，理当有所助益；但如遇幼少青壮之体，或本属阴精（津）虚损病候，而滥用或误用参茸桂附之剂，则不但于病无利，且可自伐其体，助阳损阴，导致或加重心烦失眠，头眩耳鸣，内热丛生，气血逆乱，鼻衄咯血，既加剧病势，亦可促其早衰，甚至夭折。因其滥用滋阴填精，养血生津方药，以致中焦脾胃不受，气机阻滞，脘腹胀满，食少便滞，或腹痛泄泻等证，亦累见不鲜。究其补益方药之弊，由人参、黄芪、鹿茸、肉桂、附子等助阳之剂引起者，其害甚于养阴生津类之方，故医者对益气助阳诸品，尤应审慎使用。

凡由误补所致弊端，因病者无知，或知之不多，未识药理，偏听误信，自行滥用补药而致者，尚属可谅，医者当耐心解说，晓以利弊，并指导正确用药。倘因医者学识不深，技能有限，辨证不当，因而误补或用量不当而致弊者，此亦可总结经验教训，努力提高学术水平与医疗技能。惟医者具有一定学术水平，且通理知弊，但为私利而迎合病人，滥施妄用补药，因而导致无虚而反致虚，病轻而反致重，乃至变证丛生，其责在医。

故喜用补益方药者，首当重医德，人不分贵贱，耐心细致，审证求因，辨证求确，按法用药，药证相宜，用药适量，知其利弊，正复即减，一旦有偏，及时纠正，方可趋利而避害。

《伤寒论》误治小议

苏学卿

《伤寒论》成书年代久远，当今不少中青年中医工作者，常感叹伤寒之理难明，伤寒之方难用。我认为，其重要原因之一，是对《伤寒论》所载病证多与误汗、误吐、误下、误利尿、误以火攻等理解不深有关。因为这些误治似乎脱离实际。临床所见，哪得如此多的误治及其引起的传变证？因此，正确理解《伤寒论》误治的实质，对学习和运用《伤寒论》定有裨益。

实践和理论都证明，《伤寒论》之传变证，既有因误治而成，亦有未经误治，直接感受邪气而发病的。《伤寒论》之种种假设误治的病因，无非是借此建立起不同的病机，以阐述同病异治及异病同治的机制，进行辨证论治罢了。因此，我们在学习和运用《伤寒论》时，既不能被误治的概念所束缚，也不能忽视误治所造成的阴阳偏颇。验之临床，误治或未经误治，尚需结合正气的状

况进行分析。例如论中有“发汗后，腹胀满者，厚朴生姜半夏甘草人参汤主之。”便是在表证发汗后，继而出现脾虚气滞腹胀满证。很难说这种脾虚腹胀是由误汗所致。其所以汗后继见此证，多因素体脾气不健，发汗使阳气外泄，加重脾阳虚损，运化失司。故柯韵伯明断：“此案不是妄汗，以其人本虚故也。”对于误治所产生的变化和转归，多与平素体质有关，若素体正阳不足，误治往往加重阳气损伤，而从虚寒证方面转化；若平素阴液不足之体，误治则使阴液更亏，而从虚热证方面转化；若阳气素盛之体，误治则助长阳气，而多从实热证方面转化；至于蓄痰停饮之体，在误治后则使水液痰湿聚集更盛，从而出现咳喘肿胀等病变。余曾治一中年女性病人，放射科医生。其平素气阴不足，形体单薄。感冒后医以桂枝汤发表解肌，发热不退。后医又因其发热、呕恶，予小柴胡汤，患者发热一直不退，乃至低热 8 个月有余，体力消耗甚剧，遂卧床不起。诊其脉证，乃气阴大亏，正虚邪恋。予生脉散化裁，益气生津、养阴清热，4 剂后患者体温正常。后以调理脾肺，体温未再反复。此为误用辛温发汗，气阴亏耗之变。临床中亦有外感风寒之初，只见其发热，不察其恶寒，当用辛温，反投苦寒之误。若素体壮盛，虽经误治，但正邪交争仍在太阳之表，不复它传，而见长期高热。若素体正气不足，则有伤阳、损阴、化寒、化热等等不同转归。当然，临床所遇病证，未经误治者毕竟居多。因此，详察脉证，审其病机，定其病位，对于正确立法遣方是首要环节。只要病机与《伤寒论》方证吻合，便可大胆使用伤寒方药。切勿死搬条文，俟其与误治诸病因相符而后用之，无异于守株待兔，百难逢一。

暑当与汗“皆”出，勿止

|皮袭休|

吴鞠通《温病条辨·原病篇》第 4 条：“凡病伤寒而成温者，先夏至日者为病温，后夏至日者为病暑，暑当与汗出，勿止”。对照《素问·热论篇》原文，脱落一个“皆”字。王孟英《温热经纬·内经伏气温热篇》引录此条，也漏掉了这个具有重要意义的“皆”字。二书都是温病学中具有代表性的著作，影响广泛，因何删去或脱漏此字？值得讨论。

按暑为热甚，其性类火而急速，最易伤气，且传变最速，故凡暑病初起，常直犯气分。又因暑邪性主升散，易致人体肌肤腠理开泄，表卫不固，而症见汗大出，但暑邪仍滞留于肌肉气分，并不随汗外泄，因而徒见热盛汗出伤津而邪不去。汗液本是人体内合阴津阳气蒸化而出，所以暑病的汗大出，虽先伤阴津，继亦重伤元气，终则成气阴两伤，甚至导致虚脱重证。故《素问·热论篇》特别指出“暑当与汗皆出”，这一“皆”字，在治法上实具有非常重要的临床意义。

历来医学家认为夏暑发自阳明气分，以白虎汤为主方。白虎汤为辛凉重剂，亦即辛甘寒法。一方面甘寒清润，善解肺胃气分燥热，以止汗保津；另一方面辛甘发散，解肌宣邪，使滞留于肌肉气分的暑邪得以随汗外出，从肤表卫分而解。这就是吴鞠通盛赞“白虎本为达热出表”的治剂，并指出“汗不出者，不可与也”的实质所在。

查“皆”字在古汉语中，其音义可与“偕”相通，有同步进行的意思，即在治法上用药（以辛甘淡寒的石膏为主药），使气分暑邪乘汗大出、肌表开疏的时候，偕同汗液一起外泄；暑邪既去，则因于暑邪的大汗出亦随之而止。故白虎汤的解肌宣邪，达热出表，实为解暑以止汗，绝非发汗疏邪。又特别指出切勿因此证有汗大出而误用止汗的治法，反使暑邪不得去，壅遏于肌肉气分，甚或深入营血，内陷心包，加重病情。

若脱略了这一个“皆”字，为“暑当与汗出”，就有可能因辞害义，导致误解。如丹波元简《素问识》中所谓“按与，予也”，他引用《玉函经·总例》中的解释为例，认为是当使之得汗出而解，那就与《素问·热论篇》原文的本义相距太远，且与临床实际大相迳庭。

治脾不忘肾，治肾不忘脾

程为玉

我从事临床的头几年，对脱肛之病，按教科书投以补中益气汤往往收效甚微。后来考虑到脾肾的内在联系，在补中益气汤中加入补益肾气的药物，疗效明显提高。如：1980年治一贾姓男孩，脱肛久治不愈，指纹沉淡，舌淡苔薄白。用补中益气汤健脾益气，升阳举陷，更加山药30g、菟丝子30g、益智仁10g、鹿角片10g，温阳补肾而获功。岳美中大夫治疗一例进行性肌营养不良症，病人两侧胸大肌平坦，以右侧为甚，手掌变薄，脸下部肌肉缩小，且自幼大便稀溏，每日一二次，食不易消化之物后更甚，处方以大队补脾益气药中加入附片、肉桂温肾助阳而获效。

同样，在治疗男子不育、阳痿等病时，辨证为肾虚之候，投大量补肾之品而罔效。后来根据先天与后天相互资生的理论，在大队补肾药中加入益气健脾的药物，多能收效。如1984年治一金姓男患者，28岁，症状为每次行房均无精

液射出，脉沉细，舌淡红苔薄白，前医以大量补肾之品投治而乏效。余思之，此乃脾气虚弱，运化失司，后天不济先天。于是在大量补肾填精之品中，加入健脾益气的边红参、茯苓、大枣等，炼蜜为丸，每日早晚各服10g，患者连服3个月而愈。

笔者在临床实践中体会到，在治脾虚证时，不管病人有无肾方面的临床表现，加入补肾之品；同理，治肾虚证时，即使没有脾的症状，加入健脾益气之属，能收到事半功倍的效果。

治慢性病首重脾胃

孟景春

不论何种慢性病，凡有食欲不振或腹胀便溏者，必先调理其脾胃，俟脾胃调再治其病，即使脾胃功能正常者，亦须时时顾护胃气。如该病需用苦寒药，或破气药治疗者，可酌加大枣、怀山药、粳米等，以防止苦寒败胃，香辛耗气；需用补气药或补阴药者，可酌加陈皮、木香、砂仁等，以防止补药呆胃。所以叶天士说：“通补则宜，守补则谬。”又说：“补药必佐宣通。”

治疗慢性病之所以要重视脾胃，盖以脾胃之消化食物、吸收、输布营养的功能，是人体赖以不断化生气血，充盛元气，增加抵抗力，从而达到正盛自能胜邪的目的。如不顾脾胃，饮食少进，气血日减，元气日衰，抵抗力日渐不足，则不利于病邪的祛除和健康的恢复，此其一。为了保证药物，尤其是口服药物能达到治病的目的，同样要像饮食物进入人体那样，须通过脾胃的消化吸收，转输到全身，才能发挥其应有的治疗作用，此其二。如在治疗上只顾治疗疾病的需要用药，忽视脾胃的运化功能，即使药物完全对症，也收不到应有的效果，甚或完全无效。故李中梓对此作了很形象的比喻：“胃气犹兵家之饷道也，饷道一绝，万众立散；胃气一败，百药难施。”吴瑭也说：“正虚不能运药，不运则死。”吴昆说：“治杂病者，宜以脾胃为主。”虽寥寥数语，但体会是十分深刻的。临床者宜以此重戒，千万不能忽视。

治慢性病宜守方

孟景春

慢性病缠绵日久，势必使人正气不足，身体日渐衰弱，故有久病多虚之说，而正气不足，又能影响身体健康的恢复。因此在治疗时，既要针对病情，对症下药，又要扶助正气，使正气渐充，自身产生抗病能力，籍以战胜病邪。但虚体之用补，不宜急于求成。张景岳说："用补之法，贵乎先轻后重，务在成功。"当然祛邪之药亦不宜峻重。盖治慢性病无论攻补，在用药剂量上，都应视体质与病势的状况而权衡轻重，或逐步递增，使病情日趋向愈。所以，我们治疗慢性疾病初服药时尽管疗效不显，甚或不见疗效，只要无不良反应，就不要贸然改方易药，自己打乱自己的阵脚，而应该坚持守法守方。吴鞠通曾说过："治内伤如相，坐镇从容，神机默运，无功可言，无德可见，而人登寿域。"近人岳美中也说："治慢性病要有方有守。"他认为慢性病的形成，往往是由微杳的不显露的量变而达质变，则其消失也需要经过量变方能达到质变。对慢性病有方有守的治疗，能起到辅助机体慢慢生长抵抗力，以战胜疾病的作用。他还举了治疗慢性肾炎的体会，1 例用防已黄芪汤持续服 200 剂而愈（用黄芪不应少于 30g）；治小儿慢性肾炎 3 例，俱用玉米须一味，日用干者 60g，连服 6 个月而痊愈。若能坚持服用半年者，累试累验。治慢性病不能守方的原因，有的是病人求愈心切，不能很好地与医生配合；另一种原因是医生对病情认识不足，心中无数，见数剂无效便盲目地改弦易辙。对前者，我们要对病人加强思想说服工作，使病人能自觉地与医生配合；至于后者，就要求医生刻苦钻研业务，掌握疾病发展的规律，这样自能对每一种症情做到心中有数，守之有方。

治慢性病不忘"胃喜为补"

孟景春

"胃喜为补"的论点见于叶天士《临证指南医案·虚劳门》治钟姓案。其案有："少年形色衰夺、见症已属劳怯，生旺之气已少，药难奏功，求医无益，食物自适者，即胃喜为补，扶持后天，冀其久延而已。"

"胃喜为补"的论点很朴实，耐人寻味。虽见于虚劳门，但并不局限于虚劳患者，在慢性病的调治过程中，对饮食物的选择，都应以此为指导思想。

"胃喜为补"之意，就是叶天士说的"食物自适"。食物的选择应适合患者的口味，吃下去舒服，这就是"胃喜"，反之，则叫做"胃厌"。"胃喜为补"之所以重要，因为凡是"胃喜"的食物，一是患者身体需要，二是易于消化、吸收。这样的进补，方能对患者有益。

笔者在临床上常见胃不喜而盲目进补者，服后非徒无益，反而有害的例证。曾治一杨姓患者，淮南煤矿工人，因肝炎缠绵两年未愈来诊。面黄神萎，肝功

能异常，因屡治未效，颇为焦虑。其脉左细弦、右濡，苔白厚而腻，自觉胸闷口黏，夜寐不宁，寐则多梦。据此认为病虽在肝，但脾虚湿困，健运失司之证颇为明显，脾病及胃，胃不和则寐不安。故拟化湿运脾、和胃安神为治，但查其病历，此法前已用过，亦云无效。于是，进一步询其饮食。告曰：每日晨起必进半磅牛乳、两个鸡蛋，中午饮糖汤（糖30g）1次，如是者，已成常规；佐食之菜亦是鱼、肉、鸡、鸭相间。虽累日进服，反身体日瘦。进而又问其如是饮食，是否舒适？患者答曰：如按心情，一点也不要吃，吃下去每泛泛欲恶。至此，癥结已明，病者已属湿困脾虚，而又强进甘肥，致令湿更甚而中满口黏，故虽进健脾化湿药而未能取效。于是，按叶天士“胃喜为补”之意，嘱其暂时停服乳、蛋、糖，菜肴以清淡为宜，药服2剂。复诊时患者苔腻稍化，口黏亦轻，精神稍振。仍守原方连服15剂后，患者苔腻化，口黏除，已知饥能食，夜寐亦安。后转以肝炎辨证论治，前后调治3个月，肝功能恢复正常，回矿工作。

临床中盲目进补者，不仅见于肝炎病人，其他如慢性腹泻、慢性贫血等，亦不少见。殊不知泄泻多由于脾虚湿胜，“湿胜则濡泻”，贫血也有属脾胃气虚者。当湿邪未化，脾胃气机不旺时，如强行进补，非但无益，反而更有助湿之害。因此，当遇到体虚欲补之时，应考虑机体内部有无接受补益的条件。其条件是：苔不腻，口不黏，胸不闷，有饥饿感，食后不作胀。不如此，则应先创造进补的条件，然后适当进补，才能收到预期的效果。

“胃喜为补”的论点，可以说是“脾胃为后天之本”的引申。对指导临床具有重要的意义。

老年病可否主攻论

|张觉人|

古今医家在老年病主攻与主补问题上互相驳难，犹如水火。就大多数看来，老年人由虚致衰，因衰而病，故在治疗上应以补虚入手。但是，金元·张子和却认为老年病应以攻邪为主，尝谓：“养生当论食补，治病当论药攻”“病之一物，非人身有之也。或自外而入，或由内而生，皆邪气也。邪气加诸身，速攻之可也，速去之可也。”子和非但立论新奇，而且效验卓著。且观《儒门事亲》，不难看出子和对诸老年疾患用吐、下法治疗，往往药到病除，恰到好处。由于主攻论在老年病之治疗上独开新境，子和成为医家的众矢之的。如元·邹铉指出：“衰老之人，不同年少真气壮盛，虽汗吐转利，未至危困。其老弱之人，若汗之则阳气泄，吐之则胃气逆，泻之则元气脱，立之不虞，此养老之大

忌也”（《寿亲养老新书》）。邹氏此论也不无道理。祖国医学在老年病的治疗方面，亦确有误攻致危之案例。正因为如此，后世视子和之法为畏途者，不乏其人，影响持续今日，信补蔑攻者大有人在。

一般情况下，老年病虚证居多，据证拟法，应以补虚为主，但在临床上所见实证或虚实相兼证亦为不少。对此，若囿于偏见，岂不误补益疾、助贼为殃？显而易见，所谓吐下为养老之大忌，绝不是持平之论。以愚之见，老年病并非绝对不能主攻，问题在于如何细审虚实，对症施攻。余尝治一老妪吴某，素体健壮，猝感眩晕、言语謇涩、左半身不遂，神志时清时昧，口眼右㖞，大便秘结，口张浊气喷人，舌质红，苔黄腻，脉滑数有力。此案系痰热生风之实证，若循常规，用补阳还五汤势必大错，或取凉肝熄风，更何异于扬汤止沸。只宜釜底抽薪，通腑清热化痰熄风，经用三化汤损益治疗而瘥。要之，老年病属实证不仅可攻，而且必须速攻，但应中病即止，不当久用。至于虚证或虚中挟实者，又当他论。诚不可罔论青红皂白，贸然主攻也。

老年病误治琐谈

|张觉人|

前人成功的经验固然值得推崇，但失败的教训若能加以总结，尤能发人深省，前车之覆，后车之鉴！风寒客于肌表，本当辛温发散，以解除表邪，惟对高年者则不尽然。如《续名医类案·卷一·伤寒》载一妪服发散之剂而致气微欲绝。伤寒发汗，奈何致人于危？盖暮年体衰，难御外邪，且衰体受邪，正气难当，故治宜匡扶正气为主，切忌专泥发散，恐虚人之虚。“虚而多汗者，久服损真气，夭人天年”（《医学正传》），前人已有明训。

黄芩、黄连治痢之妙用，也为古今临床实践所证实。然而，《续名医类案·卷八·痢》竟述一高年患痢病人因服黄芩、黄连，骤然中气告竭而逝者。分析斯案，系“高年久痢，色如苋汁。服芩连、白芍之类二十余剂，渐加呃逆，六脉弦细如丝”，是衰年久痢，病从寒化，大肠虚弱，脾肾不固，治本宜温补固涩，慎用苦寒戕胃之品。既已用黄芩、黄连，中气败伤，后医“与理中加丁香、肉桂”补偏救弊，但病家疑，不服，仍啜前药，数日病愈甚，而殁。舛错之处，在于“舍病之虚实寒热而不论，徒执药性之纯驳以分良毒也”（《温热经纬》）。

老年病误攻之弊易为人们所知，而对误补招祸常易忽视。《名医类案》载周某年五十时，患痰火之证，外貌虽癯，禀气则厚，素不喜饮。医视其脉孟浪，指为虚火，用补中益气汤，加参、术各 5 钱。病者服药逾时，反致气喘上升，喘息几殆。实火宜泻不宜补，痰气得补，火邪愈炽，岂不败事者。由此可见，“用得其宜，硝黄可称补剂；苟犯其忌，参术不异砒硇”（《温热经纬》），并非危言耸听。

和法贵在配伍精当

|项　平|

和法运用范围广泛，适应的病情也较复杂，因而对药物的配伍是很讲究的。其或以解表药配清里药，以治邪在少阳之证，如小柴胡汤之柴胡配黄芩；或以祛邪药配扶正药，攻补兼施，以治肝郁脾虚之证，如逍遥散之柴胡、薄荷配当归、白术；或以祛寒药配清热药，寒热并用，以治肠胃寒热错杂之证，如半夏泻心汤之黄芩、黄连伍生姜、半夏；或以升散药配伍降逆药，升降相因，以治肝脾不调，升降失常之证，如四逆散之柴胡配枳实。总之，它们都是根据证情，将两种或两种以上不同性味而作用又较和缓的药物配伍在一起，使邪气缓消，正气渐复，这就是和法方药配伍上的特点，也是我们临床运用和法时必须遵循的一个原则。了解了这一点，临证即能举一反三，随证灵活配伍，而不致泥于成方。余曾治一冒姓女子，年方24岁，婚后2年余未孕，闭经1年，渐至腹大如孕，胸部满闷，饮食少进，夜不成寐，腰酸腿软，大便干结。曾投活血通经药不效，求治于余。察其舌色淡、苔薄白而腻，脉来沉细。再细询病史，揣摩病机，乃知患者素体肾亏，加之婚后求子心切，肝郁气结，血行不畅，累及冲任胞宫，故诸症由生，即《续名医类案》所谓“气胎”之证也。遂以逍遥散合肾气丸化裁，以柴胡、大腹皮、陈皮、薄荷疏利肝气，茯苓、当归、川芎、白芍益脾养血，鹿角胶、怀牛膝温通奇脉，更益以肾气丸吞服，缓培先天。因药之与证较为合拍，故先后服药28剂，诸恙悉平，于次年4月足月顺产一女婴。于斯可知，临证运用和法关键在于配伍精当，诚不我欺也。

话说食疗

|刘炳凡|

李时珍《本草纲目》很重视饮食疗法，其中收载谷物73种，蔬菜105种，果品127种，载440种动物药中，有很多可供食用，为现代营养学提供了丰富的资料。

食疗方法是基于利用食物性味之偏，以矫正脏腑功能之偏，使之恢复正常，以达到治疗的目的。在运用食疗时应注意以下几点：①重五味调和，忌五味偏嗜。五味各有所归，“是故谨和五味，骨正筋柔，气血以流，腠理以密”。②重素食，忌厚味。明·《寿世保元》载：“善养生者养内，不善养生者养外。养内者以恬脏腑，调顺血脉，使之流行冲和，百病不作；养外者恣口腹之欲，极滋味之美，穷饮食之乐，虽肌体充腴，容色悦泽，而酷烈之气内蚀脏腑，精神虚矣，安能保合太和以臻遐龄。”古有食医，专司营养。远在《吴普本草》上即载有猪肚治积聚癥瘕。陈修园《医学从众录》也收载猪肚大蒜汤治臌胀；民间单方一直认为猪肚是退水肿的食饵性药物。此外，如桂皮炖羊肉、生姜煨子鸡、葱豉炆柴（乌）鱼、苏叶炒鳝鱼等，其中寓有深意，认为胃肠不健，消化不良的病人，单纯进以富含蛋白质和动物胶质的食物，由于吸收障碍，不仅无益，反而招致腹痛呕泻，生姜、桂皮、苏叶、大蒜烹调，能帮助消化，促进吸收，这是食疗实践中的宝贵经验。还有冬瓜煨童鸡、泥鳅煮丝瓜，对阴虚水肿的病人，不宜姜桂辛辣之品者，颇相适应，可见食疗也须辨证运用，不可千篇一律。

“忌口”利弊谈

黄惠安

中医讲“忌口”并不绝对，其有两条原则是必须遵守的：一是要忌食不利的饮食，二又不能死忌，可吃的一定要吃。这完全是从整体观出发，根据病人的体质、疾病的性质、病位、病势等情况来决定的。如：“肝病禁辛，心病禁咸，脾病禁酸”。心阳虚的病人，菜食不可过咸，否则常加重水肿；肝热病不宜辛辣，否则肝火愈亢；脾虚湿盛之病不忌食生冷油腻，必碍胃肠运化，不忌酸物，则脾胃之伤无甚。又疹痘不忌酸涩之品，必有碍皮疹透发；病后初瘥，饮食不节，必致食复。就体质言，肥人多痰，肥甘厚味，在所不宜；瘦人多火，相火易动，食宜清淡。祖国医学十分强调某些病证（如风证、虚证、疮疡已溃等）应忌食“发物”，故有“虾可动风，发疥疮，蟹性专破血，中气虚寒者忌服”等记载。然而有些病证（如麻疹见形期），又非吃“发物”不可。

曾有刘某，病湿温，壮热二十余日，服中药热退初瘥，神情稍爽，其妻予鸡、鱼食之，旋即复热。这是因为鸡、鱼有助热之故，病者身热初退，余邪未净，脾胃未复，食之过早，必助邪为患。又乡邻曾某之子，患麻疹，为人所惑，谓麻疹须忌口百日，于是每日以干盐菜汤下饭，长期忌口，致营养无以补充，精血日亏，形体羸弱，喘咳烦渴，瞳浊盲视，演为“麻痞”。

所举2例，一为不知忌口，以致食复；一为忌口太过，招致祸患。忌口偏颇为害之甚，我等为医者，岂可坐视病家蒙受痛苦而不广为宣教？

临证浅识数则

| 柴乐易 |

错杂难辨调其中

颐养生化之源，则气血津液充沛；燮理脾胃升降，则周身气机畅达。病虽危笃，胃气不为竭绝，则人体生生之机不息。故凡危笃错杂、难以辨治之病，总以匡扶胃气、斡旋中运为首务。而匡扶胃气、斡旋中运之法，非独参芪大补之谓，最宜轻清甘淡、松活灵动之品，使补而不滞，行而不迫，平中见奇，乃为高手。

莫忘“生死第一关”

喻嘉言尝称“胸中为生死第一关”，诚为有得之言。吾于临证，不论内外妇儿各科，先察胸中宗气之盛衰及其流布有无滞碍。若有病变，即视其所致之由，先予调治。俟宗气充盈流畅，然后再治他病，可起事半功倍之效。

欲求癥结视前后

二便可直接反映人体气机是否调畅和气化功能是否正常。因此，二便的变化多能较为真实地反映疾病的本质。在疾病发生、发展的过程中，二便失调往往即为疾病的癥结所在。故于临证当随时注意二便的变化，予以及时调治。

诸邪相并使之孤

邪气往往兼挟相并侵袭人体，盘根错节，扭结难分。其中尤以湿邪黏滞重着，与他邪纠结，最使病情缠绵，难以即愈。故诸邪相并，总以祛湿为先。使湿邪与他邪分解，则邪气势单力孤，病可速愈。

久治不愈思其反

某些疾病，其外在表现往往与其内在本质相悖。如：病本阴盛而外露热象，病本热极而反见肢厥，大实有羸状，至虚有盛候。再则，病虽标本皆实，久事攻逐，戕伐正气，即可致虚；标本皆虚，填补滋腻过甚，即可出现中焦痞塞，水湿淫泆之实证。且人体气血阴阳不断营运变化，病情之寒热虚实也在不断转化，故诊治疾病就不能一成不变。对某些疾病，久治不愈即当考虑到其反面。如：寒之不寒是否假热？热之不热是否假寒？泻实不愈是否拟补？补之不受是否加以疏利？等等，不一而足。

组方用药也当如此。在大队寒凉中稍佐温化，大队温热中稍纳寒凉，补中兼以疏利，泻中加以扶正，用之得法，较之纯用一派药物者其效为优。

临证所见，于诸多同类症状中隐蔽之一二相反的症状，往往即为疾病的本质表现。医者于此最需细心体察，从其隐匿之微末，以见疾病之大源。每览前人医论，诊治疑难危笃大病，多能独具慧眼，于众说纷纭中认定一二相反的症候为本质，施以常人咋舌之法而收奇效，令人折服。

“久治不愈思其反”，掌握这样一种思维方法和技巧，于临证大有裨益。

酸补和酸泻

杨扶国

《金匮要略》在第 1 篇的首条中指出：“夫肝之病，补用酸，助于焦苦，益用甘味之药调之。”这里提出了对肝虚（主要是肝阴虚）的 3 种药味调配治法。第一是补用酸，因酸入肝，肝虚当补之以本味。第二是助用焦苦，一般都理解为焦苦入心，心为肝之子，子能令母实。此说于医理，于临床，都难免差强人意。笔者认为，可理解为阴虚则易生内热，在补肝时当配以苦味药清热，如滋水清肝饮之用栀子，一贯煎之用川楝子便是。第三是益以甘味。这有三层意思，一是用甘味药调和中气，“损其肝者，缓其中”是也；二是甘能缓急，因阴虚则肝气易旺，肝阳易亢，肝性易急，“肝苦急，急食甘以缓之”是也；三是酸和甘相配，有酸甘化阴，以养肝阴之妙。

这里要提出讨论的是，《内经》指出“肝欲散，急食辛以散之，用辛补之，酸泻之。”同一酸味，一补一泻，何其相反乃尔？其实，两说并不矛盾，都有其理论和临床根据，关键要看肝的病理状态和用药配伍。如果肝阴不足，则酸味入肝便可起到补的作用，此时多用酸甘药，如山茱萸、酸枣仁、五味子等；或用酸甘相配，如乌梅、芍药，配以甘草、生地黄、麦冬、沙参、大枣等。如果肝气横逆，疏泄太过，用酸味药便能发挥敛肝抑木的作用，这便是泻，此时多配以苦味药，因苦味药能下降，又能清热，如用乌梅、木瓜，配以黄连、川楝子、黄柏、栀子等。而“用辛补之”，则主要是于肝郁不达的情况下，用柴胡、

薄荷等以疏肝解郁，因其能助肝之用，故亦称为“补”。

谈水气病的发汗与利尿

杨扶国

《金匮要略》水气篇，主要论述水肿病的证治，而其不以水肿命篇而以水气命篇之故，不外是水在人体的运行输布，有赖于气的运化，而在治疗上两者又不可分，故《血证论》指出“气与水本属一家，治气即是治水，治水即是治气。”水气病的治疗大法，不外有三，即发汗、利尿和攻下，如第14条（1979年《金匮要略》高校教材本，下同）“诸有水者，腰以下肿，当利小便；腰以上肿，当发汗乃愈”；第6条“夫水病人，目下有卧蚕，面目鲜泽，脉伏，其人消渴。病水腹大，小便不利，其脉沉绝者，有水，可下之”。但《金匮要略》水气篇有下法而无下剂，可借用痰饮篇的十枣丸和已椒苈黄丸。不过，我们在此亦可看出，水气篇是着重于发汗和利尿两法的。

发汗和利尿虽为两法，但其关系密切，临床用越婢汤类治疗风水，出汗往往不多，主要还是通过小便增多来消除水肿。究其原因，乃系肺为水之上源，具有通调水道的作用，而这一作用在肺气宣畅肃降的情况下才能进行。用发汗宣肺药后，表邪去、皮毛开，肺气宣降，小便也自然增多，这也就是古人所说宣上窍以利下窍、提壶揭盖的治疗方法。水气篇所说“大气一转，其气乃散”，笔者理解，“大气”主要指肺气，“其气”之气乃指水气、水邪，竟为肺气运转，水液输布恢复正常，水邪也就消散了。

关于发汗与利尿的关系，后人也屡有发挥，如张景岳指出：“小水虽主于肾，而肾上连肺，若肺气无权，则肾水终不能摄，故治水者，必先治气；治肾者，必先治肺。”这话虽然是针对遗溺一类疾病而言，但对治疗水肿仍然有很大的启发。曹颖甫的《金匮发微》记载一水肿患者，曹氏先用麻黄、附子、细辛治疗无效，后其门人加桔梗、杏仁而大见其效，曹氏有感于此，指出有当利小便之证，必先发汗而小便始通者，也有当发汗之证，必兼利小便而始愈者。验之临床，确信而有征。近几年来，更有不少报道，论证肾炎从肺治，和古人意见十分吻合。

现代医学最近有些资料也表明肺有内分泌功能，和尿液的排泄有一定关系。可见，祖国医学中的一些理论和观点，其实质和机制可能一时难以用现代科学加以说明，但随着现代科学的不断发展，它们迟早是会被阐述清楚的。

疗效不佳宜十审

| 吕敬江 |

“医为仁术”，所以，每个医生都希望在临床上能取得较好的疗效。但影响疗效的因素甚多，它牵涉到医者、病人以及调剂、护理等各个方面。如一方不周，即可使疗效不佳。但是，目前有一种偏见，只单纯注重法与方，而忽视其他因素。特别是内科，人们一提起疗效好，就很自然地考虑到某个处方好，如果说疗效不好，就认为是方不对证。因此，患者盲目更医，医者盲目更方，致使资耗病延，患者心灰。方药贻尽，医者束手。从内科来看，笔者认为，凡遇疗效不佳时，应进行“十审”。即一审病证，察其大方向；二审四诊，察其内容是否完备、真实；三审辨证，察其病机分析是否中肯，病因、病位、病性是否判断无误；四审立法，察其是否与辨证结果相适应；五审组方遣药，察其是否符合立法原则，组药是否精确，调配有否错漏；六审药物剂量，察其比例是否恰当，各药用量是否适度，调配是否符合要求；七审剂型和服法，察其是否适合病情，有利药效发挥；八审疗程，察其是否因病而异，疗程不够，生效期未到；九审生活起居，察其饮食宜忌，动静将息，是否配合治疗；十审情志，察其七情是否太过、不及，再成病因。凡此十种，皆为影响疗效的因素，岂独医者一面或一法一方哉!

中风热实，通下为先

| 詹文涛 |

中风病发病甚急，如矢石之中的，如暴风之疾速。其病危重多变，中脏腑者，神识昏蒙不清，死生反掌之间；中经络者，每致瘫痪失语。其病之源，古今医书众说纷纭，大体在内虚邪中，痰火风瘀之间论说。依余临证所见，则其本在肾命之亏虚，其标在脏腑经络营卫气血升降之逆乱，日积月累，量变质变，风火痰瘀诸病邪胶相黏合，随肝气之暴逆上蔽清窍，或阻于窍道经脉之中，或溢出于血脉经络之外，皆使髓海受伤，发为中风。脑为元神之府，五脏六腑十二经脉之精气皆有赖于斯之调节，卒然脑髓受害而暴发中风大病。《内经》云：“血之与气，并走于上，则为大厥。厥则暴死，气复反则生，不反则死”。所谓大厥者，正内中风急性暴发之谓也。“气复反则生，不反则死”为其诊疗之关

键。余临证考察再三，所谓平肝、潜阳、降逆、熄风诸法皆缓不济急。以内中急发，肝阳暴逆，肆虐为患，惟通降泻下最宜，一可借大力通降阳明胃腑之势，赖中州枢机通降之功，直折肝阳之暴逆；二则可借泻下阳明之力上病下取，引血导热下行，血菀气血得降，痰热消散，元神之府自然清净；三则借芒硝、大黄泻下之力，去瘀化痰，推陈致新，使暴涨之痰火风瘀有其出路。故尔，余治中风急症，无论初中再中、中年老年、出血缺血，但见病属热实，脉象弦滑，舌苔黄腻者，一律及早投以芒硝、大黄、瓜蒌、法半夏、胆南星、牡丹皮、牛膝、葶苈子、车前子、全蝎、僵蚕等通腑下瘀、清热豁痰之剂，加减以治疗之。患者得利之后，常获快捷之效。急症一缓，再究其阴阳虚实而平调之，康复者良多。

中风治血四法

|柯新桥|

引血下行

此法主要适用于中风初起，以突然发生舌强言謇、口眼㖞斜、半身不遂等候为主者。此时多因肝肾阴虚，肝阳上亢，“血之与气，并走于上，则为大厥”(《素问·调经论篇》)，故治当滋阴平肝熄风，引上逆之血下行。方用镇肝熄风汤为主，除以白芍、玄参、天冬、龙骨、牡蛎等味外，张锡纯特指出赭石能“降胃平肝镇安冲气”，牛膝能“引气血下行”，即可减轻脑中之充血也，“愚生平治此等证必此二药并用，而又皆重用之”(《医学衷中参西录·脑充血门》)。对重证之人用量竟达90g之多。此外，生麦芽、川芎、枳壳等亦有引血下行之功。如此则肝平风熄，血不上逆，诸症自可渐退好转。

凉散血热

此法主要适用于心肝火盛，迫血妄行，气血逆乱之证。除上述见症外，病情往往深重而突然昏仆，面赤身热，舌红绛苔黄。治此宜在平肝熄风、引血下行或涤痰开窍的同时，重点选用犀角、生地黄、玄参、茜草、生大黄等凉血散血之品。脑出血较严重者，还可增用三七、生地黄炭、大黄炭、蒲黄炭等味，既可凉散血热，又可活血止血。

活血化瘀

此法现已广泛运用于临床，尤其对慢性患者更是如此。常用药物如丹参、当归、川芎、红花、桃仁、酒大黄、三棱、莪术、牛膝、三七、延胡索、䗪虫、土鳖虫、乌梢蛇、蜈蚣等皆可视病情用之。阻滞于头部、经络之间的瘀血一去，则口眼㖞斜，半身不遂等症自可消除。正如张锡纯所云："血活风自去"。笔者体验，不仅中风后遗症当以此法为主，而且对急性缺血性中风者（如脑血栓形成、脑栓塞），亦当以此法治之，常可取得较好疗效。

益气养血

运用此法之目的大致有二：其一用于中风后遗症患者，此阶段临床医生大都喜用攻血破瘀之品，用若太久，必伤正气，故此时提倡用此法辅之，以防破瘀之药伤正；其二，无论是患出血性中风还是缺血性中风，一旦留下后遗症而经久不愈者，往往气血俱虚，肢体、经脉失养，此时运用益气养血之法显得尤为重要。补气，宜重用黄芪、党参、炙甘草；养血，则选当归、丹参、鸡血藤、三七、白芍，这几味既能养血，又可行血，对此病情甚为合拍。如果虚象明显，还可加用枸杞子、熟地黄，更增强养血之力。

当然，中风是一极其复杂的病理过程，因而运用上述治血四法之时，不可死守于某一法、某一味药，而必须视病情之缓急，针对病机之不同，或一法首先运用，或数法合而用之，使之恰到好处。

潜、豁、通、扶治中风

陈 熠

对中风的治疗历代医家论述颇多，各有见地。如清·尤怡《金匮翼》论治卒中有八法，曰：开关、固脱、泄大邪、转大气、逐痰涎、除风热、通窍隧、奚俞穴。王清任提出补阳还五汤益气活血通络。近代张山雷主张用介类潜阳，又指出四物汤、六味地黄汤一定要到"气火既平，痰浊不塞，乃可徐图"。程门雪也提到豁痰通络、宣通机窍是治疗中风全过程中一种重要手段。

综观各家所述，除闭脱的抢救为卒中期（中脏腑）的关键外，卒中后病人所出现的半身不遂、口眼㖞斜、舌謇语涩等，临床可归纳为潜（阳）、豁（痰）、通（络）、扶（正）四个字。前阶段宜以潜阳降逆、豁痰开窍为主，后阶段应以滋阴益气、活血通络为要。

1981 年诊治一名 66 岁的老妪。其早年孕育子女较多，调摄又差，精血暗耗。近又因烦劳过度，于 1 月 26 日跌仆在雪地，猝然半身不遂，口舌㖞斜，舌强语涩，神志稍有不清，胸闷不舒，大便干结，舌苔厚腻，脉弦滑。平素中焦失畅，痰浊中阻，加之劳累过度，心悸烦躁，以致肝风挟痰上壅清窍，痹阻络道，出现言语不利等诸症。故拟豁痰开窍，佐以潜阳通络，清热熄风为治。方用：珍珠母30g，生龙骨、生牡蛎各30g，制川厚朴4.5g，广藿香9g，仙半夏9g，陈皮4.5g，茯苓9g，陈胆南星6g，石菖蒲6g，淡竹茹12g，枳壳4.5g，伸筋草9g，络石藤12g，六一散（包）12g。服5剂患者神清，言语稍有恢复，舌苔已退，舌质稍红。上方去厚朴、六一散，加白芍、当归、牡丹皮、丹参。服7剂，患者右半身已能活动，口渴喜饮，舌质红。依原方去藿香，加生地黄、石斛。又服7剂，患者诸症悉除，步履如常人。原方去珍珠母、龙骨、牡蛎，加钩藤、黄芪等平肝益气之品以善后。3年后随访患者无反复。

本例初以导痰汤涤痰开窍为主，介类潜阳镇肝，防其肝风再起，加藿香、厚朴、六一散之类辛香化浊，淡渗利湿，以杜其生痰之源。中治取“治风先治血，血行风自灭”之义，以四物汤养血活血即寓其意。末治以补阳还五汤益气活血；再加伸筋草、络石藤等祛风通络；二陈汤健脾化痰；生地黄、钩藤滋阴柔肝，扶正祛邪善其后。经1个月治疗，患者基本恢复正常。

虽然潜、豁、通、扶为治疗中风之常法，但临床还需结合病人具体情况应变活用。如气虚可加重益气；阴虚可着意滋阴，或豁痰开窍；或潜阳平肝，或活血通络，当根据辨证各有所侧重。古人因以“内虚邪中”立论，故治疗中风方剂中，多采用辛温升散之品。因风药阳性，偏用则有伤阴之虑，故临床应慎重选用。

用钩菊汤治疗中风的体会

李子萼

中风一证，为常见多发之病。其主症每多头脑眩晕胀痛，心烦目胀耳鸣，口眼㖞斜，舌强语謇，面色如醉，甚至晕眩颠仆，昏不知人，半身不遂，脉弦长有力，舌质红，苔黄白。余于此证，自拟钩菊汤常用之，方由钩藤、菊花、槐花、决明子、夏枯草、白芍、牛膝、赭石、地龙、黄芩、玄参、杜仲组成，如能运用得当，效果颇为满意。本病临床症状虽同，但在治疗方面，男女老少体质有别，非辨证论治不能为功。如患者肝肾阴虚，风阳内动，则头脑眩晕胀痛，心烦目胀耳鸣，由于阴虚阳亢，故面色如醉，脉弦长有力，舌质红，苔黄白。气血上逆，经脉瘀阻，故晕眩颠仆，昏不知人，口眼㖞斜，半身不遂，舌强语謇等症出焉。至于妇人年高中风，若见寸脉弱者，上方应加入阿胶、当归以养其血；男子年高中风，若见尺脉弱者，应加入熟地黄，山茱萸、枸杞子以滋补肾水；青壮年中风，若脉无虚象者以平肝潜阳为主，宜加入石决明、龙胆草之类。本方以钩藤、菊花平肝熄风，玄参、白芍、槐花滋肾柔肝熄风，决明子、夏枯草、赭石、地龙，用以降逆平冲，镇肝潜阳，杜仲补肝肾，牛膝引血下行，合而用之，共奏平肝熄风之功。当本病初起，平肝熄风之药，在所必须。但病已转危为安时，由于患者经脉瘀阻，半身不遂，应以通经活血行瘀为主。20年来临床实践证明，凡类此患者，上方加入田七、红花、丹参、蜈蚣等药，则肢体之瘫痪恢复较快。有不少患者，多年追访，健步如常矣。

中风重证用导法 ｜程亦成｜

庚申岁暮，同事徐某，猝得中风（脑出血）重证，经中西医协力抢救3日，昏迷渐深，面赤唇焦，口张目阖，声鼾痰鸣，呼吸深缓，时见屏气，瞳孔右大左小，血压由高渐趋下降，刻诊舌暗红，苔黄燥，脉弦，势在危笃。再次会诊，众虑其出血未止，脑疝形成，可致应激性溃疡，不宜鼻饲给药。斟酌再三，忆曩昔治暑温昏迷者，多在清暑开窍法中加用大黄，意在釜底抽薪。今中风之昏迷原因虽异，然中风（脑出血）重证，常并见胃肠道出血，审其病机，无非上部瘀热太甚，移于阳明而从下解，中医既有上病下取，釜底抽薪之法，何不因势利导，以导法（保留灌肠）泻其瘀热。乃用参三七20g煎汁化西牛黄1g，分两次保留灌肠，取其清心开窍，化瘀止血。是夜10时许，病者解出褐色稀便少许，诘朝，痰平鼾定，神志略见清醒。病有转机，用药如旧。午后，患者复解褐色稀便约100ml。夜间8时许，灌肠毕，患者即泻出柏油样便约400ml之多，神志顿觉清楚，目开言謇，答问切意，呼吸平稳，两侧瞳孔等大。三朝再视，患者已能进食，改用汤剂口服，调理半载，竟获痊愈。

嗣后，余治中风重证，每以导法给药，惟西牛黄奇缺，易安宫牛黄丸，效亦佳。

“复瘫汤”治中风之风中经络 ｜曾自豪｜

风中经络是中风病的常见证候，余在“治风先治血，血行风自灭”的思想指导下，常用家传秘方“复瘫汤”，与王清任的补阳还五汤治半身不遂，各有

侧重，经临床验证疗效满意，已成为我科治疗风中经络的常用方。此病多在睡眠或休息时发生，发前可有头晕、肢麻乏力，继而出现口眼㖞斜、语言謇涩，口角流涎，半身不遂，而神志清楚，舌红、苔薄、脉弦滑。治法活血化瘀，祛风通络。“复瘫汤”药用鬼箭羽10g、丹参15g、泽兰10g、穿山甲珠5g、秦艽10g、泽泻10g，水煎服。偏血虚者合四物汤；痰湿偏重者合温胆汤；兼肾阴虚者加熟地黄、山茱萸、石斛、麦冬、枸杞子；肝阳上亢及血压偏高加白芍、牛膝、钩藤、夏枯草、车前草。

中风偏枯的调治

郭振球

中风猝然昏倒苏醒后，往往遗留偏枯。偏枯亦名半身不遂。它与风痱相类而略有不同。风痱，表现为身无痛，手足不遂，言喑志乱，属邪入于里的中脏；偏枯，则身偏痛，言不变，志不乱，邪在分腠之间，即为中腑。

中风偏枯的病机：刘河间谓其病因烦劳则五志过极，火动而卒中；李东垣谓因元气不足而邪凑之；朱丹溪谓因湿生痰，痰生热，热生风；叶天士谓为本体先虚，风阳夹痰火壅塞，以致营卫脉络失和；王清任谓为阳气不运，血瘀阻络。因此，临床有火、气、痰、瘀的见证，其形成机制，主要是火、气、痰、瘀阻遏脉道，真气失于运达，营血不能周荣于肌腠而成。

中风偏枯的治疗：因于火者，火灼津伤，大便必然秘结，宜服润肠丸或麻子仁丸，或用番泻叶加冰糖泡水服，使其大便常润。若五志之火煎灼于中，阴火暴逆于上，而见下虚上盛之候者，刘完素的地黄饮子，专是为此而设的。因于气者，有虚有实，虚为阳明之气虚，气虚则津无以化，宗筋失润，不能束骨而利机关，如兼不寐不食，卫疏汗泄，饮食变痰，治以酸枣仁汤、六君子汤、茯苓饮、玉屏风散之类。实为阳明之气实，则腠理致密，加以风邪内淫，正气失于周流，治以三化汤，疏风去实。因于痰者，系本体真气先虚，气不运行，痰因之而滞塞，其症见口角流涎，痰声不息，治宜重用参、芪大助真气，佐入半夏、瓜蒌、天南星、白附子、橘红、茯苓、天竺黄、竹沥之类；并可配入防风，以之载黄芪助真气以周于身而收治风之效。因于瘀者，亦系真气不周，血留为瘀，壅阻隧络，其症伴有肌肤甲错，两目黯黑，舌紫脉涩，宜补阳还五汤，运化真阳，行气活血。总的说来，中风偏枯初起时，即当顺气，如匀气散；及其病久，又当活血，如四物汤送服活络丹，并灸百会、肩髃、曲池、风市、环跳、足三里、阳陵泉、悬钟，均有促进气血环周，通经活络之效。

“中风”气血论

张云鹏

中风之始因与病机，可概言之为“气血逆乱”四字。《黄帝内经》虽无“中风”之名，但有“中风”之实。细阅《内经》“薄厥”“大厥”“煎厥”，则与“中风”颇为相似。

中风中脏腑者，以气血逆乱为要旨已明矣。半身不遂者又何如？半身不遂，是以痹阻脉络为共同基础，脉络不通，皆由血气滞涩所致。然血气兼证，各有所因，有因于风者，有因于湿者，有因于痰者，有因于热者，但气血为病则一。

病机由于机体内外气血逆乱为基础，引起体内的风火、痰、瘀相互为虐，阻塞经络，或脏或腑而成。

若论治法，要始终抓住气与血为要领。卒中期，多为气血逆乱、肝风狂越、气升、血升、痰升、直冲巅顶，或损伤脑络，或瘀滞神明之府，而气闭急症丛生。气有余便是火，气横逆必及血，故常用通腑攻下，引血下行，气随血下，亦即釜底抽薪之意，下其燥结，热即孤立，风即自清，邪热燥结去，中焦气机通，气血运行畅达，则中风诸症可随之缓解。作者因此法治疗中风闭证患者10例，均获一定疗效。如中经络者，症见腑气不通，亦用此法。

肝风暴涨上窜清窍，用清气降火，抑其肝风之源，潜阳凉血，有降逆止血之功，临床每多用栀子、黄芩、石决明、牡丹皮之类。血外溢者，降其气而血自下；血内溢者，固其冲平血自止。

如正不胜邪，阴阳离决，失血气脱速用参附四逆之类回阳固脱，用此法者11例。

恢复期以经脉痹阻、气血滞涩为主，气为血之帅，血为气之母，气行则血行，气滞则血瘀。气虚血瘀者，当以益气活血，可用补阳还五汤治之。临床上又见到中风患者，有不同程度的痰瘀互阻症象，治当以豁痰化瘀之品，如瓜蒌、胆南星、丹参、桃仁、大黄、芒硝，具有疏通经脉之力。还有血虚生风者、当宗“治风先治血、血行风自灭”，采用活血祛风通络之法，尤为恢复期常用之法，据上所述“中风”以气血立论之理，可谓明矣。

亡阴亡阳治验谈

王正雨

在临床上，病人阴液耗竭，谓之亡阴；功能消散，谓之亡阳。亡阴多由于高热过汗、暴吐暴泻以及失血过多等，造成大量阴液丧失。患者汗多或无汗，面赤身热，口干欲饮水，小便短赤或无，心烦体躁不安，甚至昏迷，舌干红少津、脉细数无力。此阴液将竭，亢阳方炽。法当壮水制火、补阴济阳。忆1945年春，张某之长媳，风温初起，微恶风寒，舌略红，苔薄白，脉浮数。某老医以为冒寒，以人参败毒散发之。患者汗出热减，次日即转大热神昏，鼻干唇燥，舌绛干，苔全无，已不能言语。问其小便？家人曰：昨晚至今，点滴未解，六脉细数。此亡阴在即，稍缓则汗出而阳亦亡矣。急以大剂犀角地黄汤加麦冬、玄参、金银花、紫草。煎成后，频频予患者灌之，尽剂患者即热减神清；又2剂，即热退知饥，小便亦畅，惟大便未行。患者家人恐再生变，但患者自言腹中全无不适。此乃由热盛津伤，阴液未复所致。遂以大剂增液汤加石斛、玉竹、南沙参、麦芽等清养胃阴之品投之，待水到渠成，便自通调，与热结阳明之腹满实痛大异，后竟如余言而愈。此补阴济阳法也。

亡阳多由亡阴失治误治，或素秉阳虚之人，迁延日久所致。患者大汗淋漓，四肢厥冷，面色苍白，神情淡漠，甚至昏愦，口不干渴，或口虽干渴而喜热饮，气短息促，舌淡嫩，脉微欲绝。此残阳将息，法当回阳固脱。1951年秋，徐圩乡徐某患吐泻。某医谓胃肠炎，予以救急水，患者吐止而泻则如故；复诊予以磺胺类药物，患者病渐剧。转邀就近某老医诊治，老医见其病势颇危，要病家邀余会诊。余步至后堂，见患者仰卧床上，面色苍白，汗出如油，目闭口张，舌淡胖，苔白滑，气短息促，脉细如丝，肢冷如冰。此微阳将息，稍缓则唇青阴结而死，急当补阳济阴。遂予以理中汤，加肉桂、附子，鲜竹叶10片作为反佐，以防拒格不纳而再吐。令患者家人一面就近取药，一面将水先煮沸，待药至投入，急火煎滚滤汁，缓缓予患者灌入，临行并嘱之，如到晚药尽，患者汗止，神识略清，明晨招我即来，切勿迟延。次日未见动静，余意其已死。越二日，老医到区开会，见面即谓余曰：前日之药，其效如神，患者服药至临晚，不但汗止神清，泻亦止。照原方继服1剂，患者即知饥能食而愈。

厥逆释义与临证

张云鹏

厥者，其义概言之有二，一指四肢厥冷，冷至肘膝，此即《伤寒论》："凡厥者，阴阳气不相顺接便为厥，厥者，手足逆冷者是也。"一指阴阳失调，气血逆乱而致猝然昏厥，不省人事。《素问·厥论篇》言之甚详。《素问·大奇论篇》亦曰："脉至如喘，名曰暴厥，暴厥者，不知与人言。"《素问·方盛衰论篇》述其病机是以气多少逆皆为厥。"除此二义尚有《素问·奇病论篇》脑逆头痛，"病名曰厥逆"；瘫之危者，"病名曰厥"，亦不可不知。

厥证多端，分类亦繁，李中梓有阴、阳、寒、热、煎、薄、痰、食、气、血、尸、蛔12种厥；林佩琴又将厥证分为寒、热、气、血、食、酒、痰、尸、骨、痛、肾、色、暴、疟14种。但可概括为寒厥、热厥两纲。

寒厥与热厥，《伤寒论》与《内经》对此有异。《伤寒论》之厥，其外证则必寒，而其内则有寒者，有热者，寒厥宜温，热厥可攻；《内经》之厥，热厥则其内热而外证亦热，寒厥则其内寒而外证亦寒，热厥当补阴，寒厥当补阳。余临证多宗《伤寒论》之说。

寒厥证，乃阴寒内盛，阳气衰微，不能达于四肢所致，有因心肾阳衰，有因阳气素虚，外邪侵入易为寒化；故临床多见手足厥冷，脉细欲绝。值此，非用火温之剂，不能还阴阳之气于顷刻，故张机提出："诸四逆厥者，不可下之，虚家亦然。"余治1例心肾阳衰，手足厥冷，脉细而迟，经用通脉四逆汤获效。再举1例，下利呈水样，完谷不化，恶寒肢冷，舌淡苔薄，脉细，此阴阳俱虚，脾肾两衰，给予茯苓四逆汤加味，药后得效。

厥证用温阳之品，此为治厥之常法，但更应注意热厥，因其邪热深伏于里，阳气被阻，为真热假寒之病，临床最易为假象所惑。故汪琥叹曰："今医治厥，每以热证作寒治者，其误良多"。余亦有此感。仲景对热厥之治，早有明训，论曰："厥深者热亦深，厥微者热亦微，厥应下之，而反发汗者，必口伤烂赤。"前言"诸四逆者，不可下之"是为寒厥而设。今曰"厥应下之"是对热厥而言。此为仲景抢救危重急证临床经验之结晶。余在内科温热病临证实践中，对热厥应用攻下通里，有一心得。举例明之：吴某，胁痛拒按，身黄，四肢不温，时有谵语，气促，腹胀满，已四日未更衣，小溲黄赤，舌质红，苔焦黄而褐，脉伏，血压下降，有时为零，白细胞 $21.1\times10^9/L$，中性 0.97。病由肝胆热毒、腑气闭塞、阳气不外达所致，属热厥邪盛之证，投以大承气汤加清热解毒之品，

一剂而神清；大便得通呈黑色，脉伏较起而肢温，继后血压与血象正常，热厥亦除。

热厥之治疗应正确及时，识别热邪内伏之病机，应透过现象探索本质，不失时机地予以清热或攻下，使热毒外泄，则病易愈，如失治误治，邪气内盛则危矣。

或问：热厥能否转化。答曰：如邪盛正衰或治疗不当，热厥可转化为寒厥，临证时当审证候之缓急，度邪正之虚实，可先祛邪，后扶正，或祛邪与扶正同时并举。总之，应遵循辨证论治法则，以免失误。

阴厥、阳厥治法辨

彭元成

厥证以突然昏倒、人事不知、手足逆冷、面色苍白、短时苏醒为特征。尚有一厥不振，生命垂危者，应慎细察。《内经》有厥论专篇述及“阳气衰于下，则为寒厥；阴气衰于下，则为热厥。”《伤寒杂病论》第337条云：“凡厥者，阴阳气不相顺接，便为厥。厥者，手足逆冷者是也。”斯于临床，握此要领，辨证施治，效果不凡。

1965年春初，青年女患者李某，冬患肺痈治愈，正气尚弱。因寒热不慎，复感于邪，畏寒发热，咽痒咳嗽，周身酸软。医未审时，见症处麻黄汤加味1剂病增。邀余诊，见其手足厥冷，烦躁不安，气粗言微，渴喜凉饮，大汗而热，小便赤，大便未行，舌赤苔黄，脉洪大而数。因证互参，余谙《内经》曰：“冬伤于寒，春必病温。”患病孟春，正值阳气升发之际，又体质尚弱，复感温热之邪，气分热甚，大汗、大渴、大热、脉大，证之已明。初误寒治，辛温走窜，病深一层，故使热深厥深。余处以石膏50克（先煎）、知母15g、人参10g、甘草5g、麦冬12g、粳米一撮，清气泄热。正复厥回，1剂转安，2剂病已，继以食养为法善后。

又王姓患者，男，63岁。1975年冬，触寒即病，周身疼痛，渴不欲饮，颈项失柔，咽痛无汗，畏寒微热。医不度因，以渴、热、咽痛为辨，处以白虎汤加人参一剂，药后，战慄倦卧，欲静恶言，手冷过肘，足冷至膝，引衣自覆，身汗清冷，妻求余诊。顷察：气息微弱，汗取重被，面色青白，舌质淡嫩，苔白而润，脉沉细而弱。斯忆王孟英注云：“伤而即病为伤寒。”病者冬寒之时，感而即病，阳气本伏藏内，误以热治，苦寒劫阳，病进致重。虽有咽痛、口渴不饮、微热等症，乃假象之兆，故药后厥而神倦。余处以逆流挽舟之方：干姜、附子各12g、黄芪25g、甘草5g，葱白7枝，温阳救逆，益气通阳。药服2剂，患者厥回神复，继用小建中汤加减调补阴阳气血收功。

厥证病因众多，气、血、痰、食、暑、秽皆能致厥。其病之变不越阴阳失调、气血逆乱所致，历代医家阐明甚详。喻嘉言《寓意草》谓："凡伤寒病初起发热，煎熬津液，鼻干口渴，便秘，渐致厥者，不问而知热也。若阳证勿变阴厥者，万中无一，从古至今无也。盖阴厥者得之阴证，一起便直中阴经，唇青、面白，遍体冷汗，便利不渴，身倦多睡，醒则事了了，与伤寒传经之邪，转入转深，人事昏惑，万万不同。"诚如实言，启迪尤深。余举案例，前者误温，铸成阳热之厥，清气泄热，养阴救厥，效如桴鼓；后者误寒，酿成阴寒之厥，温阳救逆、益气通阳，病去霍然。医者，司命之人，单凭证治，不别时因，南辕北辙，焉有不败之理；临床不忘审时度因，辨证当忌臆测，方能言"治"也。

厥证治验

颜亦鲁

邻居张妇，厥证有年，发则闭逆不省人事，手足冷，必须得嗳气或矢气才能徐徐苏醒，习以为苦，诊其脉弦滑而数，证属热厥，投羚羊角粉、沉香末、郁金末各0.6g，徐徐灌下，约1小时患者即安，此后发作，亦投此方，连服3次，宿疾竟未再发；幼女美琪七岁时患肺炎，因误治突然神志不清，喉间痰鸣漉漉，面色皖白，遗尿肢冷，脉沉而细，诊为寒厥，投以四逆汤加味：熟附子9g、淡干姜2.4g、炙甘草3g、川贝母9g、法半夏6g、九节菖蒲2.4g、桂枝2.4g、太子参12g，1剂后患者肢冷渐和，脉亦略起，再进半帖，神志也渐清醒，痰声亦平，后改用和中调养法善后。

我在临床上发现，湿邪蒙闭清窍也能引起厥证，正如《医宗必读》所谓："伤湿者，感受湿邪，身重而痛，自汗，身不甚热，两胫逆冷，四肢沉重，胸腹满闷。"宜用芳香开窍化湿法。丹阳西门翟妇，体质丰腴，初秋暑湿交结肠胃，二便秘结，脘腹臌满，继而神志昏糊，四肢厥冷，延余往诊，家人已筹措后事。诊其脉沉如丝，势属厥证，遂急投玉枢丹3g，开水磨服先下，另用厚朴、肉桂、桃仁、生川大黄、姜半夏、九节菖蒲等温化之品启上导下，药后患者当晚大腑畅利二次，神志逐步清朗，手足亦渐转暖，后以平胃散合六君子汤收功。

（颜乾麟　整理）

痰热结胸救治

詹文涛

余曾救治一陈姓七十老妪，缘因喘痰咳嗽十余年，外感发热恶寒，喘咳不能平卧，心悸尿少，全身浮肿加重1周而收住我院中医病房治疗。入院后经全面检查，诊断为支饮病外感诱发，证属肺肾两虚，水瘀互结。经辨证论治半月后，老妪病情日渐缓解。1982年2月，患者突感上脘剧痛，继之以心下至少腹疼痛手不可近，喘，嗽、痰满再次剧烈发作，时时呕吐，口臭，大便未行有矢气，血红蛋白从125g/L骤降至71g/L，大便潜血（-），病势危笃，遂请西医内、外科紧急会诊，胸透未见膈下游离气体，除全腹膜刺激征外，又两次在腹腔中抽出鲜血（不凝），用超声波检查肝脏可见囊状波，西医诊断为“肝癌（?）破裂并腹腔内出血”，因年老体弱，一般状况极差，家属拒绝作手术，仍由中医治疗。按本证素有痰饮内伏，此次外感引发，邪热内陷与痰水相结于胸脘，至使升降失常，气血逆乱，脉络损伤所致，当本仲景痰热结胸论治，用小陷胸汤加葶苈子、紫苏子，合生脉散、千金苇茎汤、小柴胡汤诸方化裁，连进30剂而诸症悉除，病愈出院。

又于1983年再治彭姓老妪，亦因患老年性慢性支气管炎合并感染、肺气肿、冠心病入院，入院后第3日晨突发心悸、心慌、恶心呕吐，脘腹剧痛手不可近，连及腰背及项强痛而不能俯仰，辗转不宁，呻吟不止，心率84次/分，频发室性早搏形成三联律，大便干结难行，舌质淡紫，苔黄腻而干，脉弦滑时有结代象，诊为大结胸证。用大陷胸丸方去甘遂合小陷胸汤方加减化裁，患者服之得泻水样大便3次而诸痛若失，心律整齐，舌苔告退，脉渐和缓，再以柴芍六君汤调理10剂而治愈出院。

从上述两证悟出，痰热结胸一旦形成，势必阻隔气机升降，病势急变，故笔者在救治危急证中，凡见结胸证者即依法论治而屡试屡效。

考结胸出自《伤寒论》，为太阳病之变证，其病机或为误治虚其里；或素有痰饮内停；或痰饮郁结化热，以致邪热与痰水相结于胸脘，致使升降出入之枢机不利而发病，其用小陷胸汤之苦辛通降，清热豁痰；大陷胸丸（汤）之泻热逐水，峻药缓攻破结，使结胸疏解，痰热分消，升降复常而病愈。余以临床观察所得，患内科疾病而暴发为危急重证者，夹痰为常见之象，或因外感邪热内陷；或因痰郁邪热内生；或因痰瘀互结而发，最易结于胸脘之部而为结胸之证，于是升降之道路闭塞，气血之流通受遏，津液之气化不行，全身阴阳气血津液皆为之大乱，病势随之骤变。因此，笔者在抢救危重病人时，十分重视痰热结胸，凡危急重症兼有胸脘闷胀疼痛而苔色黄腻，脉象弦滑者，均投以小陷胸汤（全瓜蒌、法半夏、川黄连）为主再合其他处方，如结胸位高涉及胸胁项背强而不能俯仰，大便不通者，则改用大陷胸丸（大黄、芒硝、葶苈子、杏仁、甘遂、白蜜）去甘遂为汤加减论治，往往结胸一解，上焦得通，津液得下，胃气因和而急证缓解。

跌仆昏迷，毋忘化瘀

| 杜勉之 |

《灵枢·贼风》说：“若有所堕坠，恶血在内不去，……则气血凝结。”《灵枢·邪气脏腑病形》也说：“有所堕坠，恶血留内。”可见，堕坠多致气血凝结、恶血留内的病理变化。所谓“恶血”即瘀滞之血，乃病理产物，在人体内可致多种疾病。《医林改错》说：“气血凝滞，脑气与脏腑不接。”《血证论》说：“瘀血攻心，……神志昏迷，不省人事。”故昏迷亦属瘀血见证之一，跌仆致昏，多有瘀内阻，徒事醒脑开窍，难以取效，当从化瘀着眼，庶可事半功倍。

患者言某，20岁，于1984年孟夏，因骑自行车不慎从6m高的桥上摔下，当时呕吐食物及痰涎两次，旋即昏迷而入院。神志不清，瞳孔等圆稍小，右前额可见2cm×5cm大小挫伤瘢痕，颈项强直，有轻度抵抗，脑脊液压力增高，略带血液，西医诊为颅内出血、脑震荡。曾用止血敏、甘露醇、葡萄糖等救治，2天后邀余会诊。

症见患者神志昏蒙，呼之不应，合目嗜睡，舌暗红而有紫气，苔薄白，脉细涩。证属瘀血留滞，闭阻清窍，治当活血化瘀，通窍开闭，选用通窍活血汤加减。处方：生地黄15g，桃仁、赤芍、石菖蒲、当归各10g，田七、川芎、远志各6g，冰片0.3g（冲服）。服药1剂后，患者略有知觉，连进3剂，神志即清，但语言謇涩，自诉头痛而晕，不思饮食。原方去石菖蒲，加防风、白芷、蔓荆子各10g，继服3剂，患者头痛立止，调理1周，诸恙悉退而痊愈出院。

本例昏迷乃跌伤所致，脉舌已具瘀血见证，且脊髓液带血，当属血瘀闭阻清窍而致昏迷。清·唐容川说：“凡系离经之血，与营养周身之血已睽绝不合。”他认为：“此血在身，不能加于好血，而反阻新血之化机，故凡血证，总以去瘀为要。”可见，本例昏迷，即由瘀血攻心、闭阻清窍、神明失用所致，治以活血化瘀为当务之急。王清任立通窍活血汤“治头面四肢周身血瘀之证。”故选用此方加减，“急降其血，而保其心”。方中当归、川芎、桃仁、红花活血化瘀，生地黄、赤芍、田七凉血止血，佐石菖蒲、郁金、冰片（代麝香）醒脑开窍，俾瘀化窍开，则神志自清。

治热证神昏一得

|单会府|

《素问·阴阳应象大论篇》谓："壮火食气。"《素问·至真要大论篇》亦谓："诸禁鼓慄，如丧神守，皆属于火。"说明火热之邪伤及人体，极易伤气耗血，致使气血逆乱，失其常度，上扰神明，以致清窍失灵，神明失用，出现神志昏蒙，意识不清之见证，故临床应究其病因，把握气血虚实机转，为治疗热证神昏的重要一环。如治朱某，女，20 岁。见其头痛、高热（体温为 39.5℃）、胸闷、少腹胀痛，拒按，神昏谵语，大便正常，小便黄，舌质紫且有瘀斑，舌苔薄黄，脉弦数。经闭已 4 个月。综观其脉证，乃为瘀血内结致发热神昏，仿抵当汤加减治疗。药用：酒大黄、莪术、炮山甲、红花、桃仁、牡丹皮、当归、牛膝、夜明砂。药后下瘀血块甚多，色紫黑黏稠。继以此方加减服用 5 剂，患者神清安卧，热势大减，体温 37.3℃，继用丹栀逍遥散治之而收功。

又治一孟姓妇女，34 岁，分娩时出血过多。见其头晕目眩，继之发热，神志不清，时有妄言，汗出溱溱，腹软喜按，舌淡红，苔薄黄，脉虚数，重按则无。服清热解毒剂，其热不退，渐至神昏，延余诊之。见其脉虚大而数，舌淡微胖，身困乏，此乃产后气血不足，百脉空虚，阳失依附，厥阳独行。投予八珍汤加黄芪、麦冬、炮姜。服 3 剂，患者热退，神志转清，饮食增加，诸症大减，后以当归生姜羊肉汤送服八珍益母丸，善后调理，月余病愈。

"闭""脱"辨疑

|陈功泽|

一老妪，年逾花甲，身处嘉陵江畔，素体颇健，长期洗衣谋生。于 1964 年春一日黎明起床之际，昏仆倒地，鼾声时作，遂来院急诊，呼之毫无反应，且时有遗尿，视之面色红润有似熟睡之状，目珠微露，手指微屈，口唇微启，似"五脱"之状，诸医议论纷纭，无法定论。经治者姑以涤痰清热治之，延至次日病无起色，乃延余会诊。吾观察良久，患者果属脱证多瞬间即逝，据诉 1 周前饮食倍增而未大便；虽有遗尿但非失禁滴漏不止，是因昏迷不语所致；目珠

微露炯炯有神而非暗淡无光；手指微屈但握之强硬有力屈而不伸，则非软弱之撒手；口唇微启，但牙关紧闭，查其苔黄厚腻兼有浊气熏人。据此证候分析，老妪系患腑实结热内闭之证，遂拟调胃承气汤予服，药后5小时，老妪泻下溏便盈盆，满屋臭秽，并当即睁目环视，喊“饿”。而其右侧肢体瘫痪微硬，口干渴而思饮，苔腻已退而润，六脉依然沉细，当属患者平时之本脉。后针灸、药物并施，历时2个月而愈。

泄热、开窍、镇惊三法并进止惊搐

李鸿翔

流行性乙型脑炎（乙脑）属于中医暑温范畴。中医治疗乙脑积有丰富的经验。概言之，主要抓住高热、抽搐、昏迷三关，因此在治疗上必须抓住三证，使病情顺转不逆，则预后较好，否则预后较差。一般说来，仅有高热而无抽搐昏迷者，邪热尚在气分；若出现抽搐，则示热盛动及肝风，为昏迷之前兆；如已昏迷者，则示邪热已深入心营。因此，及时有效地清热镇惊，是防止进入昏迷的重要措施，特别是抽搐关，顺则邪退，逆则邪进。故当高热时，即可放手佐用镇惊药，防患堵截；若已惊搐，法必镇惊清热，佐以开窍为主，否则难以奏效。叶氏治温病，谓“在卫汗之可也，到气才可清气，入营犹可透热转气，……入血就恐耗血动血，直须凉血散血”。乃为治疗温病的常用法则，若遇发病急、传变快的温疫重症，如因循守旧，只能步敌后尘，难以突破常规，堵截防患。而攻下泄热，清心开窍，熄风镇惊三法，据证分清主次，相辅并进，则其效更捷。

余曾诊治一吴姓女孩，8岁。患儿发热惊厥1天，经作脑脊液及其他理化检查，确诊为“乙脑”，收住院。患儿入院后体温高达40.7℃，神志昏迷，抽搐不止，虽经服西药抗感染及对症处理，病情未减。转中医诊治时，视其面赤气粗息促，苔黄欠润，唇干齿燥，脘腹灼热，脐周硬满，大便6日未解，小便短黄。证属暑邪逆传心包，神明受扰，内传阳明，经腑郁热，故拟白虎承气汤加减：生石膏45g（先煎），知母9g，大青叶9g，生大黄9g（后下）、玄明粉（冲）、枳实各6g，甘草3g。每剂煎成150ml，给予鼻饲。药后未及半日，患儿矢气频传，大便畅行，体温降至38.5℃。但症仍神志不清，抽搐频作。清泻阳明经腑之热，固属得当，但心经已受邪，神明为之扰乱，热极生风，已涉肝木之脏，故必须配合清心开窍、镇肝熄风，方能操全胜之券。乃拟：生石膏30g（先煎），生大黄6g（后下），连翘10g，石菖蒲6g，天竺黄9g，钩藤、干地龙

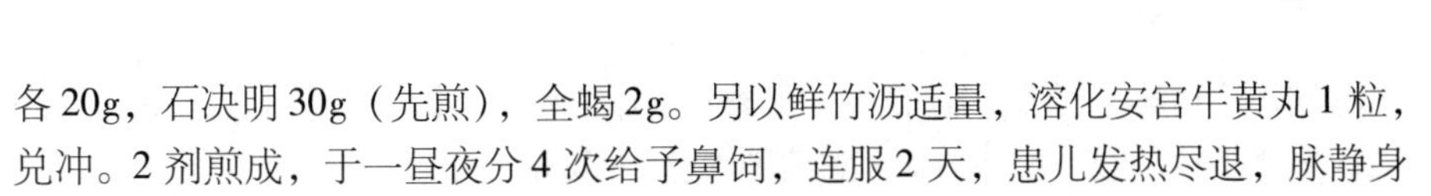

各 20g，石决明 30g（先煎），全蝎 2g。另以鲜竹沥适量，溶化安宫牛黄丸 1 粒，兑冲。2 剂煎成，于一昼夜分 4 次给予鼻饲，连服 2 天，患儿发热尽退，脉静身凉，神志渐清，抽搐已止。后拟益气养阴剂调理旬日乃愈，随访无后遗症。

“风引汤”治脑干挫伤 |段光周|

1984 年仲夏，我内亲杨某因乘自行车不慎，跌伤左侧头部，当即昏迷不醒，血液循耳鼻渗出。经当地医院检查，见头皮裂伤约 3cm，左侧颅骨线性骨折，排除颅内出血，诊断为“脑干挫伤”，住院观察。伤后 3 天，邀余会诊。

见患者双目圆睁，时时呻吟，但不识人；面赤气粗但体温不高（37.5 ~ 38℃）；手足阵阵强力舞动，似有惊惕之状；大便 1 周未解，但切腹濡软不硬；舌质偏红，但并非红绛。苔薄黄少津，脉弦大有力。窃思此病起于跌仆外伤而非外感六淫，其证候表现既无阳明腑实，又与温病热入心营，神昏谵语，动风抽掣不同，当按杂病论治。忆《金匮要略·中风历节病篇》有风引汤“除热瘫痫”，又云“治大人风引，少小惊痫瘈疭，日数十发”的记述，患者偶然跌仆，必卒受惊骇，“惊则气乱”，故有神智昏蒙、手足舞动等惊惕之证，舌红、苔黄、便秘是素有的郁热。《内经》云：“惊者平之”，治当镇静安神为主。风引汤集大队矿石之品以重坠潜镇，赤白石脂收敛浮阳，配大黄通腑泄热，反佐干姜、桂枝辛温调畅气机，与本证甚为吻合，即书原方予服。时有同行在座，疑其夏暑当季，舌红苔黄，干姜、桂枝岂敢用乎？吾曰：此方潜镇之品甚多，降气有余，若不用姜桂，脾阳何以转输升达？此乃阴阳升降之理，众皆信服。连进 3 剂，患者果然神清惊止。

按内痈论治败血证 |信宜莉|

败血症是一种严重的急性感染性疾病，以往多用西药或中西药结合治疗。今年初余曾按内痈论治本病，获得满意效果。

青年李某，形体素实，无明显诱因反复发高热 2 个月，一直住某医院治疗，经用抗生素、激素后体温稍退，而次日热势更张。中医曾辨为温热在气分，又有辨为湿热病的，投以白虎人参汤、清瘟败毒饮、甘露消毒丹、黄芩温胆汤等均罔效，病情日趋严重，但始终未见神昏。转院前1周，发现病人上脘有一痞块，疼痛拒按，咳白痰少许，而由某医院转入我科治疗。

观其面色黄晦无泽，舌淡紫、苔根黄腻，口臭明显、气浊熏人，于脐上2寸可扪及鸭蛋大小之痞块，边缘不甚清楚，表面光滑，疼痛拒按，脉滑数有力，经对消化、呼吸、泌尿、血液等系统进行全面检查，除血沉46mm/h，黏蛋白5.3mg外，余均正常，后在周围血及骨髓血中培养出副大肠杆菌而确诊为副大肠杆菌感染败血症。

患者入院之初，即对其病进行全面的分析：如为温热病，为何投以清热解毒利湿之剂屡不见效？若为温热在气分又为何清泄无功？若热入营血又为何神识、舌象毫无征兆？始求教于吾师詹文涛，曰："温、热、火、毒是一家，温为热之始，热为火之渐，火为热之盛，毒为火极所化。为温、为热时病在卫分、气分，以功能变化为主；为火、为毒时病人营分、血分，多兼有器质损伤。由于阳热火毒内蕴，若再与湿毒相遇导致精血耗伤，损伤脏腑，化毒成脓，成为痈脓。此患者素体肥胖多痰湿，感受温热之邪困伤津耗血、痰瘀互结、郁久成脓，虽未见皮肤痈疮肿毒，但脘腹痞块疼痛拒按、高热持续不退，乃为毒火内炽伤营入血引起走营之候，当即采用治阳证痈疮肿毒之大剂仙方活命饮全方，加薏苡仁、冬瓜仁、桃仁、重楼以清热解毒、利湿豁痰、活血消痈平其热势，为使力达功专，嘱其不用其他中西药。连服本方5日，每日1剂，患者体温即降至正常，腹部痞块消失而痊愈出院。

漫话痧证

苏东黎

余常往缅寺游览，见僧人甚多。当地男女民族，多来请长老治病；妇女、小儿，多信奉草药。一般患者，多以痧证名之。如吐泻者，为"吐泻痧"；转筋者，为"转筋痧"；头痛者，为"头痛痧"；角弓反张者，为"角弓反张痧"；半身不遂者，为"半身不遂痧"；腰痛者，为"腰痛痧"；腹痛者，为"腹痛痧"等等。长老治病，均使用外治手法，或烧之、或焠之、或挑之、或刮之、或咂之、或刺放之，因症而施治。有单用一法者，有兼用二三法者，手下人各司其事，辗转甚劳。余在内地学医有年，治病多用中西药剂，从未见专以手法施治者。故大奇之，而竭诚请教焉。长老曰："边疆夷地，乃蛮烟瘴雨之乡，山岚水渍，毒虫异物盘踞之所，其毒气熏蒸，弥漫大气间，皆由口鼻呼吸而入。并因人之体质不同，虚实各异，若中在气分，则气塞痰阻，胸膈胀满，吐泻交

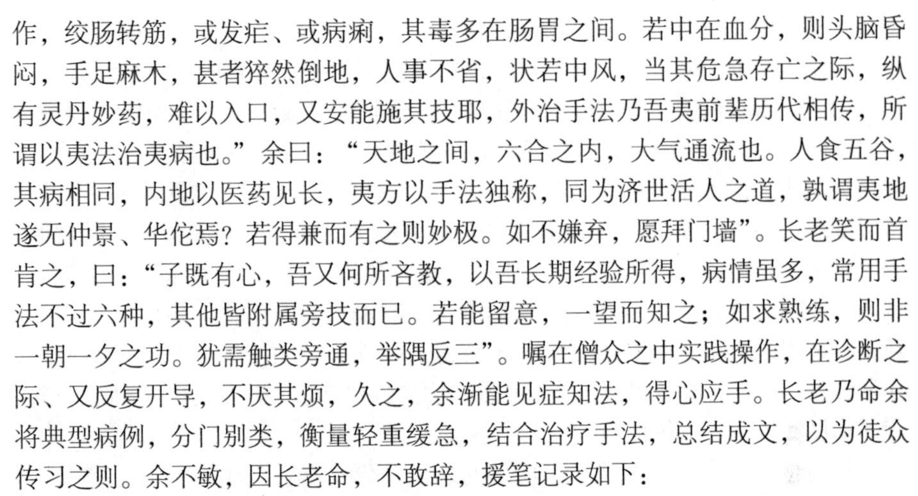

作，绞肠转筋，或发疟、或病痢，其毒多在肠胃之间。若中在血分，则头脑昏闷，手足麻木，甚者猝然倒地，人事不省，状若中风，当其危急存亡之际，纵有灵丹妙药，难以入口，又安能施其技耶，外治手法乃吾夷前辈历代相传，所谓以夷法治夷病也。”余曰：“天地之间，六合之内，大气通流也。人食五谷，其病相同，内地以医药见长，夷方以手法独称，同为济世活人之道，孰谓夷地遂无仲景、华佗焉？若得兼而有之则妙极。如不嫌弃，愿拜门墙”。长老笑而首肯之，曰：“子既有心，吾又何所吝教，以吾长期经验所得，病情虽多，常用手法不过六种，其他皆附属旁技而已。若能留意，一望而知之；如求熟练，则非一朝一夕之功。犹需触类旁通，举隅反三”。嘱在僧众之中实践操作，在诊断之际、又反复开导，不厌其烦，久之，余渐能见症知法，得心应手。长老乃命余将典型病例，分门别类，衡量轻重缓急，结合治疗手法，总结成文，以为徒众传习之则。余不敏，因长老命，不敢辞，援笔记录如下：

1. 烧法：治疗胸膈胀满、绞肠腹痛、以及干霍乱、肠梗阻等症。用食盐面堆满大小腹上，约五六分厚，以火草团如橄榄大，点燃烧盐上，先烧脐眼处，后烧周围上下，可十余壮，烧毕，再用手缓缓揉擦，使暖气入腹，阻塞得通即愈。本法适用于寒食内结，气机不通之证，若热极腹痛，则烧之不应，再用以下挑、刮治之。

2. 焠法：治疗因感冒而引起之痧证。如头脑昏痛、周身酸痛、四肢无力、心胸烦闷、呕恶不食、发热或不发热等症。用灯心草一节，蘸过香油，以铁夹夹之（以免过完烧手），将灯草点燃，先烧面部，眉心、眉上、两太阳穴、颊车、地仓、四白、承浆、人中等处各 1 壮，及胸前乳上、肩窝、天枢、肋尖等处各 1 壮，后心脊椎节上各 1 壮。若施治人不明针灸穴位，可以看视胸腹腰背部位，若有隐约红点，即照红点烧之亦可。若烧时爆炸有声，则其人可救，烧之不炸，乃肌肉已死，难救。烧时须注意，下手宜缓慢轻巧，使灯焰微接皮肤即炸，若用力过猛，将灯火焠熄则不炸。焠后须让患者盖被睡卧，使其出微汗，汗收方可起床，切忌复冒风寒，否则痧毒留滞不散，反入攻五脏，慎之。如焠法不应，再用以下刮、咂法治之。

3. 挑法：治疗如上述烧法出现之症状。用烧盐法不应者，恐有羊毛痧。看腹部有红点如蚊虫咬者，即用针挑破，拉出白丝如羊毛状，用小尖刀割断，再挑、再割，以毛尽为度，约 5 ~ 7 根，即渐松而愈。

4. 刮法：治疗泥鳅痧、吐泻痧、闷痧等头昏心烦，四肢倦怠，吐泻不止，转筋入腹，阴寒毒痧，胸腹搅痛，危在顷刻者。刮法一：先用手指中节在肩窝处由上至下顺刮一下，若有手指粗细一埂冒起，即是泥鳅痧，用古铜钱一文，边缘须圆滑无棱角者，蘸温水或香油或清凉油均可，由上而下，先轻后重，先刮两手弯，而腿弯、两肩窝及背脊、肩胛骨等顺脊柱缘呈八字形，按次序先后每处均刮数十下。痧重者，刮不几下，即起颗粒如粟，红紫成片，甚至有起黑泡如豆者，即应刺破，挤出毒血；痧轻者，仅起红晕或红粟米状而已。刮毕在两肩窝内，施用以下咂法，拔出毒血，以免臂膀酸痛。若痧轻微者，不须使用咂法。刮法二：用光滑细口瓷饭碗一个，另用热水一大碗，加入香油一二匙，将饭碗蘸过油水，使之既温且滑，再以两手覆执其碗，于病人背心、腰脊间，由上至下，轻轻顺刮，以渐加重，干则再蘸再刮，良久，刮处渐起红晕、红点，觉胸中气转滞行，大泻一二次，其痛即止。有刮后周身奇痒，发出疙瘩风饼，乃五脏之阴寒既解，在表之风邪亦随之而散也。以上二法，一法适用于泥鳅痧、吐泻痧、闷痧等各种急重痧证。二法适用于阴寒在里、痧气壅闭、胸胀腹痛之症，均良法也，不可忽视。

5. 咂法：治疗如“刮法”节所述的症状，刮痧后在“肩窝内”用三棱针刺破数孔，范围以咂罐大小为度。将咂罐口以水蘸湿，再用棉球蘸香油或酒精，点燃放入罐内将放血处罩定，即咂住不动，约 15 分钟左右，揭去咂罐，拭去瘀血，用手垫纸挨平其凸处即可。

6. 刺放法：治疗痧证兼风。症现气滞血凝，烦乱不安，周身麻木，行动不便，宜用刺放法。放痧有 10 处：头脑昏痛刺巅顶百会穴、太阳穴、印堂 3 处，只需刺破出血即可，不必深入。对喉部、舌下、两乳 3 处，惟患口噤及喉痧时用之，他症不可轻试。对手十指尖、足十趾尖刺法为：①先由另一人将患者两手由上至下捋数十下，将血液赶至指尖，然后将手寸握紧，用三棱针刺两手少商穴，穴在两大拇指下甲角外侧略隔一韭叶宽许处即是，可入针一分左右，挤出黑血以纸拭去，再挤一二次。②捋如上法，以针刺十指尖出血，但下针处不得过近指甲，仍须隔一韭叶宽许，方可下针，否则令人头昏汗出。③捋如上法，以针刺十指背甲下中间，亦隔指甲一韭叶宽处下针，以挤出黑血二三次为度。以上三处，任用一处，功效相同。刺血之义，要在除旧易新，使血凝得行，风出有门而已。若治疗及时，手法熟练，有时十指末周即挣动而醒，亦有十指刺完，仍无知觉，或针下而不出血者，难治。手足麻木刺两臂弯、两腿弯。具体刺法：先用手蘸温水，拍打手弯、足弯数十下，横纹中有青筋现出，即在青筋上刺之，刺针须用玻璃尖针夹筷子头上露出近针处约二分许，将筷头对准青筋上，另以示指弹之，即血流如线，冒毕自止，不必惊惶，再用胶布贴之即可。手麻刺手，足麻刺足，手足俱麻者，并刺之，此法又名放大痧。

以上 6 类，皆治疗痧证之主要手法，务须灵活应用，变通处理，切不可轻重倒置，贻误病机。痧证为病，有轻有重，有深有浅，有单有复。痧，毒气也，与伤寒不同，其为害多在阴阳气血、肌表经络与五脏六腑之间。其治法亦不外分别表里阴阳，脏腑内外，单中者单治，复中者复治。烧之使寒散气行，焠之使盗出有门，挑之使痧筋自断，刮之能推动血液循环，咂之使毒血排除，刺放之使推陈而致新。但文无定法，合理为佳，死法活用，存乎其人，若烧之不应再用挑法，刮之不应，再用刺放法，犹须观形察色，慎始慎终，切不可草率处理，马虎了事。不亏医德是矣。余录毕上呈长老审阅之，长老合掌称善。曰："人之病，如我之病，度人所以度已，乃我佛慈悲救世之大法旨也，愿勉之"！余敬谨受教而佩带焉。

（陈建聪　苏金华　苏光勋　协助整理）

治暴病须心细胆大

熊继柏

孙思邈谓医者曰："行欲方而智欲圆，心欲小而胆欲大。"李中梓释曰："望闻问切宜详，补泻寒温须辨。当思人命至重……如是者谓之心小。补即补而泻即泻，热斯热而寒斯寒，抵当承气，时用回春；姜附理中，恒投起死。析理详明，勿持两可，如是者谓之胆大。"所谓心小胆大，一要谨慎辨证，二要果断用药，二者缺一不可。

1966 年仲春，余诊周氏之子，年 17 岁，患高热烦渴、神昏谵语、手足抽搐、颈项强直、角弓反张，其面颊、前胸及臂部等处出现紫黑色斑块。患儿齿黑舌焦，声音嘶哑，舌上起芒刺，脉数而大。证属春温发痉（西医诊断为流行性脑脊髓膜炎），病已 8 天，曾服清热泻火熄风之剂而其效不显。今邪热猖盛，营血被灼，阴液将竭，已呈一派凶险危急之候，此时若以轻缓平淡之剂，焉能拯此急暴垂危之势？乃以余师愚清瘟败毒饮大剂加僵蚕、钩藤、大青叶用至30g，犀角、黄连亦用15g，其余诸药俱用大剂之量，嘱取农村常用的铁炉锅浓煎其药，昼夜频服，药进 3 剂，其病竟转危为安。余思医者临证之际，必须心小而胆大。若遇急暴之病，尤当如斯。

休克型肺炎的辨证与急救

黄道生

休克型肺炎颇与"风温"重证相似。温热病的发展，一般由浅入深，从卫分→气分→营分→血分。但温邪甚者，直接侵入营血，迅即出现逆证。休克型肺炎起病急骤，多在一二天之内，肺炎初期症状（相当卫分）还不典型之时，便发生休克，症见高热（或体温不升），神昏或烦躁，脉微欲绝，血压下降等危象。诚如陈平白所云："风温毒邪始得之，便身热口渴，目赤咽痛，卧起不安，手足厥冷，泄泻，脉伏者，热毒内壅，络气阻遏"是也。然其体有虚实之殊，邪有深浅之异，有辄现热盛伤阴者，热深厥深者和气阴两虚者，临证尤宜随机应变。

温邪极易伤耗阴津，以"燥"和"热"为特征的症状出现较早。如高热，汗出，口渴，气促，得食即吐，面赤，唇枯，肌肤干燥，舌红苔黄干，脉数，尿少。休克型肺炎伴酸中毒、失水、电解质紊乱者多见之。

热毒过盛，津液亏损，阳气无所依附，不能宣达四肢，故胸腹灼热，而四肢厥冷，正所谓"热深厥亦深"也。症见高热，汗出热不解，恶寒，四肢厥冷，肛趾温度差加大，神志恍惚或昏迷，或嗜睡，或烦躁，口渴喜冷饮，无尿，少尿，舌红或绛，苔黄腻，脉微欲绝，或细数，此又当与"阴盛格阳"的假热真寒相鉴别。

热迫汗出，津随汗泄或热灼伤津，津伤气耗，必然导致气阴两虚。早期主要病在心肺，肺气虚和心阴虚并见，气促，自汗，心悸，但欲寐，脉微细；后期病及下焦，劫灼肝肾之阴，多见颧红、潮热、盗汗、心烦等虚热内扰之证，宜与热邪亢盛之实证相别。

总之，毒邪乃风温致病之因，故清热解毒乃正本清源之治，自宜贯彻始终。但口服汤剂有缓不济急之虞，余经多年实践，筛选出马鞭草、蒲公英、金银花、连翘、黄芩等制成注射剂作为基础用药，静脉点滴，直达病位，解毒治本，收效甚捷。若热盛伤阴者伍以竹叶石膏汤；热深厥深者伍以清营汤；神昏者伍以醒脑静注射；气阴两虚者配生脉注射液静脉点滴；若阴津急剧耗损，气随阴脱者，急用枳实注射液行气活血，升压救脱，庶几阴阳顺接，气复津生，正胜邪却。

西藏高原感冒治疗一得

胡胜利

感冒是西藏高原的常见病之一。笔者在多年临床中观察到，西藏高原感冒与内地感冒有明显不同。

辨病因，内地感冒，风、寒、暑、湿、燥、火六淫之邪皆可致病；西藏高原感冒则以内有蕴热、外感风寒者居多。

论病程，内地感冒病程短，多1周左右可愈；西藏高原感冒常绵延日久，甚至月余症状仍未消失。

造成以上不同的原因何在？因地域不同，气候、饮食、生活条件不同，人的体质和疾病亦有不同。正如《素问·异法方宜论篇》所云：“黄帝问曰：医之治病也，一病而治各不同，皆愈，何也？岐伯对曰：地势使然也。”

西藏处高寒地带，四时皆有风邪，且盛于内地，因此风寒乃引起西藏高原感冒的主要外邪。而西藏居民，无论藏族、汉族、多有饮酒嗜好，又喜辣椒助阳之品，从而形成了素体多内热的特定体质。

以上两方面的原因，造成了西藏高原感冒内有蕴热、风寒外束的特点。

饮食水谷所化生的营卫之气与吸入的大气相结合而积于胸中，谓之“宗气”，西藏高原缺乏清阳之气，导致宗气不足，致使卫外不固，抗御外邪能力下降。西藏高原感冒又多由风寒所致，寒为阴邪，易损伤人体阳气，使得卫气愈虚，从而促使西藏居民不仅易患感冒，而且每缠绵难愈。

根据西藏高原感冒的上述特点，笔者在临床中辄以玉屏风散合麻杏石甘汤治疗，效果尚称满意。

玉屏风散出于《世医得效方》，由黄芪、白术、防风组成。黄芪大补元气，实卫固表；白术助黄芪，健脾益气以扶正；防风疏风解表以祛邪。该方寓疏散于固表之中，俾邪去表固，庶无反复感冒之忧。

麻杏石甘汤出自《伤寒论》，由麻黄、杏仁、石膏、甘草组成。有疏泄清热，宣肺平喘之功。风寒在表，发汗可解，但当外邪闭郁，肺有蕴热之时，若用辛温发汗，可有促使肺热加重之虞。是方麻黄配石膏，以清宣肺中郁热，杏仁降肺气之逆，佐麻黄平喘咳，甘草调和诸药，补中益气。

两方合用，外则固表疏风、内则清热宣肺，寓补于散，寓清于宣，诚为治疗高原感冒之良剂也。

感冒治疗中的散与补

| 徐文华 |

谈及感冒，每每误为小恙，似乎病者自已亦能治之，服些板蓝根、午时茶，不用辨证，好像很有把握。固然愈者有之，但不效者颇多，治不得法，病邪内传，反复多变……。清代名医徐灵胎谓：“人偶感风寒，俗谓之伤风，乃时行杂感也。人皆忽之，不知此乃至难治之疾，生死所关也。”提示我们，对此病万不可麻痹大意。

《内经》："其在表者，汗而发之"。感冒初起，病邪在表，治宜散邪为主。并立辛温、辛凉解表两法，随证施治，在一般情况下，常可药到病除。由于体质之虚弱，感邪之较深，某些患者每常缠绵不愈，或反复感邪。此时医者如果仅仅掌握散邪一法，则不能适应多变的症情。古人提出应在散邪的同时，顾及正气，散中兼补，创立了益气解表、滋阴解表、助阳解表等治疗法则，通过疏散兼补之法，每使虚人感冒很快痊愈。

《汤头歌诀》补中益气汤谓："补中益气术芪陈，参草升柴归用身，劳倦内伤功独擅，阳虚外感亦堪珍"。补中益气汤广泛用于治内伤杂病，用于治感冒，古人虽有论述，就其方药组成来看，涉及到感冒治疗中以补为主，补中带散的治疗法则，然颇有异议。强主可以逐寇，扶正可以祛邪。但有人认为，感冒用补，未免闭门留寇，外邪入里，驯至不救。众说纷纭，莫衷一是。余曾遇尹某，感冒反复不已，业已数月，遍访药饵，如水投石。由于患者早年戎马生涯，元体素虚，外卫不固，邪易深而难出，经投补中益气汤少佐解表之品，竟霍然告愈。可见，感冒治疗中散与补的主次，关键在于辨证，知常达变，临床化裁。大凡邪多虚少者，理当以散为主，以补为辅；虚多邪少者，理当以补为主，解表为辅。不必虑其有因补恋邪之说。

外感盗汗，切忌止涩

倪克中

盗汗者，所谓似盗者，乘寝而出，醒而止，《素问·六元正纪大论篇》称寝汗。临床习以阴虚论治，常以牡蛎散为主方。如阴虚有火则以当归六黄汤。结合五脏辨证，如心阴虚则以酸枣仁汤；肺阴虚则以百合固金汤；肝阴虚则以四物汤或六味地黄汤；肾阴虚则以左归饮，随证加减，多可获效。但盗汗一症并非全属阴虚，阳虚亦有之。《景岳全书》云："不得谓自汗必属阳虚，盗汗必属阴虚"。然盗汗一症，不仅内伤杂证有之，外感时病亦有之。余诊一男性，花甲之年，盗汗5天，头昏头胀，四肢骨节酸楚，微恶风寒，以为"脱力"求诊。诊得脉浮，苔薄白，询问其以往无盗汗史。2天后患者精神疲乏，纳食欠馨，继之盗汗。投荆防败毒散加减，1剂知，2剂愈。然未敢自信，更惧世之未信也，后留意观察，亦不鲜见。据余陋见，外感盗汗特点有二：一为盗汗期短，多则三五天，少则一二天，以往无长期盗汗史；二为多兼轻微外感症状。须详细询问，方可察之。如咽部不适，或素无咳痰而近几天有轻微咳嗽，或鼻窍欠畅，少汗流涕；或头胀头痛，或四肢酸楚；或微恶寒，微热……。患者常以"脱力""出冷汗""发劳伤"

而来就诊。此时切不可浪投止涩，以遏邪之出路，致生变端，务以驱邪为主。风寒者，辛温疏散；风热者，辛凉透解；湿热者，清热化湿……，邪去正安，其汗不治而止。或曰：外感何有盗汗，盖邪从皮毛而入，邪正相争，驱邪外出，亦必借汗为出路。考《伤寒论》第134条云："太阳病，脉浮而动数，浮则为风，数则为热，动则为痛，数则为虚，头痛发热，微盗汗出，而反恶寒者，表未解也。"又《伤寒论》第201条云："阳明病，脉浮而紧者，必潮热，发作有时，但浮者，必盗汗出。"说明古圣早有外感时病盗汗的记载，然无治禁，今提出外感盗汗，切忌止涩，免留邪生变，以补前人之未备。

太阳病有"下虚证"

曹永康

太阳病是表证、热证、实证，怎么会有"下虚证"？人的体质各不相同，就可能具有特殊的病理基础。《伤寒补例》曰："伤寒偏死下虚人。"体质下虚的人，肾脏阳气亏虚，卫外功能与抗病力量均比较薄弱，寒邪乘虚侵袭不易外达，临床就会出现太阳病的"下虚证"。辨证要点：外见表卫形症，而同时伴有头昏神疲、手足欠温、腰酸腹窒、小便不畅、舌根苔白、脉象弦紧沉细等虚寒见症。这是太阳寒邪既不能达表以作汗，又不得通下以化尿，而有从阴化寒的特有指征。病在初起，寒伏未深，治宜用桂枝汤为主方解肌达表，合茯苓、白术以宣太阳气化，佐附子、细辛以温肾散寒，独活以搜下部之伏邪，温肾解肌而不过于辛散，使阳气宣展，邪毒自能外解。

由于此证的病理基础在于"下虚"，初起如忽略这一特殊机制，则其病机变化还可进一步出现"下虚上逆，虚阳浮越"之证。临床辨证主要掌握阴阳失调内在变动的反映，如烘热阵作，面时潮红，下肢不温，溲黄难出；观其形态，神虽疲乏而心烦少寐，热虽不重而烦躁转甚（阴证烦躁是病情加重的信号，不可忽视），诊其脉象，虚弦带数而尺露不藏，浮取有余，重按不实。这种发热是"阳气浮越"之热，由肾根不固，阴阳失衡所致。治宜用桂枝加龙骨牡蛎汤或二加龙牡汤加通关滋肾丸为主方，一以潜阳和阴而治虚弱浮热，一以坚阴滋肾而泄阴中伏热。

这一"下虚上逆，虚阳浮越"之证，为伤寒时病中常见的一种变证，与少阴寒化证有浅深、轻重的区别，故虽有寒伏而桂枝、附子的用量不必过重，务在调整肾中阴阳以展化邪毒，且此证往往出现在病之初期，每可兼有表邪见症，如寒邪未表、湿邪阻中等，则可在上述桂枝加龙骨牡蛎汤合通关滋肾丸方中，分别佐以宣表、化湿之品，寓彻邪于和阴和阳之中。临床应不忽于细，必谨于微，慎重初战，截断病势发展。

感冒亦能致“脱”

|梅叔肱|

感冒虽属小恙，稍一疏忽，亦可偾事。余次女素之，孩提多病，体质素弱，卫阳不足，冬时尤怯寒，夜卧踡身依其母不稍动。6 岁时，盛暑偶患感冒，微热恶风，不思食。午前余诊事较繁，未予给药，午后归家，询其母，儿何如?称尚平静。余就床审视，见儿神志恍惚，面色苍白，四肢厥冷，大汗淋漓，脉微欲绝。余惊呼：此阳脱也，急取高丽参 9g、熟附片 9g、干姜 6g、甘草 9g、龙骨 12g、牡蛎 9g，随煎随灌，尽剂，始见其汗收肢温，面色渐转红润，脉亦续出，竟不必再药而愈。此虽盛暑，而脉证如斯，不得不舍脉从证，以救将脱之阳，倘稍事犹疑，必不堪设想矣。

温病辨证分析举例

|李聪甫|

温病有以季节定名者，如春温、暑温、冬温；有以六气定名者，如风温、伏暑、温热、湿温等等。对温病的“同病异治”“异病同治”关键在于辨证。不同患者同为湿温病，一者病在气分，症见身热头重、胸痞懊侬，系湿热合，阻结肺胃，法当宣肺清胃、导湿化热，应予化热清肺汤：青蒿、黄芩、鲜石斛、鲜芦根、大豆卷、瓜蒌仁、鲜竹茹、薏苡仁、连翘心、牛蒡子、郁金、益元散(鲜荷叶包刺孔)。方以转枢退热为主，以宣肺清胃化湿生津为辅。另者热入营分，犯肺之邪逆传心包，症见苔黑如煤，齿燥而垢，喘促痰鸣、瘈疭谵语、壮热口噤、不知饥渴、二便失禁、人事昏迷。此系气阴两亏、津液欲竭之势，不宜投化热清肺汤，应投清温解营汤：生石膏、知母、鲜竹茹、天花粉、连翘心、玄参、鲜芦根、鲜生地黄、麦门冬、青蒿、黄芩、炒栀子、益元散（鲜荷叶包扎刺孔)，病由气分入营、尚可透营转气。

虽然同属湿温证，不能以治气分之方用治营分之证而隔靴搔痒；亦不能以治营分之方用治气分之证而引邪入内。因此，同病异治以辨证为准则。

异病同治，亦应以辨证为准。余曾治一妇起病恶寒发热、头痛身痛、谵语

发笑，急转昏厥、口噤抽搐、昏迷不省人事。医院确诊为病毒性脑炎，用西药救治无效，先后发出两次病危通知，邀我诊视断为暑温证。察大便数日未行，脉弦数而苔黄厚，知其热盛于里，邪无出路，拟急下存阴法：青蒿、黄芩、连翘心、生石膏、知母、麦冬、炒栀子、大黄、益元散、紫雪丹，基本上与治湿温法同，釜底抽薪。每日 2 剂，鼻饲入胃，预测患者半夜大便通利，人事清醒则可救。果然如时便通，臭秽逼人，人事苏醒，但口不能言，继用清热养阴法，调治而康。

说明湿温邪入营分，“心为营之本”，故神识不清。暑温邪传心包，“笑为心之声”，所以病因不同而邪传心包所表现的“证”相同，故用异病同治方法收到良好效果。

春城话风温

| 何文丽 |

昆明地区常年气候温和，夏无酷暑，冬无严寒，四季如春，被誉之为春城。那么，昆明地区的风温病是否具有某些地域性的特点呢？我们通过对 131 例风温患者的临床观察，概括起来可以这样说，共性中有特性，大同中见小异，而且在临证中也有我们自己的某些体会。

风温发病四季皆有

叶天士说：“风温者，春月受风，其气已温”。吴鞠通也说：“风温者，初春阳气始开，厥阴行令，风挟温也”。陈平伯说：“风温为病，春月与冬季居多”。我们诊治的 131 例风温患者，春、夏、秋、冬四季皆有发病，分别各占发病总数的 58%、11.5%、18.3%、12.2%，以 2、3、4 月发病居多，似与昆明常年气候温和有关。

风温以顺传为常

叶天士说：“温邪上受，首先犯肺，逆传心包”。一般也均认为风温有顺传与逆传两种途径。但“顺传”和“逆传”两者各占多少呢？据对 131 例风温患者的观察，顺传 129 例，占 98.4%；逆传者仅 2 例，占 1.6%。因此，可以认为，顺传者居常，逆传者系病情之特殊变故。

恶寒不一定是表证

一般认为，“恶寒”一症的有无，是辨别外感病有无表证的依据。通过对

131 例的临床观察，邪入气分的病例中，部分患者有恶寒症状，关键在于对有汗与无汗的鉴别，如恶寒而无汗者，是邪郁肌表，卫气被郁，玄府开合失司，故属表证；如恶寒而有汗或是大汗者，则为里热蒸腾，腠理疏松、汗液外泄，此时，邪已进入气分阶段，因此，有恶寒者不一定是邪在卫分之表证。

风温初起亦可酌用热药

风温属阳邪致病，治则一般为清热解毒或清化痰热，这是医者必须遵守的。但我们在临床中遇到素体阳虚患者，感受风温之邪后，症见恶寒、发热、咳嗽、脉沉细等。“发热”“恶寒”是由于风邪在表，“脉沉细”系因阳虚不能鼓邪外出，因此可先用麻黄细辛附子汤温经助阳，解表散邪，续用桑菊饮合千金苇茎汤清化痰热，驱邪外出。

“风温”病常宜卫气同治

陈孝伯

据陈平伯《外感温病篇》风温证之提纲分析，风温病之病因为感受风温之邪，病变部位系邪郁于肺，症状以身热、咳嗽、烦渴为主，发病季节以冬、春两季居多，与急性肺炎的发病特点颇相契合。因之，余数十年来临床治疗多种肺炎，均按中医治疗风温病来辨证施治。

早年治疗风温病，按叶氏卫气营血辨证，但对“在卫汗之可也，到气才可清气”等治疗原则理解不深，往往把卫分和气分两个阶段截然分开，必待表证罢，有明显之里热症状才用清气药。因此，邪势日益鸱张，病情逐渐发展，很难收到预期的效果。后在临床的不断实践中，认识到风温病的特点为风从阳，温化热，风火相煽，变化迅速，常出现卫气同病。从我们总结的 66 例急性肺炎资料来看，按卫气营血辨证，大都属卫分、气分症状同时出现，故治疗一开始即采用解表清热同时并举的法则，轻者用银翘散加减，重者以三黄石膏汤增损，于卫气之间就顿挫其热势，阻止病情向营血阶段发展。

温热病的服药法亦非常重要，清代名医吴鞠通在《温病条辨》上焦篇中曾明确指出：“今人亦间有辛凉法者多不见效。盖病重药轻之故”，说明前人治温热病已有失败的教训，主要是“病重药轻”。每日服 1 剂药，分头汁、二汁两次服的方法，不适宜于热病。故竭力推崇普济消毒饮时时轻扬法。所谓“时时”，即多次给药法，“轻扬”，有治肺药取轻清之意。吴氏银翘散之“病重者约二时一服，日三服，夜一服”等等给药方法，即寓有此意。我们在治疗风温证（肺

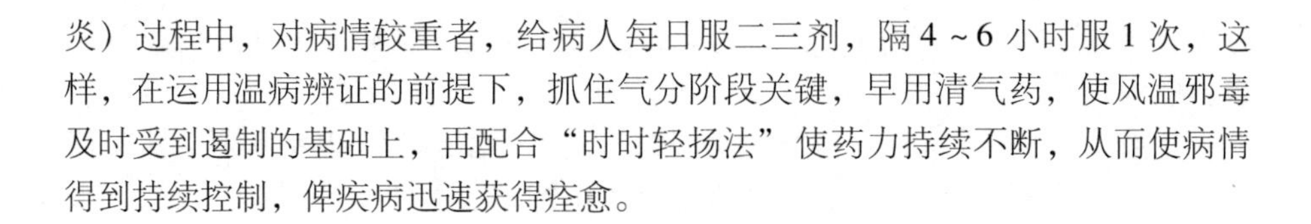

炎）过程中，对病情较重者，给病人每日服二三剂，隔4～6小时服1次，这样，在运用温病辨证的前提下，抓住气分阶段关键，早用清气药，使风温邪毒及时受到遏制的基础上，再配合“时时轻扬法”使药力持续不断，从而使病情得到持续控制，俾疾病迅速获得痊愈。

早春风热须虑其余寒之气

傅锦瑜

余于鄂西临证多年，每见早春感冒风热患者，于身热、汗出、口渴诸症之中，多有微恶寒、身拘痛二症，因思经有“至而不至”之说，细心体会，始悟出其中机制。盖运气推步，上应天道，下达地屿，我鄂西山高岭峻，雾瘴弥漫，民病湿者咸多。及大寒前后，气运更替，一阳发越，而此地寒气不散，纵夏至交节，时温乍凉，余寒未尽，此厥阴风木之令，间夹太阳寒水之气，二邪相搏，或主或从。治风多用辛凉，祛寒每以辛温，故以辛凉药伍中，佐入一二味辛温风药，若羌活、苍术之辈，应手见效，自拟一方，曰二元祛风汤。方用金银花、连翘、羌活、黄芩四味，随症增损。或曰：风热初起，黄芩苦寒，毋畏寒遏其邪乎？曰：昔贤张璐曾言“芩虽苦寒……惟驱壳热者宜之”。斯证热在肌表，非芩不清，且与辛散药物相伍，决无留邪之弊。我国幅员广大，病气虽同，然有地屿之异，读岐黄书，有感于斯，以运气临证之一得，遂成此文。

春温多“阳热拂郁”

曹永康

本文重点讨论“脑炎”的辨证施治。春温大都发于冬末春初，在此特定的季节里，严寒未解冻，春阳已萌动，天人相应，外寒束伏邪机，里热郁极外发，极易上犯清窍，逆传厥阴、少阴，发生脑炎等重病。脑炎初起，病情每多隐伏，且患者离群索居，易被忽视而贻误治疗。临床辨证要注意：①情志呆板，眼神滞钝与一般感冒不相符；②脉象动数不静或沉而滑数与其离群索居等病情不相符。要知此种脉证，外似安静，而郁热内发，已呈邪犯灵窍之变。故有些患者病势急转直下，可在一二小时内即转入昏迷状态。如能鉴别明确，治宜果断，不可拘于先表后里之常法，当采取表里双解，通泄排毒，用升降散为主方。如发现较早而表证未解，配合荆防败毒散加减，以开太阳而泄蕴郁之邪（如表热证配合银翘散加减），有时可化险为夷。但曲突徙薪，颇非易事（在流行时期或可做到）。

我治此病，有 3 个病例颇能说明问题。1 例在沦陷时期 1941 年春，流脑盛行，一患儿不食、不玩、不合群，服升降散 1 剂，解大便多次即告愈。近年来治 2 例，均经确诊为病毒性脑炎，一例昏迷意识障碍，病情表现为：亲属姓名叫不正、数字点不清、小便不自知，舌苔浊腻，用麝香、大黄而愈（处方升降散、涤痰汤加减）；另一例全昏迷 7 天，服过不少安宫牛黄丸、至宝丹不效，病情表现为：烦躁不安、扬手掷足、大便数日不解，舌红苔黄腻，用犀角、大黄而愈（处方升降散、小陷胸汤加减）。我主张脑炎开窍用牛黄抱龙丸较好，为什么？因拂郁之邪多夹痰浊之故。

湿温病与真武汤：治疗湿温为什么用真武汤？因湿温初期，“湿包热外、热处湿中”，在病理机制上，“湿”是矛盾的主要方面，不去其湿，热无出路。但这仅从病邪一面说；最主要的还应结合“体质辨证”来推理。叶天士指出：“面色白者，须要顾其阳气，湿胜则阳微也”“在阴盛之体，脾湿也不少”。叶氏重视身体素质对湿热转化所起的作用，“面白、阳微、阴盛、湿胜”，扼要地为湿温病用真武汤作了最恰当的解释：欲去其湿，必温其阳，用真武汤旨在蒸发脾肾之阳运，以开太阳之邪机，俾正气驱邪，力透重围，可以说是比较理想的治疗方法。

怎样掌握辨证标准？可以从以下几点分析。

（1）形体恶寒、手足欠温、身热不扬、口淡不渴、脘痞不烦、腹窒不舒、尿少不畅，苔布白腻，脉来濡缓，这是阳虚湿胜、气窒邪郁之证，为用真武法的基础证候。如无汗可改白术为苍术，再加藿香以宣化表湿。

（2）上述基础证如见热重而病人自不觉有高热，口渴而欲饮不多或渴喜热汤，舌苔白腻根厚而舌边色红、脉象濡数而沉不畅，胸脘瞀闷懊侬，小便量少色黄，这是湿包热外，热邪难泄之证用真武汤改生姜为干姜，配栀子以宣泄郁热。干姜能开中焦浊闭之瞀闷，辨证在苔浊腻而舌边红。

（3）用真武法的辨证要点：在掌握阳虚湿胜的前提下，注意舌苔的变化，舌淡苔白腻或白滑满布舌面为基本舌苔。如舌苔腻而罩灰黑，干姜、附子配天竺黄、胆南星；如苔腻微黄而向中心聚，敛干姜、附子，配黄连、枳实。

必须指出，湿温病用真武汤之法，要严格掌握它的适应范围及病程阶段。如能辨证明确，审时度势，抓住战机，及时采取此种振奋功能以消除病源的治疗手段，确能缩短疗程，阻止病势的进展。

冬温误治传里

|王　槩|

乡邻嵇姓妇，孟冬寒热头痛骨楚，医治以温解，药服2剂无效，因前法未效改用苦寒，失表传里，渐至潮热，朝轻暮重，继则神昏谵语，家人惶恐万状，急邀求治。诊其脉细涩无力，舌苔黄，手足冷，询之不饮不食，大便数日未解。诊毕，余一再思索，忆河间有云："郁热蓄盛，神昏厥逆，脉反滞涩，有微细欲绝之象，使投温药，则不可救矣"。此为表邪传里酿成实热，热极似寒之假象，刻宜表里双解，仿大柴胡汤去白芍、半夏、生姜、大枣，加薄荷、连翘、石菖蒲、生石膏。服2剂，患者大便解3次，身热大作，口渴，热邪外达，神志清醒，继而改用甘寒养阴，稍佐清透之品数剂而获愈。

温病过服寒凉有致"脱"之危

|梅叔肱|

温为阳邪，最易伤阴，此其常也。然亦有过服寒凉引起阳脱危证，若不当机立断，殆难挽回。父执李仲郢先生，暮年得子，体质孱弱，9岁，季夏病温，其伯父李翁知医，经治后大病已退。某日薄暮，遣人邀余往，见举家惶惶，人声嘈杂，审视患儿神情躁扰、面色苍白、额汗涔涔，抚之四肢厥冷、气喘不续，按其脉浮数而空，舌润，苔灰黑而滑。检视前方，大热退后，犹进三黄石膏之剂，显系过服寒凉，已成阳脱。余对李翁曰："阳已脱矣，非参附不为功。"李翁首肯，遂用高丽参9g、熟附片9g、干姜9g、炙甘草9g、龙骨12g、牡蛎18g炉火急煎，随煎随灌，尽剂，患儿面色转红，汗渐收，安然入睡，夜半手足转温、气息亦平。翌日，患儿阳气已回，复出现舌红、苔薄白无津，脉细数，阴虚之象复显，仍以甘寒生津、滋养阴液以善其后。危哉！倘非舍时舍病从证施治，必至偾事。

治温良机在气分

|张云鹏|

问曰：天士以营分证为关键，入营犹可透热转气，以此论指导临床意义

如何？

答曰：叶氏之言，似可商榷。余则认为，抓住气分证候是治疗热病之良机，其理由有三：

其一，从外感热病卫、气、营、血比例数观察，气分证候占多数。有学者对1896例温病患者进行分析，属卫分者652例，占34.38%；气分者992例，占52.32%；入营者75例，占3.96%；入血者177例，占9.34%。余等观察外感热病100例，其中属气分者63例，占63%，临床采用和解清热法，治邪在半表半里，方用小柴胡汤或大柴胡汤；用清气退热法，治邪热炽盛，大热，大渴，大汗，脉洪大，方用白虎汤。清热利湿法，治病为湿热并重，用甘露消毒丹之类。攻下实热法，治病为阳明腑实、痞、满、燥、实，分别选用三承气汤。化痰清热法，由于痰浊胶固，热难清解，化痰是清热之基，治胸脘痞闷、按之则痛、吐痰黄稠、舌苔黄腻、脉滑数的痰热互结之证，方用小陷胸汤加味。

其二，从病情演变过程考虑，如抓住气分证候，及时正确地大胆用药，不使传变入营，方为上策，若病涉营血，热入心包，神志昏愦，不省人事，方用安宫牛黄丸、至宝丹、紫雪丹等芳香开窍之品，顿挫病势。

其三，病入营血，亦需清热解毒，如邪入血分当予凉血清热，方用犀角地黄汤；还有瘀热互结用化瘀清热法，方用解毒活血汤。清热解毒，为热病之必不可少者，即在清营凉血之中，亦属如此，如清营汤中有金银花、连翘、淡竹叶、黄连等。因此，清热解毒法基本上贯穿热病的全过程，而清热解毒，又为治疗气分证候之主法。

古人有曲突远薪，以防火患之议，对热病治疗抓住气分勿使入营之见，其理相通，如对医家临床有所裨益，则幸矣。

透法在温病治疗中的应用

| 颜亦鲁　讲述 |

透法为治疗温病之常法。透者，外泄、通畅也。透法多选辛味药物，以其既可透热外泄，使邪透出卫分而解，又可促进气血流畅，使病邪易于外达，不仅为祛散表邪所必须，尚能使内伏之邪外透，故既可用于卫分证，亦适用于气分及营血证。叶天士谓："在卫汗之可也""若其邪始终在气分流连者，可冀其战汗透邪""入营犹可透热转气"，言简意赅地阐明透法在温病治疗中的普遍性。

凡温热炽盛之温病，则于清热剂中加入辛散之品，组成清宣法，根据邪之

所在，选用不同方药：如邪在卫分，恶寒发热者，取薄荷、防风疏表祛邪；邪热闭肺，症见热、渴、咳、喘，多用麻杏石甘汤清肺宣透；邪郁胸膈，心烦懊侬者，以栀子豉汤透热达邪；病在气分，阳明壮热者，方用银翘白虎汤辛凉透泄，热结肠胃而见发热、泄泻，则以葛根芩连汤清肠透邪；病入营分，舌绛苔少或黄苔未净，气分之邪未撤清者，取黑膏方透热转气；病至血分，则于凉血方中加青蒿、僵蚕、白薇以凉血透邪，俾留伏于阴分之热邪透出而解。

凡湿热缠绵之温病，则于清热剂中佐入辛开之品，组成辛开苦降法。如湿重于热，舌苔黄白相兼，腻而不燥，当取微辛轻苦之品宣畅气机，透泄湿热，药如杏仁、豆蔻仁、橘皮、桔梗、郁金、石菖蒲、薤白，方如三仁汤、瓜蒌薤白汤；若热重于湿，舌苔黄腻，满布而干，则当用辛苦通降之品，以苦泄湿热，达邪下行，常选半夏、厚朴、苍术与黄连、黄芩、栀子配伍，方如连朴饮、半夏泻心汤。对湿热气闭者，习用五磨饮法畅通气血，以助湿运；若湿热蒙蔽心窍，神昏肢厥者，则取少量避瘟丹、玉枢丹、苏合香丸等以辛开气机，芳香通窍。

（颜乾麟　整理）

温病用柴胡、葛根的体会

戴　玉

陈伯庄副教授，家学渊源，临床经验丰富，在温病学上造诣尤深。现将其治疗温病时应用柴胡、葛根的临床经验整理介绍于下。

“柴胡劫肝阴，葛根竭胃汁”，语出叶香岩《三时伏气外感篇》。原意是指小柴胡汤、葛根汤不可作为幼科暑疟套方，有人误解为温病不可用柴胡、葛根，给临床带来误解。其实，在卫、气证中该用柴胡、葛根而不用，往往贻误病机。曾治一名6岁小儿风温（流行性脑脊髓膜炎），高热，大渴，汗少，昏迷，颈项强直，欲吐不吐，舌质不绛，迭用抗生素、清营汤合牛黄丸，罔效。窃思本例当属阳明燥热为主，而兼太阳经输不利。其舌不绛，知昏迷非逆传心包；肢体不抽搐，知项强非高热动风。遂用竹叶石膏汤，以山药代粳米，加竹茹、玄参、葛根。其中葛根用至15g，主要取其起阴气、致津液、解太阳经输的作用，属“正取与侧击”相结合的用药法。投药后，一剂知，三剂已。温病用柴胡多配入治疗湿热证的方剂，而以红柴胡为首选。红柴胡是南柴胡的一种，主产于安徽滁县，色紫红，体软，其性偏于辛温，功能宣气透络。湿热证最易伤络脉，盖湿热之邪流走窜扰故也。经邪易解，络邪难透。凡湿热之邪留恋不解，证见寒热起伏，周身困重，少汗等，配用红柴胡最为适宜。盖寒热起伏，“亦如伤寒中少阳病也”。湿热重证有时会出现“单逆”（即半身逆冷，以右手常见）现象。多半是痰热内阻，气机不利，既不同于寒厥，亦不同于热厥。治疗应着重清热化痰、疏通气机，用蒿芩清胆汤加红柴胡、浙贝母、冬瓜子，并冲入苏合香丸。用红柴胡主要取其宣透肌络，疏畅气机。湿热痰浊之邪多借肺之治节之力、宣发之功而安。故湿热证见咳、咯痰是邪出之象，绝不可予以止咳，冬瓜子取其最能化痰利气，浙贝母取其善于化痰解结。此方在湿温或伏暑中常用，效果确实。

“烧热病”治宜内清外透

| 丁雪安 |

烧热病，俗称“热干疾”，是农村夏季常见的一种疾病。主症为患者怕见阳光，在阳光照射下即感全身燥热、肤如针刺，周身无汗，心烦口渴，甚则心慌，必须迅速到阴凉环境中始可头额乃至周身有微汗，心烦心慌始平，全身烦热感始退。患此病者严重影响劳动生产能力。有关教科书及古典文献中尚未见论及此证者，因此治疗亦无定法、定方。曾见有的医者以辛温发散甚至有用西药散热镇痛剂治疗者，但无效果。窃思此证当属内热外闭。全身燥热，心烦口渴，畏阳光，喜阴凉，当为内有实热，而患者在阳光照射下反而无汗，乃是卫气闭阻。里热不除而用辛温发汗是为火上加油，当然治疗无效。因此，治疗当以清里热为主，基本方为：生石膏60g，知母12g，生地黄、玄参、葛根各15g，麦冬12g，香薷9g；随兼症不同，在基本方的基础上略事加味，如心慌明显的可加太子参、柏子仁。本方重用石膏佐以知母直折里热，生地黄、玄参、麦冬为增液汤，意在养阴生津，热甚者皆津伤故也。葛根一能生津，二能升透，运用香薷取其发散暑热。本方的方义在其内清外透，使阳热之气通过清透而得消散。十余年来运用本方治疗烧热病患者百余例，疗效较为满意。

盛暑也有伏阴证

| 屈自申 |

据临床多年观察，在夏月里，除见湿温、暑热证及胃肠道湿热吐利疾病外，也可以见阳虚阴盛之伏阴病证。

盛夏伏阴证，乃因暑热天气，过度烦劳，汗出过多，阳随汗泄；或因病后阳虚、或久病、新病吐泻之后；或肾阳亏损，脾阳不足；或因素体阴寒、暑天贪凉饮冷所致；或为烦劳过度耗伤阳气，肾为作强之官，强力、举重则伤肾，精气耗伤、肾阳不振而成为阳虚阴盛之伏阴证。

汗为心之液，暑天汗出过多，不但伤精耗血，而且可造成大汗亡阳，也可形成盛夏之伏阴证。

此外，素体阴寒、久病阳虚或新病吐泻以后，由于脾阳不振，胃呆纳少，生化之源不足，以致中州虚寒，加之暑热盛夏，贪凉饮冷而致夏暑之伏阴证作矣。

夏热伏阴证的主要症状有：少神、思睡、头重、畏寒、肢冷、口中和、喜热饮少、少气、声低懒言、脉沉细无力等。

其病机为心脾肾阳虚衰、阴寒内盛，由于上述各种病因，以致患全身虚寒证，与少阴病脉沉细、但欲寐之特征相似。

治疗之法当以益气回阳、温经散寒为主。笔者曾治小儿慢脾风，在夏天用逐寒荡惊汤治愈。小儿患脾肾虚寒腹泻，久治不愈，在夏季用附子理中汤而瘥。夏季患克山病痨证复发者，用急救回阳汤有效。在夏季，老年人患脾肾阳虚证，给予附片羊肉生姜汤而瘥。

暑温痉厥

郭辉雄

李某，8岁，患流行性乙型脑炎住院，余应邀会诊。时值夏令，起病5天，高热，呈稽留型（体温39.8℃），入暮尤甚。近两天来，神识昏瞀，口噤不语，躁扰不宁，手足抽搐，两目窜视，唇红而干，舌质红绛，苔黄，脉象弦滑数。脉证合参，显系暑热之邪，内迫营阴，灼熬阴津，热瘀心窍，神明受扰，热炽风煽，已呈险候。拟清营泄热，活瘀开窍佐以熄风法，冀挽内陷之机。

处方：犀角3g（先煎）、生地黄10g、麦冬10g、丹参10g、金银花10g、连翘10g、知母10g、黄连3g、钩藤10g、紫雪丹1g（冲服）。服上方2剂，不尔，患儿之邪热更形猖獗，壮热不减，诸症未已，且抽搐次频，喉有痰鸣，舌质红绛而罩有黏涎。此暑热阳邪，灼血为瘀，炼液为痰，痰瘀交阻，蒙闭心包，扰动肝风，病趋危笃，故融清营泄热、活血豁痰、开窍熄风于一炉。上方加赤芍10g、郁金6g、天竺黄6g、竹沥半匙、安宫牛黄丸1粒药汁烊化冲服。服药3剂，患儿热势渐减，内风少熄，继踵前方去黄连加天花粉，服药5剂，热退神清，风熄抽定，逐渐转危为安。

细审本案，发病时值暑令，以高热、神昏、抽搐为主症，乃热迫营分、热瘀胶结，痰瘀交阻，闭遏心神，扰动肝风，热、瘀、痰、风迭相为患，病机复杂，变幻多端，初诊仅投清营辈少佐活血化瘀之品而鲜效，嗣后加重活血豁痰之品，寓于清营熄风之中而收功。方中有牡丹皮凉血活血，清血中伏火；赤芍化血中之滞；丹参清血热而通瘀滞，血活瘀化则热无所附；天竺黄凉心热，利窍豁痰；竹沥性极滑利，走窍逐痰，气味甘寒，又能清热通气，痰热蒙闭清窍者宜之。有安宫牛黄丸助清宫开窍之力。庶几营热清泄，瘀化痰消，则窍开神清，热清而风熄，血活风亦宁。方药中鹄，病入坦途。

乙型脑炎后遗症治验

唐品高

乙型脑炎属于中医的“暑温”“暑痫”“暑风”的范畴。引起本病的疫毒之邪，其性暴戾，发病急骤，传变迅速，常在病之初即逆传心包，直陷营血，病情笃重。热毒盛极则化为火，火盛则熬液成痰，痰火相煽，耗阴劫液动风，病理上呈现出风火痰热互相交炽，外灼肌肤，内炽脏腑，上蒙清窍，壅滞经络。本病所产生的后遗症多因发病期间热毒炽盛或治疗不当或余热未清致脑髓受损、津液受灼、瘀阻经络，筋脉失养所致。治以养阴清热，宣通窍络；熄风化痰，化瘀通络为法。

如刘某，5 岁男孩，1983 年 9 月就诊。其父代诉：患乙型脑炎后遗症 1 个月余，经多方治疗无效。现全身瘫软，失语。诊其面色萎黄，形体消瘦，目光呆滞，口唇干燥，无汗，皮肤干燥起皱，嗜卧纳呆，二便通畅，舌质红、苔少，脉弦细数。证属风痰上扰、蒙闭清窍，痹阻脉络，血分余热未清。治宜熄风化痰，凉血清热。方用：钩藤 10g、僵蚕 10g、蝉蜕 8g、天竺黄 10g、郁金 10g、石菖蒲 10g、生地黄 13g、牡丹皮 10g、黄芩 10g、枳壳 10g。服 7 剂后，患儿病情好转，两眼视物较灵活，手足能轻微活动。上方加地龙 10g，再进 7 剂即能开声说话，并可坐立，但右手活动能力仍差，舌质红，脉数。守上方加川黄连须 7g、甘草 2g，又服 7 剂，患儿已能步行但尚不稳健，能说话而不流利，颈软头低垂，守上方再服 14 剂，其智力活动恢复正常。

方中钩藤、蝉蜕、僵蚕、地龙等平肝熄风；石菖蒲、川贝母、郁金、天竺黄等化痰开窍；黄连、连翘清热透邪；生地黄、牡丹皮凉血化瘀。针对风痰热为主，着重于熄风化痰，故收到满意效果。

乙型脑炎诊治规律之我见

夏 翔

乙型脑炎是一种发生在暑天的温病，但是否就等于暑温、暑厥、暑风、伏暑……呢？根据“乙型”的临床表现，许多病例均无典型的暑温症状，在辨证与用药方面，也不都与暑温相一致。因此我认为“乙脑”有其本身的传变规律和诊治特点，不必拘泥于暑温的诊治概念，否则会影响疗效。

通过对86例“乙脑”的治疗，体会到“乙脑”有以下的诊治规律。

1. “乙脑”作为一种温病，虽然一般也是按照卫、气、营、血四个阶段来传变的，但也有其固有的特点，如①传变非常迅速。许多病例在一二天内就可由卫分传变至营分。②逆传心包的病例特别多，有的病例由卫分直接逆传心包。③入血分的病例却非常鲜见，极少见到瘀斑、出血等血分证候。由于其传变迅速，因此治疗一定要及时，不必拘泥于用药过早会引邪深入之戒律，反之用药早，才能制其炎炎之势。具体地说，即病邪在卫分时，即可用部分气分药，邪在气分时即可用部分营分药，以阻止病情向前发展，如此可提高疗效而绝无引邪深入之弊。

2. “乙脑”患者的舌象及脉象也有其特点。①其舌象变化往往出现在症状变化之后。如许多患者症情已发展到营分证，而舌质仍不红，舌苔仍薄白，直至营分证出现二三天后舌质才变红，黄腻苔始出现，而且患者在高热之后，少见红绛、光剥等阴虚舌象，比较多见的却是淡白舌。以脉象来说，如果“乙脑”相当于暑温的话，应当多见洪大的脉象，但实际上“乙脑”患者洪大脉并不多见，相反，表现为细数脉、濡数脉的却不少。“乙脑”舌象、脉象的特点提示我们，由于“乙脑”传变迅速，有时会出现脉症不符的现象，临床辨证时不但要四诊合参，而且必要时应“舍脉从症”“舍舌从症”。

3. 在辨证用药方面有以下心得：对“乙脑”的治疗，白虎汤及犀角（用水牛角代）地黄汤还是比较有效的方剂。在这二方的基础上重用鲜生地黄，再加大青叶、竹沥、蝉蜕、石菖蒲、天竺黄等药物可提高疗效。对轻型患者可配合服用大量的西瓜汁，也颇有效果，有些轻型患者只需服大量的西瓜汁（“天然白虎汤”）而不用汤剂，疗效也颇为显著。当气分证刚开始传入营分证时，芳香开窍的丸药也应早用，一般在高热、烦躁、嗜睡时（即传变尚未出现动风、昏迷等症状时）即可应用紫雪丹、安宫牛黄丸等，而不必等深度昏迷、痉厥、抽搐等症出现后再用，这些药早用疗效比较显著。此外，“乙脑”出现高热、昏迷痉厥时，如以高热为主，用紫雪丹效果较佳；而以昏迷、痉厥为主者用安宫牛黄丸效果较好。对“乙脑”的后期患者及后遗症，应用“补阳还五汤”等益气活血的方药，疗效颇为显著。

笔者曾按“乙脑”的诊治规律对86例“乙脑”患者进行中药治疗，总有效率为93%（其中有后遗症者占12.8%），死亡率为7%。

湿温用下一得

陈幼清

湿温不可过早用下，古有明训。仲景有“湿家下之，额上汗出，微喘，小便不利者死”的论断。吴鞠通更强调“湿温下之则洞泄”，明确指出“误下伤阴而重抑脾阳之升，脾气转陷，湿邪内溃”，乃湿温误下后果，又说：“湿气弥漫，本无形质，以重浊药治之，愈治愈坏”，告戒后学，湿温初期，不能轻率用下。但证之临床，在湿温病整个演变过程中，见有可下之证，亦需使用下法，以免因循贻误病机，不少病例，还须用轻剂频下之法。我滥竽医林数十年，治疗湿温者众，逐步摸索到，湿温用下一般可掌握两点具体指征：①邪归胃腑，湿气已化，热结独存，口燥咽干，渴欲饮水，面目俱赤，苔黄燥，脉沉实者，小承气汤等分下之，此即湿温用下标准之一。②湿温中期，湿热夹滞，胶结胃肠之证甚多，其证病程在两周左右，症见身热自汗、胸痞腹满、按之灼热、大便胶结、矢气极臭、或下黄黑稠黏，少而不爽、小溲黄赤短涩、舌苔黄腻而糙等，即宜使用下法，可用小陷胸汤加朴黄丸改丸为汤，随症加减，收效颇捷。

此外，湿温为病，最易夹痰水而成结胸，或邪热久羁，下焦蓄血，瘀热上攻。此等证候，临床并非罕见，亦当视其具体病情，相机用下。如痰水互结，口干不渴，从心下至少腹硬满，痛不可按，揉之漉漉有声音，可用导痰逐饮之法下之；瘀热蓄血，口干舌燥，但欲漱水而不欲咽，少腹硬满，发躁如狂者，可用泄热通瘀之法下之，但中病即止，不可过剂。

现举余治一湿温用下验案，以资佐证。工人葛某，病起旬日，初似感冒，未经治疗，病势日进，刻诊壮热汗出，红疹白痦，隐约不透，面有垢光，胸脘痞闷，腹满按之微痛，便溏如酱，日三四行，圊时后重不爽，肛门灼热，入夜神识迷蒙，谵语，脉滑而数，舌苔黄浊稍腻，证属湿热夹滞，留恋气分，蕴结不解，内阻肠胃，治宜清热导滞，化湿泄浊。药用：川黄连3g、广藿梗6g、法半夏6g、炒黄芩9g、炒枳实6g、川厚朴6g、熟大黄6g、青皮5g、石菖蒲5g、

飞滑石15g（包）。药服2剂，患者腑行较畅，便色深黄夹有粪块，次数减少，已无后重之感，身热略减，神识清爽，自诉胸部窒闷异常，口苦干不思多饮，苔仍黄腻，脉濡滑数。湿热积滞，胶结未除，原法加炒淡豆豉9g、焦栀子9g，续进2剂。服药后患者腑行4次，量多质溏，疹瘖均达，体温乃降，胸部已觉宽舒，舌苔浊腻亦化，病入佳境，再予清宣芳淡剂善后。

湿温病治疗中禁润与可润

张腊荣

在治疗湿温病过程中，一般禁用发汗、攻下、滋润等法，吴鞠通谓：“汗之则神昏耳聋，甚则目瞑不欲言，下之则洞泄，润之则病深不解。”吴氏所论，在临床上有一定的指导意义，但绝不能看成是一成不变之法，应综观全局，随证论治，灵活运用。

湿为阴邪有形之质，其性重浊黏腻，不易骤化。若湿热内蕴，郁阻气机，津液不能敷布于上而见口渴；若水道不利，膀胱气化失司，可见小便短少；湿为阴邪，旺于阴分，症见午后身热，状若阴虚；湿遏热伏，胶结难解，相互郁蒸，则肌肤可见白瘖或少数红疹等。此时切不可因口渴，小便短少，而谓热邪伤津，投以甘寒生津之品；亦不可因午后热甚而认为阴虚之证，误投滋阴之剂；更不可见红疹错认为邪入营血、热盛动血，妄投清营凉血之品。此时湿热正盛，相互交蒸，妄投养阴滋润之品，以柔润助阴邪，势必造成病深胶锢不解，此即湿温禁润“润之则病深不解”的道理。化湿清热，诸症自能消退。戴天章谓：“他病发疹，疹散而病即愈，此则屡发而病不衰，斑与疹亦然。故治疗用药，必须以里为主，里病愈，斑马疹瘖，不治自愈。”

但若湿从燥化，耗津伤液或热邪深入营血，耗血动血，治疗原则当同温热病，应急投养阴滋润或清营凉血之品，一味拘泥湿温病禁润之说，过服辛燥淡渗之品，助纣为虐，必致阴枯液涸之弊，或气随血脱之危。薛生白说：“湿热证，上下失血或汗血，毒邪深入营分，走窜欲泄，宜大剂犀角、生地、赤芍、丹皮、连翘、紫草、银花等味。”并自注说：“热逼而上下失血，汗血，势极危而犹不即坏者，以毒从血出，生机在是，大进凉血解毒之剂，以救阴而泄邪，邪解而血自止矣。”

综观全文，中医对疾病治疗要始终贯穿辨证论治的特色，作为临床医生既要知其常，又要知其变，守于法而又不拘泥于法，临证方能应付自如，左右逢源，取得满意效果。

忌把湿证当虚治

夏度衡

“湿邪害人最广”，为医家叶天士所言。临床体验，确系如此。湿邪伤人甚广的原因，有因气候潮湿，有因酒客里湿素盛，有因生冷甜腻伤脾等。然而，有时因辨证不明，错将湿证当虚证，误投滋腻补品反助湿生痰，致使疾病缠绵难解，也是应当引起医者注意的问题。

1978 年 11 月，患者黄某，男性，农民，前来就诊。诉头昏乏力，心慌易惊，稍劳则加重。食欲渐减，睡眠不安，日见消瘦，曾多方求医不效。察其神疲懒言，舌淡稍胖，苔白而腻，脉濡。问其初病之日？曰：当年 7 月中暑后逐渐而致。问其头昏是否兼重胀之感？答：有。问其周身是否感酸软？答：正是。问其是否心烦？曰：胸闷时则烦躁明显。复看其随身携带的处方，大多为“补中益气”“人参养营”“归芍六君”加减，此湿证误治也。病根仍在长夏之湿。遂投“苓桂术甘汤”去甘草加芳香化湿之品治之。处方一：苍术 10g、茯苓 10g、桂枝 5g、藿香 10g、白豆蔻壳 5g、法半夏 10g、杏仁 10g、紫苏叶 10g、神曲 10g。处方二：同原方，以白术易苍术。先后服 8 剂，患者精神渐复，食欲转好，诸症渐除，高兴而归。

又如湖北省一男性中年干部吴某，1979 年 2 月来诊。患者自 1973 年以来多次腹泻，原因不明。近 3 个月来，大便每日 3 次以上，不成形，量多，伴肠鸣，腹微胀，且盗汗，间作咳嗽、吐痰，明显消瘦，既往有肺结核病史。曾连续诊治 3 个月，不见好转，先后被疑为“肠结核”“慢性非特异性结肠炎”等病。自诉服用女贞子、当归等滋补药类中药后反感腹痛，且大便次数增多。其舌淡红，苔薄白微腻，脉小而弦。此为湿阻三焦、气化不利、疏泄失常所致。叶天士曰：邪留三焦，“则分消上下之势，随证变法，如近时用杏、朴、苓等类，或如温胆汤之走泄。”三焦孤腑，气化总司，通调水道也。治以宣气化湿，疏肝和胃，用柴芩温胆汤去破气下行之枳实、甘缓助满之甘草，加理气宽肠之枳壳、收敛涩肠之牡蛎。三焦气机得畅，痰湿得除，肝胃得和，则诸症自愈。处方：柴胡 10g、黄芩 10g、法半夏 10g、陈皮 6g、茯苓 10g、枳壳 10g、竹茹 10g、牡蛎 15g。服 4 剂后患者大便转干，诸症好转。

以上两病例也确有不少虚象，但此时的虚象皆由湿邪所致，则虚象为标，湿邪为本。湿邪不除，虚象怎去？此时治湿正是求其本。“祛湿则使健”，通阳不在温，而在利小便”，古人也早有论述。湿去或湿大部已去时，酌加补药以帮

助正气更快地恢复，有时还是非常必要的。

湿阻口干辨治琐谈

|米雪岚|

口干多热，不过一般而言。热有虚实；实热口干，必渴而饮水；虚热口干，虽渴而饮水不多。至于阴虚与伤燥口干，各有脉症不同。特别是湿阻口干，贻误不少，更应辨别清楚。

西南地区，湿气较重，湿病最多，寒化热化，随身体情况与气候变迁而异。湿阻口干，临床上屡见不鲜，表现为口干不渴，有时虽渴饮亦不多，或喜热饮，夜间较甚，晨起减轻。苔白厚，化热则干或微黄，舌质不红而胖，脉多弦缓。

湿为阴邪。夜间属阴，阴盛则湿气得助黏腻尤甚。白天属阳，脾得阳则运，湿气易于宣化，是以夜甚而昼轻。土湿木郁不能疏达，脉见弦缓。水火相蒸为湿，本无口干，由于湿阻中焦，升降不利，心火上浮，不能下交于肾以化气升液，以致口干。《温病条辨》宣清导浊汤是治湿久郁结于下焦气分，闭塞不通，大便不下，可以借鉴。

口干与大便不下俱不宜分利。小便过多，津液受损，导致口干与大便不下反甚。若湿气阻结，不利小便，不仅湿难宣化，而有形之水不去，则无形之水阴不生。宣清导浊汤之用猪苓、茯苓，其意也在于此。所以，湿阻口干，宜甘淡以除湿，芳香以化浊，微辛、微苦以利升降。少加肉桂以温化水气。必用粉葛根以升达阳明，使津液上升。若舌干加花粉以生津。小便黄加滑石以清利湿热。微渴以鲜苇茎煎汤代饮，既不碍湿，又能清肺生津，治节行，则心火不致上浮也。

口干，一般多用苦寒泄热，或甘润滋液。苦易化燥，寒多凝滞，滋液更碍湿气，若以治湿阻口干，无怪愈治愈干。三仁汤之开利肺气，是治湿郁上焦；宣清导浊汤之通利大肠，是治湿结下焦。而此湿阻中焦，重在宣化脾胃，以利升降。虽俱属湿邪，治法当有侧重。

回归热治疗忆旧

|来春茂|

旧社会我在边远的昭通县开业。该县每年冬春都流行“回归热”，一人罹

患，传染全家。临床发病突然，畏冷寒颤似疟疾状，头痛、高热持续，身楚、双下肢酸痛难忍，咳嗽，恶心，呕吐，鼻衄，目赤，呕血，全身皮肤出现紫色瘀疹，有的并发黄疸，腹痛，严重的出现谵语、昏迷、抽风等。相继一周后病人体温骤降，又约7天，全部症状又重复出现。病状虽不及初发严重，但如此反复达四五次之多。我目睹当"回归热"流行时，一家老幼冷得缩成一团，拥挤成一堆，故当地人呼为"鸡窝寒"。本病多系虱子传染，是由"回归热"螺旋体引起的急性传染病。"九一四"针（新砷凡纳明）是当时治疗该病的特效药，穷苦人是不敢问津的。病人由于病体虚弱，又复感染斑疹伤寒者不少。曾见有一家五口相继死亡，真是凄惨！当地气候严寒，穷人没有换洗的衣服，身上虱子成群，几乎挨门挨户都被传染上本病，死了就抛在荒郊野外。真是寒骨枕荒沙，惨不忍睹。

在临床中，我摸索出一些治疗"回归热"的方法，治愈了不少患者。方用：玉竹30g、金银花15g、连翘15g、蒲公英30g、黄芩12g、紫草9g、玄参12g，每剂加雄黄粉2～3g冲服（雄黄含二硫化砷，含砷75%，含硫24.9%）可以杀灭螺旋体，配合上方清热解毒、益气生津之剂，热退迅捷。并按照卫、气、营、血辨证加减用药，多获良效。

解放后，人民生活普遍提高，预防工作做得好，虱子基本消灭了，"加归热"几乎绝迹。

往事不堪回首，提起当年该病流行的情景，不禁令人胆战心惊。

漫谈钩体病与温病的关系

李明富

钩端螺旋体病简称钩体病，是由致病性钩端螺旋体引起的一种自然疫源性急性传染病。通过水源传染给人。中医书籍虽无钩体病的直接记载，但从其临床表现、流行特点等情况综而观之，当属中医温病学的范畴。首先，钩体病的流行有明显的季节性，主要流行于7～10月，与暑温、湿温的发病时间相符。夏秋时节的雨量是影响其流行的一个重要因素，此时气温本高，若雨量较多，水湿较甚，热蒸湿溽则易引起流行。再有，钩体病发病后，表现出一派外感温热病的症状及体征。如急起发病，恶寒发热、头身疼痛、面红目赤、小腿疼痛及压痛，腹股沟淋巴结肿大及压痛，舌质红、苔黄、脉数等。

《温病条辨》这部温病学的名著谓："暑温者，正夏之时，暑病之偏于热者也。湿温者，长夏初秋，湿中生热，即暑病之偏于湿者也。”又谓“暑兼湿热，偏于暑之热者为暑温，多手太阴证而宜清；偏于暑之湿者为湿温，多足太阴证而宜温；湿热平等者，两解之。”因此，就中医理论来看，钩体病的基本致病因素是“热”（“病暑即病热也”“暑病者，热极重于温，是暑病者其实热病也”）和“湿”。从临床证候来说，若热邪偏盛，表现为发病急骤、高热身痛、烦渴汗出、面红目赤、尿少色黄、舌红苔黄、脉滑数或洪数者，即成为“暑温”，为钩体病之最多见者；湿邪偏盛，表现为较缓起病、恶寒发热、面黄神疲、头重身痛、汗出胸痞、脘闷不饥、甚或恶心呕吐、腹痛腹泻、舌苔厚腻、脉象濡数者，则成为“湿温”；若湿热之邪化燥化火，内燔营血、灼伤肺络，迫血妄行而咯血者，则成“暑瘵”；若湿热毒邪炽盛，损伤肝胆脾胃，伤津耗液，燔灼营血，引起黄疸、胁痛、腹胀，甚至衄血、吐血、便血或发斑疹等症，则成“瘟黄”；若暑热之邪亢盛，深入营分，伤及手厥阴心包和足厥阴肝经，热极风动，引起神昏痉厥、颈项强硬等症，则成为“暑痉”；（亦称“暑痫”“暑风”）；由于暑热毒邪易于伤津耗气、耗血动血，若津气大伤、化源欲绝或出血过多、气随血脱，则会出现正虚不固的脱证，此证可见于以上各证之重症者。上述六种临床证候中以暑温、湿温为两个基本证候，其中尤以暑温占多数，其他几种类证，多在此基础上演变而成。另外，若发生钩体病大流行，则可称之为“瘟疫”。如清·周扬俊说：“一人受之谓之瘟，一方受之谓之疫。”亦即散在发病时称为温病，广泛流行则称为瘟疫。

由于钩体病是感受暑湿之邪，暑湿合化，湿热蕴蒸所致的一种急性外感热病。病邪易于化火成毒、伤津耗气、耗血动血又为本病的特点，所以清热、解毒、除湿、扶正为治疗本病的主要治则，应结合损伤脏腑的主次、轻重以及卫、气、营、血的不同阶段而仔细辨证、选方用药。

咳嗽从肝治

| 任　何 |

咳嗽，颇为常见。虽有“肺为咳”之说，而致咳原因、病理变化，又不是很单纯的。如专门治肺治咳，某些咳嗽收效不能令人满意。现就咳证肝治谈几点看法。

1. 肝升肺降与咳嗽：肝与肺，主气机升降，多为医家所重视。肝气郁滞，气机升降出入失常，水谷津液不得正常流布，则停聚为饮为痰。肝火过盛，煎熬津液，亦可炼液成痰。笔者根据肺者至清之脏，纤芥不容，有气有火则咳，有痰有气则嗽之机制，临证时，遇有此类咳嗽，则按肝气、肝火涉及肺脏之由辨治，收效令人满意。

2. 冲气上逆与咳嗽：冲气上逆，挟肾水向上而成痰饮；挟肝经相火上乘肺金而为呛咳。然而冲脉本属肝经，冲气上逆致咳，与肝直接相关。常见之金被火克，不能行其制节，在下之气逆上，水津不能随气下布，凝为痰饮；在下之水又随气而升泛为水饮，均可致咳。如能使肺气敛抑，使其气下则津液随之而降。是以水津四布，水道通调，肝气不逆，肾气不浮，自无咳证。

3. 降逆平冲与咳证肝治：临床上实咳中的外感风寒，症见头痛寒热而咳者，仲景用麻黄汤；东垣师其意，以麻黄人参芍药汤；《医宗金鉴》用苏子降气汤加减；而唐宗海倡用小柴胡汤加紫苏、荆芥、当归、白芍、牡丹皮、杏仁；唐氏治法，既利气分，又和血分；既治肺，又治肝；既散表邪，又降冲逆。较之于麻黄汤等单纯利气，则是发展了一步。虚咳中的肝肾阴虚于下而木火刑金者，症见洒寒潮热，形瘦容减，咳痰带血，咽干气短，脉弦大无力或弦细而数，及素有劳损阴亏之患，而渐致咳嗽日增者，笔者初涉临床时，拟方惟进清金之品，认为妥当，数诊咳证反增。不治肝（肾）而单治肺，真阴何由以复？阴不复则咳嗽终不愈。至于虚实相间之痰咳，咳嗽发热，痰黏声哑，脉细数者，咳为虚咳，痰是实痰。因火借气于五脏，痰借液于五味，血虚不能载气，“气有余便是火”“液有余则为痰”。脾土不能培木！肾水失其涵木，木气由此冲急，金气因兹失降。治宜柔木养金，顾本清原，虚实同治，标本兼之，方可深切病机，痰豁而咳止。如咳牵小便作痛，发热颊赤者，可用四物合左金丸加牡蛎、五味子；若肝气上逆，干犯肺经，类痰滞气以致咳嗽和肝经虚火郁而生痰之咳证，可分别以温胆汤加青皮、白芥子、柴胡、栀子和丹栀逍遥散加龙骨、牡蛎、阿胶、贝母。

朱某，咳嗽、低热、咯血、右胸侧刺痛伴纳差 4 个月余。支气管镜检右下肺中叶外侧有白色芽肿。经静滴红霉素，肌注青霉素治疗 1 个月后就诊于余。症见低热、咳嗽、痰稠、胸痛，时而鼻衄、口干、纳少、嗳气、脉弦数，苔薄黄，有木火刑金之象。拟方：香附、炒栀子、墨旱莲、天花粉、石斛、川楝子、白芍、杏仁、青蛤散、茅根、芦根、枇杷叶、地骨皮、菜子缨等。服 12 剂后，患者咳嗽、咯血均减，纳食胜前，续以滋水清肝之法于上方中加百合、生地黄、白及、贝母等浓蒸加蜜收膏，服毕，诸恙得除。

咳嗽难医答客问

熊寥笙

客有患咳嗽者问于予曰：咳嗽难医，信乎？予曰：是说也，古已言之。张三锡云："百病唯咳嗽难医。"徐灵胎著《咳嗽难医论》，谓其研求咳嗽治法，四十余年而后稍能措手。

客曰：然则咳嗽之治，将无能为力耶？予曰：是又不然。咳嗽难医亦易医。难医者，不辨脉证，不明病理，盲摸冥行，以药试病，治之枉效，故难医也。易医者，八纲辨证，八法论治，治求其本，药随病变，病随药愈，有的放矢，故易医也。

客曰：然则如之何而治之乃为善治耶？予曰：咳嗽虽多，总为肺病，肺主气，为五脏之华盖，其体清轻，为娇脏，寒热皆所不宜，外感邪气，内伤寒热，均能犯肺，清肃失职，气道不利，肺气不清即致咳。治咳之法，不可倒行逆施，而需因势利导，调其阴阳表里寒热虚实而致和平。太寒则邪气凝而不散；太热则火灼金而动血；太润则生痰；太燥则耗津液；太泄则汗出而阳虚；太涩则气闭而邪结。

客曰：我咳嗽已久，遍尝中西药三月而不愈，故有是问，君能出其秘法秘方为我一起沉疴乎？予曰：秘法秘方之惑人深也！中医治病，贵在辨病、平脉、辨证、论治，无所谓秘法秘方也。治咳大法，已述于前，再约言之，以解君惑。夫脾为生痰之源，肺为贮痰之器，大凡治咳，以脾湿肺燥两端溯其源，六淫七情所伤探其因，人体之阴阳虚实究其本，病之寒热辨其证，循此遣方用药，效可预期。

客曰：我患咳三月余，初因外感致咳，曾服中西药多种，中药服过祛风、散寒、清热、润燥之剂，西药则打针消炎，可待因镇静止咳等药，已备尝。现仍咳嗽吐痰，早晚为甚，气上逆则咳剧，咳引头晕胁痛，脘闷不舒，疲惫少食，口苦咽干，时作寒热，痰涎壅塞，咽喉间如物梗阻，吞咽不利，罹病既久，心甚焦急，君其为我速图之。予曰：君形容憔悴，面色少华，精神萎顿，气馁声低，已非外感咳嗽实为内伤不足之候，舌苔白，脉微而弦。乃病久情志不舒，七情郁结，肝失条达，气郁津阻生痰，肺道不利，非独肺病，肝亦病也，金不制木，肝气上逆，故尔久咳。治宜疏肝解郁，理气豁痰，以逍遥散、半夏厚朴汤合进以治本，不治咳而必其咳可愈。遂疏方与之，嘱连服六剂再见。客持方而去。越一周，客来见，谓服药六剂而三月之病顿愈。客曰：先生之治咳独遵经旨也，信乎咳嗽难医亦易医也。

（熊脱阳　熊开维　整理）

咳嗽“三辨”与“三忌”

李兰舫

咳嗽一症，病因多端，涉及的范围亦广，《内经》说：“五脏六腑皆令人咳，非独肺也”。其实不论何因致咳，其病机都涉及到肺脏，故陈念祖曰“咳嗽不止于肺而又不离乎肺也”。临证施治要注意“三辨”“三忌”。

辨外感内伤，用药忌寒凉收涩过早。外感咳嗽由外邪犯肺，本经自病，病症较轻而易治，内伤咳嗽由肺脏虚弱或他脏先病累及于肺，病症较重而较难治，用药禁耗散之方。外感咳嗽须分清病邪的寒热属性，注意有无兼症。一般多兼风邪，如风寒、风热、风燥等。内伤咳嗽须究其阴阳虚实，阳虚多见水湿困顿，阴虚多见虚火内炽；实则痰饮窃踞，虚则脏腑气衰。其病机转化或由寒化热，或由实致虚。苟不明辨内伤外感之因，寒热虚实之变，混于治咳止嗽，每有遗害之虞。不论外感内伤咳嗽，用药均忌寒凉收涩过早。因为寒凉妨碍肺气宣发，每致外邪留恋不退；收涩阻滞肺气肃降，易使邪气逗留，痰火郁而不清，往往导致咳嗽迁延难愈。

辨肺气开合、气机升降，用药忌刚燥伤阴。肺主治节行清肃之令，有表证宜宣开，无表证宜肃降，以顺其开合功能。外邪侵袭，肺气郁闭不得宣发，治宜宣开肺气，邪去则咳止。外感邪气轻浅，宜辛平、甘平之剂，药如菊花、牛蒡子、杏仁、桔梗之属。偏寒用辛温，偏热用辛凉，凉燥则辛开温润，温燥则辛凉甘润，偏湿兼用芳化，用药须以轻灵取胜。切忌刚燥升发太过，耗气伤阴。内伤之症，阴虚火亢，用药宜以静制动，顺其肃降之性，则虚火自平。痰饮聚结阻滞肺气肃降，涤饮化痰泻肺之方，仅是治标之法，须配合调理脾肺气机药。柯韵伯云：“痰属湿，为津液所化，盖行则为津，聚则为痰，流则为津，止则为涎。其所以流行聚止者，皆气为之也”。肺气下行能通调水道，下达膀胱；脾气上行能升清降浊，输运水湿。水湿分消，痰饮无由而生。

辨邪正消长，用药忌见咳治咳。外感治以祛邪为主，邪去则正安；内伤治以扶正为主，正强则邪却，此乃言其常。施治时须审辨邪正之转化，消息用药，权宜行止。外感之症肺气盛者病邪易去，得宣发即可疏解；肺气虚者邪每留连易生变症。余治外感症肺气虚常于宣发方中加生黄芪、桔梗益肺气而开肺郁；肺阴虚者则选加沙参、玉竹、麦冬养肺阴以资宣发。内伤之症须审辨其何脏之

虚为主，以及脏腑阴阳之偏盛、痰饮留结之处所，视其邪正消长，权衡标本缓急，损其有余，益其不足。用药须时刻顾护脾胃之生气，切忌见咳治咳。叶天士云："见咳治肺，生气日戕"。提示要辨证求因，审因而治。毋虚虚，毋实实，方为良工。

咳嗽痰少宜细辨

|刘冰清|

咳嗽多以痰量多少分寒热燥湿。一般而言，痰多痰稀属寒属湿，痰少痰稠属燥属热，但临证时并不尽然。因为寒主收引，寒常使气机不利，排痰不畅，也可能出现痰少的现象。若片面地从热论治，往往会适得其反，致使咳嗽加重。

我曾经治一位女性病人，初因发热、恶寒、咳嗽、头痛而求医，用人参败毒散后，寒热皆除，惟咳嗽不愈，咳而不畅，痰量很少。当时正值中秋季节，我误认为风邪化燥，改用桑杏汤，结果症状依然。继之又投清燥救肺汤，症状反而加重，咳嗽连声不断，彻夜难眠，咳痰欲出而不得出，病者甚为不乐。一个伤风咳嗽患者经过治疗，竟至如此境地，确也使我难堪，于是便反复观察，苦苦思索。发现其虽然咳嗽痰少，但咳声重浊，舌苔虽薄，但不干燥，也无口干便结之症。因此悟及此为寒邪凝敛所致，改用三拗汤加陈皮、紫苏叶后明显见效，前后6剂，患者诸症告愈。

可见，对于咳嗽痰少，切不可一概从热辨治，经投以清热润燥之剂未见效果、甚至加重者，更不可执迷不悟，盲目加码，而要详细询问其自觉症状，认真观察其形色、声音及舌象、脉象，全面分析，以免误诊误治。

干咳并非全属燥

|朱佑武|

张某，女，30岁。1977年秋，因干咳频作，缠绵两月不愈就诊。检视前服诸方，均系一派甘寒润燥之品，服用四十余剂罔效。症见干咳无痰，鼻流清涕，身微恶寒，胸闷不舒，动则气急。观其舌润而苔薄白，诊得脉浮缓。证属寒邪闭表，肺气不宣，加之服用甘寒凉润之药不当，寒郁于肺，不得发越使然。方用：麻黄1.5g、杏仁9g、甘草3g、矮地茶15g，5剂。并嘱如服3剂咳止则停服。

复诊：患者服上方3剂，始见干咳减轻，服完5剂咳减大半，且有稀薄之痰液咳出。续拟原方加浙贝母9g、陈皮4.5g，再进3剂，患者痊愈。

干咳，又名“燥咳”，多发于秋季，属“秋燥”范畴。病机为燥邪所伤，“燥胜则干”。其主症为干咳少痰，咽干鼻燥，舌干少津，脉浮数。揆“燥咳”病有温燥、凉燥之殊，证有偏寒、偏热之别。本例病属次寒，虽症见干咳，但无咽干鼻燥，而鼻流清涕；无舌干少津，而舌润苔白薄；脉不数，而现缓，均属寒象。用三拗汤加味宣肺散寒而取效。不用杏苏而用麻杏者，以久服凉润，寒凝于肺，故借麻黄以开之。足见临诊时，不可徒执“干咳”而概以“燥咳”治，必须审证求因，全面分析。

一味黄芩治热咳

|彭参伦|

李东垣谓：治肺热如火燎，烦躁引饮而昼盛者，气分热也，宜一味黄芩汤以泻肺经气分之火。余于1958年曾治双丰煤矿朱某患肺热咳嗽，痰里夹血，胸膈板结，口渴引饮，气粗苔黄乏津。遵东垣之法，主以黄芩60g，水煎顿服，次日身热尽退而痰咳胸结之患愈。足见前贤之方可法可师也。

阴虚之咳，养阴需兼收敛

|李家振|

阴虚咳嗽是众多咳证中的一种，其特点是咳嗽无痰或少痰，常伴见口干、手足心热、尿黄、便结，舌苔少，舌质红，脉细数。其治疗原则当养阴润肺止咳，沙参麦冬汤、桑杏汤、百合固金汤之类皆可选用。

有些医家认为“阳虚易补，阴虚难调”，余在临床实践中颇有同感。如阴虚咳嗽，予滋阴润肺止咳，法方切证，但疗效总不能尽如人愿。曾治黄某，男，60岁，素体阴虚，每次感冒则见干咳无痰、口干思饮、手心发热、舌红少苔、脉细数等，初投沙参麦冬汤加味以润肺止咳，效果总不理想，于是，在方中加用收敛药，疗效则大大提高，为此患者视为治咳良方，并将处方介绍给人家，皆获一剂知，二剂愈之效。余倍受此验启发，数年来，每遇阴虚咳嗽，则于养阴止咳之中兼以收敛，常用的收敛药有五味子、罂粟壳、诃子、生牡蛎等，五味子能生津止渴，壮水潜阳，收耗散之气；罂粟壳敛肺涩肠，且能固肾；诃子

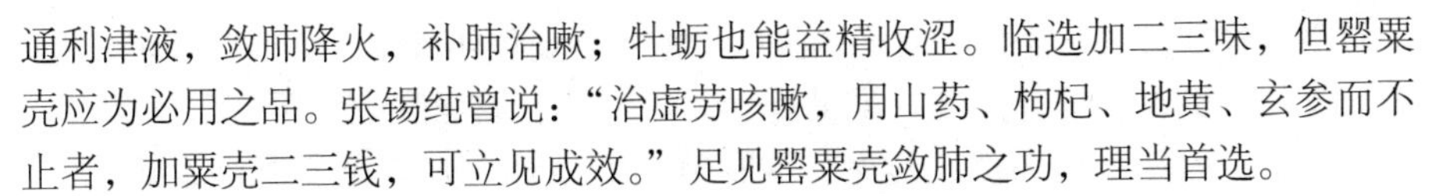

通利津液，敛肺降火，补肺治嗽；牡蛎也能益精收涩。临选加二三味，但罂粟壳应为必用之品。张锡纯曾说：“治虚劳咳嗽，用山药、枸杞、地黄、玄参而不止者，加粟壳二三钱，可立见成效。”足见罂粟壳敛肺之功，理当首选。

敛肺止咳药古尝有“咳未久者不可用”之明训，但据临证所验，凡见干咳无痰或少痰，属阴虚、肺气耗散而又确无表证者都可使用，不必拘于前人之言。

治咳嗽切忌清润过早

|谢昌仁|

咳嗽之疾，治之得当，常能速愈。临证之时每常见久咳不已、越治越剧的患者前来就诊，询之多因医者用药或自服川贝粉、川贝枇杷糖浆、雪梨膏、枇杷膏或处方中多用沙参、麦冬、川贝母、五味子、黄芩等药，此类清润之品治久咳化火、肺虚气燥可服。若咳嗽咽痒，痰吐稀白，因外感风寒，肺失宣利所致，则不可用。《内经》云：“微寒微咳，寒之惑也。”若小寇然，启门逐之即去。医者不审，或自不知理，妄用清润之剂，未免闭门留寇，而使咳嗽加剧。我治久咳不愈之病人，常用宣利化痰之剂，如桑叶、杏仁、蝉蜕、前胡、桔梗、甘草、陈皮、法半夏、大贝母、冬瓜仁、蒸百部等药。咽痒甚者且加用麻黄，常能奏效，数剂而愈。业医者当明此理，更不能迎合病人的要求，动辄开给糖浆、清补滋润之药，否则当属医者之过。

“白痰属寒”辨

|刘永年|

痰在中医理论中有广义和狭义之分。狭义的痰，自肺而出，有形可征。在辨证上，就其颜色而论，一般来说，白者属寒，黄者属热。但也有不尽然者。何西池指出：“辨痰之法，古人以黄稠者为热，稀白者为寒，此特言其大概而不可泥也。以外感言之，伤风咳嗽，痰随嗽出，频数而多，色皆稀白，误作寒治，多致困顿，盖火盛壅遏，频咳频出，停留不久，故未至于黄稠耳。……推之内伤亦然。”

在临床实际中为什么有些患者证候虽不属寒象而却见白痰呢？盖痰为津液所化，受热煎熬其色始黄，因此痰色由白到黄要有一个转化过程。这个转化过程及其快慢，与患者禀赋的阴阳偏盛偏衰、热邪的微盛、来势的骤缓和人体的津液受耗程度及其化生能力有关。临床上常可见到风热外感，如上呼吸道感染、急性支气管炎、早期肺炎等，虽见身热、口干渴、咽喉红痛、舌红、脉数等一系列热证，但却咳吐白痰，显然，这时单从痰色辨证则与全身脉症很难吻合。此乃因其感受外邪来势较急，津液虽受热灼成痰，但频咳频出，留存尚暂，且病在初期津液化源尚充，痰液随出随生，故其未致浓稠变黄。况在人体正气驱邪外出的机转下随着病情的好转，痰色转黄，往往还是咳嗽向愈的佳兆。清·陈士铎《石室秘录》云："已病之痰，必观其色之白与黄，而辨之最宜分明，黄者乃火之将退也，白者火正炽也。"即指此言。其次，痨瘵内热津液耗乏之人，亦常在病程中咯吐白痰，《辨证录·痰证门》云："人有吐痰纯是白沫，咳嗽不已，日轻夜重，人以为肺火之痰也，谁知肾热而火沸为痰乎。此等之痰，乃阴虚火动，大约成痨瘵者居多，即古之所谓吐白血也。"此外，对于素禀阴虚者，一旦感受外邪，无论风寒风热，在呈现一片阴虚内热征象的同时，出现咳吐白痰症状，亦不宜径从寒论治，而专以辛温散邪。

总之，辨痰之色，白者属寒，黄者属热，此言其常；上述白痰属热，乃言其变。临证总宜知常达变，除辨痰色外，对于痰质之稠稀、痰量之多寡、与咳嗽之关连以及病程长短、病势缓急、患者禀赋、全身脉症，皆当细审，方可明辨而不致有误。

咳嗽与解表

赵平瑗

外感咳嗽当辨标本，若专意治咳，忽略表邪，往往导致不良后果。

盖外感病人的咳嗽，仅是外感疾病的一个症状，是标不是本。治疗时应遵循"有表先解表"的原则，采用宣通肺气、疏散外邪的治法，使邪气得以迅速外出而解，患者虽伴有咳嗽，此时却不可轻投止涩镇咳之品。若误用之，则"关门留寇"，使邪无出路，反而伤正气。再说，外感病邪得以外出，肺气清肃，虽不治咳，咳自会停止。《内经》云："善治者，治皮毛"，临证遵循，确能获效甚速。反之，对外感伴有咳嗽的病人，不"治皮毛"，而专治咳，必犯失表之过。并由此而造成治咳之后增，病情反加重，这种情况临床上已不少见。由于误治以致缠绵难愈，成了"内伤咳嗽"的病人。《理虚元鉴》云："伤风不醒结成劳"（痨：此指久咳伤肺），其错非小。临证时应重视外感病邪的（治本）治疗，万不可治标而"失表"。

知常达变治干咳 |孟　如|

一病人久咳不愈，咳而无痰，时有胸痛，大便干结，舌红苔灰黑滑腻，脉象弦滑，余曾以润肺止咳、温化寒痰、活血化瘀等法治疗不效。究其原因，三法虽各有所据（干咳缘于肺燥；苔灰黑有津，脉象弦滑乃寒痰所致；胸痛系胸阳不展，气血郁滞，神机不舒则痛），但因辨证治疗未能通观全局，抓住其要，辨其所难，统一主症干咳与苔腻脉滑在病理上的矛盾，是故不效。此病关键在于病者舌质红，苔虽灰黑滑润，然其间可见少许酱黄色苔，综合分析，其病机为湿遏热伏上焦，痰热蕴肺，肺失宣降而咳，干咳乃湿痰困肺，正气不能托邪外出所致。湿痰阻肺，气血运行不畅，故时有胸痛。肺与大肠相表里，上闭下亦不通，故大便干结。用《温病条辨》之上焦宣痹汤（枇杷叶6g、郁金5g、白通草3g、淡豆豉4g）合千金苇茎汤获效。由此可知干咳不尽肺燥，痰热也偶见之。灰黑有津之苔虽主寒极，然例外者亦有之。临证治病欲知常达变，须辨其所难，明其原委，始能治有章法，药到病除。

支气管哮喘证治之我见 |姜春华|

我治疗哮喘，开始总是用三拗汤、麻黄汤、小青龙汤等，总的来说离不开麻黄。因为现代医学认为麻黄素有弛缓支气管痉挛的作用，而且是传统有效的药，可是在临床上并不理想，不能投匕辄效，于是广泛地查阅文献，一般正规医书处方总脱不了麻黄，于是再翻检单方杂治书，施之于临床实践，可是满意的不多。再以专治的药结合辨证论治来用，比较过去为好，但仍不能令人满意。

在长期的临床实践中摸索到一些规律，老年性的阳虚多（尤其男性）；少小的阴虚多（尤其女性）。宋代文献用砒霜为主的很多，许叔微《本事方》载有紫金丹，说是治寒喘有奇效，方子的组成以砒霜1、明矾3、淡豆豉10为比例，研粉糊丸，绿豆大小，每服5～7颗。于是，我广泛应用于寒性哮喘，果然疗效好。但对热性哮喘无效，而且用后发作更重。后来只限于用以治寒喘病员，有三五年不发的，有不再复发的，不过药量要掌握好，少则无效，多则中毒，服用时间不宜过长。对于治疗寒喘有了些办法，可是对热喘的呢，我采用单方蚶蝓以大贝母粉作赋形药，做成绿豆大丸子，每服 10 丸，每日 3 次，辅以牛黄解毒片，疗效一般还可以，但不及紫金丹。

哮喘在发作时可以用上述方法治疗，若要预防发作，儿童可常服胎盘粉 1.5g，每日 2 次；或服河车大造丸，每次 6g，每日 2 次。中老年可常服左归丸、右归丸。如果国庆前发作的可于 8 月间开始服用，如果发无定时，则随时服用，有益无损。对正在发作的病人我自组一方，采用古今民间及日本、朝鲜的单方，将其中治喘有效的药合在一起，名截喘方。药物是：旋覆花 9g、鼠鞠草 15g、全瓜蒌 15g、防风 9g、合欢皮 15g、老鹳草 15g、碧桃干 15g、五味子 9g、野荞麦根 15g。随症加减：气虚加黄芪 30g，党参 15g；阴虚加生熟地黄各 15g；痰多加半夏 9g、贝母 9g；干咳加玄参 9g、麦冬 9g；热证加竹沥 30g、石膏 30g；寒证加附子 9g、肉桂 3g。这仅仅是举例，可以触类旁通。中医过去有一个清规戒律，即发时治标（肺），平时治本（肾）。我过去也照这个规律办事，后来在临床上发现发作剧烈、服治标药无效的，不管新久可以标本同治，止喘药与培补药可以同时并用，收到了较好的效果，看来有些陈规是可以突破的。

椒目“劫喘”

陈孝伯

哮喘病是常见病、多发病。余于“慢性支气管炎”哮喘专科门诊诊病时，常目睹哮喘急性发作之患者痛苦异常，迫切需要有速效的平喘药以解除痛苦。但鉴于常用之中西药物如洋金花、麻黄、氨茶碱、肾上腺素等均有一定的毒副反应，且因常用的某些平喘药产生耐药性而失效，尤其是一些老年病患者，使用此等药物更受到限制。因之我们决心在祖国医药学中发掘既有效又安全、不良反应少的新的平喘药。

元代名医朱震亨之《丹溪心法》《丹溪手镜》《脉因证治》三篇著作中，在哮喘门均提及“诸喘不止”用椒目为劫药以劫喘，都突出一个“劫”字，“劫”有“强取”之意，是前人治疗急证急则治标的一种强有力的有效措施。我们将椒目研粉，令患者每日服 3 次，每次服 3g，直接吞服或装胶囊服，亦可榨油制成胶丸，每丸含 200mg，日服 3 次，每次服三五丸。十余年来通过大量的临床观察和实验研究，证明椒目劫喘有着特殊的效果。

椒目劫喘有如下特点：①起效快。据临床观察记录分析，绝大部分病例在服药后 5 分钟自觉症状即开始缓解，胸闷减轻，气明通畅，咯痰爽快；10 分钟左右，肺部闻诊哮鸣音显减或消失。②临床疗效好。观察近期疗效 786 例，有

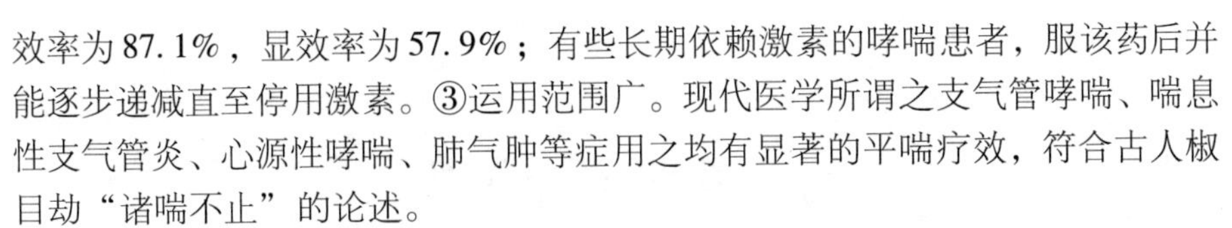

效率为87.1%，显效率为57.9%；有些长期依赖激素的哮喘患者，服该药后并能逐步递减直至停用激素。③运用范围广。现代医学所谓之支气管哮喘、喘息性支气管炎、心源性哮喘、肺气肿等症用之均有显著的平喘疗效，符合古人椒目劫“诸喘不止”的论述。

总之，椒目具有药源广、作用快、疗效好、用途广、价格低、不良反应甚微、服用方便等特点，具有劫喘起效快的特效，是目前中医临床，特别是开展中医急诊工作中比较理想的一种新的平喘中药，具有实用性，值得推广应用。

河车大造丸治哮喘

李正全

一女大学生，自幼即患哮喘，每遇春夏之交即发，发则难于平卧，午后为重，服麻黄素、氨茶碱可缓解一时。随病情发展，药量倍增亦难缓解，就诊于余，选投射干麻黄汤、定喘汤、地黄汤等加减，虽有缓解但终不能控制其复发。为此，余历阅医书，其治亦多论述，方书所载诸法，屡试亦未奏效。嗣后终以河车大造丸治疗3个月余始效，巩固治疗3年而获根治，随访10年余未见复发。

河车大造丸方始由《扶寿精方》所载，后又为《医方集解》收录，谓之“大造丸”。本方组成为：紫河车、牛膝、天冬、人参、五味子各30g，败龟甲、熟地黄各60g，盐水炒黄柏、杜仲各15g。上药研末以蜜为丸，早晚各服9g，首次连服2~3个月，次年于易发季节前1个月作预防性服药，每晚服9g，连服1~2个月，发作期根据病情兼服降逆平喘、止咳化痰剂。

原方所载，主治肺肾虚损、咳嗽、潮热等症，虽未言及有治哮喘之功，但考方中紫河车、龟版、熟地黄能填精补髓、滋肾纳气；人参、天冬、五味子能益气养阴、敛纳肺肾之气；杜仲、人参能益气扶阳、益发肾气；辅以黄柏清热育阴、牛膝引药下达于肾，合而具有填精补髓、滋阴扶阳、敛肺纳气之功，与肺肾虚所致之哮喘，切切相合，故用之其效甚佳。余验之临床，其对久虚喘咳、久咳咯血、老年咳喘，其效亦颇佳。

凡因先天禀赋不足、肾精亏损、重病、大病之后，或因年老体衰，均可致肺肾皆虚，肾虚失纳、肺虚失敛，而可导致哮喘迁延不愈。河车大造丸既能填精补髓、滋肾纳气，又能益气扶阳、固护肺卫，久服则正复邪除、振奋生机，哮喘当能愈也。

气喘重证治疗纪实

|魏承宗|

1962年6月下乡时曾治一女性患者李某，年20岁，见其面白、体瘦、俯卧喘息，询问病已8天，饮食不思，寤而不寐，片刻即喘，不得少宁。幸与卫生院为邻，医生每日为其注射青霉素、麻黄素、葡萄糖、氨茶碱，并用麻黄、杏仁、紫苏子、白果、枇杷叶等药10剂。但患者仍喘气不平，轻咳则汗出，语音低细，诊脉治小而弱，舌红薄，此乃肾虚气喘重证。病在上宜求其下，肺主气却归宿于肾，肾不纳气故喘，且能俯不能仰，不足之证也。麻黄、紫苏子、枇杷叶、白果只能治肺之实喘，况屡用非体虚所宜，故反汗出喘促虚象毕露，当用八味地黄汤以补肾中水火，水足则不盗母气，火旺则一片阳和。处方：熟地黄15g、枣皮12g、肉桂3g、附子10g、牡丹皮10g、茯苓10g、泽泻10g、怀山药12g，煎汤频服。第二天闻悉，患者服一剂即安，继以两剂并一剂服后气息和平，饮食渐进，睡卧如常。

利水止喘说

|杨乔榕|

喘证论治，首辨寒热虚实，此乃其常。然而，临证之中，每因邪正盛衰之殊，而变证亦多，故知其常以通其变，其治法则因人而异。若系邪盛正虚，痰液水湿内停于肺，甚至出现腹水者，不利水则喘息难平，当此之时，应于宣肺平喘药中，加入泻肺利尿之药，如葶苈子、车前子、木通、滑石等品；若肺气虚衰，宣导无力，水湿内停或肾阳不足，不能温水化气，以致水湿漫溢胫腹，发为水肿者，亦须通利小便，水去尽则喘自平，肿自消也。利水之方，比比皆是，若五苓散、八正散、导赤散、六一散之类，因人遣方，务在辨证。此乃笔者临证中之经验，特作引玉之砖。

虚喘别论

|沈来法|

前人有肺虚则少气而喘，真元耗损，喘生于肾气之上奔之论。故曰虚喘责

之肺肾，治亦当从肺肾。余宗此法，有见效者，有不见效者，何故？盖肺为气之主，肾为气之根，肝主气之升，脾为气之源。肺气以降为顺，肾气以固为藏，肝气以疏为用，脾气以化为昌。喘息常年累月不得平，起居稍有不慎，气候稍有变化，则呼吸急促不相续，张口抬肩不得卧者，乃是肺肾肝脾之气机升降出纳皆失其常度也。肺气虚则气无所主，必气不顺降，肺胀气逆；肾气虚则根本不固，必气不摄纳，上奔于肺；肝气郁则疏泄无常，必升发无度，上刑于肺；脾气虚则精无所化，必变生痰浊，上干于肺。虚喘一证，时日已久，肺、肾、肝、脾必相互累及，故而认为具尽虚者少，虚中挟实者多，一脏虚者少，数脏俱虚者多，此乃治从肺肾，无得见其效之故也。对此等患者，当以补肾养肺、益气健脾、疏肝平喘为法，常取良效。

1982年余治一女性柳某，年50岁，产后为病，喘息不平，时轻时重，历时20年。生活稍有不慎，气候稍有变化，则喘不能卧，食不能下，张口抬肩，气不相续，凡苏子降气汤、定喘汤等用之皆不效，必用大剂激素方能缓解一时，长年累月，药不离口，痛苦万状。余用补肾养肺、益气健脾、疏肝平喘之法遂疏方：熟地黄、怀山药、山茱萸、茯苓、泽泻、牡丹皮、沙参、麦冬、玉竹、黄芪、党参、白术、法半夏、白果、川贝、长麻黄、杏仁、川楝子、香附、砂仁、当归、五味子加减，进药二十余剂而获良效，后病家自行续服六十余剂而喘平。

对慢性频发性哮喘的治疗体验

李传芳

慢性频发性哮喘患者往往于发病时既有外邪客肺和痰浊壅肺的标实证，又有脾肺肾不足的本虚证，故而不能囿于“发时治标”之说，而忽视扶正培本。患者不任风寒，极易感邪，其因虽在于卫气虚弱、藩篱不固，但卫气的化生、滋养、宣布，又无不赖于肺脾肾功能的正常，缘肾气虚，则不能蒸发肾精化生之精；脾气虚，则不能消运水谷以滋养卫气；肺气虚，则不能宣布卫气以抗御外邪。故卫外不固的肇端，乃是肺脾肾之虚。

基于上述见解，我于哮喘发病期采取标本兼图，侧重补肾，宣、降、纳、敛并施的法则；哮喘缓解期因标实证不显，正虚未复，随时有发病的倾向，而采取补虚培本为主，固卫御邪为辅的法则，进行规则性治疗，常能收到显著疗效。1983年阳春三月，铜陵县汪某携女来诊。诉其女14岁，患哮喘病已11年，病势逐年加重。自1983年起，发则多伴有昏厥、鼻衄。一年四季无明显诱因常常发病，缓解期亦有轻度哮鸣，曾用过多种中西医疗法而病却终年不断，医者说她是“过敏体质”，难以治愈。后闻本县有病人经我治愈，特来诊治。刻诊形羸色夺，发稀少泽，目光呆滞，精神委顿，气不足息，头昏耳鸣，溲黄便结，舌红苔黄，脉沉细数，哮鸣音不用听诊器即可闻及。夜作哮喘时，张口抬肩，面青唇紫，额汗淋漓，两目圆睁，端坐不语，甚则昏厥、鼻衄。依上述法则处方：麻黄、葶苈子、射干、地龙、石韦、大黄、麦冬、熟地黄、当归、淫羊藿、五味子、罂粟壳，4 剂。另予参蛤散（红参、蛤蚧研粉按 2∶1 组合）早晚吞服。进药当夜，患者哮喘虽作，但无发绀，下半夜即缓解入睡。随后几天，哮喘欲作而未作，予原方 10 剂带回，嘱汤散并进，10 天后单服参蛤散。复诊，诉其连服参蛤散 1 个月，神振纳增，面色转红，停药不到 2 个月，又因感冒发热，连发哮喘三夜，自进原方 2 剂即止。现精神、寐食具佳，舌质红润，脉象细弱，原方去罂粟壳、石韦、麦冬，加黄芪、补骨脂。10 剂。嘱患者汤药服完后，除继服参蛤散外，晨加固表散（自拟方：黄芪、僵蚕、蝉蜕按 7∶3∶2 组合），晚加七味都气丸。如此服药 40 天，随访患者经年未发。

按方中红参补益脾肾，蛤蚧补益肺肾，二约为伍，共济主气、纳气，以治其本。麻黄、葶苈子一温一寒，一宣一降，互制相协以制邪消痰。射干清肺解毒，消痰散结，地龙清肺利尿、宣络平喘，石韦清肺热而利膀胱，大黄通肠腑而泻肺热，此四味共用以助肺司其清肃之令。因邪从热化，首虚其阴，故入麦冬、熟地黄滋其肺肾，令金水相生。佐淫羊藿补阳配阴，令阴阳相济。并以当归补血、活血使补而得活，药运全身。再以五味子、罂粟壳收敛耗散之肺气，其与补肺肾药相配，以助肺肃降，助肾摄纳；其与麻黄相伍，一开一合，既可制其辛散太过，亦可彰其平喘之功。上药组合成方，熔攻、补、宣、降、纳、敛于一炉，因切合病证、病机，故每奏良效。

漫谈缺氧

李浩然

西医所谓“缺氧”，究属中医何证？其治则如何？其病因似与痰浊、瘀血、气滞、气虚、阳虚等有关，在脏腑中多涉及肺、肾和心。

缺氧证候不外虚实两端；其实者多因痰瘀而起，起病急骤；其虚证乃肺虚不能主气，肾虚不能纳气，脾虚不能化谷，宗气化源不足。心肺同居胸中，功能相辅相成；心肾位分上下，坎离相交相济。是以肺肾俱虚势必累及于心，心气不足，血运无力，宗气亏耗上不能充于脑，外难以营于爪甲肌肤唇舌，故发

绀而神昏，此缺氧外在表现之由来也。慢性缺氧多为本虚标实，或肺肾气虚，痰浊阻遏，清阳失升而头昏胸闷膺痛，心悸怔忡；或心阳式微，心脉瘀阻而心胸绞痛，唇舌爪甲青紫，手足青至节者多危及生命；甚或痰浊蒙闭清窍而昏迷不省，谵语或郑声；其痰瘀交阻，肝木失养则动风发痉。本人常将缺氧证概括为五证：一曰寒瘀阻滞，多见于心肌硬化、心肌梗死等；二曰气虚血瘀，多见于左心功能不全早期；三曰痰瘀痹阻，多见于心绞痛，心肌梗死，硅沉着病、石棉肺之重症；四曰痰浊阻滞，多见于慢性呼吸衰竭。甚则昏厥，多见于肺源性心脏病，重症肺炎合并心功能不全，或肺性脑病之早期；五曰阴盛阳衰，多见于肺源性心脏病合并心功能不全。

缺氧总以阴证居多，阳证少见。若论治则，个人体会有五：一为温通寒瘀，我常喜用当归四逆汤合瓜蒌薤白白酒汤化裁，药用瓜蒌、薤白、桂枝、附子、细辛、当归尾、红花、赤芍、木通、党参、甘草；二为扶正化瘀，我常喜用党参、黄芪、胡桃肉、煅龙骨、煅牡蛎、炙甘草、桂枝、附子、丹参、红花、水蛭；三为通阳豁痰，理气行瘀，我常喜用瓜蒌薤白半夏汤合血府逐瘀汤化裁，药如瓜蒌、薤白、法半夏、桃仁、红花、丹参、当归尾、郁金、枳壳、附片；四为通阳泄浊，我常以温胆汤加味，药如法半夏、陈皮、茯苓、枳壳、竹茹、瓜蒌皮、薤白、甘草；其痰热扰心者治当清心涤痰，方用黄连温胆汤酌加天竺黄、炙远志、玉竹；五为调整阴阳，其气虚阴盛者治应温阳益气，化阴利水，方用真武汤合防己黄芪汤加减，药如制附子、桂枝、黄芪、白术、防己、茯苓、葶苈子、沉香、炙甘草；其阴阳两虚者治应温阳利水，益气养阴，我常喜用真武汤合生脉散加减，药如党参、附子、白术、茯苓、当归、麦冬、五味子、丹参、车前子、桃仁、红花、水蛭；其心阳欲脱者治当温阳益气，强心固脱，方用参附龙牡加五味子等。

肺气肿简易诊法

朱锡麒

肺气肿的临床症状以有慢性支气管炎史、气短、动　气急为主，一般均赖听诊、X线透视作为诊断依据。我有一个简便的诊断方法，即观察患者大拇指的变化，若指腹松弛，按之凹陷若瘪，可以断之无疑，用于临床屡试屡验。曾为一位归国侨胞治病，待主诉症状毕，我即察其拇指情况，并告曰："你有肺气肿"，其人甚为诧异问："此次回国之前，刚作检查明确诊断，你何以能明之?"我说："根据观察你的手以断之"，患者赞不绝口，连声称颂祖国医学之伟大。

以大拇指验肺气肿之有无，并非出于我之发明，追溯至50年前，我年轻时代曾遇到一位民间医生，善治吐血，窥其诊病时必察拇指，以辨肺病之有无，并能洞悉病位之在左在右。当时甚疑，习医后方深悟其意，手太阴肺经之脉，至大指内侧边少商穴处，大指赖肺经经气濡养，肺主一身之气，气行则血行，肺气肿之形成，每因肺气不足，不能将精微输送于末梢，五指之中尤以大拇指最为丰满厚实，并易于察觉，数十年来沿用此法以验肺气肿，乃由此受到启发而来。

（朱钟华　整理）

老年咳喘的冬病夏治

|郝　朴|

老年咳喘，大多冬季发病，夏季缓解，病程迁延，逐年加重。在发病或病情加重阶段，进行积极有效的治疗固然重要；但在缓解期间如能进行有效的预防，从而控制和防止复发，则更为必要。预防的方法和措施是多方面的，从临床治疗来讲，在缓解期进行扶正固本治疗，增强人体抗病能力，以使冬季不发病或发病减轻，这种预防性治疗，也就是“冬病夏治”。为什么对老年咳喘可以进行“冬病夏治”呢？

其一，老年咳喘多数在冬季发病，夏季减轻，有一定的规律性。缓解期是进行预防性治疗的有利时机。

其二，中医的治疗原则是防重于治，强调“不治已病治未病”。所谓“治未病”即包含未病先防、已病早治，也包含对一些发作性疾病在间歇阶段的预防性治疗。

其三，咳喘的病理主要在肺、肾，累及心、脾。其标在肺，其本在肾。中医治疗是“急则治标，缓则治本”，发时治肺，不发时治肾。临床实践证实，对老年咳喘冬病夏治，扶正固本，增强抗病能力，能收到一定的效果，降低了发病率和病死率。

冬病夏治，重点在于夏季进行扶正固本治疗，以培补脾肾为主。脾为后天之本，肾为先天之本。“春夏养阳，秋冬养阴”。通过培补脾肾，调补脏腑气血的功能，能增强正气、抵抗病邪，增强对寒冷的耐受性、预防感冒，从而起到防止和控制咳喘的作用。许多病人不了解这个道理，只知冬季患病时求医，而夏季缓解时则忘其病时痛苦，不愿治疗。如此年复一年，逐年加重，痛苦不堪。对这一类病人，我都强调夏季进行扶正固本治疗，以肺脾肾气虚为重点，拟定固本方：黄芪、党参、淫羊藿、补骨脂、法半夏、茯苓、陈皮、五味子、丹参、紫菀、桔梗、甘草。结合具体病情，随症加减。每日1剂，1个月为1个疗程。从每年6~10月，治疗不少于3个疗程。其后为便于服药，可改成丸剂。我曾治疗64例老年咳喘，连续观察2年，有效率达72.9%，冬季发病明显地比治疗前减轻。有38例安全地度过两个冬季，未发生严重感染。通过化验检查，治疗前病人的免疫功能偏低，治疗后进行免疫功能测定，均有不同程度的提高。从临床观察，经扶正固本治疗后，病人的精神、体力、饮食均显著改善，而且感冒次数明显减少，因而咳喘的发病减少，病情也有所减轻。这说明对老年咳喘冬病夏治，既有理论依据，也有实际效果，值得进一步研究。

治咳喘重在清宣化痰

张文伯

肺主气，应皮毛，又为娇脏。凡外邪侵袭或受脏腑病气干之，则肺失清肃宣降，肺气并痰浊上逆而至咳嗽气喘。张景岳认为："咳证虽多，无非肺病"，而"五脏之咳乃各有其兼证耳。"余尝云：咳不离肺，嗽不离痰，治咳平喘的关键重在清肃宣通肺气，治嗽必先涤痰。

曾治夏某，男，42岁。咳嗽、痰多、气急反复发作7年，近1周加剧。西医诊断为慢性气管炎继发感染。患者咳嗽剧烈，咳痰黄稠，痰声漉漉，呼吸困难，鼻煽气喘，寒战高热，体温40℃，胸闷泛恶，便秘，尿短赤，舌红苔黄，脉象滑数。证属痰热迫肺，肺失宣降。治宜清热化痰，宣肺降逆平喘。药用：麻黄（炙）9g、杏仁12g、生石膏20g、胆南星8g、地龙15g、桔梗12g、款冬花15g、百部15g、紫苏子15g、甘草6g。服药后患者咳吐黄色浓痰甚多，继则汗出热降，喘息稍缓，是夜即可平卧入睡，次日体温正常。续用2剂咳喘渐平。改从健脾杜痰，补肾纳气平喘以善后。

余治咳喘，强调急则治标，先祛邪以截咳，常用麻黄、杏仁、桔梗、款冬花、百部、半夏、胆南星、川贝母、桑白皮、甘草为基本方，势甚加生石膏。对寒火伏肺、痰热内蕴、外寒内热之咳嗽气喘，见舌边尖红、苔黄、脉滑数者，不论病程长短，发热或不发热均可加减应用。一般服一二剂则热退、咳减，痰清，急性症状控制后，再按脏腑辨证，调理善后，缓治其本。

（郑显明　整理）

我治哮喘的经验

吴 涛

哮喘是一种发作性的痰鸣气喘疾患，以呼吸急促、喉间有哮鸣声为主症，临床上较为多见。其致病之由以痰为主要。正如《临证指南》所说："宿哮沉痼，起病由于寒入肺腧，内入肺系，宿邪阻气阻痰。"对哮喘的治疗原则是首当分别已发、未发，对已发者当攻邪以治其标，对未发者当扶正以顾其本。再辨其寒热而施治，对寒哮宜温化宣肺，对热哮宜清化肃肺，对病久兼虚者又宜适当扶正。个人通过多年临床观察认为，痰浊留伏于肺，为外感寒邪所触发之寒哮，用小青龙汤加椒目治之，多获奇效。

患者邓某，哮喘反复发作已将4年。每于受寒后诱发。近半月来宿疾复发，呼吸急促，喉中有哮鸣声，咳痰色白清稀而少，胸膈满闷，而色晦滞带青，畏寒，出汗，面目虚浮。舌苔白滑，脉象浮滑。经用麻黄素等西药治疗，效果不显。中医辨证为外感寒邪，内有痰浊。治拟温肺散寒，化痰利窍。处方：炙麻黄5g、桂枝4g、白芍20g、干姜8g、细辛3g、法半夏9g、五味子9g、椒目15g，服3剂。

二诊：患者哮喘、咳嗽明显好转，惟气短乏力，体虚汗多，舌苔白滑，脉象细滑。效不更方，守原方加生晒参10g，服5剂。

三诊：患者哮喘已平，汗多亦好转，饮食增加，精神愉快，已上班工作。

此病之所以获愈，是由于辨证准确，抓住了寒邪侵袭肺腧之寒哮这个主要矛盾，故用小青龙汤加味治之有效。加椒目治哮喘，出自朱丹溪用椒目治"诸喘不止"的经验。我在治寒、热哮喘时均加用椒目10～15g，效果很好。后我用小青龙汤加椒目治疗寒哮7例，均获得满意疗效。

"虚痛"诊治一得

江尔逊

余治十二指肠溃疡之疼痛，恒喜用归脾汤化裁，此乃从陈修园治"心腹虚痛"悟出。十二指肠溃疡之疼痛，多以久痛、饥时痛、喜温喜按、得食稍愈为主要特征，当属"虚痛"无疑。因疼痛缠绵，胃纳欠佳，脾运亦弱，水谷之精微难化，气血匮乏，故多伴见面色皖白（或萎黄）、心悸气短、失眠健忘等心脾不足之证。而心脾不足，气血匮乏，胃失温煦与濡养，故其疼痛经久不愈，病灶之愈合亦难。欲求图本之治，须切断恶性循环。归脾汤为补养心脾之名方，堪当此任。余临证体验，凡服此方数剂至十余剂后，其痛渐减、胃纳渐增，心悸气短、失眠健忘等症亦随之改善。究之，归脾汤治此证屡获良效，非独甘温补虚之功而已。张景岳曰："气血虚寒，不能营养心脾者，最多心腹痛证，然必以积劳积损及忧思不遂者，乃有此病。"信哉斯言！本病之因，确与精神因素密切相关，经言"二阳之病发心脾"是也。故修园推出"归脾法，主二阳"者，实暗寓调畅情志之深意。此乃金针度人处也，勿作等闲看。其加减法有：兼肝郁者，加柴胡、白芍；痛甚者，合丹参饮；吞酸者，加乌贼骨；便血（黑便）者，加自制"止血散"（含乌贼骨、白及、三七）；便血过多者，酌加红参（另炖）；夹寒者加炮姜；夹热者加牡丹皮、白芍；夹湿者加藿梗、佩兰；痞痛、嗳气者加旋覆花、赭石；腹满者加厚朴、半夏。

余1984年治患者张某，53岁，胃脘饥时隐痛，解黑便4个月余，伴吞酸、嘈杂、肠鸣、气短乏力、舌偏红、苔薄白、脉细弱。胃镜检查：十二指肠球部前壁可见一直径约1.0cm之圆形溃疡，后壁有一假性憩室形成。用归脾汤加自制止血散，服12剂，患者疼痛消失，大便转黄，余症大减。遂用原方制蜜丸，连服两月，诸症消失。次年复查，患者的后壁溃疡已愈合，前壁溃疡正在愈合中。效不更方，嘱其续服此丸。

十二指肠溃疡与胃溃疡虽同属消化性溃疡，而其疼痛性质同中有异。两者均为久痛、喜温喜按，然胃溃疡疼痛常于食后半小时至一小时发作，俗称"食后痛"或"饱时痛"，属胃气不降、"不通则痛"之病机，虚中夹实也；十二指肠溃疡疼痛常于食后3~4小时发作，俗称"食前痛"或"饥时痛"，属"不荣则痛"，多虚象。再则二者均可伴见黑便，为脾虚不能统血之征。然胃溃疡常兼呕血，夹杂胃气上逆之病机，亦虚中夹实也；十二指肠溃疡除非出血过多，并不呕血，亦几无实象可稽。可见诊治两种溃疡病，原宜细察精详，审同辨异，分别论治，方有准的。尚有一种倾向：近人治此证之属于"脾胃虚寒"者，多习用黄芪建中汤。余以为方中之桂枝最能动血，若伴见便血或呕血者，亟宜慎用！余治此证，辄用归脾汤加炮姜（寓甘草干姜汤，且干姜炮黑又能止血）；其不伴出血者，辄用归脾汤加桂枝、白芍（寓黄芪建中汤），均获佳效。此及谨守心腹虚痛之基本病机，立足于归脾汤这一专方，而又注意发挥复方的协同作用。

（余国俊　整理）

谈治胃脘痛的体会

|张镜人|

对胃脘痛一证，当明辨寒热虚实。新病或暂病多属寒、属实。寒者热之；实者，饮食所伤消导之，肝气相乘和调之，疗效较好。若久痛不已，寒渐化热，实亦转虚，寒热达错，虚实夹杂，选方遣药，殊费斟酌。盖脾之与胃，以膜相连，脾性喜燥，宜升则健，胃性喜润，宜降则和。相反而又相成，其升降之枢机全赖肝家之疏泄，故院痛虽责之胃，病机却不能不涉及肝脾，论治自需从肝、脾、胃着眼。临床体会。胃脘痛迁延经年，每有蕴热、辛燥之品万难合辙。然痛必气滞，肆意寒凉，气机更碍，欲除疼痛，不犹缘木求鱼，且肝失疏泄，脾胃升降乖常，清无所归，浊无所降，是以脘腹胀满与噫嗳酸苦等症并见。太仓热扰，甚至耗阴损络，或嘈杂、或燔灼、或便血，虚中夹实，病变蜂起。余于斯证，独宗鞠通“中焦如衡，非平不安”之说，主张寒温相适，升降并调，营阴兼顾，虚实同理。适寒温，恒取紫苏梗之辛香微温，“敛木气横逆，散肝经郁滞，”配黄芩、连翘之苦寒清热，“入胃以和胃阳而与脾阴表里”；调升降，恒取柴胡之轻举畅达，“引脾胃清气行于肠道”，配旋覆花、代赭石之和胃降逆，“镇其阴气，宣发胃阳”；顾营阴，恒取丹参之和营活血，配芍药、甘草之酸甘化阴，缓急止痛，“行营气而泻肝木……和逆气而补脾土”；理虚实，恒取孩儿参之健脾安中，配香附、枳壳之理气除满，“气顺则胸膈利”。上列药物，分之似嫌支离无序，合成汤剂，实为芍药甘草汤、旋覆代赭汤、香苏散、柴胡疏肝散诸方之复合，温凉通补，堪符衡平之旨，庶几缓缓图功。

胃痛屡发不可俱谓虚证

|颜亦鲁|

胃痛屡发不可俱谓虚证，临床上属实者亦复不少。其实证大致有两类：一类是日久化热。朱丹溪谓：“治心胃痛当分新久，若初起因寒因食，宜温散，久则郁而生热，热久必生火，若用温剂，不助火添邪乎?”，因此古方治久胃痛多以栀子为向导，旨意深远。民间单方治年久胃痛渐有热象者，用生栀子 15 只，连壳妙焦，与川芎 3g、生姜汁 5 滴，水煎服，临床用之能使胃痛迅速缓解；再一类是久痛必瘀：我习用小瓜蒌 1 只、红花 2. 4g、炙甘草 6g，水煎服，治疗胃

痛久发而有瘀者，以瓜蒌、红花宣化瘀浊，辅以甘草缓中止痛，临床用之颇验；疼痛顽固者，加上醋炒五灵脂，增强活血止痛之功，效果更佳。若脘痛日久而面色黧黑者，系瘀血之证，且有吐血之虑，曾见患者戴某、相某，皆以脘痛日久，面色渐呈黧黑而导致吐紫血，我在实践中体会到凡遇到这类病者，在方药中参以和营化瘀之品，则有防止吐血之效。

（颜乾麟　整理）

乌英合剂治胃痛

程仲凯

乌英合剂是1958年流传于湖南的一首验方。该方由乌贼骨、蒲公英、生地黄、白芍、麦冬、乳香、炙甘草组成。方中乌贼骨制酸敛疮止痛；蒲公英清热消痈散结；乳香活血化瘀止痛；白芍、甘草酸甘化阴，配生地黄、麦冬，既能滋养胃阴，又能甘以缓急，合而成方，共奏补益胃阴、清热制酸、活血止痛之效。二十多年来，余习用本方治疗胃阴不足，瘀热内阻之胃痛，灵活加减，如胃痛而兼见胁肋胀痛者，可加柴胡、枳实；牵引心胸闷痛者，可加丹参、降香、砂仁；阴虚气滞甚者，可加百合、台乌药；肝郁化火、横逆于胃、痛甚者，可加延胡索、川楝子、浙贝母；吐酸者，可加左金丸、瓦楞子、枯矾；呃逆嗳气者，可加旋覆花、代赭石、刀豆壳；大便干结或下血者，可选加决明子、田三七、熟大黄。验之临床，疗效良好。

患者罗某，罹患胃痛3年，辗转各地，经多方治疗，屡服胃舒平、胃友、甲氰咪胍、香砂养胃丸以及叠进香砂六君、黄芪建中、理中、平胃、安中、乌贝等汤散，效果均不显。1984年9月来我院门诊。患者自诉：胃脘部疼痛，灼热，偶尔刺痛，时有吐酸，食不香，寝不宁，口干而不欲多饮，大便干结，伴胸胁胀痛；闻其语言清亮，嗳气酸味；察其颧红面赤，肌肉消瘦，舌体瘦，舌质红、苔少，诊其脉弦细数。四诊合参，断为胃阴不足，瘀热内阻，肝气横逆。拟滋养胃阴、清热制酸、活血止痛，佐以疏肝理气为治，用乌英合剂合四逆散加味主之：乌贼骨15g、蒲公英30g、生地黄30g、麦冬15g、赤芍15g、白芍15g、乳香6g、炙甘草10g、柴胡10g、枳实10g、浙贝母10g、决明子25g，水煎，以本药液送服左金丸10g，日服2次。

服上药至5剂，患者胃中灼热减轻，胸胁胀痛缓解，食寝均已改善，吐酸消失，大便通利。药已对症，不必更方，仍宗原法，上方去左金丸、决明子，继续进服，以观后效。

半个月后，患者登门复诊，病情好转。为巩固疗效，请赐予善后方药。余告曰：胃痛多因饮食不周，饥饱失调，或喜食煎炒香燥炙煿之品所致。今虽胃痛已除，尚须周密调理，既要加强运动，增强体质，以适应寒暖之变；尤应注意饮食之宜忌，刺激之品勿进，宜食易消化、富营养之物，更需定时定量，或少吃多餐，以达滋润脾胃、濡养气机的目的，方能防止复发。诊毕，患者索新方而去。

审证求因治反胃 | 刘松林 |

大凡治病，必审证求因，正如明代名医李中梓所说："病不辨则无以治，治不辨则无以痊。"反之，不问病因如何，只看症状、病名而投药，往往奏效甚难，笔者临床治一"反胃"患者，深有其感。

患者康某，因上腹部疼痛反复发作十余年，朝食暮吐 15 天，小便少，大便溏泄，舌质淡胖，边有齿印，苔白，脉细弦，重取无力，取吴茱萸汤加白芍、法半夏、甘草无效，复虑方中一味法半夏降逆之力不足，再兼久病入络，疑有瘀血，原方加沉香、丹参不但无效，反而出现头昏目眩，后用补中益气汤加谷芽、伏龙肝而收功。

观其脉证，病属中焦虚寒，取吴茱萸汤加味理应切证，然而实际疗效不显，不仅朝食暮吐不止，反增头昏目眩，详审病机本例病程十余年，脾胃气虚日久不愈，气机紊乱，导致清气下陷，浊气上逆，故上则头昏目眩，吐食不止，下则溏泄，正如《内经》曰："清气在下则生飧泄"。治疗此证，关键在于升清，清气升则浊降，故清气下陷为本病之本也。

以常法温中降逆而无效，是抓其标而忽其本也，盖有清气下陷，再重用降逆之药，更损于中气，无异乎虚其虚也，故一症未平，他症又起，可见临床治病贵在审证求因，循因论治。

腹中急痛与"建中" | 龙治平 |

由桂枝汤倍芍药加饴糖而成的小建中汤，在《伤寒杂病论》中凡五见。其中三条分别言及"腹中急痛""妇人腹中痛""腹痛"。据此可知，本方治疗腹

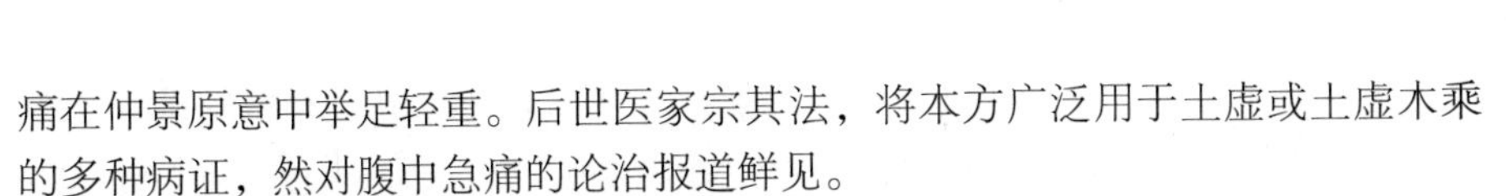

痛在仲景原意中举足轻重。后世医家宗其法，将本方广泛用于土虚或土虚木乘的多种病证，然对腹中急痛的论治报道鲜见。

小建中汤所治腹中急痛系中焦阳虚、腹络绌急、营卫不畅、气血不通所致，如《素问·举痛论篇》说：“小络急引，故痛。”此痛往往暴发，且痛剧难忍，腹部按之不拒。其疼痛既不同于气血虚弱、脉络失养之腹痛绵绵，又不同于寒气冲逆、上下攻冲作痛的《金匮要略》大建中汤证。须知气血不足、脏腑脉络失于温养之腹痛，临床表现为喜温喜按，疼痛也较轻浅；大建中汤证之腹痛，虽可暴发，疼痛剧烈难忍，但证属大寒大实，不仅痛时攻冲在急，且腹不可触。是为辨证之要也。

对中虚不足、络脉绌急之腹中急痛，应即与甘补温运、和中缓急的小建中汤，使阴阳平调，络脉通利，营卫畅行而痛止。

周某，1965年9月晚餐进锅贴、包子甚多，至晚觉脘胀不适，继而腹痛，9时许，腹痛加剧，恶心呕吐，即注射阿托品1支，疼痛暂缓，须臾，腹痛、呕吐交作，再注射吗啡阿托品1支，患者暂安，1小时后腹痛反剧，辗转反侧，喊叫不停，烦躁不安，家属焦急万分，值班医生诊为：①急性胃炎，②食物中毒？邀中医会诊。

患者体温37.8℃，头面及四肢冷汗，手足发冷，胃脘无压痛，腹部初按不适，并以双手拒之，重按则不拒。舌苔白润，脉沉缓左弦。先师江欣然老中医问曰：“何证?”余答曰：芍药甘草汤证。师曰：“知其半也”，此腹中急痛应建中温运，和里缓急。遂处小建中汤：桂枝9g、白芍24g、生姜4片、炙甘草12g、大枣9枚、饴糖90g。煎15分钟，取汁约250ml，兑饴糖30g。患者服后半小时许，痛除汗止，安卧。众医惊叹不已，翌晨二次服药。9时再诊，患者除自觉疲倦欲睡外，余无不适。白苔已薄，脉濡，改香砂六君子汤加味善后。

余问曰：暴食阳证，“痛无补法”，今温补用建中而获神效何也？师答曰：“证已由实转虚，络脉收引绌急，营卫郁滞，阴盛于内，阳欲外越。用小建中汤甘补温运，缓急止痛。使营卫畅行，阴阳和调，汗止痛除，此辨证之功，非方药之神。”

脾胃病辨治有“三要”

刘盛斯

胃司受纳，脾主运化，脾胃气旺，则纳运强健而知饥能食。若胃气受伤，则能化难纳而知饥不食；脾气受损，则能纳难化而食即腹满；脾胃同病，则难纳难化而不饥不食。然脾为湿土，得阳始运，宜升则健，性喜刚燥；胃为燥土，得阴自安，以降为和，性喜柔润，两者各具特点，治有差别。故熟悉和掌握“知饥不食，食而腹满，不饥不食”的证治特点，对于深入辨识脾胃疾病中何者为主，以明确治疗重点，实属必要。

“知饥不食”系脾运正常，故腹中知饥，但胃气已伤，胃失和降，仓廪不纳，故难于进食。此时胃之功能较脾为弱，故又名之曰“脾强胃弱”。治当重在和胃，但损胃之因复杂，故和胃之法不一。其因食滞中脘者，宜消食导滞；因痰浊阻胃者，宜理气化痰；缘于寒遏胃阳者，须散其寒；由于燥热干胃者，应彻其热；属胃阴不足者，养胃阴；系蛔动于中者，安其蛔。要在随机制宜，损胃之因得除，自然胃和食进。曾治高某，因“腰椎结核，伴冷脓肿形成”作“病灶清除术”，术后见腹胀、便秘6日未解、纳呆、饥不欲食、舌红苔黄白而厚、脉沉细等脉症，余诊为传导失职，胃失和降，湿热中阻，用麻子仁丸合半苓汤(《温病条辨》方）化裁，以通腑降胃，清热化湿。3剂后，患者全身情况好转，数日后出院。

“食而腹满”属胃和降顺，故可进食，但脾气伤损，困于转输，遂留滞中州而脘腹满闷不适，甚至痞胀疼痛。此又名“胃强脾弱”。治须健脾为主。脾弱之成，因于气虚者，宜补其气；由于阳虚者，应复其阳；缘于湿浊困阻者，当驱其湿。一旦脾气振奋，能运能化，食入之物不复留滞于化生精微，自无腹满之苦矣。如所治孔某，48岁，“行全子宫及双侧附件切除术”后，症见面色萎黄，神疲乏力，纳呆，脘腹胀满食后更著，口干不饮，口苦大便结，舌红苔黄白微厚，脉缓。余诊为湿滞中焦，升降失司，拟运脾除湿。用一加减正气散(《温病条辨》方）化裁，3剂后。病人无特殊不适，全身情况良好出院。

“不饥不食”为脾胃同病，受纳运化均失其职所致。治应脾胃并调。若因中土气虚者，须补中益气；因中气下陷者，宜补中升阳；因中阳亏乏者，当温中补虚；因脾胃气阴不足者，应甘淡实脾；若湿困中州者，须燥湿芳化，随其偏热偏寒而灵活治之。曾治陈某，40岁，行“子宫全切除术”后10日，因神疲、纳差，邀中医会诊，病人症见头昏，肢倦，阵热自汗，恶油，食欲差，二便常，舌苔薄白，脉沉细，证属术后气阴未复，升降失司，拟益气养阴，健脾开胃，以生脉散合香砂六君子汤化裁。3剂后，患者精神、食欲均好，数日后出院。

胃痛调治立法思想简说

董胡兴

叶天士《临证指南医案》凡例载："医道在乎识证、立法、用方，此为三大关键。"胃痛之治，古往今来，分证复杂，方药繁多，笔者为有效调治胃痛一证，通过检阅有关文献及实践验证，认为在识证的同时，把握其立法要领，是取得较好疗效的关键之一。主要有四：胃病治肝、湿去气畅、脾虚宜温、胃弱当调。

胃病治肝——为古今医家所习用之法。因脾胃肝胆相关尤切，如清代医家章楠之"利机枢"法，将疏利肝胆，温健脾胃作为治虚损之秘诀，认为清气出乎肝胆，资源发于脾胃，疏利肝胆可使脾胃升降有节，有利于饮食消化、吸收与输布。胃病从肝治，则有利于脾胃的功能恢复。笔者常用四逆散为主方，比单用调胃之品效显，肝郁气滞之胃痛尤宜。

湿去气畅——为上海擅长治疗胃病之张美梅先生的经验之谈。认为"脾运失健，湿阻于内，气机受阻，不通则痛。调剂应以理气化湿主之"(《临证偶拾》)。实践说明，用燥湿健脾和胃之平胃散合四逆散加减，治疗因湿浊内阻之胃痛颇效，暑令增藿香、六一散。酒食胃痛，当佐清化消导之品。脾胃虚寒，湿阻于内，脘痛喜唾者，当佐理中以温化寒湿。

脾虚宜温——脾为阴土，以升为健，得温则清气可升，太阴脾虚之证，往往湿浊不化，清气难升，以致浊气不降，升降失常，则胃脘胀满疼痛。在用理气化湿法不效时，应以温健之法，方以六君子汤、小建中汤加减治之，脾复健运，则胃气易于和降，疼痛亦随之而除。在脾阴虚弱时，当以山药、白扁豆、薏苡仁及芳香醒脾六莲类药，培补中宫，不可施温燥之剂。

胃弱当润——胃为阳土，以降为和，得滋润其浊可降，阳明胃虚，除寒湿内阻，即是胃津亏损。叶天士指出："胃易燥""非阴柔不肯协和"，尤其是老年气阴两亏之胃痛患者，更应注重养胃阴一法，当选甘凉、甘缓、酸甘、清养之味治之。笔者曾用甘凉与酸甘合用治疗老年舌红少苔、呕吐、呃逆之胃病颇效，同时加入太子参、陈皮，可兼顾其气而防滋腻碍胃阳之弊。

以上所述立法思想，有利脾胃生理功能的恢复，符合现代名医董建华教授所提出的"治疗胃痛必须调气血"的论点。勿拘"久痛入络。"方参理气活血化瘀法。

胃病调养十六字诀

| 尤焕文 |

先严月岩公素罹脘痛而谙医道，且戚友中不乏杏林硕彦，常相探究，于胃疾之调治，卓识良多，居恒耳提面命。余夙秉庭训，粗知治胃欲易实难之理；长而习医，尤不忘谆谆之嘱。

积三十五年之体验，更深悟治胃之难，难在根治。往往服药数剂，痛减食增，仿佛见瘥而遽尔旧证悉萌者，多饮食失慎所致也。后据祖国医学基本理论，自拟“胃病调养十六字诀”——“中温优质，食有定时，未饱先止，八分为适”特荐诸病家。念余年来，凡采纳者，可辅药石之不足，效速而少复发，识者称善。

人不可离水谷，而百味入体，胃乃首当其冲。夫胃者，水谷之海，阳明燥金之腑也；又六腑以通为用，泻而不藏，实而不满，苟反其道，焉得不病？故凡黏腻、炙煿、糙坚、辛燥之品，自易伤胃，生冷之物，尤碍温煦腐熟之功。况乃经气休旺有时，食非其时，势难腐熟；超量过载固不胜重负，虚空太久，胃体失养，均可导致胃病，必使进食时间与食量，两皆匀净，留有余地，始为上策。

“中温”者，忌滚烫、寒凉之谓也。“优质”者，不论谷肉果菜，选择烹调，务求细软、清淡，忌黏腻、厚味、煎炒、糙硬之属也。或曰川滇美味，以酸辣滋腻见长，实非尽然，愚自吴入蜀，半生于兹，自有体会。况蜀中多湿，椒姜葱蒜，未尝无益，惟过则为患耳。“食有定时，未饱先止”两句，合言进食时间与食量；既不可乘兴无度，暴饮暴食，亦不宜过时饥甚，以致肠鸣辘辘，脘痛隐隐。对司机、记者、医护、采购等人员，尤须强调饮食有节，必要时可随身稍带饼干之类，届时加餐，屡见实效。末句“八分为适”，进而明言留余地两分，以资回旋，受益反多，免以饮食自伤。

当以此十六字诀授与生徒；或遇食滞纳少等证，不拘老幼，遵斯法者，药效更著，亦不易复发。

略谈胃病从肾治

| 李浩然 |

《内经》云肾为胃关者，系指火土相生、水土相克、升降相因也。后世胃

病从肾论治即源于此。

所谓“胃病从肾论治”，其临床表现大体有五：其一，脘痛无前兆，似嘈而不灼，似胀而隐痛，不嗳气，或干呕，伴眩晕耳鸣，纳可便结，苔薄舌偏红，脉细而弦滑，此谓风阳扰胃，乃肾阴不足，风阳上僭所致。多见于慢性萎缩性胃炎、胃神经官能症，以及部分糖尿病、冠心病患者。其二，中脘冷痛，得温不减，或减不足言，经年不愈。平素泛吐清水，腰膝痠冷，尿频夜甚，苔薄舌淡或罩紫气，脉沉而细，此为火衰土冷，乃命火衰微，胃土失温所致。多见于部分“瀑布胃”、慢性肥厚性胃炎，以及慢性结肠炎、肠结核等疾病过程。其三，脘痞坠痛，纳少乏力，胸闷心慌，动辄气促，大便时溏，舌淡苔薄，脉虚而数，此乃宗气下陷，肾虚失摄所致。多见于严重胃下垂、肺心病，以及部分热病后期。其四，脘痛已久，以空腹为甚，得食消缓，喜温喜按，尤喜甜食，不嗳气，不吐酸，痛甚大便色黑质软，甚如柏油，苔薄舌淡或罩紫气，脉虚而缓，此为损及奇经，乃久病胃络受损，任维失固，督阳失升，血从下溢之故。多见于十二指肠球部溃疡、胃溃疡等。其五，心下懊侬，痞痛呕恶，肢冷脉微或细弦，舌淡苔白腻或上罩淡黄，小便少，大便干溏不一，此乃浊阴上干，肾阳衰微，浊阴上乘，胃失和降所致。多见于尿毒症及部分十二指肠郁滞症、胆汁反流患者。总之，胃病从肾论治之证候，其临床表现主要在胃，其现代检查病亦大多在胃及十二指肠（少数为其他系统疾病），但经中医精细辨证，其病本已转移至肾，临证不得为其主诉及现代诊断所困惑。同时笔者体会，此类证以虚为主，虚证之中又以阴损及阳者为多，其病理过程常为胃病久延及肾，或肾病累及于胃。

此外，胃病从肾论治之治则，当以温肾为主，其次尚涉及滋肾、治络等。其具体法则大体亦有五：一曰补火暖胃，药如肉桂、附片、吴茱萸、小茴香、锁阳、九香虫、硫黄粉（5mg 开水冲服）、细辛、炙甘草；二曰纳肾升陷，药如山茱萸、参须、五味子、麝香（5mg 药汁冲服）、紫河车、黄芪、升麻、白荷花、冬虫夏草；三曰温阳泄浊，药如附片、吴茱萸、生大黄、法半夏、木瓜、白术、生姜；四曰补任升督兼通阴维，药如煅龟版、鹿角霜、乌贼骨、参三七、阿胶、炮姜、凤凰衣、白术、甘草、刺猬皮；五曰滋肾熄风潜阳，药如熟地黄、何首乌、白芍、枸杞子、生牡蛎、大黑豆、川楝子、龟版。总之，胃病从肾论治，笔者认为选药以兼走奇经者为佳，如龟、鹿、麝、猬皮、小茴香、巴戟天、硫磺、肉苁蓉、九香虫、锁阳、枸杞子、菟丝子等。其中麝香与温补收敛之品为伍，有助气升陷之功，无耗散伤正之弊；硫磺性温酸涩，入肾走督，对寒性胃肠疾患殊具温养之功，但此二药用量宜小（5 ~ 10mg）。此外，其损及奇经者，又以散剂为佳，如溃疡止血散（煅龟版 30g、乌贼骨 30g、鹿角霜 15g、参三七 3g、白及 10g）有补任通维、升督摄血之功，同时散剂内服，更能直接护膜通络，效果远较汤剂良佳。

漫话胃病的自身调护

陈厚忠

胃病，临床表现复杂多端，或胀或痛，或呕或吐，或饥而不能食，或食而易饥等等，为一种常见病、多发病。且人不论男女老幼，时不分春夏秋冬，多有罹患者。世医虽常能审证求因，对因论治，获效于一时，但往往忽视其自身调护，患者也不注重，致使病情反复发作，轻者以重，重者致危，实者渐虚，虚者更甚，虚虚实实，可谓屡见不鲜。据余管见，胃病患者，应自身调护为本，药物治疗为标，标本相得，万举万全。

胃病病因复杂，外感六淫，内伤七情，饮食劳倦，痰浊虫积皆可致病。

自身调护，重点有三。

1. 适寒温　顺应四时气候变化，寒则加被，温则减衣，脾胃虚寒者，还需厚褥护腹。风雨寒热，不得虚，邪不能独伤人，禀赋强壮，正气充足，顺其时变，可杜诱因。

2. 戒思怒　人之情志活动，与内脏密切相关，肝在志为怒，脾在志为思，怒伤肝，思伤脾，肝、脾与胃，虽分脏腑，但表里相连，经脉相络，病理相同，肝气不舒则横逆犯胃；脾气不升，胃气不降，忧郁思虑，胃病者多；药物虽能疏肝和胃，理气行滞，但关键在于自己，只有戒除思怒，方能调畅情志，消除隐患，顺畅气机，促使其胃病早愈。

3. 节饮食　胃为水谷之海，各种食物、饮料，性不分寒热温凉，味不分辛辣酸苦，均注入胃中。中焦如沤，人有个体差异，饮食则有宜有忌，病从口入，虽为史料所载，确系精当概括。饥饱失常，“饮食自倍，肠胃乃伤”。进食不洁，可致吐泻，误食毒物，更为严重，故胃病患者，强调饮食要适当调节，定时、定量，不能过食偏食，大抵以稀软清淡为主。过饥过饱，过温过凉，辛辣炙煿，暴饮暴食，均在所忌之列。

余曾罹患此疾，深受其害。后涉医临床，目睹胃病之众，反复推敲总结，又深有体会，故每于临证之时，不厌其烦，谆谆告诫，务使患者注意。但愿医患合作，以期收到预想之疗效。

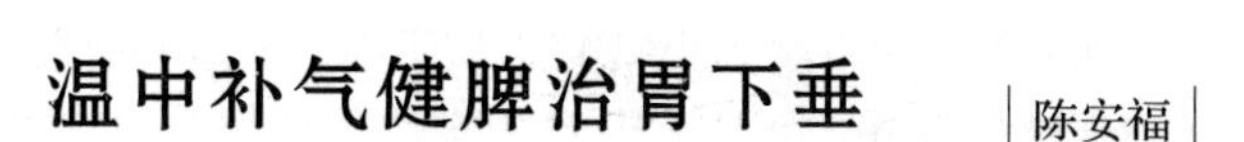

温中补气健脾治胃下垂

陈安福

虹桥乡农民孙某，中脘两胁胀痛数年，有胃下垂病史，近月来胀痛加重，胃纳不佳，大便溏稀。患者自述经多方求医效果不显，曾服过健脾理气方、疏肝和胃方等均未见效。孟师（宪益）观其形体羸弱，舌苔薄白质淡，脉象细小，即辨为中气不足，脾阳不振，用温中补气健脾法，投以附子、白术、黄芪、茯苓、升麻、枳壳、砂仁、鸡内金、山药、陈皮、生熟薏苡仁等药。7 剂后，患者症情有减，原方继服 14 剂后患者症情大减，大便已调，每日 1 次，中脘两胁胀痛大为减轻。患者自述药到病除，日日见轻。腹胀用补法，此乃塞因塞用也。脾阳不振气机阻滞，中脘两肋胀痛，大便溏薄。脾阳一振，清气向上，浊气向下，气机通畅，胀痛自消。孟师用附子温其脾阳，用黄芪、白术补其中气，使其中阳振奋、脾胃调和。

慢性胃炎的辨证用药

胡建华

慢性胃炎的发病机制，以肝旺、脾虚、胃实三者为主，而与饮食、劳倦、情志等因素有关。治疗此病，着重在于调理脏腑之间的升降功能；根据脾胃的不同属性，采用偏燥偏润的不同配伍；抓住肝旺必将乘脾犯胃，注意调理肝脾的相互关系。

我在治疗慢性胃炎用药方面认为：①应注意“灵通”二字。因本病虽着重在于脾胃，而实与肝郁气滞血瘀有关。故《临证指南医案》指出：“肝为起病之源，胃为传病之所”。本病常见食后饱胀、嗳气、泛恶、胃痛等症状，如果用药不注意轻灵流通，则可使症状加剧，不利于病情的好转。因此虽见脾胃气虚而用党参、黄芪、白术、炙甘草之类以益气健脾，也须配合陈皮、半夏、木香之属以理气和胃；虽见胃阴亏虚而用石斛、麦冬、沙参等品以清养胃阴，亦当佐以川楝子、绿萼梅、佛手等药物以疏肝醒胃。同时在选择灵通药物中，要善于运用活血化瘀药，丹参、赤芍可以优先选用；莪术、红花亦有很好的化瘀止痛作用。②应注意“升降”二字。由于脾气宜升，胃气宜降，如果脾之清气不升，则见中满腹胀、泄泻、脱肛；胃之浊气不降，则见呕吐、泛酸、嗳气。升提药常与益气药同用，如升麻、柴胡、党参、黄芪、枳实等。枳实具有苦降破气作用，已众所周知，近年来枳实广泛应用于治疗胃下垂、子宫脱垂、脱肛等有佳效。《神农本草经》认为枳实能“长肌肉，利五脏、益气，轻身”，可见本品确有补气升清的作用。本人经验：枳实用于补气升清，可与党参、黄芪、升麻、柴胡相配；用于破气降气，可与青皮、降香、厚朴、川楝子相配。和降药常与泄肝药同用，如旋覆花、代赭石、川黄连、左金丸等。偏寒者加生姜、紫苏；偏热者加竹茹、枇杷叶（有清泄苦降作用）。在用升提或和降药中，均可配伍白芍柔养以制肝木之旺，有很好的缓急止痛作用。③在注意辨证用药的同时，还需辨病用药。本病常兼肝失疏泄，可以影响胃液的正常分泌。如胃酸过多，可选用煅瓦楞、煅乌贼骨等以制酸。胆汁反流性胃炎，常因肝失疏泄，使胆汁的正常排泄受到障碍，导致胆汁郁遏而反流，可以选用柴胡、郁金等以疏利肝胆。慢性萎缩性胃炎，如经病理学检查，见肠上皮化生，可以结合不同症状，选用八月札以疏肝理气，生熟薏苡仁以健脾化湿，莪术以化瘀散结，菝葜以消肿止痛，上述四味药，均可起预防恶变作用。一般认为莪术破血祛瘀作用较峻。其实，其药性平和。本品含芳香挥发油，能直接兴奋胃肠道，有很好的健胃作用。同时功能化瘀消痞，止痛作用颇佳，乃治疗慢性胃炎的常用药物。在治疗慢性胃炎过程中，可以配合一些清热药，蒲公英最为适宜，清热而不甚苦寒，既能散结消炎，且有健胃作用。

慢性胃炎治疗心得举隅

万文谟

我患过慢性萎缩性胃炎和慢性溃疡性结肠炎，也有过泛酸及舌苔黄腻病史，辨证以脾胃亏虚、湿热中阻为主，常服黄芪建中汤、四君子汤、左金丸、失笑散等方而获痊愈。临证也接触过不少慢性胃炎的患者，因而对本病既有切身之痛，也有一点心得体会。兹举一隅之见讨论于后。

本病的证候以胃脘痞闷或疼痛为主，或兼纳呆、恶心、呕吐、嗳气等症。常见脾虚湿阻、胃失和降及气阴不足兼有湿热的证候较多，前者有脘痛绵绵，遇寒则甚，喜按喜熨、苔白脉缓等症。可选四君子汤合芍药甘草汤加味，以党参、苍术、茯苓、炙甘草、炒白芍、旋覆花、藿香、炮姜、九香虫、铁树叶等配成主方，有健脾除湿、舒肝和胃、缓中止痛的作用。后者有舌红、口干、乏力、胃中灼热、苔黄脉数等症。可选《证治准绳》养胃汤合芍药甘草汤加减，以太子参、沙参、玉竹、麦冬、白扁豆、茯苓、炙甘草、炒白芍、炒山栀、铁树叶等配成主方，有益气养阴、清热除湿、缓中止痛的作用。如见舌苔黄腻，均可加白花蛇舌草、半枝莲、左金丸等；便结者加大黄；舌质瘀紫或“久痛入络”者加失笑散；胃酸过少者加乌梅、生山楂等；胃酸过多者加煅瓦楞子、海螵蛸等。以上诸药中芍药、甘草的用量稍大，则缓急止痛的效果较好，一般白芍为15g，炙甘草为15～30g。铁树叶有平肝和胃止痛、清热止血之功，用量亦可稍大，一般为15～30g。白花蛇舌草与半枝莲清热利湿解毒，黄腻苔患者必不可少，如检查为萎缩性胃炎，虽未见黄腻苔，亦可适当选用。至于选用炮姜之意，一者宗李杲的经验，他认为“干姜生用逐寒邪而发表，炮则除胃冷而守中”。一者炮后有止血涩肠之功，对虚寒便溏及出血的患者更为适合，与黄连或大黄配伍，温清同用，可无便结之虞。五灵脂行血（炒用止血）止痛的效果也是比较好的，与党参或太子参配伍并无不良反应。

急性吐泻

|江育仁|

1975年夏秋季节，江苏某县沿海的一个大集镇，急性胃肠炎大流行。我省组织了一个医疗队驻地抢救。由于病人众多，该镇离城市较远，西药供应中断，乃采用中医中药治疗，并在门诊设观察床10张，共收治病人176例。年龄有7岁以上的儿童，60岁以上的老人，经治后无一例死亡，疗效很好，具有简、便、验的中医急诊疗法的优越性和特点。

该镇居民居住在黄海之滨，在含盐环境中生活，喜食海产，如黄鱼、带鱼、梭子蟹等，加之当时卫生条件差，因此多集体发病。主要致病菌为嗜盐杆菌，病属食物中毒。其特点为发病急，突然腹痛，呈阵发性绞痛，每日腹泻数次至数十次，伴有呕吐，部分病人大便呈血水样稀水便。患者就诊时，呈面色苍白，全身出汗，四肢厥冷，舌苔多白腻，脉沉细，目眶凹陷等亡阳危象。中医诊断为“急性吐泻”和“类霍乱”。认为本病的发生，由于饮食的不节和不洁，感受秽浊疫毒之邪，在脾胃功能低下时，肠胃传化失调，导致中焦气机紊乱，升降失职，清浊不分，而致发生吐泻。肢冷，脉细，舌苔白腻，乃湿困脾阳，阳气欲脱之征。然亦有因暴吐暴泻而阴阳并伤者，但纯属伤阴者则不多见。

对本病的治疗，重在应急处理，汤药煎剂，既延缓抢救时间，又难顺利服下，所以全部采用针刺，成药加必要的补液疗法。入院时处理常规：

1. 针刺天枢：重刺激，留针15～30分钟，腹痛肢冷者，加艾灸神阙10壮。
2. 即服十滴水：7～14岁服1/4～1/3瓶；成人服和入凉开水两汤匙中顿

服。如服下吐出者连续服用，服至不呕吐为度。以后隔30分钟服1次，一般服3次。

3. 口服补液：葡萄糖24g、氯化钠4g、碳酸氢钠3g，用温茶叶水1000ml溶解后饮服，其中有严重失水者则以静脉补液。

留住观察的病人，通过上述处理后，一般在3～6小时；较重的患者6～8小时即可回家。

此法系余在解放前治疗“瘪罗痧”“绞肠痧”（霍乱或急性胃肠炎）的经验基础上加以补充的方法。十滴水具有辟秽和中，止吐止泻的良好功用，但气味辛烈，小儿服用比较困难，可用行军散1/3～1/2支，凉开水冲服。

（江　旦　整理）

呃逆随笔

郑敬贤

呃逆之轻者临床常见，每多覆杯而愈。但呃逆之重者，鲜见而难治，然治疗得当亦可挽回于垂危。1982年夏内科病房会诊一武姓男病人，因半身不遂而入院已经20天，近1周呃逆持续不断，有时泛恶，经多种方法治疗无效，乃邀余诊。症见渴饮口臭、大便干燥，脉弦，苔黄糙。余断为胃火内燔，胃气上逆。方予：竹叶9g、生石膏15g、知母9g、橘皮6g、清炙枇杷叶9g、沙参9g、麦冬9g、代赭石30g、川黄连2g，2剂。服药后数小时呃逆即平。

1976年在北京同仁医院内科病房会诊一风湿性心脏病患者，面目足跗虚肿，腹胀便溏，纳食衰少而频呃，气短欲脱，脉形沉细。医院已发出病危通知，家属要求中医会诊，初诊予真武汤加橘皮、竹茹、丁香，进药后肿势与呃逆稍见改善，但仍饮食少进。前贤谓：久病闻呃者为胃竭。此人病已年久，肿胀便溏，显然脾阳已衰败。今又呃逆连连，太阴、阳明脾胃俱败。余告其家人：此种情况十不全一，处方用药仅尽人事而已。遂疏：生晒参9g（另煎）、干姜3g、淡附片5g、公丁香3g、柿蒂7只、橘皮5g、竹茹10g、赭石30g、旋覆花10g，2剂。服药后，患者呃逆渐平，能稍进饮食，再以真武汤加减，煎服半月后，患者肿胀明显减轻，呃逆未复作，调理2个月余平稳出院。

1977年4月，我科病房诊治一病人，胃切除后第2天出现呃逆，除入睡外持续不断，凡三日夜。给吸阿莫尼亚气能稍定一二十分钟。询得初呃声粗，体温38.5℃。以后呃声渐微，口干舌红，舌体胖，苔焦糙。手术前形体精神尚称健壮，此时委顿不堪。方予：生晒参12g、鲜石斛15g、麦冬12g、清炙枇杷叶

10g、刀豆子12g、鲜芦根30g。3剂后患者呃逆渐平而能进饮食矣。经调治旬余，安然出院。

考《内经》《金匮要略》无呃逆之称，所载哕证似指呃逆。张景岳说："哕本呃逆、无待辨也"。对呃逆一证，西医认为由于横膈膜痉挛；中医认为气逆所致，但气逆之因有寒、热、痰、食、伤寒、吐利、产后等等。因此，治疗呃逆同样须辨寒热虚实，然后选用补泻清温之剂，参与理气和胃降逆平呃之品，标本并治，临床中实证反复少，虚证变化多，故暴呃易治。久病虚羸及老年者均为胃气衰败之征兆，而治多棘手。以上3例，第1例系实热证，治疗较易。第2例是阳衰土败的虚寒证，危变旋踵。对这种病人不但要辨证精确，更要用药恰当，然后能起病人于九死一生。第3例系因手术所致，手术耗伤气血津液，胃切除土德衰惫，致阴亏火旺，中虚气弱而气逆为呃，吾称之谓手术后坏病。若再失治误治，治疗不当，难免不测之虞，因此治疗因虚致呃者，除降逆平呃治标外，一定要培元扶正为主。否则呃虽暂平而复作，治呃者不可不知。

呃逆变治法

李鸿翔

呃逆为临床常见之证，轻者可不药自解，重者则连续不止，顽固者治亦颇难。盖呃逆之证，不外虚实两端，重病见呃，是脾胃败伤，多为凶兆；久病见呃，多为虚象；暴呃一般属实。致呃之因大多为肝胃气机逆乱，或脏腑冲气上冲。至于治法，前者须降逆，后者宜补益。但临床所见呃逆者，不仅如此。

镇肝安神可治呃逆。患者张某，1980年8月因呃逆不止2年余，遍医无效而来我院就诊。患者于1979年夏季某日晚突作呃逆，初不介意，继而连续不止，无有间时，白天惟紧张劳动则呃逆暂止，夜间发作更重，待极度疲倦，乃能入睡，寐中仍有轻呃。举家惶惶，乃遍处求医。患者患病2年余，服药二百余剂，多以温寒降气之剂为主，其效罔然。各项检查无异常。苔薄白，脉细弦，食欲、二便如常。惟呃而已，呃声响亮。余思患者年轻体壮。除呃而外，并无他症。病虽2年余，但呃声响亮，仍属胃气上逆，治疗仍宗和胃降逆法。前医虽已用旋覆代赭汤，恐药轻无济，故拟加剂而行。服3剂药后其呃如故。再诊时，改疏理气机之剂，全然无效。余茫然无措，乃思之。忽忆及"审证求因"之经训，于是再询问其病史，患者云及：发病之当日晚为动物之声所惊，于是突作呃逆。此后每于夜晚即内心恐惧，其呃逆愈重。余因而大悟，此呃逆为惊恐所发也，当变法治之，乃拟镇肝安神法。处方：生龙骨30g（先煎）、生牡蛎

30g（先煎）、朱茯神30g、酸枣仁15g、枳实10g、淡竹茹10g、炙远志肉10g、京菖蒲10g、合欢花6g、甘草6g、琥珀末3g（吞服）、银元（其他银器亦可）3只（先煎2小时），以汤代水，去银元，入他药。患者连服2剂，呃逆渐止，寤寐亦深；再服3剂，鼾声入睡而呃逆除。

通泄腑气亦可治呃逆。患者戚某，因呃逆不止二月余而来就诊。患者“胃脘痛”病史3～4年。经常嗳噫频频，时或吞酸嘈杂，急躁易怒。曾作X线上消化道钡剂造影，片示：慢性胃炎。2个月前患者因事不遂，脘痛发作，嗳噫伴有呃逆，后脘痛除而呃逆连续不止，逐渐加重，坐卧不宁。曾先后服旋覆代赭汤、柴胡疏肝散4剂，呃逆未止。西医诊断为：“单纯性膈肌痉挛”。诊得患者神情焦躁而不宁，呃声重浊而频频，口干舌红而苔黄，两脉细弦而滑数，大便干结。辨证为肝郁化火，挟胃气而上逆。治以清肝泻火法。处方：牡丹皮10g、栀子10g、黄芩10g、龙胆草6g、枳壳10g、柴胡6g、淡竹茹10g、蒲公英15g、黄连6g、吴茱萸1.5g。3剂。再诊时患者呃逆如故。审证求因，乃虑及前方清火有余而未予通腑，火郁中焦，阳明腑气不通，故拟清泄法，前方去枳壳，加枳实10g、大黄10g（后下）、玫瑰花6g、佛手6g，去柴胡。3剂。服1剂后，患者大便畅通，呃逆顿止。后2剂减大黄为6g（后下），尽剂而愈。

可见，呃逆除虚证见之宜用补法而外，临床多数为脏腑气机升降失常，胃气上逆。故治疗亦多取和降一法。但也有用之无效的。前者呃逆发作于惊恐之后，竟用镇肝安神取效。后者用清肝泻火、攻下通腑之品，胃肠郁热得泄，肝火亦得以折而下降，气机得以下行而顺，未用一味降气药而呃逆自除。说明审证求因，圆机活法，极为重要。

吴茱萸汤治呃逆心得 |陈建冲|

吴茱萸汤临床运用较多，若用之得当，常收到满意效果。

曾治中年妇女李某，呃逆半年多，呃声清脆，频频发作，时轻时重，静时尤剧，甚为烦恼。查其舌苔白，脉沉细，诊为呃逆证。前用丁香柿蒂汤、旋覆代赭汤温胃降逆均无效果，试以吴茱萸汤合半夏厚朴汤治之，药后即见良效，共服12剂，诸症若失。

又治宋某，症见呃逆频作，呃声响亮，胸脘不舒，已历3日。观其舌白而净，诊其脉缓。证属呃逆。即疏方：吴茱萸10g、党参15g、生姜5片、大枣5枚、制半夏10g、厚朴10g、紫苏梗10g、甘草3g。每日1剂，水煎服。

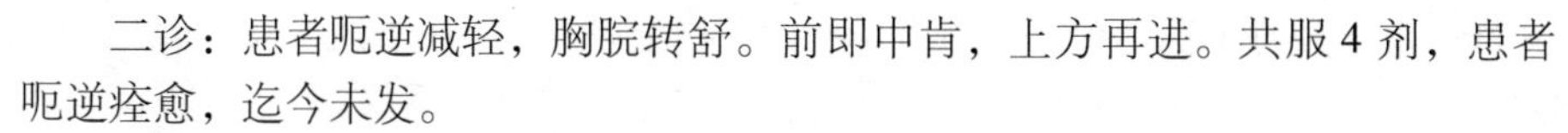

二诊：患者呃逆减轻，胸脘转舒。前即中肯，上方再进。共服4剂，患者呃逆痊愈，迄今未发。

呃逆古称为哕，是胃气上逆的一种症状，有寒热虚实之别。本文二例均属寒实证。

吴茱萸汤出自《伤寒论》，其组成是：吴茱萸、人参、生姜、大枣，药物配伍严密，适用于胃寒呕吐；厥阴头痛、吐涎沫；少阴吐利、烦躁。这些已为人所共知，但用于治疗呃逆，究属不多。笔者用其治疗寒实呃逆，不论病之久暂均有良效。倘与半夏厚朴汤合用。其效益彰。

化瘀治呃逆

严　冰

呃逆，古称“哕”，若属偶发，下药自愈，如持续不已，则应药治。1982年秋，工人孙某患呃逆之病，常因恼怒引发，已延近载，几经更医，反复不已，呃逆甚时，伴呕吐食物，自疑不治之症，而讳疾恶医，经其友再三劝说乃来院就诊。及余诊时，患者呃逆频频，说话每因呃逆而暂时中断，胸脘作闷，不时呕吐痰涎夹食。望其舌质紫暗苔薄腻，诊其脉象细弦。索阅前医之方，温胃、降气、化痰、平呃等法悉具，方投旋覆代赭汤、半夏厚朴汤似效非效。更方附子理中汤、丁香柿蒂汤、益胃汤等皆罔效。余思呃逆之病进温、降、化、平等法，未尝不合拍。然呃有新久之分、虚实之别、寒热之辨、气血之殊。古人所云“致呃之由，总由胃气上逆”“病深者其声哕”。此皆前人之经验也。言其治疗，用温胃降逆、降气化痰、清热养胃等法，此也言其常也。余揣摩再三，方悟此因恼怒气郁而生痰浊，痰阻血流而成瘀，痰瘀互结，胃气上逆动膈而成，祛瘀化痰即可。医先用温，温之不应，继用绛，降之不效，又议化痰，皆不合机，以致病延近载。遂用桃仁、红花、当归、川芎、赤芍之味化瘀通络，旋覆花、生姜、半夏、陈皮之味理气化痰。代赭石重镇虚逆，以收瘀散痰化之功。嘱用频服之法，饮不拘时，虑其呕吐不纳也。药进3剂，患者呃逆渐平。继进3剂，呃逆得失，脘闷亦舒，迄今未发。

术后呃逆，切莫等闲

李家振

呃逆乃一小症，日常多有发生，或因寒或因气，造成胃气上逆，呃呃连声，这种呃逆大多可不药自愈，稍重者予和胃降逆之法则可。正因症小，日常多见，常不为人重视，关键时刻延误治疗，往往造成不可弥补的后果。

术后呃逆，多因虚损。一则术前多病程较长，如患胃痛（胃溃疡、十二指肠球部溃疡等）、臌胀（肝硬化等）、慢性出血性疾病等常累及脾胃，使中气受损、升降失常。二则手术多损及脏器，耗伤气血，阴阳失调。三则术后禁食，使虚弱之脾胃，气血之耗伤不能及时获得水谷之滋养。因此虚呃发生，性命攸关，最当重视，治疗及时尚可转危为安，若贻误病机，则悔之晚矣！

曾治一刘姓患者，胃痛3年，反复发作，1978年12月因消化道溃疡出血，急诊收治入院，作胃大部切除术，术后3日发生呃逆，一般治疗不效，呃声频频，伤口因之裂开，第2次缝合后6天，请余会诊。见病人呃声不止，言低声弱，形体消瘦，双目深陷，视物模糊，听力减弱，食不入口，便稀色黑，舌淡，脉虚大无力。此乃中气大虚，胃气衰败之候，急予大剂益气固脱止呃之品。用黄芪60g、党参30g、白术15g、升麻6g、柴胡6g、当归10g、大枣30g、炙甘草10g、肉桂10g（研末吞）、红参10g（另煎先服）。患者服1剂后呃逆停止，连服3剂，精神好转，可进流质饮食。原方加麦冬、五味子，继服3剂，患者伤口愈合出院。

张景岳云："呃逆大要，三者而已，一曰寒呃，二曰热呃，三曰虚脱之呃……惟虚脱之呃，则诚危殆之证，其或免者，亦万幸矣。"又说："及呃之甚者，必其气有大逆，或脾肾元气大有亏竭而然。"对于术后，或久病元气大亏而出现呃逆者，医者应予高度重视。

伤科手法治呃逆

王　惠

余曾用伤科手法治疗一例颈椎病并顽固性呃逆患者。郑某，于4年前产后偶因饮食受哽，发生呃逆，其后当走远路、进食后即发生呃逆，1年来病情加重，以致无法进食与平卧，当地久治不效。其夫为此学会针灸，饭前、睡前给予针刺内关穴，边捻转边进食。有一次其夫外出救灾2天未归，彼竟两天未食。近1个月来针刺亦不能进食。1980年5月以"顽固性呃逆"住院，半月未见减轻，经同道介绍求治于余。患者体质消瘦，痛苦难言，饮食大减，呃声频频，一次间隔不到10秒钟。触诊颈部有棘上韧带条索感，颈椎3、4间隙两侧显示不对称性小结节，压痛明显。颈椎X线所见：颈椎曲度平直，棘上韧带有钙化阴影。余即给予推拿手法配合低头侧推旋转手法，指下感觉复位成功，瞬间患

者呃逆声止，当即进食一个小面包，喝水一杯，呃逆未作。嘱其勿低头，勿走远路，低枕平卧，进食宜细嚼慢咽，若有发作即来诊治。5天后患者来诊谓："复位后间断发作过2次，持续时间很短，能自行停止。"仍不敢大胆进食，诉头晕心悸减轻。先后施行7次手法，后期内服温胆汤加味，配合颈椎牵引，门诊治疗23天，每餐能进食200g（4两），睡眠益佳，头晕心悸已除，体重增加5kg，其后8个月未发。1981年4月该患偶然发生一次颈部扭伤，复受风寒，呃逆复发，适逢余在南京学习，病人由家属陪同来宁求治，经一次手法即止。先后治疗3次，即告愈返家，随访4年未见复发。

手法是中医伤科治病的一种重要手段，也是祖国医学中的一枝奇葩。余运用伤科手法，治疗颈椎病并顽固性呃逆一案，竟获意想不到的效果，爰记于此，以资参考。

祖传验方治呕吐

|贺方礼|

呕吐一症，多因脾虚痰阻所致。余临证每用祖传验方〔由半夏10g、粳米一撮、食盐15g、鸽子屎12粒（打碎焙干）组成〕治疗，效果颇好。

如刘某，年过半百，1978年8月在衡阳医院行胃溃疡修补术，术后半月余，每天食后呕吐白痰，不欲饮食，经西药治疗效果不佳，遂来我院求诊。余视其舌苔薄白、脉弦滑，一派脾虚痰湿之象，投以上药用开水冲服。患者连服2次，呕吐即止。

慢性泄泻治疗用药点滴经验

|姜春华|

我在临床上见到的慢性泄泻，以脾肾阳虚、肝横犯脾、脾胃虚弱为常见；亦有湿热滞留者，大便中带有脓血样分泌物。前人说："暴泻属实，久泻属虚"。此语不切，因暴泻必有虚证，久泻也有夹实。应该说"暴泻多实，久泻多虚"。对脾胃虚弱者，常用益气健脾药如党参、黄芪、山药、白术、茯苓、陈皮、砂仁、肉豆蔻等，对脾肾阳虚和肾阳虚者，都用壮火温脾药如益智仁、补骨脂、诃子、附子、肉桂、干姜、高良姜、砂仁、肉豆蔻、木香之类；罂粟壳我不常用，因为用久了会成瘾；对于肝气横逆犯脾胃者，常用平肝和脾药，如

白芍、川楝子、木瓜、山药、党参、茯苓、枳壳、柴胡等；有湿热的加入清热燥湿药。

无论急性、慢性泄泻都不用利湿药，常用燥湿药。前人说湿多成五泻，所以后人一般沿用利湿，以为利湿可使小肠分清理浊，大便得以干燥。我认为泄泻丧失津液已多，不宜再用利尿，尤其是小儿。

对慢性热性泄泻，我也不主张纯用清热解毒药，而常用扶正药加入清热解毒药。因为慢性热性泄泻久久不愈是人体本身的正虚，不是病邪的势盛。扶正药可以增强病人的抗病能力。

对于因食物、冷热及水土等所致的慢性泄泻，常用芍药甘草汤，方中芍药可用24～30g，该方有调和营卫、纠正过敏、缓解泄泻止痛之功。

对大便带血的慢性泄泻，常用羊蹄草、黄柏、有较好的止血作用。

古人认为酸涩药不宜早用，否则邪滞不去。但医者应注意，如病人泻下次数太多或太久，必要时当然可以用。如诃子、石榴皮、乌梅、金樱子之类，可酌情在各种类型的方药中加入。此外，部分酸涩药还有清热解毒作用，如地锦草、蚂蚁草之类。

参桂芍草汤治疗慢性腹泻

|柯梦笔|

慢性腹泻多由饮食不节、调护失宜或因急性腹泻失于调治迁延而成。病变的中心在脾，即所谓“久泻伤脾。”脾属阴土，须赖肾中阳气温煦方能司其运化之职。若脾土虚寒，水湿内盛，多因肾阳不足所致，形成脾肾阳虚。肝为刚脏，最易侮土，脾虚木乘，司运失职。故慢性腹泻始则因泻伤脾，继则以脾虚为中心，涉及肝肾。治疗应从补脾为主，辅以温肾，佐以抑肝，使脾土复运，腹泻自愈。近年来自拟“参桂芍草汤，”治疗此类型慢性腹泻，疗效颇佳。

“参桂芍草汤”由党参、肉桂、白芍、白术、炙甘草、干姜、白茯苓、广木香组成，方中党参、白术补气健脾；干姜温中散寒；肉桂温阳补肾；白芍敛肝，配白术抑肝扶脾；芍草相伍缓急止痛；木香理气（但不宜多用，多用易伤真气）；助茯苓健脾运湿。寒甚者加附片；便前腹痛甚者加重白芍、甘草用量；肠鸣甚者加防风；小腹及肛门坠胀者加升麻、柴胡；黎明腹泻者加煨肉豆蔻、补骨脂；纳少、脘闷腹胀或进食油腻便次突增或便中有不消化物者加枳实炭、焦山楂、六神曲、炙鸡内金等；便中有黄色黏液或便检有少量脓细胞者加马齿

苋。如患者黄某，3 年前患急性肠炎，治未痊愈，酿成慢性。平素大便日行二三次，呈糊状或稀水样，便前小腹隐痛，便意频频，受凉遇冷或进荤食则便次明显增多，每日可达十余次。便中常有不消化食物，曾经中西药治疗未效。初诊见其面色皖白无华，精神疲惫，食欲不振，脘腹畏寒怕冷，大便日行六七次，质稀如水，腹痛肠鸣阵作，便后缓解。实验室检查：大便色黄，不消化物（+），苔白腻而滑，舌体胖、边有齿印，脉沉细。投参桂芍草汤 5 剂，患者泻止痛除，续进 10 剂，以资巩固。随访半年，未见复发。

晨泄不独肾阳虚

| 张树田 |

晨泄又名肾泄，常见于每天黎明前后泄泻，故又称“五更泄”。一般认为此多由肾阳不足，命门火衰，阴寒独盛于内所致。因此，治疗本病多采用温肾固涩的方法，如四神丸、桃花汤、五味子散之类。在临床实践中，用上法治疗有的效果明显，但不效者也不少见。余经多年的临床探索，认识到本病若属“肾泄”者，一定会有肾阳虚的临床表现，如畏寒肢冷、腰膝酸痛、阳痿滑精、小溲清长、脉沉迟或细弱、舌质淡胖等。出现上述症状时运用温阳涩肠的方法，能取得较好的疗效。而临床上较多见的则是出现脾虚湿胜的证候，如在五更泄的同时伴有面色萎黄、体倦乏力神疲、劳累则气短汗出、身重肢沉、苔腻脉濡等。还有相当一部分病人，症状体征并不明显，这就说明大部分病人病不在肾而在脾。

因此，余在临床上常用健脾祛湿法治疗本证，不论病程长短，每获良效。常用药物有党参、苍术、白豆蔻、茯苓、陈皮、猪苓、泽泻、薏苡仁等，并据《脾胃论》“下者举之阳气升腾而愈”及“湿寒之胜，当助风以平之”之训，佐以升阳祛风之品，如柴胡、升麻、葛根、防风等则取效更彰。余曾治一患者，晨起腹痛胀泄二十余年，自述病起于痢疾之后，当初未予重视。嗣后，每至五更前后即作腹痛胀泄，四季如此，病发先作肠鸣胀痛，腹痛即泄，泄下不爽，夹有黏冻，便后则舒，平时感头昏，肢倦乏力，纳谷不香，时有眼睑浮肿，舌淡，苔白腻，脉濡。治以健脾化湿，佐以祛风升阳。处方：柴胡 9g、防风 12g、党参 9g、苍术 12g、白术 12g、猪苓 12g、山楂 10g、升麻 9g、薏苡仁 30g、陈皮 9g、甘草 6g。上方稍事加减共服四十余剂，患者诸症悉平，且疗效巩固。

抑肝扶脾治晨泄

郭辉雄

李君，年甫不惑，患晨泄，每于五更即欲登圊，连二三行，深为所苦。经治未效，乃求余诊之，初不以为然，诊毕即曰：此五更泄，乃肾阳式微，命门火衰使然，故亦名肾泄，治之可瘥。遂疏一方以四神丸加赤石脂、诃子等温肾固涩之品，迭进十余剂，毫无寸功，余心怅然。是古方不灵？抑或辨证不精耶？审谛覃思，医者治病，切忌先入为主，拘泥古方成法，偏执一方以应无穷之变，审疾诊病，务宜审慎，细节奥窍，不容丝毫疏忽。细询其由，初因嗔怒，情志怫郁而发病。刻下每至五更，肠中漉漉，雷鸣切痛，撑胀不舒，急登厕，泻下溏薄，清稀水谷杂下，夹有矢气，脘胁胀满，肢体困重，倦怠嗜卧，舌苔薄白微腻，脉左关弦，右关缓。析义其证，病发于晨，时在寅卯，肝木当旺，阳气初升，木旺克乘脾土，但脾土不及，少阳生发之机不能上升，清气反而下陷，故清晨必泄；木乘土位，此腹痛即泄之所由作也。水谷杂下，夹有矢气，实乃肝气郁陷，脾湿下注之候；脘胁胀满乃肝气横逆；脾虚湿恋故肢困嗜卧；本案无腰酸肢冷、舌淡脉细，显非肾阳衰惫。脉证合参，病在肝脾，良由肝旺木乘土位，脾虚清阳下陷使然。立抑肝扶脾、升阳化湿法，疏方如下。

柴胡10g、白芍15g、白术10g、防风10g、甘草6g、葛根12g、藿香10g、茯苓12g、薏苡仁15g、生姜芽15g、陈皮10g。

方中白芍抑肝木之过亢，缓肝之急；茯苓、白术、薏苡仁、甘草扶脾土以化湿。既言抑肝，不用柴胡，殊不知脾气横逆郁陷于脾土之中，舒之以遂条达之性也；且用麦芽升发，乃舒肝佳品，肝郁得解，脾陷自升，制方之意，良有以也。清气下陷，理当升阳，复用葛根升举下陷之清阳，用防风者，以风药能胜湿，且可升提阳气；陈皮理气畅中，醒脾和胃；藿香芳香悦脾以遂脾之性。本方抑肝中遂条达之性，扶脾中举升阳化湿之功。

服上药5剂，果尔，患者腹痛乃定，晨泄一次，断以上方化裁，调理一候，诸症获廖。李君欣然曰："数载痼疾，一旦霍然，中药神功也"。噫：治病之难，难在识证，临证切忌泥于套法，印定眼目，必须知常达变，贵在辨证，庶可克疾制胜矣。

四逆散治五更泄

|刘可成|

余数十年来在临床上遇到一些五更泄患者，用四神丸治疗罔效。经细心诊察，发现有些患者除黎明前发作腹痛即泻、肠鸣、肢冷外，还有胸闷胁胀、舌淡红、脉沉弦有力等症。这些脉症的出现，与肝脾病变有关。《伤寒论》少阴篇谓："少阴病，四逆，其人或咳、或悸、或小便不利，或腹中痛，或泄利下重者，四逆散主之"。患者五更泄之见症与本条之脉象及厥冷一致，在四个或然症中五更泄占有两个，即腹中痛及泄利下重。二者机制相同，于是诊断为肝气不舒，木邪乘土，治宜宣畅郁阳、疏肝理气。方用四逆散（改汤剂）而临床取效。

一周姓中年女教师，患病三年余，曾求医于县、地区医院，服药虽多，其病未愈，不分酷暑严冬，每至天亮发作，腹痛难忍，肠中如雷鸣，急则登厕，大便作泻，泻后舒畅，两胁时胀，舌面无苔，舌质淡红，两脉沉弦有力，脉症合参，此乃肝气郁结，气机不利，横逆犯脾，治宜调和肝脾，宣畅气机，透达郁阳。方以四逆散（改汤剂）加味。药用柴胡13g、枳实12g、白芍12g、甘草3g、加广木香6g。服第一剂后，患者腹痛未作，泄泻止，连服两剂，病告痊愈。

几年来，我所治的五更泄，凡属肝脾之气机郁结者，均以四逆散为基本方。病程长、气机郁结甚者，加广木香、香附之类，使气机通畅，脾之郁阳透达。

治疗五更泄，不能概温肾

|彭述宪|

五更泄一病，历代医家多责之于肾阳衰弱，脾失温煦所致。治疗大都以四神丸温肾暖脾，效者有之，不效者屡见不鲜。临床细究，殊不尽然。如患者李某，至黎明腹痛，随即作泄，泄后痛减，服四神丸、桂附理中丸无效，已逾一载，求诊于余。询其心烦多怒，口苦咽干，观其舌红苔黄，切其脉弦而数。乃情志不调，肝气怫郁，日久化火，乘克脾土，至寅卯时，木强凌土，发生五更泄。投自拟泻肝益脾煎（川楝子、蒺藜、青皮、郁金、白术、茯苓、麦芽、甘

草）加黄芩、枳壳、白扁豆，进7剂，使郁解热清，脾健泻止。又一患者袁某，半年前患赤白痢，经中西医治疗月余，下痢虽止，每于清晨腹泻一二次，屡进补脾温中、暖肾收涩药，病情加剧，泻时腹中绞痛，肛热不爽，口渴、舌红、边黯、苔黄滑、脉沉数。思《医林改错》谓："总提上有瘀血"，可致五更泄。此为湿热久蕴肠中，致气滞血凝，传导失常，清浊不分，而发晨泄。方用活络效灵丹（当归12g、丹参15g、乳香6g、没药6g）加香附、白头翁、金银花、佩兰、薏苡仁、甘草，以活血疏气，祛湿解毒。服十余剂，患者病除体康。此外，酒积、寒积、食积皆可导致五更泄。明代医家秦景明的《证因脉治》辨之最详，业医者，必须一读，才不囿于肾阳虚一端。

用六味地黄丸治愈夏季五更泄

范镇海

1982年仲夏，余治彭姓妇，年41岁。患者产后体虚，不慎病温，尔后即发夏季五更泄泻，历十余年百药不效，来院求为诊治。思其苦疾不愈，此必有其因？细询之，知泻前心烦，手足心热，腹胀，此乃阴虚之明证也。本温病之后，每有阴虚，阴虚之体，又适夏季炎热，汗出复伤其阴，则阴虚更甚，而致肾阴不足也。阴不足则阳无所济，其时阳主无权，气化失司，不能升清降浊，于是"清气在下""浊气在上"，故腹胀腹泻，此黎明作泻之所由来也。悟得此理，余认为用滋肾方能治愈，遂拟六味地黄丸，调治半个月后，果病痊愈。至此2年，未见反复。

本例黎明即泻，为何起于夏而愈于秋？夏季暑令，体虚之人每易感之，其病亦如羸弱小儿夏季久热，秋凉自平相类。一般认为本病属脾肾阳虚，运化失常所致，治宜温补脾肾为其常，此例则用六味地黄丸滋补肾阴以济肾阳而收全功。由此可见，同一病有常有变，要知常达变，辨证施治，庶可克疾制胜。

长江之滨话"泄泻"

孙 浩

长江中下游地带，地热低，雨水多，空气湿度大，夏秋季节容易发生泄泻。最多见的是湿热泄泻和寒湿泄泻。这两种泄泻都与"湿"有很大的关系，前人说过"湿胜则濡泻"。湿有内湿和外湿之分，内湿是因为脾气虚弱，不能运化

水湿，湿从内生；外湿是指“六淫”之一的湿邪，由于脾虚肺弱，卫表不固，湿从外入。由此可见，湿（无论是内湿或外湿）与“脾”有很大的关系。后汉张仲景早就强调过脾的作用，他曾经说过“四季脾旺不受邪”这句话。基于这样的认识，我在治疗这两种泄泻时，总是注意解决好脾与湿之间的因果关系，尤其是抓住“健脾”这一根本。

例如暑湿泄泻（湿热泄泻），是因为长夏暑湿困脾，脾阳不运，水湿注于肠道而成。症见暴注下迫、便黄热臭、发热、口渴、小溲短赤、舌苔黄腻等一派暑湿（湿热）的征象。我治疗这种泄泻常用三物香薷饮去川厚朴，加健脾利水药，如香薷、白扁豆、黄连、豆卷、茯苓、薏苡仁、六一散、通草、姜衣等。其中香薷、豆卷轻宣暑热，散发湿邪；茯苓、薏苡仁、白扁豆健脾利湿；六一散、通草、姜衣、黄连利水泄热。姜衣与黄连配合，辛开苦泄，共奏祛暑解热之效。这种泄泻虽然是暑热偏重，但不宜过用苦寒药，因为其中还有湿的因素，如果过用苦寒药，反使暑伏湿遏，缠绵不解。湿又可以转化为热，它能助暑助热为虐而加重病情，从这个意义上说，治疗暑湿泄泻，化湿、利湿就占有很重要的地位了。同时化湿、利湿药又有间接健脾的作用，因为脾喜燥恶湿，湿去则脾气自和。另外，健脾的药也不可缺少，因为健脾药有运湿、胜湿的功效，它有助于祛除湿邪，故《医宗必读》的作者李中梓就说过“脾旺自能胜湿”，这句话是很有道理的。

关于寒湿泄泻。这种泄泻是因为外感寒湿之邪遏于中焦，造成中阳不运，水寒偏注大肠所致。症见大便清稀，肠鸣腹痛，泛恶清水，舌苔白腻，伴有恶寒发热。我对这种泄泻的治法，一是祛除寒湿，二是振奋脾阳。常用藿香、紫苏叶、广陈皮、半夏、木香、砂仁、温六一散（六一散中加干姜）、茯苓、白术、肉桂、附子、乌梅或白芍等药。这些药里面有温阳药如干姜、肉桂、附子，也有酸敛药如乌梅或白芍。这是根据“壮火暖土”“泄木安土”的道理来配制的。尽管临床表现并没有明显的肝旺、肾虚的症状，也可以适当加入这一类药，它可以起到促进脾气健旺的作用。

邹润安论痞利证提要

成奉觞

痞利证，仲景含蓄未分。《本经疏证・禹余粮》条邹润安分为因痞致利与因利致痞。并且指明理中汤、泻心汤属前者，赤石脂禹余粮汤属后者。特举笔者两治例于下。

1938年冬，未满一岁的胡姓小孩，腹满吐利，经服竹叶石膏汤、乌梅丸（汤）等多剂无效。笔者认为脾寒胃热，升降失职，主连理汤燮理阴阳，日一剂。3剂后复诊，患儿明显病减，举家皆大欢喜。患儿祖父略知医，谓：连理汤药物，均为乌梅丸方所有，不过主攻方向不同，一效、一不效，对证下药，真是治病关键。我点头称是。主五味异功散善后。

1961年夏，一不满两岁小孩，因吐泻来我院求治。辨病：中毒性消化不良、中度失水。给抗生素、输液等治疗。笔者会诊：得知患儿发病时，每天吐3～10次，接着吐止，拉黄色水样便、含奶块、有酸臭气味，每天30次以上。尿少、肢冷、烦躁、腹胀满（上腹部高出胸骨）。辨证：利在下焦。主春泽汤（五苓加参），每日1剂。2剂后，复诊，患儿大便仍直下，口渴，尿少，腹胀肠鸣，主赤石脂禹余粮汤加味。药物：赤石脂、禹余粮各50g，肉桂2g，仿清代吴师机《理瀹骈文》外敷法，研末，用酒精调，纱布包敷脐上24小时。三诊：患儿大便已成形，腹胀减，其父与儿科主治军医陈某异口同声谓：“敷药好，敷后即排气。”仍敷前药24小时。四诊：患儿整天大便8次（日7次，夜1次），转危为安。主参苓白术散（汤）善后。

前例为脾胃升降失职，形成痞满吐利，关于因利致痞，以肺与大肠为表里，大肠下泄、津不供肺，致肺乏津，气壅于中而不固下。

唐容川用败毒散治痢疾的经验

江克明

上海中医学院前院长程门雪曾经讲过唐容川用败毒散治疗痢疾的经验。程院长学中医时，跟随上海名医丁甘仁老先生。某年夏，丁老先生的一位幼辈患痢疾，用治痢套方月余不瘥，总是身热不已、下痢不止。正在忧戚之际，恰巧唐容川来到上海，名家相逢，甚为相契。丁老先生怜幼心切，虚怀若谷，特邀唐氏为之诊治。唐诊视之后，遂处以人参败毒散治之。丁老先生深知有理，甚为赞同，给病人服之，果然1剂即身热退，再剂而下痢亦止矣。一时传之上海，成为医界美谈。

败毒散治疗痢疾的记载，最早见之于《丹溪心法》。明代朱橚的《普济方》治痢门中亦收治此方，还有仓廪散（即败毒散加陈仓米）治噤口痢的详细叙述。至清代喻嘉言著《医门法律》更推崇此方为逆流挽舟法，比仓廪散的运用又有所发展。唐容川真善于继承和运用，可资后人借鉴。

危重疫痢，一剂见功

王渭川

周某，男，成年，患赤痢数日，每日数十次，不能饮食，烦渴饮冷，唇红面赤，痢色红，腹剧痛，里急后重，壮热神昏，溲黄稠而臭，舌绛苔光，证属肠风下血。赤痢挟火之合并症。用犀角3g，细生地黄、仙鹤草各60g，白头翁、秦皮炭、黄连、地榆、琥珀末各9g，茯苓皮、车前子各24g。一剂患者热退神清，腹痛赤痢大减。次日继服前方，两日而愈。

按：本方以白头翁、犀角、琥珀以控制痢疾，生地黄凉血养血，仙鹤草止血。因此对疫毒热痢投方遂愈。中医治病不求药之特效，而在辨证立法，无往而不利可证。

万氏和中丸治慢性细菌性痢疾疗效好

邓来送

笔者因患慢性细菌性痢疾用中西药均未取效。后学了明代万全（密斋）著的《幼科发挥》卷之三“痢疾”一节家传和中丸，观其组方很有道理，该方寒热药并用，既扶正又祛邪，笔者服用后疗效显著。

此方由人参、甘草、白术、茯苓、陈皮、当归、白芍、川芎、黄芪、车前子、泽泻、猪苓、黄连、木香、干姜、诃子、肉豆蔻、神曲、麦芽等药组成。水煎服或研末水泛为丸。

万氏和中丸系四君子汤加黄芪、当归补气血，白芍、川芎行气止痛，香连丸治赤白痢疾，干姜温脾阳，神曲、麦芽消食积，肉豆蔻、诃子温胃气以收涩，车前子、泽泻祛湿热并能分利清浊使水液从小便排出，而大便变实。

临床运用时，可辨证化裁，根据体质、病情的寒热，决定黄连与干姜的用量比例，按大便稠稀选用诃子、车前子，亦可增加秦皮、石榴皮、怀山药。

如陈某，1982 年 10 月初患细菌性痢疾住院治疗，大便正常后出院。当年 11 月中旬又下痢，经厂医生给痢特灵、四环素无效，日泻四五次黏液稀便，有时见脓血，延至次年 2 月未愈。大便化验检查：红细胞（＋＋）、脓细胞（＋＋＋），身体虚弱，脉细数，舌质浅红、苔白腻。系邪热未出，正气已伤，用万氏和中丸加减：党参 6g、茯苓 6g、白术 6g、黄芪 6g、黄连 3g、木香 2g、当归

6g、白芍6g、神曲6g、麦芽6g、肉豆蔻2g、石榴皮6g。3剂后患者大便见好，无脓血，恢复正常，经化验检查呈（－），病愈，至今一年多未发。

扶正祛邪话“乙肝”

姜春华

慢性乙型肝炎迁延不愈，其病在肝。当病邪侵入肝脏时，首先是肝血壅滞，继则肝失疏泄功能，时间稍久则由壅而成瘀，致肝络壅滞窒塞，结而成痞（肝脾肿大）而三焦不利。临床上可根据各脏腑的阴阳气血、寒热虚实，辨证用药。如阴虚病人失眠、口干、溲黄，可用生地黄、石斛、天花粉、何首乌、麦冬、阿胶、五味子之类养阴药；如失眠重者加酸枣仁、夜交藤之类；肝胆火旺者加栀子、龙胆草；心火偏盛者加川黄连；气虚病人四肢乏力、神疲倦怠、面萎色晦，应着重于益气，加党参、黄芪、白术之类；有大便溏泻者加诃子、神曲；食欲差者加砂仁、豆蔻仁、川黄连、陈皮；腹胀者加紫苏梗、藿梗、大腹皮；气阴两虚者随症酌加补阴益气两类药物。在没有明显症状可辨时，只有从已证实的病上去考虑，推论正邪虚实，探索用针对性药物进行治疗。

慢性乙型肝炎患者，常见其乙型肝炎表面抗原（HBsAg）反复呈阳性，缠绵不愈。从中医病因学角度看来，这是由于邪正斗争有反复。正，指人体内在的抗病功能；邪，指致人疾病的外来因素。正胜则乙型肝炎表面抗原转阴，邪胜则转阳。所以，在治疗上，扶正与祛邪是不可忽略的两个方面。

中药黄芪、党参为益气之药，以黄芪为主药，辅以党参（或太子参）、五味子，能增强人体免疫力，提高抗病功能，这是扶正的一面。黄芪用量为15～150g；或言黄芪多用有壅气之弊，但临床上未见。另一方面是针对病毒进行祛邪壅治疗。有毒当消当解，可采用全瓜蒌（对治疗黄疸、转氨酶增高有效）、羊蹄根、大黄、牡丹皮、连翘（有活血凉血作用），或加蒲公英、板蓝根以加强解毒。临床上可视病人之虚实，毒邪大小，增减用药。

如上所述，慢性乙型肝炎既有正虚的一面，又有邪盛的一面，正虚邪盛除产生一系列症状外，同时出现相应的病理变化；反过来又可导致正更虚或邪更实。故在治疗时，对人体、病原、症状三者应通盘考虑。扶正治整体，可以增强病人的抗病力、恢复力；治疗症状，可因症状的消失而增加人体的抗病能力；治疗病原又可以消除症状。三者结合，标本同治，有利于提高疗效，巩固疗效。

急黄——重症肝炎辨治一得

卓堇峰

急黄系黄疸中的一种危重病症，必须治疗及时，辨证准确。治疗黄疸应遵循古人的经验，沿用阳黄和阴黄、偏热与偏湿作为辨治准则。1982 年秋曾治愈 1 例急黄（重症肝炎）患者吴某，全身乏力，饮食减少，恶心呕吐，头晕，腹胀，厌油腻，嗜睡，右胁隐痛，身觉低热，皮肤及巩膜轻度黄染，肝功能检查，转氨酶高达 256U，安徽军区某医院拟诊为黄疸型肝炎而收住院。入院后给予西药保肝及对症支持疗法，中药采用苦寒清热利胆之剂，方用龙胆泻肝汤合茵陈蒿汤加减，治疗月余，诸症不减，病情呈进行性加剧，黄疸迅速加深，诊断为重症肝炎。乃邀我会诊，先后会诊 7 次，通过辨证治疗，化险为夷。

初次会诊时，患者面目体肤晦暗而黄染，腹胀纳呆，恶心厌油，大便溏泄，小便短赤，舌苔黄而厚腻，脉虚弦而缓。综合患者的病情，此症系阳黄偏湿。腹胀便溏纳呆乃一派脾虚湿盛之象，若过用苦寒之品，势必更伐脾胃，中土败伤，健运无力，湿热难化。根据《金匮要略》“见肝之病，知肝传脾，当先实脾”的原则，采用苍术、白术、白豆蔻仁、茯苓、生薏苡仁、白扁豆等健脾化湿之品为主，配合柴胡、赤芍、白芍、川郁金、枳壳以疏肝利胆；用茵陈、垂盆草、赤小豆以清热退黄。第 2、3 次会诊时，患者病情明显改善，舌苔由厚腻转为薄黄，出现舌质红并有剥离现象。舌苔的变化是判断邪正胜负的重要依据，患者舌苔由黄厚而转薄黄，虽是病邪消退现象，但舌质转红而剥脱，说胆肝脾之阴损害已见端倪，在原方疏肝健脾、清热化湿的基础上加用北沙参、生白芍、石斛以益肝脾之阴。第 4、5 次会诊期间，患者曾出现寒热交作，全身关节酸楚，头痛鼻流清涕，隔日全身红疹满布。分析病情，此系久病体虚，风邪束表，内在湿热毒邪化为红疹而外达，是病机向愈的转折，根据“急则治标，因势利导”的原则，给予升麻葛根汤加减，以解肌透疹、清热解毒，患者热退疹消，恙情转安。会诊至最后阶段，患者黄疸消除，饮食正常，二便自调，精神转佳，肝功能恢复正常，病情向愈。治疗转入调理阶段，以逍遥散出入，疏肝理脾，调养气血，善后收功。

通过会诊，余深刻体会到辨证论治在中医临床上的实际意义。先后 7 次会诊，始终贯穿着中医基本理论，按照辨证论治的精神，正确辨证，灵活施治，不仅临床症状迅速好转，而且肝功能在短期内也得到恢复。充分证明把握病机，辨证施治，是中医治疗疾病不可忽视的原则。

温阳泻肝治急黄

|陈 奇|

急黄甚暴，临床多因感受疫毒、湿热邪毒而化燥伤阴，以阳黄居多，多用清营凉血、清热解毒、利湿退黄的治法。然亦有属阴黄者，多系阳黄转变而成。或素体阳虚，湿重热轻，湿从寒化，湿盛阳微而伤阳；或湿热邪毒内蕴，耗伤阳气，而见寒热错杂之证，务宜审慎辨治。尝治刘某青年，骤发黄疸，急剧加深，西医以亚急性黄色肝萎缩、重型肝炎收入住院，邀余会诊。诊见患者身目俱黄，色甚深而晦暗，尿如浓茶而极短涩，神识昏蒙，时燥烦，高热，寒战，腹胀，下肢微肿，四肢清冷，大便闭结，舌胖嫩质淡，苔黄腻，脉沉细弦数。论肤色显系阴黄，然非纯属阴寒之证。窃思其疸，乃湿热毒邪壅盛，湿伤阳气，肝失疏泄，胆汁外溢，而见阴黄之象。此刻正虚邪实，寒热夹杂，甚恐邪毒攻心，成闭脱之变。急宜温阳泻肝、解毒醒神、清利湿热，当即灌服安宫牛黄丸1粒，并处茵陈术附汤加减：茵陈20g、苍术12g、制附片7g、干姜6g、板蓝根18g、龙胆草10g、柴胡10g、郁金10g、丹参18g、大黄10g、泽泻10g、石菖蒲8g。患者频服2剂，当夜继服安宫牛黄丸1粒。次晨神识转清，寒热见退，前方去石菖蒲，加参须6g，改日服1.5剂。后宗原方稍事加减，连服1周，患者寒热除，黄疸减退，乃去干姜、附子之温，酌加茯苓、白豆蔻仁等健脾化湿之品，改日服1剂。经治旬日，黄疸消退大半，方去苦寒清泄之龙胆草、大黄等，酌加当归、白芍养肝。又经旬日，患者除两目稍黄外，余症消失，继与八珍汤加疏肝养肝之品善后出院，归家休养3个月，始恢复劳作。本案例濒危突变，病情错杂，既有阴黄之象，又见高热、烦躁、苔黄腻、脉沉细弦数等热毒内蕴之征，故以温阳泻肝取效。

小议重肝用药

|胡国栋|

重肝古称“急黄”“瘟黄”，病情危重，预后多不良。笔者从多年教训中体会到应当注意三个字，即补、通、清。

第一是“补”字。本病乍看起来一派实象，但细究其因和诊其脉，实为本虚标实。盖病之成，缘由正气大亏，邪毒侵犯，肝胆郁滞，化热犯及心营。今

肝已病，肝的各种功能受到严重损害，失去藏血去邪之功，所以治疗本病必须立足于补，补在于大补正气，扶正以逐邪，修复组织损伤，以治病留人。西医则主要在补，如大剂量补充各种维生素、葡萄糖、能量合剂、人体蛋白及水盐、电解质等，至关重要。中医则主要在于养肝肾、补肝血，使肝阴复，肝血藏，肝气条达，常在疏肝利胆、除湿退黄、凉血解毒的同时，酌情加一二味益气养血之品，如党参、丹参、沙参、当归。因肝功能受到严重损害，一切有毒之品，如天南星、蜈蚣、全蝎、斑蝥，破瘀活血之三棱、莪术、桃仁、红花等当予禁用，行气耗气之品，即用也不可过多，以免克伐。

第二是“通”字。本病常表现为肝胆湿热气结，小便深黄量极少，大便秘结，因此，自始至终注意通利二便，排除湿热毒邪是很重要的。临床实践证明，二便不通，病必加重，反之病即减轻。笔者常用茵陈四苓汤加田基黄、金钱草等大剂利胆退黄通淋之品，加酒炒大黄以通便，大便通后，再加全瓜蒌、炒莱菔子宽胸导滞，务使大便保持每天 1 次，邪毒外排，有利于本病恢复。凡有碍邪气排出的药，如健脾、益气、酸收之品在当所忌。

第三是注意一个“清”字。本病属湿温，常犯营血，因此清气泄热、清营凉血，在整个病程中都是重要的。及早清心肝之邪热，不仅可挫其嚣张之势，且可防止其传变，若传入营血，似难逆转。笔者常用牛黄、玄参、丹参、连翘、麦冬仿清营汤，以牛黄易犀角，配入上述方药，有较好的治疗效果。本病始终宜清，一切温热之品，助火之食均在所忌。

总之，若能注意以上三点，治疗本病是可以取得效果的。患者张某，1982 年冬因患急性黄疸性肝炎，住院治疗无效，转入内江专区二院。诊之，面目、全身俱黄，脘腹胀满、膨隆，疼痛拒安，腹腔穿刺有脓液，血浆蛋白低，白蛋白、球蛋白倒置，谷丙转氨酶持续在 400U 以上，全部肝功严重损害，烦躁、大便常数日一行，小便深黄量极少，舌质红，苔心厚腻，脉弦数，发热。西医诊断为亚急性重型病毒性肝炎伴原发性腹膜炎。除用西药大剂量广谱抗生素外，余诊为湿温，由气及营，谨遵上法，给予沙参、丹参、玄参、瓜蒌、茵陈、田基黄、猪苓、泽泻、栀子、牛黄、酒大黄等加减治之。服 2 剂，患者便畅尿多，6 剂控制病势，后加减治疗 3 个月痊愈出院，迄今两年多，身体健康。

急性黄疸型肝炎临证一得

王士荣

急性黄疸型肝炎属“黄疸”范畴。《内经》谓：“湿热相搏……民病黄疸。”

究其病因概属温热相搏，郁蒸中焦，犯及肝胆，以及七情肝郁，土壅湿郁化热。盖气郁则湿郁，温郁则化热，湿热蕴蒸，脾胃升降失职，肝胆疏泄失司，乃至瘀热阻滞百脉，胆汁不循常道使然。

湿热病毒犯于人体，每因体质禀赋而转归有异。若阳旺之躯多从热化而成热重于湿；阴盛之体多从阴化而致湿重于热，临床辨证不越此二端。

热重于湿者，治以清热利湿，芳香和中，凉血解毒。以自拟解毒退黄汤。方用：茵陈30g、对生草18g、虎杖12g、焦栀子5g、白茅根18g、制大黄9g、田基黄12g、一枝黄花18g、黄芩9g、藿香9g、白花蛇舌草18g、蒲公英12g。发热加麻黄、连翘、大青叶；便溏不爽加黄芩、大腹皮；呕恶加黄连、竹茹、姜半夏；便结改用生大黄，便通后复易制大黄。

湿重于热者治以化湿清热、旋运中焦，以自拟化湿清热汤主之。方用：藿香9g、佩兰9g、茵陈18g、苍术9g、厚朴5g、土茯苓18g、木通5g、砂仁5g、对生草18g。发热加黄芩、淡豆豉，恶心欲吐加川黄连、紫苏叶；腹胀小便短少加大腹皮、枳壳、白花蛇舌草、鬼针草。

以上分型，临证时务要谨守病机，随症加减。为缩短病程，促进肝功能的恢复，当须注意以下几个方面。

湿热系病毒，解毒功尤著。丹溪谓湿热之治，“分利为先，解毒次之。”黄疸型肝炎有强烈的传染性，乃湿热病毒内蕴，其机制一如上述。若湿热病毒不除，则黄疸稽留，故必须在清热化湿的基础上重用解毒之品，可奏事半功倍之效。如一枝黄花、对生草、白花蛇舌草、田基黄、重楼、半枝莲、蒲公英之属，均可随症选用。

清热毋忘凉血、活血以速退黄。肝藏血，与为表里，湿热郁蒸，气机阻塞，气阻则血滞，成为瘀热交阻。故在辨清湿热孰轻孰重的前提下辨证选用凉血活血之品，可加速退黄，促进肝功能恢复，且可尽量避免肝昏迷的发生，如白茅根、郁金、制大黄、泽兰、益母草、赤芍之属。白茅根甘淡凉血通络，消瘀清热利湿，先贤张锡纯最常用之；郁金为血中之气药，理气活血，通络利胆，俱行气解郁凉血退黄之功；制大黄清血中之热毒，功擅泄热通便利尿；赤芍凉血消瘀热；泽兰、益母草均有活血利尿之功。

化湿是关键，重点在中焦。湿热交困，湿郁热遏。若清之太过则戕伤中阳，湿困则阳微，中焦不运，升降失调，湿困气滞，徒利其湿，利之何益？故以化湿为其关键，俾脾胃升降得复。然脾胃之升降必赖肝木制化之功，故肝病者，必累及脾胃。余每以藿朴夏苓汤、平胃散、三仁汤随症选用，更加吴茱萸以佐之，以其性温，辛开苦降，入肝驱郁，化强凝为阳利故也。

以上三点管见与临床分型是一统一体，合而观之则得其全，若执一端则失

其偏，临证时须辨病又辨证，须互参为要。

略谈阴虚肝病

章真如

《金匮要略》说：“见肝之病，知肝传脾，当先实脾。”这是张仲景治疗肝病的一个规范，也是治疗脏病的一个举例。脾为后天之本，气血生化之源，脾气之旺与衰，直接影响到全身。特别对肝病来说，无论肝虚、肝实，治脾是一个法则。笔者在临床上根据这一法则，在肝病初期，邪实以祛邪为主，邪去则肝脾两治。

近年来，笔者接触肝病甚多，多见的为慢性肝炎、乙型肝炎、肝硬化、血吸虫病肝、脂肪肝等。这些患者都经过很多治疗，服中药、西药、各种成药，未见治愈，有的愈而复发，其主要表现为肝区痛胀，或出现烧灼感，腹胀，食欲一般，大便偏结，口干口苦，脉象多弦或弦细，舌赤或红，苔少薄黄，很显然，这是一种阴虚内热现象，与上述脾病表现大相径庭，考其原因，笔者所见的这些患者，都是经过长期治疗，表现一种阴虚症状，既然阴虚，必须滋阴，肝病多郁，必兼疏肝，因此采用“一贯煎”加味，方中以生地黄、沙参、麦冬养肝阴；枸杞子、当归补肝血；川楝子疏肝气。另加白芍、郁金增强补肝疏肝之效。

笔者认为肝为藏血之脏，本体属阴，古人有“体阴用阳”之说，肝既为阴脏，外邪之扰，久病之损，药食之伤，情志之郁，时日既久，其有不损伤肝阴者乎。前贤魏玉横创制“一贯煎”，是对后世治疗肝病的一大贡献。

温阳益气治肝炎

李义昌

肝炎病变，并不孤立在肝，同时涉及脾肾。患者发病，脾胃首当其冲者众。医者若只着眼于肝，立足湿热，动辄便投苦寒，克伐生发之气，不仅中阳被损，肝肾之阳亦难免遭殃，因阳非有余也。“阳气者，若天与日”，关系生命的存亡。人身阳气，根基于肾，来源于脾，萌发于肝。湿为阴邪，湿盛则阳微。湿热既能耗伤津液，亦能损伤阳气，即叶天士所谓“湿热一去，阳亦衰也”。假若患者禀赋素弱，阳气不充，再遭湿邪和苦寒戕害，致使阳气更衰，加重病情。

肝炎一病，湿证热证，气滞血瘀，人皆重视；虚证寒证，肝、脾、肾阳之虚，常被疏忽。肝炎阳虚之候，乃客观存在，临证屡见不鲜，无论甲型、乙型肝炎都有，以无黄疸型及慢性患者中尤为常见。其病变有由脾土虚弱，阳气不能生发，肝阳亦虚，进而命门之火亦衰者；也有由肝病传脾，先伤脾阳，继之肾阳亦衰弱者。

凡肝炎表现阳虚之症，都可视肝、脾、肾阳虚的具体情况用温法治之，既可用参芪术平和之温，亦可慎用桂附姜燥热之温。

肝阳虚为主者，患者胁下隐痛，绵绵不已，胸腹不舒，情绪抑郁，头晕目眩，懈怠乏力，不耐疲劳，四末不温，脉象沉迟或沉而无力。治疗用温肝汤，药用桂枝15g、附片30g、吴茱萸5g、黄芪30g、白芍12g、香附12g、生姜10g、大枣5枚、甘草3g。将制附片用开水先煎至口尝不麻，再下余药同煎半小时即可服用。方中桂枝、附片、吴茱萸温补肝阳；桂枝、附子引当归、白芍入肝走血分，营肝体；黄芪、桂枝助长肝脏生发之气，余药疏肝健脾；阳虚甚者，以肉桂易桂枝，干姜易生姜；兼脾虚者可加参、术；胁痛甚者酌加川楝子、延胡索。

脾阳虚为主者，温补脾土，以养肝木，用香砂六君子汤加减，或用理中汤加减。肾阳虚为主者，宜温肾阳，肾为肝母，补肾即所以补肝，用肾气丸或右归丸酌情加减。脾肾阳虚者，用桂附理中汤加淫羊藿、砂仁。

肝炎阳虚证候，用上述温法，均能取得较好的疗效。对于一些用常规治疗，疗效较差，肝功能恢复不满意，确属阳虚证型者，采用上述相应的温肝措施，亦能取得较好的疗效。

慢性肝炎论治拾遗

万文谟

对慢性肝炎的中医治疗，近代论述较多，笔者也在有关书刊上报道过自己的体会。兹再就治疗中的几个问题，作为论治拾遗讨论于后：

一、在病邪方面，湿热毒邪是致病的重要因素，湿热逗留也是酿成慢性肝炎的重要特点，如舌苔黄腻，口苦尿赤、腹胀纳差，大便溏而不爽等都是反复出现的症候，身热不扬、面目发黄以及浮肿、腹水等也不少见。因热邪伤阴、湿邪困脾而致阴伤湿困的证型占有较大的比例。因此，清热除湿为首选的治法之一。湿和热是一对矛盾，湿为阴邪，热为阳邪，湿邪要利要燥，热邪要清要下，应注意清热而不助湿，祛湿而不助热。组方时可以从药物的质和量两个方

面来考虑，一是在药性上选用具有清热解毒而苦寒性相对低和化湿而不伤阴助热的药物，特别注意选用一药多能之品；二是在药味上宜少而精，以防清热过多而增加苦寒之性，芳化过重而致耗气伤阴。其中苦寒为清热的正剂，苦寒又能化燥除湿，对湿热病邪有较强的针对性，但过用以致损伤脾胃的情况也是值得注意的。

二、在病位上多见肝脾同病，一方面表现肝阴受损、肝血不足，一方面又表现为脾虚运化失常，如头晕目眩、心烦少寐、手足心热及腹胀、纳差、便溏等症参差互见的情况比较多见，因此，养肝健脾亦为常用治法。肝性喜润恶燥，脾性恶湿喜燥，论治时应注意养肝而不滞脾，健脾而不伤肝。养肝可用王泰林柔肝之法，选药以柔润为主，健脾应宗东垣的经验，用药宜轻不宜重。因为慢性肝炎的病证虚实夹杂，多如乱丝打结，调理脾胃如理丝解结，欲速则不达。如病情发展，亦可见肝肾阴虚或脾肾阳虚以及阴阳两虚等证型，选药时亦应润燥适当，以顾护脾胃为主。

三、在病机上气血亏损和气滞血瘀并见是经常的，如久病短气懒言、倦怠乏力、面色无华、唇舌淡嫩、血红蛋白及红细胞偏低，蛋白倒置等气血亏损的证候。同时，还有肝脾肿硬、舌质瘀紫、腹胀胁痛及朱砂掌、蜘蛛痣等气滞血瘀现象。透过这些矛盾，不难看出气血亏损是本，是久病脾失运化，肝不藏血的关系；气滞血瘀是标，为肝经气血滞瘀、脾胃升降失常所致。论治时既要益气养血，又必须活血理气才能达到扶正祛邪的目的。笔者习用汤剂、膏剂补益气血，丸剂、散剂活血软坚，运用时较为应手。

对以上病变，主要列举了湿热未清、肝脾受损、气血失调等矛盾互相交错的情况，论治时宜攻补兼施，补益中又当以“实脾”为要。

浅谈治肝炎五法

李忠有

肝炎是现代医学病名，属于祖国医学“黄疸”和“胁痛”“癥征积”等症的范围。根据前人治疗肝炎的经验及本人的临床体会，将肝炎的治疗归纳为五大法。

清热利湿法

肝炎的发病多为脾胃功能失常，复感时邪。脾失运健，湿浊不化，湿郁生热，阻滞中焦，湿热熏蒸于肝胆，迫使胆汁外溢，浸渍皮肤而成。症见皮肤、巩膜发黄，胸中烦闷，腹胀，恶心或呕吐，食欲不振，脉弦数。清热利湿是治疗肝炎的主要法则，可贯穿于本病的始终。但对肝炎中后期的患者，用清热药时，不宜过于苦寒，必须保护脾胃之阳，滋养肝肾之阴，使余邪尽去而正不虚。

疏肝解郁法

患肝炎多以胁肋疼痛为主症。肝的生理作用是：肝主疏泄，性喜舒畅条达，若肝气郁结，气失条达，气血运行不畅，则症见胁肋胀痛，痛无定处，口苦善呕，头目眩晕，容易恼怒，胸闷不舒，舌质淡，苔薄白，脉弦。常用方剂为逍遥散、柴胡疏肝散或越鞠丸等。凡肝炎一病，不论何型、何期，皆有肝区胀痛出现，尤其在疲乏过度、心情不舒的情况下，肝区胀痛就更为严重，所以疏肝解郁一法可运用于本病的始终。

活血祛瘀法

活血祛瘀是祖国医学伟大宝库的主要遗产之一，若体内脏腑组织发生瘀血，常有疼痛、触痛，或在体表可触到肿块。症见头昏、面色晦黯、肋下痞块（肝脾肿大）、两胁疼痛，舌质紫、脉弦细或弦涩。常用药物有川芎、乳香、没药、三棱、莪术、丹参、郁金、延胡索、穿山甲、桃仁、红花、泽兰、鸡血藤等，常用方剂为血府逐瘀汤等。在临床中运用活血祛瘀法，既能止痛，又有缩小肝脾肿大的作用，收效是令人满意的。对黄疸久不消失的病人，采用此法治疗后，可促进黄疸的消退，说明活血祛瘀法是治疗肝炎的重要法则，亦可用于治疗本病的始终。

清利小便法

《金匮要略》指出："诸病黄家，但利其小便。"又指出："脉沉，渴欲饮水，小便不利者，皆发黄。"说明小便与黄疸有密切的关系。症见身目黄，小便短少或黄赤，苔黄腻，脉濡数或弦数。常用药物有车前子、茯苓、泽泻、猪苓、滑石、薏苡仁、木通、瞿麦、萹蓄、金钱草等。常用方剂为八正散、四苓散等。临床实践证明，患肝炎不但面目发黄，而且小便也黄，急性、慢性肝炎皆如此，在治疗上往往着重清湿热，忽视利小便的作用。清利小便，湿从小便出，使邪有去路，湿热去则黄自退。这在肝炎的急性阶段尤为重要。

调理脾胃法

脾胃是后天之本。调理脾胃是内科杂病中的重要治法。脾胃与其他脏腑的关系非常密切，每当脾胃有病时，常能影响其他脏腑；而其他脏腑有病时，也常累及脾胃。症见胸胁隐痛，疲乏无力，食少腹胀，大便溏，舌质红，苔薄白，脉细，常用药物有党参、太子参、黄芪、山药、白术、大枣、白扁豆等。常用方剂为四君子汤、参苓白术散等。肝炎一病，主要是肝气横逆，土败木乘，致脾虚健运失权，因此在治疗中“见肝之病，知肝传脾，当先实脾”。着重调理脾胃，恢复其受纳、运化、吸收的功能，使气血生化之源不竭，则其他脏腑的疾病，就能趋向好转。凡属郁结已舒，邪已清者，宜培养元气，以巩固疗效，而不宜停药过早，以免复发。

患肝炎病如迁延日久，还可导致气血两虚和肝肾阴虚之证，临床上要结合病情选用适当的方剂和药物。临床上往往是几型并见，交互移行，实中有虚，虚中有实；初多邪实，久多正虚。因此应本着这些特点，结合临床，按中医辨证，分清主次轻重，遣方用药，做到补虚不令滞邪，攻逐不致伤正，以达到邪去而正不衰。

我是怎样治疗肝炎的

张义尚

肝炎初起，常有发热、头痛、口干、精神倦怠、疲软乏力、头晕、溲黄等症，急宜以金银花、连翘、薄荷、桔梗、牛蒡子、淡竹叶、菊花、荆芥、黄芩等解表清里。燥渴者加玄参、麦冬、天花粉、石膏；衄者加生地黄、牡丹皮、白茅根、侧柏叶；湿热重加茵陈、黄柏、滑石、厚朴、木通；毒重加板蓝根、重楼、天花粉、紫草、鱼腥草、蒲公英、紫花地丁等；有寒热往来、两胁疼痛、口苦咽干目眩等症状者，加柴胡、白芍、郁金。

如已面见浮黄，食欲不振或厌油，口干苦，则宜肝脾兼顾，用柴胡、白芍、茵陈、栀子、连翘、黄芩、白术、枳实、佛手、神曲、麦芽、山楂等。热重者加黄柏、黄连；睡眠不好或有神经症状者，加石决明、龙齿、珍珠母、龙胆草、酸枣仁、麦冬、五味子、茯苓、石菖蒲等。凡肝病必及于胃，有消化障碍，急宜兼用健胃之品畅其化源，但不宜用砂仁、白豆蔻、益智仁等辛燥之品。

乙癸同源，故肝病必顾及肾，如肾水枯竭，不足以滋养肝，当用生地黄、山药、续断、麦冬、杜仲、女贞子、北沙参、芡实等于治肝药中，但熟地黄碍胃，枸杞子、菟丝子助阳，用之宜慎。

肝为藏血之脏，热毒交炽，最易瘀滞，如有肝部肿大、隐隐作痛，则宜酌用郁金、桃仁、牡丹皮、红花、泽兰、生地黄、当归、穿山甲珠、土鳖虫、田七、枳壳等以活血化瘀而行其滞。

如确诊为肝硬化腹水，二便不畅，绝不能姑息养奸，应酌用甘遂、大戟、芫花、大黄、琥珀、牵牛子、郁金、田七、莪术、三棱、沉香、土鳖虫、穿山甲珠、滑石等以攻之，同时兼顾其胃气。

同是患一种肝病，由于个人的体质不同，所见症状多种多样，总宜具体分析，灵活施治，切忌成见。

肝炎后期常有失眠、疲乏、肝区隐痛等症，总宜益肾柔肝，活血化瘀，兼顾胃气。王清任血府逐瘀汤、膈下逐瘀汤等方，可以加减使用。

肝胆病治宜枢转

| 姚承济 |

前贤有“流水不腐、户枢不蠹”之语，《内经》上的“少阳为枢”与之户枢不蠹有着极其相通的涵义。少阳居半表半里，运转阳气，为气机出入、进退、升降的枢纽。气机出入无碍，犹如机轴不腐，户枢开阖适度。流水汩汩，谁见长江瘀阻呢？当着气机郁滞、壅闭于内，或邪气蕴潜肝胆、经脉、脏腑深处，非枢转不能开拓羁伏已久的病邪。

临床上若见肝失疏泄，胆失清宁，肝胆气滞，肝胆不调或肝胆郁热化火，或肝木横逆犯胃。肝火刑金，胆火内灼。或心胆不宁，或肝胆寒滞，或肝胆瘀阻可用辛开苦降，苦辛宣泄，舒达肝胆，释其开合、枢转之机。

若见肝虚血弱，肝胆虚损，肝胆虚证，可于开合枢转之中佐养肝固胆之法。

若见肝胆实证，肝阳暴张，胆热痰凝风动可于枢转之中用清肝熄风、清胆涤痰剂。

对诸如此类证候，总以开拓枢转为法，并辅以相应的措施，这样对肝胆病的辨证治疗可能会有所裨益。

疏、柔、化、通治肝病

| 刘炳午 |

余临证以来，见肝病甚多，治肝之法也多。大抵有疏、柔、养、伐、清、温、化、通、滋水涵木、培土抑木等等。一般肝病以上俱法，灵活变通，自如运用，收效甚多。惟门脉肝硬化一病，治疗较难，往往服药无效。一日余思叶天士久病入络之说，联想肝之经脉循胁肋，肝郁则气滞之理。拟疏泄、柔养、

化瘀、通络一法，治疗肝硬化络脉瘀阻型十余人，疗效满意。

廖某，1958 年患门脉肝硬化，肝区胀痛不适，间有针刺感，口苦咽干，烦躁易怒，食纳不香，倦怠无力。检视其掌红，颈、胸前有数个蜘蛛痣，舌暗红苔黄边尖瘀点，脉弦稍数。拟疏柔化通之法，药用柴胡、川楝子、白芍、酸枣仁、生地黄、丹参、郁金、延胡索、鳖甲、枳壳、丝瓜络等，加减出入，服药五十余剂。肝区胀痛，间有针刺感，口苦咽干，烦躁易怒，掌红、蜘蛛痣基本消失，食纳增加，精神好转，恢复正常上班十年有余，未见上症复发。

肝喜条达恶抑郁，胁为肝胆之分野，肝络贯于两胁。肝有郁滞，络道失于流畅，气行自有阻碍，自然肝区胀痛不适，或如针刺，或隐隐微痛。肝体阴用阳，有形之血瘀阻肝络，气机阻滞，易从火化，故口苦咽干，烦躁易怒。大凡治法，宜顺肝之性以疏畅，制肝之刚以柔养，流通血脉以化瘀，行气通络以开道。故名疏柔化通治肝病。

肝炎临证浅见

| 刘经训 |

肝炎一病，急性期当祛邪为主，邪去则正安，以图早愈，但应量人而行。若素体阴虚，脾胃虚弱，即有热邪，清利宁可不足，亦不可太过，当十去七八则止，以免燥湿、利湿、清热太过，其湿热不解，反伤其阴。如临床所见深度黄疸的患者，并非全由热所致，亦有湿重者，阴黄而黄疸深者也屡见不鲜。阴虚之体或热甚伤阴，苦燥之品用之太过，则阴更伤，不可不慎。

慢性肝炎，常以肝气郁结、失其条达、疏泄不畅为其主要病机，然疏肝理气药物多属辛散香燥之类，极易化火伤阴，虽能奏效一时，则伐正气，其阴更损，况且过于疏泄，愈治其气亦愈虚，临证应以轻扬疏达之法，斟酌病情，适可而止，以逍遥散、四逆散之类，选加香橼、佛手、橘络、绿萼梅等，方中有当归、白芍调机气血，养血柔肝、疏肝又不伤阴，肝阴得以柔养，其气更能条达，对于提高疗效，甚为有益。

肝郁日久，肝络瘀阻，多为正虚邪恋。过于破血伐肝，更伤正气，以致偾事，应善于调气化瘀。气调瘀则去，络通邪自达，宜在疏肝理气中选加桃仁、丹参、赤芍、延胡索、路路通、丝瓜络、山楂等活血通络之品，以缓图收功。

仲景云："见肝之病，知肝传脾，当先实脾"，实为高论。虚者当补，须审其不可补者，补之不可过壅；治肝实脾，补脾要寓通于补，用香砂六君子汤之类选加藿香叶、佩兰叶、苍术、豆蔻仁等芳香悦胃，恒多有效。

肝炎日久，阴虚者较为常见。有因热甚伤阴，或治疗中苦寒太过，或燥湿之品用之过久，或香燥之剂过久，或邪郁日久、化火耗阴，或素体阴虚，或因出血所致，常选用归芍地黄汤、二至丸、一贯煎之类，以缓缓调治。

俗云："三分治疗、七分调养"，饮食起居，不可忽视，宜心情舒畅，心平气和，避免其忧思郁怒；饮食上也须辨证施食，膏粱厚味、甘甜油腻、辛辣刺激之物均当慎之。

改变给药途径，疗效得到提高

邬尧清

冯某，女，曾患无黄疸型肝炎，已多次复发，这次住院已有年余。病程迁延日久，形体瘦弱，面色皖白，头晕，失眠，食欲不振，肝区不舒，隐隐作痛，肝肋下3cm，质中度硬，有轻度压痛，舌苔薄腻、舌质红边有紫色，脉细弦。血清谷丙转氨酶120～200U，各项浊度检查也稍有增高，HBsAg阳性，诊断为迁延型肝炎。住院后曾用多种中西药进行保肝治疗，肝功能未见正常。病人焦急万分。医者也曾多次讨论治疗方案，试用后疗效均不明显。后改用活血化瘀之法，重用丹参，连服2个月，患者的肝功能未见好转，后仍坚持活血化瘀之法，但改变给药途径并使用针剂，即复方丹参注射液4ml，肌肉注射，每日1次，治疗1个月，经肝功能复查仍无明显好转。后又改为静脉滴注，即10%葡萄糖水500ml，加复方丹参注射液5支（每支2ml，相当于丹参、降香各2g），每日1次，1个月后患者的肝功能恢复正常，其他症状也有所改善。又继续治疗半个月，患者的肝功能仍正常，即停药观察，半个月后复查肝功能仍正常而出院。患者休养3个月后即恢复工作，至今已8年，其间曾定期复查肝功能，结果均正常。后来对有类似症状的女病人，用上法治疗，亦收到比较满意的疗效。不过，对类似症状的男病人，用上法治疗，疗效则不明显。在治疗过程中未发现副反应，但在月经期间可以暂停几天治疗，孕妇忌用。

熏黄亦有热，临证须详辨

彭述宪

古代医籍，多以黄鲜明如橘子色为阳黄，黄而晦暗如烟熏色为阴黄。据临床体会，黄色晦暗者，非皆属于阴，多为湿重于热。盖湿为阴邪，其性黏腻，

易阻气机，热为阳邪、易为湿浊困遏。若患者湿浊偏重，热被湿蕴，而致湿遏热伏，阳不宣发，郁而不达，则色晦黄不明。或黄疸日久，湿热留滞，气郁血凝，其疸由鲜黄转为晦黄。故倪仲之说：“熏黄与橘子黄，同是湿热，彼以热胜者黄而明，此以湿胜者黄而晦”（录自《湿热逢原》）。

此外，瘀血停着，阻塞胆道，胆汁外泄，加之瘀血内阻，新血不能外荣，亦可见身目黄而晦暗。若一见熏黄，不观苔之白、黄，不问口之苦否，溺之清、赤，脉之迟数，概作阴黄治，则往往偾事。

黄疸多湿郁，芳化不可少

|彭述宪|

《丹溪心法》云：“疸不用分其五，同是湿热，如盦粬相似。”此语极有道理。黄疸多为湿热之邪，郁遏中焦，脾运不健，浊气不化，瘀热在里，熏蒸肝胆，疏泄失常，胆道受阻，胆汁外溢肌肤而发黄。故清热利湿为治疗黄疸之大法。但黄疸多见湿浊中阻，运化迟滞，脘满纳差，舌苔黄腻，若过用苦寒，使湿遏热伏，病难速已。应于清热利湿方中加入芳香化浊之品，如佩兰、藿香、苍术、白豆蔻、砂仁等。此类药物，辛温香燥，味辛能行气散结，温燥能燥湿运脾，芳香能醒脾化浊，俾脾胃健运，气机调顺，湿浊得化，其疸自消。

藿胆丸击中了“苦瓶”

|沈祖法|

藿胆丸，自《医宗金鉴》提出后，历来用于治疗胆热移脑的“脑漏”。因此又称“清肝保脑丸”。

“苦瓶”，是胆囊术后患者对带用“T”形管引流贮存胆汁用瓶的厌恶称呼。

那么，“苦瓶”是怎样被藿胆丸击中的呢？我曾治一男性患者。胆囊术后两个月，因胆汁不清，仍用“T”形管引流。起居作息终日伴带着一个“苦瓶”，除了行动不便之外，诊见其右上腹疼痛，纳食减少，大便不通，苔黄腻，脉细弦数，胆汁呈浓茶色，兼有沉淀物，一日量约100ml。患者因求愈心切，多方求医，叠经中西医两法治疗均无效。参阅诸医方药，多为疏肝利胆化湿之类。前医的教训，迫使我“另起炉灶”反复思忖：病机十九条关于“诸转反戾，水液混浊，皆属于热”中的“水液”，固然是指排出的小便，但胆汁为从胆囊中排出的洁净之汁，更不能混浊，若是则当属胆热。又因胆附于肝，与肝为表里，所贮之胆汁系“肝之余气，泄于胆，聚而成精”（《东医宝鉴》）。故胆汁混浊分明是肝热波胆所致。与胆热移脑类比，其病机皆为肝胆二经有热。故当用藿胆丸治疗，每次 6g，每日 2 次，1 周后诸症消失，胆汁变清，一日量增加到 800ml，经作胆汁培养、涂片、胆管逆行造影等检查，均无阳性发现，便很快地拔除了“T”形管，病人感激而风趣地说：“藿胆丸击中了‘苦瓶’”。

之后，我又接连观察了 13 例患者，用藿胆丸治疗后，均在 5～10 天内拔除了“T”形管。

事后我悟出一个道理：“胆主升清”“胆宜沉降”。前者指胆经清阳之气，后者指胆汁、胆火。而藿胆丸的组成为 80% 藿香，20% 猪胆汁。前者芳香化湿，升发清阳；后者以胆利胆，清肝胆二经之热。全方清肝利胆，升清降浊，与胆之生理契合，所以胆汁能消。从这点看，藿胆丸击中“苦瓶”，仅是还其本来面目，不必囿于“治脑”说。进而推理，也不必拘泥于胆囊术后病人。

治臌一得

沙一鸥

丹徒县为长江下游血吸虫病流行区，解放前死于臌证者甚多。笔者从事三十多年的晚期血吸虫病防治工作，认为辨证施治大体可以 10 个字概括，即“整体论虚实、证治分三期”。

所谓“整体论虚实”，即从宏观上分析病情，多属“正虚”显著；而腹大如箕、胀不能食、溲便俱少，“邪实”突出。这一对尖锐矛盾，要在治疗上求得统一，须把分析邪正比重、权衡攻补措施，放在战略地位；战术上则培正以治本、逐水以治标，缓则先治其本、急则先治其标、重则标本兼治，攻补兼施。而整个治程，始终贯穿温煦气血、调理脾胃，俾食欲不衰，虽虚易复。逐水攻泻，多属大戟科药物宜竭力设法减少其腹痛、呕吐反应。总之，扶正应是经常，攻逐只可突击。

所谓“证治分三期”，即初期治肝，中期治脾，末期治肾。因腹水形成之前，多有胁痛腹胀，嗳噫食减，胁下积块（肝脾肿大），此时木郁不达，气滞瘀凝，病属“初期”，其治在肝。治肝分疏肝、柔肝、缓肝，目的在于疏瘀理气，此际即须未雨绸缪，谨守治肝实脾之训。如治疗得法，可控制腹水于萌芽阶段，这一关守住，则邪敌不至深入腹地。若病情失控，肝病势必传脾，而土衰水泛，腹水形成，病即进入“中期”。此时治疗惟有崇土制水，温阳逐湿，仍以守为主，以攻为辅，攻守结合，冀其脾运渐复，而腹水消除。如治不获效，病邪进一步深入，则“五脏之衰，穷必及肾”，而进入“末期”。但如纯属肾阳虚衰，即使阴囊肿大，完谷不化，大剂温阳，或可挽治；最虑者阳伤及阴，阴阳两竭，肾阳衰不能蒸化水气而腹水愈，益顽固，肾阴虚津液无以为继而化源日趋竭涸，精气俱竭，真元告溃，攻补两难，温清两失，则鞭长莫及矣。因此，对此证预后也可以10个字概括，即“肝脾是关键，重点在早治”。

臌胀治疗偶得 |帅　焘|

1969年，余向民间学得治臌胀单方一个。正巧门诊有一病人，书之以供一试。病家得方后便未见继续来院门诊，当时实行自带病历本，不知地址无法追访。两年后于公共车上遇一陌生人，感谢我治好了他的肝病，并说此方很好，其他病友服后也收到了一定的疗效……。再三邀请我到家坐坐。为了弄清情况，我查阅了他治疗前后的化验资料，不仅腹水消失，肝功能也基本恢复正常。平淡的几味药竟有如此疗效？是否属于巧合？继之余又在病房选了几例较重的患者再作试验，结果证明此方对消除腹水确有一定疗效。其组方为：当归15g、白芍10g、大戟15g、车前子15g。取猪脬一个，剪破，纳入鸡蛋适量，缝好，用上药煎汤代水煮脬，30分钟后弃药服鸡蛋，每日2次，每次蛋2个（视患者饭量增减，亦可连脬服）。

门脉性肝硬化腹水属臌胀范畴，其病机较为复杂，初时肝郁气滞，渐至气滞血瘀，久郁化火窃耗肝阴肝血；肝病尅伐脾土，脾之运化失司，水湿泛滥，三焦气化壅滥，腹大如臌；脾病生化失宜，水谷精微不能化为气血，反变为痰饮产生积滞，使得虚实夹杂，攻补难施。本方当归、白芍养血活血柔肝；鸡子黄滋养肝肾之阴，肝体阴而用阳，肝阴肝血不足，则疏泄必然失调，现肝之阴血得以补充、肝气逐渐条达，脾土不再受尅、运化渐复。大戟、车前子逐水疏通三焦水湿之壅塞；猪脬调整膀胱气化、导水下行；鸡子清清热解毒，消除气分、血分之余热，且含有较高之蛋白质加氨基酸，能补充肝病的蛋白消耗。故全方有利尿消肿、滋阴养肝之效，不失为臌胀的一种辅助治疗法。

外包利尿：在臌胀的治疗中，利尿消肿虽然属标，调整脏腑阴阳气血使之平衡是本。但由于腹水严重，患者不能平卧，昼夜端坐喘息，十分痛苦，医者亦为此煞费苦心。余受单方葱、姜、田螺冲烂加麝香少许包脐治癃受到启示，改用大戟、芫花、甘遂、肉桂或桂枝各等量，麝香或乳香少许醋调为泥状，做一药饼包脐，外加热水袋熨之，收到了一定的疗效。但有一些患者用此法疗效不佳。思之，证属湿热壅盛上药不尽贴切，遂改用生大黄、芒硝、栀子各等量为末，醋调为泥，如上法包熨，果然对湿热者有效。

脐即神阙穴，可治疗水肿、腹部膨胀，用艾灸之有回阳之功；脐上1寸水分穴，能治小便不利、水肿；脐下1寸阴交穴，为三焦之募穴，任脉、足少阴肾经、冲脉之会，功能养血活血化瘀，调整三焦、肾、肝之气机，利尿消肿。大戟、芫花、甘遂能逐水消肿；肉桂或桂枝助肾中阳气温气化水；醋调助药力向内渗透；热熨取疏通经络助药力吸收。湿热壅盛者取生大黄、芒硝清热攻逐水饮；生大黄破瘀，血行则水行；栀子清热调整三焦气化而利水，故有一定疗效。虽属雕虫小技，简、便、效、廉，录之供同道参考。

章公妙手，起我沉疴

伍楚雄

20世纪50年代我在京学习中医时，不幸罹肝病，住院经肝穿刺诊断为“肝硬化”，后又发“高血压病”，病魔缠身，非常痛苦，使我不得不中途辍学。1957年秋，章次公老在京讲学，幸得章公亲为医治，经其妙手赐治，终于起我沉疴。

当时我的症状主要有：胸胁苦满，腹胀，纳呆，失眠，大便溏薄，小溲黄，脉象弦数，舌苔黄腻，肝功能异常，肝大肋下二横指，质中偏坚，血压偏高。经章公辨证，分析为肝郁气滞，治以疏肝解郁，通络健脾，方用：瓜蒌50g、丝瓜络15g、橘络10g、青皮8g、车前子10g（布包）、鸡内金10g，水煎服，每日1剂，共服药7剂。药后，患者饮食增进，睡眠转佳，腹胀减轻，二便渐复常；所苦者，惟胸胁苦满依然。复诊时，章公根据我的病情，加重丝瓜络的用量，1剂中用30g，其余照旧，续进7剂。又拟散剂一料，由土鳖虫50g、郁金30g、酒制赤芍50g、丹参50g、土炒白术50g，研极细末，日服3次，每次3g，温开水送下，按章公所嘱，汤散交替（一日进汤，一日进散）。一月余，余胸胁苦满已除，余症消失殆尽，复查肝功能，各项指标已恢复正常，肝脏的质地亦转柔软。章公嘱停汤药，继用散剂3个月，并建议加强调护，治养相结合，以巩固疗效。我由此自学太极拳、八段锦和气功，注意掌握情绪和饮食。二十余年来，余一直身体健康，能任医、教之职。回想起来，这些都是与章公当时的精心治疗分不开的。

无论汤、散，章公对我病症的治疗，都着眼在一个“通”字上，疏肝、导

滞、通利二便、活血通络，都是在“通”字主导下的具体治疗，盖通则气血流行，脏腑气机功能升降正常，致收推陈出新、邪去正复之效。

章公虽谢世多年，但其学验犹存。遣方用药，十分严谨。余临证多年，凡遇肝气郁滞者，好用本方，每获良效。故略概以上，以供同道参考。

运用扶脾疏肝活血法治疗“肝硬化”

聂勋海

肝硬化是目前较常见也较难治愈的疾患之一。祖国医学文献有关肝硬化相似的记载很多，如“胁痛”“积聚”“症瘕”“癖块”“臌胀”等。导致本病的原因，多为情志抑郁，酒食不节，黄疸迁延日久或感受虫毒等。其形成机制可归结为正气不足与气滞血瘀两个方面，即所谓本虚标实为患。究其病变部位，本病与肝、胆、脾、肾有密切关系，但其中与肝脾关系尤为密切。因脾为“后天之本”，主运化，为营养精微物质化生之源。脾虚不运，化源不足而导致正气虚弱，日久累及他脏而生变；此外，脾虚不运，痰浊由此产生，痰与气血交阻则为积聚。肝主疏泄条达，能助一身气血之流畅。若肝气郁滞，气血运行受阻，日久则气滞血瘀。此外，肝与脾在生理或病理状态下常互相影响。笔者认为，本病主要以脾虚、肝郁、血瘀为其基本的病理改变，对其进行治疗当立足于“扶正祛邪”，即扶脾疏肝为主，适当辅以活血祛瘀之品，根据临床观察，初步取得一定的疗效，下举两例说明。

患者黄某，曾于1966年患急性黄疸型肝炎，经治疗，除黄疸消退外，他症均未减轻，1969年某医院诊断为肝硬化。1973年来我处就诊，述两胁疼痛，右胁时有刺痛感，食纳差，时觉烦热、夜卧不安，口苦而干、小便黄、头昏目眩、健忘。查其形体消瘦、神疲乏力、语言低微、面色萎黄，面部有散在蜘蛛痣，舌质暗红少苔，肝区压痛明显，肝脾肿大，质地中等硬度，按下肢有轻度凹陷浮肿，脉弦细数。辨证为脾虚肝郁、肝肾阴虚，治以扶脾疏肝、养阴清热。处方：党参15g、山药24g、苦荞头30g、当归10g、赤芍10g、丹参12g、郁金10g、炒川楝子10g、枳壳10壳、山楂12g、栀子8g、鳖甲30g、板蓝根15g、莪术6g。

上方服用2个月后，患者症状明显改善，肝功能已复正常，肝脾均已缩小。原方去栀子、板蓝根、川楝子，加女贞子、墨旱莲，白芍易赤芍，继服2个月后，诸症消失，形神复原上班，至今仍无不适之感。

患者苏某，1972年作阑尾手术时发现肝脏表面呈结节状、质硬。患者平素嗜酒，近 3 年来，自觉胁肋部胀闷不适，右胁时有锥刺感，纳食减退。自手术后，上述症状加重，肝区压痛明显，并感心累短气、急躁易怒，时觉伤口掣痛，面色暗淡，体羸神疲、舌质淡紫苔少，脉弦细涩，辨证为脾虚肝郁、血虚兼瘀。施以扶脾疏肝、养血活血之法。处方：党参 15g、炒白术 10g、山药 30g、苦荞头 24g、柴胡 9g、当归 10g、白芍 12g、丹参 12g、山楂 12g、枳壳 10g、莪术 6g、鳖甲 30g、鸡血藤 30g、桃仁 6g、红花 6g。上方服 30 剂后，患者诸症减轻，查肝功能除转氨酶 150U 外，其余均复正常。原方去莪术、桃仁、红花，加炒川楝子、黄精，继服 2 个月后，诸症平复，肝功能已复正常。

肾病综合征证治琐谈

张镜人

肾病综合征为现代医学病名。对患者进行实验室检查可发现蛋白尿、血清蛋白总量降低、血胆固醇增高，临床辨证仅见浮肿、乏力，脉常濡细，苔多薄腻、舌质淡微胖。脉证相参，分析其病机，当属脾肾气虚、湿浊潴留所致。盖脾主运化，作用于精微的摄取与水液的输布；肾司开阖，作用于精气的藏蓄与湿浊的排泄。太阴虚则运化无权，难以摄取精微，又难以输布水液；少阴虚则开阖失常，未能固摄精气，又未能排泄湿浊。清不升而浊不降，渐致血清白蛋白偏低、胆固醇反高，尿蛋白大量丧失。此虽结合中医学说推论，然《素问·至真要大论篇》曾谓："诸湿肿满，皆属于脾"，《素问·水热穴论篇》亦云："肾者，胃之关也，关门不利，故聚也而从其类也，"《素问·太阴阳明论篇》更明确指出："今脾病不能为胃行其津液，四肢不得禀水谷气，气日以衰，脉道不利，筋骨肌肉，皆无气以生，故不用焉"。因知浮肿乏力等症，确与脾肾同病、湿浊中困有关。然"无阴则阳无以化，无阳则阴无以生"，且湿浊易从热化，故治法宜气阴兼顾，湿热两清。余常用保真汤加减，取得良好疗效。本方出自《证治准绳》，由人参、黄芪、白术、甘草、茯苓、五味子、当归、生地黄、熟地黄、天冬、麦冬、白芍、柴胡、黄柏、知母、地骨皮、莲心、陈皮、生姜、大枣等药组成。惟五味子嫌涩敛；熟地黄嫌滋腻；天麦冬嫌润；知柏与地骨皮嫌凉，恐壅滞水湿浊邪，均宜去之。人参易孩儿参，莲子易莲须，再增芡实、山药平补脾肾，薏苡仁、石韦、大蓟根、泽泻清化湿热，每获桴应。从实践中体会，中医升清降浊之理，含义良深，值得重视探讨。

肾炎治验

李聪甫

水气病有“阳水”“阴水”之分。“风水”“皮水”，其脉浮，属于阳水；“正水”“石水”，其脉沉，属于阴水。阳水病发于表而浸渍于里，表现为脉浮，骨节疼痛，恶风咳嗽，浮肿按之没指，小便短少。但风水恶风、皮水咳嗽为辨。阴水病生于里而泛溢于表，表现为脉沉，腹胀胸满，外症喘促，阴囊肿大，小便不利。但正水喘甚，石水阴部肿甚为辨。不论阴阳水肿，首要问题是探察病机所在；阳证能转化为阴，阴证亦能转化为阳。阳水病先在肺，内及于肾；阴水病本在肾，外及于肺。然在“治则”中，始终要注重脾气的盛衰。因脾土有“制水生金”的功能，有调节肺肾生理平衡关系的作用。兹就最近治疗一例肾炎病人以资验证。

患者李某，有肝炎、肾炎病史。1984 年 2 月，突然恶寒发热，恶心畏食，遍身浮肿，胸满腹胀，小便短少，医院诊断为慢性肾炎急性发作，肾功能受损。尿常规检查：蛋白尿、管型、红细胞都大量增多。经治两月，患者水肿增进，头面、胸腹、四肢、睾囊、遍身高度水肿，腹大如球。医院发出 3 次病危通知。同年 4 月乞予诊视，脉浮弦数，舌苔黄腻质绛而干，腹胁胀痛，神惫嗜睡。余认为其水气泛溢，伤脾迫肺，肺失治节，脾不能制。法宜健脾制水，肃降肺气，方取五皮五苓合剂加减：生黄芪 15g、漂白术 10g、云茯苓 15g、炒泽泻 10g、淡猪苓 10g、汉防已 10g、大腹皮 10g、广陈皮 8g、五加皮 10g、赤小豆 12g、生薏苡仁 12g、怀牛膝 10g、北柴胡 5g。

患者共服约 50 剂，肿势见减，尿量渐增，但恶寒甚，苔薄、脉虚数。本方去柴胡加桂枝 5g、酒炒丹参 10g、车前子 9g，续服约 50 剂，患者水肿全消，惟小腹有肿胀感，一身肌肉尽削，肿退骨露，皮肤枯涩。因思其病本在肾，仅存小腹满胀难消，治理脾肺之方久用，再无进展，当治其本，改用肾气丸方加味：熟地黄 10g、怀山药 10g、云茯苓 15g、炒泽泻 10g、牡丹皮 5g、山茱萸 5g、怀牛膝 9g、车前子 9g、生黄芪 15g、当归身 10g、漂白术 10g、陈皮 8g、熟附片 5g、川桂枝 5g。

患者继续服至六十余剂，食欲渐增，肌肉渐壮，面容渐丰，精神渐旺，小腹柔和，脉象平缓，脾肾气机渐复。前方加陈皮 8g，调治半载而痊，现已照常上班。嘱仍禁食盐 100 日，然后低盐调食，巩固疗效。由此可知，掌握辨证规律是完全必要的。

肾炎证治小议

万文谟

肾炎分为急性肾小球肾炎和慢性肾小球肾炎两大类。中医对这些疾病的认识，大致属于水肿、虚劳等病范围。

急性肾炎多见风水、阳水证候，在病因上不外风、湿、热等毒邪的侵袭，在病位上不外肺、脾、肾等三脏的病变。治法以宣肺、利湿、解毒为主，可选用紫苏叶、杏仁、桔梗等以宣肺；茯苓、薏苡仁、车前子、白茅根等以利湿；鸭跖草、蒲公英、鱼腥草、白花蛇舌草等以解毒。如血压偏高，可用夏枯草、决明子等以平肝降压。风邪已去，肿消过半以后，则可进益气健脾、利湿解毒之品，如此调治适当，多数患者可望根治。此外，先祖万筱辅遗下单方治疗水肿不少，其中茅竹汤即茅根 30～120g，鸭跖草 15～60g、薏苡仁 15～30g，煎服。笔者沿用治疗小儿急性肾炎效果较好。

慢性肾炎多见阴水、虚劳证候，以“脾肾两虚、湿浊逗留”或“湿从热化”“夹有瘀血”等病变较为突出。治疗上以水肿和蛋白尿两大问题较难。在水肿问题上，自古以来就积累了丰富的治疗经验，主要认为由于肺虚不能宣化、脾虚不能运化、肾虚不能温化所致。先父万恕之的毕生治疗经验是：宣化上焦以麻黄、杏仁为优；运化中焦则干姜为必不可少；温化下焦则非桂附不可。笔者于 1958 年遇一患慢性肾炎十年之久的女性患者，因水肿咳喘发作 3 个月，曾用西药抗炎，利尿及中药济生肾气丸等方不解，后在济生肾气汤方中加用炙麻黄、炙桑白皮、杏仁三味，患者服药 3 剂以后，即收肿消喘平之效。1963 年又遇一慢性肾炎患者，经用西药抗炎、利尿、激素及中药济生肾气汤、防己黄芪汤、五皮饮等而水肿不消，尤以腹水胀满为苦，后于原方中加用干姜、厚朴两味，即见腹水逐渐消退，由是更加笃信“肺脾肾相干”的关系，因而在治疗上是不能偏废的。关于蛋白尿的问题，近代学者认为系脾肾亏损、精华漏泄、水浊滞留的现象，治疗多以益气健脾、补肾填精为主。先父喜重用黄芪以大补脾气；山茱萸大补肾气，薏苡仁根渗利湿气，似有一定效果。其中薏苡仁根为邻居一家半农半医的祖传秘方，经多方窥探始得其奥，尤以鲜品更好。夹有湿热者（如镜检脓尿亦可认为兼有湿热）加鱼腥草、白花蛇舌草、土茯苓、黄柏等以清热利湿，夹有瘀血者可加益母草、赤芍、丹参等以活血化瘀。此外，配合新近发现的雷公藤、昆明山海棠等药品，均值得重视。

总的来看，中医治疗急性肾炎，应以宣肺、利湿、解毒为先，益气健脾于后；治疗慢性肾炎则当调补脾肾为主，配以利湿、解毒、活血等法。

漫话肾炎

王行宽

关于慢性肾炎的中医辨证分型，诸家不一，为执简驭繁起见，余仅将其分为脾肾阳虚及肝肾阴虚两大类型。不论脾肾阳虚或肝肾阴虚，均涉及到肾，因此肾虚是慢性肾炎的主要病理改变，也是治疗慢性肾炎的关键。脾肾阳虚者，因肾虚不能行水、脾虚不能运化水谷，而使水湿泛溢肌肤，则四肢浮肿，内停脏腑则出现腹水。治疗时，除应重用温补脾肾的药物外，还须加用一些苦温、芳化、淡渗的药物如苍术、厚朴、草果、豆蔻仁、藿香、茯苓、薏苡仁等。阳虚寒凝往往兼有气虚血滞之症，故在温补脾肾药物中加用黄芪、党参、桃仁、红花、山楂、益母草、丹参、泽兰等补气活血之品。肝肾阴虚者，多有内热之象，故在治疗时除应滋补肝肾外，需加知母、黄柏等滋阴降火之品。如有血络损伤者，加用牡丹皮、赤芍、小蓟、藕节、蒲黄、墨旱莲、白茅根、丹参等凉血和血之药。目前，治疗慢性肾炎已习用活血祛瘀之类的药物。余认为，应根据其证型的不同而使用不同的治法。

慢性肾炎尿常规化验以蛋白、红细胞及管型为其主要表现。消除尿蛋白的关键在于调补脾肾的功能，余临床常用下述药物来辅以消除尿蛋白：如祛风脱敏用紫苏叶、防风、蝉蜕、葛根、蒺藜、蛇蜕等；固涩精气用金樱子、芡实、牡蛎、五味子等；补气健脾重用黄芪、党参、黄精、山药、薏苡仁、莲子肉等；活血化瘀用山楂、益母草、茺蔚子、泽兰、桃仁、红花、丹参、蒲黄等。尿中红细胞的出现，为热邪（实热或虚热）损伤血络；或为脾失统摄，治疗肝肾阴虚型尿中红细胞的关键在于凉血和血；消除脾肾阳虚型尿中红细胞的重点在于补气祛瘀。至于尿中管型的出现，多属肾虚封藏失司，肾精下泄，其治疗应以补肾为主。总之，慢性肾炎虚证为多，早期以脾肾阳虚者多见，后期则以阴虚为常，究其原因，或因病程既久，阳损及阴；或由利水太过及久服湿热药物而伤阴；或由寒湿郁久化热而灼阴，故治疗慢性肾炎总以调补脏腑功能为固本之法。

活血化瘀治肾炎

张秀辉

肾炎，属于中医的水肿病范畴。本人多年来治疗肾炎，以辨证论治与活血化瘀法并进，即在基本方中酌情选加活血化瘀药，如：益母草、丹参、当归尾、川芎、红花、赤芍、泽兰、蒲黄、桃仁等，可获良效。曾治一例8岁患儿全身水肿半月，发热、流涕、咳嗽、尿短赤、咽红、扁桃体肿大，舌尖红，苔稍黄腻，脉滑数，血压正常。证属风水，用宣肺清热利湿、活血化瘀法：麻黄4.5g、莲须9g、赤小豆9g、桑白皮6g、杏仁6g、玉米须12g、泽泻9g、猪苓9g、丹参12g、川芎6g、益母草30g、泽兰6g。患者服3剂后水肿减轻。守方加减又进8剂，则诸症悉除、尿检正常。

急性肾炎用常法治疗无效者，可改用桃红四物汤（桃仁、红花、当归、川芎、熟地黄、赤芍）去熟地黄，加泽兰为主。因桃仁、红花、赤芍活血化瘀，当归、川芎活血行气，泽兰活血行水，使气行则水行，血利则水利而奏效。临床实践证明，活血化瘀是肾炎治疗中之要法，而辨证论治与活血化瘀法并进，是标本兼顾、相辅相成的重要措施。

慢性肾炎治脾肾宜分主次先后

杨平阶

慢性肾炎属于祖国医学的“水肿”“虚劳”范畴。水肿、蛋白尿是顽固的症状，治疗多从脾肾入手。但我体会到，也应分主次先后，才能收到满意的效果。

1978年孟夏，我曾治一位中年女性患者，其于1977年患急性肾炎，经治疗后，迁延未愈。症见足踝浮肿，按之凹陷不起，头晕，心烦，腰酸，双膝无力，纳差，小便化验蛋白++，舌淡红苔薄黄，脉细。开始用济生肾气丸作汤服15剂，未效。改六味地黄丸加味，又不效。后知其脾胃素弱，多食油腻即腹泻，于是以治脾为主，用参苓白术散加枣皮、菟丝子、淫羊藿等。服药10剂后，患者食纳有增，水肿稍退，再守方进退三十余剂，诸症消失。

另治一朱姓男青年，1978年患急性肾炎，经中西药治疗半年，诸症消失。1979年底又见足胫浮肿，按之凹陷不起，伴神疲乏力，头晕腰酸，偶有遗精，

饮食不振，面色不华，小便化验蛋白＋＋＋。舌淡，苔薄白，脉细弱。先以实脾饮、参苓白术散加减服药八十余剂，患者浮肿消失，尿蛋白亦消失，余症好转。后因不节房事，尿中蛋白又见，再投参苓白术散加枣皮、补骨脂，治疗1个月，患者之尿蛋白又反复在＋～＋＋之间。于是改以治肾为主，以六味丸重用枣皮、山药，加龟版、菟丝子、墨旱莲，进退三十余剂，化验小便3次均未见蛋白。1982年元月追访，未见异常。

临床上，慢性肾炎有脾病及肾者，有肾病及脾者，就是脾肾同病，也要分主次先后用药。脾在中，其运化需肾阳之温，特点是：脾升则健，喜燥恶湿贵在动，用药宜阳（温燥）。肾居下，其藏精需脾运之资，特点是：宜潜藏，喜润恶燥贵在静，用药宜阴（滋润）。如果当运脾而用滋肾之阴，则碍脾，若滋肾而用温脾之阴则伤肾。所以，临床上有时难以收到预期疗效，可能与此有关。

至于如何分辨治脾治肾的主次先后，古人曾有“久病虚羸，胸无痞满者宜补肾，胸有痞满者宜补脾”的提示，可作临床参考，但仍须细心诊察，才能在复杂的症状中抓住本质。

临证方可识真诠 |夏度衡|

《金匮要略·水气病》篇云：“气分，心下坚，大如盘，边如旋杯，水饮所作，桂枝去芍药加麻辛附子汤主之”，清·尤在泾、陈修园等作注，均去“水饮所作”四字；吴谦主纂《医宗金鉴·订正仲景全书》，更将前十六字称作“衍文”。至此，疑窦丛生，不知所从，弃仲景此条经文不释、不用者，论水肿病将水气二因截然分开者，不乏其人。

余初阅《医宗金鉴》，似觉吴谦等人言之存理，然临证日久，时用桂枝去芍药加麻辛附子汤，始悟辨经旨真伪，尤需临证以探究。

1980年仲夏，一中年女性患者欧某，由人搀扶就诊。诉浮肿反复发作两年余，近8个月来，日益加重。腹胀难忍，气息频短，神疲身肿，四肢冷麻，头昏易惊，心烦乍怒，饮食乏味，口干喜饮，小溲短赤，大便秘结，常服果导，仍数日方行便一次。曾频繁求医，某医院诊断为“特发性浮肿”“结核性腹膜炎”“腹腔肿瘤待查”，给予抗痨、利尿、通便等法治疗，并建议其到肿瘤医院作剖腹探查；服中药达一百五十余剂。既往有习惯性便秘病史。详阅病历，前医多以四君子汤、黄芪汤加味健脾祛湿；或用肾气丸化裁温肾利水；甚者以大黄、芒硝、牵牛子为君攻下逐水；用桃仁、红花、三棱、莪术之属破瘀行水。

患者周身浮肿、腹大、气短肢麻、二便不利，形体丰盛，面浮睑肿，䀮白无华，腹大似九月怀胎，背浮如身着新袄，足胫肿亮没指，踝部有黄水渗出；舌质淡红，苔薄白而干，脉沉细缓。触其腹冷不温，坚大而满。腹围竟达127cm。此乃阴凝搏结，表里俱寒，上下皆水，内外气机郁遏，治当温阳散寒，通利气机，宣发水饮。遂按桂枝去芍药加麻辛附子汤加减：

桂枝6g、麻黄3g、细辛3g、附片10g、干姜5g、党参12g、白术15g、茯苓皮15g、枳实15g，4剂，水煎服。

7日后，患者独自步行前来复诊。诉服药之后，腹胀大减，浮肿渐消，如释重负，又自加服原方3剂，肿势大退，腹部变软，腹围降至112cm。

"阴阳相得，其气乃行，大气一转，其气乃散"，当时虽盛夏炎热，仍以证处方，不讳麻黄、桂枝、干姜、附片、细辛之辛热，仍守原方，稍以加减出入，治疗2个月，患者腹围降至90cm，除便结不畅外，诸症大减。

联想类似验案，叹服仲景佳法，感触良深。

病水肿者，虽有身肿腹水之别，有表里阴阳之分，也有先病水后病气，或先病气后病水之异，然总因水停气阻，水聚气结所致。治疗水肿，应水、气同治，《金匮要略》将水肿病称之为水气病，其意在此。桂枝去芍药加麻辛附子汤，着眼于"气"，而收效于"水"，因阳气不温则水无以化，气机不通则水无以散，仲景取桂枝、麻黄通达气机，振奋卫阳；用附片、细辛温里散寒，振复阳气，两者相协，可通彻表里，贯通上下，使阳气行，阴凝散，水邪自消。"气行则水行""离照当空，阴霾四散"，此不治水而治水之法也。

学习古典医籍，固当借助各家注本，体会先贤心得，然结合自身临证，揣摩细味，互参借鉴，方能领悟真谛，辨析真伪，亦不致良法失传。故曰：临证方可识真诠。

（金世明　整理）

水血议

戴裕光

1972年，余诊治一老者，花甲之年，身患痿证（西医诊为脊髓病变）。卧床两月，继而下肢水肿，按之没指，遍服利尿西药，甚则激素，水泛无制。余继之，首用宣肺发汗，次以健脾利湿，再拟温阳渗利，患者共服药30剂，皆以失败告终。时值全院大会诊，众医束手。惟某医云：曾经治一久病卧床水肿患者，服一老中医方而愈。可否一试？余观其药乃仙茅、淫羊藿、巴戟天、桂枝、干姜、茯苓、猪苓、泽泻、车前草、川芎、当归、王不留行、土鳖虫、怀牛膝。窃思之，其方不外温肾暖脾利水，但增以通瘀之品而已。诊毕，众人皆表赞同试用此方。出吾所料，患者服药3剂则溲清水湮，服5剂则肿势全消，一如往常。为此，余数日宿食不宁，反复思索。其方效之神速，何也？盖此证患者乃花甲之年，督脉不通，久病卧床，脾肾阳弱，气失帅血之功，气虚则血瘀，血瘀则水溢，以致见舌质暗红，腿肿污紫等症。其方以温脾肾而利水，且佐以活血通络者，恰与病家阳虚血瘀水肿见证而暗合也（后西医疑为下腹深部静脉血栓所造成）。

夫血瘀水肿乃气血不通，瘀血阻络，血瘀而水停，发为水肿也。《素问·调经论篇》："孙络水溢，则经有留血"。清·唐容川《血证论》："瘀血化水，亦发水肿，是血病而兼水也。"皆一理也。之后，余辨水肿病，观其脉证，凡见血瘀水结者，每佐以活血通络法，其水自去。水血关系之密切，于此可见一斑。

溯本求源治水气 | 曹远礼 |

"开鬼门，洁净府，去菀陈莝"，此治水肿之三大法也，然准确运用并非易事，特别在患水肿日久、证情复杂之时，辨证欠细就予施治则往往事与愿违，此时宜溯本求源，详加辨证，或可于迷途之中，又逢柳暗花明。余曾治一老妪，患全身浮肿两月余，尤以下肢肿甚，小便短少微黄，自诉求治数医，皆予五苓散、五皮饮或二者兼用，丝毫无效。噫！似乎对证，何以劳而无功？余踌躇再三，复究其本，乃知病起于外感之后，且先肿头面，后及全身，以致于此。斯时吾方恍然大悟：本应先开鬼门，却误洁净腑，是以本末倒置，故此不愈矣。改用麻黄连翘赤小豆汤加味，一剂知，5剂患者肿已尽矣。由此观之，辨证论治诚重要，究病之因不可少。

疏凿饮子治水肿 | 曾自豪 |

疏凿饮子系逐水峻剂，近时医者很少采用。余遇阳水重症，常用此方，其症候为：外有全身高度水肿，皮肤肿亮。里有水聚腹胀，胸有停水喘咳呕逆。伴见烦热口渴。余治一例：患者全身高度水肿，皮肤发亮，面色潮红，烦躁呻吟，微咳气喘，不能平卧，身痛转侧不能，拒绝触按，脘腹痛胀，口渴不欲多饮。食后腹胀加重，食纳少，小便短赤灼热，大便秘结。舌质红苔黄糙，脉细数有力，体温38.5℃，尿常规：蛋白+++，红细胞+++，白细胞++，透明管型++，颗粒管型+。胸透：胸腔大量积液。诊断：阳水。辨证：水湿壅盛，温郁化热。治以逐水泻热，上下分消。处以疏凿饮子：商陆9g、赤小豆15g、泽泻9g、木通9g、大腹皮9g、茯苓皮9g、秦艽9g、羌活6g、槟榔9g、椒目6g、姜皮6g。服1剂，患者腹痛腹泻溏黑稀便8次，尿量稍增，仍感热痛；继服2剂，肿消大半。后用葶苈大枣泻肺汤和苓桂术甘汤缓缓图治。患者出院后随访多年，肾炎未再复发。

调理中州气机消水肿

郭 仕

水肿的常规治法是按脏腑辨证，但也有按脏腑辨证投药无效，改为调理气机而收效者，不可不知。

1964年余曾治疗一位姓刘的年轻女性，全身水肿、头昏心悸、腹胀腰痛、恶心呕吐，气促咳嗽、食少乏力、有时盗汗、小便短黄、大便结燥，脉沉细数、舌苔薄白质淡。由于病情复杂，虚实互见，按常规先从脏腑论治，以观疗效。因脾主运化，脾阳虚则健运失职而水湿浸润，投以四苓散合五皮饮，患者服1周病情无变化，再服1周咳嗽水肿加重；改从肺治，因肺主肃降，有通利水道之功，肺气失调则水湿阻遏，故以麻黄连翘赤小豆汤加减，患者服1周咳嗽稍减，再服1周则心悸、气促加重；改从心治，心阳不振，水湿停蓄而凌心犯肺，投以苓桂术甘汤加味，患者服1周心悸、气促减轻，再服1周而腰痛、浮肿加重；改从肾治，肾主水，肾气虚则水湿泛滥，投以济生肾气丸加减，患者连服2周毫无效验，且腹部胀痛加重，月经过期不至；改从肝治，肝主疏泄、肝郁脾虚而水湿滞留，投以当归芍药散加味，服1周患者虽然月经来潮，腹部胀痛减轻，但食纳更差，恶心呕吐加重；相继又改从脾胃兼治和脾肾兼治，不但无效，反使病情日趋恶化。后试图调理气机，用半夏泻心汤治之，方用：法半夏9g、川黄连5g、干姜6g、西党参12g、黄芩9g、甘草3g、大枣3枚。患者服3剂后呕吐、腹痛、咳嗽等症状均有减轻，小便量增多。患者坚持用此方连服24剂，诸症全消，体质随着气机的和调而恢复，追踪观察21年，至今未见复发。

水肿后期由于肾不化水，水气上犯五脏，导致机体气机升降紊乱，故上则头昏心惊、咳嗽气促、恶心呕吐，下则二便不利，中则脘胀不疏，中焦是气机

升降的枢纽，半夏泻心汤辛开苦降，攻补兼施、寒热并用，正是调理脾胃气机升降的良剂，枢机一转，上下协调，故诸症随之而愈。

肾精亏损水肿

李正全

因肾精亏损，而致水肿者，历代甚少论及，临证又常为老年患者，治之不当，常致反复迁延，甚难奏效。故特录例案，以验其说。

患者陈某，男性，72 岁。始病于5 年前，初起两下肢足跗水肿，午后加重，晨间自消。2 年前，其症渐增，甚时肿至膝下，皮肤变薄发亮，按之没指，凹陷难复，肢软沉重，小便清利，夜尿 3 或 4 次，尿后余沥，小便多次镜检无异常，舌质瘦薄而淡嫩，苔白略腻，脉细弦滑，两尺独弱。复习前医所治，西药多给予利尿剂；中药先后给予五皮饮、五苓散、真武汤、实脾饮、肾气丸等加减，服药期间，水肿多能暂消，但继服或停药后，其肿更甚，久治未愈而来就诊。

余初诊时，亦以前法治之，历时 2 个月未效。查阅古籍，思之良久，其肿在下，当责之于肾，温阳利水，理当奏效，何以不效？皆因患者年事已高，脏腑内虚，气血阴阳皆为不足，尤以肾精亏损，阳失阴化，温煦失源，气化难行，水湿泛溢下趋而致足肿。治宜补精助阳，化气行水，守济生肾气丸缓服，每日 3 次，每次 6g。服药 1 个月，未见奏效；服至 2 个月，始见水肿渐消；继服至 3 个月，水肿尽消，其后患者因劳累复发，再以填精补髓、温肾扶阳法。方仿景岳左归丸：熟地黄 30g、枸杞子 30g、山茱萸 30g、白术 20g、茯苓 15g、杜仲 15g、巴戟天 15g、菟丝子 30g、淫羊藿 30g、鹿角胶 30g。诸药研末，蜜丸，每丸 9g，早晚各服 1 丸，1 个月后减为每晚 1 丸。连服 3 个月后，患者水肿未复，夜尿减至 1 次，自感良好而停药。随访 5 年，其水肿未复。

老年肾精亏损，何以能致水肿？《内经》言：“肾者水脏，主泄液。”盖水谷之受纳腐熟，津液之转输布散与排泄，与胃脾肺肾相关，但与肾更为密切，肾精充沛，肾阳生发有源，脏腑得其温养，三焦气机畅利，水道通调，自无水肿之患也。而患者年已七旬，肾精亏损，无以生发阳气，又复阴血亦亏，阳失阴化，温煦失源，气化难行，水湿泛溢，下聚而为足肿也。

既属虚衰所致水肿，何以常法补之难奏效？其由：一为肾衰精亏，其填精补髓，非旬日所能奏效，临证未识其理，治虽得法，方药无误，然未能持方固守，频易其方药，虽效而亦难固也；二为凡因脏腑虚衰，阳气生发失源所致阳虚证，脏腑之虚衰未复，虽扶阳补气能奏效一时，但亦难固其效，而证多见反复也。肾气丸、左归丸、右归丸，皆以阴药倍于阳药，其义取其滋阴不碍其阳，扶阳又无伤其阴，可谓补精扶阳，从阴引阳之妙用。《济生方》更以加牛膝、车前子，以增其利水消肿之功，凡属肾精亏损，阳虚水泛致肿，用之相适，方能固守，则其效颇佳。但“济生肾气丸”尚有助阳有余、补阴不足之弊，尤以方中桂附虽能温阳化气行水，但其性偏燥，且无益精之能，久服易致助阳伤阴，故用药应以待水湿得利后，即宜去桂附，选加枸杞子、制首乌、紫河车、龟版胶等，以增其填精补髓之能；选加杜仲、巴戟天、菟丝子、淫羊藿、鹿角胶等，既能补肾扶阳，助发生机，又兼能益精，其意在于阴阳兼顾。

紫玉饮治疗慢性肾炎

张　择

慢性肾炎因其顽固性、复发性而为中西医所重视，至今仍尚无有效的治疗药物。笔者在临床工作中，几经琢磨后，拟定一方，名曰紫玉饮。由紫金牛50g（全草鲜品）、玉米须50g（鲜品），水煎成饮料，日服4～6次，连续服用1～6个月。服用时间的长短根据病情的稳定程度而定。长期服用者，须贮存干品，干品剂量各用30g。

如治周某，52岁，患慢性肾炎、贫血、高血压。曾3次住院，经用抗炎、激素、利尿，中药健脾温肾利水等治疗，病情无好转。症见：全身水肿、头晕恶心、食纳极差、腹胀、精神萎靡，四肢无力、动则气促、小便短少、大便有时溏稀。中度腹水，面色苍黯，舌质淡少苔，脉见沉细，心率100次/分，血压正常。从1975年11月起，除继续采用原西药治疗方案外，加用紫玉饮。1周后出现效果，患者尿量增多。2周后水肿消退过半，食纳增加，精神健旺。故撤去西药利尿药，只用紫玉饮和肝铁制剂。4个月后患者来院复查，症状已完全消失，健如常人。尿检：蛋白+，红细胞0～1个，余均正常。5月份上班工作，至1980年底退休，症状未再复发。

以后，余又用此方治疗十余例慢性肾炎患者，均获良效。

紫金牛，别名平地木、矮地茶，为紫金牛科植物紫金牛的茎叶。性味苦、平，具有止咳化痰、活血止血、利尿解毒的功效。用以治疗慢性气管炎，跌打损伤、肝炎、痢疾、急性肾炎、慢性肾炎。本品煎剂在体外对金黄色葡萄球菌、甲型链球菌、大肠杆菌、伤寒杆菌，痢疾杆菌及流感病毒等都有抑制作用。

玉米须，为禾本科玉蜀黍的花柱和花头。性味甘、平。具有利水、利胆、

降压的功效。用以治疗急慢性肾炎，尿路结石、糖尿病、黄疸型肝炎、胆囊炎、高血压病。

用玉米须治疗小儿慢性肾炎已为很多医生所证实，因其具有利尿、利胆作用。紫金牛除具有利尿，止咳、活血等作用外，还有消炎解毒作用。两者同组一方，用以治疗慢性肾炎，情理可通，惟其服药时间较长，只有坚持服药者，方竟全功。

从肝论治特发性水肿

| 傅宗翰 |

特发性水肿是临床常见病，多发于女性中年患者，目前对其发病机制尚未完全明了，缺少特异性的诊断手段，疗效不够理想。目前倾向于认为属于功能性水肿之列，中医依其临床表现归属于“肤胀”“水肿”范畴。

水肿是本病必见的主症，绝大多数患者的病程都较长，时轻时重，反复性大或经年不消，水肿以四肢明显；患者自觉有紧胀感，甚至手指难以拳握。其水肿多在清晨卧后减轻，活动后明显加重，水肿每于经期前后加剧，同时与活动疲劳及气候寒冷有关。

临床所见，有不少本病患者除现水肿症状外，常有体形增胖的趋势，其体胖多呈“臃肥”状，每现“肿胖并存”，因而体重明显增加，少数患者体重可增加10kg以上，有人谓之为“单纯性肥胖”。

虽然病人形体丰满，但较常人怕冷，疲乏懒动，困倦思睡，常有胸闷腹胀，活动稍急或登楼爬高即感气短心悸；也有的患者常感口渴思饮、善饥索食、头昏头痛、阵发性面部烘热升火、失眠多梦。尿量白昼一般，夜卧偏多，溲色多无明显异常，屡次尿常规检查亦属正常。病程虽久而食欲不衰，多数患者并无久病水肿的虚统之色。病人多伴月经不调，愆期者多，经量少而色淡，行经不畅甚至经闭数月不行，经前紧张，经后肿甚。脉多沉细不扬或带弦。苔薄白或腻，舌质嫩淡者多，有的见齿痕。水肿症状一般在冬令和长夏季节较重。

对于水肿，传统认识多归咎于肺、脾、肾三脏，所谓“其本在肾、其标在肺、其制在脾”，古训昭然。治水也多责此三脏，似为公式定理，不能逾越。然世间万物，有常有变，矛盾有其普遍性，亦有其特殊性。本病在病机上既非肺、脾、肾三脏职司偏颇所可解释，故循此三脏立法论治也难取得满意疗效。人身气之流行，肺、脾、肾之作用固应肯定，但斡旋襄赞，莫不仰赖肝之疏泄，疏泄得当，则气机流行，水道畅利，水液随之升降上下，反之则气机郁结，水液因之滞留，故肝之或疏或结，关乎于气之运塞，水之流止。验之本病水肿时轻时重，或聚或散，口干渴饮，显系肝郁气滞，水津敷布不匀，而现“旱涝不匀”之象；水肿与臃肥并见乃水脂混淆清浊不分也；头痛郁怒面红升火、脉弦不畅，又系肝气阻滞郁而化热之征；胸闷腹胀神疲思睡，乃肝疏不及、气机失布脾困湿滞所成。此外，月经愆期行而不畅，经前紧张，又莫不与肝郁累冲、气病及血之机制相关。病程长、浮肿久而形不减、食不衰，显非虚证可比，纵有心慌气短，亦为水湿浸凌，如波撼岳阳，不可纯以虚论。所以，纵观本病浮肿，既无病肺之风水象征，又无病肾之阴水所属，病脾者乃为肝所累，所谓主病在肝、受病在脾也。故患本病在病机上首责于肝。

本病之症结既关乎气，又责之于肝，故其治则当疏利，冀其肝得疏，气得行，血得活，脾得运，肿得消，不利水而水自行矣。征之临床对于本病的治疗，若拘守套法，专事肃肺降水、健脾利湿、温肾消肿诸种治则，往往收效甚微；若一味泄导，虽或取效一时，亦多随消随肿，徒劳无功，反伤正气。基于此理，必须不泥古训，不违理法，择用天仙藤散随证变通治之，颇能应手。按天仙藤散，出自《妇人大全良方》。此方以天仙藤、香附疏肝行水为君，天仙藤乃马兜铃的带叶茎藤，性苦温、无毒，有祛风利尿活血通络之功，既可理气，又可活血；紫苏茎叶、乌药香窜行气，冀达“气行则水行”目的为臣；佐以陈皮、生姜、木瓜理气和中通络；甘草调和诸药为使。以此为基本方，临床随症增减，如面足浮肿甚者酌加防风、防已、冬瓜皮、赤小豆；小便不畅者酌加桂枝或肉桂；怕冷嗜睡头痛者加吴茱萸、桑寄生；肢麻难握者加丹参、豨莶草；自汗气短无力者酌加黄芪、白术；月经不调者酌加当归、茺蔚子、泽兰；面红升火、心烦热躁者可酌加龙骨、牡蛎、白芍；纳差腹胀便溏者可酌加熟薏苡仁、神曲、谷芽。总之，法随理定，方依法转，药按症择，使之共奏疏肝调气、利水化湿、和营通络之功。临床实践证明，运用此方不独能使肿消，诸症尤可随之缓解。兹举验案 1 例，以见一斑。

夏某，女，40 岁，经常面浮足肿已三年余。其肿常随体位变动而增减，躺卧则尿量增多，周身关节、肌肉困楚，肢端麻木，腹部微胀，大便欠畅，口干饮水不多，平时常服避孕药，脉濡带弦，苔薄滑。曾住院，作血、尿、便常规及胸透、肝功能、肾功能、心电图、^{131}碘甲状腺功能试验均属正常范围，妇科检查亦无异常发现，诊断为“特发性水肿”。综合其脉症及病史，乃系肝郁失调不能为脾疏泄，议方疏肝以助疏泄，和脾以运水湿。处方：天仙藤 12g、香附 10g、陈皮 5g、甘草 3g、紫苏叶 4g、槟榔 5g、豨莶草 6g、木瓜 5g、丹参 6g、白术 6g，5 剂。1 周后复诊，患者周身酸痛渐缓，汗泄甚多，旋即肿消，大便难解，苔薄脉弦，此气开湿动、肝气疏泄条达之象，前法踵进。原方中紫苏叶易紫苏梗5g，加郁李仁5g。患者服5剂后肿消，诸症亦相继消失，随访18个月未复发。

水肿治肝一得

|夏奕钧|

妇女更年期内分泌失调所出现的水肿一症多与肝病有关。有谓“女子以肝为先天”，盖肝主藏血、体阴而用阳，血液的贮藏和调节有赖于肝。妇女更年期血去阴伤，错经妄行，常见肝气、肝火等一系列症状。如气火怫郁、气盛于上使肺失通调，水湿不能下输膀胱，泛滥横逆则出现面浮肢肿。水肿之因于肝者其临床表现为：①经行前后浮肿，病起于渐，轻症经行肿退，重症经净肿甚。②兼见肝热气盛症状，如眩晕、头痛、胸胁胀痛、小便赤少，脉弦大搏指。③阴伤血热，多见齿鼻出血，舌绛无苔。④肝功能与小便检验正常。治疗此证应重在肝，法当柔润酸苦，切忌刚燥伤阴，药用生地黄、玄参与牡丹皮相配，养阴凉血以柔肝体；白芍与黄连相合，助以川楝子、蒺藜酸苦泻肝，制暴平逆，以遂肝性；复入沙参、杏仁、桑白皮、茯苓、车前子等，清泄肺气，以行水退肿。头晕头痛者，加石决明凉肝潜阳；口干渴饮者，加石斛、麦冬生津养液。现举1例说明。

陆某，46岁，经来每多崩决，又齿鼻时出血如注，胸胁胀痛右侧为甚，遍体浮肿，身体起红疹作痒，小便赤少，脉弦大搏指，舌光剥红赤，用养阴凉血、清火泻肝配合清淡行水之品（药用如上所述），初服5剂，患者溲多肿退。据此调治半年，经事正常，病乃痊愈。

若舌光剥而不红赤，脉虚弦者，病为营阴大亏、肝失涵养，重在于虚。治宜养阴以柔肝木、运中土而利水湿。苦寒之品，当在所禁，滋腻之药，亦非适宜。组方可用沙参、石斛、白术、茯苓、山药、桑白皮、生薏苡仁、陈皮、杏仁、冬瓜皮等。

三 消 辨 治

|郭振球|

消渴之临床表现以渴不止、小便多而甜、日渐羸瘦为特征，分上、中、下三证。上消属肺，中消属胃，下消属肾。其病机总是肺、脾、肾三脏为热淫所

胜，阳亢阴亏，津干液涸而成。人体水火二气平衡协调，气血得其滋养，水津输布、代谢正常，就不至成为消渴。其间摄养失宜，水火偏胜，津液枯槁，以致相火上炎，煎灼过久，肠胃津伤，五脏干燥，使人四肢消瘦，精神倦怠。其治法有三。

清胃：上消善渴，中消善饥，虽有肺胃之分，总属阳明胃经火热之亢，宜用白虎汤辛凉直清燥热；若渴多饮少，病多在肺者，用人参石膏汤，清胃保肺；若水亏于下，火炎于上，宜玉女煎配雪羹（荸荠、海蜇）频啖，滋液救焚。

养脾：脾土制水，通调水道，下输膀胱，消渴饮水过度，内溃脾土，土不制水，若泛溢妄行皮肤、肌肉之间，聚为浮肿胀满者，宜五皮饮合黄芪防己汤，或用东垣中满分消类方之法，运脾气以制水津。

治肾：高年精气不足，水不制火，阴火上僭。僭灼于肺，则成上消；僭灼于胃，则成中消。因此，治消渴无分上、中、下之消，惟以先治其肾为急，宜六味地黄丸、肾气丸及加减肾气丸，降火滋水，则渴自止。所谓“益火之源，以消阴翳，则便溺有节；壮水之主，以制阳光，则渴饮不思。”

总之，消渴治法，病初以降火彻热为先，久则以生津补水为治。上消初起用人参石膏汤（即白虎汤去粳米）加山药、芡实，久则参麦汤；中消初起用增液承气汤，久则参苓白术散；下消初起用清心莲子饮，久则六味地黄汤。并发疮痈，宜大剂生黄芪、金银花煎水频饮，益元解毒。

流行性“口燥”饮水病

诸葛连祥

1961年春季，云南省某县4个乡流行一种严重的咽干口燥喝水的疾病，患者皮肤渐至枯黑，上下肢不能活动而死亡。病情非常危急，该县人民医院组织医疗队进行抢救，邀我以中医身份参加此队工作。收治试点在一个乡医院，住约三十余病人，男女老幼都有，病情轻重不一，重的肌肉尽削，皮肤枯黑；形容枯槁，有的上肢和下肢运动极其困难，轻者体格尚好，病者床前都放有装水器皿，为装井水饮用，但都不想进食，询之，都说喉咙太干燥，饮水为滋润咽干，食物因咽干无法吞咽。望之，患者咽部不红不肿而色白，舌质多淡，诊之六脉细涩或沉弱。按之肌肤冰冷。这些病人在此之前，曾服过生石膏制剂，以及养阴滋液剂，都无疗效。余思之，本组病人，青壮年老幼皆有，或一家中有二、三人发病，无问大小，病状相似，本病属于流行性病，即“疫疠”。从咽干喝水症来看，患者都不发热，又非渴饮，当排除里热耗津之思饮；又无阴虚

火旺上炎肺金之象；亦非中阳不振，气不布津，或湿郁、痰饮中阻，津气不布。遂根据《金匮要略》说：“口燥，但欲漱水不欲咽，无寒热，脉微大来迟，……为有瘀血。”此证为风热病毒自口鼻侵入，伏于咽部，深入经络营血，热毒瘀结不解，遂致咽部干燥不已。不论新久，病位不移，是瘀血之明证。由于瘀血阻滞，咽干食物不入，气血生化之源断绝，遂致肌肉脱削，皮肤枯黑，肝肾精血日亏，筋骨经脉运行不利，出现上下肢痿软，以致不能活动。遂诊断为流行性口燥饮水病。鉴于本证病机为热瘀互结，经络阻滞。故治以活血化瘀，疏通经络。处方：当归、丹参、桃仁、红花、连翘、桑寄生各10g。

方剂中用当归、丹参、桃仁、红花活血化瘀；通上肢经脉，取连翘入心之药，以散经脉结气；活下肢经脉，用桑寄生入腰脊，“资养血脉于空虚之地。”（张志聪）

按发病人数用大锅煎药。嘱其服法，每饮一口，在咽部含漱，然后徐徐咽下。晚间8时、10时各服药1煎，在夜间12时余按病床访问时，病者咽干、思饮的症状都已得到控制，更煎服第3煎，服后，后半夜都能安然入睡。第2日早晨诊之，凡手足不灵活的，都有转机，已无一人咽干饮水者。遂按原方又煎一大锅药，并于早晨煮一大锅稀粥，以滋养胃阴，病轻者中午已能照常吃饭。患者全身转温。当即补充营养，按轻重和需要，以补充衰竭之身体。第3日，又按原方服药1剂，以巩固疗效。所以治愈本组病人，仅是在临证中运用了《金匮要略》中的一个论点：“口燥，但欲漱水不欲咽，为有瘀血”来进行治疗的，特介绍于上。

消渴重在治肾

谢存柱

对消渴的治疗，前人多分三消论治，如《医学心悟》：“三消之症，皆燥热结聚也。大法治上消者，宜润肺，兼清其胃，二冬汤主之；治中消者，宜清其胃，兼滋其肾，生地八物汤主之；治下消者，宜滋其肾，兼补其肺，地黄汤、生脉散并主之”。然经实践证明，这种分治法临床意义不大，一因以清肺、润肺或清胃滋胃为主很难控制上消、中消之症，反之以滋肾为重，则三消之症逐日减轻向愈；二因三消之症的出现虽有先后之分，但经时短暂，旋即三消之症均见，且无明显轻重之分。肾为先天之本，肾阴得补，诸脏之阴自生。此病乃阴亏导致阳亢，津涸热淫，故以滋阴以配阳、生津以固肾为基本法则。我用新加六味地黄汤疗效显著。方药组成：生地黄24g、山茱萸20g、怀山药20g、牡丹皮12g、茯苓15g、泽泻15g、麦冬12g、葛根20g、乌药12g、生乌梅7～10枚、天花粉20g，煎服，日3次。服药后随患者症状的变化而加减。饮尚多者加生石膏50～100g、知母12g；食尚多者加玄参30g、石斛12g；尿尚多者加益智仁15g、五味子10～20g；兼身痛者加桑枝24g、白芍30g；兼气虚神倦乏力者加党参30g、黄芪24g；兼阳虚肢冷、便溏、少食者加附子30～50g（先煎3小时）、肉桂6～10g、砂仁10g、焦柏6g。

新加六味地黄汤中，六味地黄丸为滋肾补水之要方，加入麦冬、葛根、生乌梅、天花粉、台乌则其养阴、生津、固肾之功倍增。余以此方加减治疗三四十例，（其中病程短者为2个月，长者为7年，空腹血糖高者为370mg%，尿糖高者为＋＋＋＋），除个别患者因某种原因（如精神病等）中止治疗外，均收到很好的效果。临床证明《石室秘录》："消渴之证，虽有上、中、下之分，其实皆肾水不足也。"赵献可："治消之法，无分上中下，先以治肾为急"之论述实为经验之谈。若再配合饮食治疗，则收效会更佳，切忌食不厌精和甘、食不知饱和足。

余曾治肖某，男，50岁。因多饮（每天15磅水）、多食（比平素增加一倍）、多尿（夜尤明显，约每小时1次）、消瘦2个月余，空腹血糖为230mg%、尿糖＋＋＋，诊断为糖尿病，经口服D860、肌注胰岛素（每日0.95ml）治疗1个月未见好转而请余诊治，除上述症状外，见舌苔微黄干燥，舌尖偏红，脉沉细。既往有肺结核病史。此乃消渴，证属肾阴亏虚、水不济火、固涩失权，投新加六味地黄汤加五味子15g、益智15g，服药6剂后诸症渐减至消失，复查空腹血糖92mg%，尿糖（－），续服10剂巩固，4年后随访未见复发。

治糖尿病贵在温肾化瘀

徐宝圻

糖尿病多作消渴论治，以实火、阴虚、伤津为其主要病机，故取清火、养阴、生津为治。余临证观察150例，凡取人参白虎汤、益胃汤、六味地黄汤、生脉散、大补阴丸、泻心汤等方辨证治疗者，虽临床症状有所改善，但尿糖及血糖无明显好转。而改以右归饮、右归丸、桂附八味丸、鹿茸丸等方为基础，加王不留行、刘寄奴、当归后，不仅临床症状改善，而且血糖、尿糖也得到控制，特别对青少年型及老年型的，尤为突出。

糖尿病的三多症，特别是多饮而不解、多食而消瘦、多尿而清长，加之神乏无力、肌肤干燥、四肢欠温、面色无华。是火旺为何清之而不熄？是阴虚津

伤为何养阴生津而不愈？而仅以热药却得缓解？余之体会，阳不化气则水精不布，水不得火则有降无升。青少年患者，多发育迟缓，未老先衰；老年人更早衰阳痿，肌削筋软。耳目失聪，诸此皆与肾虚大衰有关。

但余使用温肾法非以纯阳之品组方，而应阴中求阳、少火生气，调整人体整体功能。结合胰岛细胞衰竭、局部微循环障碍，配以活血化瘀、改善气血运行，祛瘀以生新，促进胰岛细胞康复、新生。

余之用法，以山茱萸、熟地黄、五味子、肉桂、鹿角、菟丝子、沉香为基础，加王不留行、当归、刘寄奴。在汤剂有效后，渐渐加鹿茸丸（鹿茸、菟丝子、天花粉）或胡核丸（核桃肉、当归、地黄、附子）。服药2个月后，停汤药，以丸药巩固，一般不必严格控制饮食。

清上固下谈“尿崩”

蒋立基

尿崩症是因脑垂体后叶功能减退，抗利尿激素分泌过少所引起的疾病，其临床表现和中医之消渴相似。余尝以清上固下，标本兼顾治之，恒获佳效。

曾治张某，男，9岁，1974年11月初诊。其烦渴狂饮8个月，冷热均可，每饮以饱胀为快，日饮量5～6kg，随渴随饮，饮后欲小便，每日二十余次，尿清长。口鼻灼热，吃饭干涩难咽，常需汤水送下。在省城多家医院检查拟为“尿崩症”，用西药治疗罔效。症见形体消瘦，肌肤干涩，唇红舌赤，苔薄黄，脉细无力。尿比重1.001，尿糖阴性。蒋老诊断，认为其中焦蕴热，上灼肺津，下耗肾阴。肺燥津涸则敷布无权，治节失司；肾阴暗耗，气化失常，不能束约水液。宜养阴生津，上下同治，以冀其验。药用：怀山药、天花粉各30g，女贞子、生地黄、葛根、牡蛎各15g，泽泻、山茱萸、柴胡各6g，茯苓、白芍、知母各9g。

按上方进8剂，患者口渴大减，饮水量约4000ml左右，尿量亦较前明显减少。药中病所，再服3剂，饮水量约为3100ml，纳谷已馨，精神转振，唇舌转淡。此时本可守方以积渐邀功，蒋老又考虑到泽泻、茯苓为通利之剂，当减去；天花粉虽生津止渴、降火润燥，然火势已溅，稚阴稚阳之体岂能戕伐？患者今脉仍沉细，显系肾脾不足，膀胱气化无力，故将所饮之水，直趋膀胱而出。只有元气充沛，方能使水液熏蒸于上，口自不渴。余当机立断，在养阴生津的同时，加补肾益气固涩之剂。处方：黄芪、葛根各15g，煅牡蛎、怀山药各30g，桑螵蛸、益智仁、女贞子、生地黄各12g，乌药、白芍各9g，柴胡、山茱萸各

6g。进6剂，患者诸症悉平。

在上述处方中，余屡用柴胡。古今医家治消渴，从厥阴论治者不乏其人。木郁则火燔，若火泛于上则肺气受侮，伤津损液；灼于下则肾水消烁，开阖失节。对本病例用柴胡，不仅因柴胡疏畅气血，推陈致新、调气机之升降，复上下之交融。更因柴胡与牡蛎、山茱萸、白芍相伍，意在疏、柔、敛兼备，务求肝气之冲和条达，终使气血和谐，表里融达，出入升降咸宜。

卧则口渴

秦正生

刘某，男，66岁，于1984年10月以卧则口渴、3年未愈前来就诊。谓3年前的秋天，某夜就寝时，突感口渴，饮水后渴解。次日晚又渴如故。此后与日俱增，且饮后即尿，竟至每夜非饮一暖瓶半水而不能入寝。诸医院皆以查无异常而诊断为神经官能症。针药遍尝，迄未稍效，故而求治于中医。

诊其苔白腻，舌较淡，脉沉缓偏弱。拟诊为脾虚挟湿，津不上承。然又思津不上承，何以白日不渴而晚间卧时始渴，因而问其有无他症。答曰：每晨起床时，皆急不可待地解溏便一次，且上午常解便二三次不等，至夏暑好转，甚或正常。余凝思多时，忽而忆及"察色按脉，先别阴阳"之经训。夫吾人之于昼时活动，动则生阳，夜深人静，静则生阴。脾之健运，赖阳气温煦。赵献可《医贯》云："肾具阴阳，内容水火，水曰真阴，火曰真阳，譬如元霄之鳌山走马灯，火旺则动速，火微则动缓，火熄则寂然不动"。今患者阳气虚衰，夜间阴盛，阳衰上蒸无力，脾气降而不升，土不制水，运化无权，水液下趋而多尿，上失水润而口渴。其饮至一暖瓶有半即已者，此乃肾阳虽衰而未至于极，得温水之激动，则阳气为之振奋也。夜半后阴盛，水热之力已过，故而起床即解溏便。再观其夏暑缓解，更可证其阳虚无疑矣。当处以《类证普济本事方》之二神丸（补骨脂15g、煨肉豆蔻10g）加益智10g、怀山药30g、炒白术15g（第3贴用30g）以温肾悦脾，并佐以赤茯苓15g，以共奏阳壮渴止之功。服后竟收到一知、二已、三痊愈之殊效。

磁术汤治疗糖尿病

曾自豪

1961年，一糖尿病患者因进食生冷不洁之物，出现脾虚泄泻，给服参苓白术散，方中白术重用至每剂30g，服三十余剂后，患者不但腹泻痊愈，血糖亦从280mg%降至115mg%（未用西药）。查《本草纲目》二十二卷中有白术延年不饥，益津液生津止渴之记载，结合余素喜用《医方集解》白术茯苓丸治下消，磁石汤送下，凡遵嘱用磁石者效显，否则效减。汪昂谓磁石色黑入肾，补肾益精。鉴于对糖尿病患者辨证施治，能改善症状，但降血糖不理想，乃撷取磁术，加大剂量，试治糖尿病，果获良效。

治石淋经验谈

| 刘兴志 |

石淋乃五淋之一，泛指泌尿系结石。其形成原因，不过是湿与热两端而已。病之所发皆系“肾虚而膀胱热也”，肾虚则湿热之邪凑之，蕴于下焦，煎熬津液，日久成沙石。沙者小易排，石者大难排。沙石阻塞水道，腰腹剧痛，甚至冷汗出，尿赤呕吐。湿热为患，胶着难解，故清宣通利，势在必行。若误用补剂，病邪留恋，石无出路，变证丛生，此之难也，此非清利不达目的，石淋初起尤为如此。吾临诊590例，属湿热者占59.5%，采用宣通清利，每获良效，治愈者高达80%。经反复实践，制成清利通淋轻剂和清利通淋重剂两种，前者适用于轻症，后者适用于重症。轻剂者疏通水道，清热利水，通淋排石为主，药用金钱草45g、海金沙30g、牛膝15g、冬葵子30g、石韦30g、台乌10g、猪棕草15g、肾茶15g、顺河流5棵，水煎服代茶，每日1剂。重剂者加重前方量，掺入行气破血、软坚散结之品，即金钱草90g、海金沙45g、冬葵子30g、石韦30g、牛膝24g、三棱、莪术各15g，青皮、陈皮各10g，枳壳10g、蜂房30g、夏枯草15g、败酱草24g、荜澄茄9g、穿山甲15g、蝼蛄10g，本方兼具溶石作用。

正常尿路有三个狭窄处，结石路经此处较为困难，甚至难以通过，医者当有相应措施。对结石在第一狭窄处者加入强肾之品，以图“扶正达邪”，如牛膝、杜仲、肉苁蓉等；对在第三狭窄处且伴有膀胱刺激征者，及时加大利湿通淋剂量，使尿量增多，以起到加强内冲洗之作用，使结石顺利通过狭窄处，促其排石。如用金钱草、海金沙、滑石、冬葵子；方中牛膝与冬葵子、滑石相伍，滑窍引石下行；酌加大黄，与通淋利水药配合，前后分消，导石下行，其效更捷。在后尿道宜加助阳化气之桂枝、白术、荔枝核等，取“滋肾通关”之意。

方中为何用活血破积之类药物？因水病贵在流通，“流水不腐，户枢不蠹”，况水血同源，水病累血，则血瘀气滞，加之湿热熏蒸，尿路阻塞，形成坚实之症，非攻不克。若石大粗糙，盘踞停留，久不移动，而难以攻坚者，则须

“以软投坚而破之”，如用芒硝、牡蛎辈。观其自然界山石，经风吹雨淋，其石自消。若对顽石之症，采用利水冲刷、软坚散结、祛风化石（白芷、僵蚕）之法，岂有不化之理！余所制之《消溶散》早已被临床证实，确有效验。

治石宜清利，乃立法之要，《内经》云：“伏其所主，必先其所因”，如是则热得以清，湿得以利，气血活泼，以势利导，铲除病灶，从根本上消除结石所处的环境。临床提示，在治疗石淋中，发现尿 pH 值有显著变化。如何改变形成结石的酸碱环境，笔者进行了临床设计，拟对在酸性环境中产生的结石加海浮石、鱼鱿骨、瓦楞子等；对在碱性环境产生的结石加乌梅、山茱萸、山楂等。其目的在于改变形成结石的酸碱环境，以图松懈其黏合作用，使结石瓦解分化，促进排出。

石淋初起多实证宜清利，但利之太过则为害，易损阴伤阳，故宜适可而止。对虚证则不可专恃清利，戕伤正气。石淋后期多虚实夹杂，治宜攻补兼施，或先攻后补，或先补后攻，视患者病情轻重、体质强弱、正邪盛衰、脏腑之虚实而定。

以上是一般规律，当然还有变例，临证时须随时相度病机，以施治之。

排尿石勿忘辨证

陈爵彬

当前各种尿路排石汤不少，其方药多系八正散加减变化而来。笔者认为排石效果诚然与结石大小、形状及部位有关，但问题还不在一方一药及其如何加减，关键在于是否掌握病机变化，坚持辨证施治。常见一些医家，一见结石，不管患者体质强弱，不辨寒热虚实，即用攻法，结果正气损伤，正不胜邪，结石焉能排出？此时若能辨证施治，分清寒热虚实，调节机体阴阳气血，则有助于结石由静变动，为排出结石创造条件。曾遇一陈姓女工，患左侧输尿管结石伴肾盂积水，素有尿多、白带多、腰腹冷等症候。先后经三位中医治疗，服药近百剂，大多系通淋利尿之品，不仅结石未动，仅而出现形寒畏冷、夜尿频数、大便稀溏、脉沉细等一派肾阳虚症状。余采用温阳补肾之法，先用附片、白术、肉桂、干姜、补骨脂、山药、黄芪、茯苓、甘草调理月余，后加穿山甲珠、桃仁、炙鳖甲近 30 剂，使患者排出 0.6cm×1.2cm 之结石 1 枚，说明忽视辨证施治是有害无益的。

什么时候攻最合适？余谓痛时宜攻，切勿错过良机。因为一般结石在静止时不怎么痛，若由静变动，则疼痛剧烈，此时是排石最佳时刻。如腰及少腹胀满疼痛、不可忍受、拒按，欲解小便但淋漓不畅，大便结，欲解又解不出，下坠明显。必须抓紧时间因势利导，用排石汤攻下通利，常可使结石排出或下移，而且成功机会较大，有时仅服二三剂药即可排出。余常用：萹蓄 15g、滑石 30g、木通 12g、黄柏 12g、石韦 15g、王不留行 15g、牛膝 15g、桃仁 12g、炒大黄 10g、琥珀 6g（冲）。

若遇结石大、形态不规则，宜先碎石后攻。因攻之不仅结石不出，徒损正气，此时应服碎石汤使结石变小、光滑易于排出。笔者根据多年临床实践，自拟碎石汤方：黄芪 30g、鸡内金 10g、炙鳖甲 15g、王不留行 15g、金钱草 30g、硝石 6g，每日 1 剂煎服，一般服 15～20 剂有一定效果。如毕某，患右侧输尿管上段结石，经多方治疗半年无效。余用上方给服 20 剂，患者小便中排出像琥珀样的粉末，经复查，结石已消失。又如林某，经检查确定在左肾盂肾盏间有 0.5cm×0.7cm 菱形结石 1 枚，在当地服药约两月无效，体质已虚，经调理后给服上方 20 剂，患者由小便中排出泥沙样大小不等的结石而痊愈。

治淋不囿于“忌补”

叶继长

祖国医学对“石淋”“砂淋”早有记载，其病因病机多为肾虚而膀胱热。肾虚气化不利，湿热蕴结于下焦，尿液煎熬成石，不能随尿排出，故而出现小便艰涩、尿时疼痛、痛引少腹、腰痛如折、尿血等症。

中医治疗本病办法甚多，多以清热利湿或通淋排石。对于湿热蕴结者固然有效，而施治于肾虚下元不固者，则收效甚微，甚则变证丛生。

余曾治一刘姓男子，42 岁，平素形体瘦弱，面色不华，呵欠频作，常头痛目眩，心慌气短，梦中惊叫，烦热盗汗，腰膝酸软，便结尿赤。1981 年 6 月患者突发小腹绞痛、尿频涩痛、尿出中断、尿赤、口干唇燥、饮水即欲尿而不禁，舌质红、苔薄黄、脉弦细，尿镜检红细胞（+++），X 线腹部平片提示：右侧输尿管下段有一大约 1.3cm×1.2cm 之致密阴影，诊断为右侧输尿管下段结石。因囿于排石，先以石韦散加减，后以排石汤加味，患者服药三十余剂不效。余虑其为肾阴阳两亏、湿热内蕴，故着力于补肾养阴，佐以清热利湿，药用：黄柏 12g、知母 12g、枸杞子 24g、覆盆子 15g、熟地黄 20g、山药 15g、茯苓 12g、泽泻 10g、肉苁蓉 12g、牡丹皮 12g、栀子 10g、金钱草 30g。服药 4 剂后，患者口渴减轻，继用上方去黄柏、栀子、牡丹皮、泽泻，加菟丝子 15g、黄芪 30g、牛膝 24g、当归 24g，加服知柏地黄丸以助滋阴补肾之功。又服 4 剂后，患者精神好转，头昏已除，夜寐渐安，但小便有中断涩痛感，且直抵茎中，右侧少腹疼痛，舌质红，苔微黄腻，脉弦细。证见阴阳渐复，结石有排出之势，继守上方去知母、覆盆子、山药、枸杞子，加海金沙15g、乌药10g、白茅根30g，患者服药3剂，尿出约1.2cm×1.0cm大小之结石1枚，经复查腹部平片，未见结石阴影。后以知柏地黄汤加白茅根、墨旱莲以调其善后。

对这一病例先因囿于“排石”而用清利不效，而后以补肾为主佐以清利湿热收功，说明治淋不宜囿于“忌补”。石淋忌补者，乃为下焦湿热之实证。今用补者，乃肾虚而膀胱热故也。补其肾水之不足，水足火自消，火消水自化，以达治疗之目的。故徐灵胎监《临证指南医案》指出：“治淋之法，有通有塞，要当分别。有瘀而积塞住尿管者，宜先通。无瘀积而虚滑者，宜峻补”。

石淋治疗一得

谌宁生

石淋多因湿热蕴结下焦，熬煎尿液而成。一般医者用八正散或石韦散加减治疗。笔者除宗上法加用一般通淋要药如金钱草、海金沙外，尚于方中加生地黄，仿增液行舟之意，更加行气化瘀之品，如枳壳、茜草、益母草等，以加强排石作用，临床常获显效。如彭某，64岁，因尿频、尿急、尿血、伴排尿困难，偶见尿中断。先经当地医院诊断为尿路结石，住院治疗20天无效，后转地区医院住院5天，经服石淋通、中草药煎剂及西药输液等多法治疗，效果不显。于1983年9月来我院作腹部摄影，报告“耻骨联合上缘，可见一约蚕豆大小的圆形浓影，意见膀胱结石。”因患者之妹系我的邻居，故邀余诊治。患者症如前述，舌苔薄黄，脉弦滑。拟以清热利湿，通淋利尿为主，佐以增液行气化瘀之品。处方：金钱草30g、石菖蒲10g、海金沙15g、瞿麦10g、生地黄15g、木通10g、枳壳6g、茜草10g、益母草15g、车前草20g、生甘草5g。5剂。

患者当天煎1剂，服1次药后，感觉小腹疼痛不适，排尿血，继服两煎药液时，感觉较适。翌晨小便时排出蚕豆大小结石1粒，呈灰褐色。余嘱其将所剩的4剂药继续服完，其腹痛尿血诸症悉除。至10月再经我院作腹部摄影，结果为：“原膀胱结石已消失。”追访患者年余，迄今未见复发。

升降相佐治石淋

李鸿翔

尿路结石一症，治疗多清利下焦、化石通淋，方药多取通降之类，亦有效

者。余治此证，常于通降之中稍佐一二味升提之品，每收效甚捷。

如李某，男，51岁，于1980年盛夏来诊。诉尿痛、尿血、尿时中断，伴有小腹部疼痛二十多天。经X线膀胱区平片示：“耻骨联合上偏左有黄豆大小密度增高影，耻骨联合中间见有多个密度增高影。”拟诊为：“膀胱及后尿道结石”。初服通淋排石剂二十多剂无效。后转诊本院，诊见形瘦神疲，舌淡少苔，时有尿意作坠，脉细弱无力。据其年逾半百，体气正衰，通淋排石固为可用之法，然欲其降之，必先升之。乃拟小石韦15g、金钱草40g、滑石24g（包）、枳壳10g、萹蓄15g、瞿麦15g、川牛膝30g、沉香9g、黄芪40g、升麻9g、生地黄30g，5剂。服药后，患者排出绿豆大结石1枚，守方续服12剂，陆续排出大小结石七枚。经X线摄片复查致密影已消失。终以六味地黄丸补肾善后。对此证据气机升降之学说，以黄芪、枳壳、升麻益气升提，配沉香、滑石、川牛膝性沉下降，寓升于降，故投药不多，结石即得以迅速排出。如果不明升降机制，徒事攻逐，遇壮实之人尚可，若遇气虚之体，非但无效，反而更虚其虚耳。

苦参汤善治乳糜尿

|李济仁|

乳糜尿多由血丝虫引起淋巴回流受阻所致，属中医淋浊、膏淋的范畴。究其病因，一是湿热下注影响膀胱分清泌浊的功能；二是脾肾不足、运化无权、下元不固，据此病因立方遣药，始能有的放矢。我的经验方苦参汤（苦参、熟地黄、山茱萸、山药、萆薢、石菖蒲、乌药、益智）对于本病，疗效确切、愈者尚多。

方中苦参为主药，益肾杀虫燥湿清热以祛邪。李时珍说：“苦参补肾……治风杀虫。”余在临证中发现很多乳糜尿病人服用多方不效，而一经加入苦参，症状迅速改善，尿检及乳糜定性逐渐转阴，在较短时间内获得痊愈。熟地黄、山茱萸、山药滋肾益脾，养阴填精并可固涩精微外泄。苦参汤中含萆薢分清饮之方药，意在温肾化气、去浊分清。如尿混浊如膏脂、溺时涩痛者，酌加赤茯苓、石韦以利水而通淋；若尿色红、淋涩不畅者，可加炒蒲黄、白茅根、琥珀末以清热止血；如尿色白如米泔，当重用萆薢，另加煅龙骨、煅牡蛎以固涩。

苦参汤的特点是攻补兼施，注重治本，兼除病邪，堪称是治乳糜尿的良方。

治乳糜尿应健脾化瘀生新

徐宝圻

治乳糜尿，世医多选萆薢分清法或益肾固涩法，余试之，虽有部分见效，但大多数令人不甚满意。余观察诊治者，多病程日久，遇劳即发，面色少华，精神萎靡，而禁食油荤，则更加重气血衰败，但若安静休养，却又常常不药而暂可缓解。故在治疗上，以补中益气为本，考虑乳糜管的阻塞破裂，此乃不通而破，应佐通络化瘀之品；又鉴于食油腻则病情加剧，应辅以消脂之品，处方以黄芪、党参、白术、当归、柴胡、升麻、炙甘草为主，加山楂20～30g、穿山甲、刘寄奴、王不留行等。

乳糜尿脾肾两虚者十之八九；而湿热下注，败积瘀腐者，仅十之一二。若以固涩法治之，往往致尿路阻塞，尿闭不畅；若以清利法治之，苦寒之品反伤肾气，病程多迁延日久。对乳糜血尿者，更见中气急速衰败，必以补中益气、活血生新以摄气摄血，引血归经，引乳糜尿之精华入络，对病程反复日久，全身气血衰败者，还可加仙茅、淫羊藿、鹿角（茸）之类温补肾气。余以六味地黄丸加山楂或服山楂丸，以巩固疗效已有十余年，所服药者无不感到甚至不必严格禁油腻，但以小荤小油为上。

膏淋顽症，治宜通补兼施

李传芳

1969年仲夏，余下放宁国县三元乡医院，遇一方姓膏淋患者，溲色白如米泔，县医院诊断为“乳糜尿”，多次用海群生、卡巴胂治疗，也曾几度服用中药，虽然有效，但未几又发，病历五载，小便常混浊，严重时状如奶浆，或如膏脂，时挟小血块或膏脂团，小便淋涩胀痛。所幸患者食欲颇佳，除觉倦怠乏力、气息稍感不足外，余无所苦。诊其六脉濡细，舌质殷红尚润，余予清利下焦法治之不应。遵“中气不足，溲便为之变”之旨，以清利下焦、补中升清法并举，疏方：小蓟、萆薢、金钱草、海金沙、黄柏、苦参、山茱萸、党参、黄芪、炒白术、柴胡、山药、芡实。另以玉米须煎汤令其常饮。患者服药逾月，果然见愈。时隔3个月，患者因耕作劳累，复又发作，恙情如故，惟增腰酸颇重。遵《诸病源候论》“劳伤肾气而生热成淋”之旨，改投清利下焦，益气升

清、补肾固摄之剂。进药10剂，患者小便转清，腰酸见减。湿热有清澈之机，精微得固摄之渐。守方继进2周，患者恙情却踏步不前，乳糜定性仍为阳性，尿蛋白+～++，患者忧心忡忡，精神萎靡，寐食俱减。闻当地王医师，以用药量大、灵活多变、出奇制胜著称。余登门求教。他分析我的遣方用药后说："纳清利下焦，补中升清，补肾固摄于一方，颇有见地，何以疗效停滞不前?"他推敲再三，提出三点与我商榷。第一、苦参苦寒沉降下行，清热燥湿，走下焦善利小便，用之颇合机宜，但因其能戳伤脾胃，故只宜小其剂，不宜久用，否则损中有碍清阳升发；第二、益气补肾药，用量似嫌不足，病重药轻，难以济事；第三、患者病延日久，络道必为瘀浊所阻，或为湿热损伤，精微气血的输布，浊湿的排泄，不循常道而益增其瘀损。故宜参入化瘀通络之品，寓通于补，则有利于经络的疏通，病损的修复。王医师的见解令我诚服。我补充说，若再参入桂枝，以助气化，伍入乌药，行气导滞，其促血行，可否？王说，如此更善，桂枝辛甘温通，助阳化气以利膀胱，且可制苦寒药损折脾胃，然因其能助热，易于伤阴动血，故用量要小，热盛动血时当舍去。乌药辛开温通，上走脾肺，下达肾与膀胱，顺其气，通其闭。桂枝与乌药两味都落脚在一个"通"字上，其与益气补肾、活血通络药为伍，通补兼施，则气血流行，推陈致新，可望邪去正复。遂重拟处方如下：①小蓟30g、萆薢30g、海金沙15g、黄柏12g、党参20g、黄芪30g、白术12g、柴胡10g、乌药12g、山茱萸15g、菟丝子30g、山药30g、芡实30g。水煎，日服2次。②玉米须60g煎汤常饮。③三七、穿山甲、白术、琥珀各40g，土鳖虫15g，桂枝5g，研极细末，3g，日服2次。患者如此服药匝月，诸症消失殆尽，尿检3次正常。嘱患者间日交替服汤散1个月，以资巩固疗效。随访至今未发。嗣后，笔者每遇重症膏淋，日久不愈者，辄投通补兼施法，药味虽不尽相同，只要守治较长时间，确奏效良多。

补中益气治淋证

熊振敏

曾治熊某，男性，1952年以来，屡见尿如米泔，或兼下血块。西医诊断为丝虫病，服抗丝虫药。1954年夏，正值抢收抢种，忽欲解小便而不得，下腹胀闷不安。用温肾利尿无效，请西医导尿。3天后导尿无效，胀闷加剧。待我往诊时，患者面容憔悴，表情痛苦，神倦呻吟；尿意虽频，挣之无力，脉来沉软。窃思病者素体较弱，加以过度疲劳，累及丹田精气，损及膀胱气化。因尿中曾排出血块，料其为瘀、热互结，阻塞尿道，致尿无通途。无奈其元气大亏，排尿无力。当务之急，应先振元气，佐以祛除瘀阻，以通尿道，用补气升提法，投补中益气汤加味：炙黄芪、党参各30g，白术、当归、泽泻、川牛膝各9g，升麻、柴胡、陈皮、炙甘草各15g，茯苓18g，车前子12g，红花、桃仁各6g，每日1剂，煎服2次。服完1剂，患者尿频急，气不够用，仍无力排尿。按原方将黄芪加至60g。患者服2剂，排出一血块（约成人双拇指大），尿即畅通。尔后间或小便不畅，服此方有效。又治罗某，女性。1963年秋，因高热持续，西医诊为肠伤寒病，住院治疗，热退神清，惟独不能排尿。作各项检查，俱无异常；神经系亦无病理反射。用利尿、针刺均无效，导尿5天，尿道灼痛，患者拒绝插管，哭闹不休。其家属要求吃中药。诊见患者消瘦神疲，面容憔悴，表情痛苦，语音低微，口干思饮，脉沉细软。证属气阴两虚，然气虚偏重。缘热邪耗气灼津，元气大亏，膀胱气化不利，遂致尿闭。故欲通尿闭，当先振其气。取法补气升提，用补中益气汤加味：生黄芪60g，党参30g，白术、当归、泽泻、车前子、川牛膝各9g，升麻、柴胡、陈皮、五味子各5g，云苓18g，麦冬12g，甘草5g。服1剂，患者熟睡2小时，午夜醒来，自解小便一便盆，顿觉轻松。调治5天，痊愈出院。

温养督脉治劳淋

陈幼清

“督脉督一身之阳”“督乃阳脉之海”。人生阳脉皆会于督脉，故有统率诸阳经的作用，是以背寒脊痛、下元虚冷、脑髓空乏诸候无不与督脉相关。此外，由于督脉起于会阴，会阴属下焦，为足厥阴肝经和足少阴肾经的管辖范围，所以，督脉一旦发生病变，往往从肝肾表现出来。由斯而观，既然许多病变都系督脉为病，从督而治，自可收效。我近几年来，曾以温养督脉法治疗腰痛、劳淋、痹证、产后血虚等候，只要辨证准确，多获捷效。尤其于劳淋一证，治之尤多，体会亦深。如曾治一小学教师项某，患肾盂肾炎已十五载，反复举发，劳累之后加重。曾经多家医院诊治，无奈因其白细胞偏低，对其细菌尿敏感之氯霉素又不能用，只得求诸中医中药。前医因其细菌尿不除，乃投清热利湿解毒之剂，服药十余剂，仍无效应。求诊于余之时，见其面色萎黄少荣，微浮，足胫微肿，精神委顿。四诊合参，患者属气血两虚，脾肾阳衰。治宜补气血，养肝肾，温煦督脉。药用：熟地黄18g、炙黄芪15g、补骨脂15g、菟丝子15g、覆盆子15g、生山药24g、广陈皮6g、鹿角霜15g、巴戟天15g、川桂枝3g、炒白术10g，并配以狗脊15g、潼沙苑子15g等出入。患者先后服药25剂，诸症俱

除，小便培养无细菌生长，继以肾气丸善后而愈。随访两载，未再复发。对此例患者，细菌尿投清热利湿法不应，而以补气血、养肝肾、温煦督脉而收功。这是中医辨证施治优越性的具体体现。

釜底抽薪救癃闭

郑惠伯

釜底抽薪法主要用于阳明腑实证。对于温病气血两燔、热入营血者，亦可在清气凉血的基础上配用此法。釜底抽薪，不仅能清除肠内积热宿滞，而且能荡涤血分热毒从大小便排出，既能挫其热势、消除致病之因，又能泻下通便、治其主要症状。故临床上对许多热毒危险重症，多采用此法。笔者在抢救热毒癃闭时采用此法，收到可喜的疗效。

1977 年，我曾会诊过一病人，全身晦滞暗黄，手抓血痕遍及胸腹，干哕之声达于室外，口中尿臭散发床周。病人表情淡漠，神昏不语，烦躁不安，满床滚动，大便不通，小溲癃闭（每日尿量约 100ml），四肢浮肿，胸腹胀满，伴有腹水，舌苔黄厚腻，脉细数。17 年前患者曾患肾炎，经治疗出院后一直未复发。此次住院已 6 日，病情逐渐恶化。尿常规：蛋白（+++），红细胞（+++），白细胞（+），脓细胞少许，管型（+）；血生化检查：非蛋白氮 170mg%。初步诊断：①慢性肾炎急性发作；②肾结核；③尿毒症。经进行抗感染及支持疗法、纠正酸中毒、维持水电解质平衡、促进蛋白合成等法治疗 6 天，病情不减，患者肾功能严重损害，病危。

余思病员患肾病多年，脾肾必亏，而当前湿热阻滞三焦，火腑不通，阳明腑实胃气口逆，湿浊泛滥蒙蔽心包。此病本虚标实，急则治标，法当釜底抽薪、通泻胃腑、兼利膀胱、清热解毒、凉血止血，投以大黄 30g（后煎），白花蛇舌草、六月雪各 60g。大黄苦寒泻热毒、破积滞、化瘀；白花蛇舌草与六月雪有清热解毒利尿之功，重剂以投，取其力专。

患者初服一二汤匙即呕吐，其妻耐心喂药。至夜半，病人呕吐渐停，服完，病人安静。翌晨，其腹中漉漉有声，少倾暴注而下黑黄色粪尿半痰盂，臭气盈室。病者濈濈汗出，昏昏鼾睡约 4 小时。自大便通后，病者尿量增多，烦躁渐减，改用苦降泻下凉血止血法。处方：黄连 6g、陈皮 10g、半夏 10g、厚朴 10g、大黄 10g、牡丹皮 10g、槐米 15g、地榆 15g、白茅根 30g、鱼腥草 20g、白花蛇舌草 15g、六月雪 20g、益母草 20g、虎杖 15g。

经治 10 天，病人尿量增加，大便每日三四次，神志已清，精神、食欲大有好转，呕吐基本得到控制，四肢浮肿及腹水消退，非蛋白氮降至126mg%，继用益气活血止血法。处方：黄芪20g、白茅根20g、白术10g、薏苡仁15g、虎杖10g、槐米15g、地榆15g、牡丹皮10g、茜草10g、益母草20g、六月雪15g、白花蛇舌草15g、蒲公英15g。

病人服上方1周，每日尿量增至2000ml以上，食欲增加，改用益气补肾止血法，六味地黄汤加黄芪、菟丝子、枸杞子、金樱子、槐米、地榆、女贞子、墨旱莲等善后调治而愈。

当归芍药散启癃闭

|郭辉雄|

郑翁，年逾花甲，罹患尿频、点滴不畅越半载；频频欲溲，点滴难出历一候。曾服中西药物罔效。西医检查诊断为前列腺肥大，建议手术治疗，郑翁因惧而遣人邀余往诊。自诉小腹窘迫拘急，痛苦不堪言状；视其面容苦楚，面色晦暗，舌质紫暗，苔薄黄，脉沉弦有力。查其所服之方，有用八正辈清化膀胱湿热者；有补中益气斡旋升举而助气化者；有滋肾通关育阴以助阳化者；有温补命门以蒸化者；亦有提壶揭盖清上源以通下流者；治癃闭之法，匪不备尝，曷以鲜效？窃思本案，患者花甲高龄，本属肾气虚馁，但尺脉不弱而沉弦有力，实乃水邪内聚之象；面色暗晦，虽系肾色外露，但瘀阻于内气血无以上荣亦然；舌质暗紫，瘀证明矣。综合脉证，乃因腺体肥大，水滞不通，水血互结，瘀阻浊窍，而成癃闭。此诚危急之秋，不濬瘀浊，必至关格之虑。当急则治其标，首宜活血化瘀，通窍行水以图治。施以当归芍药散加味。当归12g、赤芍15g、川芎10g、茯苓15g、白术10g、泽泻12g、桃仁10g、牛膝15g、石菖蒲10g、车前子15g。

患者服药3剂，小便如涓涓细流，小腹窘迫顿减；继进3剂，小便通畅。后以济生肾气丸合当归芍药散培其本，调治匝月，诸症若失。郑翁深为膺服中药显效神速。门人亦为效捷而有所思，肃然问曰："当归芍药散系仲景用治妇人腹中痛之方，今用治癃闭，不解其意？"答曰：当归芍药散本仲师治肝木乘脾兼有水气的腹痛证治，当归、白芍养血；茯苓、白术扶脾，川芎畅其瘀滞的血气；泽泻泻其有余之蓄水，养血调肝中兼有活血散瘀之效，化湿利水之中兼有健脾益气之功。药水平淡，实寓深意。经方药少而精，立法严谨，凡肝脾不和，血瘀水停者咸皆宜之，以方测证，当有小便不利证。本案水血互结，阻塞溺窍，当归芍药散有活血行水之功，正为合拍之治。读仲景书，用仲景方，不能泥于

句下，囿于条文，当究其立法之旨，探其辨证之奥义，推而广之，化而裁之，斯为有得矣。门人复问曰：此理已明，然石菖蒲《本经》谓其止小便利，癃闭何以用之？余曰：此说不足置信，石菖蒲秉芳香清冽之气，能聪耳目，利心窍，善通九窍，吾于临床治小便不通者用之多效。读书善辨疑，躬亲实践获真知。

救治气郁癃闭有感

|张六通|

1975年国庆前夕，病房里救治了一例尿闭达104小时的垂危病人。患者男性，46岁，9月25日出差返汉途中，突然左少腹剧痛，欲小便而无尿出，经用输液、利尿剂并导尿，未能见效。1975年10月27日住院，先后经超声波、X线拍片、肾扫描等检查，并请某泌尿科专家会诊，均未能明确诊断。28日按该专家建议，一次静脉滴入速尿800mg以利尿，药后仍然无尿，更觉心慌胸闷、口吐清水、头项强痛、腰背胀痛难忍，拒绝再用此药。29日检查：非蛋白氮84.6mg%，二氧化碳结合力48.6容积%，作膀胱镜检查，膀胱内无尿液，壁充血，容积约100ml，解剖位置不清，无法插管检查。尿闭已经4天，患者奄奄一息，是时乃组织中医会诊，确定救治方案。下午5时内服桂枝9g、黄柏12g、川牛膝12g，水煎1剂，并外用麝香0.3g、葱白一把（捣烂）敷神阙，熨以炒盐1.5kg。药后患者自述腹中转动，并有尿液下流感觉，6时40分排出尿液350ml，至翌日凌晨共排尿9次，计3000ml。后经调理2天痊愈出院。

本例系七情所伤的气厥癃闭重症。肝主怒，病起暴怒伤肝，肝气厥逆于肾，以致气机闭塞不行而然。尿闭不利尿，而用通阳行气之法，竟获气化水行的效果，这正是基于上述病因、病机理论的指导，这使我看到了中医理法方药的内在联系及其科学性。

癃闭证治别论

|王治强|

癃闭一证，多由湿热蕴结、元气亏虚、气机不畅等因素所致。而因浊瘀热结、决渎失权致癃闭者，临床并非少见。谨就所悟，别论如次。

《灵枢》曰："汁沫与血相搏，则并合凝聚不得散，而积成矣"。《金匮要略》云："血不利则为水"，《血证论》说："瘀血既久，化为痰水"，《景岳全书》更明确指出："凡癃闭之症……，则或以败精，或以槁血，阻塞水道而不通也"。温故其义，说明浊瘀搏结，蓄积下焦，壅滞水道，是会酿生发为小便不利，甚则病癃闭。

癃闭之治，盖有定法，谓其常。证变法变方随法易，药随法遣，故对于因浊瘀热结之癃闭实证，则应根据"实则泻之""血实宜决之"的原则辨治。还须注意实者兼虚，虚中夹实，务"必伏其所主，而先其所因"，机圆活法，相伍为用，以取相得益彰之功。余常择抵当汤加味治之，曾挽治癃闭里急重证，效果堪称满意。如刘某，男，70岁，罹病癃闭，医用清热利湿法药，屡投罔效。今小腹胀满，拘痛迫急，小便艰涩，时点滴而出，时闭塞不通。神情如狂如妄，唇舌暗红，苔黄厚腻，脉沉弦滑数。证属湿瘀热结，蓄积下焦。又风烛残年，久病中风，气虚血瘀。治宜通瘀破结，清利湿热。但邪实正虚，专攻逐邪又非所宜，故在应用抵当汤的基础上加用益气补肾之品：生黄芪15g，水蛭、虻虫各3g，桃仁、大黄、红花各6g，生山药、丹参、生地黄、白茅根、益元散各30g，猪苓、牡丹皮、芒硝各9g。再进5剂，患者小便畅利，开合有节，诸症若失。遂拟益气健脾、培元淡渗之剂调理而愈。

癃闭一证，多突然暴作，奔迫难堪，痛苦非常，时或遂致夭命，故不可轻视。于此辨证要精当，施治要果断，选方要确切，遣药要精炼，庶不可徘徊忧虑，否则将会贻误病机，以使证情愈演愈重。

麻黄连翘赤小豆汤治尿闭

李石青

麻黄连翘赤小豆汤，仲景用于治疗黄疸，今人常用于治疗肾炎、荨麻疹，却很少用于黄疸。在20世纪50年代，急性黄疸型肝炎患者较多，临床用茵陈蒿汤、茵陈五苓散类方无效者，余每据"脉浮"，转用麻黄连翘赤小豆汤而收效。细味其理，瘀热在里，从表分消，脉浮一候，很有启发意义。

1958年初夏，遇到一例阴茎癌手术后病人，溺口开于阴囊左下方。一日，猝然小便不利，服中药行气清热利水剂无效，转赴医院急诊，行导尿术，术后小便点滴全无，先后辗转经旬，腹胀疼痛，脐腹发痒流水，口干作苦，舌苔黄腻，并诉大便数日未行，惟脉浮数不沉，与下焦实证不相符，病始于下焦，湿热阻气，决渎不行，继而阳明腑实是没有疑问的。啻脐腹发痒流水，说明水蓄热瘀，无处宣泄，从而逆行肌腠，病机有散漫的一面，脉浮殆与此有关，于是立双解法，用麻黄、连翘、赤小豆、紫菀、栀子、茵陈、生大黄、茯苓、萆薢、

六一散，宣开达表，通腑泄热化湿，另佐麝香、琥珀粉、滋肾丸吞服，取其辛透化气利水，并嘱其药后覆被取汗。次日复诊，患者药后得汗，二便通利，小溲臊臭异常，予原方去大黄，患者服3剂，脐腹发痒，流水诸候均消失，小溲尚有热感，舌质偏红；续以导赤散加天花粉、黄芩、茯苓、萆薢、茵陈、滑石，苦寒复甘寒法，以清余氛，病臻痊愈。

妊娠癃闭治验

张鹏程

吴某，25岁，怀孕4个月，患癃闭证数日，乡村医生诊之谓“膀胱炎”，肌注青霉素、链霉素，口服中药利尿消炎之剂无效，举室惊慌失措，邀余诊治。观其妇神疲体瘦，卧床呻吟，大便3日未通，小便点滴俱无，身微热，口干不欲饮，下肢微浮肿，少腹胀满如覆碗，按之则胀甚，舌质淡胖有齿痕，苔腻中心微黄，脉弦滑。余审病验证此乃气虚胎坠，膀胱气化不行、蒸腾无力所致，拟用补中益气汤加枳壳、桔梗、大黄少许，当日服1剂，则少腹胀减、小便稍通，再服1剂二便霍然通矣。吴氏之夫喜告于予，先生妙手也，吾妻病瘥矣。肺居上焦，为五脏之华盖，主一身之气化，通调水道；脾居中焦，为“元气之本”，主升清，运化水液，为上下升降之枢纽。肺气虚则肃降无权；脾气虚则运化无力，加之患者素来体弱气虚，气益虚胎气不举，下迫大肠与膀胱，致令气化不行，蒸腾无力，二便闭塞。今选用补中益气汤加枳壳，桔梗益气升提，加大黄少许荡中焦壅遏之热，令脾气得升、肺气肃降、上窍得通，中焦得运、膀胱之气自然得化矣。

（黄祖德　整理）

温肾活血法治慢性前列腺炎尿潴留

唐品高

慢性前列腺炎属于中医“癃闭”范畴，是男性老年人的多发病。老年人正气渐衰，肾气虚弱，膀胱气化不行，加之邪火乘虚进犯，致使气滞血瘀，排尿不畅。病情日久，必致肾阳益虚，血滞瘀阻。当以温阳补肾，活血化瘀为治。方用桂附地黄汤加减。

谢某，男，62岁，初期为夜尿增多，排尿费力，排尿时间延长，尿流变细，近来尿呈线状，并有分叉现象。直肠指诊：前列腺Ⅱ度肿大，质中，中央沟变浅。西医曾给予雌激素治疗，因不良反应较大，周身不适，乳房肿大而求治于中医。诊其体质虚弱，神疲倦怠，腰酸肢冷，少腹作胀，舌质淡，脉沉细而弱，治以温肾利水，活血化瘀。药用：丹参15g、熟地黄20g、山茱萸12g、牡丹皮10g、泽泻15g、山药20g、茯苓15g、桂枝9g、附子9g、王不留行12g、泽兰叶9g、益母草15g、淫羊藿12g、巴戟天10g。服4剂。

二诊：服药后排尿较通畅，效不更方，续服三十余剂而愈。

前列腺位处会阴，系督任二脉交会之处，故有腰酸痛、少腹拘急、小便不利等症。肾阳为人身阳气的根本，有化气行水的作用。故以桂附地黄汤加淫羊藿、巴戟天大补肾气，以复命门启闭之权。因败精宿腐，凝阻溺窍，用丹参、泽兰叶、益母草、王不留行等消瘀散结，则肿消而痛缓，排尿通畅。

阴缩证治一得

陈治恒

阴缩一证，临床并不常见。近几年来，余经治数例，兹将一得，举例述之。

李某，男，44岁。述2个月前出差外地，本来沿途跋涉比较疲乏，返家当晚即与妻子同房，刚交接后便突然发生前阴缩入少腹，牵引疼痛难忍，幸其妻是医务工作者，立即采用热敷患部，使病得稍缓，迅即送医院检查，西医诊断为“前列腺炎”，给注射庆大霉素和服用呋喃妥田治疗已2个月，仍不时发生前阴缩入，阵阵少腹拘急疼痛。观其面色㿠白、神情疲惫、脉沉微细，舌淡苔白，食少便溏，腰酸腿软，小便量少次多，但无淋漓涩痛感。此因平素肾阳不足，加之疲劳未复即行房事，伤耗肾精，寒邪乘虚袭入，病在厥少二阴，并兼及督脉。治以温经散寒、活血理气为法，处以附片、肉桂、北细辛、当归、白芍、吴茱萸、小茴香、荔枝核、橘核、甘草等味与服。

服4剂后复诊，患者谓阴缩已未再作，惟阳事不举，嘱其忌房事、勿着急。经改用右归丸加巴戟天、淫羊藿、砂仁、鹿角胶、胎盘粉等为丸剂，服用两个月余，基本恢复。

又，杜某，男，38岁，因行房后突然前阴向少腹缩入，疼痛难忍，遂急送某医院检查，西医诊断为“肠痉挛”，经用阿托品后缓解，回家休息2日，仍然不时发生阴缩现象，全家甚感惊惶，遂来求余往诊。询之，前阴仍阵阵缩入少腹，以手拉住也不行，少腹拘急疼痛，痛时则干呕，无发热恶寒，只是一直踡卧床上，大便正常，小便少。诊之脉沉紧有力，舌苔白滑。窃思其病发于房事

之后，当系寒邪乘虚袭入厥阴之经，发为阴缩之候。拟当归四逆吴茱萸生姜汤与服。2 剂后，患者诸症消失，继之调理数日而安。

查阴缩一症在《内经》中早有记载，如谓“厥阴脉循阴器而络于肝，故烦满而囊缩”“微大为肝痹阴缩”“足厥阴之筋病……伤于寒则阴缩入”。阴缩即囊缩，因足厥阴肝经循阴器抵少腹，前阴又为宗筋之所聚。同时，任脉起于中极之下，以上毛际，入腹里；督脉则起于少腹以下骨中央，女子入系廷孔，循阴器，男子循茎下至篡。与女子等，而任督脉之根，又在肝肾，故阴缩一症与上述经脉及肝肾等都有密切关系。由于寒邪侵袭足厥阴肝经所致，寒极而致收引，是以发生本病。但也有因热极而发者，陶节庵主张分阳证和阴证论治，原因就在于此。

“阴中求阳”治阳痿

|张　魁|

对阳痿之证，景岳谓：“火衰者十居七八，火盛者仅有之耳”。后世医者多因此以补肾壮阳之品治之，然疗效并非满意，多不持久，亦有服之反甚者。何故？余以为景岳之言甚是，若因此而拘泥于温阳之法，则非前人之过也。须知火衰日久必致阴亏，或阴液亏损而致火衰，此阴阳互根、相互消长、相互资生之故也。阴液亏损，阳如无源之水，无本之木，岂能安在？物资不足，功能从何而来？温阳之品，如淫羊藿、仙茅、韭子、阳起石、巴戟天之类，虽能壮阳，亦能伤阴，轻易投之，其患无穷。

余初治阳痿证，亦效此法，每不见效，后精读岐黄，百思而大悟，遂初以调补肝肾之阴为主，兼顾脾胃，尔后于补阴之中少佐一二味菟丝子、肉苁蓉、锁阳、当归等温润之品，取“阴中求阳”之意，温燥之品，全然不用，治数十例而效佳。古人之言，寓意颇深，悉心领会，收益不浅。

阳痿并非皆阳虚

|许雪君|

一壮年患阳痿不已，前医以补肾壮阳之品，连服两月无效。余诊之，其脉弦细带数，舌质红，苔薄黄，舌根黄腻苔，此非命火衰微，乃属阴虚火旺，兼下焦湿热。选用知柏地黄丸合三才封髓丹加萆薢，投汤 20 剂见效，此见辨证之

要，不可拘泥一法。正如《景岳全书·阳痿》篇所说："火衰者，十居七八，火盛者仅有之耳"，临证时不可不审。

血精论治分虚实

程为玉

血精与现代医学的精囊炎有密切关系，根据其临床表现，中医认为血精的病因、病机乃火邪内扰精室，阴络受损所致。然火有虚实之分，人有体质不同，大凡壮实的青年出现血精多属实火，临床表现大多为：面红，脉弦数，舌质红，苔薄黄，或腰痛或阴阜处痛，或夜梦纷纭，采用清热泻火、凉血止血的方法治疗往往能收效。余1980年治一例24岁青年鄢某，其性交排出血精半月余，伴阴毛处疼痛，曾按瘀血治疗罔效。余窃思患者年方三八，肾气正旺，且面红、脉弦数、舌质红、苔薄黄而腻，病由湿热内扰精室所致，故投黄柏10g、苍术10g、牛膝10g、蒲公英60g、泽兰10g、川楝子10g、柴胡6g、紫花地丁20g、蒲黄炭10g等，水煎服3剂，嘱其禁房事10天而愈。对于年老体弱、操劳过度以及素体阴虚之人，出现血精多属虚火，其临床表现为：眩晕耳鸣、健忘多梦、神疲乏力、腰膝酸软、舌红少苔而干，或舌淡，脉细数或弱，临床上采用补肾填精、泻火凉血法多能获效。我于1981年治疗一位教师，40岁，两月来，每次性交精液均呈红色，伴腰痛头昏、神疲乏力，曾用红霉素、复方五甲氧嘧啶等治疗半月均无效。余观其面色晦暗，眼睑周围色黑，舌质红苔薄黄，脉沉细稍数。以其年满五八，又事教业，精血耗散，肾阴不足可知。嘱其节制房事，同时用补肾填精、泻火凉血之法治疗，投以黄柏10g、生熟地黄各15g、山药30g、山茱萸10g、茯苓12g、牡丹皮10g、泽泻10g、蒲公英30g、紫花地丁20g、杜仲12g、女贞子12g、墨旱莲15g，水煎服10剂而治愈。

由此可知，治疗血精必须根据证候表现分清虚实"实则泻之、虚则补之"，才能收到良好的效果。

内外合治不能射精

帅　焘

不能射精一病，临床较为少见，论述此病的专著亦不多。1971年诊一朱姓遗精患者，答问之前左顾右盼似有隐秘，经耐心询问，知结婚时并无此疾，因

同房中争执心情不遂，继后性交时不能射精，天明梦遗。平时腰微酸，清晨口干苦。六脉弦细数，两尺浮大。舌质红根部淡黄腻。证属肝肾阴虚相火不潜，肝气郁滞疏泄失宜。盖精藏于肾，疏泄之权司之于肝。肝经经脉上股环绕阴器。肝之疏泄与情志关系致密，同房争吵肝气郁结不泄，故应射而不能射。肝肾阴虚，相火炽盛，迫精外出致梦遗。拟知柏地黄汤加砂仁、川牛膝、荔枝核、香附、青皮、莲须、金樱子，连服 3 剂，患者梦遗止，腰酸、口干苦消除，惟仍不能射精。余思疏通经络阻滞针刺较药物效捷，遂泻中极、关元，针后以川牛膝加乳香少许醋调包敷二穴。续服上方。经针刺 5 次（隔日 1 次），同时外包、内服上方，患者已能射精，惟感射时尿道涩痛。于上方中加木通、淡竹叶；停包药物，只针中极，给予强刺激，留针半小时而诸症告愈。以六味地黄汤、丹栀逍遥散善后。后得一女。

任脉起自胞中，循腹正中上行，其经脉过阴器。关元穴为小肠之募穴，足三阴、任脉之交会穴；中极为膀胱之募穴，足三阴、任脉之交会穴。泻中极、关元能平下焦相火，疏肝、肾、任脉气血之壅滞。《本草通玄》《本经逢原》及《集验》等书均载：牛膝性主下行，其性滑科。用牛膝、乳香外包，专取其通利滑窍行通阻滞。果收预期之效。

也谈“阴缩”

段生锦

“阴缩”是指因某种原因致使阴茎、睾丸和阴囊内缩的证候，临床并不多见。20 世纪 70 年代，笔者在禄劝县农村卫生院工作，一天某乡干部气喘吁吁前来要求出诊，说其弟小肚掣着生殖器钻心痛。我恐有外科情况特请外科医生同往，只见门前村人老幼熙熙攘攘，交头接耳，似乎在议论什么新闻，见到病人时得知刚才抓了一只白公鸡，一剖两半包肚子，病已好。又过五天，病家天亮即来叩门，说患者又出现腹痛，待赶到时见患者神情紧张，面色苍白，两手紧抱小腹。经注射阿托品、安痛定后，令解开衣裤，检查时会阴部的确看不到阴茎和阴囊，但在阴茎根部有一个旋涡式的小口，整个腹肌紧张难于进行触诊。当即采取针灸双侧足三里，一侧用寸针行“烧山火”手法；另一侧用烟头烘烤，加上医生的解释，约 10 分钟后患者腹肌紧张稍缓解。再仔细触摸其腹股沟外环，在两侧腹股沟管部终于“追踪”到左右睾丸（说明是提睾肌痉挛而上移）；在耻骨联合上方沿“漩涡小口”可触到约小指大的索状物，可能是阴茎随皮肤挛缩所致。大约 5 分钟后患者欲解大小便，当扶起其外出时，其阴茎、睾丸和阴囊自然复位，如此反复发作已 14 次。

当时省医疗队来县，经队里某老中医用大剂附子、生姜、锁阳等治疗，前期有效，后因无效转笔者试治。根据“肾主二阴”，前医用温肾散寒之品理当有效，在疑问之际，病人述说发病前半月，和邻居妇女吵架时生殖器曾被抓扯。证属气滞血瘀，决定用民间偏方松笔尖（即松树梢，有活血化瘀之功），每次 10 枚，捣汁冲水炖热加酒温服，每日 3 次，大约服 100 枚左右，患者自感全身松散乏力，令停药，后用奔豚汤加减 2 剂调理，病愈，至今多年未见复发。

男子不育与滋阴清火

| 李观荣 |

男子不育症多因精液内精子数目减少、活动力较低、精液液化时间延长等所致，属中医肾虚的范畴，世医常以补肾而治之。补肾之中补阳最多，补阴尚少；补阳之中又以鹿茸、海狗肾、黄狗鞭、肉苁蓉、巴戟天、淫羊藿、杜仲、锁阳之属，以壮肾阳。真阴亏损误补以致命门之火愈炽，阳强易举、肾精外泄、不能成孕。正如沈金鳌说：“凡阴阳之要，阳密乃固。故曰阳强不能密，阴气乃绝，皆不能孕。”

余治史某，28 岁，结婚 4 年不育，某医院泌尿科查见死精子，诊断为不育症。患者常早泄，舌质红赤，根有裂纹，脉细数。某医用大补肾阳之品治之，疗效不佳。审其症，观其脉、舌，证属水亏火旺，肾精不足，不能成育。遂以六味地黄汤加味治之：生地黄 30g、山茱萸 10g、茯苓 10g、怀山药 30g、泽泻 10g、石斛 30g、牡丹皮 10g、金樱子 10g、芡实 10g、地骨皮 30g、黄柏 6g。

按前方连投 10 剂，嘱患者忌房事。20 日后复诊，患者早泄已止，舌质裂纹已退。按上方加赤芍 10g、木通 12g、鸡血藤 30g、红藤 6g，连服 3 日。6 个月后其妻子已受孕，次年生一子。

治 血 谈 丛

| 颜德馨 |

血液病急性发作，药不厌凉，凉不厌早

血液病（包括白血病、再生障碍性贫血、血小板减少症等）急性发作，多

出现高热与出血，往往促使病情恶化，甚至导致死亡。作者对此类疾病论治一得："药不厌凉，凉不厌早"，能否及早控制高热，制止出血，是治疗血液病的成败关键。

所谓"早"，有两种意义，一为及早发现急性发作先兆；二为用药宜早，宜凉，宜重。如何在急性发作前期，见微识著，判断急性发作先兆，余临床实践体会，从脉搏的动态变化，可掌握疾病的演变，如脉搏从细缓转为洪数、弦数，并见烦躁、失眠、遗精等症，是急性发作先兆，其中又以脉搏洪数为关键，反之，脉搏从洪数转为细缓，是急性发作转为稳定的佳兆。血液病患者若见细缓脉转为洪数，即使未见高热，血象尚未变化，即可及早投以甘寒重剂，截断病势蔓延，若待高热，舌红绛，热证、火证显露及血象变化之际，方进凉剂，恐已鞭长莫及。用药宜早者，因血液病之高热及出血不同于一般，具有一定的特异性。药性要用凉、剂量宜重，初起以银翘散、白虎汤合方，每日二三剂，若不效，即可加入神犀丹、紫雪散。对于血暴出危急之症，凡属实火逼迫者，即予紫血散 1.5g，每日 2 次。考察紫雪散方药，既有犀羚、石膏、寒水石之凉，又有沉香之降，既可清热泻火，凉血止血，又有降气之功，清得一分火，便保得一分血。处方中常用大黄直折而下，破瘀逐积，血络随安。对王肯堂所谓"血溢血泄诸蓄妄症，其始也，予率以大黄行血破瘀之剂，折其锐气"之说可为心得。如余曾治一男性，因呕血、皮下瘀斑成片及发热入院，脉弦数，经骨髓穿刺证实为慢性髓性白血病急性发作，急投犀角地黄汤加生大黄，另吞紫雪散 1.5g，每日 2 次，3 天后热退血止，症情缓解而出院。类治多验。

脾肾双补治贫血

论治贫血，作者的原则是脾肾双调，重在后天。脾肾旺盛，气血充沛，为血液病治本之道，而于先天与后天之间，又紧紧抓住治脾为首务。肾气之盈亏，直接影响骨髓的功能，血液的生成虽然根源于肾，但资生于脾，饮食、药物必赖脾胃运输转化为精微，而后化生血液，故于先后天之间，重在后天。在用药上常用升麻、苍术、白术。升麻有生炙之不同，补脾胃之气用炙，去其寒性，取其升清，习与党参、白术、黄芪、当归配伍。苍术配伍于腻补药中，以免滋腻难散，临床即使没有明显脾胃症状，也可于双补气血之中加入苍术，促进脾胃运化，为补肾创造条件，可获事半功倍之效。余曾治 1 例再生障碍性贫血儿童，经中西药物治疗终鲜效果，每周必需输血一次，后据脾胃为生化之源理论，于双补气血药中加入苍术，即见血象稳步上升，不必输血。白术临床亦多常用，急性出血用之亦效。曾治 1 例 37 岁农民，咯血量多势急，神识昏蒙，自汗肢冷，脉微欲绝。家贫无力用参，乃以白术 100g，米汁急煎，灌下后片刻，血止神清，肢和脉起，后即单用白术收功，竟未复发。丹溪云，“血症每以胃药收功。”乃土厚火自敛也。

活血化瘀法治血液病

血液病所表现的反复出血、紫癜、肝脾肿大、贫血及全身衰竭等，类似中医学的“血证”“发斑”“症积”“虚劳”等病证，这些病证的形成，均与血瘀有关。如血证出血，离经之血即为瘀，《血证论》谓：“失血何根，瘀血即其根也。”《先醒斋医学广笔记》对其机制作了精辟论述：“宜行血不宜止血，血不行经络者，气逆上壅也，行血则血行经络，不止自止。”有关发斑之文献，如《温疫论》曰：“邪留血分，里气壅闭，则伏邪不得外透而为斑。”揭示出斑的形成与血瘀有关。斑有阴斑、阳斑之分，但皆为血离经隧，《血证论》指出：“离经之血，虽清血，鲜血，亦是瘀血。”症积之形成，中医责之为血瘀内结，早在《素问·至真要大论篇》就有“坚者削之，客者除之，结者散之，留者攻之”的论述。血液病所表现的严重贫血和全身衰竭相似于虚劳证。张仲景立大黄䗪虫丸缓中补虚，治疗五劳虚损之症，创活血化瘀法治疗虚劳的先河。我们根据上述理论，近年来以桃红四物汤加虎杖、丹参、鸡血藤、升麻等广泛施治于血小板减少症、粒细胞缺乏症、嗜酸细胞增多症、缺铁性贫血、血象明显左移及异型输血等，皆有一定疗效。如病情虚实寒热错杂者，则以辨证施治为主，配以适宜的活血化瘀药物，临床常用的配伍方法有二：一为补益活血法，以补益药与活血药同用，扶正祛邪，祛瘀生新，对虚象明显的血液病常能奏效。昔贤滑伯仁谓：“每加行血药于补剂中，其功倍捷。”临床每可验证。一为清营活血法，以清热凉血药与活血药同用，清营凉血，引血归经，适用于以出血为主要表现的血液病，用之得当，多能获验。

外治法在血液病中的运用

中医的外治法具有丰富的内容。历年在治疗血证中，多受其益。如余曾以“消痞粉”外敷治疗慢性粒细胞性白血病7例，获一定疗效。其中显效（脾脏较治疗前缩小5cm以上）者4例；进步（缩小2～5cm）者1例；无效者2例。在有关病例中，患者的周围血象也相应缓解。一般敷3～5天开始见效，2周内可明显缩小。“消痞粉”由水红花子、芒硝各30g，樟脑、桃仁、土鳖虫各12g，生天南星、生半夏、穿山甲片、三棱、王不留行、白芥子、生川乌、生草乌各15g，生白附子、延胡索各9g组成，共研细末，以醋蜜调匀，临时再加麝香1g、冰片3g，外敷脾区，日换1次，药粉可重调再敷。中医称脾肿大为“症瘕”“积聚”，乃气滞血瘀所引起。本方化积散结，活血通络，宜其有效。可贵者在

血象亦随之好转，殊堪进一步探讨。白血病患者后期，由于白细胞广泛浸润，引起四肢肌肤局部肿胀，灼热作痛，临床每每多见，可用雄黄粉加凡士林调敷患处，一日一换，其效颇捷。又治咯血不止，尝用鸡蛋清调生大黄末敷于两太阳穴，能使迫伤血络之热邪下行，同时用葱汁调附子粉敷于两足涌泉穴，能引火下行。上下同敷，共奏降火泄热，止血宁络之效。用以抢救各种咯血之重危患者多验。尚有止鼻衄验方二则：①龙骨、牡蛎、黑栀子、京墨，共研细末，以白茅花浸水蘸药塞入鼻孔，血立止。或单用黑栀子末塞鼻，亦效。②白茅花15g，豆腐一块，加水两碗煮成一碗饮服，治鼻衄与痰中带血均佳。血证表现为舌衄或齿衄者，尝用生蒲黄30g，煎汤500ml，冷以漱口，可获止血效果。上述诸法，皆反映中医之传统特色，足资推广。

血为百病之胎

余对李梴所称："人知百病生于气，而不知血为百病之胎也。"颇为心折，核之临床，确如《医学准绳》所称："夫人饮食起居一失宜，皆能使血瘀滞不行，故百病由污血者多。"泛指百病皆与血瘀有关，实具卓见。近贤修瑞娟创微循环与疾病密切相关之说，蜚声世界，其说实秉承祖国医学之余绪。余近年浸淫"血证"之学，服膺王清任一针见血之谈："治病之要诀，在明白气血，不论外感、内伤，要知初病伤人何物，不能伤脏腑，不能伤筋骨，不能伤皮肉，所伤者无非气血。"尤赞赏王氏所称："气通血活何患不除"之说，试以活血化瘀疗法治疗一些久治不愈的疾病及复杂而罕见的怪证，获得较为满意的效果，益信《普济方》所称："人之一身，不离乎气血，凡病经多日，治疗不痊，须当为之调血。"指出调畅血液是治疗"久病""怪病"的一种方法。在热性病的治疗上亦多收获，如以清热药与活血药同用，可提高流行性出血热、败血症、血液病、肺脓疡、肺炎、支气管扩张、肝炎等疾病的疗效，诚如《医宗已任篇》所说："凡六淫七情之病、皆有因死血薄结脏腑而成者、其症见于外、或似外感，或似内伤，医家以见症治之，鲜不谬矣。"指出外感亦与血有关。近年余以活血法广泛应用于临床各科疑难顽杂诸症，结合谨严的辨证与方药，可取得良好疗效。曾总结"治瘀十法"，即理气活血、散寒活血、清热活血、通络活血、祛痰活血、软坚活血、攻下活血、活血止血、益气活血、养阴活血等十个内容，为中医治疗充实了较新的治法。因立足于"气血流通为贵"，方义根据《素问·至真要大论篇》："疏其血气，令其调达，而致和平"之旨，试称之为"衡法"。非敢标新立异，仅冀对"血"的证治作用有所阐发而已。

“丹芍茅花汤”治愈老妇鼻衄

|张赞臣|

鼻衄之症，临床常见。出血虽在鼻部，却应看作是整体内在病变的反映。有些患者衄虽暂止，但全身或局部出现下例征象：①头脑有胀热感，时时面红升火，自觉烘热或全身发热，但体温正常。此系营失内守，心肝郁热，气火上升，营卫之气不和之证；②其脉应指弦劲，状如雀啄（此脉《濒湖脉诀》中归入真脏绝脉），多在出血过多，或年老体质极为虚衰、心肝两经拮抗反常时见之，属危重之候，亦见于妊娠2～3个月之时；③舌下青筋粗大而青紫，为血热痰郁不化之症；④眼球有发胀外突感（目属肝，肝之经脉上颓巅连目系，肝郁热未清，故有此症）；⑤鼻涕或痰中常带鲜血，此乃肺热上升，阳络受损未愈之症。凡有上述诸症者，常有再度出血之可能，慎勿掉以轻心。

“丹芍茅花汤”是吾根据多年临床实践总结出来的一张专治鼻衄的验方。方由：牡丹皮、生白芍、淡黄芩、白茅花、蚕豆花、仙鹤草、墨旱莲组成。方中牡丹皮清血热，且能活血；白芍能养血敛阴，抑制肝阳上亢，与牡丹皮相配合，气血并调；白茅花治肺火上升引起的出血，效果较好；蚕豆花有凉血收涩止血作用；黄芩能清肺热而止血；仙鹤草收敛止血，并有养心及强壮作用；墨旱莲凉血止血，又能养阴益肾。全方攻补兼施，止血而不留瘀。以此为主，随症加减，每获良效。

吾曾于1979年治疗一赵姓老妪，原有高血压病。感冒后，突然双侧鼻腔反复大量出血已有5天。经急救处理，出血暂止。舌苔干焦无液，脉左细弦而劲、形似雀啄。证属外因引动内因，肝热郁遏犯肺，迫血上行。出血颇多，津气已伤。从脉测之，须防出血复作之变。处方：鲜生地黄40g、牡丹皮9g、生白芍9g、白茅花12g、蚕豆花12g、仙鹤草12g、墨旱莲12g、黄芩9g、焦栀子9g、侧柏叶9g、藕节炭12g，4剂。晚间鼻衄果又作；继续服药调治1周，终获痊愈出院。

彻上引下治鼻衄

|王正雨|

谚云：“扬汤止沸，不若釜底抽薪”。此话虽浅，实有深意。1954年春，潍

溪周姓女孩，年15岁，素有鼻衄史，然皆旋出旋止。一日忽大出不止，经中西医治疗，血仍不止，辗转七八日，举家惊惶，邀余往视。见病者侧卧床边，下放灰盆，鼻血顺势涓涓不断滴入盆中。家人云：已湿灰盆五盆。视其双目尚有神，面黄而两颊尚红，声音不扬，尚清晰，舌质红而偏晦，苔薄黄少津，脉数沉取有力。昔人谓：气有余便是火。是由心火过盛，随气上逆，迫血妄行所致。血为阴类，出血久而阴亦暗伤，故面黄而热仍炽也。遂令患者家人取乱发鸡蛋大一团，洗净炒炭，候冷研粉，以芦管吹入鼻中，血顿止。继以黄连、黄芩清心泻肺，大黄彻热下行，生地黄、玄参、白芍、牡丹皮等育阴凉血。3剂，药尽即愈。由于患者家中经济窘迫，未再服药调理，亦未复发。

童疃乡李某之女，年18岁，夫妇只此一女，视若掌上明珠。14岁时月经初潮，而每当经来，必鼻衄大作，经量却极少，家人颇以为忧。余视其面白唇红，舌艳红，苔薄偏黄，脉弦数，饮食二便如常，俗谓之倒经，实则血中瘀热。冲为血海，为肝之部分，肝郁血热，随气上升，迫于肺而成经衄。于是以生地四物汤凉血调肝，黄芩、黄连清火，大黄、白茅根凉血逐瘀，引血下行，3剂衄止。原方继服3剂，而体力平复如初，下月经行如常，而鼻衄从此绝迹矣。

上述二则，均属上出下引、釜底抽薪之法，生平治愈此等出血病例甚多，略举二则，以见一斑。

咯血治法二议

王希知

补左制右，上下交病治其中

宗此法治阴虚火动、伤肺咯血症。丹溪谓阴常不足，阳常有余。王汝言发丹溪之说，提补左制右之法。愚按补左者滋肾水也，制右者泻命门相火也。因思阴虚火动咯血之证乃劳伤肾水，虚火上炎伤及肺络而咯血者也。临证常以育阴潜阳之法，用二至丸、百合固金汤加减化裁，如：女贞子、墨旱莲、盐水炒生地黄、百合、川贝母、天冬、玄参、白芍、炙甘草、当归，益以龟版、知母、黄柏治之，以益脾收功。盖脾健则气血得以生化也。此亦宗上下交病治其中之意耳。

清肝宁肺、通肺疏肝

治木火刑金、咳痰咯血证。其证乃病本在肝，其标在肺也，良由木火刑金，咳痰咯血，用直折肝火、肺脾得宁之法也。如丹溪咯血方之属是也。至若通肺疏肝法者，乃借通肺之气以解肝气郁结之法也。原肝主疏泄而喜条达，惟其气易郁结，每见胸胁胀痛。而肺主一身之气，胸胁乃清旷之区，肺脏所居，亦为肝脉之分野。因肝气郁结而致胸胁胀痛之症，苟能使肺气通畅，常可使肝气之郁结随之而解，故临床治木火刑金之咯血，胸胁胀痛，常用丹溪咯血方益以解肺郁之杏仁，散肺郁之贝母，荡胸中郁热之瓜蒌壳，俾肺气得畅，肝气亦疏通，胸胁胀痛而除矣。

咯血治疗心得

| 刘常春 |

治血之法，先哲立论精详，有血脱益气、滋阴降火、安神补血、引血归原、逐瘀生新、辛温从治、胃药收功、降气、行血、调肝以及止血、消瘀、补血、宁血等，其法可谓善矣，然有用之不见功者，是未明寒热虚实之旨，法多难于操用也，余见血证者不少，历三十余年细心探求，将治疗咯血归纳为六法，曰发、曰清、曰降、曰滋、曰温、曰引，简称活血六字诀。先哲有言，出血之因，有气盛便是火盛，火盛则迫血妄行，如血随火动，治血以治火为先，盖火有虚实之分，实火为六淫之邪及饮食所伤，宜发、清、降之法治之。如外感风寒郁而不解，蕴久成热伤及血络，致咳嗽咯血，兼有头痛身痛，恶寒发热，脉浮洪或带紧，宜升发之，麻黄人参芍药汤、加味香苏饮、七味葱豉汤之类择而用之。感受暑热之邪，发热心烦、口渴汗出，头目不清，咳嗽喘息，咯血或衄血，脉洪芤或虚大，宜清凉之，白虎汤、四生丸、犀角地黄汤、清络饮之类选用之。有阳脏之人，素有内火，致血外溢，血势气骤，或咯或衄，脉沉实或洪实有力，宜清降之，用泻心汤之类。今人不敢用大苦大寒之品，以止血惯用黑栀子、白及、百草霜、藕节之属，似若小心，实姑息养奸，酿成大祸。虚火为七情色欲劳倦伤阴耗神所致，审其病情，宜滋、宜温、宜引。如色欲斲伤，阴虚火旺，出现午后或夜晚发热，或五心烦热，遗精盗汗，耳鸣不寐，咳嗽咯血，脉细数，或芤革，宜滋养阴液，即壮水以制阳光，六味地黄汤、三才汤、百合固金汤等择用之。若是饥饱劳倦过度，思虑伤脾，出现倦怠少食、肌肉消瘦、怔忡不寐，咳嗽咯血，其血从积渐而来，以至盈碗盈盆，脉洪大，重按全空，宜温之，即甘温除热之意，用归脾汤、固真汤之类，手足俱寒者以理中汤、甘草干姜汤，误用柔润药，凝滞经络，鲜有克济。若肾气虚寒逼其无根之火失守、浮游于上、症现烦热不宁、舌燥口渴、咳嗽咯血，脉两寸洪大，重按濡弱，宜引火归原，导龙入海，即益火以消阴翳，八味地黄丸、镇阴煎、全真一气汤择而用之。

血证虽然曰火，然古人论火甚详，有壮火、少火、君火、相火、龙雷之火，种种不一，丹溪以虚实统之，可谓要言不繁。实火多由外感六淫之邪及伤热饮食所致，虚火为七情劳倦所伤，治实者宜发、清、降，治虚者宜滋、温、引，其表里寒热虚实均寓于中，医者能审此情，治血则能中矣！

泻肝治疗肺痨咯血

|罗明察|

咯血是一种症状，其因复杂，治疗各异，肺痨咯血，多以甘寒养阴，润肺止血，但泻肝止血虽临床应用不多，但亦不可轻视。

1964年有谢姓患者，患肺痨十余年。经X线透视诊为右中肺浸润结核，反复咯血，此次咯血1个月，住传染病院，曾用西药十余日罔效。延余会诊。主诉每天黎明时咯血十余口，色鲜红，兼胸胁痛，心烦失眠，咽干口苦，尿黄大便干，舌红，苔薄黄，脉细弦，诊为阴虚火旺之候，以知柏地黄汤加墨旱莲5剂，病无进退，复诊时，病情同前。余细审其胸胁痛、咯血定时、且口苦心烦、苔黄脉弦，综合脉证，认为系肝经热盛之候，改用龙胆泻肝汤加侧柏炭12g、仙鹤草15g，诚服3剂。未料患者服此方1剂血减，服2剂血止；服完则诸症悉除。

按此例肺痨咯血患者。系肝火上炎，反归肺金，肺被火克，其血妄行，其治疗应以泻肝制木，肺金得宁而咯血自止。

咯　　血

|许雪君|

咯血（或咳血）之证，由肺而来，必经气道而出，或痰血相兼，或痰中带血丝，或纯血鲜红，间夹泡沫。临床所见，因寒者甚少，十分之九多因肺阴不足，感受风热燥邪，或肝火犯肺，火迫肺络，肺失清肃所致。治疗以清热润肺，平肝宁络，凉血止血为主要治法。选用《丹溪心法》咯血方加鱼腥草、侧柏炭为基本方，临证时灵活加减。若外感燥热之邪，酌选桑叶、菊花、连翘、杏仁、沙参以清宣润肺。若久咳痰血，阴液必亏损。酌选生地黄、麦冬、天冬、沙参，以养阴润肺，疗效更佳。

化瘀为主治疗大咯血

邵 华

重症咯血为临床急症，必须争取时间，积极抢救。究其病因不外阴虚、火盛、瘀阻、气虚等。止血之法，是有效的应急之计，尤其现代医学常以止血为主，但止血不当，多有留瘀之弊，以致病势日痼，经久不愈、不可不慎。

我曾于1980年10月遇一例反复咯血20年的重症咯血者，陈某每在冬春咳嗽、咯血加剧，每次发作咯血量约100～500ml。1968年在某医院以“支气管扩张”施左肺下叶切除术，但术后仍反复咯血。近一年来咳嗽、咯血频繁，胸片显示“两肺纹理增粗模糊且呈蜂窝状影”，西医诊断为支气管扩张伴咯血，在用大剂量青霉素、链霉素及镇静止咳的同时，每次咯血发作时均用脑垂体后叶素5～10U加于5%葡萄糖液20～40ml静脉推注，虽可止血，但停用又复咯血。

余诊时见病人频频咯血，每次咯血量约100～150ml不等，挟带黑色血块，咯血间歇期仍痰中带暗红色血丝，且胸痛如刺，面色晦暗，舌边暗紫，舌下静脉怒张迂曲，两脉细弦。辨证为瘀血阻塞肺脉，瘀久化热伤络，用化瘀通络、清热凉血法，药用：丹参15g、赤芍15g、生地黄15g、牡丹皮15g、当归15g、黄芩15g、地榆30g、大黄10g、三七6g、白及15g，水煎服，每日1剂，并停用脑垂体后叶素。患者服药期间仍间断咯血，但咯血量逐渐减少。服至10剂后，病情稳定，已不见大量咯血，仅见痰中带暗红色血丝，舌脉仍同前，又守原方8剂，已完全停止咯血，精神好转，可下床活动，生活自理，随访1年仍未见大咯血。

观此案反复用脑垂体后叶素及抗生素，按西医治疗原则论，并未偏离轨道，而且每用垂体后叶素时，也能当时止血。但为何久久不能痊愈？其主要原因是肺中瘀血未能祛除所致。

因为该病人反复咯血20年，咯血者血必离经，一部分咯出，一部分瘀阻于肺内，阻塞脉络，其咯出黑色血块、胸痛、舌边暗紫及舌下静脉怒张迂曲便是瘀血之见证。我将胸片所示作为中医望诊之伸延，其显示模糊及蜂窝状阴影，无非是肺组织感染及慢性炎症反应所致的充血、水肿、微循环障碍及支气管壁破坏和纤维组织增生等病理改变的结果，这些炎症反应及病理改变又恰属于中医瘀证范畴。此外，反复大剂量应用脑垂体后叶素这种较强血管收缩剂，使肺血管收缩，导致肺血管腔闭塞及狭窄，造成肺血流减慢，使出血处凝血及血栓形成，虽能达到止血目的，但从而引起的肺血流阻力增加，血流滞缓，以致肺

组织缺血缺氧，又加重了肺中瘀血。根据近年来大量瘀血本质的研究，认为组织缺血缺氧也属瘀血。正如《灵枢·经脉》说："脉不通则血不流，血不流……血先死"。可见，由于肺脉的狭窄和闭塞所形成的血流滞缓或不能流动而缺氧，对一些本来是瘀血阻滞所致的咯血，又因"止血"而留瘀，真可谓"雪上加霜"。

中医认为经隧之中既有瘀血阻滞，则新血不能畅通无恙，终必妄走而吐溢矣，故选用丹参、赤芍、生地黄、牡丹皮、当归、三七等活血化瘀。瘀血既除，血脉必通，好血得以循经而行不致外溢，故化瘀也可以止血。同时，活血化瘀药的应用，在消除肺中瘀血的同时，还可以使肺中脉络通调、气血流畅，有利于肺部"感染灶"的吸收，加用黄芩、射干、芦根清其余热，防止因瘀久化热进一步灼伤肺络，又佐以地榆凉血止血，大黄泻热，又可化痰止血，全方标本同治，共奏瘀祛、病除、血止之功。先贤谓：见血休止血，重在审证求因，实为卓识。

泻心汤控制大咯血

陈趾麟

教师陈某，男，1981年5月9日早晨空腹骑自行车载重疾行15km后，咳嗽痰中带血，乡卫生院治疗4天控制。两天后突然大咯血约1000ml以上，转院治疗。1周后又大咯血，并伴呛咳，乃急诊住院，诊断为支气管扩张、陈旧性肺结核。入院后经过治疗，咯血与呛咳稍有好转，两天后突然咯血盈碗，面色苍白，肢凉出汗，脉芤而数，血压下降，呈休克状态，除止血、抗休克治疗外，加服中药生脉龙牡益气固脱，参三七、白及粉敛肺止血。经中西医综合抢救，休克挽回，但少量咯血仍然存在，并伴心烦不寐，以犀角地黄合黄连阿胶汤进治，未能获效。鉴于咯血二十多天未能控制，血出时有气逆感，从凉血止血治无效验，因取张寿甫补络补管汤加味，镇逆收涩，以防血涌气脱，药进2剂咯血减少而便秘不行。4天后，突然咯血盈口而出，心烦懊憹，躁动不安，颇有濒死之势。家属泣于旁，亲朋议后事，我当时心情是很沉重的。细究过去，详析现在：患者咯血将近1个月，出血量多，又曾虚脱，体质固虚，但益气养阴，镇逆固脱未能取效，反见心烦便秘，口干需饮，脉象滑数，舌苔黄腻干糙而花剥，是又肺胃蕴热，灼伤肺络所致，病情虚实夹杂。实不去则虚不能复，邪不除则正不能安，不能姑息养奸，贻误病机。张仲景有泻心汤、侧柏叶汤之治例，唐宗海有"止血独取阳明"之说，何不效法？方用：大黄炭6g、炒黄芩10g、川黄连3g、炒栀子10g、侧柏叶30g、炮姜炭2g、秋石1g、鲜白茅根50g，煎汤代水，上药服后患者大便通行，咯血乃止，原方则大黄炭加海蛤壳、瓜蒌皮再进。4天后又曾咯血150ml左右，方中再加大黄炭，出血辄止，转清化痰热、养肺安络调理而愈。患者咯血持续1个月，出血总量在5000ml以上，经院内外输血3850ml，以泻心汤合侧柏叶汤意加味，患者咯血乃止，迄今未再发作，健康状况良好。

上消化道出血的治疗

傅宗翰

前贤治疗血证，早有“见血休止血”之训，对于本病之出血，首当治其所因。余在临床实践中，主要抓寒热虚实的辨证，如此庶可见病知源，然后始可随证而治。经验证明十二指肠球部溃疡者以虚寒为多，而胃溃疡者以实热为多。前者责之脾，后者咎于胃。十二指肠球部溃疡出血者，其出血量较多，大便色黑如胶似漆，常伴见脘部隐痛喜按，一般饥则痛作，得食则缓，食欲不旺，形体不健，面黄少华，脉形偏细，舌淡而胖，大便匿血试验常呈强阳性，此系胃病及脾，脾失统摄，气病及血，余每以归芪建中汤为主方，随证变通，其中桂枝宜用蜜炙，用量宜轻，白芍之量宜重，并可酌加炮姜炭、乌贼骨、三七粉等。胃溃疡之出血，常呕血与黑便交并而出，呕出多夹胃内容物，便血色常黯红，询知病前常有脘痛灼热，恶心嘈杂，大便不实，口干心烦，苔多黄浊舌色红，脉或细或弦或数等，此为肝胃并病，气逆血动，阳络伤则血不宁。余常用黄连温胆汤出入，酌加四季青、代赭石、羊蹄、石决明、藕节等。如上下出血而寒热夹杂者，则用白及粉、三七粉、大黄粉，等分装入胶囊吞服，急则治标也。

本病的这两种常见证型，如其消化道上下大量出血，且又涌行不止，则症情往往急转直下，均可见神疲力怯，肢凉面晄，气短音低，自汗便频，口干唇淡，脉细而散，血压下降，血红蛋白低落，乃血溢气散，气泄阳伤，脉络失固，血无所归，每易虚脱，此又急当扶阳固脱，益气护阴，温中摄血，参附汤、独参汤、理中汤、黄土汤等方所当急用，以备不测。必要时可以配合西药抢救，共济危难。

必须指出，止血方药甚多，应该注意收敛止血药之分寸，盖防止血留瘀之不良后果，故溃疡病出血，不论寒热虚实，在辨证的同时，可酌遣既能止血又能化瘀之品，如三七、大黄、藕节辈，有利无弊，一举两得，愈病不留后患，

未尝不谓巧也。

书云："阳络伤则血外溢，阴络伤则血内溢。"本病出血既言络损，而络伤不复血愈难宁，故当在"络"字上下功夫。盖络犹膜也，出血初止或反复出血，膜络创伤犹未修复之际，护膜固络之品尤在必选之中，冀以能起护膜生肌，促进溃疡愈合之功。余每尝用象牙屑、凤凰衣、刺猬皮、白及、糯米粉之类，装入胶囊吞服，酸多者加用乌贼骨粉，酸少者用蜜糖、乌梅煎汤送服。

盖血乃阴所化，血溢阴必伤，血动则气耗，故当溃疡病出血止后，在善后治疗过程中，也应注意脾阳和胃阴的维护。脾胃阳（气）虚者，常投建中糖浆（我院经验方）、理中、健脾之类；阴津不足者，每用沙参、麦冬、白芍、山药、石斛、生麦芽等品，庶可生津养气护阳濡络。

此外，对于出血久而不止或反复小量持续出血，伴有食欲不振、形体瘦削的中老年患者，应及早积极检查，以排除消化道癌变，切不可以出血幸止而掉以轻心，贻误病机。

（刘永年 整理）

泻心汤治疗血证

赵业勤

仲景泻心汤治疗邪热炽盛、血为热迫而致的吐血、下血证，可谓良方。其适应证是：胃脘灼痛、口燥心烦、吐血色鲜红、质稠浊、量多，吐血或便血的间隔时间短、面赤热、口中腥秽、舌红赤、苔黄腻或黄燥或灰燥，脉数有力。临证时应注意三点。

（1）吐血、下血的质稠与稀；量的多与少，色的紫红与淡红，间隔时间的长与短，是辨虚实寒热的要点。泻心汤适用于出血质稠、量多、色紫红、间隔时间短（24 小时内吐血或便血 3 次以上），这是由于心胃火炽，迫血离经，如洪水泛滥、岸决堤崩。

（2）若患者舌质淡、面色苍白、肢厥多汗，证似气血虚脱，但不可妄补用人参。笔者曾遇这样的病人，胃火炽盛，阳热有不尽不了之状，吐血不止、心烦嘈杂、胃脘灼痛，苔灰燥、脉细、沉取有力。因出血过多导致血脱（面皖）、气少（阳失温煦之肢厥、气不固津之多汗）。此时燃眉之急系邪热不除、动血不止，仍当用黄芩、黄连苦寒泻火，直折心胃邪热、挫其标锋。

（3）泻心汤服法有两种：①急煎黄芩、黄连、大黄后下，取汁顿服（加减方药同煎亦可)。②取上三味(或加生甘草)滚开水(麻沸汤)泡服。两种方法均有效。比较一下,后一种方法易行,且给药及时,为抢救危急患者赢得时间。泻心汤三味性味苦寒、泻火效佳,清降气机最速,气降则火不升,火降血亦止,验之临床,其效卓著。

我曾治一厨师王某,有胃病史2年,发病当天中午曾饮酒200ml,加之下午工作劳累,晚间遂发病。入院时,面色苍白、唇淡肢冷,心下灼痛,按之满实疼痛,吐血约700ml,色红鲜稠,下血约900ml,色紫暗红,诊其舌尖略红,舌苔焦灰无津,脉沉细数,血红蛋白4.5g/L、红细胞1.95×10^{12}/L,血压降低,心率118次/分,体温38℃。病由酒热郁勃,迫血妄行、血离常道、奔失于外,以致吐血、便血,急煎泻心汤加味,以泻火止血,方用:生大黄10g(后下)、黄连3g、黄芩10g、地榆炭30g、茜草炭30g、藕节炭30g、木香10g、代赭石30g。患者连服6剂后出血停止,大便潜血阴性,继以调理脾胃,活血化瘀剂6剂,善后。现戒酒8年,随访未复发。

甘草干姜汤治吐血

陈功泽

1947年夏某日,一乘小轿飞快临门,抬者汗流浃背,随行者仓惶前来求救,吾即随父前往视之,询其家属,何故如此,答曰患者病已月余,多方医治无效:且病势日趋恶化,故慕名远道而来。吾父详审之后,沉思片刻,突然命笔疾书:炮干姜25g、甘草10g,嘱其家属速煎与之温服。次日,复诊患者吐血已止。

余惶惑不解:盖血之为物,得热则行,得寒则凝,治以泻火之法方为合拍,辛热刚燥之剂视为禁忌。父曰:尔不查其病史、该患者病已月余,历更数医,有用大黄为主泻火通瘀釜底抽薪者;有用降逆下气之法冀其血随气降而归故道者;有用凉血之法使血凉火降而不沸腾上逆者;有见失血已多虑其气随血脱而用大剂益气摄血法者;均未获效。今患者面色皖白无华,唇淡口和,倦怠无神,食少呕逆,便溏肢厥,六脉细微而涩,所吐之血,其色晦滞,纯属一派阳虚之象,助阳摄阴乃当务之急。本病之用炮姜炭者取其辛苦而温以降逆止呕,并取其止血作用,即古人所谓“血见黑即止”之义,炮而存其性,除止血外兼有行血之妙功。甘草生用与之配合,兼制干姜辛燥之弊,相辅相成,因而取得良好疗效。

出血证治两例

朱彦彬

大吐血

1965年冬，一女工在搬运拖板车时，急急奔跑，突然大吐血，盈碗盈盂，令人惊骇。急来我院治疗，一日后仍大吐血，邀余会诊。患者脉急数带滑，余予以凉血止血法一剂，其血未稍止。余深惊忧，窃思患者平素健壮，何以突然大吐血二日不止？此系负重急奔竞跑，气逆火升，络伤出血，所谓阳络伤则血上溢是也。偶思一法，以鲜生地黄500g，鲜白莱菔子1kg，共捣汁一大碗，予患者冷饮之，一服血立止，有奇效。翌日，病人家属见此法有效，照前法又予患者服一碗。服后，患者胃部隐隐不舒，又来告余。余曰：中病即止，此药达病所，遂停药，患者病愈而出院。此血得冷而凝止治法。

七窍皮肤渗血

1963年冬至前，余返里休假，有人来邀出诊，言其子22岁，耳目眼舌及皮肤发际均渗血，多处医治，不识何病，已五日矣。余在出诊途中思之，以为热极而血妄行耳。至其家，见病人在房外晒太阳，行动尚自如。据述能吃饭一碗半，余大惊，途中所忖误矣，见其面黄如蜡，舌质淡白，舌面上有中等花生米大小血泡4个，泡中渗出淡红血液，七窍发际及皮肤多处亦渗出淡红血，既不发热亦不发冷，脉虚滑稍数，平时身健，何以一至于此？实不解其故。沉思良久，似为中毒所致？问曰：病前出外乎，接触何物？答曰：未也。又问：在家是否接触漆类？答曰：有之。因春节时将结婚，新房有油漆未干的床橱台椅，而病人早已睡在新房，于是余亲往视之，曰：是矣，此漆中毒也。嘱其勿入新房，以杜病源，立方仅荆芥、防风、赤芍、人中黄、紫花地丁、金银花等数味，加鲜蟹2只同煎，嘱服2剂。春节余又返里，问之，已结婚矣。本草载：血忌漆，滴漆流入血中，则血溶而不凝；反之，漆忌蟹，蟹汁滴入漆中，漆亦溶而不凝。事物相反相制有如此者。此案如不悟及病因是漆中毒则危，如不用蟹解之，亦危，如此而已。

便血三说

殷孝吟

便血之症，前贤有三说，轻则名为肠风，重则名为脏毒，再重则名为结阴。有先血后便、先便后血、单纯下血。《金匮要略》有远血、近血之分。《景岳全书》进一步阐明远血者或在小肠，或在胃；近血者或在大肠，或在肛门。《证治要诀》以血清而色鲜者为肠风；浊而黯者为脏毒。《圣济总录》谓阴气内结者为结阴。以临床所见，痔疾亦包括在内。大凡便血之因不外一是脾虚不能统摄，二是湿热下注大肠损伤阴络。其大便下血如溅，质清而色鲜为热盛迫于大肠，治以凉血止血，选以槐花散合地榆散加减化裁。若血下污油，质稠而量多，多属大肠热，宜清热利湿解毒，方用地榆散加苍术、黄柏，兼用脏连丸。如便血日久，湿热未清，营阴已亏，法当虚实兼顾，以和营清热。若脾虚不足，统摄失职，其血质稀色淡，淋漓不断，或便血紫黯，但临床必见面色不华，神疲懒言，腹痛隐隐，喜热畏寒，脾胃虚寒之象，法当健脾温中法。黄土汤、归脾汤、补中益气汤随症选用。切不可乱用苦寒，以防冰上加霜，贻害不浅。

治便血一得

王行宽

余临床习用归芍异功散合黄连地榆汤加减，治疗胃及十二指肠球部溃疡，而以便血为主要表现的病例，效果甚佳。其方组成：党参、白术、茯苓、甘草、陈皮、当归、白芍、黄连、地榆、丹参、三七、白及。舌红苔黄、口渴，热象偏重者，去白术、茯苓，加栀子炭、竹茹。余认为便血常因阴络受损，诚如《灵枢·百病始生》所云：“阴络伤则血内溢”。导致阴络伤的原因不外脾胃虚寒、中气不足、脾不统血、气不摄血等。若便血伴呕血者，则属胃虚寒，兼夹肝气犯胃，即虚中有实，寒中有热，寒热虚实夹杂之症。故治疗溃疡之出血，首先当分辨究以便血为主或以呕血为主，其次应辨别寒热虚实孰轻孰重，然后遣方选药，方能切合病情。

至于治法，余常以调和肝脾为其治疗大法。异功散能补脾行气，使脾胃健旺，气机通畅，则血复归经，出血自止，当归、白芍养血柔肝，肝气自平，血溢自止；黄连苦寒坚阴，既清肝胃之热，又能制约异功散偏温之弊；地榆擅治便血，且疗效较好。选用丹参、三七、蒲黄等既能止血，又能祛瘀而不留瘀；白及止血生肌；乌贼骨止血制酸；炮姜炭温中摄血。如出血量多，病人垂危，补气摄血乃当务之急，急以红参5～10g、黄芪30～60g，当归6～10g、三七3g、丹参15g、白及30g，加水煎服。此时虽有血脱之象，但治疗则宜重用补气之剂，急以固脱为要，切不可纯用熟地黄、阿胶等滋腻补血之品，因“有形之血不能速生，无形之气所当亟固”。若误投寒凉阴凝之品，则阴血既去，而阳气复亡，遂难挽救矣。

顽固性尿血，治宜着力化瘀止血

| 李传芳 |

尿血前人多责之下焦有热，但有虚、实之辨。实热者，一因心火下移，一因脾经或肝经湿热下注，血因热而妄行，络因热而损伤，乃致血离其经，渗于膀胱而尿血。虚热者，缘于房劳伤肾，忧思伤心，久病肝肾阴精暗耗，相火内炽，伤及肾与膀胱之络，而致尿血。前者以清热泻火或清利湿热，凉血止血为主，辅以甘寒滋阴；后者以养阴柔肝为主，兼以清热宁络。还有因脾不统血，肾失封藏之尿血，治宜益气健脾，补肾固摄，酌加止血之品。然遇难治性尿血，虽以上述辨治，却难能奏效，即使应用多种西药止血，亦不见收功。究其因，多由瘀阻之甚、血不归经所致。治宜在通常辨治的基础上，着力化瘀止血，才能获得佳效。1983年12月，吾友胡某之岳母，因操持过劳，一日血尿两痰盂，住入我院泌尿科，经用多种止血药及输血1200ml，8天来尿血如故。因患者20年前罹子宫颈癌而进行放射治疗，故认为是癌转移灶出血。余会诊见其面白如纸，肢怠神困，烦躁不寐，口干欲饮，口甜脘痞，不思纳谷，尿血有时挟块胀痛，血色有鲜有紫，舌红苔黄腻，六脉洪滑数。疏方小蓟、藕节、蒲黄、茜草、生地黄、赤芍、牡丹皮、栀子、石韦、仙鹤草，清利湿热、凉血化瘀止血。进药4剂，又输血400ml，患者出血势头未减。原方伍入白花蛇舌草、海金沙、花蕊石、三七、琥珀，以加强清利解毒，化瘀止血。服1剂竟然尿血见减，服3剂尿血全止，守方7剂以巩固疗效，继予养阴补血善后，至今年余未发。

又本院医生张某，肾结核右肾已切除，仍反复发作无痛性全程血尿，十余年来遇劳则发，经治疗不能止其复发，余治之以小蓟饮子化裁，伍入花蕊石、琥珀粉、茜草、三七、阿胶等，进药5剂而愈，2年未发。

中医向有“见血休止血，祛瘀首当先”之说。血瘀本身往往是招致病人出血的根本原因，且离经之血为瘀血，其“与营养周身之血，已睽绝不合……此血在身，不能加于好血，而反阻新血之机化”（唐容川·《血证论》）。乃致血愈瘀，血愈虚，出血愈多，瘀阻愈甚，瘀血内阻使血不循经而离经，离经之血又加重经络阻滞，而使出血不易停止。故余临证每遇难治性尿血，常在养阴清热的基础上着力化瘀止血，每获良效，盖水足火自降，瘀祛血自归经故耳。

治血小板减少性紫癜有感 |陈义范|

医贵有识，亦贵有胆，有识则洞悉病源，好谋而成；有胆则认准病情敢于用药。见多识广，胆大心细，始能起危症，愈重疾。余近治于姓女，年 8 岁，口鼻出血，小便深红，全身皮肤呈大小不等瘀斑，伴发热咳嗽，西医诊断为血小板减少性紫癜，失血性休克，肺部感染。用补液、激素、抗感染等治疗乏效，谓非输血莫救。余诊时，面色苍白，口角糜烂，颜面浮肿，虽精神较差，而神志尚清，脉细数，舌质红，苔薄黄，血红蛋白 85g/L，血小板计数 28×10^9/L，白细胞总数 10.4×10^9/L，体温 38℃，意为温热邪入血分，耗血动血，处以犀角地黄汤加川贝母、知母、仙鹤草、百草霜、鲜白茅根（方中犀角改用水牛角 15g）。3 剂后，患者鼻出血已止，全身瘀斑大为消失，而血小板计数仅为 19×10^9/L，血红蛋白 55g/L。旁人俱耸以危言，余谓药已中病，可以无虑，仍以原方加减，5 剂后，患者诸症痊愈，血小板及血红蛋白均有增长。改以归芍六君子汤去白术加阿胶、麦冬、大枣补脾养血。5 剂后复查，患者血小板计数 112×10^9/L，血红蛋白 90g/L，白细胞 4.6×10^9/L。诊视 4 次，服药 13 剂，药费不过 20 元，疗效甚佳。旁人颇为惊异。余谓病非奇症，方非奇方，宗古人“凉血散血”之旨而已。余固非有胆识兼优之医，但敢担风险，不为浮议所摇，不畏于西医病名的危重，而敢于中医法度中思良策，故能获得良好疗效。

过敏性紫癜与表寒里热 |徐宝圻|

过敏性紫癜，许多医家以清营凉血解毒为主治疗。余会诊以犀角地黄汤、清营汤、银翘散无效，用激素及免疫抑制剂无效者四十余例，均改用桂枝汤合调胃承气汤 3～5 剂而痊愈。

过敏性紫癜除局部反复出现成批高出皮面的鲜红色出血点外，患者多见

面色苍白、腹痛时作、四肢欠温等症。寒凉过度则邪毒内闭，过用温热则恐肌衄不止。但实践证明，用调胃承气法排除胃肠毒邪，解除体内郁热，又用桂枝汤调和营卫、通经活脉，二者一寒一热，一下一表，患者腹痛自解，肌衄也平。

本病往往非单纯热证，而是寒热并见。各种皮下出血有血热妄行者，有血瘀阻滞者。桂枝温通活血，但配以大黄之苦寒泻下，清解郁热、活血止血是相反而又相成之法，更加之甘草、大黄之解毒，药到而病除。

余用此法，桂枝用量宜小，而芍药多用赤芍，甘草生用，多取20～30g，大黄对腹痛甚者，不论大便通否，均生用、后下，每次10～15g，往往大便一泻而诸症皆愈。

肌　衄 |葛万祺|

冯某，女，35岁，于1984年12月来我所住院求治。自述1981年5月突然发现全身散在紫斑，大如手掌或小指不等，压之不褪色，亦无痛痒感，尤以两上肢为甚，伴有齿龈出血，虽经治疗，但效果不显，近3个月来，上述病情加剧，辗转床褥，暗自泣啼，经西医取血抽骨髓检查，诊断为“原发性血小板减少性紫癜”。病势危重，证属难治，往返求医，终不可得。入院时，患者少气懒言，头晕乏力，牙龈肿痛，出血不止，耳鸣纳呆，紫斑累累，脉细数，苔薄黄，舌质红，此乃脾肾亏虚，血热妄行，应急治其标，缓治其本，投以养血止血、凉血、通瘀之升血化瘀方剂。方用：蒲公英30g、赤芍30g、鸡血藤30g、墨旱莲30g、三棱15g、莪术15g，水煎。每日1剂，连服16剂，患者精神好转，出血渐止，紫斑减少。12月末换方，主以滋养胃阴，佐以清热止血，方玉女煎加味，用石膏20g、知母12g、墨旱莲30g、赤芍12g，水煎，每日1剂，连服17剂，患者牙龈肿痛消失，出血停止，紫斑消散。元月中旬换方，主以滋养肾阴，补气血以收其功，于前方加党参30g、枸杞子20g、当归12g、女贞子30g。元月下旬患者容光焕发，喜形于色，病愈出院。

本病例病在脾肾，故症见头晕乏力、耳鸣纳呆，久之百骸失养，气血虚损，虚热妄行，紫斑累见，此乃血溢肌肤、气滞血瘀之征，治予调补脾肾、益气和血，辅以止血通瘀，补消兼行，使补而不留瘀，消而不伤正，标本缓急，加减妙用竟获全功，

重用水牛角治肌衄

郭辉雄

肌肤出血名曰肌衄，以其色若葡萄，故又有葡萄疫之名。其证有虚实不同，实证多由血热，有热盛迫血、风热搏结、湿热交阻之异；虚证则有阴虚火动、气虚不摄之别，然临床所见，血热居多。古有犀角地黄汤是为正图。但犀角价格高昂，且为稀有缺药，故以水牛角取代之，重用30~60g，随证相任，屡多获验。重用久服无苦寒之品抑遏生气、化燥伤阴，败胃留瘀之弊，堪称清热凉血之佳品。

李某，年甫弱冠，因患肌衄、鼻衄3天入院，初用激素治疗1周罔效，而邀余诊之。患者皮肤紫癜此起彼伏，有的瘀斑融合成片，此火热炽盛，燔灼血络，迫血妄行，血溢脉外而为紫癜；火性急速，故起病急骤；火性炎上，阳络受损，致鼻衄量多而色鲜；口渴引饮，为热盛伤津之象；血溢脉外即为瘀，热瘀互结，气逆血乱，此腹痛、便血之所由作也；舌红苔黄，脉数有力，实为火热炽盛之候。亟当清热泻火，解毒凉血为治。

疏方：水牛角30g、生地黄18g、牡丹皮10g、赤芍12g、白芍12g、甘草6g、炒枳壳10g、连翘12g、知母12g、地榆炭15g、大黄10g。方中水牛角为除大热清血毒之良药；连翘清热解毒；知母清澈热邪，热清血自平；生地黄滋阳壮水以制火，气有余便是火，气降则火降，故用枳壳降气，气顺则血和；用牡丹皮、赤芍凉血活血，瘀化则血止；尤妙大黄一味不仅泻火解毒，且可凉血化瘀，全方共奏热清血宁，阴充火熄，瘀化血止之效。

患者服药6剂，肌肤紫癜渐消，鼻衄止，腹痛定，便血已，舌红津少，遂去大黄、枳壳，地榆炭，加玄参、石斛、紫草养阴凉血之品，调治经旬，诸恙咸安。

方不在奇，对证则验。水牛角性凉，血热最宜，然药有个性之特长，方有合宜之妙用，欲彰其效，全在医者善于识证遣药耳。如挟风者则配桑叶、薄荷、荆芥之属，透风于热外；挟湿者则伍苍术、茯苓、薏苡仁渗湿于热中，冀在孤立热势。虚热宜滋宜养，多用咸寒甘寒至静之品，如生地黄、玄参、二至丸等补阴以配阳，阴滋而火熄，火熄则血谧。伏其动血之因，斯为上策矣。

丹栀逍遥散治肌衄

詹文国

肌衄原因复杂，但辨证不外虚实寒热四端，其中因情志致郁，郁而化火，火迫血溢肌肤者不在少数，余以丹栀逍遥散加减治之，每获良效。患者保某，于1981年入本院中医科治疗，症见四肢皮下紫斑，成块成片，视之色青紫、压之不褪色、无痛痒，伴右胁胀痛，痛引肩背，脘痛呕逆，疼痛拒按，烦躁易怒，口干口苦，头目胀痛，面部微浮、色青，经行先后无定期，量或多或少不定，舌体淡红、边尖红甚，苔薄黄少津，脉弦细数。病起自5年前，因家中遭不幸，继之家庭不睦，同年底又患急性传染性肝炎，后经治疗病情好转，但因七情不遂，遂致肌衄，西医诊断为血小板减少性紫癜。

考本病始因恼怒，思虑抑郁，肝木日横，脾土受克，肝疏泄太过，脾统血失司，气机逆乱，血不循经，溢于肌肤，发为肌衄，乃肝郁及脾，气郁血郁，当治以疏肝解郁，凉血散瘀，兼议养阴柔肝。首拟丹栀逍遥散加枳壳、生地炭、白茅根、川芎，患者服8剂后，四肢皮下紫斑全部消散，其余症状亦明显改善。后拟原方合一贯煎调治，计服11剂患者全身情况好转出院。随访1年未见复发。

妙用“逐瘀”治“怪病”

严　冰

1982年孟春，患者杨某，曾患肝炎，经治得愈。近半年来，舌中常出血如条状，非晨起不得见，去某医院就诊，医者好奇，遂收其住院，晨起观之，果真如此。用维生素类及止血药等治疗1周，罔效。行血液检查未见异常，乃找中医治疗。初诊时，见其舌尖红边紫暗，苔薄黄，脉细涩，伴头昏乏力，大便干结。四诊合参，拟诊“舌泣”，舌泣即舌衄。初意属心经积热，投泻心汤无效。清·唐宗海谓：“口乃胃之门户，舌在口中，胃火熏之，亦能出血。”故改用清胃散，服5剂，诸症如前。思而再三，乃以瘀论治，用血府逐瘀汤加生大黄化瘀降火，绝其出血之源。处方：桃仁10g（打）、红花10g、当归10g、川芎5g、生地黄10g、炒赤芍10g、桔梗6g、柴胡3g、炒枳壳6g、甘草1.5g、生大黄10g，日1剂，煎服。外加炒蒲黄粉撒其舌面。如此治疗1周，血止，其他症状亦次第消失，病告痊愈。

因患者曾患肝病，病久络脉受损，血不归经。舌乃心之苗，心火亢盛，迫血妄行，晨为阳气开发之际，阳得阳助，故晨间易见出血。据此特征，宗古人治经不效，改治其络之训，运用此方活血化瘀，行气通络，瘀祛生新，血易归经。加生大黄者更寓意降火，蒲黄粉止其已生之血，诸药相合，瘀散火降，故收桴鼓之效。此乃临证之一得，其功应归于中医之妙也。

1983 年冬月，患者刘某，因口干口渴投某医院。西医行多种检查未见异常，嘱其口渴饮水、多食水果。患者遵之，无济于事，迤逦近一年，由友介绍余治之。余追述病史，知口渴得于胃切除术之后，索阅以往病历，某医以为胃家有热，投清胃散罔效；改用沙参麦冬汤养其胃阴，似效非效。刻诊脉来弦细，视其舌质紫暗苔薄，其口虽干而饮水不多，结合病史，余曰："此乃手术伤络，络伤瘀阻，津液不得输布，发为'血渴'也。"方用桃仁 10g、赤芍 10g、当归 10g、川芎 6g、枳壳 9g、桔梗 10g、牛膝 10g、甘草 3g，日 1 剂，3 次煎服，药进 2 剂即效，效不更方，6 剂渴止。友人问余："方中无生津解渴之味，何得渴止?"余曰："口渴有因热病津伤，清而可止；有因阴虚火旺，滋阴可愈；还有因劳作过度，汗出津伤，饮水即解，此则非也。考清·唐宗海有'血与气本不相离，内有瘀血，故气不通，不能载水津上升，是以发渴，名曰血渴'之谓，本方用桃仁、赤芍、川芎等味化瘀通络，瘀化则络通，络通则其津可布，用桔梗之升，载津上承，岂有渴不解乎"！

益气以引血

| 吴华强 |

血不行当责之于气，气滞固然血瘀，气虚亦无力行血，故补益元气以促使血行瘀化，已成为血证治疗中的一种有效方法了。笔者曾遇一中年教师，久患便血，经治不愈，后肛检发现直肠壁有 4 个豌豆大之无蒂肿块，诊为"直肠腺瘤型息肉"。因其惧恐手术复发而求治于中医，余诊其脉，沉缓而弱；观其舌，质淡而边现紫暗，面色萎而无华。主诉每日稀便 2 次，附有红色或紫红色血液，后阴作坠，溲后每每前阴及小腹亦感坠胀，平素头昏体弱，眠食欠安。合其脉症，断为久病亏损，脾气虚陷而致摄血无力。故补摄升提当为施治之总则，仿补中益气法，拟方选用黄芪、党参、白术、甘草、升麻、柴胡，加墨旱莲、香附炭。5 剂后，患者即诉二阴坠胀感大减，便血稍少。三诊时，患者体力较前恢复，课堂讲授已能胜任，但紫红便血依然存在，留于肠管之衃血未能尽除。后以前方为基础，增入红花、槐花、赤芍、当归等活血消瘀之品，标本兼顾。1

个月后患者大便正常，诸症好转，再次检查其肠壁光滑，未见异常现象。后4个月随访，喜告无恙。此例便血当属气虚不摄所致，治疗此证，景岳指出："必当用甘药先补脾胃，以益生发之气……而血自归经矣。"病变虽为脉络破损，瘀血阴滞的肠管息肉痔，但证候辨为脾气虚陷，治疗当补脾以领血，益气以行瘀。在调和气血、祛瘀生新的法则指导下，经过正确而持续的治疗，结果气复而阳升，坠胀消失；血摄而衃散，便血停止。

蚊母草治紫斑

李 良

余在临床中用蚊母草治紫斑疗效好。如曹张乡张某1976年9月初诊，述心悸、纳呆、懒言气短、头昏耳鸣、全身出点状或片状紫斑，经用西药治疗7天未效。见其面色少华，虚弱病容，舌淡胖，脉沉细无力，血小板计数46×10^9/L，证系脏腑亏虚、脾不统血所致的肌衄。随用蚊母草、墨旱莲、地榆各30g，生地黄18g，地锦草15g，党参12g，当归6g，水煎，2次分服，日1剂。服2剂后患者紫斑消退大半，纳谷转佳，心悸已平；服至5剂，诸症皆除。血检：血小板计数120×10^9/L。病乃痊愈，随访8年病未复发。

小圩乡钟某1981年5月患病，纳差困倦，面色皖白，全身出有瘀点、瘀斑，两下肢较密，口腔黏膜也有瘀点、瘀斑。语言低弱，脉细软，血小板计数56×10^9/L。用蚊母草、墨旱莲、地榆、生地黄各30g，铁苋菜18g，当归9g，党参15g，甘草9g，水煎，2次分服。日1剂，服3剂后，患者紫斑消失，服至5剂，纳谷正常，困倦自觉已除。血小板计数210×10^9/L。从此痊愈。随访3年余病未复发。后用此方又治紫斑病人15例，疗效尚称满意。吾为便于记忆及临床运用起见，随写成方歌："紫斑病检血板少，药用旱莲蚊母草，地榆地锦生地归，党参益气疗效好。"

方中蚊母草又名仙桃草、芒种草，有补益虚损、健脾和胃、活血止血、消瘀解痛之功。配以党参补气健脾，益气摄血，当归活血引各经之血归其各经，使血足归脉而不外溢；加墨旱莲、生地黄益肝肾养血止血；加地榆、地锦草防感染解毒止血，相得益彰，以利气血正常循经运行，故能使紫斑消退，血小板得升，而脏腑气血亏虚所致的紫斑获愈。笔者个人体会，蚊母旱连三地汤对原发性血小板减少性紫斑的疗效是肯定的。尤其对初发病，病程短者疗效较快，而对发病久、病程长者疗效慢些。方中蚊母草治血证效果很好，其特点是"化瘀血而不伤新血、止溢血而不留滞血"。因此，民间用蚊母草治疗各种出血，又用蚊母草治贫血虚弱，认为该草能止血又能生血补血。故民间有曰：“宿县地区三件宝，蝎子半夏蚊母草。”实践体会，诚如是也。

“散血”小议

刘永年

叶天士《外感温热篇》载：“卫之后方言气，气之后方言血，在卫汗之可也，在气方可清气，入营犹可透热转气，入血就恐耗血动血，直须凉血散血”，其中所说的“散血”是指温度发展到营血分阶段的一个重要治疗法则，它在温病的治疗上有着广泛的应用。随着这一治则在外感急性热病临床实践中的进展，愈益显现出它的重要作用。

按“散”者，消也、开也、除也，与“聚”“结”相对。《内经》有“结者散之”，泛指对积聚症及结滞症的治则。故“散血”者，乃活血之法也，这一治则既可治疗瘀血证，又不局限于瘀血证，在温病学领域内，它包含着更广泛的意义。

其一，“散血”可以泄热，即散除（营）血中之热。盖温邪久恋，深入营血，热势鸱张，或传于肝肾，耗伤真阴，虚热内生，临床均可出现明显的热证特征。此时，纯用苦寒解毒或清泄气热之法，徒伤正耗阴；或一味径投甘寒滋腻阴柔之剂，又易招致病邪锢结难解，故当取凉血散血之品，解散营血之热，邪祛正可安，如生地黄、牡丹皮、赤芍、丹参、玄参、紫草之属。

其二，“散血”可达养阴生津的目的。盖温邪特征最易化燥伤阴劫液，人体阴津被耗则血液浓稠而滞缓，经脉遂为之闭塞。阴津化源不继，其输布之途受阻，即使不见离经之血，但临床亦多见血瘀之征。故治取凉血散血之法，药用生地黄、牡丹皮、白茅根、茜草、藕节之流，使血滞得以流散，阴津随之复充，实寓养阴生津于散血之中。

其三，“散血”可获止血之效。温邪传入营血，动血是其一大特征，而温病血之所动，莫不因乎热炽，热炽则使津伤，津伤又易滞血，血滞每能成瘀，瘀阻血必外溢，此即古人所谓“热瘀迫血”者是也。对此等症莫不主于清凉止遏，虽与医理不悖，然寒凉清泄，却有留瘀之嫌。故于方中掺以散血之味，如丹参、桃仁、牡丹皮等，配伍恰当，不仅动血可止，且免停瘀之弊，实可寓防于治。而若见出血，纯取止涩不独闭邪，妄动之血每难宁谧，总缘热瘀之源未清故耳。前人为此创制了犀角地黄汤乃善察病机者也，投之多获效验，清热活血，不止血而血自止，亦“通因通用”之变法耳。

“再障”辨治点滴

帅 泰

祖国医学无“再障”病名，其辨治规律散见于出血、虚劳、心悸、肾虚、腰痛等病症之中。医林同道大都遵循《内经》肾藏精、主骨生髓及精生血之论述，从肾论治，收到了一定疗效。对“再障”的分型不应从外在的表象划分，而应由病理实质分为肾阴虚和肾阳虚两型较为简明。病初起有明显出血（鼻衄、肌衄、牙衄等），发热或潮热，及有热象，脉浮、弦、大、芤、数者归为肾阴虚型。对此型的治疗应滋阴益肾，凉血清热或清热凉血与滋阴益肾并举。不论有无热象可凭，均应配入适量甘寒或辛寒之清热药，清除气分、血分之伏热。无伏热窃阴，滋阴才能收到预期效果，否则如注水入漏桶之中，徒劳少功。在滋阴药中，龟版胶、阿胶及生地黄为必选之品，因其滋阴养血、潜阳、凉血止血几者兼备。但因其滋腻，不可过量，恐伤化源，砂仁、陈皮可制其弊。对此型的治疗，意在消除窃耗阴血之病根——伏热，逐渐滋填枯竭之阴血。肾阳虚主要表现为：面色㿠白，四肢厥冷或不温、恶寒、食少、大便溏薄或腹泻，气短乏力一般出血不明显，无发热或潮热，脉沉、细、微、小、弱，舌质淡胖娇嫩多津。骨髓造血功能低下虽与阴、精缺乏有关，但主要是肾气、肾阳不足。所以要提高生血能力，鹿茸、鹿角胶、海马、紫河车、肉苁蓉、巴戟天、人参之类血肉有情之品和大补气血、填精补髓之药必不可少。而这些药物性多温热，阴虚有余热时投之，势必死灰复燃，热邪弥漫，变证峰起。余早年会诊一再障感染发热病人，误将淡舌断为无热；将少气懒言、自汗出、心悸眠差、头昏眼花、鼻衄、经血连绵、喷嚏、头痛、脉浮弦数错辨为气血两虚、统摄无权兼感表邪。投以补中益气汤加防风、充蔚子、侧柏叶、艾叶、仙鹤草、荆芥。患者1剂下咽，发热骤升至39℃，烦躁不安、鼻衄及阴道流血增加。经中西医救治改用白虎汤加生地黄、水牛角、牡丹皮、紫草等，病情才得以控制。此乃阴虚余热未尽而早投温药之过，录之为戒。恰如其分地使用补肾阳药物，是提高疗效甚至是治疗成败的关键。使用的指征为：1周以上无发热或潮热，鼻衄、肌衄等出血基本控制，脉象由浮、弦、芤、大、数转为沉、缓、弱、细、小稍快——即从阴虚兼有余热转化为肾阴阳两虚或单纯阳虚时方可用之。初用时予大队滋阴养血药中加入一二味，取张景岳“善补阳者于阴中求阳”之意。为了避免补阳引动相火，可佐以封髓丹以制之。待确无热象之时，逐渐增大鹿角胶（或鹿茸）用量，并随症添入淫羊藿、仙茅、菟丝子、补骨脂、巴戟天等填精补髓之药及参、芪、归、芍。为了保证滋阴补阳药物的长期使用，可予上方中加入砂仁、陈皮、白扁豆、山药之类顾护脾胃，或间予益气健脾和胃之剂，以助生化之源。如此守方化裁，或配为丸剂长期服用，顽证亦可逢生。

贫血与血虚 |程亦成|

贫血与血虚，从字义解，意似相同，故有医者见红细胞或血红蛋白低于常值，即谓血虚，辄投补血之品，以为对症下药，理所使然。但二者实有别，血虚为中医之证，面色萎黄、头昏眼花、唇舌皆淡、肢麻脉细等，是其征也。贫血乃人体内循环血液之红细胞数或血红蛋白低于正常之谓。诚然，有贫血者可见血虚证候，但亦不尽然。故二者不宜混淆，以免舍本求末。忆丙辰年春，患者占左，年在弱冠，因外伤致内脏破裂，经西医抢救，先后手术 3 次，末次手术后 10 日，病者陡然大量便血而晕厥，血检红细胞 2.05×10^{12}/L，血红蛋白 62g/L，显示贫血。邀余会诊者问服何药补血为佳？余曰："噫！难言。出血之因未明，滥施补益，殊难合拍"。既而往视，见病者面虽黄而有华色，目珠微黄，唇赤，舌淡红，口干不欲饮，稍有小热，脉象弦数。乃曰："此非血虚之证，不宜进补。缘咎外伤及屡次手术导致瘀阻发黄、化热伤络，须以凉血化瘀、清热宁络施治，遂投犀角地黄汤合茵陈蒿汤加减，旬日而愈。然病者唇赤、脉弦，始终未见其变，误为血虚之象，倘若孟浪，妄投补血之品，不几抱薪救火乎？"故中医治病，首当辨证，次之论治，不能单以化验单为治疗依据。

"风心"咯血宜行血不宜止血 |谢昌仁|

"风心"乃风湿性心瓣膜病之简称，祖国医学认为此病之形成，系因风湿久羁，累及心脏，称为"心痹"。《素问·痹论篇》云："脉痹不已，复感于邪，内舍于心。"心主血，肺主气，肺气贯心脉而行呼吸，如因心脉痹阻，则肺气壅塞，瘀血停聚，往往发为喘咳咯血。此时治疗，若用清肺止血之剂，不但喘咳咯血不止，反增气闷、腹胀之苦。

数年前曾治病人陈某，女，46 岁，患风湿性心脏病已十余载，此次发病 2 天，胸闷腹胀大，喘咳气呛，吐血盈碗色深红，吐血后胸腹胀闷则减。以往发

病时曾用清肺止血剂，治疗无效，反感胸腹胀闷益甚。观其舌后，边有紫气；切其脉，沉小而涩，良由风湿凌心，瓣膜受损，心营失畅，血郁于肺，治从降气行血入手，引血归经，方用杏仁、紫苏子、前胡、橘皮、当归、丹参、红花、桃仁、茯苓、泽泻、牛膝。患者服药3剂，咯血即止，胸闷腹胀亦减。患者无比欣慰。以后每逢遇有此病，服之均颇有效。谬仲淳曰："吐血有三诀，宜行血不宜止血，宜补肝不宜伐肝，宜降气不宜降火。"此血因血不循经，气逆上壅，血郁于肺，乃有此病，治用降气行血，令血循归经络。由于辨证切中病机，全方无一味止血药物，然止血作用甚捷，足见辨证施治之重要性。若见血止血，则使血凝，出血难愈，且生他疾。

当归生姜羊肉汤升白细胞

| 来春茂 |

1982年余治一男性患者，48岁，腹泻半年，一日泻三四次，腹胀且痛，头昏腰酸，倦怠乏力，面色㿠白，颜面及双下肢浮肿，舌苔白腻，脉濡细，白细胞在（2~3）×10^9/L，中性粒细胞0.2~0.4，经温肾助阳，运脾健中未效。患者怕服汤药，心想喝点汤锅壮羊肉，又恐喝了增加泄泻，征求我的意见，因此使我联想起当归生姜羊肉汤方。即处：壮羊肉1000g、当归30g、生姜60g，加黄芪100g。先将羊肉煮熟，然后捞起羊肉，汤中放入上药再煎。

患者自喝肉汤1周后，胃纳顿开，饮食亦增加，大便成形，以后汤肉连同服用，1个月后白细胞增至（5~6）×10^9/L，中性粒细胞0.5~0.6，其余症状消失。该方之所以能升白细胞，妙在羊肉为血肉有情之品，大补气血，当归温润养血活血，生姜醒脾，温中暖胃，加黄芪即当归补血汤意。此《内经》所云："形不足者，温之以气；精不足者，补之以味"的道理。

略论"过早搏动"的中医治疗

| 夏　翔 |

早搏是临床一种常见的证候。祖国医学文献里虽无此名，但类似早搏证候的记载是屡见不鲜的，且对其病因、病机、辨证均作了详细的论述。引起早搏的原因有：脏气衰退（如气血虚）或血瘀、痰浊阻遏胸阳，还有情志抑郁复感外邪等。

近年来各地对过早搏动的辨证提出了多种分型，大致可归纳为心神不宁、心血不足、阴虚火旺、气滞血瘀、心阳不振、寒湿内蕴等型。其实分型不必太繁琐，因为早搏患者大多具有心悸不宁、心烦、胸闷不畅、善恐易惊、少寐多梦、头晕乏力、舌质淡红或暗红、脉结代等共同症状。早搏的出现及临床表现具有一定的规律性。一部分病员在劳累后及心跳加快后常感到早搏增多，并有胸闷不畅、心悸而烦、头晕乏力等症。这些患者一般在安静时或休息后上述症状及早搏均能减轻。另一部分病人，早搏多在夜寝时或安静状态下出现，这类病人的自觉症状均较明显，常有心悸不宁、善恐易惊、少寐多梦、头晕乏力等表现。根据中医“审证求因”的辨证原则，可把早搏病员分为两型：前者辨证为心脉瘀阻、心阴亏损，定为Ⅰ型。可采用活血宽胸、滋阴养心法来治疗。后者辨证为气血不足、心神不宁，定为Ⅱ型。可采用补气养血、宁心安神法来治疗。从现代医学角度分析，Ⅰ型病人的早搏大多属于器质性早搏。Ⅱ型病人的早搏大多属于功能性早搏，换言之，对器质性早搏病人应采用活血宽胸、滋阴养心的治则；对功能性早搏病人应采用补气养血、宁心安神的治则。

对Ⅰ型早搏可采用活血宽胸汤（丹参15g、川芎15g、葛根15g、玄参15g、麦冬15g、玉竹15g）。Ⅱ型病人早搏可采用养血宁心汤（当归12g、党参12g、麦冬9g、五味子4.5g、怀山药30g、大枣5枚、炙甘草9g、远志4.5g、茯神9g）。笔者以这两组方药治疗早搏多例，有效率达77.4%。

心肌炎治疗管见

曹永康

病毒性心肌炎一般多继发于感冒以后，“六淫多从热化”，表邪入里，极易化热，热犯心营耗伤气阴，心阴亏虚则心悸动数，心气不足则气短易汗。故心肌炎的病理机制是气阴两虚而内有蕴热。据此，自拟参麦地黄汤（太子参、天冬、麦冬、五味子、生地黄、川百合、浮小麦、甘草、珍珠母、赤芍、白芍、川芎、丹参、薄荷、蒲公英、大枣）法取甘凉濡润、性味柔和之品，以益气养心，和营活血，宁心定悸，清热解毒。此方作为治心肌炎的基本方，用于心肌炎气阴两虚证，临床疗效尚称满意（在心肌炎病程中气阴两虚的病程较长）。

中医治心肌炎，必须信守辨证论治的特色。按临床证候及病程阶段而循序施治。①初起如咽痛、咽红、低热等表证未尽者，须先用金银花、连翘、黄芩、僵蚕、板蓝根、玄参、桔梗、牛蒡子、甘草等清解余蕴；不可囿于心肌炎而急于养心滋益，反致留邪而炎症难消。②益气养液方中宜佐蒲公英、连翘、薄荷、牡丹皮、白薇等以清营热；如系风湿感冒所致而有头痛、鼻塞、身疼等症，宜佐羌活、独活、荆芥、防风、甘松等祛风湿。③病延日久或素体虚弱者，每可出现气虚血瘀或阳虚血瘀，如心前区疼痛或憋闷、唇舌发绀、呼吸不畅等症，治宜益气扶阳活血化瘀，以匡扶心衰。

白喉毒陷心包的证治

张恒泉

白喉一症极其凶险，若其毒陷心经，尤能追魂夺命。旧时常广为流行，医者束手，称“瘟疫白喉”。余承祖辈相传六代二百余年之经验，加之本人临床研习，得窥一孔。

白喉乃疫疠燥邪为患，其邪首先犯肺，致肺金不肃，燥气不行，太阴燥火挟少阴君火同犯心经。或因医治失时，使毒内陷，或治之不当；如过服辛散，则邪毒泛滥，过于攻伐，而损伤气血，过于滋镇，邪气郁遏；或素体虚弱等等，均能令邪毒陷及心经，并发心肌炎。

欲救此危症，莫过于“早察，早治”。虽白喉症现不一，或挟风热、风寒，或阳明热甚，然亦有可辨处。若喉中白膜转为黑色，或腐烂发臭脱落，则为凶兆，切勿以为前治见效。若果转愈，白膜脱落应自边沿开始，向中央蚕食。若自中央溃烂，向外扩散，甚至全部脱落，却是毒入血脉之始。此后，毒素日深，体质日弱，症无有不弱，脉无有不虚，出现心病征象。又因平素体质差别，表现各异。积临床所见，此症可按以下辨证施治：

1. 损阴夺津型　心悸气急，五心烦热，心烦不眠，声嘶，咳嗽，呛水，口渴，唇焦鼻干，两颧潮红，舌绛无苔少津，脉弦细数。治宜甘寒，滋肾水，养心阴。方用丹参玄麦汤或天王补心汤加减。

2. 心脾阳虚型　心悸气促，倦怠无力，少气懒言，不思饮食。面色苍白，四肢冷，腹胀，大便溏泄，舌胖少苔，脉细无力或结代。治宜温补心脾。方选归脾养心汤加丹参、甚或附子理中汤加丹参。

3. 心肾阳虚型　毒邪既可犯心，也可及肾。症见颜面、四肢浮肿，面色紫暗，尿少，心悸气短，喘息不止。舌黑，脉沉细结代或歇止。治宜补肾阳，方用附桂八味汤加丹参、浮小麦、五味子等。

4. 心阳亡脱型　心脏久为毒邪所侵，心阳耗竭，格阻于窍外，其人神昏，鼻息奄奄，面色青紫，牙关紧，四肢厥冷，脉微欲绝，为濒终之象。应急用人参四逆汤加丹参、浮小麦等，回阳强心固脱。然病到此时，生者寥寥。

总之，白喉毒陷心经，并发心肌炎一症是白喉病死亡的主要原因之一，证颇驳杂，故治不必拘泥，惟在辨证。以润补、温补、益水强心为原则。苦寒发散当慎之。医者高度警惕，防患于未然为最佳。在治疗白喉的整个过程中，丹参一味万不可少，余家传熊冰散吹喉其效甚佳。

附：熊冰散配方

硼砂 210g、牛黄 6g、雄黄 20g、银朱 12g、人中白 15g、熊胆 3g，共研细末，加冰片 10g、麝香 3g 混匀，密封瓶贮备用。

生脉散治疗心病的临床体会

朱建孝

“心主血脉”，生脉者，生心也。生脉散，药仅三味，人参补心气，麦冬滋心阴，五味子敛心液，一补一滋一敛，脉气得充，心血得养，阴阳协调，主明君健，是以强心生脉也。

生脉散之用，必以参麦为君。无此二味，不可生脉；有此二味，或二味之一，即可复脉。心阳衰微、心气不足时重用人参力专功宏；独参汤、参附汤、四逆加人参汤可强心回阳；心阴耗竭、心血不足时，重用麦冬以养阴清心，加减复脉汤，一、二、三甲复脉汤可复脉救阴。是故临床之用，必据心气、心血、心阴、心阳之偏盛偏衰，调整人参、麦冬用量，方可补偏救弊。

“药有个性特长，方有合群妙用”。临床中常以本方与他方相合使用，效验远较单用生脉散为佳。每遇心脏病、心神病，器质性的，或功能性的，有气阴两虚见症，生脉散必作基础方使用。心移热于小肠者，用生脉导赤散；小儿盗汗虚烦易惊者，用生脉甘麦大枣汤；心火亢盛癫狂失志者，用生脉二阴煎；心肾不交、心烦失眠者，用生脉黄连阿胶汤；热病伤阴、心神不宁、液涸便结者，用生脉增液汤；冠状动脉硬化性心脏病、高血压性心脏病、风湿性心脏病、肺源性心脏病心脉痹阻气滞血瘀者，用生脉丹参饮，或再合二味参苏（木）饮，或合失笑散，或合活络效灵丹；心阴耗竭心阳暴脱者，用生脉参附龙牡救逆汤；风湿性心脏病水气凌心者，用生脉苓桂术甘汤；心脾气阴两虚证者，用生脉归脾汤；心肾不交阴、虚精耗者，用生脉六味地黄丸等，这些都是临床习用疗效确凿的合方。

很多历代名方，其药物组成内含生脉散全方者屡见不解。如宁心安神之天王补心丹、治冠状动脉硬化性心脏病逢暑加重之李氏清暑益气汤(《岳美中经验》)、治心脏病患者外感寒邪之麻黄人参芍药汤、治阴盛格阳戴阳烦躁之朱肱

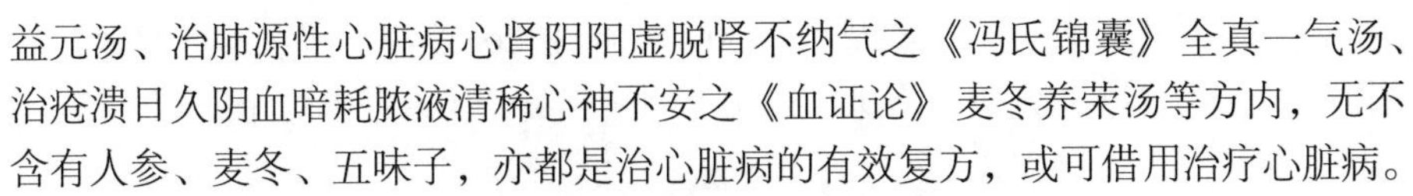

益元汤、治肺源性心脏病心肾阴阳虚脱肾不纳气之《冯氏锦囊》全真一气汤、治疮溃日久阴血暗耗脓液清稀心神不安之《血证论》麦冬养荣汤等方内，无不含有人参、麦冬、五味子，亦都是治心脏病的有效复方，或可借用治疗心脏病。

我对本方及其衍化方的看法和运用，常认定参麦、麦味、参味为耳目，某一复方有此药对，我即视为生脉散的衍化方用治心病。如刘河间地黄饮子治心肾阴阳两虚之冠状动脉硬化性心脏病、高血压性心脏病；清心莲子饮治病毒性心肌炎；竹叶石膏汤治心脏病患者暑热汗多损心高热烦渴；再如补血宁心之养心汤；寒邪直中三阴之陶氏回阳救急汤；冲任虚寒血脉瘀阻之《金匮要略》温经汤等，我常习用治疗心脏病，或以常法常方治之罔效而暂借一用，竟能别开生面，挽救危亡，助君主一臂之力，细细揣摩，虽意料之外，却在情理之中。

大剂麻辛附子汤治疗高度房室传导阻滞

| 顾选文 |

对于张仲景《伤寒论》第101条“伤寒中风，有柴胡证”，诸家注解不一，本人认为是仲景辨证论治原则之一，可运用于其他汤证。按这一原则采用麻黄附子细辛汤治疗高度房室传导阻滞，取得满意疗效。

杨某，女，48岁，患冠状动脉硬化性心脏病4年余，常有胸闷、胸痛、心悸，曾因高度房室传导阻滞及Ⅲ度房室传导阻滞，3次住院治疗。本次因劳累，情绪激动感胸闷、心悸加剧而来院急诊，收入病房。入院时，患者神情倦怠，面色㿠白，畏寒肢冷，舌质淡紫见齿印，脉沉结（心率42次/分），心前区可闻Ⅱ~Ⅲ级收缩期吹风样杂音，心电图提示：Ⅲ度房室传导阻滞，中医辨证属少阴证，用麻黄附子细辛汤加味（净麻黄30g、附子15g、北细辛9g、肉桂15g、龙骨30g、牡蛎30g、檀香9g、郁金12g、红花12g、川芎12g、炙甘草10g），每天1剂，连服4剂，患者心率提高到44~50次/分，但心电图无变化。宗原意，麻黄改为60g，再服4剂，病情无变化；再用原方，净麻黄改为120g，熟附块30g先煎，每剂煎400ml，每次30ml，每2小时服1次。再服4剂后，患者自觉症状明显好转，心电图恢复正常窦性心律（心率75次/分）。再服4剂后，减半剂量再服10剂，连续进行心电图随访正常，患者痊愈出院。

本方出自仲景《伤寒论》第301条：“少阴病，始得之，反发热，脉沉者，麻黄附件细辛汤主之”。少阴病统括心、肾两脏，为人身之本，邪入少阴症见“脉微细、但欲寐”，高度或Ⅲ度房室传导阻滞，病人均见精神萎靡、神志恍惚之症，脉沉用麻黄附子细辛汤，如果脉微细，用四逆汤，抓住一证，治之甚验。

临床体会麻黄用量宜大，净麻黄可由30g增加到120g，并采用多次分服法，使药力持续而稳定在一定的水平上，虽用大剂量麻黄，在治疗中并无发汗之弊。

消导法治疗心悸

沈祖法

“食消心得安”，意即饮食不当可致心不安。俗话说：“饿得慌”“饱得慌”（北方称“撑得慌”）便是。前者因水谷之气不足，心气失养，故心必发慌。后者如暴饮暴食，遏阻经气，甚至心脏骤停者也屡有报道。我曾治一男性青年，每次饱餐后心慌、胸闷、嗳气频频、泛恶酸腐，反复发作5年，且于进干饭及酒类后加重，饭后被迫端坐，曾3次急诊入院，心电图均揭示频发房性早搏。用异搏定治疗无效，患者只得少食或少餐以缓和心悸，日久兼有形体消瘦，神倦乏力，大便不畅，夹有不消化食物，且有酸臭气，察其舌淡、苔黄腻，脉代。证系食滞伤胃，胃病及心。先用保和丸加减治疗：焦山楂、焦神各10g，白茯苓10g，制半夏10g，莱菔子10g（包），谷芽、麦芽各10g，陈皮5g，炙鸡内金5g，连翘10g。3天后复诊，患者心慌消失，心电图检查正常，且饮食增至500g也无妨，大便正常，嘱续服5剂后改用保和丸巩固疗效，随访至今，饭后“心得安。”

考胃脘近心窝处，胃、心之间互相影响。所以《灵枢·厥论》把胃经邪气干犯于心的疼痛，称为“胃心痛”。同理，食滞伤胃，胃气失和，遏阻经气，也可累及心气，而致心传导失常。《灵枢·经别》中指出：“足阳明之正，上至髀，入于腹里属胃，散之脾，上通于心。”即正常情况下，足阳明胃经通过其经别而上通于心，使胃、心之间经气相通。反之，在病理情况下，亦可互相波及。现用保和丸治疗，目的是消食导滞，和胃理气，使经气相通，则心气正常，“心跳自如”。

肺痨治验谈

陆孝夫

笔者运用经方辨证治疗肺痨，取得满意的疗效。

1. 肺痨久咳　肺痨多阴虚干咳，日轻夜重，口干咽燥，往往积年累月，缠绵不愈。动用《伤寒论》芍药甘草汤合沙参、麦冬宁肺止咳，润养肺阴，疗效

令人满意。

2. 肺痨咯血　肺痨阴虚，肾水不能制火，心火上炎肺金，血热妄行导致中小量咯血，用黄连阿胶汤加味；或肾水不能涵养肝木，肝火上亢刑金而导致肺络迸裂，咯血如涌，急宜釜底抽薪，用大黄黄连泻心汤合黄连阿胶汤。以上咯血均可吞服神效止血丸（或散），系先祖父陆少搓经验方，由羚羊角、生大黄、花蕊石、三七、儿茶等组成。

3. 肺痨盗汗　肺痨汗多，属外感恶风自汗者，用《伤寒论》桂枝汤；自汗盗汗属营弱卫强者，用《伤寒论》桂枝加龙骨牡蛎汤有效。肺痨患者多阴虚体质，桂枝宜慎用，要中病即止，以防劫津伤阴动血之变。阴虚盗汗者，桂枝加龙骨牡蛎汤去桂枝、生姜，加沙参、麦冬；盗汗属于心火亢盛者，去桂枝、生姜，加当归六黄汤增损治之。

4. 肺痨胸痛　肺痨胸痛用《伤寒论》芍药甘草汤加味，病久阴虚者，加麦冬、百合、山药养肺脾之阴以治本；气郁胸胁痛者加广郁金、香橼皮、八月扎、赤芍；胸膜炎致胸痛者，加抗痨及行水药物；胸部肋间神经痛者，加炒延胡索、制乳香、制没药；有唇舌瘀紫血瘀症状之脘痛者，加刺猬皮。

5. 肺痨贫血及月经失调　肺痨病是慢性消耗性疾病，往往导致贫血及妇女月经失调，有因结核杆菌毒素的影响而经闭，有因贫血而导致经前腹痛者。以《金匮要略》当归芍药散增损，主用芍药养血止痛，疗效令人满意。

肺痨日久，阴虚火旺，其久咳、自汗、盗汗，需酸收敛肺；胸痛，需缓急止痛；烦躁易怒，需和血平肝。以上数证，芍药是必用之药。临床上辨证选用有芍药的经方，可达用药精简、疗效迅速的目的。若用于止咳、止痛，须用大剂量（20～40g）；月经不调、贫血、自汗、盗汗，剂量可用12～15g。若用于养血敛阴、缓急止痛、宜用麸皮炒；腹泻食少，宜用土炒；柔肝宜醋炒用；闭经、痛经宜酒炒用。若为阴虚，配伍沙参、麦冬；盗汗，配伍煅牡蛎、浮小麦；咯血，配伍白及、止血散；久咳，配伍百部、乌梅；贫血，配伍熟地黄、当归；胸腹诸痛，配伍延胡索、甘草；闭经、痛经，配伍赤芍、泽兰。注意芍药的配伍和炮制，可以提高疗效。

（陆　清　陆　洁　整理）

肺痨咳嗽不可概用养阴润肺药

罗明察

肺痨咳嗽多有肺脏阴虚，治以滋阴润肺之品收效甚捷。然亦有部分肺痨咳嗽患者，兼感风寒、风热、湿热之邪，如不辨证求因，概用滋阴润肺药，非但无效，反致贻害。

1980 年遇刘姓患者，年五十有余，患肺痨十余年。作胸片检查，见右上中肺有片状阴影，兼见透光区。1980 年冬连续咳嗽两个月，前医予患者以百合固金汤、紫菀汤之类，服十余剂罔效，咳反增剧，甚则痰中带血。后邀余诊，询其咳嗽痰白，咽痒咳甚，气促胸紧，苔薄白，脉弦细。根据脉证断为风寒犯肺，肺气失宣。始用麻黄 7g、杏仁 10g、紫苏子 10g、陈皮 10g、半夏 10g、茯苓 12g、枳壳 10g、前胡 10g、黄芩 12g、甘草 7g。试给 2 剂，患者服后，咳嗽大减，继进 2 剂，其咳遂愈，继治肺痨。

房劳伤寒蓄血

朱秀峰

房劳伤寒，又称“夹阴伤寒”，俗称“阴寒症。”是指房事后受凉或饮食生冷而引起的一种腹痛症。它的临床特点是：脐以下腹痛阵作，喜温喜按，反复发作，可迁延数月或更长时间。严重时可出现满腹疼痛、口唇紫绀、手足发冷脉微欲绝等症。但进行实验室检查，一般无异常。

对本病的治疗，一般采用炮姜、附子、肉桂、吴茱萸、党参、白术、木香等温中祛寒药。初起伴有表证的加麻黄、细辛、葱白解表散寒；腹痛甚，唇指紫绀的加麝香、皂角刺开窍活血。或配合鸡雏烧灰调酒服；外用麸皮加醋、姜炒热，装入布袋中温熨脐部，往往获得较好疗效。但对特殊病例，又不能执一而论。

1944 年故乡王某之子，房事后饮冷水，第 2 日即发热、腹痛，延某医给西药、脐部贴麝香膏药等，无效，患者病情日渐加重，后邀余诊治，视其发热朝轻暮重，神志模糊，谵语，口干不欲饮，腹痛拒按，按之充实，大便不通，小便自利，脉数，苔黄，此系阳明蓄血腑实证。处方：生大黄 12g、芒硝 9g（冲服）、枳壳 9g、桃仁 12g、土鳖虫 9g、甘草 3g，2 剂，水煎服。患者服药 1 剂，解出黑粪盈盆，第 2 天即热退神清，腹痛消失，想吃稀粥。服 2 剂后，患者咳嗽、舌红、苔少，为热伤肺阴，故方转沙参、麦冬、生地黄、石斛、杏仁、百部等，调理 1 周为痊愈。40 年来，每逢相遇，无不喜笑道谢。

助阳化瘀治愈皮肤黑变病 |陈万举|

有位患者，皮肤变黑已近3年，开始从四肢屈侧起，逐渐蔓延至腋下、小腹、生殖器、胸腰等处，皮肤黑色斑犹如黑炭，深浅不等，自觉腰脊经常酸痛，别无不适，舌苔薄白，尺脉弱。

询问患者以往的健康状况，谈及10年前有一次举重用力太过，气力不能胜任，伤动血脉，当时吐血一口，嗣后周身酸痛无力，一年二年，不断吐血，身体日渐消瘦，常以菠菜和鸡蛋做汤当补品，吐血愈后，亦常吃菠菜、鸡蛋当营养品至今不断。

余思患者昔年因举重用力过猛，当场吐血，血谧经外，有积于肌肉间隙者则成败血，周身疼痛，一病两年，脉络之伤其重可知。

患者素日腰脊常酸痛，倦怠无力，身躯魁梧，尺脉尚弱，可见肾气不足。肾主纳气，纳气差气化无力，不能及时推动肌肉间隙的瘀血，从膀胱水道排出体外。

长年嗜食含铁量多的菠菜，使血中铁质加浓，皮肤变黑正像铁色。

余辨证黑色属血、属肾，主虚、主寒。昔有伤筋动血，兼之肾气不足，血肉不得温润，血凝不散，皮肤黑色斑多在阴暗部，是血脉循行偏多之处，因虑及此，宜当助阳化瘀，血得热则行，推陈出新，消除血瘀，化其残余，舒展阳气，以散阴霾，佐以祛湿解表。处方：附片6g、硫磺6g、淫羊藿9g、当归12g、赤芍15g、丹参20g、茺蔚子12g、茜草12g、蝉蜕12g、白术9g、茯苓12g、大青根12g、甘草6g。

患者发病延3年，服药1个月得愈。

阳 虚 发 热 |罗 铨|

发热一证，其因甚多，首当辨别外感内伤，次宜辨其虚实。阳虚发热，乃因肾阳虚损，阴盛阳浮所致。

阳虚发热，多危重之证。治疗不当，死生反掌。辨证当详察正邪虚实，用药温阳佐以潜降，扶正以祛邪，此为大要。笔者认为辨证重在“神”与“津”。

患者久病，虽发热而精神萎靡，气短乏力，懒言蜷卧，皆“神气不足”见证，此其一；实热之证，久必伤阴，而见“津液受损”见症，本证虽发热，而为“阳虚阴盛”所致，故舌必胖润，渴必多饮，或渴喜热饮，或聚液成痰，痰涎壅盛，此其二。

“劳者温之”，阳虚阴盛，必扶阳抑阴，宜大剂姜附之类。但阳虚至极，阴寒格拒太甚，仅用姜附辛热之品，又恐涣散阳气，必佐以潜降摄纳之品，如龟版、龙骨、牡蛎、牛膝、砂仁之类。使虚阳下行，则疗效更佳。仲景通脉四逆汤、白通汤于大剂姜附中反佐猪胆汁、童便等咸寒苦降之品，亦潜降之义也。

阳虚发热之证多为疾病严重阶段，正虚邪实，虚实夹杂。阳虚阴盛，气机升降失司，气不化津，水液停聚，湿聚成痰，可见水肿痰饮之患；气机阻滞，气滞血瘀，可见胸中满闷，口唇青紫等症。故温阳扶正为主，又当酌用利湿、化痰、行气活络之品，扶正以祛邪，临床遵此法而灵活变通。兹举病案于后。

马某，男，83岁，1985年2月初诊。患者既往有咳喘史，近十天来发热（体温38℃左右），气喘略咳，咳白痰，精神萎靡，神识模糊，面色暗红，声低息短，不思饮食，四肢厥冷，出冷汗，尿少，下肢浮肿。已用西药抗生素、平喘药数日，症状未减。今早二便自遗，家属疑为“中风”送来急诊。脉浮数无力，舌质暗红，苔黄略腻。西医诊为“肺心病并肺部感染，肺性脑病早期”。中医诊为脾肾阳虚，虚火上浮，痰瘀交阻。拟温阳潜降，佐以化痰活络。处方：川附片30g（开水先煎4小时）、炮姜12g、炙甘草6g、煅牡蛎20g、煅龙骨20g、法半夏15g、陈皮10g、茯苓15g、丹参30g、葶苈子10g、砂仁10g、炙远志10g。

上药2剂，服后精神好转，发热稍退，尿量增多，下肢浮肿减轻。原方再服2剂，低热消退，改用陈夏六君汤加干姜、细辛、五味子、紫苏子、款冬花等，治疗1个月余，症状基本消失。

附子理中汤退高热

王士荣

曾治患儿王某，发热四旬，晨起即作，至午前体温逐渐升高达40℃，有汗热不解。午后身热渐退。诊时虽盛暑高热，但见患儿身穿夹袄，四肢清冷，大便泄泻，质稀无臭，日解四五次，时夹黏液，咳嗽微作，面容晄白，精神疲乏，不欲饮食，小溲清利，舌质淡嫩，苔薄白而润，中根部灰黑而滑。检阅所服处方，前医曾投葛根芩连汤，服后发热泄泻益甚。细审脉证，乃脾肾之阳受戕，

太阴寒湿内困，急以附子理中汤加味，处方为：淡附片1.5g，桂枝1.5g，苍术、白术各3g，茯苓5g，藿香3g，炙甘草1.5g，白芍2g，太子参5g，服3剂症减，后以异功散调理而安。

由于午前为阳，午后为阴，暑为阳邪，两阳相搏，故发热上午甚，午前最高，午后热渐退。然泄泻四肢清冷，汗出神疲，面色皖白，小溲清利，舌质淡嫩，苔薄白润根灰黑而滑，一派阳虚中馁，寒湿内踞，所谓“实则阳明，虚则太阴”者是也。太阴寒湿内困，真寒假热证谛也。用附子理中汤中振运脾肾之阳，药证相符，效如桴鼓。

真寒假热治验 | 邓荫南 |

蒋某之妻，产后发热，请某中医诊治，服药半月，病势日增，乃邀余赴诊。余至其家，见病者面色苍白，卧床不起，口渴喜热饮，烦躁，但胸不欲盖衣被，述发热难忍，出示前方，用黄芩、黄连、栀子、淡竹叶、生地黄、牡丹皮、玄参、知母、石膏之类，切其脉浮大，重按则微细欲绝，触其足冰冷激手，据其脉症，显系产后血脉空虚、阳气不足、外感寒邪，前医误投凉药，雪上加霜，以致阴寒内盛，格阳于外，乃真寒假热之证。因病者急欲进药，姑与温开水代药以慰之，另嘱烧热水数桶，以大毛巾两块热敷两足。少倾，病者言冷，欲加盖衣被，亦不索饮，渐渐入睡，其夫不解，余曰：“此亦引火归原、导阳入阴之法也，火既归原，则寒象毕露矣。”即拟制附子10g、肉桂3g、炮姜5g、炙甘草5g，是晚未及撮药，翌日1剂而愈，不日竟能起床，合家欢喜。

色素沉着论治有感 | 巢伯舫 |

余鸿著《诊余集》记载：某巨富，以千金聘丹徒王九峰至家治病，病愈。临行时，有一巢姓妇人，满面起黑斑，面色黧黑，求诊焉。九峰看前方用七味地黄汤，即将前方加肉桂1钱（3g），服百剂，黑色可退。此肾水上泛之症也。问巢姓曰：此方为谁所书？曰：马省三先生也。九峰曰：省三颇有心得，医道不在吾下。果服百剂愈。省三至老年果医道大行。

笔者于1972年春季，治一邓姓妇女。47岁，工人。因面部皮肤由黄变黑，由局部发展至整个面部，黑色逐渐加深，犹如涂漆，无其他症状。西医诊断为“色素沉着”。经多种治疗无效。余处方以山药10g、云茯苓10g、熟地黄12g、牡丹皮5g、山茱萸10g、福泽泻5g、肉桂3g，连服15剂，而部黑色渐淡，又服15剂，黑色基本已退。原方制成丸剂以巩固疗效。随访13年，面部皮肤色泽仍然正常。后又用此方治愈数人，现尚有两人在治疗中，已有显效。

《诊余集》是一部医话医案著作，内容所述皆为实事，无剽窃他人成果及浮夸之嫌。马省三处方基本符合病情，王九峰加用肉桂，犹如画龙点睛，并能预料奏效日期。可贵的是，重复应用此方而能获得良效。余、马、王三位前辈，不愧名医，非欺世盗名者可同日而语。

谈谈冠心病治疗的关键

詹文涛

余系统诊治冠状动脉硬化性心脏病（冠心病）已二十余年，近期疗效尚好，随访系统治疗3个月以上的近百病例，未见一例急性心肌梗死者。有人问：“师所重何法何方也，其要诀安在？”答曰：“非一法一方一药之所为也，实按中医理、法、方、药辨证论治而已。”就余临证之所见，冠心病证类繁杂，表现既殊，实难以中医的一病一证一法一方来统辖。但从病理生理学角度观察，在冠心病的整个病理演进过程中，自始至终存在着脏腑内虚与邪实内患这样一对基本矛盾，它们之间的消长盛衰以及质与量的变化，决定冠心病的发生发展及其转归。脏腑内虚的产生，既是冠心病发生发展的内在基础，又是内生邪实的发病学原理。临床上，脏腑内虚以心为基础，而心阳（气）虚多与肺、脾、肾（命）之阳（气）虚相连；心阴（血）虚多与肝肾阴虚相关，“肾虚”则在冠心病人普遍存在，是为脏腑内虚之根本。由于脏腑内虚，日久则阴阳气血津液调节失常，于是气滞血瘀、痰浊水湿、阴寒凝滞、经络闭阻、郁热内生等邪实自内而生。这些内生邪实又作为一种新的病原因子，稽留脏腑，停滞经窍，障碍气机，痹阻脉道，构成冠心病的“闭”（心绞痛、心肌梗死、心律失常、心力衰竭）与“脱”（严重心律失常、休克、心脏骤停）等各种临床危急症象的病理生理学基础。同时，内生邪实之滞留，不仅进一步加剧脏腑阴阳气血之调节紊乱，还更加耗伤脏腑正气。脏腑内虚与内生邪实二者之间常常互为因果，因虚致实，因实致虚，形成虚虚实实的恶性病理循环，成为冠心病发展变化的主导环节。辨证论治冠心病的目的，就在于从整体观念出发，通过辨证求因，审因论治，截断冠心病过程中脏腑内虚与内生邪实二者之间形成的恶性因果转

换链。一方面用“通”法祛邪（温经散寒、宣痹通阳、行气解郁、活血通脉、化痰软坚等），以缓解标证之急，使罹病的组织器官（特别是心脏）的缺血、缺氧、功能障碍、组织损伤得到改善和修复；另一方面用“补”法扶正（益气温阳、滋阴养血、补阳和阴、补阴和阳等）调整脏腑阴阳气血平衡，解降冠心病发生发展的内在基础，增强患者内外环境的自身调节和适应能力，增强抵抗力，巩固疗效。扶正、祛邪二法合用，通补兼施，标本同治，用截断法解除冠心病发生发展的主导环节，阻止疾病的恶性病理循环，从而使之向好转和痊愈的方向发展。临床观察表明，从病因发病学的高度辨证治疗冠心病，具有缓急止痛、改善全身状况、缓解临床症状、调整血压、降低血脂、改善冠脉循环、促进受损心肌修复等多方面多层次的立体综合作用；常能使一些危重顽固病人化险为夷，为一些患病多年的病人解除痛苦。

阳虚心痛的治疗体会

李明富

心痛是以心胸部发生痞塞疼痛为主症的一种疾病。心痛多呈间歇发作，疼痛常向颈、臂或上腹部放射。大多伴有倦怠乏力、心悸短气的症状。本病是中老年人易患的一种疾病。在历代中医著作里，有许多关于本病的记载。如早在《灵枢·经脉》就说：“心乎少阴之脉，是动病嗌干心痛”，《灵枢·五邪》说：“邪在心则病心痛”。《素问·藏气法时论篇》则对心病疼痛的牵涉部位作了很好的描述：“心病者，胸中痛，胁支满，胁下痛，膺背肩甲间痛，两臂内痛”。

心痛的主要病机有虚实两个方面。实为瘀血，痰浊阻滞心脉；虚为心、脾、肝、肾功能失调，气血阴阳亏虚。结合临床所见，其中尤以气虚、血瘀为最主要的病机，因其所致的心痛患者在临床占相当多数。部分患者由于气损及阳和瘀阻较甚，出现心痛、心悸、短气、头晕、自汗、形寒肢冷、喜暖畏寒、腰膝酸软、舌质淡、有瘀点或瘀斑，苔薄白，脉迟，脉搏每分钟少于60次，或见结脉、代脉等症，而成为阳虚心痛的证候。对于此种证候，治疗应益气温阳、活血化瘀。益气温阳以复其正虚，活血化瘀以去其邪实，虚实兼顾，双管齐下，有利于疗效的提高。一般常选用党参、黄芪、白术益气扶正，病情较重者可加红参或人参；肉桂、附子、淫羊藿、巴戟天、补骨脂、菟丝子、肉苁蓉、鹿茸等温经散寒，温肾助阳；川芎、丹参、莪术、当归、赤芍、红花等活血化瘀、通络定痛。对于兼见其他症状的患者，可在此基础上辨证加减用药。由于本证的形成都有一个较长的过程，故常需治疗一段时间，其效果才比较明显和稳固。

如一女性患者，41 岁，胸部闷痛不适 3 个月，心悸、短气乏力，有时头晕欲倒，纳差，舌质紫、苔白薄，脉迟（每分钟 44 次，心电图检查为窦性心动过缓），诊为阳虚心痛，给服益气温阳、活血化瘀的方药（党参、黄芪各 30g，淫羊藿、丹参各 15g，白术、补骨脂、桂枝、肉苁蓉、莪术、赤芍各 12g，甘草 9g，红花 6g），治疗 3 周后，胸部闷痛、心悸短气等症状均有所减轻，脉细，脉搏增至每分钟 60 次。继续服用上方 2 个月后，胸部闷痛、心悸短气等症明显好转，已无头晕欲倒之现象，胃纳恢复正常，脉搏能维持在每分钟 64 次左右。

真心痛并厥逆救治

郑 新

杨某，男，年已六旬，会计，嗜好烟酒茶半生，平时善食肥甘厚味，素有咳嗽多痰病史，性情急躁易怒，头痛眩晕之证已 5 年有余。时伴胸前隐隐作痛，迭经中西药治疗，效果欠佳，常有反复。两日前于睡卧中，突感胸前憋闷刺痛难忍，状如刀割，放射双肩，含化硝酸甘油、口服氨茶碱不解，并伴大汗淋漓、面色苍白、周身湿冷、心慌气短、恶心欲吐、四肢厥逆、口苦、尿少。于 1979 年 11 月 26 日前来我所诊治，查其心率 52 次/分，律不齐，心电图示：新近性下壁心肌梗死、慢性冠状动脉供血不足、结性早搏。中医辨病：眩晕、真心痛并厥逆。入院时望诊：形体肥胖、表情痛苦、面色皖白、头汗如珠、苔黄略厚、舌红有瘀点。闻诊口出臭气、语声低微，切诊脉细弦结代。

本案的救治，首应分清病机，确辨标本缓急，然后论治。从病史显系痰湿内生、肝郁血瘀、闭阻胸阳，致心阳不振、脾阳不运、痰瘀胶结、心脉痹阻，是病机之一。之二是肝肾阴亏、阳亢津伤、脉络失养，致气血瘀阻、阴阳气不相顺接而出现气阴两虚之真心痛并厥逆。但眩晕、真心痛、厥逆都是急症，不过前二者与厥逆相比，则厥逆为标、为急、为危。厥逆是由心痛加剧而发，而非眩晕加重所致。本着“急则治其标、缓则治其本”的原则，应先治心痛厥逆，后治眩晕。厥逆是由痰瘀胶结、耗伤气阴所致，故应针对病机，采用速效的参麦注射液 20ml 加 5% 葡萄糖注射液 30ml 静注，日用 3 或 4 次，以益气养阴。大汗很快收敛，厥逆于 24 小时内纠正，心痛亦有所缓解，同时用失笑散合活络效灵丹加减，以理气祛痰、活血止痛。药用丹参、降香、半夏、枳壳各 12g，乳香、没药、蒲黄、薤白各 9g，红泽兰、全瓜蒌各 15g。服 7 剂之后，患者心痛大减，但头痛、眩晕等症未缓，舌有瘀点，脉仍结代，辨证为肝风挟痰、上扰清阳、心脉瘀阻，以健脾豁痰祛风、活血化瘀为法，更方半夏白术天麻散

合丹参饮化裁，加淡婆婆、川牛膝、夏枯草、桃仁，佐杞菊地黄丸口服，药二十余剂，头痛、眩晕之症近失，惟心痛时隐时现，兼见气短少寐，属心气不足、瘀血未尽之证。再更方参七散：红参、檀香、降香、琥珀、川芎各30g，丹参120g，三七15g研末，每服3g，日3次，旬日诸症尽除，1980年1月出院，以后随访2年，无自觉症状，心律齐，心电图示陈旧性心肌梗死。回顾本案之救治成功，在于辨清了标本缓急，选方用药得当，次之是细察了虚实多少，第三是治疗有序，益气养阴治厥脱为先，活血化瘀、祛痰通络缓其心痛之急，最后调理肝肾、益气活血以善后，从而使本案理法层次分明，缓急治疗适当，选方用药多具急救效力因而疗效显著。

“活血化瘀”并非治疗冠心病的唯一有效方法

卓董峰

冠状动脉硬化性心脏病（冠心病）从其临床表现来看，相当于中医“厥心痛”“胸痹”等病，多系胸阳虚衰、浊阴上踞所致。老年人阳气日衰，易于形成痰浊、气滞、血瘀等浊阴物质，这是本病形成和发生的基本病理。老年人脏腑机制衰退，气血不充，营卫俱虚，患冠心病、心绞痛、心律失常是虚中挟实、以虚为主的病变，具有实不受攻、虚不受补的特点，在临床上常用《金匮要略》瓜蒌薤白白酒汤合桂枝加龙骨牡蛎汤为主方，进行加减。气虚配黄芪、党参、白术、茯苓等以益气健脾；阳虚者配用附子、党参以振奋心阳；挟有痰浊合用温胆汤以化痰散结；入络血瘀者可用丹参饮、失笑散；气滞加香附、郁金、绿萼梅、橘络等理气解郁；心律失常重用桑寄生、苦参、紫贝齿、老茶树根等以调整心律；血脂过高加用虎杖、山楂等。

目前，活血化瘀法广泛用于临床。但一见冠心病，不辨病情虚实，信手拈来，照抄照用，这是不对的。我有过亲自体验。1976年患冠心病，主要表现频发早搏、心悸不安，曾先后住院3次，不外用中药丹参注射液、复方丹参片、健心片与西药心可定、异搏定、烟酸肌醇脂片等活血化瘀、扩管降脂药物，病情未见改善。后根据心悸胸闷、体倦乏力、舌淡脉结，符合气血不足、心阳不振的病机，采用桂枝加龙骨牡蛎汤合瓜蒌薤白白酒汤进行辨治，先后服中药三百余付，取得明显效果。近十年来照常上班工作。足见治疗冠心病必须辨证施治，活血化瘀并非唯一有效方法。上述管见，仅供同道参考。

胸痹不独皆“冠心”

傅兆渊

胸痹一证，现代医学多为心血管系疾病，而祖国医学认为由阳虚，阴乘阳位，胸阳痹阻不通所致。

我于60年代中期在学校学中医时，一天因过度长跑，身体疲乏，又喝了大半碗配有30g附片的助阳散寒汤药，夜间口渴醒后，喝了几口冷水，第二天早晨发现双下肢不能动弹（尚有知觉），一切活动均需人背扶。当天以“感冒”论治，服药后不效，尔后另请一位医生，待观色、切脉、询问了发病经过后说：“该同学面色已改变（青暗瘀色），脉紧，此乃胸痹”。处方为：桂枝15g、薤白12g、瓜蒌壳9g、枳实9g、厚朴9g、茯苓15g、牛膝9g，煎服1剂后，下肢渐能活动，再无需人背扶，2剂服完后，完全康复。

此证当时胸痛并不突出，并病位在下，医生一察即知症结所在，不治下肢而下肢自愈。

从此以后，我于临床中凡遇阳气不舒达的证候，常于瓜蒌薤白桂枝汤中加陈皮、半夏、炒山楂、郁金、牡丹皮、赤芍、柴胡、蒲公英、苦楝子、吴茱萸等随证化裁而取效。在妇科病中，遇宫寒痛经、腰腹痛连心胸、甚者呕吐，面色青晦者，每于艾附暖宫汤中去生地黄加入瓜蒌薤白白酒汤以交通心肾之阳，其痛可愈。在伤科跌打瘀滞内伤中，往往于散瘀活血方中加入瓜蒌薤白白酒方以行气通瘀，增强疗效。

硅沉着病胸痛治验

杨　恕

湘中某煤矿工人王某，1976年矽肺复查时诊为“Ⅱ期硅沉着病”。1977年胸痛加剧，痛时如刺，痛处固定在前胸壁；咳嗽、气短、痰呈块状，口干燥，欲漱水不欲咽。连续2年到某职业病防治所疗养（每年3个月），胸痛及其他症状均无好转。1979年3月求治于余，见其舌边有少许紫斑，脉细弦，方用柴胡10g、枳壳10g、桔梗10g、乳香6g、没药6g、丹参10g、瓜蒌10g、橘络3g、百部10g、炙黄芪20g。患者连续服30剂。胸痛消失，其他症状亦有所改善。胸腔为肺之外廓，有肺脉循引，长年大量煤尘吸入，凝集肺脏及达肺络。肺主气、

司呼吸，肺脏受损、肺脉受阻、经气不通、气滞血瘀而发为胸痛，治宜行气通络、祛瘀化痰，方以柴胡、枳壳、桔梗宽胸行气；乳香、没药、丹参活血通络、散瘀定痛；瓜蒌、橘络、百部开胸除痰、止咳定喘；黄芪益气活血。笔者曾用此方治疗气滞血瘀所致的矽肺病胸痛二十余例，均获满意疗效。

治疗心绞痛要重视诱因

陈绍园

心绞痛是冠状动脉硬化性心脏病（冠心病）中常见的急重症，但心绞痛的发作往往有一定的诱发因素，如情志过激、饮食失节、劳逸不当以及寒暑的影响。如果只注意到心绞痛本身的病情，忽视引起发作的诱因，仅采用一般常规治法，有时很难收到理想的效果。曾治刘某，有冠心病心绞痛史 7 年，10 天前因心绞痛频发，痛势加重，入院时心电图示前壁及下壁急性心肌梗死。经中西药治疗效果不显。症见心绞痛剧烈，面青汗出，伴发热恶寒，口苦咽干，两胁胀满，心累气促，苔薄白黄相兼，脉虚弦细。经仔细询得发作前因种花劳累、感冒，后又看电影而触动情怀，过度激愤，心绞痛遂接踵而发。此系心气素虚，外感夹怒，少阳枢机失和，若欲伏其所主，必先制其诱因，方取小柴胡汤加减以和解疏达，祛邪扶正。药用：红参、柴胡、半夏曲、黄芩、瓜蒌、薤白、赤芍、郁金、炙甘草，3 剂，药后诸症缓解。继用调肝和胃、益气养血调理数日，心电图复查属心肌梗死恢复期。

又张某，男，57 岁，冠心病心绞痛型 5 年，入院 5 天心绞痛发作频繁，心电图示心肌缺血性改变、左室劳损。西药曾按心绞痛作系列处理，病势无明显减轻。时值炎夏，贪凉饮冷，伤暑夹湿，若暑湿不去，阳气安能通达，拟清暑化湿，益气通阳，方取香薷饮加味，药用：香薷、厚朴、扁豆、藿香、薏苡仁、南沙参、薤白，连服 3 剂，心绞痛显减，继随证调治 1 周，心绞痛消失。复查心电图显著改善。

又唐某，男，63 岁，3 年前发现冠心病。平时常胸痛隐隐，呈憋闷感，2 天前过食油炸食物，心绞痛频作，诊时坐卧不安，嗳腐吞酸，脘闷腹胀，大便稀，苔腻，脉沉。此由食积停滞、阻遏胸阳而诱发。方取和胃汤加减，药用苍术、厚朴、陈皮、藿香、薤白、香附、砂仁、半夏、炒山楂、黄连。服 2 剂胃肠症状缓解，心绞痛逐渐减轻。后改用香砂六君子汤加减以益气温阳，调理脾胃，心绞痛消失。

就个人临床所见，心绞痛的发病常与七情、六淫之郁以及劳倦、饱食等诱因密切相关。本证多现本虚标实，治疗原则应扶正祛邪，祛邪安正，通补结合，标本兼顾，通宜疏畅内脏气机，补宜调达阴阳气血，要高度重视诱因与发病的关系。通与补，要针对不同诱因，根据具体病情，辨证求因，灵活运用，兼顾适宜。

总之，本证的治疗，要高度重视诱因与发病的关系，并权衡标本虚实，全面分析辨证，治法有常有变，用药不可偏执，是取得疗效的关键。

徐迪华老中医诊治病毒性脑炎头痛点滴

虞福祖

1984 年，余在常州市中医院进修，随徐迪华老中医临证，见徐老诊治 2 例病毒性脑炎头痛症，匠心独运，别具风韵，着手成春，现述临证经过与徐老学术见解如下。

一中年妇女，2 个月前患病毒性脑炎，住某医院用西药治疗，病情好转，但头痛未愈，旬前因减泼尼松量，头痛逐日加重。某医用宣窍通络、益气升清、化湿安神诸法皆不见效。刻下：头项困重昏痛，胸脘胀闷，泛泛欲吐，不思饮食，神疲肢倦，夜寐不宁，延诊于徐老。其人颜如妆，舌伪红赤，苔厚白腻，脉濡细。徐老沉思片刻，曰：“斯症经西药治疗表证已解，而湿热逗留不去，犹如‘炉火虽熄、余焰未尽’蕴成痰浊，现已化热生风，窜扰脑络，乃以黄连温胆汤合天麻钩藤饮出入，加炒僵蚕、炙全蝎研末，一日二次冲服”。6 天后复诊，病人喜形于色，对徐老曰：“先生技高艺精，药灵效速，吾头痛已平，望服原方巩固疗效。”徐老虑余邪未净，络脉尚未尽畅，更加丹参和络，又服十余剂病愈。

相隔半月，又逢一中年男子，先寒热头痛 7 天，寒热退后头痛不止，项强不利，四肢困乏，脘闷泛恶，苔白腻，脉濡细。请西医神经科会诊，结合脑电图、脑脊液检查，确诊为“散发性病毒性脑炎”。徐老又以藿香、佩兰等芳香化浊配合温胆汤施治，服药 5 剂，头痛止，腻苔去净，精神食欲转佳，患者又经服药调理 1 个月而愈。事后余问徐老：“师善用温胆汤治病毒性脑炎头痛，请解其义?”徐老曰：“头痛一证，病因多端；外感风寒、风热、湿邪诸证；内伤血虚、阴虚、肝火诸证，均致头痛；此外瘀血阻遏脑络、痰浊上蒙清窍、清阳失展，亦能引起头痛。病毒性脑炎为时行氤氲之气，籍风邪侵入上焦而发病，病始多见肺卫表证，嗣后湿热蕴蒸中焦酿化痰浊，浊邪上蒙，清空失旷，此时可见头痛加剧、呕吐频频、神识如蒙等症。取温胆汤出入意在宣泄痰浊、散结

通络，使浊降清升、脑窍灵机开动，如此则头痛自除。”余又问：“前妇用温胆汤合天麻钩藤饮获效，后男用温胆汤合芳香之品治疗，二者病机有何异同?”徐老曰：“前妇病程日久，痰浊久蕴化热生风，窜扰脑络，寓平肝熄风于清热化痰之中，使胶固之痰热分化；后男病程日短，肺胃湿邪未化，又见痰浊蒙阻脑窍，故一面芳化辟秽、宣畅中焦气机，一面化痰通窍，消患于未形，使骤困之邪崩于变端之前。总之，本病变化多端，为医者应辨证求因、审因论治为是。”余甚信服，事后思索，徐老临床，每能得心应手，药效灵验，实在于徐老数十年如一日，勤于业、善于思、贵于辨取得之成果。

血府逐瘀汤治愈幼女顽固性头痛

|朱锡祺|

血府逐瘀汤是清代名医王清任所创著之名方，凡属血府血瘀之头痛、胸痛、噎膈、呃逆、心悸等症皆可用之。我曾用此方治疗一幼女之顽固性头痛，获得意想不到之良效。此病案虽时隔数年，但印象极深，记忆犹新。病孩是一名3岁幼女，来诊时适巧发病，只见她颈项偏斜，两手抱头，烦躁不安，嚎哭不休，其病状痛苦万分。据其母云：此病已有3年，经常突然发作，须半天始缓解，病发后精神委顿，思维迟钝。不发时神情活泼，一如常人。曾各处求治，未见好转，而病则越发越剧，细察其形症气色，并无痰浊风邪之实证可见，又未现气血内伤之虚象。再诊其舌脉，也无显著异常之处。我思头痛之症有新久之别，有外感内伤之不同，但此儿之症状，不属气虚、痰饮、表邪等证型，故无表可散、无实可泻、无虚可补。但其痛势剧烈，又久病多方不效，当属“久病入络”“不通则痛”之血瘀症例。又从其病发来去突然之特点，结合王清任《医林改错》血府逐瘀汤条文：“查患头痛者，无表症、无里症、无气虚、痰饮等症，忽犯忽好，百方不效，用此方一剂而愈”与症对照，极为相符。于是我即用血府逐瘀汤加减，并酌加虫类搜剔药作为辅治，以增强药力（患儿曾单纯用虫类药治疗，效不佳）。处方如下：丹参12g、川芎6g、茺蔚子12g、红花6g、牛膝9g、柴胡6g、桃仁12g、甘草6g。另：全蝎粉30g、地龙粉60g、僵蚕粉15g，混合，每服1.5g，每日3次。

服药后1周，情况良好，头痛未发，原方加赤芍9g，续服4个月，病情稳定，于是停服中药。半年后初访，3年后复访，家长云：服药后头痛再未发作过，见患儿神情自如，身体健康。通过此病例的治疗，体会到前人经验不可忽视，书中条文虽简，却集中了治疗经验之精华，从中得出启示，必须努力学习祖国医学理论。使与临床密切结合，并作进一步探索研究，才可获得其真谛之所在。

血府逐瘀汤治愈顽固性头痛

喻干龙

1977年初春，吾诊治一中年女性患者陈某，病情复杂，久治无效。详问悉知，头顶疼痛，头皮发麻如触电感，伴精神萎靡，失眠多梦，腰酸背胀，食欲不佳，四肢发热，手心汗出，乳房及双下肢胀痛，每遇经期更甚，月经延期量少，色黑有块，查其头发脱落稀疏，头皮有多个压痛点，面色黧黑无华，四肢肌肤甲错，舌质略紫，脉弦细无力。如此复杂病情，始而无策，继而追问病史和治疗经过，方知患者3年前因事不遂，忧郁不解而致巅顶头痛，始发时间较短，间歇较长，继而发作频繁，终日不休，曾在多个医院检查诊断为头皮神经痛，服用氯丙嗪、异丙嗪、巴氏合剂等多种镇静剂，开始有效，久服则无效，只能缓其标，不能图其本。后改服养血安神、滋补肝肾之方药一百余剂，不但未见好转，反而加重，如此治疗，理应有效，但却徒劳，其因何在？吾详情剖析，患者仍情志所伤，气机不利，日久而成气滞血瘀，玄府闭阻，不通则痛，而用养血滋阴一类滋腻之品，更碍气机，瘀上加瘀，愈演愈烈。吾当机立断，从瘀论治，以活血祛瘀通其经隧，佐以滋养安神之品，补养心肝，安神定志，投以血府逐瘀汤加味：生地黄15g、当归10g、桃仁10g、红花9g、枳壳10g、赤芍15g、柴胡6g、牛膝10g、桔梗6g、酸枣仁10g、丹参15g、甘草3g、夜交藤15g、合欢皮15g，服方10剂，上述各症减轻，继服15剂，头顶疼痛、头皮发麻消失，肌肤甲错消退，其他症状亦随之而愈。血府逐瘀汤是一首理气而不伤阴，祛瘀又不伤正的妙方，方中虽有柴胡、枳壳疏肝理气；但有生地黄、当归养血滋阴，虽有桃仁、红花、赤芍、川芎活血祛瘀，但有当归养血活血以扶正，有桔梗上行开肺窍，牛膝下行通血脉。合而用之，使血行瘀祛，百脉调和，诸症可愈。

风湿挟瘀头痛治验

诸葛连祥

刘某，女，58岁。1974年来诊，自述近两年来头痛时常发作，又痛、又

闷、又重。见其时时以手按揉头顶，问知如此按揉，痛始能忍，且痛如针刺，痛点不移，可知其头痛甚剧。患者又告诉我，还有全身瘙痒的病，也甚痛苦，一旦周身发痒，就预知哮喘随之发作了。现在症见全身奇痒，咳嗽、哮鸣音、微有喘息，痰滞难咯而色白，心悸而烦，无汗，面色暗浊，诊得舌苔薄白，舌边有瘀斑，舌质暗色淡红，寸脉浮缓而时紧。综合患者现症有三：头痛甚，奇痒，咳嗽哮喘，三病集于一人，患者非常痛苦。患者要求先治头痛，现症最大的痛苦在头，细分析患者的头痛特点，其闷重结合而暗浊，痰与舌苔色白，寸脉缓，说明其性质属湿邪在上；其头痛经久不愈，痛的部位在巅顶不变，兼之舌边有瘀斑，舌质偏暗，均为气滞血瘀之象。夫头为诸阳之会，湿邪上受，清阳被遏，气滞则血瘀，经络不通故痛而且闷重，经久不能愈。遂诊为风湿挟瘀之头痛。拟以活血通络，宣风祛湿法治之。处方：当归 10g、川芎 10g、桃仁 12g、红花 10g、防风 10g、羌活 10g、藁本 10g、刺蒺藜 10g、荆芥 10g、蔓荆子 10g、全蝎 3g、蜈蚣 2 条，水煎服。

巅顶为人身最高部位，惟风药可到，故方中多用辛平、辛温、清扬升散祛风之品，一以胜湿，一以协同活血化瘀药之引经上行，以收治愈湿郁头痛之效。因须继续治疗其身痒和哮喘病，所以嘱其仅服 2 剂，服后继续来诊。殊不料在同年 10 月份始因患脚气病足肿来诊，说到上次处方服 2 剂后，头痛愈，身痒亦除，更奇的是哮喘也未发作。其后随访数年亦未复发，疗效可谓稳定。余细思之，治愈头痛亦能控制身痒、哮喘之理，在于处方中活血化瘀疗法使经络通畅，血行则气行，更兼祛风胜湿药中既能上行，又能行于表，阳气拂郁，在表之身痒亦随之而愈，卫与肺通，卫和则肺气不郁，咳喘遂未发作，故一方愈三病。

太阴头痛

王足明

关于六经头痛，《伤寒论》仅提及太阳、少阳、阳明、厥阴四经，而无太阴、少阴头痛。其主要是因该两条经脉不上行至头之原故。自东垣始提出太阴、少阴头痛，所谓“太阴头痛，必有痰……苍术半夏南星为主。少阴头痛，三阴三阳经不流行而足寒气逆为寒厥，其脉沉细，麻黄附子细辛为主”。对于少阴头痛，历来视之为阳虚头痛，并无非议。而太阴头痛东垣专举乎痰，则意见非一。如《古今医统》提出“太阴头痛，脉浮，桂枝汤。脉沉，理中汤。”这显然是从伤寒病的角度来阐述太阴头痛，与痰无牵。《医宗必读》云：“痰厥头痛，太阴脉缓，清空膏去羌活防风，加半夏天麻。”从清空膏主治湿热头痛分析，又说明湿热壅滞，亦是太阴头痛之因。《景岳全书》则认为“痰厥头痛……然以余论之，则必别有所兼之因。但以头痛而兼痰者有之，未必因痰头痛也……。”实际上，景岳对太阴头痛非见痰证不可持否定态度。提出了还有其他原因所致。近代名医秦伯未更加明确地指出：“气虚和痰浊的头痛，主要由于清阳不升。但一为中气不足，一为痰浊阻遏，根本上虚实不同。”这里所谓清阳不升，无疑是指脾阳不升。

综上所述，本人认为太阴头痛并非单纯痰浊所致，而有痰浊、湿热、气虚、虚寒之分，而引起头痛之根源均在太阴脾脏。因脾为湿土，居中焦、主运化、为生痰之源，乃后天之本。其经脉虽不上行至头，而一旦被痰浊、湿热所困，或中气虚损、或脾阳不足，均可引起头脑失养，或气血流行不畅而导致头痛。因此，太阴头痛之实质应是：凡因中焦脾脏的生理功能紊乱而导致的头痛均可称为太阴头痛，当包括痰浊困脾，湿热扰脾、中气亏损、脾阳不足等证型。吾于临床上凡遇上述原因引起的头痛，分别采用化痰醒脾、清化湿热、补益中气、温振脾阳之法，常获满意疗效。

（凌可与　整理）

“巅疾头痛”琐谈

杨清龙

脑为奇恒之府，功能异乎寻常。头为诸阳之会，清阳之府。脑府“静则神藏”，一旦邪风干忤，上犯脑府清窍，阻遏清阳之气，导致气血逆乱，脑络壅滞不通，而发巅疾头痛之苦。

曾治一男性农民，43 岁，禀体素虚，患“脑风头痛”数载，四季常苦头痛，虽经多方治疗未愈。1977 年 10 月，时值秋凉肃杀之气，头痛复发甚剧，尤以百会穴直径 3cm 内，冷痛悠悠，一遇冷风即痛如重冰压顶，寒彻肌骨，伴形寒肢冷，得温则减。查舌质淡，苔薄白，边有齿印，脉沉迟，两尺部脉弱。

据《普济方·头痛附论》云：“若人气血俱虚，风邪伤于阳经，入于脑中，则令人头痛也”，《增补内经拾遗方论》云：“风气循风府而上则脑户痛也，风中脑户，则为脑风，怯寒而脑痛也”。盖督脉沿脊柱中间上行头顶贯脊属肾，入里络脑，总督一身之阳。令命门火衰，督脉虚寒故遇冷风寒邪外袭经络，上犯巅顶，使清阳之气凝滞，阻遏脑络而为脑风头痛。法当益肾火，祛风寒处方：附片 12g、细辛 4g、桂枝 6g、川芎 6g、炙甘草 6g、防风 10g、人参 10g，水煎温服，连服 3 剂，诸症大减，再续服原方 15 剂，竟使多年顽疾，愈于霍然。追访

3 年，未再复发。

又治一男性工人，41 岁。患左侧偏头痛已 5 年余，曾迭进中西药物及用针灸治疗，仅能暂时缓解，1976 年以来，偏头痛发作更为频繁，每次发作时自觉有一股气上冲至头，头晕目眩，呕恶心烦，随即出现左侧剧烈头痛，痛不可忍，间歇时痛止如常人。舌质红、边缘有瘀点，脉弦。脉证合参，证属情志内伤，郁气化火，肝风挟痰上扰，痰阻清窍，拟牵正散加味治之：白附子 15g、白僵蚕 10g、全蝎 5g、炙猪牙皂 5g、乌梢蛇 15g、地龙 10g、蜈蚣 3 条、土鳖虫 5g、白芍 20g、炙甘草 15g，共为细末，每服 5g，日服 3 次，于食后以生姜红枣汤调下。7 天为 1 个疗程。共服 3 个疗程，偏头痛已不发作。后以疏肝解郁求本调治，随访 3 年，仍未见复发。

眩晕小识

江尔逊

眩晕之发作，急证也，方书多责之风、火、痰、虚而分别论治。其说虽不谬，而临证时实难取法，何哉？盖风、火、痰、虚四者，固为眩晕之病因，然若四者单独为患，不过引起头昏、耳鸣，或头胀痛而已。惟有在特定条件下，才会引起天旋地转、泛恶呕吐之眩晕证。而所谓“特定条件”者，木郁犯土，脾运失司，津液不得布散，凝聚而成痰饮。痰饮停留，阻遏气机，三焦气化因之失调；三焦壅塞，清阳不升，浊阴不降，益加速痰饮之凝聚。一旦火动风生，必挟痰饮上逆而扰清窍。故眩晕之发作，如疾风暴雨，来势急迫，病人陡觉如坐舟车，泛恶呕吐，卧不敢动。若非风火痰虚综合为患者，宁有此乎？修园正曰：“言其虚者，言其病根；言其实者，言其病象”。是虚为本，实为标，本缓而标急矣。证之临床，标急之时补虚以培本，缓不济急堪虞；且补而壅气，加重病情，补之何益？呜呼！一语中的，何须万语千言！分清标本，岂是纸上谈兵！故余治眩晕，恒于已发之际祛邪以治其标，兼治其本，喜合小柴胡汤、二陈汤、泽泻汤、六君子汤，小半夏加茯苓汤五方为一方，药用：柴胡、黄芩、法半夏、党参、甘草、生姜、大枣、茯苓、陈皮、白术、泽泻，命名为“柴陈泽泻汤”，再加天麻、钩藤、菊花，以和少阳而泄厥阴，升清降浊，疏利三焦，运脾化痰饮，和胃止呕逆。临证体验以来，凡眩晕之已发者，服此方 2 ~ 3 剂，无不奏效，历用不爽。待其眩晕已平，再察其气血阴阳或五脏之虚损而培之补之，以绝其病根。然乎可乎？惟明者裁之！

（王东来　整理）

食积眩晕

金如寿

眩晕历代医家多有精辟论述。诸如《内经》之“诸风掉眩，皆属于肝”，刘河间之“两阳相搏，从风火立论”，朱丹溪之“无痰不作眩”，张景岳之“无虚不作眩”，虞搏之“血瘀致眩”等等。风、火、痰、虚、瘀五大因素，从不同角度阐明了眩晕的病因病理，指导着临床实践。

1984 年冬，一徐姓患者，年近花甲，因眩晕欲倾，恶心呕吐 5 天，医治无效而求诊于余。症见头晕目眩，颈项胀痛，动则欲倾，卧则加剧，只能端坐；呕吐宿食，腹胀肠鸣；舌苔白滑，脉象沉弱。一派食积寒凝之象。前医以为风也，用平肝息风之天麻钩藤饮而不验；以其虚也，投益气补血宁心之归脾汤而加剧。乃详审病因，患者初因会客饮酒，继而乘车感寒，积食于内，感寒于外，寒食相搏，中焦受阻。其晕眩欲倾，乃寒食互结，脾失运化，清阳不升也；恶心呕吐，乃饮食伤胃，食滞中焦，浊阴不降也；颈项胀痛，为寒束肌表，营卫不和所致；腹胀肠鸣，为气机不利，运化失职而成。舌苔白滑，脉象沉弱，均系寒食阻滞之征。乃力排众议，疏方：藿香梗、大腹皮、川厚朴、法半夏、茯苓、神曲各 10g，葛根 15g，陈皮 5g，药后症状明显减轻，但尚不能平卧，再加紫苏叶 10g、赭石 15g、桂枝 10g、党参 15g，竟获痊愈。

盖眩晕之由，风、火、痰、虚、瘀之外，确有因食积感寒而罹本病者。

“眩晕汤”治眩晕

易希元

内耳眩晕病，亦称梅尼埃综合征，祖国医学称为眩晕证。多为痰浊中阻，清阳不升，浊阴不降所致。因痰湿上蒙清窍，故眩晕，耳鸣，眼目昏花；痰浊中阻则上逆而为恶心呕吐。余尝用芳香宣化，升清降浊，化湿祛痰法，用自拟眩晕汤，累用累效。药用：荆芥 10g、防风 10g、藿香 10g、厚朴 10g、豆蔻仁 6g、郁金 10g、细辛 5g、半夏 10g、茯苓 10g、陈皮 10g、杏仁 10g、生姜 10g、大枣 10g，共 13 味组成，处方 1 日量，煎 2 次分服。一般不需加减，5 ~ 15 剂眩晕可止。继用归脾汤加何首乌 20g、枸杞子 15g、五味子 10g 等补心脾，滋肝肾之药，连服 10 ~ 20 剂，可减少复发。

治疗梅尼埃综合征

段集生

眩晕一症有虚有实，有突发者，有渐起者，突发者易愈常复作，渐起者绵绵而难愈。现代医学所称的“梅尼埃综合征”即为突发性的眩晕，其证本虚而标实，本虚指气血脏腑偏衰，标实指风火湿痰上犯，而风火湿痰必赖逆气以载，方能干犯清空。

肝胆主疏泄，脾胃主升降，共同维持人体气机的正常运转，倘若疏泄失度，升降无权，即可导致气机逆乱，促使眩晕发作。

根据以上道理，我以小柴胡汤合四逆散加吴茱萸、牡蛎组成“眩晕速效基本方”，温痰偏盛的加竹茹、枳壳；风火突出的加防风、龙胆草；气虚加白术、山药，血虚加当归、熟地黄（党参易丹参）；阴虚加白薇、怀牛膝；阳虚加枸杞子、山茱萸。近十年来投与百余例梅尼埃综合征患者收到良好效果。

方中柴胡疏利肝胆经气，黄芩清降胆火，半夏和胃化痰，党参、甘草健脾制水，生姜、大枣宣散水湿；四逆散疏利肝脾；牡蛎潜阳息风，吴茱萸降浊止呕。合而为用，和解少阳，降逆平肝。然其主动又在于调畅肝胆脾胃之气机，使气机流畅，痰火无容流之所，眩晕自除。

其中白芍酸泄甘缓，泄而无损，甘而不腻，为治肝良药，当宜重用；阳亢之体，牡蛎也应重剂；吴茱萸性温，阳热盛者应以轻量。一般成人剂量为：柴胡、枳实、半夏、黄芩、生姜各10g，党参或丹参、大枣各12g，甘草3g，白芍20～30g，牡蛎30～60g，吴茱萸4～5g。服此方眩晕缓解后，即应辨明脏腑的虚损所在，积极治本善后，才能巩固疗效。

我于1976年2月曾治严某，女，52岁，气血素弱，从42岁开始发眩晕，初先每年数次，近5年每年增至十余次，由工作繁忙或熬夜所诱发，西医诊为“梅尼埃综合征”，发则既不能平卧，也不能坐立，只能取半卧位，肢体软弱，手不能持物，呕吐胃液，头眩脑晕，如坐舟车，心中烦悸，面色苍白，唇舌嫩淡，苔薄白，脉弦缓，既往用中西药治疗，每次四五日缓解，本次予基本方加白术、当归各12g，服1剂，诸症若失，继拟逍遥散和八珍汤交替服用，以善其后，随访7年未发。

（韦能定　整理）

吐法治眩晕 |张文伯|

眩晕病机复杂，前贤各有阐发。尤在泾综合立论谓：“水亏于下，风动于上，饮积于中，病非一端”。余用藜芦煎吐法而见效。

李某，男，1973年3月9日就诊。平素痰多咳嗽，近来常感头晕眼花。1个月前上街，忽觉有气上冲之感，随即遍身汗出而昏倒仆地，醒后眩晕大作，搀扶回家，卧床不敢起坐，伴耳鸣，恶梦、遗精、烦热，历时1个月经中西医治疗无效，反增头痛，延请余诊治。查舌青紫晦暗，脉细数兼滑，虽有耳鸣、遗精等虚象，但痰多、恶梦纷纭，脉滑又非虚证之象，属虚中夹实，为痰浊挟肝风使然。痰火郁结交阻，清阳不升，浊阴不降而致眩晕。按急则治标，宜导痰为先，投以藜芦煎剂，药用大理藜芦（干品）9g，用新砂罐煎汤顿服，嘱另煮稀粥备用。服药近半小时后，频频吐出大量黏液约半痰盂，俟其呕吐物内带血丝时给患者服粥两碗，呕吐随即缓解，当夜平静安卧次日眩晕锐减，但觉疲乏不思饮食。病邪去而胃气伤，痰浊除而正未复，法当理脾补虚，用六君子汤加檀香、神曲、麦芽、天麻。服2剂后患者能起床缓行，知饥欲食，脉转和缓。惟口苦咽干便秘，用养阴和胃法，方用：柴胡12g、黄芩12g、半夏12g、潞党参15g、川芎12g、玉竹20g、秦艽12g、肉苁蓉12g、蝉蜕6g、甘草6g、生姜10g，以上两方交替服用调治两月，服药二十余剂后眩晕痊愈。

（郑显明　整理）

眩晕治验四则 |肖　泗|

眩晕者，临床多见，临证中我有如下4点体会。

1. 要辨病审因论治　眩晕按病因病位，可分为耳源性、脑源性、药源性及其他类型，每一类又包括若干种。如耳源性眩晕，常见的有梅尼埃综合征、迷路炎、前庭神经炎等。梅尼埃综合征以痰湿中阻多见，故常见燥湿化痰的方药治疗；迷路炎与前庭神经炎以肝火上炎多见，故常用清肝泄热利湿的方药治疗。脑源性眩晕常见的有高血压脑病、脑动脉粥样硬化、颅内占位性病变、脑血栓形成等，高血压脑病与脑动脉粥样硬化以肝阳偏亢多见，故常用滋阴潜阳、平

肝熄风的方药治疗，颅内占位性病变与脑血栓形成以血瘀气滞多见，故常用活血化瘀、软坚通络的方药治疗。药源性眩晕常见的有链霉素、新霉素、卡那霉素等内耳药物中毒和氯丙嗪、利眠宁、苯妥英钠等中枢抑制药不良反应，内耳药物中毒以肝胆实火多见，常以龙胆芦荟丸加减治疗；中枢抑制药不良反应，撤停药物后眩晕很快消失，不必做特殊处理。

其他眩晕如贫血、低血压、尿毒症等，多为气血亏虚或阴阳两虚，可分别选用培补气血和水火并补、协调阴阳的方药治疗。所以仔细检盘，明确诊断、详审病因，是提高疗效的必由之路。

2. 要降逆止呕　据我们观察，眩晕与呕吐的关系极为密切，不但眩晕患者多合并呕吐，而且眩晕的程度与呕吐的程度几成正比，随着呕吐的缓解，眩晕随之减轻。故用具有止呕功效的吴茱萸汤，旋覆代赭汤、半夏泻心汤等，眩晕即随着呕吐的控制而缓解。

3. 要积极祛除痰饮　查《伤寒论》与《金匮要略》两书，载有治眩晕的经文多条，其中泽泻汤运用较为广泛，疗效也佳。“无痰不作眩”，祛痰也为治疗眩晕的要法，用加味温胆汤治疗多种反复发作性眩晕疗效令人满意。饮为阴邪、遇寒则凝、得温则行，故消除饮邪应以温化为主。

4. 要分阶段论治　任何眩晕都有它自己的发生发展过程，发展过程的各个阶段，往往逐渐激化，如有的症状减轻或缓解、有的症状加重或新起，不注意或不区别发展过程的阶段性，就不能适当地解决眩晕的各种矛盾。以内耳眩晕症为例，根据发展过程，可分三期论治，急性发作期以降逆和胃为主；发作暂缓期以渗湿涤痰为主；恢复善后期以健脾胃或补肝肾或养气血为主，对其他眩晕也是如此。在眩晕控制以后，应进行适当的调补，这对铲除病根、防止复发，有很大的临床意义。

漫话老年高血压病

| 钟益生 |

经常听到一些老年人述说头脑昏痛，有的则觉眩晕耳鸣、神疲心跳、食少、睡不好，西医诊断为高血压病，但服降压药，血压很难下降，或降后随即升高，症状也不见明显好转，很多富于营养的食物也不敢吃，身体日益虚弱，切其脉细而弦，甚或细而弱，舌无华而津少，或舌红而无苔，这是心脾两亏、肝肾阴虚所致。脾虚则营卫生化之源不足，五脏缺乏营养，心肝血虚则神疲筋急，肝肾阴虚则其阳自亢。故治疗的原则，首当健脾强心，充实营卫生化之源。营卫

充则心血足，血足则肝和，肝和则筋缓，同时又养肝肾之阴，阴足则阳潜，再配合食物营养，血压自会下降，各种症状也会逐渐减轻到消失。

方药以参术四物汤为基础，着重强心健脾补血，加黄精、何首乌、泽泻、牛膝、女贞子、墨旱莲等补养肝肾，或用龙骨、珍珠母易女贞子、墨旱莲以育阴潜阳。肝有热象的，可酌加黄芩、夏枯草；肝气郁滞的，可加广木香。而桑叶、钩藤、甘草等清热、平肝、缓急迫的药，也可酌情选用。

老年人由于血虚而引起的高血压病，首先要根据中医治未病的精神，防患于病发之前，注意养生之道，平素要心情舒畅，戒怒戒躁，坚持气功锻炼，增进食欲和体质，还要有足够的营养和睡眠，少吃肥肉，少饮烈性酒，如能做到以上所说的一切，那么，没有高血压病的人，就可预防发生高血压病了；有高血压病的人，治好后也就不易复发。老年人患高血压病而出现中风的，为数不少，除了积极进行治疗外，应该力行养生之道，以求却病延年。

升阳不等于升压

| 刘冰清 |

高血压是一个现代医学概念，不论原发与继发，多用降压药治疗。中医治疗高血压，虽讲究辨证论治，但因其多有头昏、头胀、易怒等表现，也多用重镇或降逆之法。升阳益气法用之殊少，其实，升阳并不一定升压。

曾有一位中年女病人，患高血压年余未愈，诊断不明，中西医治疗不效，以致瘦疲不堪，行动困难，每餐纳食不到50g，终日眩晕而卧床，起则更剧，经人介绍求医于我。初诊时，由家人用自行车推来，仅从一楼上三楼就中途歇息两次，进屋后喘息数分钟才能慢慢叙述病情。阅其病历知以往所用中药皆滋阴潜降之类。患者精神萎靡，面色㿠白，少气懒言，舌质淡胖，舌苔薄白，脉沉细，乃一派中气下陷的表现。故此，我不顾升麻、柴胡升阳之忌，放胆用补中益气汤加附片，嘱服5剂。药后病人精神大见好转，纳食增加到每餐75～100g，并能在家人搀扶下步行来我家复诊，前后以原方加减治疗2个月左右，血压稳定，每餐纳食100g左右，形体日臻健壮，体重从47kg增至55kg，能够上街买菜及从事家务劳动，仅过劳时有头昏感觉。

此例说明，血压高是症状表现，但病理不一，大多属肝阳上亢或浊阴上逆，降压虽多用重镇潜阳或降逆，但也有气虚而用升阳药的，临证时切不可人为地划地为牢，束缚自己的思维，而要知常达变，认真地辨证施治。

补气降压小议

李义昌

对高血压病用补气药治疗，并非奇谈怪论。此病表现气虚者屡见不鲜，余根据该病的病理，每用补气药治疗而获效。

例如：李某，49岁，女性，正值更年期，患高血压病4年，经常服用复方降压灵片等治疗，血压可以控制在正常范围，但停药后又复升高。近因工作烦劳，又感冒发热，外感治愈后，自觉头昏，气短乏力，困倦嗜睡，血压升高，曾服用复方罗布麻片、复方降压灵等药治疗1周，血压不降，复增心悸，短气懒言，身倦不支，嗜睡不欲起，汗多，苔薄白而润，舌淡红，脉沉细无力。脉证合参，证属气虚。用黄芪30g、太子参30g、怀山药15g、白术12g、莲子15g、炙升麻10g、当归15g、五味子6g、陈皮9g、甘草3g、大枣5枚，每日1剂，煎服。停用降压药。经服3剂后气虚明显好转，血压降至正常。继服6剂，患者诸症悉除。时过1年血压一直平稳正常。

气虚型高血压常出现于中老年患者，尤以脑力劳动者多见。脏腑正常的生理活动全靠气机的升降来维持协调和平衡。气机的正常升降可由脏腑的生理活动表现出来，如上焦的肺气主肃降，下焦的肝气主升发；上焦的心火宜下降，下焦的肾水宜上升；中焦的胃之浊气宜下降，脾之清气宜上升；全身清阳之气宜上升；浊阴之气宜下降。而气机升降的枢纽在脾。脾属中土，主运化，所谓“中运乃升降之枢”。思虑劳倦则伤脾，脾虚则化源不足，大气运转无力，因而形成气虚，气陷之证。同时，脾虚则气机不利，又可导致气机升降紊乱，或出现清阳不升，或出现浊阴不降，或升发太过而横逆，形成气血阴阳升降失常、血压升高之病。因此，患者既反映出一派气虚之象，又出现血压升高之征。表现似有矛盾，而病机是统一的。气虚是本，血压高是标。若仅抓住病之标用降压药，则进一步损伤正气，形成气虚下陷之证。正所谓舍本逐末，有失谨守。只有抓住病的本质，补气健脾，随着脾的健运，正气的恢复，大气的运转，气机的升降就随之正常，气虚之象也自然消失，血压也就恢复正常。

血压高未必忌麻黄

黄淑芬

麻黄古称“发表第一药”，近世以来运用范围却日趋缩小，究其原因，当与禁忌日渐增多有关。“血压高忌用麻黄”，即为其中有代表性的一条。理由是：麻黄的主要成分麻黄碱经药理实验证实，有收缩血管、升高血压的作用，高血压忌用麻黄碱已为世界所公认，中医岂能再将麻黄用于血压高的病人？此说看来证据确凿，毋庸置疑，但证之中医临床实践，却颇有商讨之必要。

例如急性肾炎初起，多属中医“风水”范畴，宜用越婢加术汤、麻黄连翘赤小豆汤一类方剂，但此时往往伴有血压升高，于是有人主张方中麻黄应改用荆芥、防风之类代替。然而后者不仅发表力量薄弱，更乏宣肺利水之功，用之效果较差。个人多年来治疗这类病人，均按原方使用麻黄，剂量一般为6～12g，未见有不良反应，相反，其血压常随水肿消退而逐渐下降。可见此种高血压仅是病之标，风遏水阻方为病之本，麻黄配合方中诸药，通过祛除风邪、疏通水道，即可消除导致高血压的原因，从而有助于血压降低。

至于素有高血压病之人，若患当用麻黄之证，个人认为亦当遵《内经》“有故无殒”之训，大胆使用麻黄。1982年夏，尝治一名42岁女性患者李某，因感冒风寒咳嗽，经中西药物治疗已3个月余，病情有增无减。现咳嗽频频，痰涎清冷，咳痰不爽，全身畏寒，尤以咽部与背部为甚，头痛目胀，纳食极少，倦怠乏力，步履艰难，舌质暗红，苔白，脉沉细。证属寒邪束表不解，少阴阳气内虚，饮邪上逆犯肺，法当外解表寒，内温少阴，兼化寒饮，拟用麻黄附子细辛汤合真武汤化裁。但患者自述不能服麻黄，以其有高血压病史，近来血压甚高。对此用药颇感为难，然考虑再三，此证实由寒邪久羁所致，舍麻黄之发表散寒、宣肺蠲饮何以为功？外感数月不愈，应责之于表散不力。处方：麻黄6g、附片20g、细辛5g、茯苓20g、白术12g、生姜10g、桂枝10g、五味子6g、半夏12g、甘草6g，1剂。为万全计，嘱患者先试服一煎，如无不适，再服完1剂，以观动静。隔日复诊，患者言服药后感觉良好，咳嗽、畏寒、头痛诸症均减。询问患者并未服用降压西药（因服中药后自觉舒适）。遂照前方加白芥子12g与服。6剂后，患者诸症均已控制，精神、食欲明显好转，血压正常。个人认为，“血压高忌用麻黄”，应限定于阴虚阳亢、肝火上炎之类无麻黄适应证的患者，未可一概而论。

“建瓴”熄肝风

郭 仕

肝风内动以阴虚阳亢为本，用育阴潜阳之法治疗肝风，乃治本之正法也。余用张锡纯首创的建瓴汤加减，屡获奇效。

1964年秋，余治一位姓张的男性青年，因防汛修堤起病，突发头眼剧烈掣痛，为时2个月不愈，就诊时右侧头眼掣痛难忍，静卧头不敢动，伴头晕胀重、耳鸣，并见下肢痿软、站立不稳，大便秘结、小便短黄、脉弦，舌苔黄中心干燥起裂纹。此为劳汗伤阴，贼邪乘虚直犯厥阴肝经，引动内风。即采用育阴潜阳泻火之法，以建瓴汤加芦荟、青黛、石决明、玄明粉治之。患者连服7剂，头眼疼痛基本消失，后用六味地黄汤加石决明、丹参、怀牛膝、豨莶草，下肢痿软亦随之痊愈。又治一姓李的中年男性，头痛眩晕，胸胁胀痛痞满，医治半年未愈，就诊时头晕甚，前额牵引后脑掣动，剧烈时常身不能自主而昏倒，伴失眠心悸，胸胁胀痛、牵连腰背、大便结燥、小便频急而黄，脉弦稍数、舌苔薄白质淡，此为肝郁化火，引动内风，病久犯胃、侮心、乘脾，以建瓴汤合四逆散加石决明、天麻治之。患者连服30剂，头痛眩晕、胸胁胀痛等症均消失。

引火归原降血压

| 朱文锋 |

1973年仲夏，在株州市遇市委组织部干部欧阳，时年刚逾四旬。知余以医见长，有一疾相求治。诉患高血压已5年，治无显效，近半年来并增心悸等症，胸部透视见左心室已扩大，西医诊断为“动脉硬化”“高心病”。其人面色红润，头额汗出涔涔，而身反着长衣长裤，诘其故，知为但头汗出，齐颈而还，身体无汗，下肢清冷。切其脉，寸关弦而两尺弱，望其舌，略显红胖，苔无异样。再问周身之苦，谓头痛且晕，头重脚轻，胸闷心悸，小便清长，夜尿且多，咽干少津，睡眠不宁，腰部酸痛。

综析诸症，余之见识已定，提笔处方：熟地黄20g、山茱萸10g、怀牛膝10g、枸杞子10g、白芍12g、石决明15g、炙甘草6g。患者可算是“久病已成良医”，曰：此类药服之多矣，其效平平。余曰：且慢！尚有二味“引”药，或许未曾用过。问：是何药？答：附片10g、上肉桂3g。听罢此言，患者摇手不已，曰：血压如此之高，又值暑热之季，服此大辛大热之品，岂不是火上加油？余曰：医操大命，怎敢孟浪，若非识得其中症结，断不可毅然用之，请君细听剖析。面红头汗，咽干少津，舌红血压高，上部似为“火候”，但身无汗，下肢凉，尿清长，果有火乎？此乃命门火衰，虚阳上浮，下真寒而上假热也，中医喻曰“龙火飞腾”，治当“引火归原”，附子、肉桂为其关键药物，如《医方论》曾说：“附桂八味为治肾命虚寒之正药，亦导龙归海之妙法。”君若不信，可试服之。药至5剂，患者头晕有增无减，又进5剂，晕痛皆缓，再测血压，几近正常。患者甚怪之，特来询问，为何头晕甚而血压反降？曰：此乃龙归于海也，盖血压高固可头晕，而久之则习以为常，今气血下趋，上实顿减，故头晕反甚耳，血压几近正常可为其证，患者始深信之。原方去石决明，续服10剂，患者血压稳定在正常范围，诸症若失。

本方余命之曰：补肾引阳汤。方中既有石决明之重镇，又有牛膝之下引，山茱萸、白芍既可起收敛阳气之功，又可制附子、肉桂之辛烈温燥，附片、肉桂能大补元阳，引火归原，使浮游之火自息，而熟地黄、枸杞子能补肾滋阴，意在从阴中求阳，全方共奏滋肾壮火、引镇浮阳之效。

眩晕与瘀血

王占彬

眩晕一症，临床颇多。就其成因而言，今人多宗“诸风掉眩，皆属于肝”“无痰不作眩”和“无虚不作眩”等各家学说，提及瘀血者甚少。本人感到，其实与瘀血也密切相关。其理安在？

瘀血与肝

肝属风木之脏，体阴用阳，其性刚强，喜条达而恶抑郁。故情志伤肝，则肝气郁结，肝阳上亢，肝风内动，风阳上扰，致发眩晕。肝藏血，气为血帅，血为气母，血随气行。故肝气郁结同时每挟血瘀。况肝气久郁可以化火，肝火煎熬血液亦可成瘀，所以大凡眩晕由肝病而成者，每有血瘀因素存在。而且常因气滞与血瘀的相互影响、而逐步趋向顽固。

瘀血与痰

津液与血都由水谷精微化生而来，不仅同源，而且相互滋生，互相作用，一损俱损，一荣俱荣。因而作为它们的病理产物——痰与瘀血，也存在着密切的联系，常常彼此影响，合而为病。唐容川“血积既久，亦能化为痰水。”这和今人“痰瘀同源”的观点，都是在上述理论基础上提出来的。由此可知，痰致眩晕亦多挟瘀。本人临床所见，确有不少眩晕都是由痰瘀阻络引起，且常与肝经郁热相兼。对这类病人（多为高血压病）本人习用红花、龙骨、夏枯草、海藻、山楂、牡蛎、郁金等治之，疗效颇佳。

瘀血与虚

虚，就眩晕而言，一般以肾虚和气血亏虚立论。肾虚之眩晕，有因肾水素亏、水不涵木、肝阳上亢所致。有由肾精亏耗不能生髓，髓海（脑）不足而来。气虚不运，血虚不濡，皆可导致血行不畅而出现瘀血。胡光慈《杂病证治新义》所载天麻钩藤饮，即为此类眩晕而设。此方除有滋肾养肝、潜阳熄风药物外，还有牛膝、益母草、夜交藤等活血化瘀，行血通络之品。若肾阴下亏，风火上亢，耗血动血而眩晕，甚至昏倒者此时亦多挟瘀。

综上可见，眩晕之病不仅与肝、痰、虚密切相关，而且与瘀多有牵连，临床上当予注意。

吴茱萸桂枝冬瓜皮汤治眩晕

|杨　恕|

眩晕一证临床颇为常见，原因较多。吾述者为中阳不振、寒湿凝滞所致者。其临床表现为眩晕发作时有天旋地转之感，头重如蒙，胸闷，恶心，时有呕吐，舌苔白腻，质淡红，脉濡缓而弱，与现代医学的“梅尼埃综合征”相似。自拟吴茱萸桂枝冬瓜皮汤（吴茱萸6g、党参9g、大枣4枚、生姜5片、桂枝9g、白芍9g、炙甘草5g、冬瓜皮9g）治疗，获得较好效果。本方是由吴茱萸汤和桂枝汤加冬瓜皮组成。吴茱萸汤能温中补虚，振奋脾胃，使阳气上升，浊阴下降，起散寒降逆作用；桂枝汤通阳化气，调和营卫，促使腠理开发，水道通行，奏温阳利水之功；冬瓜皮渗水利湿。本证为中阳素虚，在外感寒湿，或内伤饮食，或思虑劳倦等情况下，脾阳不振，健运失司，水湿停聚，变生痰饮，阻塞机体的气机升降和经脉的气血运行，使清阳不升，浊阴不降而导致。治疗原则遵照张仲景所示“病痰饮者，当以温药和之”的大法。饮为阴邪，易伤人阳气，中阳素虚，水湿容易泛滥。如果脾阳振奋，运化功能恢复正常，痰饮就易消除。同时，水湿遇寒冷则凝滞，受湿热则发散。本方用辛温和甘温药物配利水之品，达到振阳祛湿的目的，使眩晕症状得以控制和痊愈。

阳虚不寐

|孟　如|

自《内经》提出阳虚、湿盛者多寐的观点后，历代医家对于不寐一病，鲜有从阳虚论治者，今之中医教科书中亦不录此。就个人临床实践体会，阳虚不寐固不多见，但确也有之。药不对证常延误病情，转为经久不愈的疑难杂证，

不仅治疗棘手，而且危害人民的身心健康。

阳虚不寐常伴有神倦少气、畏寒肢冷、时有烦躁等症，舌质淡而胖嫩，苔白滑，脉沉细。亦有个别患者无明显的阳虚临床见症，但有诸药不效而无热象的特征。其发病机制多由肾阳虚衰，不能启真水上升以交于心，心气亦不得下降所致。郑钦安在《医法圆通》一书中用补坎益离丹（附子 24g、桂心 24g、蛤粉 15g、炙甘草 12g、生姜 5 片）治疗此疾。方中附子、桂心大辛大热为君，以补坎中之真阳，复取蛤粉之咸以补坎中之真阴，使肾得补而阳有所附，生姜、炙甘草调中交通上下。火旺水升，阴阳调和，不寐自愈。若兼肠鸣便溏者可与苓桂术甘汤、理中汤合用。余按此法临证用之每多获效。

治癔病性失语一例有感

余淦杰

1979 年早春，经友人介绍，女青年伍某来诊，其未婚夫代诉因与其母发生口角，以后情志抑郁，闷闷不乐，寡言少欢，避人不见，一人独在卧室，太息频作。3 天以后病情加剧，昼夜难眠，低声喃喃自语，心烦异常，渴喜冷饮。至 3 月 19 日凌晨起床，竟口不能言，去医院检查，诊断为“癔病性失语”，遂用暗示疗法及药物治疗，罔效。余诊时，患者不语 8 天，神情痴呆，表情淡漠，暗自流泪，痛苦不可言状。因不能用语言表达，便用文字叙述：口苦咽干，咽喉梗塞，胸胁窒闷，大便秘结，尿黄，脉左弦右滑，舌苔黄腻微燥。辨证为肝郁化火，痰气交阻。法宜疏肝解郁，豁痰泻火。用涤痰汤合越鞠丸化裁治疗。

处方：胆南星 8g、石菖蒲 6g、法半夏 10g、香附 12g、郁金 12g、炒枳实 6g、大黄（后下）12g、淡黄芩 9g、栀子 9g、柴胡 5g、川芎 5g、川贝母 12g，3 剂，水煎服，早晚各 1 次。服上方后，患者病情明显减轻，吐涎水约一大碗，顿感全身舒坦，神爽，但言语吐字不清。上方去大黄，继服 3 剂。患者言语清晰，诸恙已罢。仅觉头昏目眩，气短乏力，照原方去栀子、柴胡、黄芩，加党参 15g、云苓 15g、炙黄芪 12g、朱远志 9g、朱麦冬 12g，投 4 剂以善其后。

癔病性失语在临床上并不少见，笔者根据辨证论治的原则，认为七情内伤是发病的主要原因。因肝主疏泄，一旦肝失条达，则情志怫郁，阻遏气机，气郁则生痰，痰气交阻而发本病。从经络循行分析，因足厥阴肝经上贯膈，布胁肋，循喉咙之后，上入颃颡……，故症见胸胁窒闷、咽喉梗塞、善太息等；心藏神，为五脏六腑之大主，心开窍于舌，舌乃心之苗，手少阴心之脉上挟咽喉，故出现神情痴呆，心火内郁而见口渴喜冷饮、尿短黄等。大便秘结，苔黄腻而

燥，均是痰热蕴结之征，故以疏肝解郁，豁痰泻火，佐以启闭开窍法而取得显效。

夜游症治验

谢 颖

夜游一症，颇为少见。1979 年余曾治一例男性患者，陈某，11 岁，随母前来就诊。问其症状，笑而不语，其母代诉：小儿每晚熟睡后，猛然而起，如同精灵所唤，穿衣开灯，整理课本及文具盒，井然有序，整理毕则关灯就寝。翌日询问，却愕然不知。然精神差，且学习紧张即反复发作，服西药罔效，殊为忧虑，故求中医诊治。按其脉弦数，关前尤甚。症由心火燔炽，神不守舍所致，治拟清热泻火，平心安神。方用：生地黄 10g、黄芩 7g、黄连 5g、知母 7g、当归 8g、白芍 8g、龙齿 10g、柏子仁 8g、远志 6g、甘草 5g。

服药 2 剂后，患者夜游减少，发作亦轻，仅夜间起床而已，续服 2 剂而愈，随访至今未发。

夜游症的分型有心肾两亏、神志失守之虚证，也有心火炽盛，或肝阳上亢之实证。本例显属实证，因用心过度，心火亢盛，心神不宁，于是出现夜游。故用清热泻火，宁心安神法，效如桴鼓。

此症临床虽不多见，但患者一得此病，求治无效，便惊慌不安，造成精神上的痛苦和压力。余诊治此病，虽幸获良效，然属一已之见，故录此，以供同道指正。

夜 游 症

王文正

1977 年，余遇七旬老叟王某之奇特怪症。据述在 3 月初患流感，高热烦渴，愈后竟成终日不眠，夜不能寐，游走不定，昼夜不停，经服多种中西药，治疗不效，乃请余诊。往视患者，面容清癯，憔悴忧愁，言语对答之同时，行走不定，此屋行至彼屋，无休无止，稍停，则手握桌隅或门框，足登桌脚或门坎，旋即走动不停，不然自觉手足无措，周身不适，饮食尚可，二便正常，脉来沉细而弦，轻取应指无力，舌苔薄白，质淡红乏津，余无所苦，如此已近两月，医者束手，病者无奈。细度斯症，风性善行，风胜则动，老叟长期游走不定，当属风无疑，然风从何而来？此乃耄年之躯，本身已精气虚衰，复遭温邪侵夺，阴精枯竭，调养失宜，而致阴不恋阳，阳气鸱张亢盛，神不内敛所致，故此断为阴虚动风之游走症，治应滋阴潜阳，和络熄风，镇静安神，于是仿大定风珠加味。处方：白芍 20g、生龟甲 12g、生牡蛎 12g、鳖甲 12g（先煎）、生地黄 20g、麦冬 15g、五味子 6g、杏仁 10g、甘草 6g、地龙 10g、夜交藤 30g、丝瓜络 30g、鸡子黄 3 枚（兑服）。恐论病不确，嘱患者先服 1 剂，以观动静，怎料竟 1 剂知，2 剂已，再进 3 剂以防复发。至今已 9 年，患者仍健在。祖国医学博大精深，奥妙无穷，询非虚语。

“脑鸣”管窥

彭开莹

余临证时，常遇病者告以脑内空洞，如有风吹气鸣或有蝉声虫鸣之苦，用脑时更甚，多伴耳鸣、目眩，脉虚弱。病属脑海受耗，脑髓空虚所致。脑为髓海，髓生于骨，骨属于肾，实为肾与督脉衰惫之因。治当滋补肾阴为主，吾先用“参归补脑汤”（黄芪、党参、当归、五味子、天麻），后用六味地黄汤加鹿角胶、天麻、藁本之品。也有不属肾与督脉衰惫者，无空洞风吹感，自觉头部偏左或偏右作胀，有如潮声作响，鸣声不绝或耳闭不闻，脉弦或滑数，病系厥阴风火与痰浊相搏所致，治宜降火涤痰，用温胆汤加胆南星、胡黄连、黄芩之属。另有“雷头风”证，脑内震动如雷鸣，头皮和面部肿起赤块，恶寒壮热，此多由风、湿、热邪入里，引动肝风，或风热壅于阳络所致，治宜清宣升散，泻肝疏风，用清震汤之类。

治梅核气不能悉用半夏厚朴汤

朱宗云

梅核气为常见的疾病。《仁斋直指方》描写其症状：“塞咽喉如梅核粉絮一样，咯不出，咽不下，每发欲绝，逆害饮食。”所以后世把此病称为梅核气。相当于现代医学的“癔病球”。

对本病的辨证要点，应抓住二点：①咽部梗阻感是活动的，时上时下，没有固定的位置，症状随着情绪的变化，或好或差。②咽部虽有梗阻感，但不妨碍饮食。借这二点又可以与食管癌作鉴别。当然，我们还可以根据病史、X 线食管钡餐透视等检查，作更明确的诊断。

关于本病的治疗，《金匮要略》主以半夏厚朴汤，以后一直沿用此方，所以一般医生都是用半夏厚朴汤来治疗，结果疗效有好的、也有不好的，甚至有的病人服药后，反而咽干唇燥。

我认为，半夏厚朴汤也有他的适应证。本方温燥理气除适用于消除病人咽中梗塞感外，还适用于兼见脘闷苔腻、痰黏白稠、口不渴、脉弦滑等痰湿中阻的病例。而在临床上往往碰到另一种病人，咽干口燥，喜饮水，或大便干结，小便黄赤，情绪急躁，脉弦舌红，局部检查可见咽部充血，咽后壁淋巴滤泡增生。这一类病人大多是气郁化火，火盛伤阴。如果投以温燥的半夏厚朴汤，反会劫阴伤津，加重病情。《临证指南·华岫云按》："郁则气滞，久必化热。热郁则津液耗而不流，升降之机失度，初伤气分，久延血分，而为郁劳血疴。故先生用药大旨，以苦辛凉润宣通，不投燥热敛涩杂补，此治疗之大法也。"这段论述，确属经验之谈，以"苦辛凉润宣通"法治疗郁久化热的疾病，有很好的临床指导意义。我根据以上理论，用理气化痰、养阴的法则，治疗郁热伤阴，咽干少津的梅核气患者，多年来收到较好疗效。基本方：八月札9g、绿萼梅9g、白残花4.5g、郁金9g、茯苓12g、白芍12g、甘草4.5g、海浮石12g、麦冬9g、玄参9g。痰多，可加海蛤壳12g；咽干较甚，加石斛12g、天花粉12g。方中八月札疏肝理气散结；绿萼梅疏肝散郁，开胃生津；白残花苦寒，泄热化浊，顺气解郁；郁金行气解郁，这几味都是理气而不伤阴。海浮石除上焦热痰；白芍养血柔肝；配合甘草，缓急解痉，消除喉中痉挛感。麦冬、玄参利咽生津。整个方子的宗旨是既理气化痰降逆，又处处注意到津液的生化，做到理气而不伤阴，养血而不呆滞。另外，"心病还须心药医"。对于由于情绪波动而生此病者，应耐心地做些解释工作，使其思想开朗，心情舒畅，对于恐惧患食管癌的患者，可进行食管钡餐透视，证明其无器质性病变，以便解除患者的思想负担，配合医生治疗。

乌梅丸解失眠之苦

胡翘武

乌梅丸为《伤寒论·辨厥阴病脉证并治》篇治疗蛔厥、久痢的方剂。综观此方，有寒热并用、标本兼顾、安蛔驱虫止痛之功效。按方施治于此病者，确有殊效。然他疾之属于寒热错杂、蛔扰不宁、厥热胜复之机者，也可收不可思议之效。如徐某，失眠3年，形瘦面黄，精神委顿，头痛且晕，目涩少神，终日昏昏沉沉,、因职司机，曾休假多次，苦于失眠不治，曾有轻生之念。后经友人介绍前来诊治，检视所服之方，皆益气养血、镇静安神、交泰心肾、和胃清胆之法。诸如养血归脾汤、天王补心丹、芩连阿胶汤、酸枣仁汤、交泰丸、温胆汤等，遍尝乏效，西药之安眠镇静剂也少见功。近旬来，失眠加重，甚者彻夜目不交睫，形体日衰，精力疲惫，面色萎黄，似有虫斑隐约可见，头顶微胀且痛，舌红苔薄白，口干苦，脉弦细。且伴中脘嘈杂痞满、纳差、时泛恶、手足不温等证。所述之症及所检之征，实复杂无序，正踌躇无理想方药时，患者无意中又云“时有气逆冲心，曾吐蛔两次”，使余茅塞顿开，转思至“消渴，气上撞心，心中痛热，饥而不欲食，食则吐蛔，下之利不止”之寒热错杂、厥胜热复、蛔扰不宁之机制与此疾大有雷同之处。虽无失眠之记载，但此例失眠之机与其无异，遂改乌梅丸为汤剂，试服3剂以观动静。二诊时患者喜形于色，谓“服药二剂后，其效如神，竟酣睡一夜，昨日亦然”，此余未测之显效也，给患者增强了信心，继服5剂遂告痊愈。

经方之验甚多，奇效之案也每睹闻。一方治疗数疾，乃吾中医异病同治之特色。后世之方源于经方者不少，故业医者必当常阅经书娴熟经方，以悟至理，广其新用。如能明析病机，方机相印，虽非经方所主之原证，投之辄生不可思议之效验。

加味半夏汤治不寐

曾绍裘

余于多年临证中，反复验证自制加味半夏汤以治不寐、颇验。其组成为：法半夏12g、高粱米30g、夏枯草10g、百合30g、酸枣仁（炒）10g、紫苏叶10g，组方义理系以《内经》半夏秫米汤为准绳。

余意不寐之因虽多，而其主要病机则为阴阳盛衰、升降出入失调。半夏固有和胃化痰之功，但在此方中之主要作用则是交通阴阳，使阳入于阴而寐。半夏秫米汤中之秫米，即今日之高粱，其计浆稠润甘缓，不仅能调半夏之辛烈，且据《本草纲目》记载，犹能治阳盛阴虚、夜不得眠，取其益阴气而利大肠，大肠利则阳不甚矣。因此，余治不寐证，审系属于阴阳失调而致者，辄用半夏汤为主方，加夏枯草、酸枣仁，自名为“二合汤”。盖夏枯草配半夏名“不睡方”，据《冷庐医话》所载：《医学秘旨》有治不睡方案，云：“余尝治一人患不睡，心肾兼补之药，遍尝不效，以半夏三钱，夏枯草三钱煎服，即得安睡。”考夏枯草禀纯阳之气，补厥阴血脉，能以阴治阳。顾肝藏

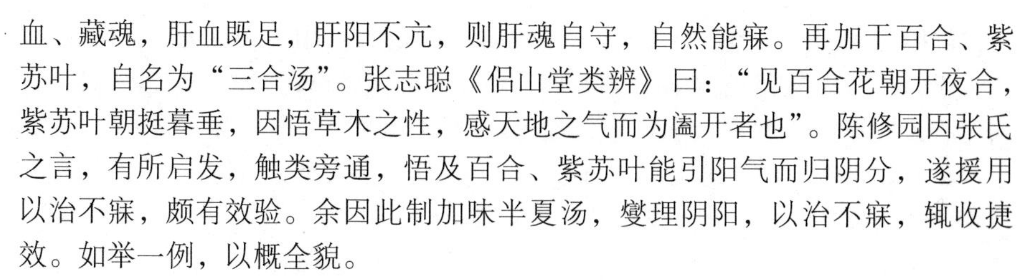

血、藏魂，肝血既足，肝阳不亢，则肝魂自守，自然能寐。再加干百合、紫苏叶，自名为“三合汤”。张志聪《侣山堂类辨》曰：“见百合花朝开夜合，紫苏叶朝挺暮垂，因悟草木之性，感天地之气而为阖开者也”。陈修园因张氏之言，有所启发，触类旁通，悟及百合、紫苏叶能引阳气而归阴分，遂援用以治不寐，颇有效验。余因此制加味半夏汤，燮理阴阳，以治不寐，辄收捷效。如举一例，以概全貌。

陈右，年方二纪，素病不寐，反复发作，时经五稔。今妊娠 8 个月，旧病复发，迁延月余，彻夜不能瞑目，经多方治疗，迄今无效验，惟每夜服氯丙嗪以期安睡，为时半月，虽能入睡，但仍睡眠不熟，梦寐纷纭，恍惚迷离，脉象滑数，舌质正常，无苔。脉证合参，证属阳不入阴，肝魂不敛而致。治宜交媾阴阳，镇纳肝魂，疏自制加味半夏汤：法半夏 12g、夏枯草 10g、干百合 30g、紫苏叶 9g、高粱米 30g，因其妊娠腰痛，更加桑寄生 15g、川续断 12g，嘱服 2 剂，入夜酣睡甚适，已为常人，一扫“长夜漫漫何时旦”之苦。

（曾应旄　曾松吟　整理）

胃不和则卧不安

| 陶克文 |

《内经》“胃不和则卧不安”这条经文，对临床实践很有启示。临床常见胃中郁热，夜不能寐的病例，症见心烦口苦，脘闷不舒，大便秘结，脉弦或数，舌苔黄腻。按照“胃不和则卧不安”的特点，选用栀子豉汤加半夏、黄连、黄芩、枳实、竹茹、酸枣仁等品治疗，常常收到令人满意的效果。

胃属阳明，郁热不解，为里热实证。用栀子、黄连、黄芩清胃中邪热；香豉散郁热；枳实、竹茹解胃中热结；半夏、酸枣仁和中安神。诸药合用，共奏清热除烦之效，使胃得和，卧能安。这样审因辨证，立方遣药，所取得的疗效远非见病治病使用一般安神镇静剂的作用所能比拟，可见祖国医学治病必求其本的指导思想的可贵。

心肾不交，须辨阴阳

| 王希知 |

在心悸失眠证中，心肾之阴不交者，则不独心悸不寐，且心烦善怒者也，

黄连阿胶鸡子黄之属也。至若心悸欲寐善恐者，心肾之阳不交者也，宜白通汤。王晋三曰：“白通者，姜、附性燥，肾之所苦，必借葱白之润，以通肾故名。若夫金匮云面赤者加葱白，则是葱白通上焦之阳，下交于肾；附子通下焦之阳，上承于心；干姜温中土之阳，以通上下，上下交，水火济，利自止矣”。仿此法以治心悸失眠，心肾之阳不交证，常可获效。

噩梦证治一得

陈熔时

受冤忧思播病因，欲眠合眼恐复惊。七情内损失支柱，珀粉木香蜜裹吞。

几句俚语，简括了治一噩梦患者的概况。1966年秋间，曾某因受冤屈，忧思倍增，使肺、脾之气受损，梦见杀人如草芥，因而惊恐万状，胆肾之气复伤，七情内损成为内因根据，在内、外因素影响下，竟然病发魇寐，日渐加重，直到日夜不敢合眼，一闭目即见有人来相杀，服过镇静、安神等中西药枉效，邀人陪伴壮胆，无济于事，牵延近月，食少消瘦，精神极度委顿，苦无良法。就诊时予以多年实践有效的香珀散：木香60g、琥珀18g，研细蜜丸，晚餐前、睡前各服6g，同时吁请其亲友从多方面强壮其意志，消除其恐惧心理。在服香珀蜜丸的第3天夜里，即得安然入睡，日后睡眠逐渐加深，纳食转佳，精神亦振，药未尽而病已痊，实出意料之外。

据《神农本草经》载：“木香主邪气、强志、久服不梦寤魇寐。”《本草汇言》将木香“喻为治气之总药……管统一身上下内外诸气。”用以调理既伤之气复其常，且芳香之气足以振奋精神而强志，故选为主药；琥珀安五脏、定魂魄，镇惊安神，治惊悸失眠，壮心，选为辅药，对七情损及脏腑颇为合拍；蜂蜜主心腹邪气，诸惊痫痓，安五脏诸不足，养脾气，用为佐使，并能调济木香之辛燥偏性，粘合苦燥药粉方便吞咽，三药配合得宜，故而显效。

健忘症治疗一得

吴昌续

《内经》云：“思则气结”“忧愁思虑则伤心”。气结营虚，心肾不交，脑失所养，故记忆力差，健忘乃生矣。舒畅其气，则思维开朗，心情惬意，脑有所安，则记忆力强。因此，余对斯症，常以石菖蒲、旋覆花舒气解郁，辅以酸枣

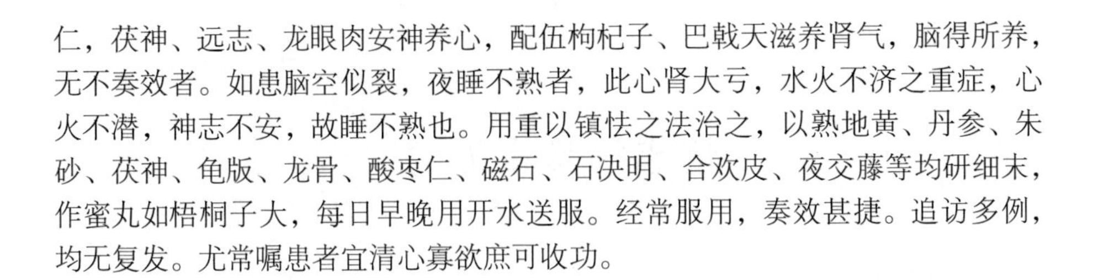

仁，茯神、远志、龙眼肉安神养心，配伍枸杞子、巴戟天滋养肾气，脑得所养，无不奏效者。如患脑空似裂，夜睡不熟者，此心肾大亏，水火不济之重症，心火不潜，神志不安，故睡不熟也。用重以镇怯之法治之，以熟地黄、丹参、朱砂、茯神、龟版、龙骨、酸枣仁、磁石、石决明、合欢皮、夜交藤等均研细末，作蜜丸如梧桐子大，每日早晚用开水送服。经常服用，奏效甚捷。追访多例，均无复发。尤常嘱患者宜清心寡欲庶可收功。

异常嗜睡

|夏问心|

嗜睡可见于湿胜、脾虚、胆热、伤暑、少阴病、病后体弱等方面，而以前二者为多见。脾虚不运者可致湿胜；湿邪壅盛者亦可致脾虚，故湿胜与脾虚又往往相兼并见。湿若与热相合，则病势尤为缠绵。城郊朱某，于1982年5月来诊。发病已十余天。每天早餐后疲倦难支，目合不能开。伏于餐桌上旋即入睡，呼之不醒，推之不动，一睡数小时。明知有违农时，却苦于不能自振。同时尚有头昏身酸之症，饮食一般，大便或溏，小便尚调，脉象濡缓，舌苔淡黄薄腻，予升阳益胃汤去白芍，白术改苍术，加藿香、石菖蒲。服4剂。复诊，患者饭后能强自站立并行走，然后睡意渐消。但精神仍然困倦。又予原方4剂。三诊，患者病情继续好转。饭后已不再欲睡，精神亦振。脉象缓小，舌苔薄白。原方去黄连、苍术，加白术。继服5剂。后十余日随访，患者病已告愈。

《灵枢·大惑论》以猝然多卧者因上焦闭而不通，已食若饮汤，卫气留久于阴而不行。卒然多卧显然是出现在饮食之后，当饮食之时，胃中气血（卫气）旺盛，以消化食物，若与谷气相搏，则久留于阴（里）而不行，湿热蒸腾，脾运暂壅。湿热上熏清窍，以致“上焦闭而不通”故倦极而卒然多卧焉。此其人，究属脾胃虚弱。到长夏湿盛之时，内外相召，乃感而发病。治宜健运脾胃，升阳益胃汤较为合适，方名益胃，实亦健脾。脾胃健，消气升，湿热自除，嗜睡可愈。

《脾胃论》论本方有“时值秋燥令行，湿热稍退……”之语。秋燥季节，尚患此证，可知患者湿热之盛。却非秋燥证兼有怠惰嗜卧等湿胜之症。否则，燥湿并见，恐属罕闻。

情志病诊余随记

曾师孔

大怒气逆，清肝泻火而平

有室女与人通，偶因事口角，诉出其隐情，即暴怒暴吼，几欲寻死。翌日面赤如火，两目红丝缕缕，大感头昏头痛，胸胁胀闷，常以手捶胸，且曾一度昏迷，未几自苏。次日其父邀诊，按脉弦劲而数，观舌尖红如朱。诊为木气横逆、肝火上亢，波及心火所致。主以丹栀逍遥加减，果两剂而平。

忧思气结，以喜胜忧而愈

有村媪年六旬，止一子，年方冠，乡势欺其孤寡，为避壮丁逃亡在外，迄无音讯。媪日夜忧思啼哭，胃纳顿减，一日不食，不知饥饿，渐致面黄肌瘦，行路晕跌。曾服逍遥丸、归脾丸、香砂六君子汤等无效。临解放不久，忽接其子来信，媪转忧为喜，病遂霍然。

隐情曲意，遂其情志而安

有某独生女，年及笄，待婚在室。平日娇养成性，喜读爱情小说，不无情志发动。某晚看戏回家，拥被独宿，此后，常愁眉苦脸，时抚膺胸，暗自叹息，情绪不宁，似有隐曲。其母急切求诊，观色察脉，断为情志不遂。因语其母曰：药可服，但情不可不遂也。其母解余意，即择日遣送夫家，果不几日，病情若失。

《内经》谓："百病皆生于气。"指的虽是九气为病各有所伤，但总的来说，不外是人体气机失调。盖"气血和顺，万病不生，一有拂郁，诸病从生焉。"所以中医治病，处处关乎气。根据气之所伤不同，而有理气、行气、降气、益气等法，损其有余，益其不足，使之趋于平衡协调。如例一因暴怒伤肝，肝气横逆，气火上冲，故主用丹栀逍遥，以清肝泻火，疏理气机。例二、例三，一以喜胜忧而愈；一遂其情志而安，虽非药力之效，而却有理气之功。故古人有云："行医不知气，治病无从据。"确是经验有得之谈。作为中医工作者，临床上能够正确认识气的作用与变化，是很有必要的。

“呵欠”琐谈

刘永年

“呵欠”又称“欠”，在一般情况下，是正常的生理现象。早在《灵枢·口问》篇中就对它形成的机制作了解释：“阴阳相引，故数欠”。《灵枢》借卫气昼行阳、夜行阴来阐明呵欠是人体的阳气与阴气互相交换或盛衰转化所产生的一种生理过程，从而启示我们进一步认识呵欠是与人体生理功能的兴奋（阳）与抑制（阴）消长密切相关的。当紧张劳作之余，挺直身躯，打两个呵欠，顿觉精神爽朗；当劳累一天，夜深困倦欲睡之时，每每呵欠连连；而当晨起醒来之际，打几个呵欠，往往有助于驱散困意。然而，呵欠并不都是生理信号，它也常常是某些疾病的征象或先兆，特别是不拘时间的、不感困倦时的频频呵欠，则往往提示人体出现了某种病理改变，尤其多见于人体阳衰阴盛或气血郁滞、阳气困顿之时。例如，每当情绪抑郁或被悲忧困扰失意之时，每现心灰意懒、表情郁闷、神志困顿，而且频频作欠。此系肝气怫郁、疏泄不及，气机阻滞、神机失展之象。所谓“恼闷愁肠瞌睡多”，就是这种状态的形象描述。此外，《金匮要略·妇人杂病脉证并治》篇载：“妇人脏躁，善悲伤欲哭，像如神灵所作，数欠伸，甘麦大枣汤主之”。此处的“数欠伸”，就是由于肝郁气滞日久，导致气津亏耗，周身疲惫所产生的。临床常见有些癔病和神经官能症患者，每有倦怠懒言、表情呆钝、“数欠伸”的症候表现，就属于这种情况。还有不少脑动脉硬化症患者，临床上除表现有一系列的抑郁现象外，也多见有呵欠频频的症状，这在辨证上常为气血瘀滞、阳气被郁、神机失达所致。这种症状常常又是某些脑血管意外（特别是脑血栓形成）患者的前驱信息，必须引起警惕，及早采取防范措施。另有一些属于“虚劳”症的患者，特别是元气亏乏或肾阳虚馁的病例，如艾迪生病、甲状腺功能减退症等，常在白昼或就诊时呵欠频频，并伴有精神疲惫、周身懈怠、懒于行动、肢冷形寒、脉形沉细等一系列肾阳亏虚证候。由此可见，呵欠不仅是普通的生理观象，在一定范围内，它往往是在一种病理基础上的临床症状，对临床辨证确有一定的参考价值，应当予以重视。

癫痫的辨证用药特点

胡建华

癫痫是神经系统常见疾病之一。癫痫的发病机制，常与“惊”“风”“痰”

“瘀”有关，而与心、肝、脾三脏关系较大。盖心主神明；肝主筋，乃风木之脏；脾主生化气血，又为生痰之源，由于精神、饮食、外伤（包括跌伤、难产）、高热等因素，引起风阳内动，气郁生痰、瘀阻脉络，扰乱神明，以致发生神志昏迷、四肢抽搐、面唇青紫等症。

我对癫痫的治疗原则：以平肝熄风，化痰宣窍为主。处方用生铁落60g、钩藤15g以平肝镇惊；生南星12g、石菖蒲9g、炙远志4.5g以化痰宣窍。生南星有极好的抗惊厥作用，我长期用此药治疗精神、神经系统疾病，并未见任何中毒反应；炙地龙9g、全蝎或蜈蚣2g，研粉吞服以熄风镇惊；白芍15g，丹参15g以养血柔肝解痉。

如果患者出现精神症状，而见失眠、恐惧、焦虑等症，可配合炙甘草9g、浮小麦30g、大枣9g以养心缓急润燥；如月经期发作频繁，可加入淫羊藿9g、肉苁蓉9g，二药确有调和冲任的作用，有助于减少或控制月经期间癫痫的频繁发作；如腹型癫痫发作、腹痛剧烈，则应重用白芍30g，可获得一定效果。由于癫痫乃肝风内动所致，故可用白芍柔肝以熄肝风，养血以和筋脉，本品有很好的降低肌张力和抑制运动的作用，故为治疗癫痫的要药，而对腹型癫痫，尤属必用之品。全蝎、蜈蚣不宜入煎，否则用药量大但效果差，应以制成片剂或研成细末（先将生药放在铁锅上，微火烘脆，勿使焦，再加工研细）吞服为佳。一般成人每天总量2～3g，婴幼儿0.5～1g，均分2次吞服。用药时间一般为上下午各服1次，但有的患者癫痫发作时间固定为晚间睡梦中，则可改为下午及睡前1小时服用。

调肝养血治癫狂

蒋立基

癫狂，中医往往责之于“痰迷心窍”“痰火上扰”，以祛痰、涤痰、清火等剂为主治之。余验诸临床，或效或不效。余以为不应过于夸大“痰”“火”在发病及治疗上所起的作用。癫狂固有“痰”“火”作祟，然标本、因果必须分清。其实应咎之于肝。王孟英云：“肝主一身气机，七情之病必由肝起。”癫狂的起因与郁证、脏躁一样，当属情志病范畴，只不过名称各异。以痰而论，因肝主疏泄气机，若肝失疏泄，气机不利，则聚湿为痰。或郁而化火，火灼津液而为痰，此其一也；其二，肝主疏泄脾胃，肝郁则脾失健运，升降失常，聚湿成痰；肝主疏泄水道，通行三焦，肝郁则气滞，水津涩滞不行而为痰；其四，痰瘀同源、同病，肝郁可生痰，也可致血瘀。脑为元神之府，若痰瘀阻络，则

可发生神识失常。再则，肝藏血而舍魂，肝病自能影响正常情志活动，出现神识反常之象。

显然，调肝养血乃为图本之治。余尝用柴胡龙骨牡蛎汤去人参、大枣，易铅丹为代赭石，加白芍、当归（须重用至30g）为基本方，常获效验。徐灵胎谓柴胡龙骨牡蛎汤“下肝胆之惊痰”，方中“大黄必后下，取其生而流利也”。加白芍“敛肝之液，收肝之气而令气不妄行也”（《本草求真》）。加重当归养血和血，育肝“体”，畅肝“用”，“安五脏……益神志”（《本草正义》）。据其症情，或加琥珀、辰砂（均吞服），以重镇安神；或加石菖蒲、远志以豁痰醒神；或加苦参、黄连以清降火逆；或合桃仁承气汤、血府逐瘀汤类以活血透络而醒神。

28年前，一王姓女，素体虚弱，因事受屈，心情抑郁，突发癫狂，寝食俱废，哭笑无常，语无伦次，登高弃衣，延余诊治。用前述基本方加琥珀、石菖蒲、黄连。服3剂，患者症大减，服10剂而愈。嗣后余临症治近百例，均依此方略事增损而愈。

（蒋运祥　整理）

癫狂从痰论治

陈元新

中医的癫狂症，多见于现代医学之精神分裂症。分言之，癫属抑郁型，狂属狂躁型；病因方面，都由痰迷心窍，郁痰鼓塞心包，神不守舍所致。症状表现喜怒无常，语言颠倒，不避亲疏，甚则踰垣越屋，毁物伤人。我采用下列三方以治痰为主，依次进行治疗，获得良好效果。

首先：逐痰，逐瘀。方用：明矾120g、冰糖120g、水600ml，煎服200ml，俟温，顿服。服后当呕吐浊痰少许，继则大便泄泻三四次，症状和缓，神识稍清。再服下列二方（此方服用一次即得吐泻浊痰，否则不宜再服），以豁痰、清心。方用：制礞石12g、郁金6g、沉香末1.5g、大黄12g、煅龙齿6g、琥珀1.5g、朱砂1.5g、炒酸枣仁12g、石菖蒲6g、党参6g、川贝母6g、连翘6g，合研细末，此为2日量，分作4次服。连服4剂，8天服完。在服末药时，先用竹茹12g、景天三七15g、莲子心1g，水煎两次水调药进服，1日1剂。

其次，清心、安脑。方用：生地黄12g、麦冬12g、白芍12g、石菖蒲9g、石斛9g、牡丹皮9g、茯神12g、陈皮9g、木通9g、知母9g、石膏20g（先煎）、大黄15g（后下）、磁石15g（先煎）、炒酸枣仁12g、远志9g，煎服10剂。服完10剂再服末药方4剂（8日量）。交替使用，坚持服药约两月，多能获得疗效。

“尸蹶”有救，“癫痫”可医

李长茂

扁鹊治愈虢太子“尸蹶”，人称赞他能起死回生，世代誉传，诸多知晓。余自幼家训牙医，曾聆听过这一传说，但未见到此症。20世纪60年代中期，偶遇一幼女寝发“尸蹶”，症见痰鸣漉漉、不省人事、牙关紧闭、阵发抽搐、双目上视、四肢厥逆等。检查发现：身温肢冷、汗出涔涔、呼吸微弱、瞳闪犹存、脉整有力、遗溺、握拳等征，但无口吐涎沫之痕。余一面针刺“人中”“十宣”；一面护送急诊。西医以“惊厥”收住儿科，诊断为原发性“癫痫”。以后发作频繁，均以镇惊镇静获得缓解。但西药量渐加，不良反应日增，病因不明，难能根治，病家焦虑不宁。余想，昔日扁鹊能活“尸蹶”，难道现今中医对“癫痫”就无善法吗？于是重温故章，拟订治法。

1. 急救“尸蹶”　针刺“人中”“十宣”，以回阳救逆；撬口灌服验方“止痉散”（蜈蚣、全蝎粉各等份，成人每次量3g，小儿折服）、“辰琥粉”（辰砂粉0.3g、琥珀粉0.7g，成人次量，小儿折服）以镇惊安神。每遇“尸蹶”或抽搐，用之无不得心应手。

2. 根治“癫痫”　常有“癫痫难断根”之说，且有愈发愈频之势。余亲自观察，单服“止痉散”，多能在0.5小时之内终止发作。在此基础上，增加辨证用药。综观本病，乃风火挟痰上逆，蒙蔽清窍而发。故用“止痉散”镇惊熄风；增半夏、胆南星、牛黄（或龙胆草、广郁金）、青礞石、石菖蒲等，以清火、豁痰、开窍。药磨细末，牛黄另研，过筛，炼蜜为丸。前例患者服药半年，完全控制了发作，至今十几年未发，并考入了大学。现惟脑电图时有异常。为稳定疗效、达到根治之目的，症状控制后，可逐步减少服药次数，乃至每晚睡前服药1次，并可单服“止痉散”，每次服0.25～1g，装入胶囊或用糯米纸包装，这样服用方便，便于坚持治疗。数十例治疗有效的病例提示，对“尸蹶”“癫痫”，中医可医、有效。

癫狂辨治小议

马柏椿

癫狂一证，历代医家均有精辟论述，前辈将癫狂的病因，病机、症状、治疗大致归纳为两大类，认为癫证属阴，狂证属阳；癫证属虚，狂证属实；癫多心脾不足，狂多痰火内扰；癫当调理心脾，狂当清泄痰火。如《医学正传》云："狂为痰火实盛，癫为心火不足，……狂宜乎下，并清痰火，癫宜乎宁神益血。"余曾治癫狂一例，症状典型，足资借鉴。

患者唐某，年逾四旬。半月前，因事烦恼，郁愤不解，渐至精神失常，狂躁不安，骂詈叫嚣，彻夜不寐。狂甚则入水缸沐浴，缸破水溢，满屋潮湿，其妻劝阻，每遭毒打。诊其舌质红，苔黄腻，脉象弦滑而数。推其病因，乃郁怒伤肝，肝火痰热，蒙蔽心窍，神识迷乱为患。即投龙齿15g、牡蛎15g、琥珀10g、朱砂1g、拌麦冬12g、莲子心5g、酸枣仁10g、远志6g、胆南星6g、天竺黄6g、石菖蒲6g、郁金10g、陈皮6g、鲜竹沥15g。意在平肝化痰，清心开窍。服药2剂，狂躁已减，夜寐稍安。续服上方2剂。服药后剧烈咳吐，吐出痰涎数口，其中顽痰一块，如白果大小，色黄而坚。痰出神清，夜已安寐，惟精神萎靡，昏沉欲睡，不愿多言。再以养阴柔肝，宁心安神之法调理旬余而愈。至今19年未发。

平肝泻火治躁狂

朱文锋

1975年盛夏，农民易某，年过五旬，患头痛，烦躁如狂。询其病史，谓平日性情颇为急躁，有左侧偏头痛史已3年。1个月前经西医诊断为"继发性青光眼"，建议行左眼摘除术，患者勉强同意。岂知手术之后，头痛不减，反增烦躁如狂，见医生则高声骂詈，咎之于手术伤害。转诊于县、省医院，经眼科检查，手术并无异常，用西药治之无效。无奈只得回故里，求治于中医。

现自觉周身发热，头痛阵作，烦躁不眠，口苦而干，小便黄，大便干而难下，诊见其面色暗红，脉弦而数，舌红苔薄黄。

余暗思之，此本肝火上升头痛，平肝泻火必对证，以《银海精微》泻肝散加减投之，药用：大黄 12g（后下）、芒硝 10g（冲）、黄芩 10g、龙胆草 10g、知母 10g、玄参 12g、龙骨 15g、牛膝 10g、白芍 12g。药进 2 剂，患者大便得泻，熟睡而诸症顿减。继以调肝理气为治，10 日而痊愈。

大剂清下治狂躁

|郭　仕|

狂躁证，古人多用吐、清、下、镇四法治疗，其中尤以清下最为常用。余师法前贤，用大剂清下，屡收良效。

1976 年春，本院某职工之母，患精神分裂症已大发作 3 次，每次发作均有明显的诱因，间歇期 3～5 年，本次发作的第 2 天求余诊治。就诊时狂躁不安、吵闹不已，时而高歌、时而哭泣，不眠不食、妄想幻觉、两目怒视、面红目赤、胸胁满痛、口渴引饮、大便秘结，脉弦大而数、舌苔黄厚起裂。根据病史及临床脉证，属暴怒伤肝、肝胆火盛、胃家实热、上扰神明之候，采用清泄肝胆，荡涤实热，急下存阴之法，以大承气汤、四逆散、小陷胸汤、白虎汤四方加减化裁，方用柴胡 10g、黄芩 10g、青黛 10g、白芍 10g、枳实 10g、黄连 6g、瓜蒌 12g、石膏 30g、知母 12g、大黄 12g、玄明粉 15g、甘草 6g，每日 1 剂。另用铁落 60g 煎水作饮，连服 2 天，狂躁症状明显减轻，大便已通，稍能进食，舌苔变薄。仍以前方去玄明粉，再服 2 天，狂躁症状消失，脉转细数，后用天王补心丹合甘麦大枣汤加减调理而愈。

狂躁证其病因病机多由恼怒，郁而化火，使有关脏腑的功能紊乱而处于强烈兴奋的病理状态。阳盛多火是本证的病理特点，故古有“重阳者狂”“诸狂躁越皆属于火”的精辟论述，阳盛多火，邪热弥漫，非投大剂清下不能解决问题，证候越急越重，越要大清急泻。但狂躁有个由脏向腑、由实向虚、由急性向慢性的转化过程。从脏腑来辨证，肝心两脏是首当其冲的，肝心两脏受病可以产生连锁反应，特别是胆胃最易受累，所以临证必须根据临床表现，采用多脏腑同治，组成清下大剂，使之迅速获得“邪去正安”之效。另投生铁落煎水为饮，一则可以解渴，再则可以重镇安神，下气开结，平肝火，佐清下而相得益彰也。再从虚实来辨证，先实后虚是狂躁发展的必然趋势，物极必反，兴奋亢进到一定程度就会向抑制衰退方面转化。阳盛多火，最易伤阴，所以狂躁后期阴虚多见，用养阴为主的方剂调理善后对于恢复体质、预防复发都有一定的临床意义。

癫狂证与“脑醒定”

任　何

癫狂证属疑难杂病，治疗起来比较棘手，有“怪病”之称。癫与狂，虽然症状各异，但在病理变化上仍有关联。癫病经久，痰郁化火，可出现狂证；狂证即久，郁火渐得宣泄而痰气留滞，亦能出现癫证。二者不能截然分开，故常癫狂并称。笔者根据七情、六淫、脏腑、经络所致阴阳失调，发生气、血、痰、火、郁等一系列病理变化，病变中心是心、脾、肝、胆的中医理论，治疗癫狂等中医神志病时，于“气、血、痰、火”四字中求之，发现二者异中存同，自拟复方“脑醒定”，通过较长时间的临床应用，收效满意。基本方由百合、生地黄、石菖蒲、郁金、生川大黄、生明矾、白芍、白术、茯苓、丹参、白芥子、生铁落、礞石、法半夏、陈皮、浮小麦、珍珠母、生甘草、大枣等组成。水煎，每日 1 剂，分两次服，病重者每日服 2 剂。一般以 20～40 天为 1 个疗程。方中用百合清心益气安神，治精神恍惚、烦躁失眠；生地黄养血凉血，安定魂魄，治惊悸，与百合共奏养阴制火之功；郁金入心去恶血，治癫狂、痫证；用礞石、白芥子、法半夏、陈皮化痰行气，解郁降逆，且礞石慓悍之性能攻陈积顽痰怪病，使秽浊不得腻滞而少留；入白芍养血敛阴柔肝，平其阳明之火；配以茯苓、白术健脾杜其生痰动痰之源；甘草、浮小麦、大枣养心安神，甘润和中缓急；用生铁落，珍珠母重可去怯，重则能镇。全方有理气解郁、化痰散瘀之功，补脾益气、醒脑开窍之力，定志安神之用。可标本兼顾，休作两宜。故能用于癫证之沉默痴呆，语无伦次，魂梦颠倒；狂证之喧扰不宁，躁妄打骂，动而多怒和脏躁、痫证等。有双向调节作用，无不良反应。可作为中医情志病的主药，用于多类精神病的各个阶段，贯穿治疗的始末。

曾治林某，女性，30 岁。入院前 4 天无故跑到厂办公室，坐在桌上，胡言乱语，讲下流话，说自己被人害了，没有评上先进工作者，经同事劝阻时则惊恐不安，躲在车间的角落不敢见人，时而哭泣，时而喃喃自语。入院后症见：意识清，仪表整，接触合作，讲自己是一棵仙草，被一个老头子害了，被人控制了等。情感不适切，时而自笑，时而叫喊，拉着自己丈夫不肯放手，态度拘谨，否认自己有病。脉象弦细，舌苔灰腻而厚，按痰瘀互阻，心神被扰，阴阳失调之癫狂证论治。给服“脑醒定”煎剂，每日 1 剂，精神症状逐渐缓解，45 天后痊愈出院，带中药“脑醒定”20 剂，回家调治。至今已 4 年，病情稳定，恢复工作。

痫证治验一则

聂勋海

痫证多责之肝、脾、肾三经。根据临床观察，本病的产生必具痰涎内结和触事生怒两端。《临证指南医案》云："痫病或由惊恐，或由饮食不节……，以致脏气不平，经久失调，一触积痰，厥气内风，卒焉暴逆，莫能禁止。"吴仪洛亦谓："诸痫因惊恐忧怒，火盛于心，痰塞心窍而成。"可见，痫证与肝脾尤有密切关系。因脾虚则精微不布，水湿停滞，痰涎内结。大惊大怒，肝失和调，阳升风动，触及痰涎，暴逆于上，阻闭窍道而突然发作。

1974 年曾治一患儿，年 8 岁，自幼患痫证，稍事不遂即发，1 个月约 3 ~ 5 次。发作时突然仆倒，昏不知人，四肢抽搐．目睛上视，口吐涎沫，并作羊叫之声，数分钟后醒如常人。诊之：患儿体瘦，面色无华，神疲略呆，反应迟钝，舌淡苔白，脉弦。诊为脾虚肝旺，拟以芹菜根、黄精各 350g，焙干为末，每次 6 ~ 9g，调入鸭蛋 1 枚，猪油煎熟服用，每周 2 次。一料服完，至今未发。

黄精，甘平，《别录》记载其"补中益气，除风湿、安五脏。"《本草纲目》谓："补诸虚……，填精髓。"《本草正义》云："补血补阴而养脾胃，是其专长。"芹菜，甘苦微寒，能养精、益气、令人肥健，并能清热除湿。近人多用之降血压，可见能入肝经起清热平肝熄风之效。鸭蛋系滋补佳品，其性味甘咸微寒，能清心腹胸膈之热。三者合用，共成补脾填精，清热除湿抑肝之功。肝和脾健，痰火焉能再生。

菖蒲郁金汤治疗癫狂

瞿绍泳

《温病全书》之菖蒲郁金汤本为中焦湿热、痰蒙心包而设，余临床用治痰热癫狂，亦取捷效。

古某之女，年方二七，自幼父母溺爱，脾胃虚弱，纳少便溏，药不可离。于 1979 年深秋，因与老师争吵，遭同学指责，始则郁闷不言，2 个月后，渐渐语无伦次，时痴笑、时骂詈，喜怒无常，亲疏不避，不知饥饿，不畏寒冷，常奔跑在外，夜不能寐。其舌苔白而厚腻，脉弦而滑。某医院诊为"精神分裂症"，用镇静类西药及疏肝理气之中药治疗，始趋安静，1 周后前症复作。余思

此病，虽属癫狂，然而患儿素体脾虚，纳少便溏，舌苔白腻，当从脾湿推论，脾湿生痰，更加肝气郁结化火，痰湿夹热，蒙蔽心窍，扰乱神明，故为之狂乱。当先宣化湿热，豁痰开窍，然后疏理肝气，镇定心神。方用“菖蒲郁金汤”加减：石菖蒲15g、郁金15g、栀子10g、连翘6g、牡丹皮10g、淡竹叶5g、藿香10g、滑石15g（布包）、青礞石15g、飞朱砂1.5g（另包冲服）、竹沥10ml（兑服），药进10剂，其病渐愈，嗣以“黄连温胆汤”加石菖蒲、郁金、柴胡，远志，炒酸枣仁、白豆蔻仁，10剂收功。并嘱家人配合精神调理，3个月后恢复学业，追访至今，生活、学习、精神正常，病已痊愈。

“菖蒲郁金汤”原为治湿热夹痰蒙蔽心包之昏瞶不语，并无“治癫狂”之说，但“古人随证以立方，非立方以待病。”若证属湿热夹痰蒙蔽心包，不论其症状表现如何，“菖蒲郁金汤”均宜施用。此所谓异病同治也。

痫证何须尽重镇，因时调节方为本

|程　竑|

某日，痫证患者张某之夫喜曰：“她的病已1个月未发。”余闻后，虽感欣慰，但心绪难平，2个月的治疗，得失均有，颇耐寻味，不禁翻开了案头的病历。

张某罹患病证已十三载，近年发作频繁，几天一次，发作时间多在后半夜。发作前，四肢凉，自觉口中有臭味；症作时手足抽搐，口吐白沫；发作后，四肢发麻，精神萎靡，肤凉，手心反热。余据治痫之常法，拟温胆汤合定痫丸加减，意在化痰熄风，重镇定痫，谁知竟无寸效。余茫茫然，冥思苦想，再究病史。患者起病于深秋某晚外出受凉，当晚后半夜即发此证，尔后亦多发于后半夜，莫非发病与时间有关系？余以急切之情，查找《内经》原旨。《灵枢·顺气一日分为四时》篇指出：“一日分为四时……夜半人气入脏，邪气独居于身，故甚也。”张某感受寒邪后，伤人阳气，阴阳失去平衡而患病。后半夜为子至寅时，肾气逐渐旺盛，可望祛邪外出，但终因此时入气入脏，邪气独居，阳虚寒盛而无力祛邪，于是虚阳外扰，风动症作，其兼证亦显出一派阴阳不和之象。由此悟出，痫证何须尽重镇，因时调节方为本。遂拟柴胡加龙骨牡蛎汤化裁，并嘱每晚11时必服药一次，防患于阴阳交替之时，果收奇功，患者服药三十余剂，至今已4年未发。

以后，余又诊治一些痫证，细察因时发病者，多在子时或午时，用以上方法辨治，多获效验。可见，败而不馁，探幽发微，圆机活法难治之证，可望向愈。

蛔扰心神致癫疾

刘常春

癫证多缘情志不遂，心脾气郁、痰火扰神所致，然亦有因蛔而作者。曾治一陈姓妇，年 64 岁，素有胃脘痛病，一日突然神志错乱、胡言乱语、喋喋不休，或哭或笑、或躁或静，由家人抬来诊治。患者目稍呈注视医生状，面带忧苦病容，呼吸平稳，舌淡白苔少，脉弦细，除时时乱语外，余无异常发现，一时未能决诊，亦不便处汤药，收留作观察。次晨陡然呕吐，呕出蛔虫二十余条，呕吐后患者似恍然所悟，错语停止，人事清醒，行为复归正常，惟精神疲惫，以理中汤加川花椒、乌梅、川黄连调理，此症以后未再发作。又周姓女孩，16 岁，每月有 5 ~7 天神志错乱，或歌舞或骂詈，哭笑不一；或撕衣毁物。平日郁郁寡欢，默默少语，不愿与人交往，曾经某些医院以癔病及青春期精神病治疗，历时 3 年不愈。一日忽然腹痛，嚎啕痛叫，呕吐涎沫，家人携来就诊，其脉洪数，腹痛拒按，以虫痛治之，用乌梅丸作汤剂，加入雷丸、鹤虱、槟榔、大黄。服 2 剂，患者次日下蛔虫如绳索，约数十条，此后腹痛止，呕吐不作。自此次下虫后，其饮食渐增，精神亦振，其妄言错语迄今 13 年未见发作。又一佘姓男孩，9 岁，白昼如平人，夜半则惊哭，或起床乱走，父母询之，毫无所知。约半小时至 1 小时许则又自睡，次晨起床复如常人，经多方求治，历年余未效，就诊于我。视其孩形体瘦弱，发黄枯槁不泽，面色萎黄，两颊部有点片状白斑，两目白珠有蓝色斑点，唇内有小红疹点，舌红润苔白，脐部按之痛，脉洪数。症似虫积，按虫证治之，用乌梅丸作汤服，3 剂后平稳安睡，啼哭妄动之证停止发作，为巩固疗效，嘱每月初旬（农历）将原方服 3 剂，连服 3 个月，嗣后未再复发。

蛔虫之为病，一般为心嘈腹痛，其痛时作时止，来去不定，或大痛不休，口吐涎沫，或呕吐蛔虫，面色萎黄、乍青乍赤，或为蛔厥，此为蛔虫常见之症。蛔扰心神致厥，发为神志错乱、胡言乱语、妄作妄为，或如痴如呆、哭笑不一、躁静无常、小儿夜半惊啼等症。诸书少有言及者，今记之以待贤者正之。

痿　躄

刘炳凡

一患者年逾古稀，近 3 年来，每逢春夏之交，肌重无力，两足痿厥，蹲

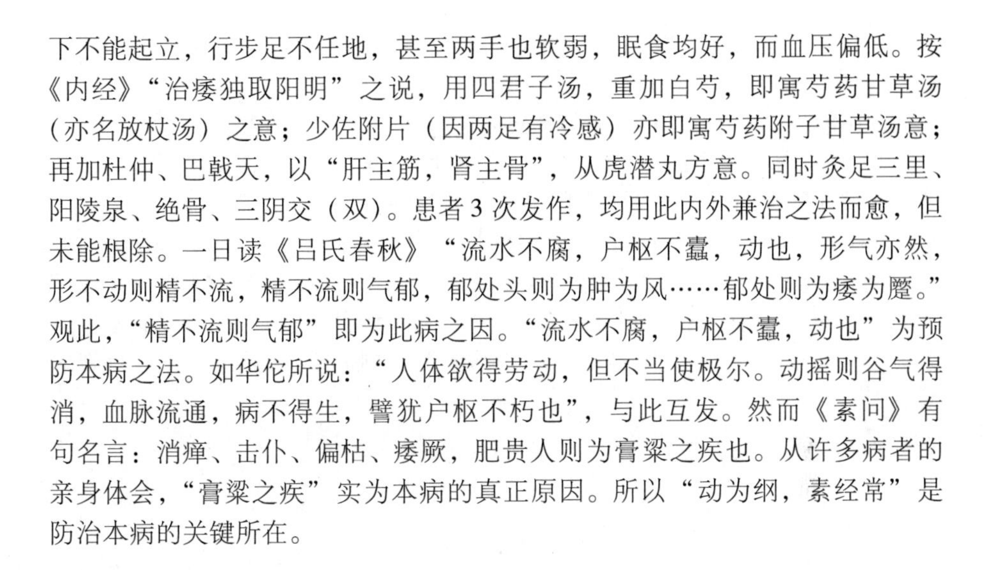

下不能起立，行步足不任地，甚至两手也软弱，眠食均好，而血压偏低。按《内经》“治痿独取阳明”之说，用四君子汤，重加白芍，即寓芍药甘草汤（亦名放杖汤）之意；少佐附片（因两足有冷感）亦即寓芍药附子甘草汤意；再加杜仲、巴戟天，以“肝主筋，肾主骨”，从虎潜丸方意。同时灸足三里、阳陵泉、绝骨、三阴交（双）。患者3次发作，均用此内外兼治之法而愈，但未能根除。一日读《吕氏春秋》“流水不腐，户枢不蠹，动也，形气亦然，形不动则精不流，精不流则气郁，郁处头则为肿为风……郁处则为痿为蹷。”观此，“精不流则气郁”即为此病之因。“流水不腐，户枢不蠹，动也”为预防本病之法。如华佗所说：“人体欲得劳动，但不当使极尔。动摇则谷气得消，血脉流通，病不得生，譬犹户枢不朽也”，与此互发。然而《素问》有句名言：消瘅、击仆、偏枯、痿厥，肥贵人则为膏粱之疾也。从许多病者的亲身体会，“膏粱之疾”实为本病的真正原因。所以“动为纲，素经常”是防治本病的关键所在。

业师冉雪峰论痿证及治验

龚去非

业师冉雪峰先生医学渊博，医德崇高，诲人不倦，著作颇多，桃李满全国，早为医林所敬仰。抗日战争时期，先生与我先后从武汉来万县。我乃得读先生多种著作，听先生多方教诲。八阅春秋，春风惠雨恩深，故志之。

1934年春，余初开业于汉口市。族弟龚家足患截瘫，自长沙归，由人力车夫背入我诊所。视其上半身活动正常，双下肢的感觉及运动均完全丧失，小腿肌肉枯瘦如柴，无关节变形，亦无疼痛，饮食与二便正常。曾住院治疗，无明确诊断，亦无疗效，只好回家乡。因其全身营养状况较差，病情较重，请我的叔父及当地老中医齐尧臣先生会诊，均诊为虚寒痿证，处黄芪桂枝五物汤原方：黄芪、桂枝、杭白芍各12g、生姜24g、大枣8枚。处方毕，余向冉雪峰先生请教。冉师对诊断无异议，亦同意出此方，但云“芪桂五物汤，《金匮》治血痹重症之‘身体不仁，如风痹状，’后四字是说有风痹疼痛的症状，故倍用生姜，以其辛散、通阳、散寒，行痹、驱邪外出。今患者无疼痛，惟不仁不用。无邪可驱，不宜辛散，应侧重温养卫气、元气，寓通于补。”遂将原方黄芪增至45g，桂枝、白芍、生姜均12g、大枣10枚，再加当归12g、酒蒸怀牛膝10g、木瓜10g，并嘱病人树立信心，守方常服，3个月后定见转机。因病程尚不过久，患者又系未婚青年，饮食正常，终必治愈，只需注意营养、保暖。患者回黄陂县家乡后，一一照办，执此方每日 1 剂，坚持约半年，痊愈。

此例治验，迄今已 50 年，忆及雪师教诲，今天犹历历在目。

痿为内科重症，早在《内经》有“五脏使人痿”之说，但偏于强调“肺热叶焦，发为痿躄。”至张景岳始明确提出“元气败伤者亦有之”，因“元气败伤则精虚不能灌溉，血虚不能营养。”雪师据此而立“温养卫气、元气”的治则，抓住“无疼痛，但不仁不用”这一辨证关键，不主张与原方辛散驱邪，只改变其用量，酌加养血活络之品，将辛散之方一变而为温养之方；又根据病程不太久，病人年轻，饮食好，而许以“终必治愈”。其临床之思路与方法，足资启发后人。

（蒲承润　整理）

痿证分虚实，清利见奇功

伍杰夫

《素问·痿论篇》载：“肺热叶焦，发为痿躄”，其治多从虚论。然临床实证也屡见不鲜，多由湿热浸淫筋脉所致。余常以《医学正传》三妙丸加味治疗而获效。如一倪姓农妇，突发两下肢瘫痪，于 1984 年用担架抬来就诊。据诉初起两腿酸麻胀重，小腿近踝关节处轻度浮肿，经当地卫生院治疗半月，并自用艾梗叶煎水熏洗，均未见好转，昨晚突然不能起床站立，本院神经科检查诊断为“多发性神经炎”转中医治疗。观其面色绯红，两下肢皮色如常，自觉腿股皮中热甚，对话有力，精神不疲，但觉胸闷口干，食欲尚可，舌尖红，苔腻，黄白相兼，脉象濡数，证属湿热浸淫筋脉而致。投以三妙丸加味，药用苍术 9g、炒黄柏 9g、怀牛膝 9g、寒水石 12g、茵陈 9g、晚蚕沙 9g、茯苓皮 10g、防己 9g、地龙 9g、忍冬藤 9g、萆薢 9g、生薏苡仁 12g、5 剂，水煎去渣，一日分 2 次服。药后复诊，胸闷口干好转，腿股皮中灼热减轻，再守原法原方继服，进药二十余剂后，两腿即能站立，为巩固疗效，嘱继服原方 10 剂而痊愈，随访已下田劳动。

上述病例，即《内经》所云：“湿热不攘，大筋软短，小筋弛长，软短为拘，弛长为痿”。药用苦寒兼辛燥之品，清热燥湿通络，而获满意疗效。

温通营卫除痿痹 |郭 仕|

痿与痹是肢体筋骨关节之病也。可以单独出现，也可同时发生。凡筋骨肌肉关节等部位发生痿软、疼痛、酸麻，重着、屈伸不利、关节肿大等均称为痿痹。常规治法以祛风散寒、清热燥湿、活血通络、强筋壮骨为主，但也有经上述治疗无效，改用温通营卫之法收效者，临证应多在“活”字上下功夫，在“辨”字上做文章。

1965年夏，一位姓蔡的中年男性，因肢体麻木疼痛、活动障碍求治，查询病史，已逾半载，前医以痹证论治，先后服滋阴养血、强筋壮骨、通经活络，祛风燥湿的中药150多剂。所用方剂计有加味四物汤、桂枝芍药知母汤、独活寄生汤、防己茯苓汤、虎潜丸等，毫无效验，终至卧床不起，就诊时四肢麻木疼痛，肘膝关节以下知觉消失，下肢尤甚，肌肉已见萎缩、腕跖关节轻度畸形，但X线照片未发现骨及关节的器质性病变，考虑为慢性多发性神经炎。根据患者以麻木为主，以营气虚论治，投以黄芪桂枝五物汤合当归四逆汤，服2周后肢体疼痛减轻，下肢稍能活动。服6周后，可以扶杖下床走动。服9周后可以弃杖缓步行走，坚持按前方治疗，连服150多剂，四肢疼痛消失，知觉恢复，活动自如。后又遇一位姓李的中年女性，起病5日，四肢远端麻木不能动弹，知觉全失，厥冷多汗，亦采用黄芪桂枝五物汤合当归四逆汤治疗。仅服5剂，患者手足转活，痛觉恢复，活动基本自如，后以前方加减调理，半月而愈。

《内经》说：“营气虚则不仁，卫气虚则不用，营卫气虚则不仁不用。”对于麻木不仁为主的痿痹，温通营卫乃治本之法也。而黄芪桂枝五物汤与当归四逆汤两方合并，以全其补益营卫、温通血脉之功，守方多服，虽沉疴亦可起矣。

养血通络愈睑废 |肖国士|

睑废，又名上胞下垂，以上胞睑垂闭、不能开启为主。除先天性者外，绝大多数属西医的“重症肌无力”之列。一般认为上胞属脾，脾主肌肉，脾气下陷不能升提，用补中益气汤应为对证之方，但临床应用，有效者少而不效者多。余用养血通络之法，收效者特多，其中奥妙有待智者细思明辨。

1967 年秋曾治一聂姓女孩，患重症肌无力已逾三载，双眼上睑下垂，合并复视、眼球固定，经中西医多方医治未愈。伴有全身无力、形体消瘦、烦热盗汗、心悸失眠、舌质红脉细数等。试投滋阴养血通络法，以加味四物汤治之。方用：生地黄 15g、当归 10g、川芎 5g、白芍 10g、桑枝 15g、片姜黄 10g、黄芩 10g、蒺藜 10g。连服半月，患者烦热盗汗、心悸失眠等症大减，上睑下垂亦稍有好转，后守方不变，继服 120 多剂，诸症消失，体质恢复，追访至今，未见复发。

又一周姓男青年，亦患重症肌无力，为时数月，病情日趋严重，咽肌、咀嚼肌、四肢各肌群均已受累，生活几乎不能自理。曾赴京、津医治，未能收效。听说我院能治此病，马上来信求治，当即函授加味四物汤（药味同前，生地黄，桑枝，黄芩增量一倍）。患者按此方连服半月，下垂的双睑可以用力开启；继服 3 个月，四肢及吞咽无力的症状全消，胞睑下垂基本恢复正常。后又守方不变，加服 3 个月才停。从此患者诸症消失，追访至今，疗效巩固。

睑废一证，何以养血通络取得良效？这是由于血行障碍和经络阻滞是本病的病理基础。《素问・五脏生成篇》说："肝受血而能视，足受血而能步，掌受血而能握，指受血而能摄"，可见血是机体运动的物质基础。一般说来，血遇热则行速而畅，遇寒则行缓而滞，但在某些病理条件下，阴虚血热亦可影响血的正常运行，如加上肝血虚少则更易导致。经络不仅是人体气血运行的通道，而且是内在脏腑与体表器官发生联系的媒介，经络阻滞常与血行障碍同时出现或互为因果。四物汤以养血著称，加桑枝、姜黄等通络之品，以全其养血通络之功，以此方为基础，再随证加减，如气虚加黄芪、党参；血虚加何首乌、阿胶；血热加牡丹皮、栀仁；阴虚加麦冬、玄参；阳虚有寒象者加桂枝、细辛；肝肾不足者加枸杞子、桑椹。守方多服，渐蓄其力。余先后用此法治疗收效者甚众，诚愚者之一得也。

从《素问・痹论篇》得到治疗结缔组织病的启示

丁济南

结缔组织病是现代医学的病名，包括系统性红斑狼疮、硬皮病、皮肌炎和结节性多动脉炎等。其病变范围广，由肌肤至内脏均可受损，预后较差，系属

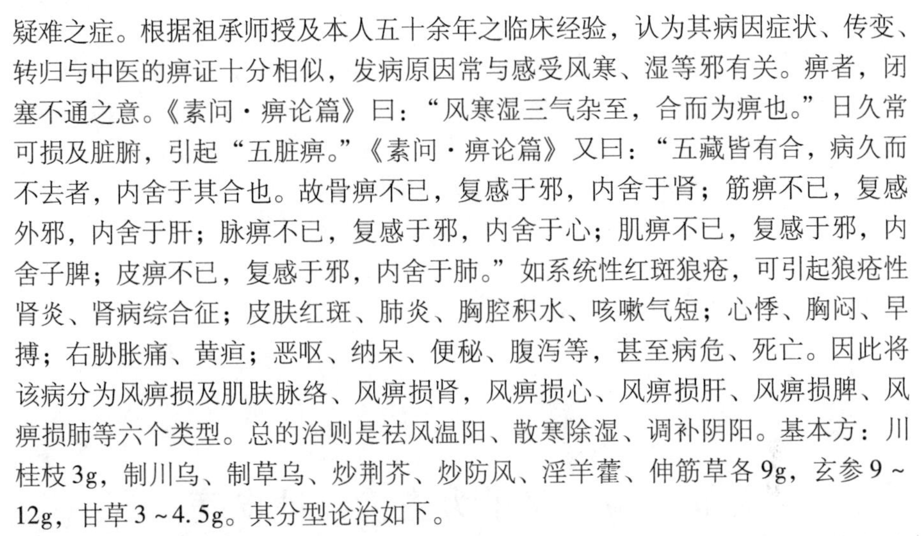

疑难之症。根据祖承师授及本人五十余年之临床经验，认为其病因症状、传变、转归与中医的痹证十分相似，发病原因常与感受风寒、湿等邪有关。痹者，闭塞不通之意。《素问·痹论篇》曰："风寒湿三气杂至，合而为痹也。"日久常可损及脏腑，引起"五脏痹。"《素问·痹论篇》又曰："五藏皆有合，病久而不去者，内舍于其合也。故骨痹不已，复感于邪，内舍于肾；筋痹不已，复感外邪，内舍于肝；脉痹不已，复感于邪，内舍于心；肌痹不已，复感于邪，内舍子脾；皮痹不已，复感于邪，内舍于肺。"如系统性红斑狼疮，可引起狼疮性肾炎、肾病综合征；皮肤红斑、肺炎、胸腔积水、咳嗽气短；心悸、胸闷、早搏；右胁胀痛、黄疸；恶呕、纳呆、便秘、腹泻等，甚至病危、死亡。因此将该病分为风痹损及肌肤脉络、风痹损肾，风痹损心、风痹损肝、风痹损脾、风痹损肺等六个类型。总的治则是祛风温阳、散寒除湿、调补阴阳。基本方：川桂枝 3g，制川乌、制草乌、炒荆芥、炒防风、淫羊藿、伸筋草各 9g，玄参 9～12g，甘草 3～4.5g。其分型论治如下。

1. 风痹损及肌肤脉络　治以祛风温阳通络。雷诺病症状明显者，基本方去玄参，加熟附子、羌活、独活、秦艽、晚蚕沙、丹参、泽兰、汉防已、漏芦；皮肤顽厚麻木不仁者，加生黄芪、当归、郁金、威灵仙；关节红肿疼痛者，选加桑枝、贯众、白薇、漏芦、丹参、石膏；局限性盘状红斑狼疮或病损限于面部、口腔黏膜，口唇等部位者，加白术、牡丹皮；口腔反复破损、口渴明显者，再加天花粉，人中黄等。

2. 风痹损肾　治以祛风温阳佐以益肾。基本方加黄芪、白术、玉米须、薏苡仁根、黑料豆、煅龙骨、煅牡蛎、汉防已，益气补肾利尿，消除蛋白尿；加宣木瓜、牛膝，降低尿素氮；伴尿路感染，加红藤、地力梗、块滑石等。

3. 风痹损心　治以祛风温阳、养心开窍。有心阴虚者基本方用党参、麦冬、五味子、水炙远志；心阳受损而见心悸气促、口唇发绀，面色苍白、心绞痛、脉细结代、舌紫暗者，去玄参，加熟附子、丹参、泽兰、土鳖虫；邪蒙清窍、癫痫抽搐、神识不清者，加蜣螂虫（去头足一般用 4.5g）、水炙远志、石菖蒲。

4. 风痹损肝　治以祛风温阳、柔肝理气。右胁疼痛、脘腹作胀、肝功能欠佳，基本方加黄芩，牡丹皮、制香附、大腹皮、郁金；HBsAg 阳性者加蔓荆子、熟牛蒡子；肝功能异常或有肝脾肿大、肝硬化者，选加党参、白术、生麦芽、丹参、桃仁、炙鳖甲；肝阴不足、肝阳上扰而致头晕目花、头胀痛者，选加白芍、钩藤、菊花、穞豆衣、石决明、女贞子、墨旱莲。

5. 风痹损脾　治以祛风温阳、健脾助运。如纳呆、泄泻，基本方去玄参，加党参、白术、炮姜炭、煨木香、焦神曲、山药；便秘者加瓜蒌皮、炒枳壳、生何首乌。

6. 风痹损肺　治以祛风温阳开肺。复感外邪而见形寒、身热、骨楚者，基本方选加黄芩、紫苏、贯众；咳嗽、咽痒、胸闷者，加麻黄、前胡、桔梗；痰多，加水炙远志、葶苈子；肺热炽盛、发热、胸膺闷塞、痰黄黏稠者，选加桑叶皮、冬瓜子皮、丝瓜络、淡黄芩、江剪刀草。

三十多年来，本人从痹论治结缔组织病，取得较好的疗效。大多数患者症状改善，有的从僵硬状态恢复到能行走、生活能自理，有的还怀孕生育，甚至使病情危笃患者转危为安，重返工作岗位。

（施惠君　曾　真　整理）

大剂乌头、附子为主治疗硬皮病

詹文涛

硬皮病分为局限性与系统性两种类型，前者主要表现为局限性皮肤硬化；后者除皮损外，并可累及内脏器官。硬皮病属于中医痹证范畴，局限性硬皮病类似皮痹、脉痹之证；系统性硬皮病概括在风痹之中。《诸病源候论》说："风湿痹之状，或皮肤顽厚，或肌肉酸痛……由气血虚，外受风湿而成此病，久不瘥入于经络。"又说："痹者，风寒湿三气合而成痹，其状肌肉顽厚，或疼痛，或人体虚腠理开，故受风邪也"。病在阳曰"风"，在阴曰"痹"，阴阳俱病曰"风痹"，并对风痹累及皮、肉、脉、筋、骨及其相关之肺、脾、心、肝、肾诸脏的成因及病状进行了系统的描述。结合临床观察所见，本病根本在正虚，发病在标实。正虚重点在心肾阳衰，久则气血阴阳俱不足；标实有来自内、外之分；邪来自外来者，多伤于寒；来自内生者最多见是痰和瘀。因其正虚与标实互为因果，形成虚虚实实的恶性病理循环，全身营卫气血津液的气化运行为之紊乱，瘀血痰浊应运而生，内外合邪，稽留脏腑，障碍气机，伤及营卫痹阻经络，气血凝滞致使局部或全身出现一派阴寒痹阻之象。治疗本病向来以温肾壮阳，活血通络为基础，有一定疗效。余三思古人云"天之大宝在一丸红日，人之大宝在一息真阳""日照当空，阴霾四散"之理，又读《医学正传》："附子禀雄壮之体，有斩关夺将之气，能引补气药通行十二经，以追复散失之元阳；引补血药入血分，以滋不足之真阴；引发散药开腠理，以驱在表之风寒；引温热药达下焦，以驱逐在里之寒湿"之宏论，乃知附子、川乌、草乌乃大辛大热之品，实为风痹（系统性硬皮病）之最佳首选药。遂以大剂黑附片、制川乌、制草乌（剂量都在 15～30g 以上）为主，配合温心肾益气之黄芪、党参、桂枝、

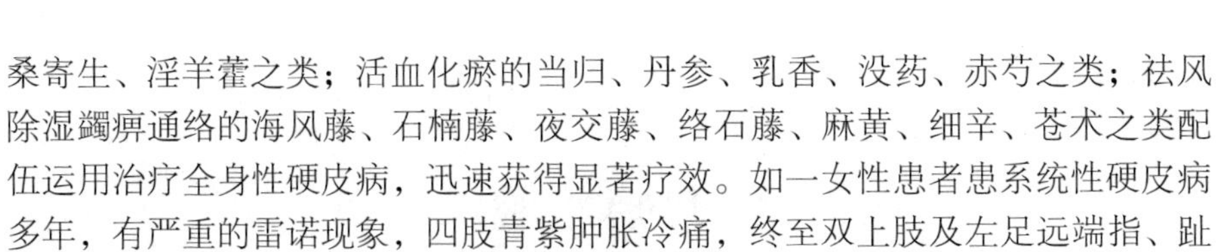

桑寄生、淫羊藿之类；活血化瘀的当归、丹参、乳香、没药、赤芍之类；祛风除湿蠲痹通络的海风藤、石楠藤、夜交藤、络石藤、麻黄、细辛、苍术之类配伍运用治疗全身性硬皮病，迅速获得显著疗效。如一女性患者患系统性硬皮病多年，有严重的雷诺现象，四肢青紫肿胀冷痛，终至双上肢及左足远端指、趾坏死。因其拒绝西医截肢治疗而由中医诊治，竟获痊愈，坏死组织逐渐脱落而重生新指、趾。

治痹一得

朱锡祺

痹证是临床上常见的一种难治性疾病，由于病邪由表入里、由浅入深、由经络而侵入脏腑，人体被损害的部位颇多，而且此病常易反复发作，因而给治疗带来一定的困难。

风湿病为何缠绵难治？我认为主要在于祛湿难，因湿性黏腻、不易祛除。一般所用的祛湿方法，有燥湿、渗湿之分，燥湿药如苍术、厚朴、草果之类；渗湿药如薏苡仁、茯苓、通草等。除一般化湿法外，我认为用祛风养血法，也是治疗风湿病祛湿的重要方法。祖国医学之“风能胜湿”也即此理，用桂枝、羌活、独活、防风等药即取其祛风胜湿之性，临床用之确实有效。除祛风化湿的药物外，还须加用养血活血药，“治风先治血，血行风自灭”是先贤治疗风湿之法。通过临床实践，我深有体会，因人身之关节，犹如门户之枢，用养血活血药，当归、川芎、赤芍等，乃取其活血通络、润泽滑利之力，可使湿邪无处黏着，从而起到间接的祛湿作用。

在治疗风湿病时，还应根据急则治标、缓则治本的原则，以祛邪为先，继则扶正。治标时当视外邪寒热之不同而区别对待。我在治疗寒痹时一般选用细辛、制川乌、制草乌、桂枝，并配阴药相伍，以减轻温药之辛燥；热痹则选用知母、黄柏、忍冬藤、木通等。木通一味治热痹颇效。记得抗战期间，有一外籍患者，局部关节红肿热痛，病势颇重，我仅用木通15g、甘草9g二味药，给患者连续服用数剂，其肿痛俱消，病即告愈。此后凡遇到热痹患者，常在处方时选这二味药，往往屡用屡验。经现代医学药理研究，已知木通可排除尿酸盐，能治疗痛风结石，但在使用时不宜过量，否则个别患者容易发生急性肾功能衰竭，故必须慎之。

湿热痹治验

郑 新

患者伍某，年五十余，1983年因感冒，反复发热3个月，近3周加重，故来住院治疗。诉患风湿性心脏病二十余年，但无关节疼痛。今年暑夏之际，不慎受凉，壮热不已，服药稍挫，停而复炽，午后热甚，汗出而热不解，心神烦乱，气短乏力，少腹胀满，口干不思饮，纳食不香，大便不爽，尿赤涩痛。望其面色㿠白，爪甲无华，舌质淡红，苔黄厚腻。闻其语声低微，口出臭气，切之其肌肤灼热，脉洪数无力。结合临床化验、胸透结果，诊断为风湿性心脏病伴肺部感染。医未考虑其有风湿活动，辨证为外感湿热病，热重于湿，随予甘露消毒丹加清热解毒之品服之，无效，又更方银翘白虎汤加苍术、黄芩、青蒿之类日进两剂，并静脉滴注清气解毒注射液（虎杖、败酱草、鱼腥草、肿节风）400ml/日。施药周余，患者肺部啰音虽消失，但高热不退，反增腹痛、便溏，此乃苦寒伤胃之症。医生又据其少腹胀满、尿赤涩痛，误认湿热移下焦，又改方柴苓汤加黄连、太子参、土茯苓等，日进2剂，并静脉滴注清开灵80ml/日。旬日患者热势仍未挫，体温波动在39～40℃间。邀余会诊，余细询其病史，洞察其证候，端详化验，确认本案为少见的缺乏关节疼痛特征的活动性风湿病，当属中医的湿热痹证。患者久病正虚，高热长期不退，汗出而热不解，偶有恶寒、肢体困倦、少气懒动、口干不思饮、纳食不香、尿赤涩痛、大便不爽等，苔黄厚腻，实乃湿热弥漫三焦、充斥表里内外，而以中焦为主，乃更方当归拈痛汤加减，扶正祛邪，解表里内外、弥漫三焦之湿热。药用当归10g，羌活、防风、白术、知母各12g，忍冬藤、苦参、猪苓、太子参各30g，茵陈、葛根、泽泻各24g，生地黄15g，日进2剂。患者体温5日复常，诸症悉除，除胸片心脏未改变外，各项指标复常。总结本案经验教训有三。①仅凭肺部体征及血象改变，而无咳嗽、咳痰等症，误认为热由肺来，治疗无效，迁延病程。②仅凭少腹胀满、尿赤涩痛、尿常规有轻微改变、而尿细菌培养阴性，又误以湿热蕴结下焦为主论治，结果旬日余而热不解。③未考虑“常中之变”。虽无关节肿痛，但有风湿活动的其他证据，或湿热痹证的证候特点，亦可诊断为活动性风湿病。其实《素问·痹论篇》早就指出：“痹……或痛、或不痛、或不仁、或寒或热、或燥或湿，其故何也？其不痛不仁者，病久入深，营卫之行涩，经络时疏，故不通”。可见痹证亦可没有关节疼痛，应引以为训。

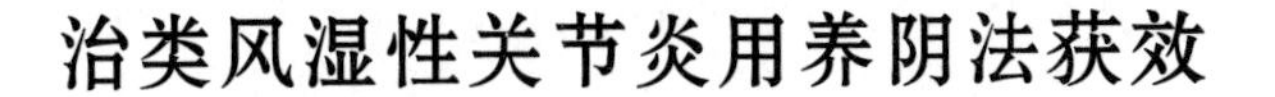

治类风湿性关节炎用养阴法获效

陈仁庆

潘某，男，8岁，1972年夏，由其父背来我处就诊时，患类风湿性关节炎已3年。曾经某医院用泼尼松等西药治疗，疗效不显。转请中医诊治，更医数人，有作风寒湿痹治者，有作风湿热痹治者，也有以祛邪为主稍事补益者，竟无一见效，且病势日增。余诊患儿肘、膝、腕、踝关节肿痛，指趾关节尤甚，指关节呈轻度梭形改变，且颈项时痛，诸关节活动受限，动则痛甚，伴见低热盗汗，身体消瘦，饮食减少，舌苔薄黄，舌质红，脉细数。实验室检查：血沉26mm/h，抗链球菌溶血素“O”正常，类风湿因子阳性。据脉症分析，认为属阴虚内热、筋骨失养、经络闭涩之久痹。思前贤有痹证“久而不愈，宜峻补真阴，使气血流行，则病邪随去”之论(《类证治裁》)，遂用养阴清热蠲痹法治疗。方用：生地黄30g、鳖甲15g、知母6g、地骨皮10g、胡黄连4g、丹参10g、玉竹10g、鸡内金10g、桑寄生12g、麦冬10g、秦艽15g，水煎服。上方连服7剂后，患者诸症减轻。此后或加葛根、木瓜舒筋生津；或加沙参、石斛补养气阴，历时半年，患者诸症消失。实验室检查：血沉2mm/h，类风湿因子阴性，病遂告愈。近日其父介绍他人就治于余，询得其子类风湿性关节炎愈后一直未发，身体健康。

尝考古人治痹，非独辨其寒热，亦辨其虚实。痹而虚者，非滋阴养血，则补气温阳；非亟亟于救肝肾，则惓惓于补脾胃，斯病退而根本不摇。此例患儿属阴虚内热之痹，余选用养阴清热、柔润熄风之品组方治疗，切中病情，故数年顽疾，得以治愈。可见古人治痹之法，十分丰富，临证之时，宜广求之。倘泥于外邪杂至，日专事于攻伐，值虚虚之诫而不顾，则病无宁日矣！

龙胆草治膝关节积液

蒋立基

膝关节积液，与中医痰湿留滞骨节相似。膝为筋之府，肝主筋，筋附于骨节，即关节处之滑膜、韧带（筋）为肝所主。风寒湿邪侵袭，郁而化热，火炼津液为痰；或因气机不利，聚湿为饮，水湿痰饮，停于经络，积聚于骨节而成斯疾。

既往我也循常法，用三妙、四妙之类，其治在湿，然见效甚慢。后来阅读《续名医类案》魏玉璜云："木热则流脂，断无肝火盛而无痰者"，方有所悟。治痰饮之大法，贵在调畅气机。丹溪翁谓："气顺则一身之津液亦随气而顺矣"，所谓气顺，要在肝气条达。通过不断摸索，我认为龙胆草是治疗膝关节积液的要药。《本草新编》谓其"功专利水、消湿"；《神农本草经》曰："主骨间寒热"；《本草正义》称其"疏通湿热之结"。清热、除湿、散结，均能使肝气条达。在使用中，因其适于苦寒，故常加桂枝以和营、通阳、利湿、下气、行瘀、补中；或加陈皮行气化痰、健中燥湿；或合三妙、四妙以清热利湿等。以此为主，据其证情加减组方，每获良效。

如治赵某，女青年，患风湿性关节炎，左膝肿痛，时有寒热、汗出，经中西药治疗，热退痛止，但左膝髌肿胀不消，查髌上囊肿胀显著，抽之有淡黄色液，量较多，舌淡红苔白，脉弦数。处方：龙胆草 24g、桂枝 9g、薏苡仁 20g、牛膝 12g、陈皮 12g、生姜 3 片，服 3 剂，患者症减大半，再 3 剂而瘥。

现代医学认为，关节积液与组胺释放及变态反应有关。动物试验表明，龙胆泻肝汤（龙胆草为主药）有抗组胺作用。据日本江田英昭研究，龙胆草等对热证表现为主的变态反应有抑制作用，故推测以龙胆草为主治疗膝关节积液可能与此有关。

寒湿腰痛论治一得

张新基

冬春之际，寒湿腰痛颇多。用肾着汤、独活寄生汤治之，确能获效。但在方中加入附片、乳香、没药，或以活络效灵丹加入附片、独活、薏苡仁，则获效更为迅捷。

曾治一寒湿腰痛患者谢某，病起于劳作大汗后复遭暴雨淋。症见俯腰曲背近 90°，伸屈受限，转侧不利，腰区冷重如物围箍，胀痛难忍，稍一不慎扭动腰部，便有千锥钻腰之感。方用肾着汤加附片、乳香、没药。1 剂后患者痛缓，3 剂后痛止，腰部伸屈自如，冷重感消失。

近年来，余对于寒湿腰痛习用比法，得心应手。因冬春之际，寒中有湿，湿中有寒，寒湿均为阴邪，易伤阳气。寒性收引，寒凝则血泣；湿邪重浊，易遏阳气之布行，故寒湿为病多有不同程度的气滞血瘀。宜在温散寒湿同时，再佐以活血通痹之品，既能活血通痹，又可防止血瘀，常可事半功倍。此与见肝之病当先实脾之一理也。

至于温阳散寒之药，笔者喜用附片。因附片走而不守，通彻表里以消阴翳，又可温振阳气，扶正祛邪，一举两得，故乐而用之。

历节病与肝肾

孟　如

仲景首创历节病名，以该病邪在筋骨，疼痛遍历肢节，痛势剧烈故名。因肝主筋，肾主骨，故《金匮要略·中风历节病》篇认为邪留筋骨不去与肝肾亏损有关。在处方用药上，以桂枝芍药知母汤治疗风湿历节，乌头汤治疗寒湿历节。临证用之有效，但久病历节而正虚者疗效令人不够满意。根据病历节者肝肾不足与“久痛入络”的理论，采用调补肝肾兼活血通络以扶正达邪、宣畅气血。选用骨质增生丸（长春中医学院方）：地黄、骨碎补、肉苁蓉、鸡血藤、鹿衔草、淫羊藿、莱菔子。加土鳖虫、乳香、没药为基础方，兼寒湿者加桂枝、附子、细辛、苍术、茯苓；兼湿热者加苍术、黄柏、牛膝、薏苡仁、秦艽、忍冬藤；湿热而兼骨节红肿热痛者加用金黄如意散外敷，疗效令人满意。由此体会到，治疗历节，除一般常用的助阳除湿，养血清热，益气养血等法之外，尤其要重视肝肾，因为此病多与患者肝肾不足而筋骨空虚之体质有关。

蛔厥治宜安驱并进

李明富

对蛔厥的记载，首见于《伤寒论》《金匮要略》两书。《金匮要略》谓：“蚘厥者，当吐蚘，今病者静而复时烦，此为脏寒，蚘上入膈，故烦，须臾复止。”本病的发生与蛔虫的致病特点密切有关。由于蛔虫具有喜温喜暖、畏寒怕热、性动好窜、善于钻孔等特性，当人体脾胃功能失调时，蛔虫即易在腹中乱窜而导致多种病症。若蛔虫钻入胆道则引起蛔厥，表现突然发生胃脘及右胁部剧烈疼痛，痛引背心及右肩，痛剧时弯腰屈膝，辗转不安，痛止则如常人，常伴恶心呕吐，甚至吐蛔，经作腹部检查，除上腹部轻度压痛外，一般无明显病征。

由于本病系蛔虫扰动，钻入胆道，以致肝气闭郁，胆气不行，气机郁滞而发病。针对这个主要病机，治疗的基本原则应是安蛔驱蛔，疏利肝胆。其中安蛔及疏利肝胆，可使蛔虫暂安，以及解除蛔虫引起的病变，从而使蛔厥的症状得以缓解。而驱蛔则着眼于消除病因，防止蛔虫复扰而使蛔厥再次发作，有利于缩短病程，减少复发。因此，治疗蛔厥时，在病情许可的情况下，应及早结合驱蛔，安驱并进，以提高疗效。笔者在这一治疗思想的指导下，结合前人经验，通过实践逐渐形成了一个名为胆蛔汤的习用方，作为治疗蛔厥的基础方，结合病人具体情况适当加减，每获良效。

胆蛔汤具有疏利肝胆、安蛔定痛之效。药用：茵陈30g，郁金、白芍、枳壳各12g，木香、甘草各9g，乌梅15～20g，川椒3～6g。本方可通用于一般的蛔厥证。

加减：①对疼痛发作不频繁者，均宜加入驱蛔药，安驱并进。可加槟榔12g、使君子20枚（去壳、嚼服）、苦楝皮12g、鹤虱9g（选用其中两种即可）。②恶心呕吐者，加半夏12g、陈皮6g、生姜3片，以和胃降逆。③大便秘结者，加大黄9～12g（后下）、芒硝9～12g，以通腑泻热。④腹痛剧烈者，可配以针刺疗法，常能收到较好的止痛效果。可选用胆囊穴（在阳陵泉下0.3～0.7cm）、阳陵泉、内关、中脘，足三里、丘墟等穴，用泻法，留针15～30分钟。⑤热象显著，苔黄、脉数、腹痛持续、右上腹压痛较明显、腹壁肌肉紧张者，加蒲公英30g，连翘，黄芩各15g，栀子12g，以清热解毒，清肝利胆。

“川楝焦楂汤”治疗蛔厥

谢存柱

蛔厥一名，出自仲景《伤寒论》：“蛔厥者，其人当吐蛔，……乌梅丸主之。”《金匮要略》也云：“蛔虫之为病，令人吐涎、心痛、发作有时，毒药不止……”，与现代医学的胆道蛔虫病相似。余自拟川楝焦楂汤用以治疗蛔厥，其效远较乌梅丸为胜，现举1例，以资证明。

患者左某，于1963年初诊。患者诉2天前从山地劳动回家后，突感右上腹剧烈绞痛，呕吐数次，吐出蛔虫1条。绞痛呈阵发性，间歇时间短暂，因剧烈疼痛而昏厥过3次，发作时弯腰屈膝，辗转不安，哭叫之声不绝。察其面色苍白，表情痛苦，舌质淡赤，苔白微腻，脉弦细，肢厥，右上腹虽有压痛，但不硬，不作寒热，两天来进食甚少，口干苦，亦未大便，诊为蛔厥。即嘱其家属找来鲜山楂100g、生川楝子10枚，同入灰火中炮至焦黄色后，以水500ml入煎，得药液约250ml，令其顿服。半小时后患者绞痛减轻，一小时后疼痛消失，安静入睡。次日晨患者大便一次，解出蛔虫5条，思食，进粥一小碗。后又续服原方2次而愈。

余用此方先后治疗本病二十余例，都收到了药到痛减、痛除，随之便虫（排虫率达60%）的效果。方中川楝子炮后性味苦凉，有泄肝火、行气滞、杀蛔虫“止上下部腹痛”（《用药法象》）之功；山楂炮后性温热味酸甘，其功能消食、除胀、止痛，并能化瘀开郁行结，能“化饮食、消肉食癥瘕、痰饮痞满，吞酸滞血痛胀”。二药合用，具有消积化瘀、驱虫通滞、泄热止痛之效。若随证与良附丸、芍药甘草汤等配用，其效益彰；如兼腑实里热者，可佐以大柴胡汤，通附泻热、疏肝利胆、驱虫止痛。

川楝焦楂汤药味少，且价格便宜，药源广泛，可以推广使用。

蛔病膝痛

|程亦成|

1950年冬，余长女年甫三龄，一日午后，忽诉膝痛，不肯站立，初不为介意，然自此后不愿着地行走，视其双膝并无异象，惟喜微曲。继而饮食日减，挖耳抠鼻，时索香炒食物，得之不食，缠求抱嬉，吵闹不休，形体渐羸，腹凹如舟。揆其证似虫为患，然不言腹痛，却诉膝痛，岂年稚语误耶？余趁其熟睡，轻牵其足，则惊醒呼痛，屡试皆然。斯痹证耶？虫证耶？殊难定夺，视其瘦弱不堪之体，驱虫恐复戕正气，弗敢贸进，思之再三，试以温经祛湿之剂，越三日，精神益颓，头垂目阖，语低气怯，烦扰更甚，顾索油炒米饭，与之，促家人闭门尽出，窥其抓饭塞耳，深感怪异，举家惶之，余搔首踟蹰，检书觅策，获见《医述》有云：“如或希奇怪病，除痰血外，……即是虫为患”。复切其脉沉细有神，乃改弦易辙，拟以虫治，遂喂服鹧鸪菜一包，以作背城借一。翌日余女更衣两次，质稀，挟有蛔虫3条，膝痛略见减轻，因其体弱，隔日再进1包，又排虫2条，膝痛随之大减，神静思食，如是先后服鹧鸪菜4包，计驱蛔虫6条，长女膝痛几已蠲除，饮食日增，头竖目开，形神渐充，调理经月而瘥。

又15年后，黄山汤口一蒋姓男孩，病患膝痛艰于站立，左肩痛不能高举，亦喜抠鼻，其时肆中鹧鸪菜告无，乃投以使君子、苦楝皮、槟榔之属，共5剂，先后驱出蛔虫8条而告愈。

斯病古罕言及，殆为蛔虫之毒素影响经络故也。今不揣梼昧，识之以供参考。

蛔厥宜下

沈达荣

蛔厥证，症见上腹部突然阵发性剧痛，痛如刀绞或钻顶样痛，得食即呕，甚至吐蛔，痛剧时面青汗出，手足厥冷，脉伏。不痛时一如常人。《金匮要略》云："此为脏寒，蛔上入膈。"传统治法，遵"蛔得酸则止，得苦则安，得辛则伏"之说，常沿用乌梅丸以安蛔止痛，临床运用，虽有一定效果，但并非万全之策，亦有用乌梅丸仍无效果的蛔厥患者。蛔入胆腑，阻闭气机，不通则痛，痛如刀绞，治疗当以通腑攻下为大法。前人云："腑病以通为补"，胆属腑，故宜通。蛔厥下法包含通腑驱虫和利胆行气，二者相辅相成，逼迫蛔虫退出胆腑，疼痛自然停止。如王某，女，右上腹阵发性疼痛4天，伴呕吐，吐出蛔虫数条，痛剧时汗出肢冷，不痛时如常人。经某医院诊断为"胆道蛔虫症"，用乌梅丸汤剂、阿司匹林及静脉输液等治疗，疗效不显，转诊于我院，即投以通腑攻下驱蛔之方药：大黄10g（后下）、枳壳10g、木香10g、青皮10g、槟榔10g、苦楝根皮12g、使君子10g、乌梅15g。患者服1剂后痛止，服2剂后排下蛔虫十数条而愈。近年来，余运用下法治疗蛔厥证数十例，皆应手而愈，最少服1剂，最多服4剂，患者无不痛止而虫下，诸症消失。

"百部醋"灌肠治疗蛲虫病

李长茂

"百部醋"乃山西临县名医、先师父薛逢德先生治疗蛲虫病的验方。用生百部30g、陈醋100ml，煎制成30ml左右即成。当夜深人静，蛲虫病患者肛门瘙痒时，注入直肠即可。余从20世纪40年代得此方，曾先后在晋、秦、陇、京、冀、渝等地应用，屡试屡验，治愈百余例，未见有任何毒不良反应。

曾治蛲虫病患儿张某，因肛门瘙痒不能入睡，哭闹不宁，诸药乏效。使用本方一次，即药到病除。由此及彼，余用此方洗头治疗头虱；洗阴部治疗阴虱、滴虫性阴痒，均获速效。后来，又进行实验观察：①用黄麻绒团蘸上香油，贴于患者肛门口，诱出小如针尖的活动蛲虫，滴一滴"百部醋"于虫体上，瞬间虫体僵死；而未接触药液的虫体则仍在活动。②数次将虱、蚤、蚊、蝇、蛆投入"百部醋"内，很快即被杀死。这是取得临床疗效的有力佐证。

雷丸粉治绦虫病

吴震西

我在西藏工作十余年，对藏族同胞的多发病——绦虫病（牛肉绦虫），曾作过临床观察和研究，终于在叶桔泉编著的《实用经效单方》一书中找到用雷丸粉内服这一简便而有效的治疗方法。按叶氏雷丸粉的用量为每服20g，每日3次，连服3天。因如法使用后部分患者有恶心呕吐反应，我们乃结合藏族同胞的生活习惯加以改进，即将雷丸粉按上述剂量加入适量的糌粑（即燕麦炒熟后磨成的粉末），再加少许白糖，空腹服每日3次，连服3天（后改为3天，同样有效），同时不必服泻药。经改进后雷丸粉无特殊气味，服后无任何不适，颇受患者欢迎。通过对数百例患者的治疗，部分患者服药后大便内可排出虫体或大量虫节片，虫体最长的达1.5m；有的排出为虫团；有的排出为死节片，颜色变灰，虫体变小；也有的服药后并无虫节片排出。

据报道，雷丸的有效成分为溶蛋白酶雷丸素，绦虫吸收后，可使虫体蛋白分解破坏，虫头排出。据我们观察，绝大部分病例一般服药2～3天后即不再见虫节片排出。经过3个月以上的系统观察，并经大便化验检查，均未发现绦虫卵，而且临床症状消失。说明采用本法的疗效是肯定的。部分病例原先大便不断有虫节片排出，服药后却不见有虫节片排出，可能是其头节及虫体由于雷丸素的分解破坏，并与食物残渣相混排出，而无法辨认之故。以后经多次大便化验，均未见虫卵，说明这与雷丸的药理作用是相符合的。在治疗过程中，发现有少数无效的病例，经追踪研究，除一部分患者因未按时按量服药而影响疗效外，有一部分是合并患有溃疡病或胃酸过多的病人。通过深入学习有关资料，了解到雷丸有畏热恶酸的特点。如将雷丸加热至60℃，30分钟便丧失其大部有效成分，加热至60分钟便全部失效，因此，用本品只宜研末吞服，不可作为煎剂。本品的另一特点是在酸性液中失效，在碱性液中作用最强。为此，我们在使用前必先详细询问患者的病史，如兼患有胃病的，便同时加服碳酸氢钠（小苏打），这样便提高了雷丸的疗效。由此设想，若能从本品中提取其有效成分，以缩小其体积，同时加入适量的碳酸氢钠制成片剂，不仅可以保证疗效，同时也便于推广应用。

玉锁丹治丝虫病

吴秀惠

玉锁丹一方出自宋代《太平惠民和剂局方》，由五倍子、茯苓、龙骨三药组成。余以8∶2∶1的比例将三味药研粉装胶囊［每日3次、每次6粒（约3g）饭后吞服］，用以治丝虫病引起的乳糜尿有奇效，对乳糜血尿患者效果尤佳。余经治本病百余例以上，临床见有小便堵塞、尿中伴有大量赤、白凝块者，给服用本方后，其尿堵及尿中赤、白凝块可以消失，未见一例加重。

由丝虫病引起的乳糜尿，初起由于虫体阻塞经脉，积湿生热，湿热下注小肠，小肠不能分清泌浊而使饮食精微从小便下泄，此为膏淋湿热型之病机；病久精气耗损，脾虚气陷，使饮食精微不能上输于肺，而下注膀胱，此为膏淋脾虚型之病机，由于脾虚则运化无力，故食油荤及豆制品等食物膏淋加甚；再久脾伤及肾，肾气不固，封藏失司，致使精微漏泄，此即为膏淋肾虚之证。针对病机，清化湿热，健脾固肾，为治疗该病之大法。无论是湿热、脾虚或肾虚，病之关键在于精微漏泄，故余采用收涩法治疗本病。玉锁丹中的五倍子、龙骨收涩固肾解毒，茯苓健脾利湿。《本草纲目》谓，五倍子“其气寒，能散热毒疮肿；其性收，能除泄痢湿烂。”可见五倍子之收涩作用中还包含有清热解毒，除湿之功。整个方剂具有固肾涩精、健脾利湿、清热解毒和止血的功效，所以对乳糜尿不论是湿热下注还是脾虚、肾虚，都可应用，今举一例说明之。

魏某，男性，1978年初诊，患乳糜尿9年，反复发作，吃肉即发，来诊时病已8天，小便乳白，头晕，耳鸣，腰酸，乏力，口干不欲饮，舌质淡红，苔薄，脉弦细，尿检乳糜定性阳性，给予玉锁丹胶囊，每次6粒，每日3次，嘱饭后吞服。7天后复诊，小便肉眼检查黄、清，尿检乳糜定性转阴。继续服药，1周后诸症消失，能上班工作，再吃大量肉类食品症状亦未再出现。尿检乳糜定性仍为阴性。12月初随访，患者吃肉后未曾发作，小便肉眼检查黄、清，尿检乳糜定性阴性。

本方对于湿热、脾气虚、肾阴虚和肾气虚等各种见证的乳糜尿均可使用。余所治病例中，还未遇到典型的肾阳虚病例，能否用于肾阳虚者，还有待进一步观察。本人经治的病例未见服用本方引起便秘者，亦未见女性患者服用本方引起月经失调者；空腹服用本方有人感到胃脘不适，宜饭后服用。本方可以煎服，亦可以胶囊配汤方同时服用。

家传“扫虫煎”治虫疳 |徐耿昭|

1972年12月，我遇一张姓男孩，精神萎靡，面黄肌瘦，满脸虫斑。据其父母讲：这小孩食量不大，消化不良，夜眠咬牙，到医院检查说有肠道寄生虫，服中西药驱虫均无效果，经问知其幼时嗜食生冷、甘肥、油腻、香炒等食物，现腰酸乏力。诊其舌淡苔白、脉象洪大，我准备用针灸驱虫、捏积治疳，但患儿惧针怕痛，于是想到家传有“扫虫煎”一方：用榧子9g、槟榔9g、香附9g、茯神6g、鸡内金12g、使君子9g，合共煎服，每日1剂，连服3剂见效，故又给3剂，嘱其家人将药煎好，待患儿空腹时（饭前或睡前）给饮服。据述：经服药后，打下蛔虫、白线虫，饭量剧增，几天后面色明显转好，半年后脸上虫斑全部消失。由于夜眠安宁，不咬牙，白天食量很好，所以发育、成长均佳。

脐虫治验 |张琼林|

罗某，男，18岁。禀赋不足，体弱多疾，腹痛积年不愈，诸方无效，疑为虫积，但反复投以中西驱虫药亦无效。甲午春邀我诊之，扪腹瘕聚如索、汩汩有声，鼻孔红晕，常啃咬爪甲至肉。先师刘惠卿先生遗训，有此证者，虫积无疑，奈何几经逐虫皆未获效。再读《本草纲目》李时珍引《遯闲要览》杨勔患“应声虫”之治，虽近神话，不无道理。遂用雷丸粉30g，分3次，晚睡前温水送下。第4晚子夜，患者腹痛剧，自揉之，觉脐中痒痛异常，呼母掌灯观其究竟，只见虫头蠕动如蛆从脐中出，以钳挟之，计8条。次晨又屙出色红体细之蛔虫数条，自此病霍然而愈，渐趋康复，可见雷丸驱虫，优于他药。据报道移位蛔虫者多，然未见虫自脐中出，公诸同道，以探讨之。

头汗腹胀兼作，痰瘀分消并举 |朱曾柏|

伍某，男，59岁。其身如分三截，头、颈寝汗不止，午后腹胀尤甚，然自脐至乳却泰然无恙。斯症延宕年余，屡更医药而罔效。服消炎清上之剂，则腹胀加剧，进补肾固下之品，则寝汗尤多。医者茫然。甲子秋，遂请愚诊治。愚窃思，莫非如古人所言之“汗出齐颈而还”“其人言我满”之证乎？

诊见患者身形魁梧，谈吐自若，饮食、二便均可。惟血压偏高。医以血压偏高而禁食之物特多，以酒为先。然患者欣然相告：“畅饮醇酒一次，则腹胀必减一分，苟若口口相续，则感胸腹、浑身快然，故自开禁忌，颇不以医嘱为然。”

诊其脉，沉实有力，望其舌，根部牢覆少许黄腻苔。究其所因，系始于营卫失和，继而痰热壅于上，迫液外泄，故寝汗不止。盖痰瘀同源，瘀血积于下，腹胀始作。询其所服药物，清热者有之，补肾益阴者有之，径直止汗消胀者亦有之。但清热之剂，治痰热而不利脾阳，故腹胀反甚。补肾固涩之剂，对于痰瘀兼作之症，有实实之谬，反使痰瘀内迫，寝汗尤多。患者体胖少动，致使气脉运行不及而痰瘀内生。饮醇降压、减胀，是酒性辛散，通血脉，活气血，痰瘀得以暂解之明证。余拟痰瘀分消之法。药用：莪术 15g、怀牛膝 15g、全瓜蒌 15g、杏仁 10g、浙贝母 10g、炒川楝子 10g、甘草 6g。另用鸡内金 2 份，佛手 1 份，为末与服（每次 2g），以翼痰瘀以分消。服药 2 剂，即见殊功。初战告捷，守法不移，续诊 3 次（或化痰剂多于活血剂，或化痰剂逊于活血剂），患者诸症豁然而愈。

腋汗如雨

黄惠安

病者周某，男性，年半百，素病眩晕、失眠多梦。近 7 日，两腋汗出甚多，有如雨点漏滴不止，浸渍衣服，黏腻不爽。自思天气尚不炎热，又未进辛辣刺激性食物，为何他处无汗，独两腋出汗如此之多，虑得怪疾，心情不安，特来寓诊治。察其脉象细弦，舌苔薄白，扪之两腋，果衣湿如雨淋。因悟《灵枢》有“肝有邪，其气留于两腋”之说。乃曰：汝肺卫素虚，少气神倦，时值初春，阴雨连绵，气候尚寒，水湿浸伤肌腠，卫虚腠理不固，故汗多；脉来细弦，内应肝木，且近来情志不畅，肝失条达，邪气留着于所应之部，故独腋汗出，漏滴不止。幸喜其舌苔薄白，汗出不黄，无全身寒热及呕恶身重之症，故非湿热内蕴。此证虽不多见，但无大碍，不必过虑。余以柴胡 9g、青皮 9g 疏理肝气；沙参 15g、党参 12g、茯苓 12g、大枣 3 枚、甘草 4.5g 补益肺卫；薏苡仁

15g、苍术 9g 除湿；金樱子 15g、桑白皮 15g 收涩敛汗，进 4 剂。后果如言，尽剂汗止，病无复发，病者欣喜。

盗汗不尽属阴虚

| 陈爵彬 |

盗汗是指寐则汗出，寤则汗收。历代医家均以阴虚定论，但临证用滋阴降火之方，有时很难奏效，实际临床上盗汗亦有不属阴虚者。

属于血虚者有之，如产妇及一切大失血后引起的盗汗，这是临床上常见的，除主症盗汗外，还兼有口干不欲饮、面色皖白、失眠梦多、纳呆食少、大便秘结、舌质淡、苔心厚腻、脉细数等。余在临床上自拟养血敛汗汤治疗，效果较为满意，一般服 2 剂即可明显减轻。药用黄芪、生地黄、熟地黄、当归、丹参、白芍、白薇、地骨皮、牡蛎、何首乌、火麻仁等。曾治王某，产后 10 天，一直盗汗不止，某医院当产后感染，用大剂银翘散治疗，愈治愈甚，后又延请某医，用当归六黄汤治之，效果亦不著，且饮食锐减，余用上方 2 剂即止。

属气血虚弱者有之，常见中年妇女杂病之后，病程较久，经血不调，量由多到少，经色淡或乌紫，心跳心累，稍劳加剧，失眠梦多，恶梦纷纭，梦惊汗出，口不干渴，脉沉无力，舌质淡苔少。缘由气血亏虚，血不养心，神不守舍，心气虚，气不固液，故常惊汗。余常用补养气血、宁心安神的人参归脾汤加减，药用党参、黄芪、白芍、远志、酸枣仁、白术、茯苓、朱砂、五味子、龙骨、牡蛎、炙甘草、麻黄根。一般两剂见效，4 剂可以控制病情。余治刘某，女，30 岁，述盗汗近 1 年，延医约十余位，有用当归六黄汤，有用拯阴煎，有用知柏地黄汤，有用交通心肾者，终未见效。查病者形体消瘦，面唇淡白，动则心跳心累，寐则恶梦纷纭、鬼怪离奇、汗出周身，余谓此乃“惊汗”，由心气虚、心血少、使神不守舍之故。给予上方 4 剂后汗止。

更有属于食积胃热伤津者。常见小儿睡眠头身汗出，不思饮食，口渴喜饮较多，腹胀便结或便溏，舌质红，苔心厚腻，脉细数，指纹紫滞，缘由饮食积滞，脾气不升，津液不能止潮，加之郁久化热，热灼胃津所致。以食积故纳呆，热伤胃津故口渴，胃热上乘故头汗，以口渴饮水、不思饮食、头身汗出为特点，余临床多年自拟养阴清胃汤治疗，效果令人满意。药用沙参、麦冬、石斛、天花粉、胡黄连、白芍、地骨皮、谷芽、麦芽。

此外，有属于肝经湿热上乘而头汗出者。常见于绝经期及老年妇女，寐时无汗，延及天明则头汗出，伴有口苦腻、烦躁、小便黄、大便不畅、舌质红、脉弦数等症，此乃湿热之邪随肝气上逆，致成“但头汗出，齐颈而还”之证，常用龙胆泻肝汤合四苓汤而取效。

上述可见，不论从病因、病机及治疗实践，盗汗均不能概作阴虚论治，当临证细心体察，辨证论治方能奏效。

阴汗当从肾治 |陈爵彬|

阴汗，指外生殖器、阴囊及其周围（包括大腿内侧近股阴处）经常出汗的症状。男女皆有，多见于45岁以上男性。虽有属肝经湿热者，但以肾虚肝郁为多见。对本症古书记载不多，现在方书也常不谈及，有效方剂实难寻觅。沈金鳌在《杂病源流犀烛》一书中谈到用安肾丸（方用胡芦巴、川楝子、补骨脂、怀山药、茯苓、续断、小茴香、升麻、桃仁、杏仁）治疗，有一定的疗效。余在多年临床实践中改丸作汤，并加入熟地黄、巴戟天，疗效大大提高，一般服2剂见效，4剂即愈。二十多年来治愈不下百人，兹将方药及剂量介绍如下：

胡芦巴15g、补骨脂12g、怀山药30g、续断12g、川楝子12g、小茴香12g、桃仁12g、杏仁12g、升麻8g、熟地黄15g、巴戟天12g，水煎服。

例如刘某，男，58岁，自述阴囊潮湿汗出两年多，虽每日洗2次亦无济于事，服补肾健脾固湿之药虽多，但无效果，诊之脉沉细、口不干、腰时痛、常有咳嗽，余给予上方2剂，患者病情基本得到控制，4剂痊愈，迄今1年未发。

绿　汗 |杨振明|

绿汗一症，临床罕见。医籍少载。若能审因论治，取效也捷。王某，男，1977年夏，汗出染衣如绿豆汁，胸胁胀满疼痛、口苦、厌油，形体日渐消瘦、小便赤涩，经某医院诊断为内分泌紊乱，因无特殊疗法，返津治疗。就诊时，脉弦数而滑，舌红苔黄白相兼稍厚，此肝经湿热，气滞厥阴所致。治以疏肝解郁，清热利湿之法，方用逍遥散加减(《傅青主女科》方）主之。处方：柴胡5g、白芍10g、茯苓10g、陈皮5g、炒栀子10g、茵陈12g、焦山楂10g、六一散15g（布包煎）。患者守方连服6剂，诸症悉除，迄今未见复发。

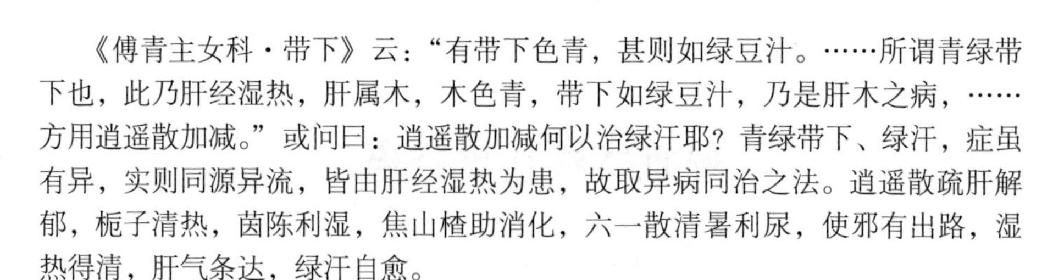

《傅青主女科·带下》云："有带下色青，甚则如绿豆汁。……所谓青绿带下也，此乃肝经湿热，肝属木，木色青，带下如绿豆汁，乃是肝木之病，……方用逍遥散加减。"或问曰：逍遥散加减何以治绿汗耶？青绿带下、绿汗，症虽有异，实则同源异流，皆由肝经湿热为患，故取异病同治之法。逍遥散疏肝解郁，栀子清热，茵陈利湿，焦山楂助消化，六一散清暑利尿，使邪有出路，湿热得清，肝气条达，绿汗自愈。

"脱　　影"

吴昌续

脱影者，睡觉之后，常微汗出，湿润衣被，反不自觉也。经仔细观察，发现床铺板上留有汗湿之影，状如人形，故称"脱影"。如日久则见精神不振，全身乏力，难以工作与学习。此乃卫气不固，阴液外溢，不能摄阴所致。汗为阴液，阴血所化，心病累肺，故卫气不固也。余每以参芪补气，苓术健脾，酸枣仁养心，百合润肺，龙骨、牡蛎敛摄汗液，奏效迅速，而且累试累效。邻居文君，已届不惑之年，罹患斯疾，予以上方，服十余剂后，脱影消迹，常为赞誉。

"脱影"论治

周荫祥

"脱影"——汗证也。古籍罕载，里巷流传，惟近人详之。有曰盗汗或魄汗，属于气阴虚之证。余见临床患者，由于营卫失调，腠理不密，以致汗出溱溱，而成此证。

曾治一妇人刘某，年40岁，素无他疾，惟夜间睡后出汗，醒来湿涌床垫，宛如人影然。常起床烘烤，方能再睡，但无所苦。余思此非寻常汗证，《内经》云："腠理发泄，汗出溱溱，是谓津"。本证因津液不藏、泄露于外，治法当以调和营卫、收敛汗液，遂拟炙黄芪20g、白术12g、防风10g、桂枝9g、白芍12g、龙骨12g、牡蛎12g、酸枣仁12g、炙甘草10g、龙眼肉10g，3剂。3日后，患者告知，药进病退，继用当归10g、炙黄芪15g、五味子6g，连服旬日，巩固效果，以后再未发脱影之证。

疑难杂病从痰论治

蔡丽乔

气、血、津液营养人体四肢百骸，无论病之虚、实、寒、热，皆由气血怫逆而生，气机逆乱，津液还流失常，痰浊乃生，故百病多有兼痰者。痰此一物，随气升降，无处不到，变生诸证。津血同源于水谷精气，痰为津液之变，痰凝络阻，血运瘀塞，互为因果。笔者临诊，凡杂病之疑难者，不为病名限制，以治痰为先，辅以活血化瘀而见成效。

1966年初夏，余治杨姓老翁，患进行性吞咽困难月余，就诊时仅进流质饮食，且有噎感，但食管经钡餐透视无异常发现。时适逢痰喘宿疾发作，气急足肿，苔黄中灰腻，舌边瘀紫，脉弦滑。患者体硕形胖，断为痰湿素盛，气结于上，痰浊血瘀留阻使然。余用竹茹、胆南星、瓜蒌、半贝丸合旋覆花汤，涤痰下气，活血化瘀。二诊，守方共服6剂，患者即能进食干饭一小碗，无噎食呕吐，气平肿退。三诊，用原方加枳实、玄明粉，通腑化浊。续3剂而愈。

1977年春，治男学生汤某，头痛欲睡，辍学求医数月未愈。患者体格壮实，纳便正常，苔薄白腻，脉濡。头为诸阳之会，以痰湿蒙蔽清窍、阳气壅遏为痛论治，立豁痰开窍、芳香化浊法。以鲜石菖蒲12g为君，芳香辟秽开浊，振动清阳，宣窍化痰，提神通窍；伍藿香、佩兰、半夏；胆南星、白芷、茯苓为臣；升麻、礞石滚痰丸各4.5g佐使之，一以升清，一以逐痰降气，与芳香开窍药同用，乃寓升清降浊之意。投剂4剂，头痛自瘥，恢复正常学习，迄今未发。

同年10月，女学生项某，外伤受惊，昏厥片刻自苏，嗣后昏眩辄作，甚则跌仆，或巅顶刺痛，或四肢颓然不能动弹，惊悸少寐。症逾3个月，近来发作频繁，唾黏如痰，舌质红，苔根白腻，脉细数。此由血虚肝旺，风自内生，木火煎津，痰浊上逆。方用何首乌、当归、丹参、川芎、柏子仁、珍珠母、钩藤柔肝熄风；石菖蒲、天竺黄、半贝丸、茯苓、茯神化痰降逆。三诊，共服药17剂，患者病告痊愈。

痰 证 拾 零

钟新渊

“百病皆生于痰”，此话虽有些夸大，然事实上痰证确不少见。痰证虽多，

见症却不尽相同，治法也不一而足。如涎腺结石，由痰滞瘀结而成，陈皮、半夏、天南星、白附子、竹沥就难以中的。如李某，1981 年春节，多食煎炸厚味，诱发左腮疼痛，复又失治，经摄片方知涎腺结石，由于结石梗阻，涎液流通不畅，以致口腔干燥，进食时，必喝菜汤才能下咽。其左颊局部麻胀，按之隐隐作痛，治以针药并用，针刺合谷、颊车以疏导阳明经气，再用荆芥、防风、细辛、牛蒡子、川牛膝、丹参、赤芍、连翘、甘草煎成汤剂，一半含漱，一半内服。服 6 剂后，患者口中津液倍增，第 7 日早晨刷牙时，觉有撑牙，医生从其左颊涎腺口用镊子夹出长约 1cm、如圆珠笔芯的结石一块，患者之病霍然而愈。

高脂血症治一得

曹永康

病理：心主血脉，脉为血府。从“血主濡之”的理论来分析，脉管需要脂液的濡养，才能柔软润滑；可以理解脂液等营养物质是有利于濡养脉管的。为什么血脂增高，反使脉管硬化？盖血中脂浊增高，是血脂在利用过程中未能很好地被吸收利用而过剩，并非血脂在生理上的多余。由此推论，联系脾是运化精微的脏器，如脾失健运，则精微变为脂浊，生理上的有用物质，变成病理上的致病因素。因此，我提出：“血脂是浊质，而来源于精微”的论点，作为高脂血症的病理解释。

辨证：高脂血症患者临床表现在舌苔与脉象的变化方面较为突出。舌质多淡胖或淡紫，舌苔多底白黏腻或罩微黄；而脉象则多弦硬而欠柔软，按之有搏指感。这种舌苔与脉象，在病理上难以统一。舌淡、质胖、苔腻，是痰甚湿重，则脉应濡软或濡滑；今脉反弦硬搏指，其理安在！将其归纳为“脾虚失运，精微变浊，浊瘀管壁，脉失柔性。”从矛盾中求统一。

治疗：血脂增高，固然需要“运化”，而脉管硬化，也应予以“柔养”，因此提出“润燥兼施”之法，“润以调节血中之精汁而稀释凝瘀；燥以化运血中之浊质而柔软血脉。”经过临床对方药不断筛选，组成降脂基本方：苍术、黄芪、制黄精、制何首乌、生地黄、牛膝、决明子、葛根、姜黄、香附、胆南星、石菖蒲、泽泻、海带、夏枯草、丹参、山楂、麦芽等，合为益气运脾、养血增液、泄浊化痰、活血化瘀、软坚通痹之复方，具体应用，按体质肥胖而舌苔黏腻者，则燥药多于润药；形瘦苔薄者，润药多于燥药，再据临床症状，药味予以损益，此法用治高脂血症，别具一格。

从肺郁论治皮质醇增多症

丁济南

患皮质醇增多症，一般都具有向心性肥胖。如脸似满月，皮色红润多脂、常有痤疮，背部皮下脂肪增多似水牛背样丰满壮实。严重的可有面浮肢肿，皮肤变薄绷紧，有紫纹，分布于下腹部、大腿、肩、膝等处。毛发增多，表现为浓眉黑发，腋毛、阴毛增多变浓，女子可生胡须。汗少或无汗，大便秘结，月经失调或闭经；男子可见性欲减退或阳痿。舌干苔薄，脉沉细。

以上证候的病变部位是以皮毛和大肠为主，因“肺主皮毛”“肺与大肠相表里”。我认为皮质醇增多症的病机是肺郁。滑伯仁曰：“郁者结聚而不得发越，当升者不得升，当降者不得降，当变化者不得变化，所以传化失常而病见矣。”肺郁则肺气不得宣肃而毛孔闭塞，故少汗，甚则无汗。张志聪谓：“肺主气，气主表，故合于皮，毛附于皮，气长则毛荣。”肺郁为实，功能亢进，故毛发增生，甚则女子亦生胡须。肺为水之上源，肺郁则不能通调水道，膀胱气化不利水湿停留，脾土受困，湿浊逗留于肌肤而成肿胖；郁则气滞，滞于形体，则见胁胀、背胀；肺郁则金不生水，水不涵木，而使肝火偏旺；金不生水，则水不济火而使心火旺盛，故见高血压、烦躁易怒、口干等症。因肾水不足，加之心肝火旺、消烁阴血，冲脉则不盛，血海不充，经血不能按时而下，故引起月经失调；肾水不足，日久阴损及阳，导致肾阳亦虚，以致阳痿、性欲减退。肺与大肠相表里，肺郁则肺气不能肃降、腑气不通，肺郁内热而致肠燥大便秘结，《古今医统》曰：“郁脉多沉伏，或结，或促、或代。”本病患者脉多沉细，亦乃郁证之象。为此特拟宣肺气、开腠理，佐以理气、清热、化湿及活血调经法。基本方：桑叶、桑白皮各9~15g，桔梗、蝉蜕、制香附、广木香、泽兰、丹参各9g，橘叶、蛇莓各18g，甘草3g。无汗、少汗而血压不高加麻黄；腹胀选加郁金、大腹皮、佛手；舌苔白腻选加苍术、白术、厚朴、砂仁；便秘伴口干、舌红加生何首乌、生地黄、桑椹子；有高血压选加槐角、桑寄生、钩藤、生石决明、杭菊花；头晕口干加生地黄、炒白芍、炒穞豆衣、石斛、天花粉；有痰加竹茹，炙枇杷叶、杏仁；纳差加生白术、生谷芽、生山楂；月经失调加茺蔚子、焦麦芽、王不留行；肢体浮肿加冬瓜皮、车前子；面部痤疮加炒防风、白鲜皮；失眠选加朱连翘、水炙远志、夜交藤、柏子仁、酸枣仁、朱灯心草；腰酸选加川续断、狗脊、菟丝子、桑寄生、杜仲；目视模糊加青葙子、谷精草；尿黄加萆薢、木通等。

患者经治疗，体重减轻，毛发减少，能出汗，皮肤紫纹淡，大便比较通畅，月经正常，有的已能生育，化验指标有所改善。

（施惠君　王巍波　整理）

临证琐谈

夏睿明

附子理中汤治便秘

以芒硝、大黄之属治热结便秘，火麻仁、柏子仁之类治燥结便秘是常事，用理中汤治中焦虚寒腹痛、腹泻也是常法，但是用附子理中汤治疗便秘却少见。乍看腹泻与便秘两相径庭，但是根据“异病同治”的原则，在严格审证求因的前提下，变通地运用某些方剂，不仅是可以的，而且往往是非此莫能的。如世医皆知“半硫丸”治便秘，而吴鞠通却用之施治于腹泻，就是一个典型的例子。根据上述原则，我用附子理中汤施治多例便秘患者收效好。如一病妇，53岁，患便秘7年，服清热、润肠通便药颇多，然服药便解，停药即结，深感苦恼。我诊之，患者精神疲惫，舌淡略胖，苔白薄，脉细弱，以为显属脾肾阳虚之阴结便秘，非下剂，润剂所能通。乃处以附子理中汤加当归，服后患者便爽如常人。盖脾主运化，肾司二便，今各失职，加之中气不足，无力下送糟粕，溲便则异常，故治用温肾健脾益气法。

楂曲平胃散治低热

医见发热多投苦寒药治疗。其实，低热病因是相当复杂的，或表邪未解，误用清里攻下之药，病邪入里，久久不愈；或湿邪化热，治以清热而未除湿，湿邪不去，低热难已；或正虚邪弱，邪正相争，缠绵不愈；或气血阴阳失调，亦可见低热，总之“症”相同而“因”各异，医者要强调“审证求因”，善于“治病求本”。有一名19岁女性，患低热一年半，曾查抗链球菌溶血素“O”效价1250μ/mg血清，血沉74mm/h（魏氏法），西医诊为“风湿”“结核”，一直用青霉素、链霉素、泼尼松及抗痨药治疗，但乏效。我诊其除低热之外，尚有食欲不振，一身酸重、精神不佳、胸脘不舒、口淡乏味等症，舌质略淡，苔白薄，脉沉弱，判断为湿蕴发热。湿为阴邪，其性黏腻，其来也渐，其去亦迟，西医用上述治法已经乏效，若再投以苦寒，势必弄巧成拙。当以芳香化湿之法图功。遂处以楂曲平胃散加芳香之青蒿、利湿之茵陈，共服9剂而愈。复查抗链球菌溶血素“O”及血沉，均降至正常。由此观之，“治病求本”乃是取效的关键，而前人给我们留下的整个医学宝库中的最重要的一个法宝，就是辨证论治。

阳虚便秘，治当温阳益气

|柯新桥|

临证实践中，笔者对于慢性便秘而属阳气虚衰所致者，常以温阳益气为主法，不曾用一味通里攻下药而能获得满意之效。

患者关某有慢性习惯性便秘史5年余，曾反复求治，每用中药承气汤或麻子仁丸，西药酚酞等泻下通便，虽能图一时之快，而终不见良效。就诊时，自述平日大便秘结如羊粪，四五日一行。现6日未能入厕，便意甚为急迫，纳食明显减少，四肢清冷，时觉腹胀，面色皖白，形瘦气弱，左少腹有肠型结节样硬块，舌质淡，苔白滑，根部微腻，脉沉弦。观其脉症，乃属阳气亏虚，寒邪凝滞之便秘，治当温阳散寒，益气通便，方宗桂附理中汤加味。处方：肉桂12g、附片12g、党参20g、白术15g、干姜10g、炙甘草10g、肉苁蓉15g、当归18g。取2剂，每日1剂（微火浓煎）。

服上药后患者肠鸣矢气，原方再服，解羊粪样大便数十枚。肉桂、附片各减为6g，连服8剂，大便即如常人，再改桂附理中丸调理善后而病愈。

便秘一症，多阳明燥化，胃热津伤，宜苦寒攻下，方选承气汤类；血虚津枯，无液行舟者，宜养血润燥，选增液汤、麻子仁丸、五仁丸等方；中阳衰微，冷积阻结肠间，正衰邪实者，常用温脾汤加味攻补兼施，温通寒积。然此患者，兼见四肢清冷、面色皖白、形瘦气弱、苔白滑、脉沉弦等候，脾肾阳气惧亏，温煦无权，运化不及，阴寒凝结，腑浊不行，大便难解，属纯虚之证。故不用温脾汤、大黄附子汤等既补又攻之剂，而用桂附理中汤，暖脾温肾，补中焦之气，化阴霾之邪；佐肉苁蓉、当归养血润肠。此方温阳散寒，益气通便，实乃图本之法。

自我按摩治疗习惯性便秘

|朱锡祺|

习惯性便秘，一般多见于平时缺少运动或喜食特甜食品的患者，尤以老年

人居多，在治疗上不宜妄攻，只宜用仁类药物如杏仁、桃仁、火麻仁、瓜蒌仁、柏子仁等润肠通便之品，气虚者配以补气药、血虚者配以养血药、肾阳虚者予以补火运肠，治疗后每有近效，但不能得以巩固。

我在治疗上摸索出一个简便自我治疗的方法——腹部按摩。具体方法：患者站立时，髋关节放松，腹部左右顺逆按摩各100次，由上而下按摩100次，即能获效。开始时未能奏效者，每日可用麻油一匙、蜜糖一匙，开水冲服，既有营养又可口，疗效亦较令人满意。

（朱钟华　整理）

厥阴与阳明并病

|边正方|

我院盛药师，病已数年，不但四肢厥逆，而且遍体无温，怯寒特甚，虽盛夏炎暑必着棉衣。秋则更甚，终日卧床厚被覆之。食甚少，食后腹胀满不适。长期服中药，求医殆遍，处方多以温补，诸如桂、附、参、芪、干姜之类而无效，乃就诊于余。诊其舌苔薄白，脉象迟弱。以四逆汤合承气汤与之。服1剂后患者前来复诊，得大便3次，精神尚佳。故再以前方2剂与之。服后告余曰：“每剂服后各得大便三四次，昨晚食油炒饭一大碗，腹已不胀满，手足渐温，怯寒已减”。便以前方减承气之半，服2剂后尽除恶寒之症，服十余剂而病愈矣。

或曰：“厥阴病焉有下法，且亦未闻有厥阴与阳明并病者。”曰，肢逆身冷非厥阴病乎？胃家实非阳明病乎？盖厥阴病复伤于食，结而为实，故食少而满也。胃实则气机受阻而不能输布于身而为热。身寒愈甚而胃结愈固，故虽以温热之药而亦不能减其寒也。下之则阳明通而郁热解，阳气得以敷布，再用四逆之辛温助之，其病自愈矣。

以意揣之，以理推之

|王官惠|

1970年，我儿患伤食腹泻，病情危重，经武汉儿童医院彭子玉老中医以钱氏白术散加减治愈，多年来仿效应用，获效甚多，因而推广用之。

现代外科常因疾病的需要被迫切除小肠。术后常导致严重的营养障碍，甚至因之而死亡，此是现代外科术后的难题之一。患者腹泻肠鸣，完谷不化，面色萎黄，形体消瘦，神疲倦怠。归结为脾胃虚弱，运化失常，小肠受损，清浊不分，转输障碍所致。拟健脾益气、升清化浊、敛肠止泄之法。用钱氏白术散加减治疗5例，效果满意。

如：朱某，男，60岁，平素健康，1967年行阑尾切除术。1973年因上消化道大出血入院，急诊剖腹探查，术中见胃窦部黏膜糜烂和多个小出血点，而行胃大部切除术，术后仍大出血，第二次行迷走神经切断术及出血点缝扎术，术后第5天又发肠梗阻，服复方大承气汤无效。第三次手术见小肠与阑尾切口腹壁粘连，两段肠壁扭结，肠管广泛坏死，被迫切除小肠2m多，保留了回盲瓣和回肠20cm，术后伤口感染、食后腹泻。

患者面色无华，神疲懒言，肠鸣腹泻，每日6~7次，食后脘部不舒，头昏心悸，伤口化脓，不发热，舌质淡，苔微黄稍厚，肠虚。此系气虚血亏、脾虚不运、胃难腐熟、传化失常之象，拟健脾益气、敛肠止泻、佐以托毒之法，方用钱氏白术散合四妙汤加减治疗，月余痊愈出院。

广泛小肠切除术后之症，古书未载，如何应用祖国医学的传统方法治疗现时之病，乃是我们研究的新课题，必须以意揣之、以理推之，察其病情，确立治法，选用方药进行治疗。

食生灾，保和消

扶兆民

伤食之病以小儿为多，停食之患在老年体弱，而病后脾胃不健亦不少，其病形也多种多样，如并发呕吐、腹痛、腹泻、不食、倦怠等症自不待言，治疗主以消导亦屡见功效，似属不值一言之浅学，但有很多情况不言则不能达。如遇一小儿，发热十余日，经前医诊治用宣肺解表、清热解毒等方剂未效，复转诊于西医打针、输液，青霉素、红霉素、庆大霉素均已轮换使用，但发热仍不见退，气液日伤，舌红唇焦，目直不合欲作刚痉之状。余诊之，见其大便纯为不消化物，臭秽如臭卵，舌苔厚腻，遂认为与食积有关，拟投保和丸与调胃承气汤合方，2剂后病解。又遇一小儿咳嗽数月，多方治疗不效。余诊其腹，胀满如鼓，不欲饮食，舌苔中部厚腻，亦以保和丸稍加理气宣肺之品，2剂而安。复见一儿，每当“感冒”后就见一只眼大，一只眼小，伴低热、微咳、呕吐不欲食、舌苔白厚腻等症。但若治其咳，投药枉然，仅治其热，服药少效，余百思不解。参阅内儿科著述未见有载，乃按一般规律作想，小儿多有食积为病，故投以保和丸加紫苏叶、葱白、生姜，服之立效，两眼亦恢复等大。以后此儿每逢“感冒”皆如法治疗，累投累效。再三思之，眼胞属脾，伤食脾胃则中阳困阻，不得上营故也。更遇老年停食作病，症见脘部满胀，多以保和丸加理气温中之品获良效。不过成人之停食比小儿的伤食更为复杂，七情郁滞，脾胃功能衰减，是成人停食治疗中不能忽略的问题。有时治疗成人的停食比治小儿的伤食要困难得多。

奔豚气

|熊继柏|

奔豚气病，顾名思义，必有气逆而如豚上奔之状。《金匮要略》谓奔豚气有三种，有因肝郁气冲而偏于热者；有因外邪伤阳、冲气上逆而偏于寒者；有因心阳虚而水饮内动者。其病位或责之于肝、或责之于肾、或责之于心，因此，临证必须明辨。

1969年盛夏，曾治盛妇，年四旬。病初起头眩耳鸣、心悸不宁，乃闭户塞牖、躺于暗室，如此一卧不起，竟达4年之久，但其语声、饮食、二便均正常，众皆谓“奇病”。视病人所居之卧室昏暗，门窗紧闭，询其病状，心悸而有恐惧感，目胀而眩，视物模糊，所见有如大雾弥漫之状；胸中闷痛，一阵阵犹如大水撞击；四肢疲倦乏力、不能动作，若稍微动作，其“大水撞心”感便更加剧烈，心中难忍，兼之泛泛欲吐；若见阳光，则眼珠胀而似欲迸出。如此四年多，其饮食、二便均需人照料。

余欲将病人抬出外室望舌察色，患者坚决拒绝。因其神志清楚，语言清晰，乃由4人将其稳稳抬出，平放于卧榻上。患者竟然昏厥，四肢逆冷，口闭眼合，急以姜汤灌之，少时而苏醒，自用手扪胸，痛苦莫可名状。察其面色惨白，面容憔悴，蓬头垢面，秽气熏人，舌质淡红，舌苔灰白，脉弦而稍数。

盖此证胸中闷痛，一阵阵犹如大水撞击，痛苦难忍，恰似奔豚之势；久居暗室之中，自觉心悸恐惧，实为惊恐之兆。其目胀、畏光、头眩、耳鸣、泛泛欲吐，以及脉弦带数，当属肝阳亢逆之候。此乃肝气上逆而为奔豚也。乃拟平肝和胃降逆之法，用《金匮要略》奔豚汤加减。疏方：椿根白皮30g、茯苓15g、当归12g、白芍12g、川芎6g、法半夏10g、葛根6g、甘草6g、生姜12g。药进3剂，病人诸症缓解。服至8剂，病人信步出卧室，渐次痊愈。

据此所见，奔豚气之病势有缓急之别，病程有久暂之殊，病状也有明晦之异，临床辨证，务必仔细推敲。

肺痈治疗活法

袁求真

喻嘉言在《医门法律》中对肺痈的治法以清热涤壅为准则，并分出开提肺气和攻下肺壅的两个正法。我们曾用黄芪、薏苡仁、阿胶、党参、百合、甘草、生地黄、沙参、川贝母、桔梗、冬瓜子等治愈虚型肺痈。如张某，患肺虚型肺痈（西医确诊为肺脓疡），以补肺清毒法而治愈，这是治肺痈的活法。喻氏虽未在《医门法律》中提出本法，但他在《寓意草》治陆令仪尊堂肺痈案就运用了补肺清毒法，并指出："今日脾虚之极，以清肺药中少加阿胶以润燥。"

因此在临床上不能墨守成规，而要根据当时患者的具体情况，进行认真细致地辨证，运用活法，才能获得理想的疗效。

肠痈成脓亦可下

熊继柏

《金匮要略》有"肠痈，……脓已成不可下"之戒，而在大黄牡丹汤方之后又复云："顿服之，有脓当下，如无脓，当下血。"可见仲景之意，并非指一切成脓之肠痈皆不可下。据临床所验，肠痈成脓亦可下。

1971年仲秋，余治杨氏女，16岁，患病8日，少腹剧烈疼痛而手不可近，其痛难忍，竟不辨左右轻重。腹胀满，身发热，大便秘结，小便黄赤，舌质紫苔黄，脉弦数而大，疑属肠痈。以大黄牡丹汤加败酱草30g、蒲公英30g、薏苡仁30g治之。药进2剂，患者竟便下脓血甚多，腥臭难闻，病亦随之而愈。

同年孟冬，又治伍某，年45岁，患病9日，右下腹疼痛剧烈，腹部胀满，腹皮拘急，按之无积块，右腿屈伸不利，大便时夹脓血，舌苔黄而腻，脉沉数有力。又以大黄牡丹汤加味治之，亦下脓血而愈。

盖肠痈不论已成脓、未成脓，凡见舌苔黄、脉数大等实热充斥之候，皆宜下其瘀热。若其脓已溃，邪热尚盛，瘀热脓血阻遏而无出路，理当下其邪热，逐其脓血，此《内经》所谓"在下者，引而竭之"是也。

棉油中毒的中医治疗

戴会禧

本县地处鄱阳湖滨，盛产棉花，棉农拿棉籽榨油食用，本是常事。但是，若长期食用未经处理加工的棉油，不少人就会出现口渴、烦热、四肢麻痹等积蓄中毒症状。参考祖国医学文献，未见有此类病名记载，姑且称之为“棉油中毒症”。西医治疗，多采用补钾以及对症处理。

此病症多见于夏令暑季，患者均来自产棉区，且多见于体质较弱的中青年女性，有半年以上食用棉油史。其临床特点为怕见阳光，一见阳光即觉浑身燥热如锥刺，到了阴凉处则如常人，伴心烦、口干渴喜凉饮，多饮而不解渴。舌质红少苔，脉细数或细缓。后期可出现手足麻木不仁，严重的可出现瘫痪，甚至昏迷而危及生命。

本病由素体阴血亏损，毒素合暑热之邪乘虚侵入心肾，耗伤津液，消烁真阴，以致肾水亏损，心火独亢而成。若肾水枯涸，水不涵木，还可致肝脉失养，而且手足麻痹；后期，肾水既竭，暑热内闭，则可出现昏迷等危象。治以清心火，滋肾水，生津液。余发现连梅汤于此证颇相宜，故选用以试治。

连梅汤方出自吴鞠通《温病条辨》，治暑热久羁，深入少阴、厥阴，消烁津液，耗损真阴，导致水亏火亢的暑伤心肾之证。方以黄连为君，泻壮火而不烁津；乌梅止渴，合黄连酸苦泄热以坚阴，合麦冬、生地黄酸甘化阴以生津；阿胶为血肉有情之品，滋养肾水，加入沙参、五味子，可增强生津敛阴之力；香薷、白扁豆以清暑化湿，诸药配伍，共奏清心消暑、滋肾生津之功。若小便短少不畅者，加滑石、淡竹叶；大便秘结者，加玄参；纳食不佳者，加怀山药、薏苡仁；胸闷者，加鲜荷梗，厚朴；口渴甚者，加知母、鲜荷叶；汗多者，去香薷，重用五味子。

余通过探索、实践、认识的过程，以连梅汤为基础，随症加减，治疗食棉油中毒患者多例，均获良效。这就为中医中药治疗“棉油中毒症”开辟了一条新的途径。例如：袁某，女，40 岁。1983 年 6 月来就诊，自述入夏以来，怕见阳光，在阳光下劳作片刻即觉浑身燥热如针刺，卧阴凉泥土地上即舒，皮肤灼热，无汗，口渴喜冷饮，饮不解渴，手足酸软，有时麻木、发胀，小便短赤，舌质红，苔薄白，脉沉细。膝反射减退，肌张力减弱。曾使用氯化钾、维生素 B_1 等药 1 周，未见好转。追问病史得知其食用棉油 7 个月。拟用黄连 9g、乌梅 12g、麦冬 9g、生地黄 9g、阿胶 6g（另烊）、沙参 12g、五味子 6g、香薷 9g、白扁豆10g。患者3剂后稍有汗出，口干有所缓解。效不更方，继服6剂后患者能在阳光下劳作而无不适。去香薷，加鲜荷叶半张，再服4剂，皮肤灼热除，小便转清，自觉精神好转，肢体软弱、酸胀、麻木等症悉除。

蜂蛹中毒证治

周 萍

蜂蛹一物，炙之香脆可口，少吃无妨，不知其害者恣食过多，必然中毒。若不恰对病因解毒，每每缠绵难愈。

1963年，一山区农民背其11岁儿子从12里外前来求医。半月前患儿吃用铁铲焙香之土蜂蛹一捧（约100g），第2天则下腹疼痛不已，十余天来，昼夜呼号，不能入寐。曾四处求医问药，遍吃大黄、芒硝、木香、延胡索及颠茄酊、阿托品之属无效。患儿躯体蜷曲，捧腹痛哭，面色苍黑，口唇燥裂，腹部柔软，天枢穴压痛，舌质红，苔粗黑，脉滑数而紧。火毒蕴结肠中，侵入血分，故大便痛不能解，理气痛不能止，宜凉血解毒，用清肠饮（麦冬、金银花、生地榆、当归、黄芩、薏苡仁、甘草、玄参）去玄参，加田三七、牡丹皮、广木香、枳实、厚朴等。患者服1剂痛止，2剂痊愈。又70岁老妪，1983年秋，因吃油煎马蜂蛹三十余粒，遂致头痛、腹痛、便秘、尿黄、烦躁、足软。医院当作肺炎、脑动脉硬化治疗。由于忽视致病原因，住院十余天未能痊愈。2个月后，延余诊之，其脉左弦紧数，右沉细数，舌质红少苔，唇舌起疱糜烂，双目泪眵黏结难开，视物如在雾中，四肢颈项疼痛，肢端麻木，舌痛，便干尿黄，口干苦涩，咳嗽痰稠，夜间或呻吟不已，或谵语妄言。发病日久，热毒入血，肝、心受累，宜清热解毒，凉血清肝，予生地黄、牡丹皮、金银花、紫花地丁、赤芍、炒栀子、石斛、麦冬、沙参、葛根、谷精珠、杭菊花之属，加减出入18剂，诸症逐减，毒素得以解除。

对中毒时间短，以腹痛为主症者，用凉血清肠解毒法；迁延日久毒入肝心者，则须凉血清肝解毒。

治老年病亦当注意实证

陈 熠

老年人由于长年耗用精力，再加外邪侵袭，情志的伤害，临床以虚证较为

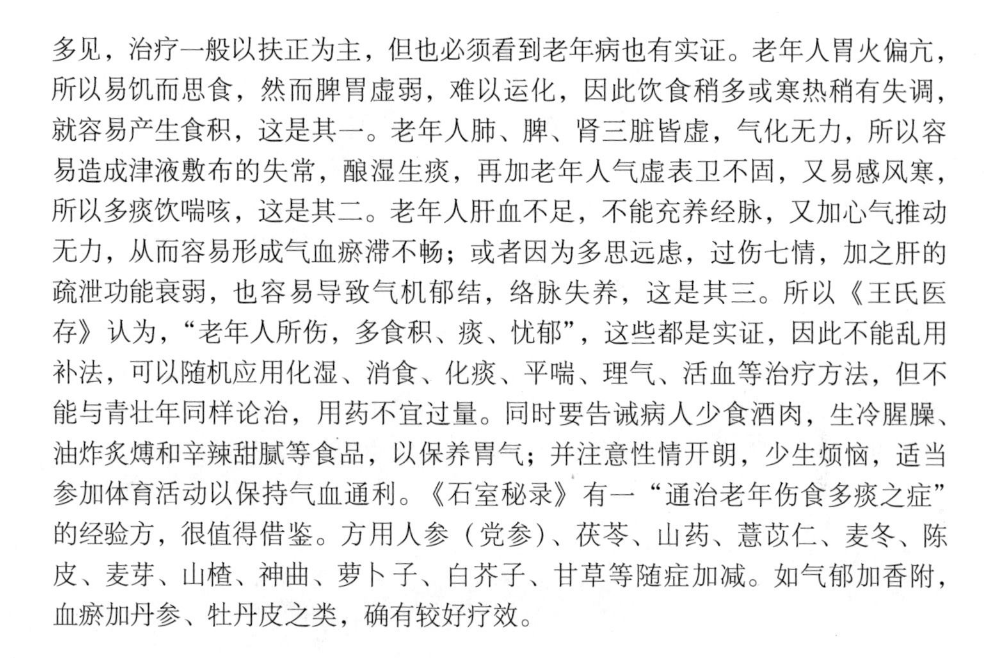

多见，治疗一般以扶正为主，但也必须看到老年病也有实证。老年人胃火偏亢，所以易饥而思食，然而脾胃虚弱，难以运化，因此饮食稍多或寒热稍有失调，就容易产生食积，这是其一。老年人肺、脾、肾三脏皆虚，气化无力，所以容易造成津液敷布的失常，酿湿生痰，再加老年人气虚表卫不固，又易感风寒，所以多痰饮喘咳，这是其二。老年人肝血不足，不能充养经脉，又加心气推动无力，从而容易形成气血瘀滞不畅；或者因为多思远虑，过伤七情，加之肝的疏泄功能衰弱，也容易导致气机郁结，络脉失养，这是其三。所以《王氏医存》认为，“老年人所伤，多食积、痰、忧郁”，这些都是实证，因此不能乱用补法，可以随机应用化湿、消食、化痰、平喘、理气、活血等治疗方法，但不能与青壮年同样论治，用药不宜过量。同时要告诫病人少食酒肉，生冷腥臊、油炸炙煿和辛辣甜腻等食品，以保养胃气；并注意性情开朗，少生烦恼，适当参加体育活动以保持气血通利。《石室秘录》有一“通治老年伤食多痰之症”的经验方，很值得借鉴。方用人参（党参）、茯苓、山药、薏苡仁、麦冬、陈皮、麦芽、山楂、神曲、萝卜子、白芥子、甘草等随症加减。如气郁加香附，血瘀加丹参、牡丹皮之类，确有较好疗效。

狐惑病治验

诸葛连祥

狐惑病见于《金匮要略》：“蚀于喉为惑，蚀于阴为狐。”在临证中以慢性、久病患者为多见。曾治姚某，女，36 岁，于 1978 年邀余诊治，患口腔、阴道溃疡已 6 年，近 3 年已不能坚持工作，夜间疼痛须以头顶床栏来支持，无法睡眠，各种治疗皆不愈，颇为痛苦。望其口腔，见右颊内有溃疡点如豌豆大，无分泌物，亦无化脓征象，左颊之溃疡点略小，溃疡的特点是此起彼伏，溃疡在黏膜表面，未见有腐蚀至肌肉内之遗瘢，但极其疼痛，口腔黏膜在饮食接触时痛增，下阴在排尿时痛增剧，夜间虽无排尿亦呈发作性剧痛，饮食尚可，营养中等，脉沉细弱，舌质红而不泽，苔薄黄。开始认为本证溃疡偏于热毒炽盛，用《证治准绳》仙方活命饮，初服治口腔痛有效，连服 5 剂后又无效，下阴部疼痛则不减。细思口咽与下阴同病之关系，与足厥阴肝经经脉，绕阴器，抵少腹，上通咽喉，则本证与经络受邪有关；且疼痛夜重病在阴，属血分病，且病久在络，即予活血化瘀、通调上下，用《医林改错》血府逐瘀汤连服 5 剂，疼痛不减。经再研究《金匮要略》论狐惑病原文，从“状如伤寒”得到启发，本来从文义上，都按证候解释，我悟到可以按病因解释，推论其病机是外邪失于表散，表气郁则里气亦郁，因之肝经邪毒不能外达而致病，更以病在黏膜表层，遂选用《和剂局方》荆防败毒散，通调表里，以疏通里气郁滞，用荆芥、防风、桔梗、甘草、川芎、茯苓、枳壳、前胡、羌活、独活、柴胡各10g；因其中气不弱，未用参。兼用生没药30g，煎水漱口，5剂后，患者口腔溃疡完全收敛，已无疼痛。继治其下阴溃疡，用荆防败毒散仍在于使其由里出表，加升麻30g，助其向上、向表之力，更加赤小豆30g，偕升麻清解久郁之毒。患者服后即痛减能眠。连续服至10剂，经医院妇产科检查，其下阴溃疡已经平复，口腔溃疡也愈。前后仅治疗1个月，即上班。本病例之所以取效，在于认识由伤寒失表；又认识病在黏膜表层，选用解表平剂、轻剂；又在治口咽时加用没药漱剂，治下阴时用升麻至30g，其可升、可表、可解毒，发挥其三方面的效用，故可得疗效。

狐惑病治验

黄养民

狐惑病见于《金匮要略》。这究竟是一种什么病?《千金方》认为是温毒，状如伤寒;《医宗金鉴》认为是下疳;《诸病源候论》认为是䘌病；因本病兼有狐惑不安的症状，蚀于喉为惑，蚀于阴为狐，所以称狐惑。

狐惑之病机，乃心脾积热、湿热内蕴、气血瘀滞所致。壮年男、女性均有，在旧社会余曾认为系梅毒下疳，常以内服清热解毒，外擦珍珠散等法治之，用于一位艺人没有效，又用《金匮要略》泻心汤、苦参汤加雄黄外熏，治疗2例，疗效仍不显。后余经多年的临床探索，认为治疗狐惑病，应首先针对局部溃疡，减轻患者痛苦。治法：把藏青果焙焦，研末，取其能止血治溃疡、清咽解毒之功，配青黛效力更显，并加清凉之冰片、护膜生肌之硼砂，用此法治3例患者，经局部外擦口腔、舌咽、外阴及龟头，收效良好。再根据患者症状，以甘草、桔梗、土茯苓、板蓝根、栀子煎水内服。经外擦、内服，治愈21例患者，随访未见复发。

例：王某，女，1965年患口腔、唇舌、阴唇溃疡，反复发作3年多，痛苦不堪，经某医院治疗无效，到我处求治。我用上方给其外擦，并内服甘桔汤加土茯苓、板蓝根，1周治愈。观察4年，未见复发。

又如戴某，男，40岁。患舌质溃疡，唾液增多，饮食困难，龟头、阴囊有绿豆大小3粒凹陷溃疡，溃疡表面呈灰白色，周围有红晕，兼两目红赤，心烦不安，痛苦焦虑。1972年来门诊治疗，采用外擦内服甘桔汤加栀子、板蓝根、

土茯苓、牡丹皮，10 天治愈，观察至今未见复发，说明用中医药治疗狐惑病确有疗效。

惑是湿热上攻，蚀是腐蚀形成溃疡。狐惑病与眼、口、生殖器综合征颇类似，用甘草、桔梗，清咽利喉，加板蓝根、土茯苓清热利湿解毒，栀子泻火，牡丹皮凉血，再用药外擦局部，内外结合，收效明显。

甘寒凉血治狐惑

| 朱宗云 |

狐惑病的主要症状是口腔黏膜、前后阴黏膜与虹膜发生溃疡，另外，据 X 射线检查，还可发现食管黏膜、直肠黏膜溃疡等。

关于狐惑病的病机，古人有许多不同的见解，其中以李中梓为代表的提出，是由于虫毒为患，认为“虫啮五脏，故唇生疮。”虽然他们认为本病是虫咬，但提出的治疗主方是清热黄连犀角汤（黄连、犀角、乌梅、木香、桃仁），与其说是杀虫为主，倒不如说是清热为主，因此我比较赞同孙思邈对狐惑的观点。他在《千金方·卷十》中明确地指出：“此由温毒气所为。”《千金方》的注释家，清代张石顽指出“……热毒郁于血脉，流入大肠而成狐惑之候，其脉数，知热不在表而在血也……。”临床上，我遇到的病人都有咽痛、口腔黏膜溃疡处红肿明显、肛门或阴部溃疡充血疼痛、口渴引饮、甚则高热、溃疡处出血等症。有一病人溃疡出血约300ml，收入病房抢救。其舌红绛，脉弦数，一派热入血分的征象。所以我认为狐惑的病因是热邪内郁，不得透泄，上熏下注为患，以血热者为多。

关于狐惑的治疗，应以清热凉血为主，但我不主张多用黄连、黄芩之类的苦寒药。因为久用苦寒药反而能因燥而化火伤阴，所以我在临床上使用以甘寒凉血药物为主，并常佐以滋阴药，以犀角地黄汤加减为主方，在治疗中，对来势较急、症状严重者，选用羚羊粉。羚羊粉能清肝火，解热毒，凉血热。清代医家陈士铎指出：“治火者，首治肝，肝火一散，而诸经诸火俱散。”对于热毒盛而咽干溲黄、便秘者，还加用金精石 30g、寒水石 30g、玉泉散 12g、至宝丹 1. 5g 等。对后期溃疡面缩小，热邪伤阴而产生阴津不足者，加重养阴生津药，选用生地黄 12g、玄参 9g、麦冬 9g、天花粉 12g、鲜石斛 12g 等。

（吴贤益　张守杰　袁晓雯　整理）

高原病，多肺虚

陈建冲

什么叫高原病？顾名思义，高原病是由高原因素引起的疾病。一般在海拔3000m以上地区，因高原低氧，超越了人体的生理代偿而表现出各个系统的症状。根据本病的发作情况，一般可分为急性高原反应和慢性高原反应两大类。

国外很多学者或研究人员，开始研究高原病时，把它称为“晕船病”“高山病”“蒙赫病”等。直至20世纪50年代，才正式把不适应高原的一系列证候反应概称为“高原病”。

中医学中，虽无“高原病”的名称，但古代人民在长期的生产、生活实践中，已认识到高原环境对人体的影响，并在一些文献史料中记述了这种因高原缺氧所引起的症状表现，如《卫藏通志》中写到：“锅噶拉山高积雪不消，中多瘴气”“克里野拉途长淤沙积雪，烟瘴逼人”“康定至折多山，崇岗在壁，峗嵲逼人，药瘴气候异常，令人气喘，蛮荒冰雪，使人心慑”等。由此可见，前人把高原反应中的常见症状——“气喘”“心慑”，已作了如实描记，而对其引起的原因主要责之于“瘴气”。

肺虚，是高原病发病的主要原因之一。换句话说，肺气的强与弱是决定机体能否适应于高原环境的一个关键问题。据临床观察，高原反应症状的多少、程度的轻重、持续时间的长短，均与肺气的盛衰有着密切的关系。

中医学认为，西方属金，主气为燥，在脏为肺，且“天气通行于肺”（《素问、阴阳应象大论篇》），肺主气，司呼吸，高原地区清气不足，燥气偏胜，肺气易伤，为了确保机体气化正常，呼吸必须加深加快，才能从自然界中吸取更多的清气，以补偿肺脏气化之不足；肺为水之上源，通调水道，肺虚则宣降失常，通调水道功能障碍，故有些人进入高原即出现水肿；肺主声，声音的宏亮与否与肺气也有关系。高原地区肺气虚弱的人，多发声不扬，气息短促；肺主皮毛属卫，肺气虚弱，卫外不固，外邪易入，所以，在高原地区易患感冒。再从高原病的主要临床症状看，诸如精神倦怠、气短息促、动则尤剧、咳嗽咽干、形寒多汗等，均属肺虚无疑。至于高原病的治疗与预防，补益肺气是个较为有效的方法。我院使用口服人参茯苓制剂防治高原反应有很好的疗效。这些事实充分说明，高原环境对肺有着直接影响，而素体肺气虚弱则是病变的关键。

现代气象生理学证明，一般海拔越高，自然界中的大气压越低，氧分压、肺泡氧分压相应降低。据有关统计资料，海拔每升高100m，空气的大气压约下

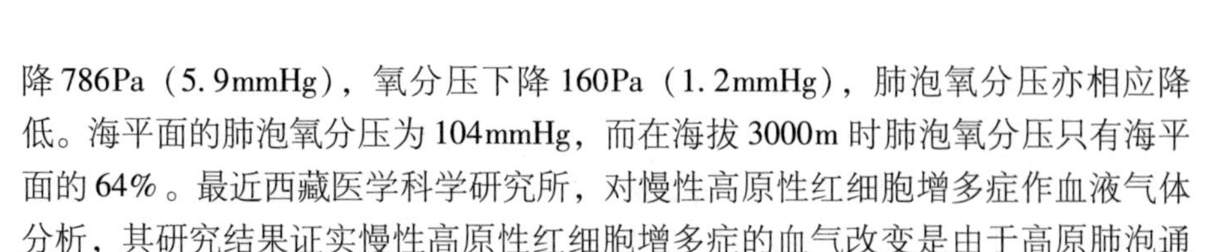

降786Pa（5.9mmHg），氧分压下降160Pa（1.2mmHg），肺泡氧分压亦相应降低。海平面的肺泡氧分压为104mmHg，而在海拔3000m时肺泡氧分压只有海平面的64%。最近西藏医学科学研究所，对慢性高原性红细胞增多症作血液气体分析，其研究结果证实慢性高原性红细胞增多症的血气改变是由于高原肺泡通气不足而导致低氧血症，这为“高原病多肺虚”提供了初步的现代科学依据。

脐　吹

|张琼林|

脐为施药治病之所，人恒用之，然脐能透气定喘，实为少见。金某，年20岁，其父伴来门诊，突发抬肩大喘，额汗淋漓，建议看急诊、扎针灸，均不肯，候诊者皆担心其发生气脱。但其父则无动于衷，约8分钟，患女喘缓如故，每日发作3~6次。问诊之际，便窃窃耳语道：“在家发病立即进入房中，解开裤带，敞露脐孔，自觉气从脐中呼呼逸出，顿时喘平。今无法露脐，故喘亦难止。”平素心悸多汗，寐浅梦险，恐怖易惊，身躯颤抖。唇舌偏红，六脉细数，作理化检查，均属正常。已服肃肺平喘，化痰降气之剂数剂及地西泮、苯巴比妥等罔效。综其脉证，系心肺气阴两伤，神不守舍，气失摄纳。仿甘缓潜宁，佐以养阴镇纳之剂，处方：百合知母地黄汤合甘草、浮小麦、大枣，加白芍、五味子、紫石英等6剂，一诊不复来。2月后该女又陪其父来诊，方知已痊愈。临诊蹊跷之病虽多，能谨守病机，辨证施治，则法必有宗，治必有序。

黑　尿

|刘炳午|

1980年仲夏，余回老家探亲，邻人李某求治。自述近半月以来，小便色黑，日行三四次。余闻之，甚奇！临证以来，未曾见过小便色黑者。欲求眼见为实，于僻静处观之，李某小解余沥之尿，色深灰黑，方知所说为实。追询之，其除头晕、疲乏外，小便无淋沥涩痛，无口渴、五心热等症，去中西医院求治，诊断未明，服药罔效。诊得其舌淡稍胖、脉缓。遂予真武汤原方，嘱其附片久煎，忌下冷水作业。

3日后，李某母子登门谢曰：多日之病，服药无效，3剂药到病除，真乃神方。

在座者，听之叹曰：此方为何如此速效？余曰：中医治病，总在把握脏腑阴阳，表里寒热虚实。李某二八之年，天癸刚至，肾阳尚未完全充实。肾者主水，在色为黑，司二阴，维系一身之阳气。若禀赋不足，水无所主，脏色下露则尿黑也。今病者无肾阳不足之征，虽值夏日，予真武汤温阳利水，故尿色如常矣！因自思阅历不深，以其病鲜见，录之供同道参考。

无　脉　症　|刘炳凡|

无脉症，其根在肾。以脉动在于心阳，脉所以动在于肾气，食前脉衰，食后脉旺，更与胃气有关。临床上有真无脉者。一名13岁男孩来吾处就诊，按寸口，脉伏不见，亦非反关。据云腹胀纳少，神疲不耐作业，稍劳累，易发绀，西医诊为“无脉症”，谓无药可治，而转求中医。余思心虽主血脉，但促进循环的原动力始于肾，资生于胃。“肾间动气者五脏六腑之本，十二经之根。”应强壮肾中真元之气，及健脾胃，助消化，鼓舞血行，流通脉道。药用党参、白术、茯苓、甘草、法半夏、陈皮、黄芪、丹参、远志、鹿角霜、菟丝子、补骨脂、鸡血藤、鸡内金。患儿服20剂后复诊，其父喜形于色，谓其子发绀，腹胀消失，食纳倍增，面色红润，坚持原方又服20剂，脉渐出，但细弱无力。嘱其再服原方10剂，8年后其父告知，其儿已大学毕业，病未复发。

中药巧治顽嚏　|汝丽娟|

服用痢特灵而引起药疹，较之服磺胺药、抗生素、解热镇痛药、镇静安眠药要多而居首位。痢特灵药疹尽管临床表现繁多，但其刺激黏膜而引起顽嚏，实乃罕见。笔者在1983年曾遇到服痢特灵后七窍奇痒，连打喷嚏不止，4天内打嚏250多次的病例，予以记实。

刘某，女，年逾40，自诉因腹泻服痢特灵药片后10天，全身出现大片风团样水肿性红斑，皮肤累及头面、手足心，时隐时现，并出现鼻、咽、耳、目奇痒不适，且连连打嚏百余次，经五官科急会诊检查，鼻腔黏膜苍白，轻度水肿，印象为药源性变态反应性鼻炎，证属药毒郁遏清窍，拟散风清热利湿解毒法。药用：荆芥、防风、金银花、连翘、牡丹皮、赤芍、黄芩、赤茯苓、大黄、甘

草各9g，生地黄、蒲公英、车前草各30g，日服1剂，次日打嚏减为七八十次，三日打嚏为四五十次，四日打嚏一二十次，五日打嚏已止，七窍奇痒亦消，全身皮疹十去八九，6日皮疹全部退尽，仅存皮肤瘙痒症，继守散风清利余邪之方，调治5日痊愈出院。

谈久病无脉

徐有玲

凭脉辨证，此言其常，舍脉从证，乃言其变。中医的望、闻、问、切四诊，古人把切脉列于四者之末，寓意深刻。张景岳在《景岳全书》说："世称善脉莫过叔和，尚有待于彼此参伍，况下于叔和者乎！故专以切脉言病，必不能不致于误也。"1976年，一例无脉症病者求诊，双手无脉，已历年余，西医诊断为"肾动脉狭窄合并无脉症"。此病者知医，问曰：中医的望闻问切四诊，是诊断病情的一种重要依据，我双手无脉，君何能凭脉辨证？我说，古人云："久病无脉，气绝者死，暴病无脉，气郁可治"。君虽火病，精神倦怠，面色眺白无华，正气虚衰；但语言有力，行动如常，并非气绝。且舌质紫暗，舌尖边有瘀点，畏寒肢冷，乃寒凝血滞，脉络闭阻。治拟补益正气，活血祛瘀，温寒通络，可乎？病者首肯。乃书圣愈汤加味，药用：党参30g、黄芪30g、熟地黄15g、当归12g、赤芍12g、川芎12g、桃仁12g、红花12g、丹参30g、桂枝15g、灵芝30g、王不留行15g、何首乌30g。

按上方服30剂后，患者双手脉出。乃以上药加减研为细末，加蜜为丸，每丸重9g，每日3次，每次1丸，温开水吞服，连续服用半年。最近追访，患者脉搏早已恢复正常多年，自觉无不适，已全日参加工作。

"无脉症"，祖国医学并无此病名，通过多例的临床探索，我认为望、问为审察病机的关键，病史是审因求治的依据，辨病与辨证相结合，乃立方遣药的准则。

郑声并非都属虚

张广麒

"实则谵语，虚则郑声"语出《伤寒论·辨阳明病脉证并治》，对其中之郑声，历代医家中虽有"郑声不为重叠""为邪音"（《伤寒明理论》）；"声出重浊，此正先轻后重，为内实谵语之渐，非郑声也”（《尚论篇》）之异议，但对“音短而细，已将一言重复呢喃”（《伤寒指掌》），精神衰疲之郑声，则几乎皆认为属虚而无何非议，但个人在临床中却碰到过 3 例郑声属实的病例。患者杨某，女。59 岁，1985 年 2 月初诊。因罹患高血压、血管神经性头痛，长期治疗反复不愈，情绪忧郁不欢，常以为亲属嫌其拖累不能操持家务。昨日与家人口角后，神志欠明，精神衰疲，发音无力不能接续，语声细小低微，喃喃重复：“我又不是装病，为什么厌恶我”一句，睡眠、饮食均不能自理，病系郑声无疑。然患者舌苔白厚腻，语声之中常夹痰鸣，两手时时按压胸胁，脉非细小反现弦滑有力。且起因虽由平素心事遇精神刺激而发，但发病却暴急而不缠绵。当属痰气郁结，上扰心神而非心气内损、神无所主之证。以顺气导痰汤加石菖蒲、郁金、黄连二剂，药后，患者神识逐渐清醒，能知饥饱，郑声基本消失。

尽管郑声属实者于临床中极少见到，然却不可不知，亦不可见郑声便一概以虚论而不查。否则，当犯“虚虚实实”之戒。

清热泻肺治脱肛

彭开莹

脱肛一病，多属中气不足，气虚下陷，或大肠湿热下注所致，常见于体虚的童叟，医者多用“补中益气汤”治之。吾治 4 例少童，经同道用补益中气之法，久未治愈，邀余诊之，视其病延日久，症见体弱发稀，久咳时喘，肤热暮甚，溲赤便溏，舌红苔微黄，脉象细数等，拟用泻白散加味，5～8 剂，均获满意疗效。究其理：咳嗽喘息为肺病之征；肤热、舌红苔黄、脉数为肺热之象；肺主皮毛，肺热日久则见头发稀疏枯槁，肌肤潮热；肺与大肠相表里，肺病累及大肠，久病体弱，气虚下陷，故肛门松弛脱出。脱肛为标，肺热为本，治病求本，泻肺清热，热清，肛门回缩而愈。同一疾病，由于病因不同，在病变过程中，所表现的证候亦不同，故治法必异，此谓同中求异之辨。同一脱肛之病，采用补益中气或清泻肺热不同之法，明其辨证论治之理，彰其同病异治之妙。

补肺止咳治尿失禁

李鸿翔

临床常见肺气闭郁不宣、通调水道失职而致“癃闭”，对于因咳嗽而引起

小便失禁者较少见。前者宜宣肺开“癃闭”，后者宜补肺固下元。

鲍氏女，1983 年初夏来诊。初因外感咳嗽治未彻底，反复发作两年余，近半年来每于咳嗽剧时即小便失禁，常常一日数次更衣，颇为苦恼。询其痰少而难咳出，气短不足以息，劳动甚则似喘，时或自汗恶风，苔薄白，脉细弱，经作 X 线胸透及心电图均正常。证属久咳伤损肺气，无能调控水道。新咳宜乎宣散，久咳当予补益，拟“补肺百花散”（自拟方）：炙黄芪 30g、南沙参 15g、制百部 24g、百合 15g、炙款冬花 15g、紫河车 10g、五味子 6g、升麻 9g、沉香 6g，5 剂。

药后患者咳嗽大减，小便已不失禁。补益得法，仍守前方加白术 10g、防风 6g、生姜 3 片、大枣 5 枚，患者连服 15 剂而愈。

《内经》谓：肺主治节，为水之上源，下则通调水道。此案为肺气虚损、治节水道失司，故小便失禁。据气机升降之理“下病上取”，固益上源，则下流自能有节。所拟方药以黄芪、南沙参补益肺气为主；以紫河车、五味子补其下焦；以百部、百合、炙款冬花润肺止咳为辅助，更以沉香配升麻升降相合；前胡配桔梗，开合相佐，使其升降有节、开合有度。不专治咳则咳自止，不专治尿而尿自调。

杂证六则 |熊传鑫|

哮喘脉数非热证

哮喘是一种发作性的痰鸣气喘疾患，其病机主要为痰气交阻、壅塞气道、肺失肃降之职所致。因证型有寒热之异，故分冷哮与热哮，临床上冷哮多见。《脉经》云：“数脉去来促急，一息五六至。”脉学书认为数脉主热，有力为实热、无力为虚热。然而，冷哮见数脉（无力）者甚多。1973 年仲夏，余曾诊一年轻妇人，素有哮喘，感寒则发，因伏天避暑乘凉太过而发哮喘，一医以氨茶碱等药服之无效。切其脉数乏力，哮喘呈端坐抬肩之状，舌润苔白口不渴，诊断为冷哮，投以散寒蠲痰饮之小青龙汤，一剂知、二剂已。

按：此证脉数乏力不可诊断为虚热，乃寒饮壅阻气道、肺失肃降，上逆则为哮喘，而心气欲虚之候也。

腹满疼痛拒按非实证

《金匮要略·腹满寒疝宿食病脉证并治篇》云：“病者腹满按之不痛为虚；

痛者为实，可下之。”此言腹满按之痛否以辨虚实之常也。然腹满痛拒按亦有实虚寒者。1957 年秋，一中年妇女，患肠道蛔虫病，经某医师用山道年、甘汞驱蛔和硫酸镁导泻后，发生腹满疼痛拒按、呕吐等症。一医给予小柴胡汤，其痛加剧；另更一医，投以苓桂甘枣汤加天花粉，服之无效。延余诊，切其脉沉而紧，轻扪其腹痛处呈阵发性拒按，且时呕吐清水，舌润苔白，不饮不食。余处予大建中汤（西党参 15g、干姜 15g、蜀椒 9g、饴糖 65g），水煎服 2 剂后，患者痛呕显著减轻。复诊 2 次，继服原方 7 剂而愈。

腹满不减非热结证

《金匮要略·腹满寒疝宿食篇》云：“腹满不减，减不足言，当须下之，宜大承气汤。”此言腹满不减属实热燥结之常者，然而，腹胀满不；减亦有属寒结者。1963 年夏曾治一中年男人，病腹胀胸满不消，大便 4 日未解，某医院给硫酸镁和调胃承气汤服之不泻。延余诊，切其脉沉迟，舌润苔白，不饮不食无矢气，诊断为寒实结胸证，仿《伤寒论》白散方投以三物备急丸加厚朴、枳实 1 剂温下之，服药半小时后解棉条样粪半痰盂而愈。

自汗非阳虚证

盗汗多阴虚、自汗多阳虚，此常理也。然亦有自汗属热兼阴虚者。1975 年夏曾治一老叟病上半身自汗多，两月余，伴有口干、头晕、脉弦、舌红苔薄黄等。余给予当归六黄汤加川芎 2 剂而病瘥。

泻渴饮冷非热证

泄泻、口渴饮冷有属热邪所致者，然亦有因中焦寒湿致脾阳虚损不能运化而形成者。1978 年夏，一小孩患泄泻，口渴饮冷，伴腹胀不食，某医用四苓散加麦冬、天花粉而无效。邀余诊，切其脉弱而数，腹胀因泻而稍减，复如故，日泻清谷五六次，口渴饮冷，舌质干，苔白腻。余投以大安丸加干姜。服 3 剂后患儿泻止渴停，腹胀渐消，继进糜粥而愈。

发热渴饮泉水非热证

发热渴饮泉水属实热者多，然亦有因虚阳浮越而致者。1969 年夏一老妪患大病月余后，发热（37.5℃），渴饮泉水频频，米粒不进，身瘦削，短气。前请鄂省某医诊云：“病入膏肓”，不治。延余诊，切其脉浮而微，舌干无苔，颧赤，肢厥，连呼：“舀洞水（泉水）来喝”。其孙已为其备好后事。余处予人参四逆汤加肉桂回阳兼益阴。服 2 剂后，患者热渐退而渴即止，初进稀粥，后以

四君子汤加山药、五味子、鸡内金几剂收功。

临证用方举隅

李石城

医治“合病”，当审证求因，方药不可杂投

仲景《伤寒论》是辨证论治的经典，义理深奥、法度谨严，指导临床切合实用，若能辨证准确，其效无穷。医治“合病”仓猝难辨，然病至疑难之时，莫若证脉细审，分合辨认，寻求角落，则阴阳表里自明，标本先后不致混淆。余年前诊治张某、王某之病，一为“病毒性感冒”；一为“肾盂肾炎”。病已7日，均具发热恶寒、汗出头痛、周身骨痛、咳嗽吐痰、口苦恶心、纳呆便调。用西药治疗难获寸进，改请中医会诊。前医二人，一曰外感，立方发散；一曰中虚，立方甘温除热，投药后证亦不减。再邀余诊视，察其脉浮弦，舌淡苔白黄，脉证合参，此太阴、少阴合病也，拟小柴胡合桂枝汤加鱼腥草，一剂平，次日症减，效不更方，5日后两患者均痊愈。

体虚结胸，攻下罔效，急当虚中求实

结胸一证，其证险恶，老弱体衰之人患此疾者，难于万痊，仲景《伤寒论》曾有“结胸证悉具，烦躁者亦死”的判断。余1972年治罗姓患者，年逾花甲，病起4天，急诊住院。症见：满腹胀而硬，痛不可近，水米难入，下咽即吐，大便不解，小溲短赤，辗转呻吟，西医诊为肠梗阻，采用三管（输液、输氧、减压）及中西医结合对症处理，几濒危殆。该翁素有喘咳痰饮、心悸胃痛宿疾，手术难免担风险，乃于第5天晚间延余诊视。察患者胸腹硬满，形体羸瘦，容憔息微，神识昏沉，呼之不应，六脉沉微，舌燥无津，似有风烛之危，查阅前医所服方药，处以椒梅理中、大柴胡汤、大承气汤等，未效。此寒热痰水互结之证，攻则正伤，补则邪恋，乃拟用温脾汤，攻补兼施，分温频服。一服片刻即吐，其家人告之，余嘱原药继进，患者安然，凌晨得矢气，病情顿减，守方调之，1周后病愈出院。

本证之病机特点系寒热痰水互结，寒浊内停，且体虚气血不足，脾阳虚弱。察其实，未究其实中之虚；益其脾，未制其痰水互结之为病。故此证既不可扶正以遣其邪，亦不可顾实而忘其衰，不能先其所因，焉能伏其所主。温脾汤实为温补攻下兼施之方，辨治诸症，故能治愈。

杂证治验二则

刘炳钧

调和营卫治盗汗

盗汗一症，究其病因，世医皆谓之阴虚，或心血不足，或阴虚火旺。治之之法，大抵以补血、养心、敛汗、滋阴、滋火之剂，佐龙骨、牡蛎、麻黄根以收敛止汗；知母、鳖甲、地骨皮以滋阴清热，愈者十之八九。若久治无效者，余每以调和营卫之法，用黄芪桂枝五物汤奏效。

盖汗者，精气所化，阳加于阴谓之汗，血汗同源，腠理的固密与开泄有赖于卫气，若阴虚则卫气无以养，卫气不调则营阴无以固。黄芪补气固表，桂枝、芍药一散一收，桂枝辛温，宣通卫阳，芍药苦寒，敛阴和营，两相配伍，一阳一阴，调和营卫，营卫和而盗汗止矣。

伏其所主，先其所因

某生问曰：你治病，有何经验，授与我等。答曰：伏其所主，先其所因，治病求之于本。

1958 年，曾遇一妇人，双手脱皮，手指及手掌、手背似剥皮之兔肉，其色鲜红，微痛无肿不痒，罹疾五月，衣着梳妆不能自理。时遇炎夏，水不可触，痛苦难言，四方求医，中西两法，针药俱进，内外同施，莫能奏效。

参阅原方，有清热泻火之剂，有凉血解表之方，或投以清热祛湿之药，或外用杀虫之膏，凡此种种，立法之广，方药之众，何以罔效？慎思之，投药不应，别有其因，必伏其所主，先其所因。

详询其情，谓身无他疾，惟素体弱多寒，近 2 年每次行经量多色淡，切其脉细而肢凉。至此，其因昭然：患者虽双手红而不肿，非毒之所伤；疼而不痒，非虫之所致；肢凉不热，非热邪所羁。药之与症，犹水火之难容，焉能收效？此乃因阳气不足，经多血虚，血不养肢，四肢为诸阳之本，阳气不足，不能温养四末。法当温经、养血、通脉，当归四逆汤加阿胶主之。方中桂枝、细辛、木通温经通脉；桂枝、芍药、甘草、生姜、大枣调和营卫，营卫和而血脉通、阳气畅；阿胶为血肉有情之品，合当归补血和营。用上法两旬，患者瘥之七八，后辄细辛，为时一月而痊愈。

治癌琐谈

吴贤益

恶性肿瘤严重地威胁着人类的健康，近年来同行们对此进行了大量的研究，各种理论、疗法层出不穷。我治疗恶性肿瘤，注意辨虚实、分阶段、调脾胃。

癌肿的发病机制主要是气血、阴阳失调，气血运行不畅，结果成痰、成瘀，化火、化热，患者若体质强健而尚未使用放疗时，可侧重于局部的抗癌疗法，如清热解毒、软坚散结。我常用的药物有蒲公英、白花蛇舌草、穿山甲、生牡蛎、炙鳖甲等。若患者体质虚弱或接受化疗、放疗后，全身情况较差，再用大剂量苦寒清热之品，往往会尅伐正气，影响疗效，此时用党参、太子参、黄芪、麦冬、枸杞子、黄精、仙鹤草之类补益气血之品，往往可以扶助正气，升高白细胞，强壮体质，兼有抗癌作用，使患者能坚持化疗或放疗。在临床上往往可以见到一些癌肿病人，常有伤阴少津的表现，这是由于癌肿之邪耗损津液，也可能是由于化疗、放疗损及津液。这时应着重于养阴生津，重用生地黄、麦冬、玄参、石斛、南沙参、北沙参、百合、玉竹之类，同时配以健脾和胃之品，这样可以迅速改善患者之症状，减少痛苦，使患者有条件接受进一步的治疗。

现在采用清热解毒法几乎成了治疗癌肿的常规疗法。此法虽有相当的疗效，但也难概治一切肿瘤，有时病人并无热盛之象，若此时仍使用大量清热解毒药物，有违于辨证施治原则。癌肿肿而不红，有些形如菜花状、蘑菇状，此乃痰湿阻滞之征，脏腑经络功能紊乱，气血瘀滞，湿聚为痰。痰、瘀凝结成块，此时除用活血理气药外，不妨使用化湿、化痰之法，往往能见功效。我临床喜用猪苓、茯苓、薏苡仁等淡渗利湿药物，佐以芋艿丸化痰浊。其中猪苓、茯苓、薏苡仁可用大剂量，常用剂量为30～60g。有的胃癌患者手术后七八年来一直服用猪苓、薏苡仁，配以其他益气和胃之品，各项生化指标趋于正常，已上全天班。猪苓、茯苓为利水渗湿药，对消除由于痰湿积滞的肿块，确有疗效。临床观察，服用大剂量猪苓后，并无尿量异常增多，亦无伤阴耗津之弊。薏苡仁为寻常吃的食物，其药用之功效往往易被忽视，其实薏苡仁除痹、通络、消肿、祛痰之功效高于一般药物。现代医学实验研究证实，薏苡仁、猪苓、茯苓等有抗癌作用，堪称治癌要药。芋艿即寻常蔬菜，而用以化痰散结确有奇效。

脾胃为后天之本，脾胃健则津液运，所以治疗癌肿病人，应注意健脾和胃。猪苓、茯苓、薏苡仁、芋艿丸味淡而不伤胃，化痰湿而健脾，确有疗效而无不良反应，故为我所喜用。

治癌一得

|傅少岩|

癌病固非一般疾病，亦非现在才有的疾病，在我国传统医学里，很早就有关于癌瘤病症的病因、证候和防治原则的记载。比西方医学至少要早一千多年。

中医治疗癌病，一定要注意保存病者体内正气的抗病能力，切忌妄攻，特别是“后天之本”的脾胃功能非常重要。因为癌病乃一大杂症，当人体气血失调时，邪气乘虚致病，罹病涉及面很广，临床各科都有其病，人体五脏六腑和四肢百骸皆可见其症。治疗必须根据其癥结积聚之所在，辨明其阴阳、表里、寒热、虚实，依证立法，依法施治。不管应用何种治疗方法，都应该调动病人自身的抗病能力和积极性，尤其是要保持病人旺盛的消化功能。因为癌病对人体气血功能损耗很快，只要病人脾胃功能尚健，能运化水谷，补充营养，就能最大限度地延长生命，为进行治疗创造有利条件。

笔者在多年的临床工作中，对癌病的治疗，从失败中获得一些启发，对不同病情的晚期癌病，从调补脾胃着手，取得了比较满意的疗效，从而体会到“脾胃学说”在晚期癌病治疗上有一定的指导意义，发现用参苓白术散加减，对治疗某些癌病有一定的作用。有些病人在手术后，癌变转移扩散而病情恶化，本来卧床待毙，坚持服此方后，饮食渐增，体重增加，精神气色好转，症状得到明显改善，有的竟达到初步康复。

参苓白术散，方出自《太平惠民和济局方》，由人参（如没有用党参代）、白茯苓、炒白术、怀山药、白莲子肉、薏苡仁、炒白扁豆、西砂仁、苦桔梗等药组成。个人体会，此方不仅是治疗脾胃虚弱的常用要方，亦实为治疗诸般杂证气虚血亏的圣药。因为此方药性平和，中和不偏，癌症久病虚损羸弱者，服之可以养气育神、醒脾开胃，长肌悦色、扶正祛邪，实乃培补后天之妙剂。

当然，中医治疗癌病也存在许多不足之处，如果能够中西医结合，扬长避短，将会造福于人类，功莫大焉。

加减见眖丸治疗良性瘤

|魏承宗|

患者陈某，男，42岁，自诉半年前腹胀肿痛，渐至食入即胀，近来疼痛阵

发，怠惰嗜卧，不能坚持劳动，动则喘促，稍息方安。曾服中药百剂，罔效；在湖南医学院作细胞切片诊为“良性肿瘤”。余诊：其脐下包块结硬，约4cm×4cm，压痛明显，腹胀隐痛，大便硬结；然体形颇实，食量不减，面色苍黄，舌红苔黄，脉沉有力，证属痰气瘀结。《内经》曰：“坚者削之”。乃仿《卫生宝鉴》见晛丸、晞露丹出入加减。处方：三棱10g、莪术10g、硇砂5g、青皮5g、穿山甲珠10g、鬼箭羽10g、延胡索10g、木香10g、槟榔10g、水蛭10g、桃仁10g、大黄10g、巴豆10g、蜈蚣3条，共5剂，合研细末，蜜炼为丸，如小豆大，每早晚各服30丸，温水送下。1个月后患者来院复诊，腹肿块消失，腹软不痛。食入不胀，食量如前，形神焕发，前后判若两人。惟小便气极恶秽，大便溏薄黑瘀，守方继服一段时间，诸症均消。1年后调查，该患者已参加正常劳动。

用本方治各种积块，均收到令人满意的疗效，笔者体会，凡体实脉实，而又食量正常的肿瘤病人，可放胆使用，先行攻伐，祛邪荡积，病去则安。

张子和谓：“夫病之一物，非人体素有之也，或自外而入，或由内而生，皆邪气也，邪气加诸身，速攻之可也，速去之可也”。本例即宗张子和意，进行攻伐，未动手术，疗效甚佳。

用益气养阴方治疗肺积

王羲明

肺积（支气管肺癌）是近年来发病率较高的恶性肿瘤之一，尤其好发于老年人，一经发现往往因为有较大的癌块压迫邻近器官和广泛性转移而失去治疗机会。

作者曾治疗一男性患者，张某，32岁，两年来，咳嗽、咯血、胸痛，胸片见左下肺有1分币大小之阴影，逐渐增大到鸽蛋大小，初疑为肺痨，经治无效，查痰阴性，遂即手术，发现为左下肺癌已广泛转移至心包、胸膜及横隔，无法切除，病理检查为腺癌。病人怀着绝望的心情来我处就诊，诊得其脉细数，舌质红苔黄，辨证为“正气虚弱，阴液亏损”之候。予扶正养阴方：生地黄、熟地黄各12g，天冬、麦冬各12g、玄参12g，生黄芪15g，党参15g，漏芦30g，土茯苓30g，鱼腥草30g，升麻30g。经治疗3个月，患者痰血减少，胃纳渐增，精神好转，能起床活动；继续治疗半年，已能从事开拖拉机的工作，面色红润，体重增加5kg，如此继续调治，至今已达6年，随访健在。

据现代中药药理研究证实，上方能改善病人机体的体质，增强机体的免疫功能，提高机体抗御恶性肿瘤的能力，具有“扶正而不助邪”的特点。余虽仅用于治疗1例，亦是肿瘤防治中的可喜苗头，录此以备有志者进一步研究。

用温化扶正法治疗肺部癌瘤

罗本清

久积顽痰凝聚于肺，是导致肺部癌瘤的重要因素之一。《丹溪心法》指出“凡人身上中下有块者，多是痰”。《谦益斋外科医案》亦云“癌瘤者，非阴阳正气所结肿，乃五脏瘀血浊气痰滞而成。”脾为生痰之源，肺为贮痰之器，肺气不足，则津液凝滞，脾阳虚弱，痰湿内生，凝聚成块。然脾阳又赖肾阳温养，故虽病变在肺，但亦属脾肾阳虚，不能燥湿化痰而成。这就是使用温化扶正法治疗本病的理论依据。

我们对确诊的35例原发性肺癌，采用温化扶正法分型治疗。①对肺肾两虚型，投枇杷叶散加味：制附片120g（先煎），紫苏子、沙参、王不留行各30g，枇杷叶、茯苓、白术、白芍、当归、山药、丹参、莪术各15g，阿胶15g（烊化冲），法半夏12g，天冬20g。②对肺脾两虚型，选黄芪建中汤加味：制附片120g（先煎），黄芪60g，桂枝、王不留行各30g，丹参、莪术各15g，大枣12枚，干姜6g，炙甘草3g，同时重用生川乌、生天南星等，用我研究所自制的复方三生针注射液，肌注、静脉推注或滴注均可。治疗结果按上海中医中药治疗肿瘤协作组1977年3月拟订的评定标准（试行草案）评定，温化扶正组的有效率为54.20%，与非温化组（25.86%）比较，疗效的差异显著（$P<0.05$）。

祖国医学认为，癌瘤是因虚而得，虚而致实。虚为病之本，实为病之标。虚则肺脾肾虚，实则气滞血瘀，痰凝毒聚。温阳扶正之所以能取得一定疗效，正是选用了补肺益气、温肾补脾、除湿散寒、活血化瘀之品，以分型治疗。如附子是温暖脾胃、除脾湿肾寒、破癥坚积聚的良药。天南星、川乌是除痰下气，消胸上冷疾，攻坚积，散瘀血之佳品。丹参、莪术、王不留行等能活血散瘀，消积止痛。扶正药中的黄芪能补肺气、疗虚损、逐五脏间恶血。沙参、麦冬有补虚，益心肺，清金降火，治久咳肺痿之功。因此，本法对肺癌患者在增强体质、延长生命、通瘀止痛、稳定癌块等方面，均优于非温阳组。同时用本法安全可靠，无不良反应。治后未见心、肝、肾功能异常；亦未出现舌质变红、苔变黄燥等伤津之征兆和损伤肺络、咯血加重等弊端。

精神疗法与药物疗法并举救治肺癌

郁文俊

曹某，男，45岁，于1976年10月经某医院X线断层摄影发现右中野后缘有4.5cm×5.5cm×3.5cm圆形肿块，经细胞学检查，见有低分化鳞状上皮癌细胞，确诊为肺癌，入院治疗。经外科讨论，认为手术的时机已失去，改为化疗。患者因不能忍受化疗所产生的不良反应转用中医中药治疗，余应邀会诊。见其精神萎靡，消瘦，贫血，食少不寐，胸痛，咳嗽，咯血，低热，盗汗，脉细数，正在嘱其妻儿安排后事。婉言拒治。

会诊中余与该院全体医护人员商定，通过多种方法使病人不相信肺癌的诊断，将低热、咳嗽、咯血、盗汗等症状都解释为因肺结核所致，并鼓励患者增强治愈疾病的信心。在中药治疗方面，给服肿节风片（对病人伪称为治结核的P. A. S)，处以本人习用的“扶正抑癌汤”：党参15g、黄芪30g、天冬30g、半枝莲30g、白花蛇舌草30g、金荞麦30g、全瓜蒌30g、薤白15g、无花果30g、丹参24g、薏苡仁30g、马兜铃15g、莱菔子15g、甘草6g。

10天后复诊：患者精神、食欲、睡眠改善，胸痛减轻，体重增加2.5kg。患者自谓确信“修正诊断”，信心倍增。又在药名保密的情况下以环磷酰胺、争光霉素间断施用，并加山豆根片、维生素A、B_2、C等治癌辅药。

嗣后，每周会诊1次，成药不变，汤剂随证加减一二味。经治2年，患者诸症消失，体重增加5kg以上。于1979年去医院复查“结核”是否治愈。结果患者之包块仍为原来大小，因全身情况良好，顺利地进行手术切除，加中药调理和抗复发治疗，同年底停药，至今已10年，仍然健在。

本案治疗体会有二。

1. 精神疗法与药治并举　中西医皆认为本病的发生与恶化与精神因素的关系极大。张子和谓：“积之成也，因暴怒喜悲思恐之气”。国外精神病生理专家认为，癌的发生、发展以及疗效与精神状态不无关系，精神状态良好，常可获得意外的效果。举此案例，说明在精神因素作用下，药物才能起到应有的作用。

2. 扶正抑癌是原则，关键还在遣方选药　人参、黄芪是增强细胞免疫和体液免疫之要药，人参还有直接抑癌作用；金荞麦、山豆根在治癌中确有疗效。日本汉医学家首称山豆根治癌效果极好，并是抗复发之良药。马兜铃、天冬主治肺癌；其他药除甘草外，均系广谱抗癌药，且能健脾化食、活血化瘀、理气化痰，标本兼治，相得益彰。

霍奇金病治验偶得

杨永澄

霍奇金病类似“瘰疬”“瘿瘤”，治疗中采用清热解毒、祛瘀散结、坚者削之、结者散之等原则。

余诊一男性工人，因发热、贫血、颈部成串瘰疬，于1972年经某医学院活检确诊为霍奇金病，结合化疗，仍迁延反复。1973年初，我嘱患者采鲜白花蛇舌草、龙葵、夏枯草煎汤代茶饮，每月10～15剂，当年获效。从次年起，患者每年自种上药，按期煎服，持之以恒，至今已12年，未作其他治疗，霍奇金病未见复发。

复方八角金盘汤治疗食管癌

马吉福

近几年，笔者运用自拟之复方八角金盘汤（八角金盘10g、八月札30g、石见穿15g、急性子15g、半枝莲15g、丹参12g、青木香10g、生山楂12g）治疗178例食管（贲门）癌患者，对延长食管（贲门）癌患者的生存期有明显效果，3年以上存活率为51.6%。

如病者汪某，男性，63岁，于1980年元月因吞咽梗阻待查住本院肿瘤科，经摄食管X线确诊为食管贲门癌。患者不愿接受西药化疗，要求中医治疗。症见精神抑郁，谷食难下，两胁胀痛，大便干燥，小便微黄，舌苔薄黄，脉弦细，证属肝郁气滞，损及脾胃，瘀毒阻于食管胃络，而成噎膈。治宜理气解郁，化瘀解毒，予复方八角金盘汤加青皮、陈皮各10g，柴胡10g，白芍12g，每日1剂。服三十余剂，患者梗阻缓解，能进软食100g，余症悉减，继服本方一百余剂，拍摄食管X线，病变由7cm缩小为5cm。最近随访，患者病情一直稳定，目前能从事轻农活。

食管（贲门）癌属祖国医学“噎膈”病范畴，是由于瘀血、顽痰、逆气阻膈胃气，瘀毒积块梗阻食管（贲门）之间，使谷食难下，或下之复出。治疗本病首在化瘀解毒，软坚散结。但瘀血积块之消散离不开气的流动鼓舞，气帅血行，血随气运，化瘀必行气。本方选用八角金盘、八月札、石见穿、急性子、半枝莲活血散瘀，解毒消肿；青木香、丹参行气活血祛瘀；山楂能消食积，散

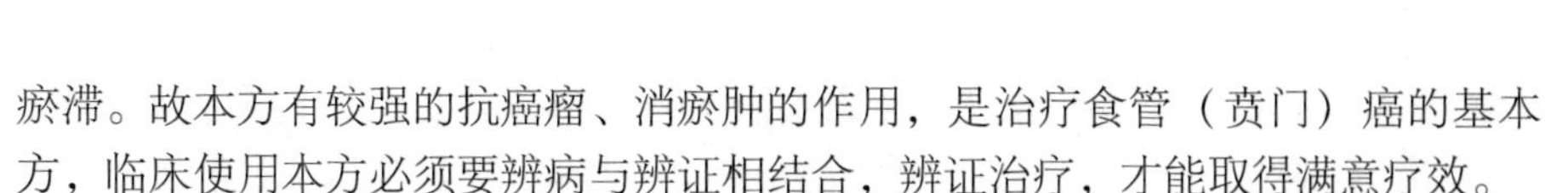

瘀滞。故本方有较强的抗癌瘤、消瘀肿的作用，是治疗食管（贲门）癌的基本方，临床使用本方必须要辨病与辨证相结合，辨证治疗，才能取得满意疗效。

疏肝解郁治噎膈 |王士荣|

方姓女患者1周以来，胸膈部痞塞，饮食吞咽初起微有梗阻，渐至饮食不能下膈，仅能进食少量稀薄粥糜。吞咽时胸膈胀痛阻塞，乃至呕出而中止饮食，嗳气频作，两胁胀满，大便秘结。曾经某院确诊为“食管中上段前壁憩室。”由于患者不愿手术，故转我院中医治疗。方从疏肝解郁、和阴降逆为立，并嘱其怡情开怀为要。处方：川楝子5g、木蝴蝶6g、绿萼梅5g、黄郁金5g、白芍9g、木瓜3g、代赭石15g、煅牡蛎15g、乌梅5g、北沙参9g、生甘草5g，2剂。

前方共服8剂，患者诸症悉平，经X线摄片复查，其食管恢复正常。后以养阴疏肝方调治5剂，以善其后，历年随访，迄今未复发。

“食管中上段前壁憩室”，祖国医学无此病名，揣其临床症状属“噎膈”范畴。《素问·通评虚实论篇》云：“膈塞闭绝，上下不通”，并指出噎膈与情志有关，“忧之病也。”《诸病源候论》进而阐明“忧恚则气结，气虚则不宣流使噎。噎者，噎塞不通也。”对噎膈的治疗，首当调气解郁，盖郁则气结，津气不行，凝液成痰，郁火痰气交阻，因而成噎。故以疏肝解郁、和阴降逆为先，只要药症相得，定有良效。

中医治疗多囊肾 |吴正本|

在祖国医学文献中，虽无多囊肾之病名，但多囊肾的病状，类似中医的“癥瘕”“积聚”等证候。《灵枢·本脏第四十七》云：“肾大则善病腰痛，不可以俛仰，易伤于邪”。辨证为先天禀赋不足、肾阳虚损、精血不足而脏器失养，日久气血凝滞，瘀结而致肾肿大，形成囊状。故凡患本病者，皆以腰间冷痛、腹部肿胀及血尿等证为特征。余遇患本病者，常分三个阶段进行治疗。其一，即邪气初客，所积未坚阶段，给予先消瘀、后补肾；其二，邪积日久，血瘀较多，瘤肿渐大，正气虚亏阶段予以祛瘀消积、软坚和补泻迭相为用；其三，即瘤肿逐渐消失阶段，投以调补气血使气血运行通畅而达囊肿消散收功。

如患者王某，男，46 岁。始腰痛腹胀，常有血尿，腹渐日益肿大如鼓状。腰冷痛，腹胀难忍，不得俯仰，纳减，夜寐不宁，短气多梦，肢软乏力，厥冷麻木，面色灰暗，形体削瘦，苔白滑，脉紧迟。X 线肾盂造影提示双侧多囊肾，右侧纵径 20cm，左侧约 12cm。肾功能检查：非蛋白氮 54.66 体积%。尿常规：蛋白（+），镜下红细胞满视野。

余按上述三个阶段分期进行辨证施治。患者共服汤剂 113 剂，囊肿明显缩小，腰腹胀痛及血尿等症消失，手足转温，精神气血如常，已恢复正常工作。

所用药方如下：

第一阶段药方：杜仲 15g、桂心 2g、血余炭 6g、薏苡仁 15g、熟地黄 12g、炒五灵脂 6g、鹿角霜 10g、补骨脂 10g、茯苓 12g、生蒲黄 6g（布包煎）、甘草 6g、熟附片 6g。曾在服药过程中随症加减，如用木香、海螵蛸各 10g，行气止痛、祛痰软坚。

第二阶段药方：薏苡仁 30g、五灵脂 8g（生、炒各半）、血余炭 5g、丹参 10g、降香 6g、杜仲 12g、海螵蛸 18g、牡丹皮 10g、甘草 6g、白术 15g、阿胶珠 10g、党参 15g、蒲黄 8g（生、炒各半，布包煎）。在服药过程中曾加用当归 10g、醋莪术 5g 以行脾瘀。

第三阶段药方：薏苡仁 30g、白术 15g、全当归 10g、阿胶珠 10g、黄芪 15g、杜仲 12g、丹参 18g、制乳香 10g、没药 10g、茜草 8g、沙参 18g、川续断 8g、炒蒲黄 8g、牡蛎 18g、乌贼骨 12g。

重用疏肝行气活血化瘀剂治疗盆腔肿块

高尔鑫

盆腔位于下焦，与足三阴、足阳明、足太阳，以及任、冲、督、带、阳维、阴维等经脉相关连。其中与足厥阴肝经的关系尤为密切。若肝失条达，疏泄失常，常可引起盆腔气滞血瘀，日久则瘀结成块。余宗此理，治疗盆腔包块、肌瘤、囊肿等，常收良效。

1979 年冬，余治一刘姓老妇，年近八旬，少腹坠胀作痛已年余。视其少腹膨癃，触之脐下可及约 12cm×8cm 之肿物，质软有弹性，触痛明显。进行超声波检查及腹腔穿刺证实为盆腔囊肿。因其年事过高，恐手术治疗发生意外，而转来中医治疗。

诊其形体消瘦，面色黧黑，少腹青筋暴露，疼痛隐隐；伴有口干、食少、神疲、乏力、溲频、大便难，周余一行。舌质暗红，有瘀斑数块，脉来沉弦而涩。以疏肝理气、活血化瘀法治之。方用二磨饮加味：沉香 9g（后下），天台乌药、刺蒺藜、丹参各 30g，川楝子、当归尾、川芎、玫瑰花、绿萼梅、赤芍、白芍、片姜黄、制香附各 30g，三七末 3g 分吞。投药 3 剂，患者少腹胀减，隐痛渐止，溲频消失。按上方再进 7 剂，患者食欲大增，精神好转。触诊脐下包块明显缩小，约为 6cm×5cm。此后又服上方 10 剂，少腹已触不到包块，超声波探测囊肿消失。家属欣喜不已，连连道谢。

治肠痈误中一得

程亦成

屯溪市郊云村胡媪，年逾花甲，患肠痈，右少腹肿块如鹅卵大，不发热，饮食如常。投用大黄牡丹皮汤合红藤煎加味，5 剂后，患者肿块略见软小，再按原方出入：制乳香 10g、红藤 30g、冬瓜子 30g、生薏苡仁 30g、牡丹皮 10g、制大黄 6g、败酱草 30g、白花蛇舌草 20g、广木香 5g、炒延胡索 10g、紫花地丁 30g。又 5 日，其女偕来谓："肿块已消，须再药否"？余深异之，然细扪其腹，肿块果已消八九，乃问药后有否异常？对曰："无"。其女曰："惟药价较前贵，中有一药，色红，状似烟丝，累累弥盘，再称始够量"。余细审病历，自忖此药店误发红花为红藤，抑或处方中红藤误书红花耶？遂嘱其女返家取原方视之，"红花 30g"，赫然在目，误笔之咎，夫复何言？然心悸之余，颇得启发，嗣后，余凡治内痈（肠痈、肝痈等），常加红花 10～30g，每多获良效，诚误中之一得也。

中药消"甲瘤"

李隆中

深秋之夜，过友人肖家，见其含苦忍痛，究其因，答曰：在喉部右旁处，突生包块，医生诊断为"甲状腺瘤"。年五十有八，且体弱多病，不愿手术，欲以中药消之。余触其右侧甲状腺有大枣状包块一枚，质硬，乃宗"痛有定处，则为血瘀"和"积者，坚硬有形"之理，审察其舌质红绛，脉弦而涩，乃热与血结，处以：板蓝根、白花蛇舌草各 30g，天葵子、金银花各 20g，丹参、半枝莲各 15g，夏枯草、赤芍、黄药子各 10g，以清热散结、活血化瘀。4 剂药服完后，患者包块完全消散而愈。

中医辨治大网膜综合征

沈达荣

大网膜综合征是现代医学病名，是一种腹部手术后发生的大网膜与腹腔内脏器粘连的疾患。症见：腹痛如刺，固定不移，甚至牵连腰脊、胃脘，逐渐加重，严重时并发肠梗阻，常反复手术，不易治愈。大网膜综合征之中医病机为血络受损，瘀血积蓄，而致气血阻滞，“不通则痛”而出现上述诸症。

对此证治当活血行气，常以王清任的少腹逐瘀汤化裁。用桃仁、红花、赤芍、当归、川芎、香附、乳香、没药、枳壳、青皮、延胡索之类。另外可加土鳖虫，此为虫蚁之品，善能活血定痛，并有补益之功，对痛连腰脊的症状尤为适宜。

此病又有偏寒、偏热、偏虚、偏实之分。辨证时当一一分清，对症下药，以求良效。

偏寒之症，疼痛遇冷加剧，得温则缓解，并见四肢不温、舌淡薄白而润滑、脉迟或紧。治宜活血行气，佐以温经散寒之品如细辛、桂枝、小茴香、乌药等。

偏热之症，兼见口渴喜冷饮、口臭、面赤、大便燥结、小便黄赤、苔黄而干燥、脉数等症，治宜活血行气，佐以清热泻火，可配黄连、大黄、牡丹皮等苦寒之品。

病久体虚，当视其气血阴阳不足，分别依补中益气汤、八珍汤、左归、右归等方化裁。

病属实证，理应速治，方剂宜大，药量宜足，力求一举而歼之，以免余邪不尽，东山再起。

调肝与经前期紧张综合征

毛美蓉

经前期紧张综合征是伴随月经周期持续发作的一系列病症，如抑郁不欢、多愁善感、烦躁易怒、头晕头痛、心悸失眠、胸胁乳房作胀或刺痛、甚或结节成块、不能触衣、面浮肢肿、大便溏泻等等。一般在行经前 7～10 天出现，行经后其症逐渐消失。多发于青壮年妇女，常给妇女造成很大的痛苦，直接影响工作与生活。

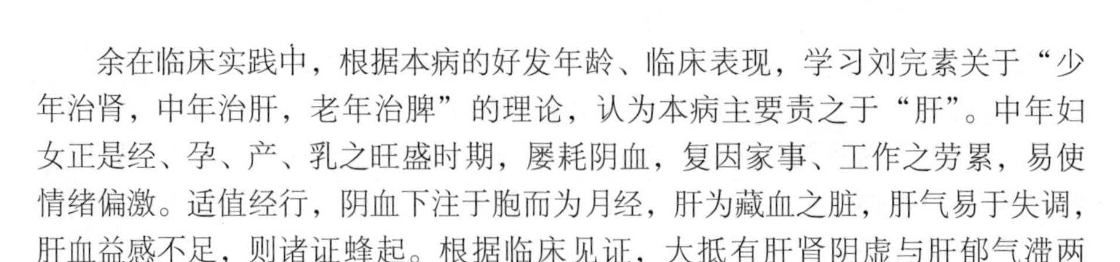

余在临床实践中，根据本病的好发年龄、临床表现，学习刘完素关于“少年治肾，中年治肝，老年治脾”的理论，认为本病主要责之于“肝”。中年妇女正是经、孕、产、乳之旺盛时期，屡耗阴血，复因家事、工作之劳累，易使情绪偏激。适值经行，阴血下注于胞而为月经，肝为藏血之脏，肝气易于失调，肝血益感不足，则诸证蜂起。根据临床见证，大抵有肝肾阴虚与肝郁气滞两大类。

肝肾阴虚，其证多见头晕头痛，心烦易怒，心悸失眠，五心烦热，口苦口干，大便干结，舌红苔薄，脉细数。治以柔肝养阴。余每以生地黄、熟地黄、白芍、玄参、麦冬、枸杞子、女贞子、墨旱莲等为基本方。视证情随证加减。若见头晕头痛者，加桑叶、杭菊花疏风清热；心烦失眠者，加炒酸枣仁、琥珀宁心安神；兼乳房胀痛者，加夏枯草、生牡蛎、鳖甲软坚散结，加川楝子、橘叶疏肝理气；兼五心烦热者，加地骨皮、白薇清肝肾之热。

肝郁气滞，其证多见经前乳胀，乳房结节成块，触之即痛，头痛或偏头痛，小腹胀痛连及胸胁，舌正常或紫黯，脉弦。治以疏肝理气、养血行滞。余常以当归、白芍、柴胡、白术、茯苓、郁金为基础方，随证加减。若乳胀明显，触之痛甚者，加橘叶、路路通理气通络；若经行不畅，月经量少而有腹痛者，加生蒲黄、制香附、延胡索理气活血止痛；头痛者，加川芎、地龙、僵蚕祛瘀搜风逐邪；若兼面目四肢浮肿者，加陈皮、车前草、益母草理气化瘀，行水消肿。

笔者治疗本病以“调肝”为主，分虚实辨证，于育阴之中不忘理气，疏肝之中必兼养阴，但以肝体得养，肝气条达为治。

疏经散治疗经前期紧张综合征

徐志华

经前期紧张综合征是指月经前 7～10 天开始，症现烦躁易怒、头痛失眠、乳房胀痛、胸闷胁痛、胃纳差、腹胀浮肿等。至月经来潮后，症状自行消退。本症具有周期性和经后自然消退的特点。生育年龄的妇女常有这些症状中的一种或数种，严重者可影响生活和工作。

我原先认为本病多由肝气郁结、经脉壅滞、冲任失调所致。用消遥散、柴胡疏肝散治疗，效果不显。复用归脾汤、地黄汤、苓桂术甘汤等方治疗亦罔效。偶读清・王旭高《西溪书屋夜话录》，受其启发。王氏认为，肝病”侮脾乘胃，冲心犯肺，挟寒挟痰，本虚标实，种种不同，故肝病最杂，而治法最广”，首在

“疏肝理气。”遂拟定疏经散方。药用佛手、香橼皮、玫瑰花、绿萼梅、刺蒺藜、木贼、木蝴蝶、无花果、柴胡、白芍、青皮、甘草。方中柴胡、木贼疏肝宣解；白芍、甘草平肝和中；玫瑰花、绿萼梅、香橼皮、佛手疏气滞，解肝郁，畅中散逆；木蝴蝶、无花果疏肝和脾，养阴润燥；刺蒺藜平散肝风，行瘀破滞；青皮泄肝行气，破积消坚。全方具有疏肝解郁、理气行滞的功能。

临床上常用的疏肝解郁理气药大体分为两类：①如香附、乌药、枳壳、厚朴、木香、槟榔等。②如木贼、木蝴蝶、玫瑰花、绿萼梅、无花果、佛手等。第一类理气药，其性香燥，有耗气伤阴之弊，新病体实者可暂用。疏经散方属于第二类，药性和平，无不良反应，久病体弱者均可用。例如绿萼梅、无花果辛甘微酸，具有理气敛阴的双重作用，这是近代本草对理气药物的发展。

经多年临床实践证明，疏经散治疗经前期紧张综合征，效果良好。据有病史记录的54例临床观察，近期疗效达93%。

案例：某妇，32岁，5年前流产一胎，至今未孕。经前7天出现头痛失眠，心烦易怒，胸胁乳房胀痛，经潮后消退。妇科检查未发现明显异常。曾在某医院诊断为：①经前期紧张综合征；②继发性不孕。用黄体酮、谷维素等治疗3个月经周期无效。诊脉弦数，舌质淡红苔薄白。诊为肝气郁结、经脉壅滞、冲任失调。治以疏肝解郁，理气行滞。方用疏经散5剂，于经前5天开始服用，每日服1剂，经治3个月，患者症状消失，后怀孕足月分娩一男婴。

经前乳胀治宜通阳

杨善栋

经前乳胀症，前人多以为是肝气横逆，常用柴胡舒肝散之类治之。余认为本病的产生乃肝胃气滞、痰湿郁结、胸阳痹阻所致。盖胸为阳位，乳房属足阳明胃经，乳头属足厥阴肝经，肝气郁滞，横逆犯胃，于是肝郁胃阻，痰湿郁结，胸阳痹阻。治宜疏肝和胃，通阳宣痹为法，常用《金匮要略》瓜蒌薤白半夏汤加味治之。余于1984年元月治一患者张某，36岁，经前乳房胀痛2年，时有结块，伴胸闷胁痛，纳谷不香，脉细弦，苔薄黄。一般于经行一二天后，上述诸症消失，而于下次行经前半月，又照样发作。曾服疏肝之药数十剂不效，余给予瓜蒌仁12g、瓜蒌皮12g、制半夏9g、薤白9g、枳实9g、柴胡9g、白芍12g、当归10g、郁金9g、佛手6g、海藻12g、王不留行12g、甘草6g。患者于前半月连服10剂，经来乳房不再胀痛。

经期头痛应分经用药

杨升三

经期头痛是妇科常见病之一。患者除头痛外，常兼有胸、乳、少腹胀痛，心烦失眠，面浮肿，眩晕甚至呕吐等症。

此病以血虚肝旺为多见。余尝用杞菊四物汤为主，按分经论治原则而加减用药。气虚重加黄芪；血弱倍用当归；巅顶痛加天麻、吴茱萸；两侧头痛加柴胡、黄芩；兼瘀加红花、桃仁，倍川芎，易白芍为赤芍，去枸杞子、地黄；挟痰加法半夏、陈皮；挟寒加附子、细辛；挟热加桑叶，倍菊花，去枸杞子；风胜加白附子、僵蚕、全蝎；镇肝潜阳加石决明、珍珠母、牡蛎，兼头晕加天麻、钩藤等。头痛止后，宜以四物汤或杞菊地黄丸调理善后，以防复发。

痛经辨证论治述异

蔡小荪

痛经的症因脉治，历代医家不乏详述。根据月经的期量色质，参考苔脉及伴有症状，以区分寒热虚实，辨证施治。试举经前痛属实、经后痛属虚为例。经前腹痛系经血排出困难，瘀尚未下，不通则痛，实证为多。待经血排出后，疼痛即减。然有部分病例，经量虽多，依然腹痛。有时下瘀块后痛势略缓，少顷又剧，反复发作，甚至经血愈多，腹痛愈甚。这种情况子宫内膜异位症较多见。从症状看似痛在经血排出以后，但不能作经后痛属虚论。此症系宿瘀内结，随化随下，经血虽畅，瘀仍未清，凝滞胞宫，是以经血虽下，疼痛不减。在治法上即使经多如注，仍当活血化瘀，从实论治，药后非但痛势缓解，经多亦可相应减少。如按常规处理，用止血定痛剂，则宿瘀未消，衃血留滞，瘀久必致决口，非但不能止痛，相反在出血方面，也越来越多。瘀血不去，新血不生，血不归经，难免崩漏，而痛也不止，是形似通而实不通也。这是痛在经前经后属虚属实异常辨证之一。

腹痛喜按属虚，拒按属实，也非尽然。不少病例尽管经来不畅，但往往腹痛喜按。盖痛而拒按，大都系瘀滞较重的实证，腹部胀硬，甚则灼热，一触即痛。一般经行不畅，虽也有瘀，尚不至拒按，相反喜按喜揉，甚或喜暖，则为虚证。按挤揉能使瘀血流畅排出，特别是寒凝挟瘀，得暖则舒，血得热则行，通则不痛。因此辨别虚实，不能一概以喜按、拒按定论。可根据经血排出后或下瘀块后腹痛是否减轻以别虚实。此外有素体怯弱，气虚无力推动血行，致经来不畅，血滞作痛而拒按，是属虚实挟杂的类型。更有部分患者，同时出现既喜按、又拒按的现象。这种病例可分为两种情况：一种是轻按较舒，重按即痛；另一种是轻按则痛，重按反舒。前者每多兼寒兼瘀，寒轻瘀重；后者则属挟瘀挟虚，瘀少虚甚。

在临床上本症常虚实并见，不像文献中所述的症状那样典型，容易辨证，如某些病例，平素体质虚弱，因经行期间抑郁不快，或受风冷，致气滞寒凝，血瘀不畅，导致痛经。瘀血未下之前腹痛较剧，下之后则绵绵隐痛，此种情况即虚实并见。剧痛时属血瘀实痛，隐痛时属血海空虚，胞脉失养的虚痛。故经行时应活血通经，从实论治。经血畅通以后，着重于养血调理，按虚证处理。同一病例，经前、经后治法迥异。

病者面色暗黄或紫暗，目眶暗黑，舌质紫暗，边有青紫色瘀点或瘀斑，脉涩不利，属有瘀象。但一般瘀滞痛经并不一定出现上述征象，须根据月经的期量色质及腹痛性质，以别虚实。反之，如腹痛并不严重，经量虽少而仍如期来潮，脉、舌、面色等却出现以上现象者，显系有瘀，则当从脉、舌、面色的状态辨证，用活血化瘀法处理。这是对瘀滞痛经运用四诊在辨证上有所取舍的一些情况。

瘀滞痛经，各种记载都离不开涩脉。实际上涩脉并不多见，根据临床观察，痛经较甚时脉常带弦象，甚至弦紧，严重的病例在剧痛晕厥时脉常反呈细弱。按脉细弱，属暂时出现的虚象，在痛经的辨证方面不能因脉象细弱即认为是虚证。虚痛大都隐痛，或绵绵作痛。剧痛多数是实证，瘀滞不通才能痛至晕厥，这种情况在子宫内膜异位症及膜样痛经中较多见。虽然虚证也有腹痛较甚者，大致系素体怯弱，痛感灵敏，对痛的忍受力差，但不致痛到晕厥地步。故切脉辨证，有时不能拘泥固执。

痛经常伴有其他各种全身症状，也是帮助诊断的重要旁证，但某些症状不一定是病态。例如行经期间，大便有里急后重、多便之感，但大便依然成形。这种情况，应与经行泄泻及经痛便溏有所区别。前者是临经之际，肝血旺盛、冲任充盈，下注胞宫，刺激直肠而产生这种感觉，属一般经期反应。后者大都是脾虚失健，或宫冷受寒所引起，两者颇易混淆。按脾虚或宫冷导致溏泻，可作为月经病区别类型的佐证。而里急后重多便的感觉并非病态，与经痛关系不大，故不能作为辨证的佐证，因此在治疗时也无同时兼顾的必要，这是参考伴有症状辨证时有所取舍的一个方面。

在治疗方面，某些伴有症状需与主症并治，但要分清主次，增强治主症的

疗效。对有些症状则不一定同时治疗，只要主症消失，伴有症状亦自然缓解。例如患瘀滞化热的痛经，常有口干不欲饮和大便秘结等现象。对于大便秘结，一般在活血通经时，用生大黄以攻实通幽。因生大黄除清热泻火外，兼可活血破瘀，这样配合既能通便泻热，又有助于化瘀止痛，效果更显。至于口干不欲饮，与一般津液不足的口渴不同，瘀滞化热系里实，故口虽干而不欲饮，处方时无须兼顾口干，只待瘀下热泻，主症消除，口干自然消失。

痛经笔谈

黄绳武

痛经除有“不通则痛”者外，还应考虑与精血不足有关。经期泻而不藏，经血外流，此时精血不足表现尤为突出。结合这种生理现象，余认为痛经表现为虚实夹杂证，其机制乃是气血不和，在此精血不足之时，又兼气血郁滞而致痛。因而对痛经的治疗，除遵循“通”的法则外，还应顺应生理之自然，培补耗损之不足，注意补养精血。余每以四物汤为基本方，再根据寒热虚实，酌情加减。四物汤养血活血，补中有行，活中有养，通治血证百病。方中当归、川芎为血分动药以行血气，地黄、赤芍为血分静药以养精血。古人谓其走者太走，守者太守，确有此弊，然对痛经虚中有滞者则各得其所，虚则非地黄、赤芍不足以养，滞则非当归、川芎行血气不足以活。就治痛经而言，动静之中以动为主，熟地黄须慎用，恐滞而更痛。痛经毕竟是气血为病，四物汤治血有余，治气不足，余每酌加香附、乌药、艾叶、川楝子、延胡索等气药，以助其不足。曾治肖某，每逢经前腹痛，痛甚时昏厥，经行第2天缓解，经色黯红量多，曾多处就医，均以瘀血论治，观所用方均为温经汤、失笑散、金铃子散之类，余观其面色㿠白，形体不充，脉细，以四物汤加香附、乌药、艾叶等而获全效。

痛经多见于年轻未婚女子，痛时常伴有恶心呕吐、大便泄泻、出冷汗、四肢厥冷、甚至昏厥等症。观此类患者多面色不华、形体消瘦。少女正处于生长发育的重要阶段，这时痛经多由肾气未充所致，《妇人大全良方》云：“肾气全盛，冲任流通”。反之肾气不充，冲任流通受阻，必引起疼痛。余又根据经期耗血伤精的特点，对少女痛经多从肾论治，或兼顾到肾，特别注意滋补肾精。曾治陈某，20岁，未婚，每经行第3天腹痛甚，恶心呕吐，全身冷汗，甚至昏厥，伴经期延后，经色淡红，月经量多，形体消瘦，面色㿠白，以胶艾四物汤原方加山茱萸、巴戟天、吴茱萸等，药后病除。方中熟地黄，山茱萸补肾精，巴戟天温肾阳。余治痛经温肾阳常常用巴戟天。巴戟天温肾益精，不似肉桂之温热，附子之燥烈。对确属肾精亏损者往往用熟地黄，非此纯厚之品，不足以补精血。对一般虚证，在针对病机进行治疗的同时兼顾到补肾精，每选用枸杞子，既补肝肾精血，又不似熟地黄之滋腻。经期便溏者加土炒白术、茯苓、党参。伴呕吐兼热者用竹茹，兼寒用吴茱萸；有瘀血者加泽兰、鸡血藤、炒蒲黄等。如子宫内膜异位有实质性结节，每用血竭末化血结，止疼痛，屡治屡效。少腹痛加柴胡，余每选用芍药甘草汤缓急止痛，又可酸甘化阴，但白芍必重用，一般20~24g，对月经量多者尤为适合，甘草生用止痛效果好。在治痛经的用药法则上，根据妇人之身有余于气、不足于血的特点，对大辛大热、大苦大寒之品当慎用，因辛热之药伤阴耗液损血，苦寒之味损伤阳气亦能化燥伤阴，余意清热不宜过于苦寒，祛寒不宜过于辛热。

遵古训，治痛经

李松龄

明张介宾虽非妇科大家，然其《景岳全书》中的《妇人规》两卷，立说纯正，理法相应，方药适中，字字珠玑，实堪后世效法。文中所论妇女经期腹痛之证，阐述精辟，其曰："凡妇人经期有气逆作痛，气滞而不虚者，须顺其气，宜调经饮主之，甚者如排气饮之类亦可用。若血瘀不行，无有虚象者，但破其血，宜通瘀煎主之。若气血俱滞者，宜失笑散主之。若寒滞于经，或因外寒所犯，或素日不慎寒凉，以致凝结不行，留聚为痛而无虚者，须去其寒，宜调经饮加姜、桂、吴萸之类主之，……"。

余20年来，所治痛经之证，皆循景岳之法，颇有体验，兹举两例如下。

案1：戴某，28岁，形体丰满，面色红润，性情急躁。患痛经5年，痛作时常伴脘腹胀满、腰痛、嗳气、易怒，经血如常。诊其脉，近弦而数，舌质稍红，苔薄黄。每次痛经发作就医，均予调经饮煎服：当归12g、牛膝12g、山楂15g、制香附12g、青皮9g、茯苓9g，每日1剂。服2剂后，患者腹痛即止。连续治疗3个月，未再复发。

案2：刘某，38岁，素有习惯性便秘，眼圈色黯。十年来，每次行经必感小腹疼痛，其痛处有积块，如核桃大小。月经后仍如常人，亦无所苦。曾在某医院屡用西药治疗，均无寸效。诊其脉略紧数，舌质红，边有浅淡紫斑。予通瘀煎化裁煎服：当归尾9g、红花3g、制香附12g、台乌6g、青皮9g、木香6g、泽泻9g、桃仁9g、火麻仁9g，经期每日1剂，连续3个月，诸症悉除。

余自近百例痛经治验中，已概略领会到古训之要。景岳深谙《内经》之

说，对经来腹痛每从寒热虚实进行辨证论治，仍不失为当今妇科临证的指南。

痛经之治，以通为主 |吴培生|

痛经一证，无论是因寒凝、热滞，或气虚血少、肝肾亏损，总不外气血运行不畅，形成气滞血瘀，冲任失调。我立足于“气调则血行，血行则气顺”之理，取法调气行血，疏达冲任。常以香窜理气的香附、木香、延胡索为主药，以行气止痛，用川芎、红花、赤芍、丹参、泽兰为佐药以行血活血。其中香附、延胡索调血中之气；丹参、红花行血中之血，四药为伍，并行不悖。再用一味大安桂（为肉桂中之佳者，皮厚、味重、气浓），温经通脉，调理冲任，并配芍药以温凉互制，行瘀滞而达气机。如经色淡褐者加炙黄芪、补骨脂；经量多加艾叶炭，去红花；后期常兼顾调补奇经，用巴戟天、续断、补骨脂。我临床所治痛经多为未婚者，其中瘀证、实证、热证多见；虚证、寒证少见。多采取在痛经发作期予以服药治疗，便于观察疗效，及时掌握病情变化。10 年前曾治一章姓中学生，患原发性痛经，每于经前 3～5 日小腹持续性绞痛，血色淡褐，白带秽浊，寒热交作，胸腹胀满，脉象沉涩，舌苔白厚。予香附 12g，丹参 30g，大安桂 8g，川芎、红花各 6g，泽兰 15g，广木香、延胡索、赤芍、乌药、炮姜各 10g，柴胡 6g，坚持服用 5 个月经周期，近 20 剂药而愈。

（吴子腾　整理）

栀子治痛经 |赵荣胜|

我治顽固性痛经（子宫内膜异位症、模样痛经）时，每于方中加栀子一味，多获良效。栀子既是清热利湿之佳品，又是解郁化瘀止痛之良药。如《伤寒论》中用栀子豉汤治“心中结痛”，丹栀逍遥散解肝经火郁，民间治跌打挫伤肿痛常用生栀子末调鸡蛋清外敷等。我发前人之意，乃移治痛经，多年应用。每随栀子用量增大而效果更佳。对寒凝血瘀者，与姜、桂配伍，恒用 30～50g。如乔某，30 岁，患痛经 4 年，进行性加剧，遇寒尤甚，近年来，每次行经须卧床休息，痛甚则恶心呕吐，汗出肢冷。月经周期正常，持续 4 天，量偏多，色紫黑，有血块。平时畏寒，少腹坠胀，大便质稀，苔薄白，脉沉弦。进行 B 型超声波检查提示：左侧巧克力囊肿（5cm×5cm×5cm）。西医诊断为：子宫内膜异位症。结婚3年未孕，其丈夫精液检查正常。余予以少腹逐瘀汤加栀子40g，令其每周服3~5剂，经期每日1剂。患者连服五十余剂，痛经基本消失。后受孕，顺产一女婴。

类比推理治痛经

|沈祖法|

鲁班是古代传说中的巧木匠。他运用逻辑类比推理的方法，从“丝茅草”割手推导出“锯子”的发明。妇科中的原发性痛经，多属寒凝血瘀，与《金匮要略》的乌头赤石脂丸证和大黄附子汤证的病机类同，因此可以推导出相似的治法。

1982年11月，我曾治一少女，主诉经前及经期腹痛一年。一年前适逢经期冒雨上学，以后月经期延后，每逢经前及经期头两天小腹绞痛，彻及腰骶部，经量少，色黯红，质稠有块，脉沉紧，苔白，伴有怯寒、冷汗、头晕、面青唇紫、四肢欠温、泛恶呕吐等症，不能坚持学习。西医妇科检查正常。诊断为：原发性痛经（寒凝血瘀）。处以乌头赤石脂丸合大黄附子汤：制川乌3g、制草乌3g、赤石脂10g、制大黄3g、制附片5g、细辛3g、川花椒5g、干姜3g。上药每日1剂，煎服2次，嘱下次经前复诊。

12月初二诊，患者痛经已止，经血较畅，全身症状消失，续服前方7剂，后随访半年，未见痛经发生。

综上《金匮要略》两方，用以治阴寒之邪极盛，寒凝气闭，阴阳失调之证，恰好切中原发性痛经之寒瘀阻宫、气血不畅、阳郁致痛致厥之病机，故治疗上兼采两者之长，“寒者温之”“塞者通之”而获良效。

谈湿热闭经

|李春华|

前贤在妇科领域论述湿热证，多详于带下病之类，至于湿热影响月经诸病，则鲜有涉及。湿热所致之闭经，临床确实存在，其产生可渐致，亦可骤成。或由湿热蕴结，气机阻滞，血行失畅，冲任受阻；或由湿热困脾，脾运失健，化源不足，气血匮乏；或湿热久羁下焦，消灼阴液，耗损肾精，精血不足，冲任

空虚。然以湿热之邪阻滞气机，气血运行不畅者为多见。

湿热闭经的见症主要有困倦乏力，头晕时重，记忆力差，纳呆乏味，胃脘满闷，带下量多，色黄质稠，或黄白间挟，小便黄赤，口干口苦，渴不欲饮，心烦胸闷，午后至夜更甚，并常感发热，查体温多正常。舌质偏红，苔厚腻而黄，或黄白相兼，脉多濡数。临证时应与痰湿内闭和阴虚内热诸症相鉴别。

对湿热闭经的治疗，应注意清热，但忌用大苦大寒之品，以免湿邪凝滞不化，或损伤脾胃。化湿须防辛温香燥以助热；利湿当防太过而伤损肾阴。活血通经宜少用，以免伤正。切忌滋腻阴柔、困脾助湿之品。清热并不难，祛湿却不易，故应侧重祛湿，调理脾胃。余临证用三妙散与李东垣的清热渗湿汤化裁，组成清热渗湿通经汤：苍术、白术、茯苓、泽泻、生薏苡仁、黄柏、当归、赤芍、败酱草、马鞭草、益母草、牛膝。组方以健脾利湿为主，清热为辅，佐以养血通经。方中败酱草清热通经，《济阴纲目》载其能祛“多年凝血”；马鞭草清热利湿、活血通经；益母草行水活血调经。三草合用，寒凉不盛，无伤脾胃之弊，对湿热闭经，具有清热利湿通经之妙。热重于湿者，方中清热之品用量宜大；湿重于热，有中焦困阻之候者，加藿香、砂仁、陈皮、厚朴等化湿理气之品，亦可酌加杏仁、豆蔻仁。合方中薏苡仁有畅三焦之意。有阴虚兼症或防利湿伤阴时，酌加白芍、女贞子。如需配活血通经之品，宜选丹参、卷柏、郁金等。

山药治疗闭经

刘时尹

闭经原因不外虚实两端。虚者，或因肝肾不足，精血亏虚；或因素体气血虚弱。实者，或因气滞血瘀，或痰湿内阻，冲任不通之故。笔者曾治一闭经患者，用益气扶脾，养血调经；滋补肝肾，养血调经；理气行滞，活血化瘀诸法未效。余沉思，久恙之疾，非急于求成者可为，遂以毛山药每日30g，加食糖煮食，1个月为1个疗程，拟服3个疗程后，再以山楂30g加红糖蒸服，患者仅服2个疗程，月经即来潮，续服2个月，月经通调，体健神旺。

山药，甘平，入脾、肺、肾经。本草诸书记载山药具有“益肾气，健脾胃，止泻利，化痰涎，润皮毛”等功效，“主伤中，补虚羸……长肌肉，久服耳目聪明。”张锡纯推崇山药液多质浓，强志育神，补脾土之功最捷，健脾补中气而不滞气，养肺肾之阴血不碍渗湿，温养中兼有收涩，用之虽功缓而效捷。《内经》云：“脾主思”“脾藏意”，闭经多因思虑劳苦，积郁日久而伤脾。今取山药补脾胃，功专力达，精充血旺，气郁可解。再使好言慰之，神情畅悦，共奏水到渠成、经调体健之功。闭经治法虽多，未见以此药为主的临床报道，书此供同道教正。

在以山药为主治疗闭经的过程中，若患者气滞血瘀征象明显，可酌配赤芍、红花、香附等药；若肝肾亏虚显著者，可酌加阿胶、龟版、鸡血藤之属；若痰湿重者可配苍术、茯苓、半夏诸药，不可守株待兔。

血虚血瘀闭经辨异 |黄云亮|

我曾治闭经患者余某，20岁，因月经延后、量少2年，经闭3个月就诊。其人15岁时月经初潮，周期、量、色、质均无异常。近2年来月经逐渐推后，经量逐月减少，已3个月不潮，用西药治疗无效。患者伴有面目及下肢肿胀，头痛，身软无力，面红，偶尔出现鼻衄少量，腰及小腹隐痛，大便干，舌质淡红，苔薄，脉象弦缓。细审脉症，诊为血虚血瘀经闭，拟养血活血，化瘀通经之剂：当归10g、生地黄12g、川芎6g、赤芍10g、益母草15g、桃仁6g、牛膝10g、牡丹皮10g、桑寄生15g、香附10g、茯苓12g、甘草6g，4剂。

7天后病人来院告知：服完药月经即复潮，量中等，色红无血块，无不适感。

有人对此发问：血瘀证当有刺痛、青紫或瘀斑、脉涩等特点，此例闭经似无瘀象，为何用化瘀之法取效？我知其只识常法而不知变异也。血瘀是一种病理变化过程，应包括血行缓慢，瘀滞不畅或凝聚集结等。本例患者经闭而无胀、无寒、无痰，其病程已久，虚象明显，确有血虚。血虚气不足，气虚运血无力，以致血行不畅，流行缓慢，瘀阻冲任，经血不下。血瘀日久蕴而生热，热伤津液，血瘀更重，故治疗之法，不养血则难治其本，不并用活血化瘀，则难收瘀散、脉道血生之效。

可见导致血瘀的原因甚多，治瘀不去其“因”则瘀不除，只去其“因”，不注重已成瘀阻之果，则“因”亦难去也。

肝郁经闭治验 |杨善栋|

余在临床治疗经闭多从肝郁论治。盖肝为女子先天，肝郁不舒，疏泄失职，不能下调冲任，月经不能按时下，如《内经》云："二阳之病发心脾，有不得隐曲，女子不月"，为后世提供了重要的理论依据。《济阴纲目》云："人有隐情曲意，难以舒其衷者，则气郁而不畅，不畅则心气不开，脾气不化，水谷日少，不能变化气血以入二阳，血海无余，所以不月也。"清楚地阐明了情志不遂，导致脏腑功能紊乱，是引起闭经的重要原因之一。故治经闭一证，多从肝调治。曾治一赵姓妇，24 岁，突患经闭，年余未至，病由不乐之事而起。症状为时有胸脘痞闷，纳食减少，脉细弦。诊为肝胃不和，宗逍遥散之义，用柴胡、青皮、陈皮、砂仁、豆蔻仁疏肝和胃，当归、白芍养血和营，瓜蒌、薤白通阳散结，泽兰、茺蔚子活血通经。患者服药 15 剂，经通而愈。

暗　经

| 黄惠安 |

暗经，指妇女在育龄时期，虽无月经来潮，但仍能受孕生育。临证时，切不可误作经闭，妄投攻破之药。

1975 年 3 月，一妇人屈某，27 岁，因病咳嗽，潮热盗汗，手足心发热来诊。察其脉细数，显系阴虚痨嗽之证。拟养阴清热、益气疏肝之法。药用沙参、党参、百合、天冬、麦冬、熟地黄、地骨皮、牡丹皮、白芍、柴胡、茯苓、甘草等，患者药后诸症大减。诊察中，询及经、产情况，病者似有难言之隐，良久方语："此次病前，我一向身体健康，不知什么原因，一生未来过月经，但又怀孕生育了 3 个孩子。我怀疑这是身体得了什么病。"窃思妇人多隐疾，必于开导，乃告曰：你这次得病，不必多虑。无经受孕，古书早有记载，称为"暗经"，不是病态。更不会因此得什么怪病。你虽然没有月经形于外，但体内肾气充盛，冲、任脉旺，具备了孕育的条件，所以虽月经未潮，但也能够孕子。病者疑解，称谢不已。

经期目衄（眼底出血）

| 王文珠 |

1982 年元月门诊，遇一女子，27 岁，告余曰：1981 年 7 月，月经将净时突然右眼视物模糊，眼前可见一拇指大黑红亮斑，终日不退，头痛，口渴，烦躁失眠，曾求诊于某眼科教授，检查为"眼底出血"，谓与"内分泌紊乱"有关，

后转诊于余。问曰，“月经来否?”对曰；“尚在经期中”。六脉均见弦象。此乃肾水不足，不能涵养肝木，肝郁化火，迫血妄行，不循常道，上逆发为目衄，下行则为经水过多，法当养阴清肝，佐以化瘀之品。方用知母10g、赤白芍各10g、川芎8g、丹参10g、郁金10g、菊花10g，嘱服5剂，月经净后复诊。二诊患者告曰:“月经7日净。”检查其眼底未见出血，眼前黑红亮斑变小转淡，诸症均减，惟口渴烦躁尚存。按上方去川芎、郁金，酌加龟版、牡蛎、五味子之类，嘱服10剂。1982年10月随访，患者停药8个月，经期眼底未再出血。近4个月经水较多，经前乳胀、经期易怒，遂以丹栀逍遥散之意化裁善后，再进15剂，右眼前方黑红亮点逐渐消退，视物已明。

经期呃逆治验随笔

| 夏桂成 |

余曾治某妇，经期忽患呃逆，用丁香柿蒂汤加减治疗无效，转用旋覆代赭汤疗效仍欠佳。嘱下月经行之前诊治，进橘皮竹茹汤合左金丸获小效。再三思考，患者自述每至经行腹满便秘时，闻其呃逆之声，连续而高，声扬而脆，望其舌苔前半黄白厚腻，根苔黄腻而厚，诊其脉象弦滑而细，经期略有超前，经量偏多，色红质黏有小血块，经前稍有烦热口渴等证。可见此乃阳明蕴热，腑气不畅，浊气不降，现虽行经，冲脉气仍盛，阳气偏旺，与阳明蕴热互为影响，腑气越发不畅，浊气反行，上逆犯膈，乃致呃逆，治当通泄阳明。《伤寒论》有“哕而腹满，视其前后，知何部不利，利之即愈”的记载，故方取小承气汤合抑肝和胃饮加减，药用大黄5g、制川厚朴5g、炒枳壳9g、紫苏叶2g、黄连3g、炒竹茹9g、陈皮6g、盐制半夏6g、山楂10g、碧玉散10g，药进2剂而病愈。

经后头痛伴四逆证

| 刘经训 |

古人有“肝病最杂”“肝为万病之贼”的说法。妇女善忧多郁，常致肝失条达，气机阻滞，而致百病丛生。然经后头痛伴四肢逆冷者，临证较为少见，曾治一例，印象甚深。

刘某，40岁，于1983年10月入院。生育6胎。近2年来经行量多，迁延

不止，色紫，质稠黏，每当经净后则头痛较甚，四肢逆冷，周身疼痛，脘胁胀闷，心烦急躁，心悸少寐，食欲不振，口干不欲饮。每次发作，均经一旬有余，诸症方能缓解。曾服中西药罔效，痛苦异常，特来院求治。诊见：面色少华，舌红，苔薄黄，脉弦细。患者多产，经水过多，肝血虚少，肝体失养，平素又善忧多郁，而致肝气郁滞，气机失宣，阳郁于里。头为诸阳之首，阳气不伸，上不能通达巅顶，清窍不宣故头痛；外不能通达肢体，故四肢逆冷，周身疼痛；阴血不足，肝郁化火，木壅乘土，脾胃亦损，故见以上诸症。拟疏肝解郁，养血柔肝法，标本并治，以四逆散合四物汤加味。方用：柴胡10g、枳实10g、白芍15g、当归12g、生地黄10g、熟地黄10g、川芎10g、黄芩10g、菊花12g、蔓荆子10g、合欢皮10g、细辛2g、甘草3g。患者共服15剂，月经按期而至，经净后未再出现以上诸症，带逍遥丸、当归养血膏出院调治。2个月后随访，患者体质逐渐增强，一切正常。

活血化瘀法治疗绝经前后诸症

赵棣华

绝经前后诸症是妇科中的常见病，是由于肾气衰、天癸竭而产生的综合征。余近年来以活血化瘀法治疗，取得显效。

本病可见潮热面赤，头晕眼花，阵发性心悸，敏感烦躁易怒，性急汗出，失眠，夜不欲盖被，阵阵寒热，腰胁酸痛，皮肤瘙痒与宫体缩小几乎是同步进行。血压可增高或正常，舌边有瘀斑或瘀点，舌苔薄白。病人年龄多在45～50岁。

本病的潮热，多起于胸部，上冲头面，少数病人可见背脊、腹部或上下肢潮热，好像一股热流，发作时面红耳赤，汗出，心烦如猫抓。只要根据其潮热的特点，结合绝经期年龄和月经紊乱或停止等病史，即可明确诊断。

关于治疗问题，因本病多有肝郁气滞挟瘀之证候，故选用血府逐瘀汤为主化裁，即将原方赤芍换白芍，桔梗、甘草用6g，其他药可用12g，生地黄、白芍用量最大为15g。服药后有咽干者，去当归代以鸡血藤15g；如潮热甚，可加续断15～20g、牡蛎30g；如有他证，可酌情加减。本方中四物汤养血、活血；桃仁、红花破血祛瘀，推陈致新；四逆散疏肝解郁，调整气机；牛膝引血下行，桔梗上开肺气，一上一下推动气血之运行；白芍代赤芍，更有利于四逆散发挥作用。诸药共奏理气活血、疏肝解郁祛瘀之功。药用浓煎，每日1剂，分3次服，12剂为1个疗程，一般治2～3个疗程病即可愈。

患者王某，45 岁。由胸往头面冲热半年多，日数回，每回约一刻钟，呈连续性，面红耳赤，心烦汗出，夜半不欲盖被。月经紊乱年余，三四个月一行，量少，色乌，有块，伴少腹痛，脉略滑数，苔薄黄，舌边有瘀斑。辨证为肝郁气滞夹瘀、冲任失调。给予上方加牡蛎、夜交藤。患者连服 8 剂而愈。

妇科临证议“温经”

| 龙治平 |

《金匮要略》所载温经汤，用于治疗妇科多种疾病，颇有卓效。笔者曾治一青年妇女，怀孕 5 个月，从西藏随军调乐山工作，乘车十余日，因长途颠簸而胎死，引产下胎后小腹冷，月经量少后期，3 年不孕。其舌质淡，苔白，脉沉迟，予温经散寒，调补冲任，投温经汤 15 剂，经调而孕。又治一妇女，49 岁，漏下不止。其面色萎黄，神疲懒言，寐少头昏，小腹时痛，下血淡红挟小血块。舌质两侧有齿迹，右侧有小紫斑，脉沉细而涩。证属冲任虚寒，气血不足，挟瘀为患。用温经汤加减，11 剂而愈。

以上案例，同属虚寒（或兼瘀血），用温经汤治疗，霍然有效，故温经即“温补”也，此其一；观《金匮要略》原方是为妇人冲任虚损兼瘀而设，其病机以虚寒为主，此“温补”之二；本方以吴茱萸、桂枝、生姜温通血脉以和阳；当归、芍药、川芎、麦冬、阿胶温补、温养、温润脏腑血脉以和阴；人参、半夏、甘草益气温中和胃以资化源；牡丹皮、川芎相合，活血散瘀，诸药协力，滋阴和阳，益气温中，养血补血润燥，温散寒邪与瘀血而通冲任。综观全方，重在温补，并寓有温养、温润、温散、温通等作用，是为“温补”之三。故以本方温补之法，治疗妇科虚寒之证。

妇女以血为本，经水全赖一温，如因寒为病，寒与血搏，血为寒凝；或脏腑失调，气血虚弱，气虚血滞；或冲任损伤，半产瘀停。凡此种种，均可导致冲任虚寒，或挟瘀为患，临床表现为月经后期、量少、痛经、不孕、崩漏等妇科疾病，均可用本方温补而获效。应当指出，本方能治瘀血内停，但非活血化瘀之剂，而是以温补为主，获散瘀之效，此仲景制方之妙，所以李彣(《金匮要略五十家注・卷 24》）说：“方内皆补养气血之药，未尝以逐瘀为事，而瘀血自去。此养正邪自清之法也。”因此，临证中应以虚寒为着眼点，切勿以瘀之有无为辨治依据。

治带五法

毛美蓉

治带之法，据先贤理论及临证所见，常有以下五法。

1. 健脾止带　适用于带下量多、色白如涕、面色萎黄、肢体倦怠、纳少便溏、舌淡苔白腻、脉细缓等。常选用苍术、白术、薏苡仁、茯苓，芡实、莲须、太子参或党参、车前草、甘草等药物。意在鼓脾荣中，欲图旋运有权，湿去带除之功。选方可用参苓白术散或完带汤加减治之。

2. 固肾束带　适用于带下量多，质清稀，面色皖白无华，腰痛如折，尿意频数，清长，舌淡苔薄，脉沉迟有力。常选用鹿角霜（片）、金樱子、菟丝子、覆盆子、海螵蛸、山茱萸、山药、杜仲、续断等。意在温煦奇经，任带得固，而带自除。可用内补丸或五子衍宗丸加减治之。

3. 燥湿止带　适用于白带稠黏量多，胸闷泛恶，漾漾欲吐，纳差厌油，苔白腻，脉细滑。选用陈皮、半夏、茯苓、苍术、白术、白芷、贯众、天南星等。取其燥湿化痰，健脾和中之意，使其脾健湿化，痰消则带自愈。

4. 清肝止带　适用于带下量多，色黄绿如脓或浑浊如米泔，气臭秽，口苦咽干，尿黄而短，舌红苔黄腻，脉弦数或滑数。可选用茵陈、黄柏、茯苓、牡丹皮、赤芍、车前草、栀子、泽泻之属。可用止带汤或龙胆泻肝汤加减。意在泻肝火，利湿热，使肝火得降，湿清热除，带下自愈。

5. 育阴止带　适用于带下赤白相兼或色黄如水，量或多或少，伴阴部灼热，小便黄赤，或有五心烦热，舌红少苔，脉细数。可选用生地黄、牡丹皮、山药、茯苓、泽泻、知母、白芍、黄柏、海螵蛸、茜草等，乃取其“诸寒之而热者取之阴”之义，使阴津盛则内热除，而带自止。

带证治疗，重在审证论治，切勿见带治带而妄用固涩之剂，湿无去路而酿痈为患。也不可一见带下之证，即用辛温刚燥祛其湿，殊不知有湿乃可除湿，然阴虚内热，迫液外泄，亦有致湿者，医者反以刚燥劫津之剂，必犯虚虚之戒，临证尤宜审慎。主寒主热，主虚主实，皆非一定，必察其脉症。验其素质，方可断其属性，若专主一面，则危害非浅。

苓药芡苡汤治带下

徐志华

《傅青主女科》开卷第一句云："夫带下俱是湿症。"眉批："凡带症多系脾湿，初病无热，但补脾土，兼理冲任之气，其病自愈；若湿久生热，心得清肾火，而湿始有去路。"傅氏及眉批对带下的病因病机、治法的论述，可为后世效法。在长期的医疗实践中，自拟带下苓药芡苡汤，治疗黄白带下，效果良好。本方主药：土茯苓、山药、芡实、薏苡仁、莲须、穞豆衣、樗白皮。白带加党参、白术、鸡冠花、白果。黄带加苍术、黄柏、萆薢、木通。方中茯苓、山药、芡实、薏苡仁性味甘淡，健脾渗湿，化浊解毒，为带下病的主药。莲须、穞豆衣、樗白皮甘苦性涩，固脱止带。且樗白皮，味苦涩，性寒燥，功专固下，治痢疗崩愈带浊，为带下常用药物。白带为脾虚、湿邪下陷，加党参、白术补脾益气；鸡冠花、白果收敛化湿浊。黄带为湿热蕴结下焦，加二妙散清热燥湿；萆薢、木通清利湿热。全方功能：健脾化湿，清热止带。主治；黄白带下。若带下质稠，气味腥臭，外阴瘙痒者，外用苦参洗剂（苦参、百部、蛇床子、花椒、紫槿皮、地肤子），煎汤熏洗坐浴。

本人运用本方治疗72例带下病。其中盆腔炎15例，阴道炎36例（包括8例老年性阴道炎），宫颈炎21例。治疗结果48例痊愈（白带正常，其他症状消失），占65%；20例显效（带下显著减少，其他症状明显好转），占27%；4例无效（治疗2周无改善）占8%。总有效率92%。临床观察，以对阴道炎、宫颈炎的治疗效果较好，盆腔炎次之。

案例：李妇，35岁，因白带多伴阴痒半年就诊。患者3个月前白带涂片见有霉菌感染，诊断为："霉菌性阴道炎"。用碱性溶液冲洗阴道，外用制霉菌素，经治2个月余，复查白带阴性，但带多、阴痒症状依然存在。妇科检查：阴道黏膜充血；宫颈中糜；宫体正常大小，活动；附件（－）。宫颈刮片，未见癌细胞。查血糖阴性。诊脉濡数，舌苔薄黄。带下量多色黄绿，质稠黏气臭秽，外阴瘙痒有灼热痛感。素有尿路感染，时有尿频、急。证属湿热下注，蕴结成带。治法：清热利湿解毒。处方：苓药芡苡汤加苍术、黄柏、萆薢、木通。每日1剂，水煎服。外用苦参洗剂，煎汤熏洗坐浴。经治2周，白带复常，阴痒消失。

淋带重症从苔脉论治

夏桂成

淋带疾患，大都与湿热有关，但当病程长、病情重、虚实迭见时，殊难辨治。笔者认为，此时苔、脉是辨证的关键，调理气机是治疗的准绳。兹举一验案如下。

某妇，年逾不惑，病延两载，迭经中西医诊治，服药甚多，病势日见沉重。后经友人介绍，来我处试治。自述病初起时，仅觉腹胀食少，溲涩带下，继则白带渐多，小溲淋痛，近来白带如注，质稀黏不一，小溲极难，努责许久，仅下点滴；或如膏浊，或带血水，小腹坠痛，痛势甚剧，腹不知饥，日不能食，每日早晨神气稍强，一到午后，非常疲倦，百药备尝，一无效应，痛苦已极。望其形体瘦弱，面悴神怯，惟两目尚觉有神，诊脉虚细，惟两尺按之滑利，舌苔前半光而根部腻。阅前服之方，有主补脾者，有主补肾者，有主清泄者，有主滋阴养血者。西药亦着重抗菌消炎（据述经各种检查，排除肿瘤疾患），此证乃湿热阻于中下二焦，脾气不能升清而反下陷，湿热益发猖獗，由中焦而下注，损其任带则带下作矣，蕴蓄膀胱，气化不利而成淋证。治此绝不能施以补剂，愈补愈涩，愈涩愈危。但又不宜专事清利和清泄，治当升提脾气，清泄湿热，升降并用，合之以化痰浊和中，转运枢机。药用荆芥、防风、升麻、柴胡、牡丹皮、赤芍、栀子、连翘、黄柏、川贝母、陈皮、盐制半夏、茯苓等，药服5剂，患者坠痛大减，小溲已爽，方去川贝母、陈皮、半夏、茯苓，调理月余痊愈。

治带下小议

陈松筠

妇科带下病常按五色辨证，临床以白带、黄带为多见。白带本于脾虚，黄带多由湿热。清代以前，治此鲜有定法，多用升提固摄泻火法，疗效总难令人满意。傅山立完带汤治白带，易黄散治黄带，沿用至今，妇科执为常规。易黄散颇有效益，完带汤每不应手。余宗东垣、修园法，用六君子汤通治，白带重用党参加黄芪、山药、白扁豆健脾益气；黄带加黄柏、知母、苍术易白术清热燥湿；统加鸡冠花、海螵蛸收敛固涩。治疗千例，获效殊多。

治带小识

张忠鹏

治带重在治湿，然治湿有燥、渗、利、温、散之分。笔者撷取渗利为主，偶加燥药。因“带下”属水湿，常淋漓下行。用渗利法，亦因势利导之意。故常用萆薢、木通二药为先导，结合临床辨证用药，收效颇著。

临证时，凡遇白带稀薄，属脾虚失运者，则取萆薢、木通（以下简称二药）合香砂六君子汤、参苓白术丸、补中益气汤或八珍汤等诸方以益气健脾化湿；凡带黏腥秽，属肝肾阴虚、心肾内热劳损致带者，则取二药合六味地黄汤、知柏地黄汤、或大补阴丸类以滋阴清火；凡黄带黏浊，属肝经湿热下注者，则以萆薢合龙胆泻肝汤清肝火、利湿热；凡带下稀白量多似泔水，属脾肾阳虚者，则取二药合真武汤、桂附八味丸、右归饮等以温阳化湿；凡赤脓带下，臭秽不堪者，属湿热蕴毒，伤血腐肉，多为恶候。可取二药合犀角地黄汤加地榆、鱼腥草，或加紫花地丁、土茯苓、炮穿山甲、蒲公英等以解毒消瘀、清热利湿。

总之，带下属湿证，当分寒湿、湿热、湿毒；脏腑有盛衰，需区别肝肾之有余和不足。辨证施治勿忘去湿，而去湿尤应以利湿为上。如此标本兼顾，乃能取应手之效！

浅谈崩漏

王渭川

崩漏一证，总由肝不藏、脾不统、心肾受损、瘀热内炽、冲任不固所致。治疗时应审因施治。

曾治一妇人，年近四旬，经期饮冷，遂致月经闭止不行。2天后，一阵寒战，旋即暴下如崩，色暗红有块，打针服药无效，扶来我处。问明原因，拟塞流法治之。处方：附片60g（捣碎，煎30分钟）、三七粉10g（兑服），频服。第2天，患者血止。塞流法在有因可询的情况下，亦要加以辨证。此例病人因经期饮冷，寒邪凝于胞宫，寒主收引，月经故闭止不行。寒为阴邪，使阳气不能外达，故身寒战。色黯红有块，为瘀血之证。其病机为寒凝血瘀，冲任失固。用大剂量附片温阳散寒救逆，一改传统的先熬久煎法，而令捣碎，煎30分钟，未见中毒反应。三七粉化瘀止血，频服使药力持久，故收获甚捷。此例患者若

拘于用独参汤或参附汤急救，疗效不一定可靠。

治疗崩漏，除根据病情而外，还要考虑患者的年龄及产育等因素。例如青年血崩，多为肾气未充，七情所扰，肝郁化热，治法多采用柔肝解郁滋肾，方中宜加入夏枯草、钩藤、生地黄、牡蛎、刺蒺藜等清润之品；老年血崩，多是肾气渐衰，冲任不固，脾失其统，肝失所藏，肾失其阖。方中宜加入党参、黄芪、升麻、阿胶、熟地黄、怀山药等甘温之品；胎前崩漏，其因多为阴血聚以养胎，阳热内扰，血失常度，用药宜清润；产后崩漏，多因产后调养失宜，或劳伤太过、房室不节，或恶露不尽、瘀血内阻，故补虚化瘀就成为主要的治则。

若久漏不止，我用益气摄血法常获显效。常用药物为党参、黄芪、桑寄生、菟丝子、仙鹤草、升麻、续断。若挟瘀加炒蒲黄、土鳖虫；若苔腻脘痞加法半夏、鸡内金、鱼腥草、蒲公英；若虚热内扰，桑寄生、菟丝子易女贞子、墨旱莲，加生地黄、地骨皮；若肝肾阴亏加枸杞子、阿胶、龟版、生地黄、熟地黄、怀山药；若心悸气短加龙眼肉、山茱萸、五味子；若腰腹坠胀，方中升麻用至24g以升阳举陷；若久治不愈，多有癥瘕，应于辨证施治方中加祛瘀通络之品，或中西医配合治疗，切不可固执己见，贻误病情。

凉血化瘀治崩漏

徐志华

崩漏为妇科常见疾病，是由各种原因所引起的子宫出血，治疗目的以达到止血为主。崩中，漏下有轻重缓急之分，而二者的发病机制亦同中有异：崩中以血热者居多；漏下者以瘀热阻滞居多。其治法古有塞流、澄源、复旧三步法。但塞流不是上策，最忌见血止血，酸、涩、敛、腻之品用之不当，则有滞邪留瘀之弊。因此，止血必须澄源。《济阴纲目》崩漏门眉批方：“止涩之中，须寓清凉，而清凉之中，又须破瘀解结。”说明清热凉血，化瘀止血，为治疗崩漏的基本法则之一，不止之中寓有止意。其常用方药，一是清化固经汤：白芍、生地黄、生卷柏、紫珠草、红茜草、重楼、贯众、生地榆、炒槐花、炒蒲黄、墨旱莲、仙鹤草。功能为清热养阴，化瘀凉血。主治崩中。二是桃红二丹四物汤：桃仁、红花、牡丹皮、丹参、当归、白芍、川芎、生地黄、益母草、炒蒲黄、血余炭。功能为化瘀清热、凉血止血。主治漏下。余运用本法治疗崩漏70例，一般服药3～5剂，即可止血，疗效颇佳。血止后常以八珍汤加山药、枸杞子、巴戟天、锁阳，调补善后。

案例1：张某，15岁，学生。1983年8月初诊。因月经过多，经行20天未净来就诊。初潮13岁。月经先期量多。末次月经期为1983年7月31日。经量先少后增多，色鲜红，时有血块。至今未净，经量仍多。曾用归脾汤、安络血、止血敏等治疗无效。妇科肛查：未发现明显异常。印象：青春期功能性子宫出血。诊脉沉数，舌质淡红，舌尖赤。头晕心烦、心悸。证属热郁冲任，迫血妄行。治宜清热化瘀，凉血止血。处以清化固经汤加大小蓟。服5剂，患者血止。改投调补三阴以善后，月经渐趋正常，随访2年，未见复发。

案例2：王某，39岁，教师。1983年10月初诊。崩漏年余，屡经治疗罔效。经行2个月余，初量如崩，后渐淋漓不净，时多时少。经色紫，质稠夹有血块。脉沉弦，舌尖有紫点。足产3胎，人工流产3胎，输卵管结扎绝育5年。妇科检查：未发现明显异常。曾行清宫术，后用丙酸睾丸酮、安络血、止血芳酸；中药用归脾汤、胶艾汤等方法治疗无效。刮宫送病检报告为“增殖期子宫内膜”。诊为“功能性子宫出血”。自觉头晕、心烦、口干、疲乏，证属瘀热阻滞，血不归经。治法：化瘀清热止血。处方：桃红二丹四物汤，服5剂患者血止。继用八珍汤加山药、枸杞子、沙蒺藜、菟丝子，调理而愈。随访2年未见复发。

“益肾调冲汤”治少女血崩

赵荣胜

曾遇一少女，患崩漏，迁延月余不愈。余据其脉症投清热凉血剂6剂，不应。其母焦急万分，遂找一民间医生诊治，仅服4剂而血全止。其处方：生地黄、南沙参、北沙参各17g，延胡索（醋150g同炒）15g，鹿衔草、荆芥炭各12g，车前子10g。余经临床应用证明，其效果确实显著。

崩漏机制为“阴虚阳搏”。青春期少女肾气初盛，冲任功能未健，故燮理肾中阴阳、调补冲任为治疗关键。方中生地黄、沙参补肾水，水既足而火自清；沙参能益胃生津，阳明健旺，冲脉当盛；鹿衔草清热凉血，胞宫清凉则血不妄行；延胡索行气活血，醋炒取其酸收敛阴，镇注血海，行止并进；荆芥炭升阳止血；车前子通窍，引败血外出。全方立足于壮水，补偏救弊，静中有动，塞流不留瘀，畅流又无涌涛之弊，实有调停之妙，故冠以“益肾调冲汤”之名。

理中汤治崩漏

查龙华

倪妇，年五十余，患崩漏3年，面肿色黧，舌苔白厚，脉沉小，腰脊痛，

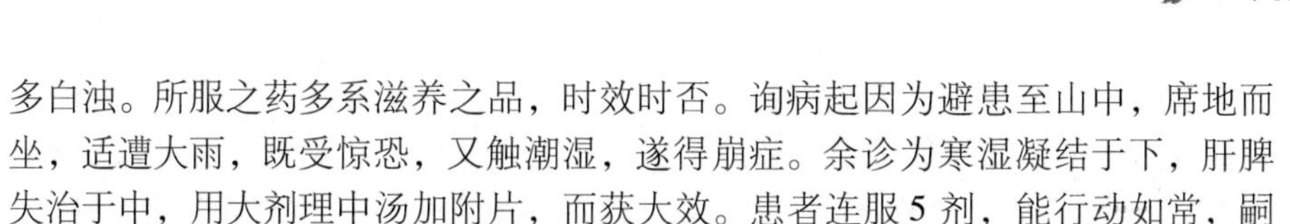

多白浊。所服之药多系滋养之品，时效时否。询病起因为避患至山中，席地而坐，适遭大雨，既受惊恐，又触潮湿，遂得崩症。余诊为寒湿凝结于下，肝脾失治于中，用大剂理中汤加附片，而获大效。患者连服5剂，能行动如常，嗣以全鹿丸方加减壮元阳，补督脉收功。

地榆苦酒疗崩漏

｜王珍珠｜

崩漏病按常规治疗，一般均能获效，但也有少数“顽固”者，久久难愈。这些患者多数属于无明显寒热偏颇、气滞血瘀征象的功能性子宫出血。常因气虚不摄，血不循经所致。此时若将单味地榆用米醋煎服，常能获得较好效果。

此方出自《太平圣惠方》，后人常用以治疗下焦血热型崩漏。我认为不论何种崩漏，只要没有明显瘀阻表现，即可遵“散者收之”之旨而用之。其中对于病程延久、气血耗散者，效果尤著。兹叙一例，略示本方效应。

一陈姓学生，年方十六，迎考前适值经水来潮，量多如注，心慌头晕。曾送入某医院住院治疗十多天，病势虽见缓解，但仍时有漏下，且稍劳作即显著增多，遂来我处求治。症见精神委顿，面色无华，心悸怔忡，纳谷不馨，脉沉细，舌淡红，苔薄白。证属气血两虚。即以八珍汤加止血药治之。二诊因服前方效果不著，遂改用归脾汤调养心脾，摄血归经，先后共服6剂，患者血转淡红，仍不干净。思之：此证固与心脾两虚关系密切，然亦因血亏气耗所致，故当从“散者收之”着手，于是用地榆30g，水醋各半煎服。患者仅服2剂，血即干净。原方全用醋煎，因虑其伤胃而改为水醋各半煎，同样受益。

地榆味苦涩，性微寒。据《精校本草纲目》记载：“地榆除下焦热”，可治“血证”，治“妇人漏下”。现代药理研究提示，本品能缩短出血时间，且有广谱抗菌作用。因此，对血热性出血，有清热解毒、凉血止血作用。炒炭后，非但微寒之性已趋平和，而且增强了固涩作用。合米醋之酸敛，可以收摄经血，同时米醋还略有祛瘀之力，使血止而不留瘀。

本方性味平和，药专力雄，收敛迅速，诚为治崩漏之良方。

漏血宜温

｜夏问心｜

曾治一妇，年40岁，月事淋漓不断近5个月。其经量忽多忽少，血色略淡，无腰腹疼痛。缠绵日久，不免忧心忡忡，以致心悸失眠，饭量减少，精神疲倦，面色萎黄。脉象缓小带弦，舌苔薄白，舌质偏淡。余与归脾汤加柴胡、白芍。嘱服10剂，未见复诊。数月后，路过其家，见其面色红润，精神转佳，因问其病情如何，答已痊愈，并致谢意。问其服药多少，答曰10剂。又问其是否守服原方，答曰：原来配药5剂，服完之后，病情无所增损。适遇夏益林老医师，与之言及病情，夏老诊之，并索原方观看，说是方证相符，可以继续服用。但在处方中加了炮姜炭5g。再服5剂，漏血告愈。后月事如常，但量极少耳。

年逾不惑而崩漏不已，加以积忧为郁，心脾受损，肝气失和，用归脾汤以养心脾，加柴胡、白芍以疏肝气，常规治疗，亦属可行。而服药5剂，毫无收获，加用一味炮姜炭，何以有此殊功?

《灵枢·百病始生》云："阳络伤则血外溢，血外溢则衄血；阴络伤则血内溢，血内溢则后血"。大凡上焦出血，多属阳热，每以温药为忌，下焦出血，多挟虚寒，温药往往可用。故产后用药，大都忌寒而喜温。况本例漏血日久，气虚血寒，故应于归脾汤中加炮姜炭以温摄下焦，从而达到止血的目的。一药之差，其疗效竟有如此明显区别，可见医道难精。

以后，余凡遇上述情况，包括旷日持久的下血，加用炮姜炭，效果均很显著。惟对血淋一证却未敢应用，因此证虽属下焦病变，但多是心热下移所致，因此不敢冒试。

室女崩漏

|瞿绍泳|

室女崩漏，方书记载甚少，临床却不少见。常法以益气养血，调补肝肾治之，但疗效不佳。

余曾治一女学生刘某，14岁，因崩漏不止，屡用西药治疗，其效不显。询其月经13岁初潮，月经提前5～10天，其量甚多，色紫红呈块，小腹隐痛，经期延长，淋漓不断，常持续旬余不净，且伴头晕、心烦、口苦以及神倦、纳减等症。其面色少华，舌红苔薄黄，脉滑数，查其血红蛋白80g/L。余思室女既无胎前产后之伤，又无乳育房劳之损，且本证崩漏虽久，而热象犹存，热邪未去而崩漏不止。故辨为血热互结，热邪迫血妄行，久而损及冲任。治以清热凉血为主，止血养血为辅，拟芩连四物汤加味：黄芩10g、胡黄连6g、黄柏10g、生地炭12g、艾叶炭5g、血余炭6g、侧柏炭10g、牡丹皮10g、全当归10g、川

芎3g、白芍10g、香附10g。药进5剂，患者崩漏渐止，精神、饮食转佳，口苦心烦悉除。改以生四物汤合二至丸，再服5剂。患者经水按月而至，其质、色、量均转正常，随访年余，未见反复，其病已愈。

自此之后，余曾多次以清热凉血之法治疗室女崩漏，取效甚佳。由此可知，室女崩漏多实而少虚。

崩漏调治法刍议

赵涵珠

治崩漏采用止血法，仅能治标，不能治本。因崩漏一证，变化多端，月经周期紊乱，经量时多时少，症状寒热交错、虚实兼见。因此，若单纯用止血药，或过早使用固涩之品，往往不能达到止血的目的，反而留邪于内，酿生他变。一般来说，应根据月经周期的变化而灵活用药。若见有“瘀血”指征者，非但不能止血，还须用活血化瘀法，引血归经。但对崩漏日久者，根据“久病必虚”“气随血脱”的理论，则应加补气升提之品。补与清应该加以辨证，见崩漏而妄行补法，易生内热，这时用养阴清热凉血药反易显效。

笔者调月经周期之法是根据出血量的多少加以辨证。如量多日久，见阴虚内热，热盛迫血妄行者，用养阴清热凉血为主治之；如量多日久而见气虚下陷、不能摄血时，则用补气升提摄血法治之；若淋漓日久，服止血药后腹胀痛、舌质暗红或有瘀点者，则用活血化瘀法为主治之。在药物选择上，活血化瘀多以益母草、红花、赤芍、桃仁、泽兰、红蚤休、红茜草等为主；在调整月经周期时，对经前淋漓者，常助以益肾之品，如仙茅、淫羊藿、紫河车、覆盆子等；若寒甚阳虚明显者，加附子、肉桂。对经后淋漓者，则注重经期及经后期治疗，经期以活血化瘀生新为主，月经第5天开始加上益肾之品。但应看到，从整体观点分析，崩漏除与冲任有关外，还与肝、脾、肾有关，因此，在注意调整月经周期时，还应注意恢复患者各脏腑的功能。

治血崩奇方

陈义范

1960年，余治董姓妇女，年将60岁，绝经5年，忽患崩漏，经妇科医治，血量稍减。但淋漓不断，间又血下如注近半年，经医院检查，诊断为功能性子宫出血。中西药服之殆遍，几无一效。余以圣愈胶艾汤、补中益气汤、归脾汤等方加止血药，予患者服至十余剂亦不应。偶阅鲍相璈《验方新编》载治老妇血崩，用阿胶珠1两（30g）、全当归1两（30g）、藏红花8钱（24g）、冬瓜仁5钱（15g），天泉水煎服，遂授之。患者服2剂血止。续按该书以归芍六君子汤调理而愈。后该妇亲至余寓，自谓服药以后，旧病迄未复发，已臻健康。余后遇此证数例，经检查非恶性肿瘤者，用此方常收显效。惟藏红花难得，价亦昂贵，但可以用滇三七6g代之。该书谓“红花能祛瘀生新，不与桃仁同用，并不害事。”亦属经验之谈。

用黑地黄丸治愈崩漏

陈趾麟

杂技演员卢某，20岁，子宫出血2个月，于1974年8月上旬来我院求治。妇科根据其病史及症状诊为“功能性子宫出血”，对症处理后转中医科会诊。患者以往月经正常，2个月前因正值经期参加演出，出血增多，并有小血块夹杂，少腹部有下坠感，10天后量渐减少，半个月干净，间隔5天后又复出血，量中等，质稠黏，腹坠而胀。曾服多种中西药物治疗，未能得到控制。开始尚能演出，渐至头昏气短，饮食减少，疲乏无力。患者为了增加气力，勉强进食，但食入不化，腹胀脘痞，甚则嗳腐畏食，脉象细滑，舌苔垢腻，面色萎黄少华。翻阅以往病历，分析现在病情，联系患者工作，结合时令气候，认为病起于经期演出，损伤冲任，继乃夏令多雨，湿邪困中，清阳不升，浊阴不降，冲任不固，是故月经淋漓不净。而所服中药又多滋腻，更加碍脾助湿，气机失于健运，而增胸满腹胀。脾湿下流，冲任为湿所伤。湿为阴邪，血乃阴质，湿阴气滞，故经行不畅而有坠痛；两阴互结，郁而化热，热迫血行，冲任欲固不能，于是漏下不止而质稠黏，致成虚实夹杂、寒热互结之痼疾。在治疗上，治实碍虚，治虚碍实，燥湿助势动血，清热助湿增痛，实难治疗。因思刘河间之黑地黄丸治肠红久痔颇效，便血出后阴，崩漏出前阴，所出之窍虽不同，但脾湿下注、离经之血下泄则同。又因黑地黄丸刚柔互济，化中有收、收中有化，且黑地黄丸是从黄土汤衍化而出，仿其补泻寒热并用，以治虚实寒热错杂之症，亦适宜。药用熟地黄15g、制苍术10g、五味子3g、炮姜2g、生白芍10g、黄芩5g、六一散10g、生地榆10g、焦山楂10g、神曲10g。患者服2剂出血乃止，苔腻也化。原方加当归10g，患者服3剂，饮食增加，精神好转，月经按期来潮，健康状况良好。随剧团到处演出未再诊治。

用升提法治崩漏

王正雨

崩漏为妇科常见病之一。盖冲任二脉皆起于胞中，为阴血之海，无论青年、中年或老年妇女，由于七情过极，或五志损伤，加以生活失节，形体过劳，其结果均可导致冲任损伤，经血失去制约之机，而成崩成漏。二者症虽不同，而其因则一，故在治则上有相同之处。

1984年11月，曾治吴某，45岁，由于家事操劳过度，月经突然大下，两日间用卫生纸四刀，继之淋漓不断，迁延2个月。先由本厂卫生室注射止血针，内服止血药片，未愈。经某医院妇科检查之后，诊断为功能性子宫出血。住院月余，中西医兼治，效果不显。劝其摘除子宫，患者畏惧，来我处就诊。视其面色苍白，形体消瘦，声音低微，说话前言不搭后语，动则心慌汗出。自诉：全身酸懒无力，坐则眼前发花，站立则头昏眩欲跌仆。肢冷，舌淡嫩微红，苔薄润微黄，脉细数，经血仍淋漓不断。此乃中虚下陷，统摄无权，肾虚火伏，冲任失约，气阴两亏之候，非单纯升提或单纯育阳所能收效。于是以党参20g、黄芪20g、炙甘草10g补中清虚热；当归10g、白术20g养血健脾；升麻10g、柴胡12g升下陷之清阳；陈皮降胸中之滞气；生地黄20g、阿胶20g育阴生血；白茅根30g、牡丹皮20g去血中之伏火；藕节30g、棕榈炭15g、龙骨30g、牡蛎30g止血敛阴。书方5剂，患者尽剂即血止而愈。此陷者举之法也。

用当归芍药散治疗妊娠病的体会

徐志华

当归芍药散（以下简称“归芍散”）出自《金匮要略》。原著对本方适应证的叙述比较简要：①妊娠腹痛；②妇女的各种腹痛。我通过多年来的临床实践研究，发现本方能治疗多种疾病。不仅能治妇女的经、带、胎、产、妇科杂病，同时能治疗男性疾病。根据“异病同治”的原则，随证加减变化，能通治内、外、五官等科的病证。初步统计自己的临证处方，约有25%是用归芍散加减组成的。现就归芍散治疗妊娠病举例简介之。①妊娠恶阻：用归芍散加黄芩、竹茹、枇杷叶，以调和肝脾，降逆止呕。②胎动不安：用归芍散加黄芩、苎麻根、杜仲、桑寄生，以调补三阴，养血安胎。③胎萎不长：用归芍散加黄芪、枸杞子、太子参，以补益气血，安胎助长。④妊娠心烦：用归芍散加麦冬、知母、鲜竹沥，以调和肝脾、清热除烦。⑤妊娠小便淋痛：用归芍散加黄芩、石韦、土茯苓，以安胎清热，解毒利湿。⑥胎水肿满：用归芍散加黄芪、防己、猪苓、大腹皮，以调和肝脾，益气行水。治疗6种常见妊娠病，效果良好。现举“胎水肿满”为例：

患者吴姓妇女，33岁，第一胎妊娠时因“羊水过多”而引产，并发现胎儿畸形。本次妊娠后期，又出现腹部异常增大，每周体重增加超过500g。胸胁满闷，腹胀尿少，喘逆不能平卧。遍身浮肿，下肢及外阴部水肿显著。血压升高，尿常规检查：蛋白（+），白细胞少许。证属肝郁脾虚，运化失职，水湿停聚胞宫，泛溢肌肤。治法：调和肝脾，行水利湿。处方：归芍散加猪苓、大腹皮、黄芪、防己。5剂。低盐饮食。复诊时，患者尿量增多，喘逆胀满减轻。原方加车前子继服。上述方药加减化裁，共服25剂。患者水肿消退，眠食渐趋正常。停药后随访至分娩，母子健康。

按：胎水肿满（羊水过多），又名“胎中蓄水”。中医文献里多用全生白术散、真武汤等健脾利水、温阳化气剂治疗。本病例第一胎时羊水过多，曾服真武汤、白术散二十多剂无效。本次妊娠改用归芍散合防己黄芪汤化裁，收效显著。给予我们很大的启示，为治疗胎水肿满，开辟了新的途径。

点滴体会：①归芍散由当归、白芍、川芎、白术、茯苓、泽泻组成。方中当归、白芍、川芎疏肝行气，和血止痛；茯苓、白术、泽泻健脾利湿，益气安神。全方具有调肝健脾、安胎和产作用。对于肝气郁结引起的气血凝滞，或由肝气不疏导致脾气虚弱，以致脾不健运，形成水湿运行不畅等病证，都是归芍散的适应证。因此，运用归芍散随证加减化裁，能通治胎前诸证。②根据“异病同治”的原则，用归芍散加味治妊娠病，效果良好，没有不良反应。从临床实践中体会到，本方能安胎和产，改善机体排异功能。对于妊娠中母体与胎儿间的排斥与反排斥的反应（如孕吐、流产、妊娠中毒等），有帮助机体维护胎儿生长发育和足月分娩的功能。这对于围产期医学和优生学、优育学似有裨益。

话说活血安胎

乐秀珍

妊娠期用药历来都是十分谨慎的。活血药多被列在妊娠禁忌药中。因为胎不安者需要“固”，“固”则要用静药，活血药是“动”的，用了岂不“动”胎气？所以胎药忌“动”也是有理由的。但事实证明，有些病例用“静”药无效，用“动”药反能奏效。活血药不但不动胎，反而能起到活血安胎的作用。

我们从临床实践中观察到一些先兆流产病人采用活血安胎法，取得了满意的疗效。其辨证要点是：①妊娠早期有出血、腹痛、腰酸等先兆流产症状，尿妊娠试验（+），脉细滑。②舌质瘀暗或有瘀斑，严重的甚至呈现猪肝色。③有子宫内膜异位、盆腔炎等病史。④输卵管造影提示两侧输卵管或一侧输卵管通而欠畅，或炎性阻塞。⑤超声波提示早孕。⑥采用过益气、养血、固肾等安胎法不奏效者。

如张某，28岁，末次月经1984年12月初，妊娠42天，尿妊娠试验（+），出血1周，腹痛腰酸，乳房胀痛，舌苔薄，质偏暗，脉细滑，采用活血安胎法，方用丹参、桃仁、红花、生地黄、川芎、赤芍、川楝子、焦山楂。3剂后患者出血减少，又按原方再服4剂，出血止，以后又再连用7剂，一直无出血，腹痛腰酸亦减轻。妇科检查子宫大小符合妊娠月份。B型超声波提示：宫内妊娠，活胎。宫腔内见孕囊及胎儿，胎动、胎心佳。后随访情况一直良好。

我们认为适用活血安胎法的病人，一般均属气滞血瘀型。此类病人经络瘀滞，气机不利，任脉不通，使血运受阻，气血难达胞宫，胎儿无以滋养，或胞宫有瘀血内阻，胎儿在胞宫内不能正常发育成长，故易引起胎动不安。如再用“静”药以固，则气血势必滞而不畅，采用理气活血化瘀之品，使瘀散气畅，气血流通，胎漏止，胎动安，胎儿得以充分营养，则能健康成长。

保胎首重固肾

徐国经

“胎漏”“胎动不安”是中医妇科临床中的常见疾患，大都发生在妊娠早期，以孕后阴道有少量流血，伴轻微下腹坠痛和腰酸腰痛为主要表现。胚胎虽属正常，妊娠试验虽为阳性，若不采取适当的保胎措施，常有“坠胎”“小产”之变，甚或屡孕屡坠，以致成“滑胎”之病。

祖国医学对于保胎积累了丰富的经验，若能辨证准确，施治得当，常可收到较为满意的疗效。

中药保胎，首先要明确诊断，要有胎可保。应注意与“激经”“妊娠尿血”“胎死不下”鉴别，以免妄投保胎药而贻误病情。

保胎之要，贵在固肾。祖国医学认为：“肾以系胎”“任主胞胎”。肾气充足，冲任通盛，脏腑无病，气血旺盛，胞宫才有正常的孕育能力。造成“胎漏”“胎动不安”主要在于肾虚、冲任不固；有胎同房或房欲过度，直接损伤肾气，冲任因而不固，也常是导致“胎漏”“胎动不安”的重要原因。影响冲任不固的还有气虚、血虚、血热、外伤等因素。腰酸腰痛既是“胎漏”“胎动不安”的最早临床表现，也是肾气损伤的先兆。故恢复已损之肾气，使肾气旺盛，冲任气固，胎有所养则能安。临床常以菟丝子、桑寄生、杜仲、续断、狗脊等固肾之品作为保胎的首选药物。根据中医古籍记载，安胎、保胎的药物还有紫苏梗、砂仁、竹茹、白术、黄芩、艾叶、阿胶、苎麻根等，亦可适当选入。再根据孕妇的体质强弱、不同病因，佐以补气血、清热或止血之药，辨证施用。不仅峻下、滑利、破血、耗气及一切有毒的药品都在禁用范围，就是像当归、川芎等一类行血、动宫之品也应严格掌握使用。

不少病员在接受中药保胎治疗前，常用过黄体酮。而中药保胎，不像黄体酮那样只适用于孕后3个月内、内分泌失调、黄体功能不足的孕妇，也适用于3个月以上者。中药保胎不仅能够调节、修复孕妇的脏腑功能活动，促进胚胎发育，还能降低或消除致病因素对胞宫的干扰，减少或避免其他疾病对胎元的损伤。总之，使孕妇全身气血调和，肾气充沛，冲任旺盛，胎元得以安固。保胎中药，药性平和，疗效确切，没有不良反应。经中药保胎足月分娩的儿童，无论身体素质、智力发育均正常。

中医保胎，既重视“保”，更重视“防”。受孕后减少房事或夫妻分居，是预防“胎漏”“胎动不安”的关键措施。特别是有“坠胎”“滑胎”史者，孕后不仅要注意夫妻分居，而且更应察其所伤，预培其损，保胎药要早服。在治疗期间，要密切观察患者的病情变化，对阴道出血过多，小腹坠胀特甚，腰酸腰痛剧烈，或胎膜已破、羊水流出等难免“坠胎”“小产”者，不宜再保。此外，保胎时应强调病员卧床休息，避免精神刺激，保持大便通畅，切忌把药物作为保胎的惟一办法，而在生活上疏忽大意。

“所以载丸”加减治滑胎

李鸣真

“滑胎”或“数堕胎”，即今之习惯性流产。堕胎之因虽有多端，总与气血亏损、冲任不足、不能养胎有关。盖气虚则提摄不固，血虚则养胎乏源；而冲为血海，任主胞胎，气虚血少，必致冲任不足；冲任亏损，胚胎失养故数堕矣。不少习用之保胎方如泰山磐石散、安胎饮、胎元饮(《景岳全书》)、十圣散(《大生要旨》)、安中汤(《济阴纲目》) 等，均以八珍汤为基础加减组成。以脾主中气，肝主藏血，四君子汤健脾可以益气，四物汤入肝可以养血。治疗滑胎，用健脾养肝，气血双补法，自不待言。惟肾藏精，主先天，司封藏，其经脉与冲任相通，故有“肾主系胞”之说。由是，欲免胚胎数堕，于益气养血之外，必须补肾，方为得法。况药物归经并无迳归冲、任等奇经者，大凡补肾填精之品，亦有培补冲任之效。回顾上列安胎诸方，除选用八珍汤为基础之外，如泰山磐石散、十圣散加用续断、胎元饮中加用杜仲，此亦无不从补肾固冲任着眼。

余遵吾师蒋洁尘老大夫之经验，常用陈修园《女科要旨》方新定所以载丸加减治疗滑胎。陈谓：“白术为补土之正药，土为万物之母而载万物”，本方即以此定名。方中以白术为主药，加人参、茯苓、大枣共健脾益气；杜仲、桑寄生合用以补肾、固冲任。使脾肾得补，冲任得固，胚胎乃安。或谓所以载丸仅补脾肾，未及肝血，似嫌不足。但脾主后天，为气血生化之源；肾主先天，为阴阳水火之宅。命火得煦，中土得健，阳生阴长，肝血自能充沛；癸水得资，乙癸同源，水能涵木，肝阴自可滋生，何虑之有？

余用所以载丸加减*治疗习惯性流产数十例，除胚胎原已殒亡者外，于原堕胎孕期之期预服本方每日1剂，孕3个月后月服数剂，并注意养息，多能胎保平安，足月分娩。后为患者服用方便，遂加强补肾、固冲任，以太子参、白术、续断、桑寄生、菟丝子、肉苁蓉组成“保胎片”进行治疗。

*加减法：阴道出血合胶艾汤；养肝止漏，常去川芎，腰酸甚加补骨脂、肉苁蓉、菟丝子；腹坠合补中益气汤，主选黄芪、升麻，黄芪量至少15g；腹痛合芍药甘草汤，重用白芍至少15g；或加砂仁2～3g；口干苔黄，酌加黄芩、生地黄。

“十三太保”治滑胎　|徐志华|

“十三太保”，又名保产（生）无忧散（方），见鲍相璈《验方新编》、程钟龄《医学心悟》和《傅青主女科》。功能为安胎顺产。主治胎动不安、胎位不正及难产等证。本方一般不宜轻易加减，须药真量准，遵法炮制，方能获效。

自然流产连续3次或3次以上者，称“滑胎”又称“数堕胎”，现称“习惯性流产”。首见于《经效产宝》。其特点往往是“应期而堕”。每次流产常发生在相同的妊娠月份。再次怀孕时应及时防治。笔者自20世纪50年代至今，运用十三太保治滑胎，屡试屡验。一般每月服药5剂，连服3个月为1个疗程，就能达到保胎足月分娩的目的，而且药性平和，没有不良反应。对双子宫妊娠和晚期流产者，亦有同样效果。且不需要调节受孕期限。如周某，36岁。已流产5胎，第6胎怀孕，距离上次流产仅3个月。患者对保胎信心不足，心情紧张。经服本方15剂，足月分娩一女婴。3年后周某再次妊娠，未经保胎治疗，也是足月分娩。在有病史记载的31例中，曾作出生后的长期观察，随访5～15年。这些学龄儿童，不仅身体健壮，智力发育亦良好。对围产期医学、优生学、优育学、似有裨益。

本方是历代相传的妇科名方。近年香港中外出版社出版的《华佗神方》中所记载的华佗安胎神方，其药物、用量与保产无忧散基本相同。“凡胎动不安，势欲小产及临产艰危，横生逆产，子死腹中，皆可服之，极有奇效”。《蒲辅周医疗经验》云：“有胎同房，或房欲过度，损伤肾气，最易造成流产，保产无忧散是治疗本病的有效方……。我用此方治疗习惯性流产，效果较好。”这个流传较广，誉为“神效”的验方，在大学教材第2版《中医妇科学》正文中没有记载；该书第3、4版把它附在难产病的后面，而且只认为它有矫正胎位的功能，似觉不太公允。本方药物：生黄芪3g、当归5g、川芎5g、炒白芍4g、菟丝子5g、川贝母3g、炒艾叶2g、荆芥穗3g、厚朴2g、炒枳壳2g、羌活2g、炙甘草2g、生姜3片。方中黄芪、炙甘草补中益气；当归、炒白芍、川芎补血和血；艾叶暖冲任，壮子宫；生姜散寒和胃降逆；厚朴、枳壳理气行滞；羌活、荆芥疏风利气，即所谓“气以通为补”之理。贝母散结化瘀，除烦解郁。顾名思义，母亲的宝贝是胎儿，贝母具有保护胎儿的作用。菟丝子蔓延草木之上，而草木为之不茂，可见善吸他物之营养以自养，胎在母腹，若能善吸其母之营养，即无下堕之虞。张锡纯云：“愚于千百味药中，得一最善治流产之药，乃菟丝子是也”。全方在于调补脏腑气血，疏导经络运行，促进全身气机升降出入，以推动胞宫气机之正常运行，从而达到保胎的目的。

南瓜蒂治习惯性流产

吴子腾

我对习惯性流产之治疗，首重补脾气、温肾阳，再用养血、滋阴、调气、柔肝之法随证治之。药物重用炙黄芪、菟丝子、川续断、杜仲、白术一类。并当用老南瓜蒂入药，取其温肾补气、壮胎元之力最著。每遇此证，常用老南瓜蒂30～60g，煎水代茶，予患者临产前几个月服之。可嘱病家事先收蓄，每治一个病人，常需数斤之多。曾治一三十余岁的王姓妇女，结婚十余年，已堕4胎，屡服补肾养血之品，往往至五六个月时而胎堕。适孕第5胎时延余诊治，其脉细软而尺迟，舌淡苔白燥。予炙黄芪30g、菟丝子、炒杜仲各20g，生地黄炭15g，白术8g，南瓜蒂60g。嘱自第3个月开始，每月服6剂，服至第7个月时停药，即用老南瓜蒂30g，每日煎水代茶，足月生一男婴。

滑脉辨妊娠 |宦世安|

中医辨病以望闻问切为主，即所谓的“四诊”。这是几千年来劳动人民从实践中积累的经验，至今仍有实用价值。古人辨别妊娠多以滑脉为凭，并以左脉滑大为男，右脉滑大为女。余早年治一育龄妇女，月经过期一个多月，其左脉滑大于右，指下明显可辨，乃断为受孕，别无他病。且告诉病家左脉滑大于右，照医书所说，多为男胎。后来病家特登门致谢，说：不出老师所料，所生的果然是男孩。自此以后，凡见妊娠滑脉显著，而且左右分明者，十之六七可以辨别是否受孕和胎儿的性别，常常为临床所验证。余对妊娠滑脉的辨别有以下三点体会。

第一，滑脉，必须指下明显可辨，此时患者虽有其他不适，仍可认为是“形病脉不病”的妊娠脉象；

第二，必须分辨左脉滑大于右，或右脉滑大于左，同时左右分明，然后才可分辨胎儿的性别；

第三，必须“四诊”合参，经过仔细诊察后，方可得出比较全面的结论，以避免或减少失误。

妊娠呕吐久则气阴两虚 |盛文彦|

冲为血海，其脉隶于阳明，孕后经血不泻，下聚以养胎。冲脉之气内盛，上逆犯胃而致恶心呕吐，谓之恶阻。《胎产心法》云：“恶阻者，谓为胎气，恶心阻其饮食也。”其主要机制是冲气上逆，胃失和降。若迁延失治，或经治不效，或因误治加剧，久而不愈，乃致气阴两伤。临床症状常见精神萎靡，形体消瘦、眼眶凹陷、四肢无力、尿少便秘、唇干肤燥、苔黄少津、脉细滑而虚数，甚至呕吐带血。查尿酮为阳性或强阳性，此时只宜补养脾胃之阴，切勿温补脾胃之阳。治以益气养阴，和胃止呕法，方用生脉散合增液汤加减。

如何某，26岁，停经两月余；于停经40天后，有恶心呕吐感，近十天来加剧，不思饮食，食入即吐，呕吐黄水，并带有血丝，身体明显消瘦，体重减轻十余斤，精神萎靡，眼眶凹陷，小溲深黄，大便秘结，唇干肤燥，心烦急躁，苔黄少津，脉细滑而数。妊娠试验阳性，尿酮阳性。妇检：宫颈着色，子宫超鸭蛋大、质软。乃久吐津液大伤、气阴两亏。治以益气养阴、和胃止呕之法。方用：人参12g、麦冬10g、玄参10g、石斛10g、知母6g、生地黄12g、竹茹10g、橘皮6g、黄芩10g，每日1剂，少量频服。服3剂，患者吐减，尿酮转阴；服10剂后未再呕吐，能进食，精神渐复。

治晚期妊娠中毒症应注重健脾利水

唐品高

晚期妊娠中毒症属于中医的“子肿”“子痫”等范畴，多见于妊娠24周以后，可延至产后2周。临床症状可出现水肿、高血压、蛋白尿三大症状。常见于初产妇、双胎妊娠、羊水过多、贫血及肾脏疾患等患者。其病机虽与肝、脾、肾三脏有关，但脾虚气机不利、水湿停滞是晚期妊娠中毒症的主要病理变化。脾主运化水湿，脾虚不运则湿滞水停；泛于肢体，则遍身俱肿；脾虚肝旺则出现子痫。治当用健脾利水、和血养胎法。药用：金钱草30g、白术15g、茯苓15g、泽泻15g、夏枯草15g、当归10g、白芍20g。曾治刘某，23岁，妊娠9个月，头晕、疲倦、纳差、下肢浮肿、舌质淡、脉弦劲，妇科检查：宫底35cm，腹围93cm，胎心140次/分，血压偏高，化验尿：蛋白（+），红细胞3～4个，白细胞（+）。患者服上方5剂后复诊：浮肿见消退，食欲增进，续服5剂而愈，顺产一男孩。余观察多例病人，服药后小便增多，水肿逐渐消退，血压缓慢下降，蛋白尿随之消失，安全度过生产期，未发现过子痫。

《素问·至真要大论篇》说：“诸湿肿满，皆属于脾”。这说明脾虚湿泛为其主因。故治疗时当以健脾渗湿为主，佐以养血安胎之品。方中白术、茯苓、泽泻健脾除湿；夏枯草、金钱草平肝降压；当归、白芍和血养胎。如此组合，则行水而不伤胎，利湿而不伤阴，健脾养血而胎安。

妊娠高热服白虎承气汤，母子无恙

肖俊逸

胡某，24岁，妊娠8个月，持续高热（40℃以上）8天。前医诊为外感风热或暑热，给服辛凉解表与清热解暑之剂，患者体温不降。经西医检查血象、小便、肝功能、血培养、胸透与拍片等均无特殊发现。前后用过安痛定、强力霉素、病毒灵、“201”注射液、泼尼松、氢化可的松、氯霉素、保泰松、输液等治疗，均罔效。西医会诊结果为：高热原因待查，建议转院治疗。其爱人考虑患者有习惯性流产史（堕胎2次），体质极度虚弱，惟恐路远天热，乘车震动，发生意外，遂请余诊治。诊见其高热烦躁，大渴喜冷饮，面赤气粗，大便干结，脉疾数，舌红苔黄燥。脉证合参，诊为热在气分兼邪结阳明，治以清热泻火，攻里通下为主，少佐益气生津之品。用白虎人参汤合小承气汤加减：党参13g、生石膏60g、天花粉20g（代知母）、淡竹叶13g、厚朴7g、枳实7g、白芍13g、麦冬17g、连翘13g、甘草3g、大黄10g（泡开水饮）。每隔6小时服药1次，两日服4剂。患者服第3剂后，大便泄泻十余次，随后体温降至正常。诸症均除，母子无恙，惟久热伤阴耗气，精神疲惫，微咳汗多，口稍渴，与竹叶石膏汤加陈皮、黄芩，调理善后。患者连服7剂恢复健康。足月顺产一男婴。

本例乃热毒蕴结，毒深热重，毒邪一日不除，则发热一日不退，所以必需重用大黄为主，日夜追服，以清肠解毒，驱邪外出。药后，果然立竿见影，热退，毒除，母子无恙。大黄为妊娠所忌，医者多惧用，本例既孕8个月，又有习惯性流产，医必顾虑重重，不敢使用，即敢用之，也不敢重剂日夜追服。杯水车薪，无济于事，反而贻误病情，而病家必诬医者用大黄之不当也。

妊娠饵补致害

李浚川

凡药皆具一气之偏，补药亦不例外。正气偏虚，服补药以匡正气，其效必著；反之，为害亦显。对于妊娠，古重胎教、胎养，故于药饵之宜忌，尤为重视。惜乎，有些人不明此理，辄谓补可养胎，亦能助产，视补药为必需，四物、八珍仍嫌不足，又益之以十全、养荣，更辅之以参、燕、胶、膏。以致滞气助火，妨碍气血，暗伤胎元者，屡见不鲜。谓予不信，请以目睹2例证之。

例1：某医院中药工，因怀孕后身体欠佳，遂进补药以滋补身体，并借以养胎，从妊娠4个月开始至临盆前，先后遍服参芪膏、两仪膏、当归养血膏、归脾膏、补中益气丸、八珍丸以及白木耳等，达半年之久。及至分娩，满以为不是“弄璋”之喜，便是“千金”可得，谁料漉漉血盆中，竟是一“无脑儿”。畸形怪状，见者骇然。

例2：某部队医院内科医生，临产前，有人劝其服人参，增强气力，以利生产。乃不惜重金，购得人参若干，每日服食。分娩以后，精神倍加兴奋，彻夜不眠，弥月后，犹不安枕。更奇怪的是，婴儿也烦躁不眠，其他均正常。推知是产前服人参过多之故。考虑人参系中药，便请中医诊治。我嘱暂先服莱菔（萝卜）汁，俟其痰火消散，再用甘寒滋养善后，母子遂安。

“胎教”有理

黄云亮

“胎教”的最早记载当推《史记》：“太伍有娠，目不视恶色，耳不听淫声，口不出傲言。”嗣后历代妇科著作中对“胎教”多有论述，成为祖国医学优生学的重要组成部分。

中医学的“胎教”之论，是基于以下认识而建立的：胎儿的正常发育，不仅依靠先天精血的养育，也与孕期母体的摄生优劣关系密切。因此，欲优生，既要十分注重孕妇的身体健康，又要重视孕妇的精神修养对胎儿的影响。

“胎教”并不是胎儿直接从母亲的心理活动接受教育，而是要求孕妇重视自己的视、听、言、行、喜、怒、哀、乐等，以对胎儿产生良好的影响。《诸病源候论》要求：“欲令子贤良盛德，则端心正坐，清虚和一，坐无邪席，立无偏倚，行无邪径，目无邪视，耳无邪听，口无邪言，心无邪念，无妄喜怒……。”甚是全面。

事实证明，祖国医学的胎教之论，是具有研究价值的科学理论。如《万氏妇人科养胎条》所说：“凡视听言动，莫敢不正，喜怒哀乐，莫敢不慎……其母伤，则胎易堕，其子伤，则脏气不完，病斯多矣。盲聋、喑哑，痴呆癫痫，皆禀受不正故也”。近代遗传学研究认为，在怀孕第3周的后半期到第7周末，即3个月以内，是胎儿各组织逐渐分化成各个器官，胚胎变得初具人形的阶段，此时胎儿对各种有害因素的敏感性很强，容易发生畸形。有人长期观测证实，3个月以后，胎儿的大多数器官已逐渐发育完善，其耳、目和感觉对外界的声音、动作皆有反应。如果孕妇长时间的恐惧、愤怒、烦躁、悲哀等，可导致身体功能和各种内分泌激素发生明显变化，并使子宫内环境改变而影响胎儿。

由于“胎教”有理，为了优生，必须避免一切有害孕妇身心的精神刺激，多方体贴和关心孕妇，使其情绪安定，心情舒畅，以使胎儿出生后健康、聪慧、长寿。

逐月脏腑经络司胎说

陈文忠

《内经》云:“两神相搏，合而成形”“人之始生，以母为基”。十月孕育由母体脏腑经络司养。1400年前北齐名医徐之才始创逐月养胎之说，《千金》而后，业妇科者多宗此序：

一月：足厥阴——肝司胎　　二月：足少阳——胆司胎
三月：手厥阴——心主胎　　四月：手少阳——三焦
五月：足太阴——脾　　六月：足阳明——胃
七月：手太阴——肺　　八月：手阳明——大肠
九月：足少阴——肾　　十月：足太阳——膀胱

怀孕十月，脏腑养胎已足，自然分娩。所以，胎前诸证颇与司胎有关。我认为，一二月肝胆养胎之时，喜啖酸味者，酸以补肝也，肝阴不足，胆逆泛恶，肝胃不和，而生呕吐。三四月心主与三焦养胎，心营虚亏，丙丁火炽，故见心烦少寐，甚则小便频数也。五六月脾胃养胎，通称胎儿出发之际，重现胃呆欲恶，纳谷少运，乃脾胃中虚之象。七八月肺与大肠养胎，易生感冒咳嗽、腹痛便难诸证。九十月肾与膀胱养胎，易生浮肿腰酸溺频诸症。逐月出现的病症，有轻重，有迟早，此与母体禀赋脏腑强弱有关。胎序已三月而泛呕拖延末罢，乃肝胆之气难以骤复，又如养胎方八月，而气怯浮肿已作或便干，此与肺、脾、肾三者有关。故逐月司胎之说，能教人更好地孕育胎儿，其说实不可废。

谈治疗孕妇损伤

詹镇川

妇人怀子时遭损伤，治疗棘手。欲治其伤，恐伤其胞中之子，欲保其子，则伤体不能疗。往往使医者思前想后，顾虑重重。

对于孕妇，固胎固然重要，但有损伤，仍需活血祛瘀。瘀不去，则气不行、血不活、痛不止、伤不能除，骨乃不接。吾治伤五十余载，治孕妇损伤亦近千人，常用苏木、骨碎补、丹参这三味药，因其有活血祛瘀之功如能合理使用，并不损胎。苏木重用可破血，轻用则能活血，并有止血之功。前人曰:“苏木为大造，妙用少人知。”骨碎补能补肾安胎，又能活血壮筋，为跌打损伤常用药；

丹参能祛瘀血、生新血，又能行血养血，被誉为“一味丹参，功同四物”，临证运用“安胎和气汤”（当归、生地黄、川芎、白芍、白术、黄芩、砂仁、香附）加苏木、骨碎补、丹参，收效较佳。

（肖运生　整理）

“产后宜温”不可全信

|徐有玲|

产后宜温，为世俗相传，而历代医学名家对产后用药亦多主温忌凉。此种论点笔者实不敢苟同。如治一患者，产后第2日恶寒、发热、头痛，前医用辛温解表法不应，更医认为血虚外感，投以养血祛风药，患者病情加剧。呈现壮热、烦躁、口渴、咽喉肿痛，全身出现鲜红色皮疹，延余诊视。诊其舌质红绛苔黄，脉洪数，当时辨证为“烂喉痧”，属气营两燔重症，用化斑汤化裁治疗：生石膏30g、知母15g、甘草24g、玄参24g、犀角10g（切片先煎）、金银花15g、连翘30g、黄芩25g、牡丹皮12g、赤芍15g。

上方服1剂，热势顿挫，续用原方出入约10剂，患者疹消热退，后续用滋阴清热之药，诸恙悉除。愈后全身有糠状脱屑，手掌足底有大片脱皮，随访至今身体健康。

本例应用了大量的清热解毒凉血之药，而病获愈。实践说明，产后高热，当运用四诊，详审病因，掌握其主要矛盾，确定治疗原则，不可拘泥“产后宜温”之说，如此才能收到预期效果。

产后勿以诸虚治

|黎烈荣|

新产妇人，气血亏耗，诚多虚证，然亦有虚中挟实，甚或全实无虚者。因产后调护最难，将息摄生一有不慎，外而六淫，内而七情，或寒或热，或喜或怒，或饥或饱，外感内伤，感而即发。素体强壮者，亏损之象不显，正盛而邪实；素体虚弱者，正气不足以抗邪，正虚而邪实。当随证随人，辨其虚实之缓急，慎勿以诸虚治之。若非纯虚之证，断不可概行大补。

诊断产后虚与瘀，一则须详细询问产时情况，有无难产、胞衣不下、大出血、产后血晕等，以察虚损程度与留瘀与否。二则须了解前医治疗经过，细观

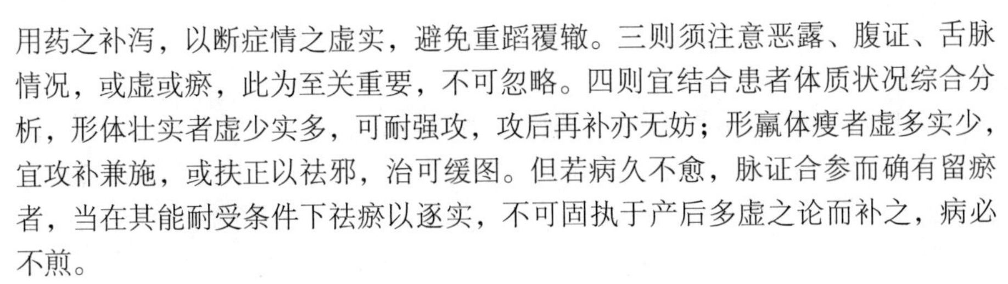

用药之补泻，以断症情之虚实，避免重蹈覆辙。三则须注意恶露、腹证、舌脉情况，或虚或瘀，此为至关重要，不可忽略。四则宜结合患者体质状况综合分析，形体壮实者虚少实多，可耐强攻，攻后再补亦无妨；形羸体瘦者虚多实少，宜攻补兼施，或扶正以祛邪，治可缓图。但若病久不愈，脉证合参而确有留瘀者，当在其能耐受条件下祛瘀以逐实，不可固执于产后多虚之论而补之，病必不煎。

兹举一病例为证。

庄某，27 岁，患者因产后大出血而致贫血，伴频发眩晕不止。发时两目黑暗，冷汗淋漓，心慌不能自持。每发必半小时以上，卧床休息后，可逐渐恢复，但继而又发。如此反复已有 3 个月余。曾在妇科、内科住院治疗两月余，均未取效。细观前医用药处方，大抵不外三类，一或根据贫血断为血虚而眩晕，用养血安神之类；一或认为水亏木旺、肝风内动而眩晕，用滋肾平肝潜阳之品；再或疑为外风而用祛风益气之药。

患者形瘦而面色晦暗，肌肤干燥不荣，舌体瘦小，舌质暗红，边有大块瘀斑。询其恶露曾有瘀块，小腹时痛；诊其脉象弦涩，断为留瘀为患，以王清任《医林改错》之血府逐瘀汤加䗪虫 9g、制何首乌 24g。5 剂药后，眩晕发作次数明显减少。继服 20 剂，眩晕全除，面色明朗，精神转佳。患者又自守原方续服 20 剂，舌面瘀斑退尽，贫血情况亦得以纠正，达到痊愈。

由此可见，名医张景岳之言："产后气血俱去，诚多虚证，然有不虚者，有全实者。凡此三者，当随人随证辨其虚实，以常法治疗，不得概行大补，以致助邪"，确有至理。产后慎勿以诸虚治之，为医者不可不慎。

产后发热治用桂枝生化汤

王治强

产后发热是指妇人在产后月内以发热为主症的一种疾病。

新产之妇，因阴血暴失，气随血耗，荣卫俱虚，复以多汗，百节开张，使腠理疏松，荣卫失调，卫外失固，而易遭受风邪侵袭，导致发热或产后腹痛，恶露不行，淋漓不净，风邪乘虚袭入血分，凝滞血脉，恶血内阻，瘀著胞宫，附而不去而发热。故产后发热宜选桂枝合生化汤出入治疗。

方中桂枝非仅解肌祛风，实能温经扶卫，入营强心；芍药酸寒，敛汗益营尤宜。桂枝、芍药伍用，可和营调卫，入心化血，敛阴固液；炙甘草补中益气，主治气虚血少，与桂枝相伍，功专益心助阳，用粉甘草者善轻清除热。炮姜、甘草、大枣、桂枝配伍，温运脾胃，益气调中，助气血生化之源。全方配伍精当，有扶正祛邪之效。

生化汤由当归、川芎、桃仁、炮姜、甘草五味组成，功效为养血和营，温经定痛，主治产后血虚，恶血内阻，小腹疼痛。方中当归辛甘油润，善养血和营，去瘀生新。川芎辛温，为血中气药，能活血行气，散风止痛。桃仁苦润甘平，活血行瘀，润燥通肠。炮姜苦温，化血中之寒，温经定痛，通中寓有止血之妙。全方配伍谨严，补、温、活、止之功俱备。

临证运用本方，又贵在知常达变，观其脉证，随证加减。如偏于风寒项背强几几，无汗或少汗者加荆芥、防风、葛根；热蕴化毒，恶露臭者加黄芩、紫花地丁、金银花、大黄；恶心欲呕者加半夏、厚朴、藿香；寒热往来者加柴胡、黄芩；伴抽掣拘挛者加蝉蜕、僵蚕、钩藤，重用白芍；心悸气短者加太子参、麦冬等。

近年来临床凡见产后发热，我均用桂枝生化汤随证变通治疗。结果，热势多在1～3天退净，诸症随之消失。如：张某23岁。因难产剖腹取婴，术后发热，经医罔效，遂邀余会诊。症见头痛项强，恶寒发热（体温40℃），头身汗出，干呕欲吐，不欲饮水，纳谷不香，脘痞腹胀，小腹坠痛，恶露淋漓，便干溺黄。时有神昏谵语，颜面紫赤，舌质红，苔白滑润，中根浮黄，脉浮滑数，沉取细弦。证属产后中风，发热病痉，瘀热内蕴，表里俱病。拟解肌祛风，滋阴和阳，清热解毒，逐瘀镇痉法治之。方用桂枝生化汤加葛根、蝉蜕、僵蚕、紫花地丁、大黄等迭进7剂，热退神清，腹痛消除，便通溺调。惟觉胸闷不舒，呃逆干呕，宗原方去大黄，加半夏、柴胡、黄芩续服8剂，病瘥。又拟八珍汤调理善后，痊愈出院。

桂枝生化汤药物性味虽平和，有其扶卫补虚的一面，但毕竟还有祛邪之品，因此用药既不宜过于发表攻里，又不可偏于温燥填补，解表之中，应佐以固本；化瘀之中，当佐以养血，断不可拘泥于虚而用药上有顾忌，亦不能因于热而一味清泻。同时，服药时宜少少饮服，缩短给药时间，以免戕伐胃气，使药力起到连续作用。热退症除后，尚须顾护胃气，调补善后。

治产后发热管见

刘云鹏

孕妇分娩后，出现以发热为主之证，谓之产后发热。追其源流治法，《金匮要略》有承气汤、阳旦汤、竹叶汤等之治法，《医宗金鉴》有伤食、风寒、瘀

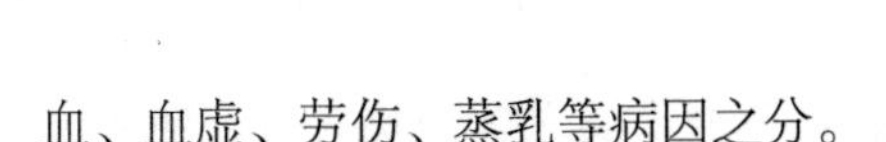

血、血虚、劳伤、蒸乳等病因之分。

余临证五十余载，所见产后发热病因虽多，然以外感发热为常见。盖生产之际，阴血骤下，阳亦受损，身体虚弱，外邪易侵而发热，此证多以虚中挟实或邪实为主。

其病因病机可分为肝郁脾虚、外邪入侵少阳和湿热为患，属内外合邪为病。

肝郁脾虚之人产后受邪，易入少阳，此乃木郁土虚、生化失职。又产后体虚，阴虚阳弱，腠理空虚，易感外邪。肝胆乃表里之脏腑，腑为脏邪出入之通路。外邪入脏，借道胆腑，客于少阳，出现产后发热之半表半里证。其证以往来寒热为主，伴口苦咽干、心烦欲吐，或现胸胁乳胀、腰腹胀痛、恶露不净等症。舌质或红或淡红，舌苔或黄或薄黄，脉多弦数。法宜清补兼施、表里两解、扶正祛邪、和解少阳，以小柴胡汤增损治之。

素体脾虚，或过食膏粱厚味，或久居潮湿之地，湿困中焦，郁而化热。复因产后感受湿热之邪，内外合邪而发病。

偏表者，湿热均等，以恶寒发热、汗出热解辄复热为特点。伴头昏重、身重肢软、胸闷呕恶、小便短黄、舌红苔黄而滑、脉软滑数等。治当表里分消、清利湿热，以黄芩滑石汤加减治之。

偏里者，热重于湿，以持续高热、日轻夜重为特点。伴胸痞呕吐、舌质红、苔黄腻、脉滑数等。治当清热除湿、和胃降逆、理气消痞，以自拟芩连半夏枳实汤为主方治之。方由半夏、黄芩、黄连、枳实、杏仁、陈皮、郁金、厚朴8味药组成。方中半夏辛开散结、和胃降逆以止呕。郁金芳香开郁、调理气机而除痞。黄芩、黄连苦降，清气分之热结。枳实、杏仁、陈皮、厚朴苦辛开气分之湿郁。全方苦辛通降，是治疗湿热在里之发热证的验方。然体质属性有别，感邪轻重各异，证有兼挟，药须加减。若兼恶寒、头痛、鼻塞，可选加柴胡、紫苏叶、荆芥等以轻宣解表。若血瘀胞脉，腹痛拒按，恶露不净，舌质紫黯者，可选加当归、白芍、桃仁、牛膝、蒲黄、益母草之类，以活血化瘀、生新止痛。若热甚伤津，舌质红，口渴者，宜加石斛、玉竹、天花粉之属，以清热生津止渴。若心慌气短、舌淡脉弱者，则酌减陈皮、厚朴，加党参、甘草以益气扶正。食积纳呆者，可加入消食导滞之山楂。大便秘结者，用大黄泄热通便。

曾治一28岁产妇，产后7天而发高热（体温39～39.5℃），不恶寒，但胸闷呕吐，小腹时痛，恶露色黯，大便秘结，舌红苔黄腻，脉弦滑数。查血象：白细胞计数18×10^9/L，中性粒细胞0.80。即予芩连半夏枳实汤加当归、白芍、炒荆芥、益母草等，急煎2剂，一日服完。次日热退呕止，再进2剂而愈。

本方虽有黄芩、黄连之苦寒，如证属湿热，纵然产后亦为不忌。至于当归、白芍、桃仁、红花、川芎、蒲黄、益母草之属，在本证中不仅可使血虚得养、血瘀得化、热势随之而解，而且小柴胡汤、黄芩滑石汤之证兼挟瘀者，亦随证选加，以其产后多虚、多瘀故也。

治产后高热一得

许耀恒

张某，25岁。于产后10天突患高热，体温39.5～40℃，头昏耳鸣，寒热并作，出汗多，面赤心烦，纳食不进，便秘尿赤，前医曾用西药解热剂和抗生素、输液等，治疗1周无效。家属邀余前往就诊。观其舌红苔黄且干，察其脉弦数。据脉证辨之，乃为少阳、阳明合病的实热证。治拟袪邪热、通大便法，方用大柴胡汤加减。处方：柴胡、黄芩、党参、大黄（后下）各9g，赤芍、芒硝（冲服）、甘草各6g。服2剂后，高热骤退，泻下黏液黄色便数次，后嘱咐饮食调理而痊愈。

中医认为，产后发热、便秘一般虚多实少。血虚证，治宜补血益气，润肠通便。实热证，治宜袪邪热，通大便。本例非血虚伤津之发热，乃从少阳、阳明论治，采用和解、泻下之法，以柴胡、黄芩去少阳之邪热；因夹杂阳明腑证，须表里双解，故用大黄、芒硝、赤芍泻下通便，不拘泥前人产后忌下之说。再佐党参、甘草补脾益气生津，以扶正袪邪，故速收去高热之功。

产后中风（产褥热）辨治小议

汪岳尊

张某暑令新产十余日，忽发热数日不退，烦躁无汗，口干不饮，舌苔白干，起床微有怯风意，脉见弱数。予曰："此产后温邪为病，表散固在禁例，而清之过早，则邪内伏，亦与新产不宜。"张固知医，曰："是矣，敬待先生决之。"乃为之疏方：青蒿、藿香、佩兰、苏荷、栀子、白薇、桔梗、赤茯苓、黄芩、连翘、桑叶、等轻清芳开之品，1剂后，微汗渐出，诸症皆减，守方出入，连进3剂，病状悉平。嗣复于夏令诊江某、马某等数例，亦均如此告愈。大抵新产病人，纵平日体质不亏，而此时亦必因失血，络脉空虚，汗之则必瞤惕、昏迷、郁冒，或成搐搦之变。暑令又多挟杂湿邪，若早投清法，则犯湿温之禁，况在新产，其邪更加难解。

活血祛瘀法治疗“人流”术后出血

冯振兴

“人流”术后出血多由手术时机械损伤，或胎盘与胎膜残留，以及术后感染等原因引起。属于祖国医学产后恶露不绝、小产血崩、流产漏下范畴。临床表现为：阴道出血，色紫暗，挟有血块，或出血量少，滞涩难下，或淋漓不断，小腹疼痛拒按，低热，腰部酸楚，舌质暗红，或边尖有瘀点瘀斑，苔薄白，脉小弦或细涩等。据以上症状，故本病与瘀血恶浊留滞，新血不守有关。

“人流”术不当，在损伤胞宫脉络同时，亦损伤肾与冲任二脉，下焦虚损易招外邪侵袭，致使邪气与离经之血搏结，留而为瘀，阻碍冲任固摄功能，故阴道流血，淋漓不绝。《血证论》指出：“凡血证，总以祛瘀为要”“既是离经之血，虽清血鲜血，亦是瘀血”。因而治疗此证，且不可单纯止血，以免瘀滞不去，新血难生；又要防止破瘀太过，损伤正气。必须“止中有化，化中有止”，以达到止血而不留瘀，祛瘀而不伤正。我常用自拟“祛瘀生新饮”治之：当归12g、赤芍10g、川芎9g、桃仁10g、红花6g、炒五灵脂10g、炒蒲黄10g、益母草12g、怀牛膝12g、柴胡8g、炒枳壳8g、炙甘草6g，水煎分3次温服，多可收到止血、缓解症状的效果。

“人流”后出血时间短，色紫暗有块，小腹疼痛者，用“祛瘀生新饮”即可收效。若治疗不当，迁延日久，或犯房劳之戒，而小腹疼痛拒按，伴有发热者，加白花蛇舌者、鱼腥草、蜀羊泉等；若阴道流血，久下不止，腰痛明显者，加炒杜仲、炒川续断、阿胶珠、乌贼骨、茜草等；若出血量少而不止者，加炮姜炭少许；若有倦怠乏力气虚症状者，加黄芪、党参、升麻炭等。

总之，“人流”后出血，多系瘀血恶浊阻滞经脉所致。治疗宜以活血祛瘀之法，化中寓补，祛邪而不伤正。再据临床所见，随症加减，灵活运用。

黄龙汤治疗产后癃闭

张忠鹏

癃闭乃临床急证之一，其病因非一，疗法亦较多。有因上焦郁闭、气滞水不行者，治取宣肺利水、开发上焦，即所谓“提壶揭盖”之法；有因热结膀胱者，治取清热利水法；有因肾阳不足、气化无权者，治取温阳化气法。另有补气升提法、化瘀通窍法等不一而足。产后癃闭，确有其特殊之处，系因患者在生产过程中，气血津液耗损，乃致阳明燥结，燥屎积于大肠之中，挤压增大尚未回缩的胞宫，并进而压迫膀胱，因致膀胱满而不得下，亦属气化无权之由也。《内经》云："膀胱者，州都之官，津液藏焉，气化则能出矣"。今气化无权，水怎能出？

余治芦桥王某，分娩后小溲点滴不下，靠导尿维持 1 周，痛苦不堪。询悉大便亦 7 日未解，虽有便意，但其燥坚难出，数蹲厕而不能如愿。乃拟黄龙汤（大黄后下）1 剂 2 次服，随后下燥粪甚多，同时水路顿开，小便畅通。

黄龙汤出自《伤寒六书》，功能扶正攻下。方中除有大承气急下存阴、消瘀通腑外，另有人参、当归之益气养血；甘草、生姜、大枣之和中补脾。桔梗合人参可以开宣肺气，助宣上通下之功。可谓攻邪而不伤正之良剂出。清·何楚瑶在《医碥》中指出："或由大便不通而小便渐闭，通大便则小便自行。"信也！

产后腹痛脉浮辨治

夏问心

曾治谌某，22 岁，因产后腹痛不止，于第 7 日来余诊治。观其面色如常，无恶寒发热。腹痛隐隐，以脐部为甚，时有加剧，微有恶心，但未吐出食物。胃纳不佳，口干苦而不欲饮。每次疼痛之后，恶露亦随之而下，量不太多，血色深红兼紫，挟有小血块。小便如常，大便量少但不结燥。脉象浮大而数，舌苔薄白、淡黄相兼。用四物汤合失笑散去地黄加炮姜炭、延胡索。患者住院 1 昼夜，服药 2 剂，痛未减轻，遂进行会诊。共有 7 位大夫参加讨论，其中 6 人维持原来的诊断，拟加桃仁、红花、丹参、蒲黄、五灵脂，均为生用。独有刘之光老医师认为，要考虑蛔虫作痛，意见未能统一。会后细思，刘老经验丰富，不容忽视，况产妇全身情况尚佳，驱虫之药，可以一试。遂用《医宗金鉴》下虫丸予患者晚饭后服。翌日查房时，患者正在进食，其母称昨晚腹痛彻夜未止，今晨得大便 1 次，下蛔虫大小约 130 条，现腹痛未作，恶露亦止。患者要求出院，诊其脉，缓小微弦，舌苔如故，留其继续观察。晚饭后患者出院，后未见来院复诊。

本例所见诸症，莫不酷似瘀血腹痛，但脉象极不相符，脉浮又无表证，服行瘀止痛之剂又无效。殊不知腹痛脉浮大者当是蛔虫扰动所致。《婴童百问》云："腹痛，其脉法当沉弱而弦，今脉大则是蛔虫也。"《脉法》《外科精义》

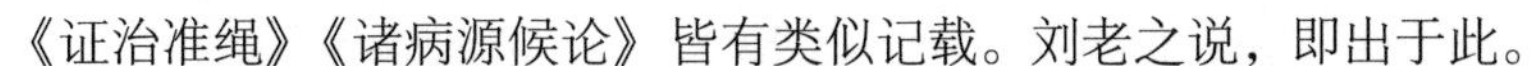

《证治准绳》《诸病源候论》皆有类似记载。刘老之说，即出于此。

本例蛔虫腹痛发于产后，阵痛之余，势必震动血海而排下恶露，这是导致误诊的主要原因。肝属厥阴，亦主血海，产后血海空虚，厥阴虚寒，以致蛔虫乘虚窜扰。然而，蛔虫腹痛，腹部当有索条状积块出现，惜对本例未加触诊，盖亦过于自信所致。

剖腹产后发热从瘀论治

余莉芳

本人多年来治疗不少应用抗生素治疗无效的剖腹产后发热患者，临床特征为轻度或中度持续发热，汗出热不解，患者无特殊痛苦，多见面色少华、神疲乏力、动则汗出，或稍有恶寒、头痛，手术切口无感染，乳不胀，腹不痛，恶露量少，无臭味，色不鲜，或淡或暗。血检白细胞总数及分类不增高，西医认为系剖腹产后病毒感染性发热，中医多认为属产后血虚发热或产后暑热症等。

剖腹产后发热与一般产后发热有何异同？同者，因产后耗伤阴血致阴血骤亏，阴不制阳而生内热；或正虚受邪，正邪交争而发热。不同者，是剖腹产患者手术创伤及术后宫缩欠佳，故产后恶露欠畅，导致血留胞宫，瘀而发热。

针对剖腹产后发热的特点，本人治疗时从“瘀”着眼，用药时有意识地加入活血祛瘀之品患者服药后随着恶露通畅，色泽变鲜，发热亦解除。此后余自拟“兰芍生化益母汤”为基础方，辨证加减。治疗剖腹产后非细菌感染性发热，获得满意疗效。

方药组成：泽兰叶15g、赤芍10g、当归10g、川芎5g、桃仁10g、炮姜3g、制香附10g、益母草15g、生甘草3g。

辨证加味：气虚者加太子参、黄芪；阴血不足者加生地黄、白芍、地骨皮；虚热偏盛者加青蒿、银柴胡、香白薇；兼感风邪者加荆芥、生葛根；兼风热者加金银花、连翘、蒲公英；兼暑热者加藿香、佩兰、香薷。

“兰芍生化益母汤”在生化汤的基础上加泽兰、赤芍、香附、益母草组成，重在活血祛瘀。然药性平和，行而不峻，辨证加味，相得益彰，瘀血得除，热无所恋而自清，一般服药3～5剂，便使恶露畅通，热退症解。

月痨病之治法

|李熊飞|

本病因妇人产后未满1个月，百脉空虚，子宫恢复不全，过早性交，以致损伤冲任，阻塞经络，气血乖逆而发病。其发病期，早者1～2个月，迟者3个月至数月。

本病初起头昏眼花，疲倦，纳少，大便艰难，小便赤涩，子宫坠胀，恶露点滴，或者流血，寒热无定型，手足心热较甚，脉弦数，或沉数。约1～2个月后，但热不寒，或子午潮热，五心烦热，面红颧赤，口渴饮冷，干咳无痰，精神不振，肌肉渐瘦，脉数，苔黄。约3～5个月后，壮热不退，日轻夜重，五心烦热，坐卧喜冷处，剧咳痰秽，或喘息声嘶，肌肉消瘦，皮肤甲错，精神萎靡，容颜憔悴，月经闭止，白带增多，纳呆，失眠，脉数疾、或细无力，舌绛无苔，此症持续3～6个月。此后烦热炽盛，移卧阴地当风处，不觉凉爽，引饮冷泉冰水，不得滋润，虚羸干瘦，头发枯落，目无光彩，声音嘶哑，喉烂口臭，病情至此，实难救药。

对本病的治疗原则，以滋阴降火，通经疏络，活血行瘀为主，药宜甘寒辛凉，一切温燥苦寒之剂，在所必禁，常用处方如下：

鲜泽兰根30～120g，松花粉10～15g，玄参、麦冬、知母各15～30g。

热重加牡丹皮、地骨皮、银柴胡、白薇，口渴加天花粉，咳嗽加瓜蒌、贝母，血瘀加桃仁、藏红花、苏木、赤芍、水蛭粉，虻虫粉，便秘加火麻仁、清宁丸，溺涩加白茅根，腹泻加怀山药、车前子，纳呆加鸡内金、麦芽，气血虚加百合、怀山药、阿胶、鸡血藤、白木耳。

本病间有属于虚寒者，极为罕见，生化汤加肉桂可以应用，但必须审证准确，勿为假象所误。

“欲孕三难”说

|丰明德|

生育，人之常也。大凡女子发育成熟，月经如期，两精相搏，即能成孕。不孕，人之异也，莫出两端。其一，先天秉赋不佳，古名“五不女”，螺、纹、鼓、角、脉五种是也，药难为功。其二，后天罹病而成，鄙称“孕三难”，即

乳胀、少腹痛、脉大三类是也。善诊者，多有验效。

长期乳胀

长期乳胀有两种证型：其一为肝气郁结，其二为肝胃不和。常见胸闷，痛引胁肋，甚或剧痛，难以名状，经来胀缓，每月如期有潮。若舌质红或正常，苔薄白，脉弦，多由情志抑郁，肝失条达，气血失于疏泄，冲任不能相资所致。若舌质暗红，长期乳胀，触有块状，脉弦细而数，此乃肝气横逆犯胃，属于乳癖、乳痨之范畴。有些医家一云痛经，即着眼于少腹，其实乳胀亦属于痛经之一种。临床所见，有些患月经病的妇女，单有乳胀而无少腹痛者亦不乏其例。笔者认为，肝脉瘀阻可致少腹痛，胸胁气滞可致乳胀。如患者宋某，因患乳胀，长期不孕，余以疏肝理气、化痰软坚为治，选用四海疏郁丸（汤）加黄药子、香附、枳壳、半夏，患者连服15剂，治疗1个月后成孕。但也有病人患乳胀有块，久治不愈，终身不孕的。

少腹痛

经期少腹痛，虽有经前、经后之别，但总称为痛经，少腹痛为其主要特点，尤以30岁以下妇女为多见。其痛多剧烈，辗转反侧，虽有时得缓解，良久复作，伴月经量少、淋漓不畅、色紫暗或黑而有块、舌质暗或有瘀点、脉弦等。历代医家认为“痛则不通”，可见其病机为气滞血瘀，然有兼寒、兼热之别，热壅多为灼痛，伴口渴饮冷、烦躁面赤、溺短赤、苔黄脉数；寒凝多现少腹冷痛、拘急喜温、喜饮热汤、手足厥冷、面色苍白、冷汗淋漓、呕吐清水、苔白滑、脉沉迟等。总之，痛经多属实证，虚证少见。或由寒凝，或因热壅，致气血运行不畅。由气滞致血瘀者有之，由血瘀致气滞者亦有之，证情较复杂，很难截然分开。根据气滞血瘀的孰轻孰重，用药有所侧重，偏热、偏寒有异，兼温、兼清当别，主要根据“通则不痛”的原理，通畅气血，以行冲任，常用少腹逐瘀汤增损为治，疗效尚称满意。如荣某，22岁，经来色黑，少腹疼痛，喜热饮，服少腹逐瘀汤6剂而愈。余在20世纪60年代曾见昌某之妻从月经初潮至绝经期前，每次月经来时少腹痛甚，因治疗不够，遂终身不孕。

女子脉大

女子脉大，气旺于血也。女子以血用事，血液旺盛，其脉柔和。女子之脉，通常弱于男子，此其常也；反之，肝脾肾及冲任功能失调，血少，胞宫失养，气旺于血，即现脉大，故难成孕。临床上常用左归饮为主方，以滋补肝肾，通调冲任，亦多获效。吾曾在弱冠初入医林时，见田某之妻，六脉弦数劲急，别无其他症状，然而终身不孕。

消积扶正种双子

|张六通|

吴某，女性，婚后3年未得子，经医院检查，患“左侧卵巢囊肿”并施行切除术。1年后，患者月经仍不调。经某院检查为“右侧卵巢囊肿”，大如乒乓球，因尚未生育，患者及家属执意不再手术，遂邀余诊治。

初诊，患者面色皖白少华，声低言微，自述月经四十余天一次，经色淡黑如屋漏之水，有时夹乌黑血块，经量较多，质清稀，由于疾病缠身，饮食渐少，现每餐一二两，即便美餐也纳食不香，自觉精神疲乏，四肢无力，且较常人畏寒，按其双手欠温，唇舌淡白，苔薄白滑，脉象沉弱。询其病由经期浸冷受寒而起，显系寒湿凝聚之癥积，然邪恋已久，正气渐耗，中阳虚弱，气血之化源衰少，是以有全身虚竭之候。治当先逐留恋之贼邪，若但见其虚而妄补之，则难免有关门留寇之患，乃仿仲景温经散寒、祛瘀化癥之法，用温经汤与桂枝茯苓丸化裁治疗，日服1剂。历两个月有余，患者经色转为淡红，经期腹痛诸症亦明显好转，惟白带及诸虚候仍在，是为邪已渐退，遂兼补中益气，以复气血之化源。药后，患者食纳渐增，精神好转，神色气息逐渐复常，白带明显减少。又经3个月，患者忽感恶心呕吐，畏食，询其月经未行，切脉稍有滑象，乃告其有喜，改作妊娠调理。于其产前检查发现为双胞胎，足月产下两男婴，产后复查右侧卵巢囊肿竟已消失，夫妻皆大欢喜。

毓麟珠治疗肾虚不孕

|杨文兰|

肾为先天之本、元气之根，主藏精气，是生长、生殖的动力。肾主冲任，肾气盛，则冲任通盛，血海按时满溢，月事以时下，故能有子。若肾气不足，则冲任失养，血海不能按时满溢，影响胞宫的发育。据临床观察。原发性不孕症多与肾虚有关。而肾虚不孕者，妇检多为子宫发育不良。患者常伴腰痛、初潮较迟。月经失调等，此为肾气未充盛之故。治以补肾益气、温润添精之剂，用毓麟珠加减，疗效较好，同时用于治疗子宫发育不良所引起的痛经、月经不调、崩漏、闭经等，也收到满意的效果。毓麟珠一方见于《景岳全书》：“治妇

人气血俱虚、经脉不调，或断续……或饮食不甘、瘦弱不孕。”方中用四君子汤以益气；四物汤以养血；菟丝子、杜仲以补益肾气；鹿角霜以温养奇经；川花椒以温煦胞宫，该方功能为益肾健脾、补精养血、固冲任而暖胞宫，诚为肾虚不孕之良方。若初潮较迟，或腰膝酸软，则去川花椒，加龟版胶、紫河车，鹿角霜改用鹿角胶等血肉有情之品，以填补肾精而养益冲任。经迟腹痛者，去熟地黄，加补骨脂、巴戟天，甚则加吴茱萸以温经止痛；腰脊痛加川续断、枸杞子以壮肾健腰；小腹痛加香附以理气止痛；经量少、腹痛加益母草、丹参以活血调经。带下清稀色白加煅龙骨、黄芪以固涩止带。

例如：陈某，结婚6年未孕，月经不调已13年。其18岁初潮时周期即不正常，10~80天一潮，量时多时少，淋漓不断，一般须7~10天，有时持续一二个月，用药方能干净。伴有腰酸痛、四肢欠温、面色不荣，舌苔薄白，脉细缓尺弱。基础体温单相。妇检：外阴发育差，呈幼女型，宫颈光滑，子宫如核桃大，活动，质中，双侧附件未发现异常，输卵管通液检查通畅。治以补气养血，温润添精之剂。方用：党参15g、白术10g、茯苓10g、炙甘草6g、熟地黄20g、白芍15g、当归12g、川芎6g、杜仲10g、菟丝子12g、鹿角胶12g、龟版胶12g、枸杞子12g。按上方加减治疗3个月，患者月经期、量渐转正常，基础体温出现不典型双相，但高温相持续时间只有8天，且不稳定。续用上方加减，在月经中期去杜仲，加淫羊藿12g、巴戟天12g，以助肾阳，后患者基础体温呈双相，继续治疗以巩固疗效。1982年9月，患者因月经又36天未行而来门诊求治，即时基础体温持续高温相已18天，脉细滑，有恶心感，查妊娠试验阳性，诊为妊娠，足月分娩一男婴。

谈谈不孕的治疗

宛树修

对患不孕症的病人，先要排除男子不育，再给病人做多方面检查，然后针对病情进行治疗，方能取效。

气滞血瘀不孕证（输卵管不通）

郑某，28岁，人工流产后3年，未避孕但未孕，月经对月，经量中等，有血块，经前乳房胀痛。在某医院做碘油造影，结果：双侧输卵管不通。用当归12g、桃仁12g、红花9g、川芎9g、赤芍12g、茜草9g、川牛膝12g、香附12g、益母草12g、路路通18g、蒲公英15g，经前加柴胡9g。患者守方服药四十余剂后受孕，后因负重而胎堕。半年后复受孕，顺产一男婴。

妇女以肝为先天，肝主疏泄，因多年不孕，情志不舒，肝失调达，肝郁气滞，气血失调而致气滞血瘀。治以疏肝解郁，养血活血化瘀，并佐以清热解毒、疏通经络之法，取桃红四物汤以养血活血调经，用赤芍易白芍加强活血之力；益母草易熟地黄养血活血而不滞；柴胡、香附疏肝气以解郁，橘核入肝经走少腹；蒲公英清热解毒；路路通舒通经络，川牛膝引诸药下行；茜草助活血散瘀之力，故气血得调，郁结得通，共奏疏肝理气、化瘀通管之功，从而能受孕。

无排卵性不孕证

对无排卵所致不孕症，中医认为与肾气、天癸、任脉通畅与否有关。太冲脉盛，月事应时而下，两性交媾即可有子。若上述条件缺其一二，即可影响受孕，而且其中肾是先决条件。据此，我们对无排卵而致不孕，从肾入手进行治疗，取得了一定效果。

如唐某，28 岁，自述结婚 3 年未孕，夫妻同居，其夫健康。患者月经按时，经量中等，挟有血块，色红，经前乳房胀痛，经期腹冷痛，平素腰酸，曾在某医院做输卵管通水检查无阻力，自测基础体温半年无双相，子宫内膜活检无分泌期。病人要求服中药治疗。患者多年不孕，导致情志抑郁，肝气郁结。治疗方法：经前先投加味交感丸以疏肝解郁、补肾养血调经并重，方用柴胡、当归、白芍、茯苓、香附、菟丝子、郁金、薄荷，服药 5 剂。经后治疗着重暖宫温肾，方用党参、黄芪、怀山药、菟丝子、仙茅、淫羊藿、当归、熟地黄、肉苁蓉、川花椒、艾叶，也服 5 剂。于两次月经之间服药，加丹参、巴戟天、鹿角霜、淫羊藿。患者如此循环服药近一年，后停经受孕。

肝郁不孕

杨俊亭

曹女，年近三旬，婚后八载不孕，去岁仲春求诊。观其形长面瘦，神其外而疚其内，声先强而后弱。诘来诊之故，乃因其夫是独子，婆母求孙心切，时有指桑骂槐之怨，故长怀忿郁，东西求医，终不得效。曾被某院妇科诊为输卵管炎症。诉其症：经事愆期，潮前双乳胀痛，手不能近，量少质黏，色紫不鲜，腹痛腰酸，现于经行之时，诊其脉弦而不利，沉而不迟。辨证属肝胃之病，治不难也，盖妇人多忧思，好忿郁，前贤已有名论。因忧思伤脾胃，忿郁动肝气，脾胃伤则土衰，肝气动则木旺，土弱木强，必致亢害，故显肝胃失和之机。血者水谷之精气也，胃为水谷之海，脾司运化之职，故土虚而现纳减、脘胀血少之症。肝为将军之官，喜性条达，肝气动而有腹痛乳胀之候。质黏色紫者，木邪害津也。形是木之体，弦为肝之脉，时在仲春而挟沉涩者，肝气怫郁也，面有愧色而声后弱者，以不育为憾也。当以解肝郁、醒胃气之法。胃醒则脾畅，郁解则肝达，血调气顺，禾苗自生而长矣。予自拟不孕三方增损之：全当归9g、杭白芍6g、春柴胡6g、蒺藜12g、广郁金9g、焦白术9g、云茯苓12g、佛手片6g、西砂仁4.5g、制香附7.5g、老木香4.5g、小青皮6g、益母草4.5g。嘱按上方经前服3剂，正潮去砂仁、香附，加红花2.4g、桃仁4.5g，服3剂。经后去益母草、香附，加桑寄生、续断服3剂。一诊而症大减，三诊而病去，五诊则已怀麟矣。今岁仲夏举一男，阖门皆喜。

五苓散加味治疗输卵管积液

罗明察

输卵管积液是妇科常见病，现代医学常以手术治疗，祖国医学治此病用保守疗法，亦每多见效。余曾治疗多例均痊愈。现介绍一例。

邵某，年30岁，生育一女孩后，5年未继孕，经某院妇科检查，发现其左侧输卵管增大如鸡蛋，疑为囊肿，后作超声波检查有液平，确诊为“输卵管积液”，留院观察。余以温阳行水之五苓散加小茴香10g、莪术10g、葶苈子10g。患者服药后，腹部较前舒适。继进原方，共服30剂。复查：患者左侧输卵管肿块消失，超声波未见液平，住院1个月，出院后不久受孕，生一男孩。

输卵管积液的病因病机，笔者初步体会为脾肾功能失调，膀胱气化功能不足。肾主生殖，与膀胱相表里，生殖能力的强弱与肾有直接的关系。积液多与肾阳不足，阳虚不能蒸化水气，水液积聚有关。五苓散以桂枝温阳行气，白术理脾燥湿，猪苓、茯苓、泽泻引水湿而利尿，再加莪术、小茴香引气散结，葶苈子宣肺逐水，可起提壶揭盖之义，因此，诸药配合而收逐水之功。

气滞血瘀型不孕症（输卵管阻塞）证治

庞泮池

不孕症系由于输卵管阻塞而引起的，其发病机制为气滞血瘀，由于癥瘕聚阻脉络，脉络不通，以致精不能施，婚而无子。考癥瘕之成，多因经、产（包括流产）之时，胞脉空虚，外邪乘袭，留滞作祟，或内伤七情，气血乖乱，血滞成瘀，阻于胞脉。癥瘕形成后，影响肝肾与冲任，以致不孕。

临床见证为经前乳胀乳痛，经行下腹胀痛等，以实证居多，患者常为青壮年妇女，其中一部分往往患病于人工流产或流产之后。经妇科检查，一般无异常，经期准时，但作输卵管造影则出现不通、积水等现象，有部分病例兼有一些腰酸腿软等肾虚现象，治则应以行气化瘀、消积除障为主，使气血宣行，胞脉通畅，则肝、肾、冲任功能恢复而受孕。

女子以血为本，如投峻剂，难免耗血伤正，当选较为平和的理气活血软坚之品。如有肾虚现象，虚实夹杂，有虚有瘀，或因瘀致虚，在治则上则须兼顾，除理气化瘀外，酌加补肾之品。在持续治疗过程中，应当内服活血化瘀之品，经前注意理气疏肝，经后酌加补肾之药，并在经后做活血化瘀药穴位理疗，10次为1个疗程，一般做3个疗程。1984年余总结本病40例，有的经输卵管造影为双侧输卵管不通，少数病例为一侧不通，或一侧通而不畅，病程最短2年，最长达9年。治疗结果受孕率50%，并经动物实验及血液流变学测定，证实活血化瘀方药确实具有通畅输卵管、消散瘀结的作用。

如：王某，39岁，结婚8年未孕。患者经期尚准，经前乳胀，心烦易怒，临经下腹胀痛，经行量多色红，下肢浮肿，鼻衄，经后大便溏薄，平素带下色黄，质稠量多，脉弦细，苔薄质暗红。妇检正常，输卵管造影提示两侧输卵管不通，证属肝郁气滞，日久郁热内蕴，气血瘀阻，以致胞脉不通，精不能施，治用理气疏肝，活血化瘀，清利湿热法。经临前以疏肝理气为主，佐以清热健脾，以丹芩逍遥散加减。处方：柴胡6g，当归9g，白术、白芍各9g，牡丹皮9g，制香附12g，生地黄、熟地黄各9g，艾叶9g，路路通9g。经后治以活血化瘀，疏通脉络为主，佐以益肾柔肝。以通管汤加减。处方：当归9g、赤芍9g、白芍9g、牡丹皮9g、熟地黄9g、制香附12g、石菖蒲9g、生茜草9g、败酱草30g、路路通9g、海螵蛸9g、肉苁蓉9g。两方按月经周期交替使用，每次经净，并用活血化瘀的妇透方药进行直流电穴位导入10次，3个疗程之后，患者经检尿妊娠试验呈阳性。

情志与妇女养生防病

黎烈荣

情志作为精神性致病因素，对妇女的健康与疾病有很大影响。女体属阴，血常不足，心神柔弱，不耐情伤。经期、孕期、产后、更年期等生理变化之时更易情志内动。加之妇女多性格内向深沉，感情不善外露，多思、多虑、多郁。正如前人所说：“体本娇柔，性最偏颇”。情志过激则脏腑内伤，气血失调，经、带、胎、产诸疾丛生。因此，情志与妇女养生防病有密切关系。

月经期妇女阴血下注，阳气偏旺，肝气易动，情绪容易波动。常有心烦多怒，焦躁激动，或抑郁不乐，多愁善感。经净之后，诸症平伏。此时应控制情感，谨慎调护，尽量避免强烈的精神刺激，保持良好的情绪，家人亦应配合，多予宽慰与谅解，勿使情志过极而致成月经病。经期情绪稳定是预防月经病的重要措施，若不注重自我调节则会贻害无穷。曾见一妇女汪某，适值经行，其夫在作肠梗阻手术时不幸死亡，汪与医院发生争吵，悲愤交加，经水卒止。继而停闭3个月不潮，随后大崩不止，崩久则终日淋漓，痛苦不堪。用中药调服3个月，方逐渐恢复正常，但仍屡因情志因素而复发。

孕期妇女的精神、情绪、心理状态的调摄为“胎教”的重要内容。胎籍母气以生，赖母气以养，与母体的气血精神息息相关。两者呼吸相通，喜怒相应，若孕母情志不节，则势必导致精气运行失常，甚或伤胎。因此妇女怀孕之后，宜陶冶性情，安和血气，古人云：“守静即是胎教”，确有其理。临床上，因猝然惊恐或大怒而引起胎动流产者，屡见不鲜。保持健康的精神状态不仅能有效地预防妊娠诸疾，而且“外象而内感”，必然有益于胎儿未来的身体、智力以及性格的发育。

产后妇女气血大伤，百节空虚，心神易浮，不耐喜怒，稍有感触，即可发病。“致疾之易，去疾之难，莫过于此”。产后情志内伤，或所愿不得，或大喜过望，均可成为产后诸疾之肇端。情志抑郁，气血不畅，可使乳汁不下；情志亢极，阳旺动血，可致产后血崩。如此之类，不胜枚举。故产后妇女宜排忧戒怒，宽心豁达，怡情冶性，使气血和调，促进产后复原。

更年期妇女肾气渐衰，冲任脉虚，阴阳失调，情志异常十分明显，大多容易激动，烦躁善怒，敏感多疑，胆怯惊恐，忧虑抑郁，悲伤多泣。更年期妇女对这一生理过程必须有正确的认识，加强自我调节，控制情感，乐观愉快，开朗舒畅，适当增加与培养兴趣爱好，充实生活，克服悲观情绪，减少和排除容易造成不良刺激的精神因素。据临床所见，凡能正确对待自身生理转折者，大多很快地平安渡过更年期；而对此愈紧张忧虑，则症情越重。更年期的精神调摄远比进行药物治疗更为重要。

精神因素对人体的影响具有两重性，它既是致病的原因，又是防病抗疾的武器。其根本在于如何消除不良情绪，利用健康的精神与心理作为一种强大的内在力量，达到防病、治病、养生、延年的目的。

漫谈妇人桂枝汤证

徐升阳

桂枝汤为仲景群方之冠，其基本病机是营卫不和。本证除因风邪袭表所致者外，尚有营卫虚损致“卫气不与营气和谐”之证(《伤寒论》)。营卫者，体表之阴阳二气也。营卫失调乃体内阴阳失调反映于体表之证。妇人桂枝汤证临床屡见不鲜，此与妇人生理特征有关。盖妇人以血为本。经行前后，气血入胞，体内气血阴阳处于变动之时，体表营卫之气可因一时偏胜而不和。孕期气血养胎，体内气血阴阳重新分布，体表营卫相对减弱而不和。产时易耗气伤血，哺乳期气血化为乳汁，均可导致气血亏损而影响营卫充实。更年期肾气渐衰，或损于阴，或损于阳，亦能反映于体表而营卫不和。临床凡见自汗或头面阵阵汗出、乍寒乍热、颜面赤白交作、恶风或发热等症之二三者，皆可诊为营卫不和证，投桂枝汤加味而奏效。经期伍以四物汤养血和血，用于痛经、经行感冒等病。早孕期伍以橘皮竹茹汤和胃降逆，用于恶阻。产后合生化汤养血祛瘀，用于产后虚汗、产后外感。更年期佐以左归丸、右归丸以调补肾阴肾阳，用于断经前后诸症。不过，就病机言，营卫不和是全身气血阴阳失调的局部反映，故以桂枝汤调和营卫，亦仅使体表之阴阳和谐。治病必求于本，调理全身阴阳气血乃是治本之法。故临床施治，营卫既调，当继以补气血、调阴阳以善其后。

乳衄治验谈

毛美蓉

“乳衄”始见于《疡医大全》，曰：“妇女乳房并不坚肿结核，惟孔常流鲜血，此名乳衄。”常为“乳腺导管炎”“乳腺导管瘤”等疾病的一种症状。据有关文献记载，本病有6% ~8%的癌变率，临证不可忽视。

余在临床曾遇此病3例，其中病程长者，达两年余，短至半年余，均治愈，未有复发。本病最大特点是乳头溢血、溢液，并伴乳房胀痛、按之即痛、性情烦躁易怒、口苦口干、尿黄便结、舌红苔黄、脉弦数等一派肝经郁火之象。因此，个人认为，本病病位在肝、在血，病性属热，情志内伤是诱发本病的主要因素。余仿丹栀逍遥散之意，取其清热泻肝、凉血止血为法，选用牡丹皮12g、

栀子10g、生地黄15g、白芍15g、夏枯草15g、白薇12g、天花粉12g、白茅根15g等。方以牡丹皮、栀子、夏枯草清肝泻热。白薇、生地黄清血中之热，天花粉清热生津，白芍柔肝养阴，白茅根凉血止血，引热下行，使热除血宁则衄自愈。若证兼带下量多、色黄如脓、其气臭秽者，则加茵陈、黄柏、茯苓清热除湿；若乳头溢液，色淡黄者，加生薏苡仁20g、车前子12g以健脾渗湿。便结者，加生地榆12g、熟大黄炭6g，清热通便。本病治疗。以清利为主，虽曰有热，但清热而无伤阴之弊。利者，乃通因通用之理，使其邪有去路而无所祟。如患者周某，48岁，左侧乳房胀痛半年余，相继乳头溢血1个月余，曾经某医院诊断为"乳腺导管炎"。经用青霉素、链霉素等药治疗无效，遂来我院诊治。检查其左乳上方压痛明显，挤压有暗红色血液溢出，但未触及明显硬块与结节。进行乳头溢液涂片检查，见有大量真性细胞和吞噬细胞。用上方出入加减，日服2剂，3日后患者乳衄即止，乳胀渐减。为巩固疗效，患者连续服药二十余天，病告痊愈，至今未发。

治乳汁自出偶得

蒋立基

历来对乳汁自出，均责之于气血虚弱，阳明胃气不固；或由肝经郁火上冲所致。"虚者补之，热者清之"，前者当补益气血，佐以固摄；后者当疏肝解郁，佐以清热。个人见解，临证也不必拘于此法。以气血虚弱而言，我见到不少病例，因气血虚弱，汗出较多而加重病情，或因虚致滞，以致病情迁延。盖乳汁自出与出血有相似之机，欲出未出，欲止未止之际即可导致郁滞，故纯用涩止，未必能愈。

5年前余诊治一妇，初产10日始，乳汁自动流出。他医以十全大补之类治疗未效。诊时患者乳房柔软，眠食均可，二便调，面色皖白，气短懒言，汗出较多，不能自止，动则加剧，恶风寒。诊得舌暗淡，苔薄，脉浮数而虚。证系产后伤血，气随血耗，卫阳不固，因虚而挟瘀。拟益气固摄，佐以通滞法治之：生黄芪30g、炒白术9g、防风6g、王不留行15g、麦冬10g。患者仅服3剂而瘥。后遇此种证情数例，依法遣方，皆效。

（蒋运祥　整理）

加味香苏汤治乳痈

周健纯

加味香苏汤是重庆第二中医院乳痈科研方剂之一，用于乳痈初起。方由香附18g、紫苏叶12g、陈皮18g、通草9g、瓜蒌18g、丝瓜络12g、浙贝母9g、蒲公英30g、甘草3g组成。上方为全方，去浙贝母为简方。

经四川省中药研究所药理鉴定，本方具有明显的抗炎作用，对抑制状态下的免疫功能有一定程度的提升作用。中医着重用于通乳，清热解毒。

患者黄某，26岁，于正常生产后70天发现左乳房下有一红肿区域如手掌大，乳吸不通，体温39℃，局部疼痛，压痛，诊断为急性乳腺炎早期，初诊予香苏汤，药物剂量皆如原方，只丝瓜络一时缺。患者服4剂后，找到丝瓜络，与陈艾烧灰兑酒服，炎症渐消退，但8天后，其右乳房下部又出现一红肿区域，其他症如前。病员复诊时，再予前方4剂（全方），此后病员久未来复诊。两年后见到病人，知其第2次服药2剂后，急性乳腺炎即痊愈。此后小儿吸奶如常。

用四物合四苓汤治疗阴吹

谢存柱

《金匮要略》云："胃气下泄，阴吹而正喧，此谷气实也，膏发煎导之。"

阴吹，即阴道有气体逸出，其声连续，响如矢气。已婚、未婚者均能罹患此症，但临床上以20~30岁的妇女多见。《金匮要略》认为这主要是因大便燥结，浊气下泄，干及阴道所致。虽然还有痰湿说、气虚说，但与阳明失调、谷气实不无联系。故用猪膏发煎润导大便以泄谷实之气。然余在临证中未用润导法，而用补血益气利湿法为主治疗本病，也收到了很好的效果。

某患者，年约25岁，白带多，质清稀，头昏，精神不振，伴有阴吹。辨证属气血不足，湿邪下注。余拟补血益气利湿之四物四苓汤加焦黄柏、粉葛根、茵陈、乌药、甘草先治其带，带止后再以膏发煎治其阴吹。服前药后，患者白带明显减少，头昏精神不振状态改善，阴吹竟也意外地消失了。这是偶然巧合，还是此法真有治阴吹之效？在后来的临证中，余又试治4例，都收到了同样的疗效。

用此法何以能治疗此病？《医宗金鉴·妇科心要诀》云："导病从小便而

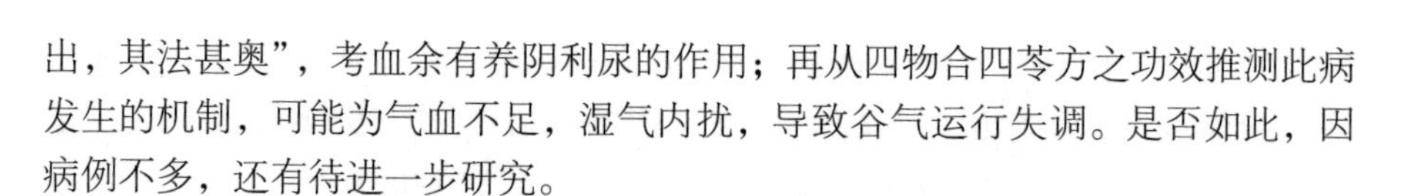
出，其法甚奥”，考血余有养阴利尿的作用；再从四物合四苓方之功效推测此病发生的机制，可能为气血不足，湿气内扰，导致谷气运行失调。是否如此，因病例不多，还有待进一步研究。

自拟穿山甲散治疗卵巢肿瘤

敖保世

关于卵巢肿瘤之病，《灵枢·水胀》有：“寒气客于肠外，与卫气相搏，气不得营，因有所系，癖而内著，恶气乃起，瘜肉乃生。其始生也，大如鸡卵，稍以益大，至其成，如怀子之状”之载；《素问·骨空论篇》有“任脉为病，……女子带下瘕聚”之载。以上论述包括腹腔肿瘤在内。笔者遵照“坚者削之”“结者散之”“客者除之”“虚则补之”的原则，以自拟穿山甲散治疗卵巢肿瘤8例，7例获痊愈，1例死亡。痊愈者，疗程1～3个月的3例，3～5个月的4例，疗效比较满意。

患者廖某，女，45岁。于1957年即发觉腹中硬块如馒头大，无任何不适，未进行治疗。以后硬块渐渐长大，腹中隐隐作痛，经服药治疗无效。于1959年4月间，突然硬块肿大，腹中剧痛，日夜号叫，肌肉消瘦，来住院治疗，经中西医会诊，确诊为卵巢肿瘤，当时决定进行手术摘除，因患者不同意，改用中药治疗。经服穿山甲散5个月，并配合服乌鸡白凤丸，患者的肿瘤逐渐消失。1年后复查，患者体健无恙。1例死亡患者，就诊时病已三载，形体消瘦，腹部高度膨隆，满腹压痛，腹壁青筋暴露，叩诊实音，肿块质地坚硬，食欲不振，呼吸困难，心悸不安，大便艰涩，小便不畅。患者拒绝手术，勉予穿山甲散配大黄甘遂汤治疗半月后，其大小便通畅，其他症状亦稍有缓解，自知病属恶变，治亦无望，要求出院，回家2个月后死亡。

穿山甲散方药组成：炒穿山甲60g、醋炒莪术15g、醋炒三棱15g、醋炒五灵脂15g、炒黑牵牛子15g、醋延胡索15g、丹参30g、肉桂15g、川牛膝15g、当归30g、川芎30g、醋大黄15g、麝香0.06g。制法：上药如法炮制，除麝香外，共焙干研成极细粉末，再加麝香和匀，用瓷瓶密封待用，也可炼蜜为丸。购买麝香困难者，不用亦可。服法：每日3次，每次6～9g，饭前白开水送服，服药期间加强营养，勿忌口。体质较弱者，兼服乌鸡白凤丸或加味逍遥散。肿瘤较大、二便困难者，兼用《金匮要略》大黄甘遂汤，通利二便。

考国内外文献记载，卵巢肿瘤可发于任何年龄，良性与恶性之比大约为9∶1。本组7例痊愈患者，一般情况均尚可，仅有腹部肿块，伴发症状较轻，可能系良性肿瘤，惜未作病理检查。1 例死亡者，就诊时即出现恶病质，症情危笃，予穿山甲散配大黄甘遂汤治疗，竟亦收缓解病情之效。笔者体会穿山甲散可能对较小的良性肿瘤效果较好；若肿瘤较大者，仍以手术摘除为宜。

百合甘麦大枣汤治脏躁 | 徐经凤 |

妇人无故悲伤，不能自控，甚或哭笑无常，频作呵欠者，称为“脏躁”。首见于《金匮要略》。常发生于月经期、妊娠期、产后期和更年期。本病与“癔病”相类似。多因忧愁思虑，情怀不悦，积久伤阴，阴血亏耗，五脏失于濡养，五志化火内动，上扰心神所致。但治虚火不宜清降，而以甘润滋养为主，佐以安神定志。

百合甘麦大枣汤为祖传秘方。方由百合、炙甘草、麦冬、知母、生地黄、生龙齿、生牡蛎、炒酸枣仁、茯神、五味子、珍珠母、合欢皮、大枣组成。本方由《金匮要略》的甘麦大枣汤、百合知母汤、百合地黄汤三方加减组成。百合甘平，清心保肺，和百脉，补中益气，宁神益智；甘草、大枣甘润，滋补缓急，养心脾，益气调营；生地黄、麦冬、知母滋阴液，养心肾；酸枣仁、茯神养肝宁心；合欢皮解郁安神；龙齿、牡蛎、珍珠母育阴潜阳，镇惊恐，安神志；五味子益肝肾，滋阴液，复脉通心，收敛耗散之气。气阴不足加南沙参、北沙参；肝火亢极加夏枯草。全方具有滋肾养心调肝、益智安神的作用。主治各期脏躁病。一般服药 5 ~ 10 剂，即可见效。

病例 1：孙女，17 岁，因高考“名落孙山”，情怀不悦。突发头晕头痛，心烦失眠盗汗，忧郁不乐，喜静无语，有时半夜走出，悲伤哭泣。省精神病医院诊断为“癔病”。注射复方冬眠灵治疗，效果不显。诊其脉弦细，舌质淡红苔薄夹赤。表情淡漠，目光迟钝，语无伦次。月经周期紊乱、量多。以往无类似发作史。证属脏躁，为水不涵木，肝阳上亢。治法：滋阴潜阳，安神益智。方用百合甘麦大枣汤加夏枯草。并给予暗示治疗。患者共服本方 25 剂，病情好转，症状基本消失。随访 1 年，未见复发，后考取某大学读书。

病例 2：龚妇，39 岁，半年前行输卵管结扎绝育术。术后情况良好。但患者对扎管有顾虑。主诉：头晕头痛，心悸耳鸣，失眠，精神萎靡，纳少运迟，疲乏无力，低热常出汗，有时觉肌肉跳动，皮肤瘙痒。月经量中等，下腹微胀。妇检：未发现明显异常。证属脏躁，为阴液亏损，心肝肾失于濡养。治以滋阴潜阳，安神益智。方用百合甘麦大枣汤，每日1剂。患者共服10剂，病情显著好转，自觉症状轻微，停药随访半年，已恢复劳动力。

用中药熏洗治疗“外阴白斑”

黄莉萍

“外阴白斑”是指外阴皮肤发白，并伴有退行性病变的疾病。临床表现为早期外阴瘙痒，皮肤肥厚或干燥，以后外阴皮肤发白，弹性减低，甚至发生裂纹和溃疡，疼痛难忍。由于本病为外阴皮肤非典型增生，与外阴癌有一定关系，因此必须加以重视。

历代中医文献虽无“外阴白斑”病名的记载，但根据临床症状来看，乃属中医“阴痒”“阴肿”“阴蚀”的范畴。

本病多发生在中年以上妇女，病变部位在肝、脾二经。病因多由肝血不足，湿热下注所致。中年妇女以血为用，因月经、孕育、哺乳等因素数伤阴血，血伤肝失所养，而阴户为肝经所布，血虚则不能荣养阴器，风邪乘虚而入，发为阴痒。另外，脾虚湿胜，郁结化热，热蕴结下焦，聚而生虫，导致阴痒。如《女科经论》说：“妇人阴痒，是虫蚀所为，始因湿热不已。”

对本病的治疗，应着重外治法，我自拟“白斑洗剂”治之，效果较好。方由蛇床子、寻骨风、白鲜皮、百部、乌梅、野菊花、苦参、明矾、雄黄、大蒜10味药组成。方中百部、蛇床子、苦参、雄黄、明矾杀虫止痒；野菊花、白鲜皮、苦参清热解毒，白鲜皮配寻骨风祛风除湿，选用乌梅意在去恶肉生新肉，故全方具有杀虫、清热、除湿之功。用法：用此方煎汤熏洗阴部，然后坐浴15分钟，使药力直达病所。笔者应用此方14年，颇有效验。

江陵妇女多气病，疏中寓补见奇功

常庆武

江陵县地处长江中游，气候温和，雨量充沛，是一个富饶的鱼米之乡。然而由于江潮大，日照长，温度高，劳动强度大，人民体质禀赋又不强，兼之气候变化易热易寒，因而个体适应能力差，易生病端。素有“江陵男子多火病，妇女多气病”之称。凡男子患病，温热火病者十居七八。可是，妇女由于生理特点等因素，患病以“内伤”之疾居多。特别是由于肝气郁结，导致脾胃不和、心肾不交的脏腑功能失调者为多见。多数中医遵循“妇人之身，有余于气，不足于血，以其数脱血”（《内经》）之要旨，以调和气血之逍遥散、疏郁散结之半夏厚朴汤施治。虽有收效，但不能治愈。余妻患郁症多年，症见食欲不振、心烦易怒、胸闷多太息、头晕失眠等。余初以疏、补、润等方剂治之，虽暂时缓解病情，但终因未彻底祛除病因而发展到出现眩晕、气厥、肢冷、汗出、昏仆不省人事等重病候。遍求名医诊治，亦不能如愿。余妻日渐悲观失望，情绪更加不宁，致使心肾不交，失眠日甚，以致彻夜不眠。如此循环，郁病日深，日食减至一二两。余破除常规，以不疏则气郁不解，不补则无生化之源为据，斗胆以疏中寓补之法，用半夏厚朴汤加人参须治之。3 剂而收奇效，9 剂而痊愈。历时 6 年而未发。后将此法施之于多年以上的妇女郁病，无不收效，治愈人数甚多。余从治妻郁病中吸取了不少教益，业医者，不可因循守旧，要在临床实践中敢于有所创新，才能有所进步。

女科变治琐话

姚寓晨

有正必有奇，有常必有变，万事皆然，医道也不例外。常多而变少，这是一般的规律，正法为处常而用，奇法惟应变而设，又属不易的道理。作为一个医生，处常和应变必须兼具而不可偏废。在我数十年的女科医事生涯中，治病凡遇正法告穷时，谨以“治病求本”的原则，舍现象以求本质，弃常法而取变法治之，曲意周旋，每获中鹄。兹掇选 3 则，以抒体会。

调心化瘀治脏躁

妇人脏躁，多因素体虚弱，思虑过度，情志抑郁，郁久化火，虚火扰神而致。症见时悲时喜，坐卧不安，精神恍惚，虚烦不寐，甚至潮热盗汗，月事紊乱，脉细，舌红少津，治宜养阴润燥，方选甘麦大枣汤加酸枣仁、茯神、五味子等；如兼口渴、舌尖碎红、脉细数，是挟有虚火，可酌加莲子心、麦冬、交泰丸清心降火；如伴见胸闷，咽喉有痰塞感，脉细滑，苔黄腻，为挟有痰热，可佐用橘红、竹沥、半夏、石菖蒲以化痰理气；如有情志刺激者，症见胸胁苦满，时欲太息，为夹有肝郁，当选加合欢花、逍遥丸以疏肝达郁，临证审其主次，揆度标本，对证施方，每多效应。但我也曾遇到数例脏躁以成法治之效不显，复诊时观察到挟有血瘀证情，乃转加化瘀之品，竟获应手之效。曾治高某，35 岁，于半年前行输卵管结扎术，遂精神倦怠，失眠多

梦，胸胁闷塞，太息为快，哭笑无常，不能自制，脉细而弦，舌红略紫，苔薄，多方调治无效。我以初诊时，投以甘麦大枣合百合地黄汤，伍以柴胡、合欢、夜交藤、石菖蒲等。服10剂未见显效。复诊时询知其少腹及左胁下有包块隐痛，按之尤剧，妇科检查未见阳性体征，兼之舌紫，考虑到证系气阴两虚、瘀滞互阻、心神失养之咎，遂于前方去柴胡、合欢、夜交藤等，而加入丹参、琥珀、失笑散以化瘀调心。患者服药后，症情递减，调治月余，诸症告痊。嗣后，我每治脏躁，审有舌紫、脉涩、身有刺痛的兼症，处方在甘麦大枣汤的基础上酌加化瘀，奏效殊捷。心主血脉而藏神志，血脉瘀滞则无以舍神，验诸临床，确有其密切的内在联系。

清肺益气安胎元

溯自隋唐，即有逐月养胎的成法，后世女科对此褒贬不一。我从医以来，也作过研探，并从事临床验证，初以未窥门径，多无显验，渐而略悟规律，发现这里很有学问，它给学者的启迪之一，就是养胎要分阶段，保胎要责本原，掌握这一点，就不必一定株守逐月用方的办法了。这与后世所云："祛病即所以安胎"是同一意思，我曾据此治愈数例肺虚热迫的滑胎。如黄某，32岁，患肺结核十余载，结婚7年，曾妊2次，均至7个月殒流，现已怀孕3个月，恶阻仍频，形质瘦削，面红口燥，偶有呛咳，性情急躁，大便艰结，自诉前次怀孕3个月后渐觉火升咳剧，最后咯血殒胎。思此与"妊娠曾伤七月胎"似较吻合，诊得其脉细滑数，舌体瘦小质偏红，苔薄黄少津，恙属素禀肺痿，阴津偏虚，妊后胎气壅郁，化火灼金，迫血损络，使肺津不复敷养胎元，肺气不足提摄胞系，以至7个月太阴无以司胎，而遭殒落，欲因胎元，首先治肺。拟方：人参、麦冬、五味子、地骨皮、炙桑白皮、黄芩、川贝母、甜杏仁、百合、生地黄、知母、芦根。药后患者火降津升，肺金遂安，即以上方进退，每5日1剂，至7个月，患者体健胎安，足月顺产一男婴。盖妇女受孕以后，五脏精气皆禀奉胎元，以供发育，若一脏偏虚，则五脏皆失平衡，不但供养失于周济，而且阴阳失其平秘，病旋由生，胎亦随殒，所以养胎保胎，也一定要审因论治，不能拘执补肾一法。

化痰疏瘀调阴阳

妇女年届七七，肾虚肝旺，阴阳失济，临床常见烘热头晕、烦躁易怒、耳鸣心悸、失眠盗汗等症。中医每以益肾养肝，涵育冲任为法治之。我在临证时喜用二仙汤合六味地黄汤加减，并自拟紫草仙菟汤（紫草、紫丹参、淫羊藿、菟丝子、百合、知母、浮小麦、炙甘草）调治。但往往有不少病人于更年期出现种种阴阳失谐征象，粗看貌如虚证，乃投以二仙汤加味，不能奏效。经临床观察，细心揣摩，发现这种病人大都体素丰肥，面有滞色，胸胁痞满殊甚，大便溏秘不调，而月经量少色黑挟有瘀块，舌质发紫，是属痰瘀交结为病。缘起于七七之期，阴阳气血失于平衡，一则患者积有怫郁之渐，一则脏气偏虚而易留邪，所以气滞则津液停结而为痰水，血滞则凝阻不行而积为瘀血，而痰瘀交结，则阴阳不能既济，随又出现一派虚象。但责本以求，咎在痰瘀。于是自拟痰瘀雪消饮，药用生黄芪、莪术、川芎、炮穿山甲、全瓜蒌、海藻、山楂、茯苓、泽泻。方以莪术、川芎活血之气；瓜蒌、海藻消瘀中之痰；炮穿山甲、山楂倍行血之效，茯苓、泽泻绝生痰之源，尤重用黄芪补气以增运旋之力，共奏气血并调，痰瘀同清之功。所谓“疏其气血，令其调达，而致平和”。患者经服上方，往往渐觉霾散雾开，精神速振，而种种阴阳两虚之象随之消失。我同时运用上方治疗2例顽固性更年期角化症，患者曾服多种中西药物未效。考虑到患者形质尚实，脂聚成痰，络瘀为胝，即以痰瘀雪消饮加马鞭草、乌梢蛇施治，月余而瘥。又曾治一更年期顽固性头痛，剧发则悲哭无常，自觉背脊冰冷，服温润肾督之剂未建寸功，观其舌苔滑腻，质地紫暗，乃从“怪病治痰”“难症治瘀”论治。选用痰瘀雪消饮加鹿衔草、全蝎，调治旬余，竟获痊愈。多年来，我以本方为主，结合辨病辨证加减出入，治愈不少疑难杂症，体会到痰瘀之作，源于人体阴阳气血失于平衡，升降不洽所致，一旦垢积体内，又反过来严重地影响气血的周流与阴阳的协调，在治疗疑难病症，尤其是虚象迭出的病情时，倘若能寻头索绪，抓住痰瘀脉证从本而治，可收意外之效。

祖国医学博大精深，作为一个中医，是学到老而学不了的，所以常怀不足，日求寸进，临证揣摩，凡遇疑难之症，务必反复辨析，常未及，责诸变，正不中，求诸奇。及时改弦易辙，以期出奇制胜。

治脏躁一得

钟兰桂

室女郭某，年二十余，素性沉默寡言，多疑善虑。近日突发时哭时笑，时歌时舞，举动失常。西医诊断为“精神分裂症”，延中医治疗。因病得之于经水愆期，他医认为热入血室，用小柴胡汤治之，病仍不愈。余应邀参加会诊。诸医议论纷纭，各执所见，遍用诸法，皆不中病。余察其形体消瘦，面色不华，并见心悸不宁，失眠烦躁，多梦而惊。病人自谓，身畔常见有人跟随，欲加害于她，呼之不应，驱之不退，甚是惶恐。余谓患者多忧善感，乃肝失条达、肝气郁结之象；悲喜、嚎哭、精神恍惚、心悸怔忡、烦躁不宁、恐惧，是心血亏虚，神不守舍，心虚胆怯之征。观其舌红少苔，切脉弦细而数，显系营阴亏损。病属脏躁无疑，乃疏方：浮小麦、炙甘草、大枣、生地黄、百合、酸枣仁、柏子仁、川楝子、琥珀、合欢皮。方中浮小麦善养心气；甘草、大枣味甘，质柔多汁合二仁养心肝之血，伍百合、地黄以养阴除烦；合欢皮、川楝子遂肝经调达之性，中寓逍遥，而解肝郁，佐琥珀以安神定志。患者服药 15 剂，病情好转，但病根未除，思其病因经水延来而发，经来小腹胀痛，症兼瘀血必然，遂更方酌伍活血行瘀之品。患者服药几十剂，诸症渐愈。

谈小儿治疗用药

|熊梦周|

小儿病的治疗用药原则和成人大体相似，由于生理病理上的差异，与成人相较，在具体立方遣药上，又有其特点。

小儿突出的生理特点是生机蓬勃，机体处于生长发育的旺盛时期。生机蓬勃，是言其阳气充盛，称为“纯阳”。阳气在生理状态下是全身的动力，在病理状态下是抗病的主力；小儿处于发育时期，对水谷精气的需求量相对较大，因而机体常处于阴不足的状态而为“稚阴”之体。生机蓬勃，生长发育的动力赖于脾胃生化之源。故在小儿治疗中，维护阳气，保全阴液，顾护脾胃当作为一条主线，贯穿全治疗过程。其中顾护脾胃尤为重要。如食积、虫积之证，皆因“食”“虫”之邪侵犯，而见实邪相干之证，是为实证，治当驱“邪”，或以消食导滞，或以安蛔驱虫。但观其症：患食积、虫积，多为面黄肌瘦，纳谷不香，大便不调，皮肤干涩，心烦，是脾胃虚损、运纳失常所致。

表面看来，食滞因过食或不调所致，实际上脾胃娇嫩，运化力差才是其本质。所以，在此类病证的治疗中，常加入一些健脾之品，如太子参、茯苓等。消导药的选用则要求慎重，不用过于尅伐之品。常根据伤食类型不同而选用不同的消食药。伤谷食，用炒谷芽；伤面食，用麦芽；伤肉食，用山楂；伤硬物，用慈菇汁；伤糯米类，用蜂蜜。不问所伤，泛投消导，耗损胃阴，伐伤脾气，实为医之所误。

凡患有虫积者，营养一般相对不足，身体较差。而驱虫药物多有一定毒性。吾采取固本为主的原则，先安蛔开胃，以助后天，使生化之源不断，方才驱虫。此时虽有损伤也万无一失。在治疗蛔虫方面，取得了较为满意的效果。

治疗此类疾病，祛实邪当酌斟选用方法，以免伐伤常虚之脾胃；而扶脾益胃则是治愈之本，决不可须臾忘却。

再如咳喘、惊搐，亦为儿科常见。肺寒咳喘者，应用温肺止咳平喘法，常用法半夏、陈皮、茯苓、前胡、杏仁、桔梗、紫苏子、白芥子等，组合成方，而不可如成人滥用干姜、细辛等辛燥之剂，以免伐伤稚阴。

肺热喘咳多用清肺止咳平喘法，常用化橘红、半夏、茯苓、白前、瓜蒌壳、冬瓜仁、百部、葶苈子、桑白皮、黄芩、生栀子等组成方。而石膏、知母等过于寒凉之药物，恐伤稚阳不可随手轻投。

惊搐重症运用镇肝潜阳法、金石类药物可增强熄风止痉疗效，但不可轻易使用，亦不可久用，因重镇易伤胃气，胃气一伤，则胃不受药，病既未去，正气反伤，故只宜中病即止。但当用者又不可拘泥于小儿用药不可过于寒凉之说，如郁热太甚引动肝风之惊搐，吾用龙胆草苦寒直折，其力专一强大，直泻肝火，每收卓效。正所谓“有是证用是药”也。

阴阳证，二太擒

|曾绍裘|

“阴阳证，二太擒”，即“三阳独取太阳，三阴独取太阴”。此为陈念祖在《医学三字经》中提出治疗小儿疾病的观点。小儿疾病以外感六淫、内伤乳食为多见。外感六淫多从足太阳膀胱经论治，以发散表邪为主；内伤乳食多从足太阴脾经论治，以调理中州为主。这确是认识小儿病症发病机制和治疗小儿病症的两个带关键性的问题。

足太阳主一身之表，为外邪侵袭人体必经之门户，小儿体质脆弱，气血未充，不能胜邪，易于外感。故平时应留心衣着加减，“虚邪贼风，避之有时”。既受外邪，尤宜及时发散，毋使外邪变化入里，滋蔓惟图。即《素问·阴阳应象大论篇》所谓：“邪风之至，急如风雨，故善治者治皮毛”之意。

足太阴脾为后天之本，气血生化之源，小儿脏腑娇嫩，若乳食不节，易于损伤脾胃，引起食积、乳积；食积、乳积又易外感。李东垣《风外伤辨惑论》曰：“内伤饮食，则亦恶风寒，是营卫失守，皮肤间无阳以滋养，不能任风寒也。”外感又能导致脾胃失调，《景岳全书·小儿则》曰：“小儿吐泻并作者，本属内伤，然有因寒气自外而入，内犯脏气而然者。”由此可见，太阳外感与太阴内伤的辩证关系，彼此更迭，互为因果。

余治小儿病证，以“阴阳病，二太擒”为指导。风寒外感，急用香苏饮、惺惺散、葱豉荷米煎、人参败毒散等，随风寒之轻重选用；外感风热，急用桑菊饮、银翘散、桔梗汤（即凉膈散去硝黄加桔梗）等，因风热之轻重，随证选用。旨在及时疏散表邪，防止表邪内入而致他变。内伤乳食，及时调理太阴脾土，杜绝继发疳积、慢脾风等病。外感发热，热去复热者，为表里俱虚，气不归元，用六神散（即四君子汤加山药、扁豆）；脾虚肌热，泄泻呕吐，虚热作渴，或暑热消渴，用七味白术散；脾虚久泻不止，用胃关煎、益脾饼、扶中汤、参苓白术散，或四君子汤加乌梅、石榴皮以收摄之；脾虚不能摄津，时吐清涎，用六君子汤加益智；脾虚不食，用八珍糕，加减思食丸，四君子汤加公丁香、砂仁，或加乌梅、木瓜尤良；心脾亏损，弄舌及虚胀，乳食不进，用温脾散；胃阴不足而不食者，用叶氏养胃汤加乌梅、木瓜；脾胃气滞，腹胀痛而啼哭者，用芍药、甘草、木香、枳壳有效；若系疳积，则以健脾、消积、清热、杀虫是治，方用启脾散、肥儿丸加减（木贼、青皮、蒺藜随宜加入）。上述诸方，用之适当，往往获效。

总之，临床经验证明，小儿疾病确以外感风寒、内伤乳食为常见。外感发热，宜及时疏解太阳表邪，以防热极生风而致他变；小儿肝常有余，脾常不足，脾虚吐泻，须及时调脾以止吐泻，以免导致疳积，或脾虚肝盛而成慢惊等病。

（曾应旄　整理）

小儿用药一说

黄少华

同事之子3岁，高热3日不退，大便不行。患儿啼闹不休，问其母：“药否?”答曰：“未医”。拟大承气汤全方1剂，以求釜底抽薪，量与成人无异，其母执处方踌躇不前，余见状，嘱其放心煎煮，及时服药，是夜，患儿燥屎出，热势退，病遂愈。

他医治小儿病，选方极轻，药量极小，实不知何以疗疾？有谓遵景岳之古训：小儿用药，宜精简轻锐。景岳之宜精简轻锐说，是指药精、味简、效锐之品。余以为小儿用药，重在果敢，辩证肯谛则方不避猛、且量不必轻。其理有二：一为有斯病用斯药，病受之也；二为小儿服药，每每哭闹拒之，所给汤药，必不尽服，漏撒多，服之少，且父母多用甘甜之品以和缓其苦，故所处汤药，能落实处发挥药力效应者所剩无几，故医者药轻选，量少用，实难收桴鼓之效也。

小儿脏腑气机清灵，生机旺盛，且少精神因素的影响，故病向愈迅速，必药中肯綮，以攻邪不伤正为原则。然小儿之疾变化极速，朝为实热阳证，暮成虚寒阴证之变；实热内闭之时，瞬间出现虚寒外脱之候者，实不鲜见。当机立断，有证用药，切不可误为“苦寒为儿科疾病之大禁”，而有是证不敢用是药，以致贻误病机。

对小儿之病，古人有易治难辨之说。余胃辨证易，果敢用药难矣！

寓药于食，药食结合

王益谦

小儿服药怕苦，父母怕喂，此系从事中医儿科者头痛之事。

1983年秋，有陆姓者，手抱孙男，甫10个月，断乳纳食之后，病畏食消渴。饮多尿多，低热形瘦，陆仅此一孙，掌上之珍，终日忧心忡忡，不惜代价，想尽以补养食品喂养，可是患儿不屑一顾，见饭粥就推，见冷饮就拉。家人焦急万分，担心小儿不食，何以为生？因来门诊求治，但求能正常进食，什么条件都可。予思患儿断乳纳食，饮食失节，贪食甘甜，久之脾胃功能受伤，积滞生热，脾胃之阴受灼，肝木势必乘其所胜，因而形成肝强脾弱之局面，所以出现上述诸候，尤以患儿表现脾气急躁，益证肝木逞强之偏。余乃以酸甘柔肝之法，益肝之体，抑肝之用，益胃生津，参以消导，以健运脾气，苏醒胃气。方用乌梅、白芍、石斛、扁豆、夏枯草、生炒谷芽、生炒麦芽、使君子、鸡内金等，拟作汤剂投之，但小儿怕服中药，家长怕喂中药，要求变苦为甘。予因思古方有冰梅汤治小儿消渴成方，遂嘱将本方头煎、二煎药汁并在一起，去滓再熬，待稍浓，加入冰糖适量，每剂共得药汁约200ml，贮入瓶内，以代饮料，频频饲喂，1日1剂，一举两得，味既不苦，儿又喜喝，从而收到止渴开胃之效。患儿3剂服完，病情明显好转。陆又抱孙来访，喜形于色，亟赞此法殊佳，应推而广之。

其下者引而竭之

李乃庚

1981年夏季，有8岁男孩来急诊。主诉小便不通48小时。曾在乡医院经膀胱区热敷、针灸治疗无效转来我院。查见患儿膀胱充盈，少腹胀急难忍，小便欲解不下，痛苦哭闹，大便亦两日余未解。随即用指压利尿法、针灸、热敷等均未能利尿，后拟插管导尿，但患儿哭闹抗拒，不愿接受。正值为难之际，余想到患儿大便已两天多未解，先通其大便，减少少腹胀急的痛苦，再行导尿。遂用10ml开塞露注入其肛门，2分钟左右患儿排大便，同时小溲畅通，痛苦顿消。患儿破涕为笑。

同年夏天，又遇4例类似病人，均用开塞露灌肠治愈。

祖国医学很早就认识到“肾司二便”。在治疗原则上，早在《内经》就有“其下者引而竭之”的论述。但是具体处理这类病人，用通大便而利小便的急救措施，中西医均少记载，在此录出，供同道们临证一试。

过爱小儿，反害小儿

汪受传

舐犊之情，人皆有之，父母爱子，焉有不慈者哉！然过于溺爱，“慈母败子”，古人虽有明训，而今几成弊俗，尚未引为警觉。前贤张子和尝谓“过爱小儿，反害小儿”，历数贫家之育子，虽薄于富家，其成全小儿，反出于富家之右。今之溺儿者，较古时无不及而有过之，岂无害乎？

父母惟恐其儿之寒，厚衣重被，无患其多，未及严冬，已毛衣层叠，扣紧缝严，令儿汗出阴气消烁，卫虚肌腠不密，肺脏愈加娇弱，偶冒风寒，则受戕残，患感冒、咳嗽、哮喘、肺炎喘咳者多。

父母惟恐其儿之饥，乳哺无时，饮食无节，贪吃零食，饮食偏嗜，或过食甘甜，令儿中满；或过食肥腻，壅阻中州，更有甚者，滥食巧克力、蜂乳、银耳、桂圆、人参等，无虚施补，附赘悬疣，反致损脾伤胃，后天益显不足，升降失司，纳运无权，畏食、积滞、呕吐、泄泻、疳证诸证丛生。

父母惟恐其儿之伤，深居简出，闭户塞牖，少见风日。不经日晒，譬如阴地草木，软脆萎弱难长；不沐清风，气污味浊，易为外邪所侵，故而易罹温热疾病，或生长发育迟缓，产生五迟、五软之证。

父母惟恐其儿之劳，饭喂入口，衣着其身，四体不勤，百般依赖，不务劳力，不作锻炼，无所事事，无所用心，致儿体质孱弱，性情懦怯，生活难以自立，铸成多病之躯。

父母惟恐其儿之欲不遂，恣意纵儿所好，娇生惯养，隐恶扬善，不加之言教，不约其非为，但施宠幸，苟且姑息。璞玉不琢，毁于自然；微渐不杜，蚁穴溃堤。待小儿劣性已成，则难以救药矣。

今之溺儿者，非不知溺之为害也，知之犯之，害儿害已，祸及社会，遗患未来。为医者医病医心，不可不反复陈词，晓之以理。育儿之道，衣勿过暖，食勿过饱，多见风日，劳动其身，“爱子之意不可无；纵儿之心不可有”，诚斯言也。

小儿疹、泻、咳三症相关

李乃庚

湿疹、腹泻、咳喘是三个独立的病症，然而详细观察，它们从病因到病机，从症状到治疗，又常密切相关。

观其病因，此三症常离不开一个“湿”字，并具有地理和个体上的特征。地理上如叶天士说：“吾吴湿邪害人最广。”个体上有形体肥胖、性情憨厚、平素易汗等特点。海滨水乡，湿邪盈盛，若遇惹湿之躯，则为两虚相得，乃客其形，湿溢肌腠，易患湿疹；湿犯脾土则为泄泻；痰湿蕴肺，咳喘乃作。疹、泻、咳三症，有患其中一症者，有患其中两症者，有三症均患者，即便三症见于一人，亦非三症齐发，常有湿疹将愈，咳喘相继而起，咳喘将止，泄泻接踵而来。三症交替，“湿”在体内似有周流之状。此类患儿虽三症常发，但体重不减，发热甚少。虽泻多稀水，或咳喘痰鸣，但病情稍减，又嬉戏如常，此乃其临床特点。

缘于以上所见，治疗则以运脾除湿为要法，笔者常用二陈汤为主方，咳喘者合三拗汤加减；泄泻者合四君子汤加减；湿疹者合二妙丸加减。每多药到病减，若小儿畏惧汤药，亦不勉强，则用引邪外出的朱砂巴豆膏发泡治疗。

朱砂巴豆膏是用巴豆去壳取仁研碎，加朱砂少许，再研成软膏状，瓶装备用。咳喘病人取天突穴发泡，泄泻病人取足三里发泡。发泡的方法是先煎五分硬币大胶布一块，在其中间剪绿豆大一个圆洞，圆洞对准穴位贴好，再取绿豆大朱砂巴豆膏一块置圆洞上，轻轻压平，使药膏边缘稍超出洞口，再剪与第一块同样大的胶布贴上即可。贴后，每隔6 小时观察一次，见起泡即将膏药除去，不作其他处理。泡破水出，咳喘或泄泻常能截然而止，此可谓法简效宏，同道们称为湿邪转移疗法。

据临床所见，重温经典，疹、泻、咳三症相关，是以脾恶湿、肺合皮毛、肺合大肠等脏腑学说为基础的，引邪外出的转移疗法，是以沟通人体各部的经络学说为根据的，此三症非但儿科常见，且治多棘手，以上所论，只是一得之见。

桂枝加龙骨牡蛎汤运用于儿科

江育仁

桂枝加龙骨牡蛎汤，方出《金匮要略·血痹虚劳病脉证并治》篇。主治“脉得渚芤动微紧，男子失精，女子梦交……”。

本方功能调阴阳，和营卫，潜阳固表，且能镇摄浮越之阳气。故凡儿科临床上表现为“不在邪多，而在正虚”的各种时行疾病，抑或慢性病证，显示阴阳失调、营卫失和者，桂枝加龙骨牡蛎汤多能奏效。

如肺炎正虚邪恋型，迁延难愈。常发生于体禀不足，或原有其他病症的婴幼儿。发生肺炎后，病灶常不易吸收。有迁延三四个月，甚则1年以上者。在病程中常反复发生感冒。临床有长期不规则的发热，面色皖白，容易出汗，汗出不温，呼吸浅促，喉间有痰嘶声，咳嗽无力，咳痰难出，精神萎软，食欲不振，舌苔薄白，舌质淡红。肺部可闻及较密的湿性啰音；X线胸片显示两肺中下野及肺门区纹理呈蜂窝状，间有小泡性肺气肿者。病虽为炎症，而气阳已见耗伤，其证已不在邪多，而属正虚邪恋。故余辄以本方作为治疗正虚邪恋型肺炎的基本方。一般在服药2周后，确能收到热退、汗敛之效，而临床所见各项症状，亦得渐次改善。多数病例在3～4周后肺部病灶获得吸收。

又如软骨病早、中期的患儿，家长代诉为入夜惊叫不安，睡眠不宁，汗出奇多，容易感冒发热。在生产喂养史中，有未足月早产者，有母乳不足、混合喂养者；有生产时在严冬腊月者；亦有不懂育婴常识，出生后即闭户塞牖而处，不令外见阳光者。体检可见前囟宽大，头部呈圈状脱发，如用手按压枕骨及顶骨部，可有乒乓样的弹性感觉；胸骨常较高突，若早期作血生化检查，血清钙可接近正常，碱性磷酸酶可增高，骨干－骨骺X线摄片，多数可见异常变化。辨证诊断，归属于“夜惊”“汗证”。病因为先天、后天不足，病机为卫不外护，营失内守。治法首在调和营卫，潜阳定惊，桂枝加龙骨牡蛎汤均寓有此意。若同时指导其合理的喂养方法，改进护理条件，定能获得满意的疗效。

遗尿，又称夜尿或尿床，多见于学龄前后的儿童。临床所见长期遗尿患儿，均有沉睡状态，家长虽频频呼唤，常不易觉醒，颜面多较苍白，平时静默寡言，智力较同龄儿低下，余用桂枝加龙骨牡蛎汤治遗尿者，取其扶阳护阴，以温下元之虚寒，而助膀胱之束约。阴平阳秘，使各守其宅，则营卫赖以调和矣。夫正常人之睡眠，全赖阴阳之相交，营卫之循环运行，所谓“阳气尽则卧，阴气尽则寤”。此睡眠与阴阳、营卫之关系，实亦治本之法也。

（江　旦　整理）

咳嗽皆以痰作祟 ｜肖正安｜

古论咳与嗽并非二义，《黄帝内经》并无咳、嗽与咳嗽之分。自金元以下，则将咳嗽分为有声无痰、有痰无声和有声有痰三证。清代沈金鳌对于这种分法则有不同的见解。他说：“有声无痰曰咳，非无痰，痰不易出也。”予以为此言甚是，故曰：“咳嗽皆以痰作祟”。凡为咳嗽，都是有痰，无痰不作咳。不过痰有多少、清稀、黏稠而已。如痰浊清稀而多者，则痰易出而咳少；如痰稠胶黏而少者，则痰不易出而咳多，即所谓咳无痰，实则有痰。只可言痰有多少，不能说有痰无痰，何也？但见干咳者，一旦咳出丝微黏痰则咳嗽乃止。因而临床治疗咳嗽，总以祛痰、化瘀、滑痰、降痰、稀释痰液为治法的关键。祛痰者半夏、陈皮、贝母、桔梗之类；化痰者天竺黄、胆南星、蛤粉之类；滑痰者冬瓜仁、瓜蒌仁、莱菔子、远志、竹沥之类；降痰者礞石、葶苈子、前胡、竹茹之类；稀释痰液者麦冬、玄参之类。痰浊者祛之，痰稠者化之，痰黏者滑之，痰在上者降而化之，干咳痰黏者养阴润肺，即为稀释痰液而设，如麦冬等，目的在于使痰易出，痰去则咳嗽自止。

如李姓患儿，年满 9 岁。1977 年 6 月初诊，患儿于 1977 年春节始病，今已半年，干咳痰黏，夜咳尤甚，每咳十余声，咳出一丝黏痰乃止，业经透视肺部正常，曾服多种中西药无效。来院就诊，症如上述，更见唇色樱红，舌红、苔少、咽微红。辨为肺阴不足，拟养阴润肺法，选用沙参麦冬汤 2 剂，咳嗽少效，再诊拟养阴清热、润肺祛痰，改用门冬清肺饮加减，天冬 12g、麦冬 15g、马兜铃 9g、杏仁 9g、知母 9g、贝母 6g、地骨皮 15g、牛蒡子 12g、玄参 15g、款冬花 9g、甘草 3g。后因他病来诊，述服前方 2 剂而愈。

小议百日咳 ｜夏睿明｜

百日咳是小儿常见病之一，属中医“顿咳”“疫咳”范畴。前者形容该病咳嗽呈连续性与痉挛性的特征；后者提示本病具有传染性和容易引起流行的

性质。

本病多发于春、冬二季，是严重影响肺系的疾病。肺为清肃之脏，若邪袭入肺，必致肺燥津伤，肺气阻隔；又，若肝经郁热，气火上逆，亦可灼伤肺脏，肺绝营源，故出现与一般咳嗽不同的特殊的痉挛性咳嗽。本病初起，咳嗽、流涕、喷嚏、轻微发热，极似“感冒”，故医者应细心审辨。此病初起虽似感冒，经1～2日后，“感冒”诸象悉除，惟咳嗽逐日加剧，白日稍轻，至夜尤重，此时，可用止嗽散化裁，清宣透表，化痰止咳。方用：荆芥3～6g、白前10g、百部12g、紫菀12g、桔梗6g、甘草6g、枇杷叶12g（方中剂量以5岁患儿为准，根据年龄可适当增减，文中其余方剂同）。方中荆芥属辛温解表药，份量宜轻，若表证不显者，可予免除。此外，对此病要特别强调禁忌大辛大温之药，如麻黄、细辛、紫苏、生姜之属，否则会加重病情；若病邪深入，出现肝郁火逆，顿咳气促，连续十几声方能暂停，并伴喉间“鸡鸣”吼哮声。患儿面红耳赤，甚则青紫，面部浮肿，眼鼻黏膜溢血，涕泪交流，甚至发生抽搐、惊厥等症，皆急宜清燥润肺、镇惊止咳。采用清燥救肺汤加减：明沙参15g、麦冬10g、桑叶12g、石膏12g、杏仁6g、芝麻12g、甘草6g、枇杷叶15g、川贝母6g、胆南星5g。方中胆南星一味极为重要，具有清化痰热和镇惊止咳的作用，故必不可缺，若该药系以黄牛胆汁制作者，疗效尤著。服药后，患儿或能呕吐或腹泻部分痰涎，此属效著，当喜勿忧。若有咳嗽痰中带血者，重加白茅根30～60g。若余邪已尽，症见咳嗽轻微，痰稀量少而黏，精神不振，气短声怯，唇舌偏红，可用麦味四君子汤调之：沙参12g、五味子6g、麦冬10g、白术10g、甘草6g、茯苓12g、枇杷叶12g。

百晬咳证治

廖伯筠

百晬咳，指小儿生后百日以内的咳嗽，又名乳嗽。因为初生婴儿脏腑娇嫩，护理和保暖不当，暴感风寒，邪盛正虚，症状特殊，易致痰阻脱厥，转变莫测，以及胃气方生，难于胜药，汗下之剂，难于用之之故。尤其对有先天性心脏病的患儿，治疗更感棘手。所以古代医家较为重视，列为专题讨论。

其临床症状可见呛咳气粗，甚则口吐泡沫，畏食吐乳，大便溏或下绿色稀便，面白唇淡，眼白带青，困倦自汗等。家父经验，治宜辛温宣肺、祛风涤痰。处方如下：小白附子6g、炙麻黄2g、杏仁3g、炙紫菀4g、法半夏6g、茯苓10g、陈皮3g、全蝎1个、僵蚕6g、生姜2片、甘草2g。

煎服法：小白附子有小毒，须用开水先煎半小时，纳入其他药物，再煎半小时。每剂煎成60ml（用纱布滤渣），煎第2次时亦加开水煎半小时。每次服20ml，隔两小时服1次，日服五六次，可以连用2剂。

此方以小白附子（又名竹节白附）辛温散寒，兼祛风痰为主；麻黄、杏仁温开宣肺，降气平喘；僵蚕、全蝎有祛风镇痉之功；紫菀温润治咳，二陈汤燥湿化痰，理气和中；生姜散寒温胃以止呕吐。如婴儿百日以上，1岁以内，属于寒邪肃肺、湿痰凝滞者，亦可酌情增加剂量而用之。惟证属风热痰火者则忌。

肺疳新方

陈义范

民间常多验方，随时搜集，择而用之，多有显效。十余年前，余供职于本县人民医院，一军人携一儿，持一方，求为审视。余察该儿年已4岁，面黄肌瘦，频见咳嗽，双颈瘰疬累累，与古书之"肺疳"相似，胸透为肺门淋巴结核。视其方为猫爪草30g、夏枯草9g、天冬9g、麦冬9g、百部12g、矮地茶12g、鸡蛋2枚（每煎1枚，不去壳，煎后去壳食蛋），片糖2块（每煎1块，药汤冲服），每日1剂，连服1个月。月余复诊，患者咳已止，瘰疬消失，面色红润，体重增加，胸透正常。后遇此症近百例，率以此方为基础，如盗汗而面色㿠白者加黄芪、当归、牡蛎；食欲不振，大便不调者，去天冬，加怀山药、薏苡仁，多在1个月内获愈。考猫爪草功能散结消肿，协夏枯草以抗痨，天冬、麦冬养阴润肺，合百部、矮地茶以镇咳，鸡蛋、片糖，调和药味，增强营养，方只8味，颇为全面，用治是症，实为恰切。十余年来，余固得是方而慕名求诊者颇多，惟良师究为何人，烟没不彰，实为惜矣！

小儿肺炎开闭为要

王登科

余曾见高热、无汗、喘促的肺炎患儿，用白虎汤，高热、喘促不减，继进麻杏石甘汤而汗出、喘平、热退。深究其由，小儿肺炎，开闭为要。

小儿肌肤薄、藩篱疏，卫外不固；肺娇嫩，畏寒畏热，抗力不足。无论风寒、风热，或由之所化生的痰热，均可闭肺致痰热内蕴，壮热，痰阻；肺失宣肃，气机上逆，咳嗽、喘促、鼻煽而成肺炎。

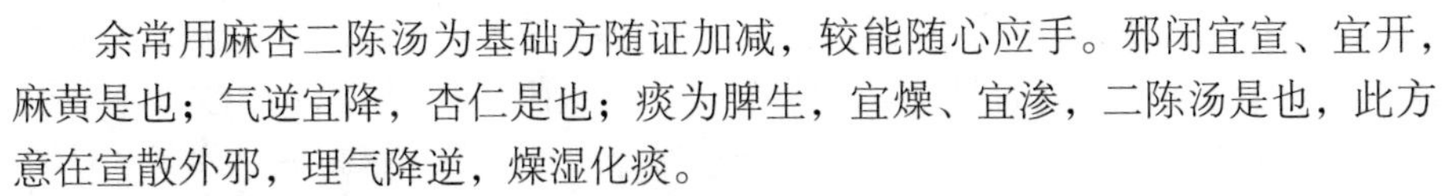

余常用麻杏二陈汤为基础方随证加减，较能随心应手。邪闭宜宣、宜开，麻黄是也；气逆宜降，杏仁是也；痰为脾生，宜燥、宜渗，二陈汤是也，此方意在宣散外邪，理气降逆，燥湿化痰。

临床以风寒闭肺者，加紫苏梗、荆芥、紫苏子、白芥子、炙远志、姜、天南星、桔梗等辛温解表及温化寒痰药。风热闭肺者，加金银花、连翘、生石膏、知母、川贝母、葶苈子、莱服子、枳壳、竹茹、白茅根等清热宣肺化痰之品。痰热闭肺者，加桑白皮、地骨皮、川贝母、葶苈子、天竺黄、胆南星、枳壳、车前子、木通等清热涤痰之品。肺闭日久，兼见气虚血瘀者，又当选加人参、黄芪、当归、赤芍、丹参、桃仁、红花、茜草等益气活血之品。

总之，肺气闭阻是肺炎病理演变之结局。气闭可以化热化火；气闭可致痰阻；气闭可兼血瘀。而热、痰、瘀只有在宣闭的前提下，方能得以改善，故宣闭是治疗肺炎的首要一环。

保赤散的应用

| 董廷瑶 |

小儿常有痰证，这是由于小儿每因肺脾不足，气阳虚弱，故易见津液滞运，聚而成痰。小儿喘嗽痰鸣迁延难愈者，多属顽涎之类。顽涎随气升降，到处为患，变幻莫测，是为风痰；小儿风火易起，与痰涎交相煽动，致成诸疾。

那些风痰重病，诸如肺风痰壅、喘急欲绝，或风痰入心、神钝惊搐，或顽痰蒙窍、痫疾频作等等，临床每可见于重症肺炎、癫痫及多种神经精神性疾患，包括某些脑发育障碍等。诸证的共同特征在于风痰壅盛，其体壮证实者，非攻不解。故选用验方保赤散，能使痰涎上吐下泄，症急者痰降气平，旋获缓解；病深者风痰顿蠲，惊痫即轻。

保赤散方：巴豆霜9g，胆南星、朱砂各30g，神曲45g。

1982年3月，诊一3个月大的婴儿陈某，因毛细支气管炎并发心力衰竭，经治后发热已退，心衰好转，但咳嗽痰鸣，气促鼻煽，喘急汗多，面色青紫，曾予豁痰通络之剂，患儿症情不解，腹满便结，舌苔薄少。证属风痰阻肺之肺风痰喘，亟须攻逐下痰。处方：橘红、橘络、炙猪牙皂（去皮筋）各3g，竹沥、半夏、炙紫苏子各9g，竹节、白附子各4.5g，丝瓜络、白芥子各6g，7剂。另：保赤散0.3g，3包，每天1包，分2次化服。药后患儿便次增多，泻下黏涎，痰喘较减，咳逆尚多。3日后只用汤药，肺气又急，大便干结。风痰未解，仍须通利。原方7剂，保赤散3包，服如前法。其后患儿喘平痰少，咳止气顺，面转红润，腹软便和。可见保赤散泄痰降气之功。但需强调，要了解保赤散的性能，应首先熟谙巴豆的利弊。前贤均谓巴豆之能，以导气消积、攻痰逐水为特点；善于推荡脏腑，开通闭塞；长于通关窍，泄壅滞。然其气热烈，其性刚猛，如不审慎妄用，“耗却天真，使人津液枯竭，胸热口燥”，故尔切勿轻投。

桑菊饮合生脉散治疗小儿肺炎

| 谢存柱 |

据我区儿童死因调查，小儿肺炎屈居首位。前人治疗小儿肺炎的方剂很多，余在多年的临证中发现桑菊饮合生脉饮加味治小儿肺炎疗效显著，屡用屡效。

桑菊饮见于《温病条辨》，为辛凉解表剂。对于风湿初起，身热不甚、咳嗽微渴等症最为适宜。若二三日不解，气粗如喘，热在气分者，加石膏、知母；舌绛热甚，邪初入营分者，加玄参、犀角；在血分者，去薄荷、芦根，加细生地黄、玉竹、牡丹皮；肺热甚者，加黄芩、金银花；咳喘汗多者，加麻黄根、紫菀、马兜铃；渴甚加天花粉；便秘加大黄；便泻加葛根、滑石。

生脉散能补气敛汗，生津止渴。《医方集解》云：“肺主气，肺气旺，则四脏之气皆旺，虚故脉绝气短也。人参（可以党参代）甘温，大补肺气为君；麦冬止汗，润肺滋水，清心泻热为臣；五味子酸温，敛肺生津，收耗散之气为佐。盖心主脉，肺朝百脉，补肺清心，则气充而脉复，故曰生脉。”近代研究，生脉散有治疗休克脉绝的作用。

桑菊饮与生脉饮合用加减化裁，既能清热解毒、宣肺开闭、涤痰降逆、止咳平喘以驱邪，又能益气生津以扶正，实乃攻邪无伤正，补气无滞邪之患，攻补并用之方也。故本方用于风热闭肺、肺失清肃、津气耗伤、见症如上之肺炎，大多只需一二剂，即可收到热退身凉、咳止喘平之功。

肺炎久不愈治宜益肺

| 陈陶后 |

肺炎乃儿之大患，常患此疾者，多见每病则久久不愈，甚至临床无所见症，而听诊器仍可闻肺部啰音，且经久不消。当今认为是免疫功能不健全，多以输血浆或用丙种球蛋白治疗。

对此类病症，余沿用培土生金法，收效不显。但思，凡此类小儿，多有面

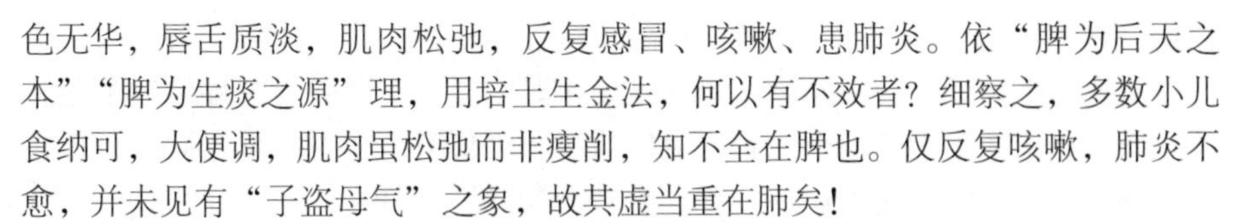

色无华，唇舌质淡，肌肉松弛，反复感冒、咳嗽、患肺炎。依“脾为后天之本”“脾为生痰之源”理，用培土生金法，何以有不效者？细察之，多数小儿食纳可，大便调，肌肉虽松弛而非瘦削，知不全在脾也。仅反复咳嗽，肺炎不愈，并未见有“子盗母气”之象，故其虚当重在肺矣！

先仿“一捻金”扶正驱邪法，益肺驱邪而止咳，微咳可止。方用黄芪、黄精各30g，麦冬、沙参各10g，益气养肺以扶正；百部、枳实、紫菀、款冬花各10g，宣肺理气，止咳化痰以驱邪；细辛3g，五味子10g，使肺之开合升降有常，甘草10g和中，喘者加麻黄6g，一般3～5剂，咳即可止。

再仿“人参五味子”汤法，养肺健脾以善后，其啰音可消。黄芪、黄精各30g，玉竹、沙参各10g，当归、五味子各12g，养肺益阴；党参、苍术各10g、陈皮、法半夏各8g、茯苓15g、甘草5g，健脾燥湿而消生痰之本。企望患儿之肺疾不发或少发。

历数年来，余以此法而获效者甚多。

治疗小儿哮喘一得

刘安澜

小儿哮喘多为寒热错杂，虚实并见，病机特点既有外邪犯肺、肺气郁闭、宣通不畅、肺气上逆而致的哮喘实证；又有饮食少思、面黄肌瘦，其喘入夜加重、病史较长、反复发作等脾肾亏虚之象。故以脾肾俱虚为本，六淫袭肺为标，此本虚标实也。采用标本兼治法，白天和晚上两种治法交替使用，晚上以宣肺散寒、化痰止咳平喘的射干麻黄汤加减，攻邪为主而治其标，白天则用强壮药物改善病孩的体质，补脾益肾为本，以六君子汤加味，扶正驱邪，标本兼治，共奏祛邪扶正之功，施用于临床，颇有良效。

例如，患儿汪某，男，9岁，自出生后100天即咳嗽、气喘，几年来经常发作，每于夜间喘息加重，不能平卧，伴有肺结核病，曾多次住院。此次因哮喘复发而住我科治疗。症见：面色黄，形体瘦，精神不振，鼻唇沟发绀，轻度鼻煽，抬肩撷肚，张口呼吸，不能平卧，喉中痰鸣如水鸡声，舌质淡红苔薄白。此乃脾肾亏虚，寒邪外束，痰邪内蕴肺气上逆之哮喘。治以宣肺散寒、化痰平喘之射干麻黄汤加味治其标，药物用射干、麻黄、紫菀、款冬花、法半夏、桑白皮、地骨皮各9g，葶苈子、五味子各6g，细辛2g，生姜2片，大枣3枚。夜晚服。白天用六君子汤加补脾益肾之药物，如党参、焦白术、陈皮、茯苓、法半夏、熟地黄各9g，山药、白果、桑椹、枸杞子各10g，海蛤粉15g，甘草、补骨脂、地龙各6g，经用上法治疗，住院10天病愈出院。患者咳喘即平。

利用标本兼顾治疗小儿哮喘一法，发作时，是在宣肺化痰平喘、驱邪治标的基础上，白天给予扶正以治本，促使咳喘迅即缓解。尔后，可在同一处方内补益肺脾肾，兼以化痰止咳，预防或减少哮喘的发作。

治喘首选麻黄

朱大年

哮喘是小儿时期很常见的肺系疾病，典型发作多见于年长儿童，乳幼儿发作则缺乏典型症状。发作时除寒喘、热喘二大类型外，应注意寒热并见、虚实兼夹的病例，在具体用药时既要抓住主要矛盾，又要注意兼施并理，才能取得满意效果。

哮喘急性发作时以邪实为主，病机主要在肺，治疗当以祛痰治标为主。麻黄辛微苦温，有良好的宣畅肺气、平喘止咳功效，属治疗哮喘发作的首选药物。

麻黄在治疗寒喘、热喘、虚实兼夹或寒热错杂的小儿哮喘时，均可用作主药。如属寒痰内伏，应配伍干姜、细辛、白芥子温化痰饮；痰热内蕴，则可配合石膏、桑白皮、黄芩、黛蛤散清宣肺中痰热；风寒之邪实于表，痰热之邪郁于里而喘者，则可配伍桂枝、生姜以发表，石膏、黄芩以清里；对久发由肺及肾，肾不纳气时，则又可配伍附子、肉桂壮火益元，局方黑锡丹（包煎）摄纳肾气。

在炮制方面也必须注意。除生麻黄外还有，水炙麻黄用清水炒过，辛散作用较缓；蜜炙麻黄用蜂蜜拌炒，辛散之力更弱。这三种麻黄具体运用时，必须灵活掌握，才能提高疗效。一般无汗表实者可用生麻黄；表虚有汗者用水炙麻黄；但咳喘而无表证者用蜜炙麻黄。

有些哮喘患儿用麻黄后可引起汗出及心率增快。凡素体气虚、表卫不固的患儿，除采用水炙或蜜炙麻黄外，还应避免与桂枝同用，并在方中佐用龙骨、牡蛎敛汗固涩。对服麻黄后，容易引起心率增快者，可加用磁石及加大甘草用量的方法，以减轻这种不良反应。

历代医家认为麻黄用量过大易于化热助火，亡阳劫液。但据现代经验，用麻黄平喘与治疗咳嗽不同，用量可适当增大，方能奏效，每剂用量可掌握在9g左右，但生麻黄用量不超过9g，婴儿、幼童可适当减量。

小儿寒哮论干姜 |孙 浩|

干姜是生姜水洗后晒干而成，又名白姜、淡干姜。味辛辣，性温热，无毒。《本草纲目》记载："治胸满，咳逆上气……，消痰下气"。清·吴仪洛所著《本草从新》更为明确地指出：干姜能"利肺气而治寒嗽"。可见它对呼吸道疾病如咳嗽、哮喘之属于寒证者，有一定的疗效，这是前人的经验。干姜究竟能不能治疗咳嗽与哮喘呢？这里有一个从错配药中偶然得到的经验，可资佐证。

先父往年治一寒哮小儿孙某，14 个月。初春之际，感受风寒，以致恶寒发热，无汗。一天许，又增咳嗽气喘，病情转重来诊。诊见：患儿面色灰白，唇口发绀，喘息与痰鸣交织，声如曳锯，痰质清稀，躁扰难安，舌淡紫、苔白厚，指纹晦暗不明。此系风寒束表，痰阻气道，肺失宣肃所致之寒哮证。治以宣肺解表，降气化痰。先父处以：紫苏叶 6g、紫苏子 3g、防风 4.5g、淡豆豉 6g、前胡 4.5g、橘红 2.4g、制半夏 4.5g、川郁金 3g、葱管 3 支（1 剂）。

煎成后，家属给患儿喂药。药一入口，即见患儿摇头吐舌，哭闹不休。勉强喂入二三匙，不忍再喂。家属心知有异，乃亲自尝一尝，觉其味辛辣，难以下咽。随即提药罐来问，先父也亲口尝了一尝，果然是辣难进口。检视罐中之药，发现其中有一簇淡干姜，而无淡豆豉。知是药工误将淡豆豉配为淡干姜。立即随家属前往看望患儿，及至其家，见患儿已安然入睡，呼吸平和，其病若失。先父由此得到启示，凡属风寒表证并发哮喘者，只需于辛温解表药中稍加干姜（1～1.5g），即能平喘止哮。余沿用此法治疗小儿及成人寒哮，均获得良好效果。

干姜辛能入肺、宣肺，温能化痰、通阳。《金匮要略·痰饮咳嗽病脉证并治第十二》有云："病痰饮者，当以温药和之"。运用干姜治疗寒性哮喘，药与证合，故效果良好。足见前人的经验贵在从临床实践中来，是值得我们借鉴的。

乳 蛾 治 验 |廖濬泉|

乳蛾是小儿常见疾病，为风热上壅，邪热炽盛，搏结咽喉所致，治当疏风清热，解毒利咽为主。

小儿喜食香甜干燥食物，素体内蕴郁热，复感外邪，邪热交织，症见恶寒发热，咽喉疼痛，甚者难于咽饮，单侧或双侧扁桃体肿大充血，或有白色脓点，头痛流涕，口微渴，小便短赤，舌边尖红，苔薄白或微黄，脉浮数。治宜辛凉疏解，清热利咽。处方：荆芥、防风各6g，薄荷4.5g，僵蚕6g，桔梗4.5g，甘草3g，金银花、连翘各6g，板蓝根10g（上为1岁以内患儿服用的剂量）。若年龄较大，邪热重者，可酌情增加剂量。煎法：先用凉水浸泡药物半小时，煎开10分钟即可，1剂分3次煎服，隔3小时服1次，连用2剂，以汗出、小便解出有药味，则热退痛减。

若患儿体温高达40℃以上，面赤气喘，口渴大便秘，脉洪大滑数者，为肺胃内蕴热邪，可合麻黄杏仁甘草石膏汤。即前方加麻黄4g、杏仁10g、生石膏15g、甘草6g。并用三棱针针刺患儿双手少商穴出血。如扁桃体有脓肿者，用锡类散或喉症散吹患处。此法笔者临证50年，经无数次运用于病儿，其效甚捷。

少数患儿阴虚火旺，邪热羁留，发热不退，咽喉肿痛，或咳嗽有痰，口燥咽干，或便秘溺赤，舌红少津，苔黄糙，脉弦滑而数者，治当养阴清热，化痰利咽，以除瘟化毒汤加味。处方：生地黄15g，木通、淡竹叶各6g，葛根、金银花各12g，桑叶、薄荷、川贝母各6g，枇杷叶10g，赤芍12g，甘草5g。如大便秘结者，可再加枳实　瓜蒌仁、牛蒡子各10g。

患儿病后应注意少吃香甜食物，不要受凉，就可少发或不发生乳蛾。又有扁桃体肥大、日久不消者，可用《金匮要略》麦门冬汤加减调理之。小儿年岁渐长，日久不发，其扁桃体自然缩小，可不必手术切除。

古法新用治麻疹

杨西邻

笔者曾于三十多年前，治疗次女小儿麻疹，几经反复，3日后疹出不透，高热气逆，由重转危，束手无策。深思仲景有“知犯何逆，以法治之”，王清任《医林改错》有“活血化瘀”之法。因此，大胆使用“活血透疹”法，以治麻疹。结果收效良好，犹如绝处逢生，麻疹全透，使逆症转顺。当时设想，主要目的是通过活血，以畅通内外经络之血行，鼓动麻毒外出，解决瘀热互结，营血病变，使能透热转气，挽救垂危。辨证论治的具体作法是：

初热期：邪在卫分，发热恶寒，目赤流泪，气逆咳嗽。麻疹逐渐显露于面部、颈项，苔白淡黄，脉浮数，指纹青紫。采用辛凉解表为主，活血透疹为辅。方以“轻剂活血透疹汤”即葛根桑菊饮加蝉蜕、赤芍、桃仁，使麻疹顺利透达于体表，疹色红活润泽。

见形期：邪入气营，高热烦躁，口渴咳嗽，麻疹更明显地透达于胸背、四肢，气粗喘逆，壮热口渴，苔黄少津，脉洪大且数，指纹青紫而粗，乃邪正相争激烈阶段。宜急透疹，托邪外出，采用活血透疹为主，清凉解毒为辅，方以“平剂活血透疹汤”，即葛根银翘散，去淡豆豉，加蝉蜕、赤芍、桃仁、黄芩、天花粉等。如血热过重，疹色紫暗者，加石膏、紫草、红花，甚则用犀角以清营凉血，定能使麻疹由暗转红，透达皮肤，转危为安。

笔者经几十年临床检验，以活血法治麻疹，疗效可靠，若随临证变化加减，疗效更令人满意。可见“活血”法在临床大有可为。

疹毒内陷

张树田

小儿麻疹是一种急性发疹性传染病，由于感染麻疹病毒引起。祖国医学认为“麻为阳毒以透为顺”，故对麻疹的治疗早期贵在辛凉透疹，见形期重在清热解毒，疹没期须益气养阴，这是常法。但小儿脏腑娇嫩，正气不足，若护理失宜，复受外邪或邪毒亢盛，易引起疹毒内陷，郁闭于肺，甚者郁蕴化火、熏蒸心包，引动肝风，出现高热、神昏谵语、抽风、咳喘痰鸣、鼻煽气促等症，乃为逆候。若临床处理不当，每多贻害无穷。余临证多年，自拟麻疹方（金银花、薄荷、荆芥、赤芍、紫草、桔梗、甘草）治疗麻疹，见形期加黄芩清热解毒，配石膏辛凉解表；疹没期去薄荷之辛散，加麦冬、沙参、生地黄、石斛之属以养阴；疹毒内陷者加用清热解毒之品并辅以辨证用药，每获良效，现举1例：

患儿林某，5岁，发热5天，出疹半日，疹点刚及胸腹，熟睡床上，因猫捕大鼠一只，从房梁掉落其身旁，儿受惊恐，啼哭不止，片刻间已出的麻疹骤然而退，遂见高热、烦乱不安、目瞪搔胸、呼吸气粗、咳嗽痰鸣、鼻煽气促、口唇发绀。体温39.5℃，心率121次/分，两肺底布满湿性啰音。胸片示两肺下叶片状模糊阴影，舌质深红，脉洪大而数，全家惶恐。余曰：“此系疹毒内陷，虽属险候或可挽救”。急投清热解毒、宣肺化痰之品，方用金银花12g、薄荷6g、荆芥6g、赤芍10g、紫草10g、炙麻黄3g、生石膏30g、黄芩10g、甘草6g。急煎200ml，分3次服，并嘱其家人，患儿麻疹复出身必痒，犹如虫行肤中，当用清洁棉絮将儿手包裹，以免搔破皮肤。服药后约20分钟，儿身作痒；烦乱片刻，疹由面部出，渐至全身，疹色鲜红而润，呼吸均匀，发热渐退。原方续服

2 剂，疹渐收没，惟咳嗽，唇舌鲜红，继以清肺养阴收全功。

议麻毒内闭

|饶宏孝|

1977 年 11 月，本院刘医生之女 7 岁，患麻疹已 7 日，突然请余给其女诊病，诉说近几日来女儿身热面赤，烦躁不安，渴喜冷饮，鼻干无涕，气粗，咳嗽，但出疹尚好，形如麻粒。色若桃花，逐渐遍布全身，又考虑有药调治而未注意观察其病情变化。晨起，患儿突转高热，神昏谵语，而且扬手掷足，喜就凉处，遍身青紫，疹点突然收没，腹胀喘促，溺涩，脐凸等症，请余救之。余诊之，患儿病状如上述，脉实有力，舌质红，苔黄燥起刺。证属火毒内闭，麻疹收没太快。治拟泻火解毒，透疹外出，方药：黄连 3g、生石膏 30g、知母 6g、金银花 18g、连翘 15g、犀角 1.5g（不入煎，磨水分服）、酒炒大黄 6g、芦根 15g、白茅根 30g、牛蒡子 12g、甘草 3g，水煎温服。可病家至第 3 日又邀余前往诊治，患儿呈现一派火势亢极、腹胀喘急、不省人事之象。余暗吃惊，忙追问之，其母诉说真情：前次处方，见为苦寒泻下之药，前人有“麻疹用药忌苦寒泻下，以免疹毒内滞发生逆转”之说，故而未曾服用，又以清解透表汤服之，故而证情加重，并对余表示歉意。患儿证虽有变，其理如前，仍用前方，嘱服 1 剂再诊。服后，患儿大便畅解，腹胀喘促大减，脐已不凸，高热下降，已无谵语。宗原方继服 2 剂后，患儿疹又复出，遍及全身，疹色红，呼吸平稳，二便调匀，饮食知味，继而调理痊愈。

从此麻疹逆症来看，证属火毒所闭，应大胆使用泻火解毒之方药，使邪毒外泄，证情得愈。《医宗金鉴》有“疹宜宣表透为先，最忌寒凉毒内含”之说，但指的是早用寒凉药物，冰伏毒热，疹毒不能外透，反致内攻。而不是在火毒内闭的情况下，亦不能用，真所谓，病无常形，治无常法，医无常方，药无常品，惟变所适矣！

麻 疹 目 衄

|熊继柏|

麻疹并发目衄，临床并不多见，古今方书记载亦少。究其病机，多属热灼营血所致。《麻科活人全书·衄血诸失血第五十八》谓：“衄血过多，此为火

迫，……衄血不已，或有失血者，俱宜清肺泻火，佐以凉血之药治之，以犀角地黄汤去白芍，加荆芥穗、枯黄芩主之”。麻疹鼻衄可以此法治之，麻疹目衄可以此法治之，麻疹目衄亦可用此法治之。

1967年6月，盛氏子年仅4岁，患麻疹5日，遍身透发深紫色疹点，成块成片，其身热如火而神志昏蒙，两眼红丝满布，大小眦出鲜血如流眼泪一般，舌质红绛，舌尖起刺，指纹深紫，脉数有力。此系麻毒内陷，热伤营血之证也。盖目为肝之窍，热灼肝血则见目赤目衄；心主神明，热伤心营，故而舌绛神昏，以犀角地黄汤清心营、凉肝血。疏方：生地黄20g、牡丹皮10g、赤芍10g、连翘10g、桑叶6g、菊花6g、炒栀子10g、犀角5g（磨服）。药进2剂，患儿衄止热退，后以沙参麦冬汤收功。

麻毒内陷营血，变证百出，目衄仅是其中之一例。凡热灼营血，必从营血论治。叶天士云：“入营犹可透热转气……入血则恐耗血动血，直须凉血散血”。此至当不移之法则也，麻疹亦不例外。

滞　颐

| 王静安 |

小儿滞颐，常因涎液浸渍，而使父母焦急不安，病家有求，医者亦不可袖手。医者论治，或清热泻脾，或清心泻脾，或温脾燥湿，或益气收敛。实则施于临床多不应手，可谓常见而又难治之证矣。究其原因，众所周知，所以然者，廉泉不闭，津液失约耳。而明于胃气上逆，浊气上犯亦使之然者罕也。味于此理，则失于降逆之法，故不效也。以余论之，廉泉不闭，津液失约致使滞颐，此虽明理，但多不切实际，鲜能指导临床。倘以此为病机，则立以何法，拟以何方，选以何药，全令人茫茫然不知所措。故余临床每见小儿口中涎液，终日泛出，不能自止，未尝不假思索。西医视唾液为消化液，消化液者，助于消化，行于胃肠是也，故当下行为顺，口为脾窍，涎为脾之液，亦属胃中之浊气。胃失和降，浊气上逆，则令唾液上犯，涎液自流，故治疗重在降逆和胃，亦随寒热虚实以调之。余按此理，临证时辨寒热、别虚实，调阴阳，脾虚体弱者投以苍术二陈汤，胃实体强者投以《医宗金鉴》清热泻脾散，均重用陈皮、竹茹以降逆和胃，佐以泽泻、木通导津液下行，以此施治，屡试甚验。

癸亥年余遇一患儿，1岁，流涎半年有余，口涎甚多，终日不断，每日浸渍胸前毛巾至少5条，致颐部、下颌处潮红发疹，口涎黏稠如丝，胃纳欠佳，大便干结，前医以温脾散数剂不效，又处以泻黄散仍无起色。余察其舌苔白腻，指纹紫，乃立清热除湿、降逆和胃之法。盖因虽是廉泉不闭所致，亦为胃气不降而发，又因胃中气热，脾湿不运所作，故处以陈皮、藿香、厚朴、草豆蔻、泽泻、木通各9g，竹茹、神曲各15g，黄连3g，车前草30g。服方3剂，患儿流涎尽止，历数月之疾立愈。故医者临证必多思索，切勿执迷。

议“前方获效，乃步原章”

王益谦

1942年夏天，骄阳肆虐，天气盛热。一天中午，某军人因婴儿患急性吐泻，邀予会诊，某医生已在等候。见患儿吐泻并作，势甚猖獗，地面遗有吐出乳汁及泻出稀黄稠黏大便，发热无汗，舌苔厚腻，口渴，吮乳即吐。儿母颇紧张，某医乃推予主方，当以三物香薷饮加黄连、半夏、灶心土等1剂。代茶频喂患儿，并令暂停授乳，进药之后，患儿吐泻渐止。次日晚患儿父忽又急请予出诊，而某医已先至。只见患儿神萎倦睡，声音低微，肌肤汗出涔涔，手足逆冷，脉象微细，证见少阴亡阳之候。家人亦惊惶万状。予颇诧异，内心自揣，患者为何日前是实热之证，突变虚寒亡阳之象？某医展示其复诊处方，才恍然大悟，缘患儿自服首方之后，吐泻俱停，身热亦解，而某医复诊，谓前方获效，乃步原章。因思患儿初病高热吐泻，乃暑湿挟滞，内伤肠胃，外侵肌表，太阳阳明合病，经用三物香薷饮加黄连等苦辛泄降，解表清里，化浊导滞，虽已热解吐泻均止，但其中气已伤，理应调和脾胃，以待阳气来复，今却续进原方，发汗清里，导致中阳受戕，少阳寒水反侮，稚阴稚阳之躯，怎耐如此折腾？是亡阳之由也。某医复推予主方，揆度证情与前寒热迥异，虚实大殊，治应审证求因，随机应变，乃按虚寒论治，亟与辛甘温回阳救逆之剂。处方：淡附片、桂枝、干姜、白芍、甘草、白术等，俾腹中寒气得除，脾肾阳气来复，所以药后迅速转危为安。

辨治小儿腹泻

李聪甫

腹泻为小儿常见病之一。究其致泻之因，不外伤风、感寒、受暑、夹食。小儿肠胃嫩脆，脾气未充，易受风寒侵袭，食物停滞，以致肠胃正常消化功能失调，脾阳被扰，清气下陷，症见肠鸣水泻，知为风寒犯脾，“久风入中，则为肠风飧泄”。胃阴被遏，浊气上干，症见胸膈痞胀，知其积滞在胃，“饮食自倍，肠胃乃伤”。脾胃俱伤，胃纳脾运皆失常度，升降乖违，腹胀肚痛，喜按者多感风寒，拒按者多伤饮食。因此，当析病因、察病机，分别证之新久，体之虚实而施治。

伤风腹泻：风为阳邪，风袭肠胃，多由当风吮乳，或寒食冷饮，风气迫于肠胃。腹中雷鸣，嗳出馊气，大便泄泻水液夹有泡沫、澼澼有声。泻必伏湿，当用辛轻风剂胜湿为主，仿东垣升阳除湿防风汤意，用苍术、白术、茯苓益胃导湿以治其本；防风、葛根、羌活升阳祛风以治其标；陈皮、甘草调和肠胃，平衡升降而止腹泻。

感寒腹泻：寒为阴邪，寒邪乘虚侵袭肠胃，每多肠鸣切痛，喜用热熨，呕吐清水，大便泻出澄澈清冷夹有不消化的食物或乳块。必须细察病态，脉细苔白，指纹红露，面色苍白，手脚发凉，紧偎母怀，反映脾阳衰败。治以温中散寒为主，温养脾胃，健运中焦。方用理中汤之人参、白术、生姜、甘草，加茯苓、砂仁、煨木香；胸满加姜制厚朴，腹痛加草豆蔻，恶寒加桂枝，呕吐炮姜易煨生姜，泄泻甚加煨肉豆蔻。

受暑腹泻：本证多发生于暑季。主要原因为暑月贪凉伤食，感受风邪，又因天时溽暑，风阳化热，外内合邪而病暑泻。脉数纹紫，唇焦舌赤，身热口渴，烦躁不宁，小溲短赤，大便泻出如糜或如鸡蛋花，腹痛拒按，暴注下迫。法当清理肠胃，通因通用。方用芍药甘草汤加葛根、黄芩、赤茯苓、车前子、木香、益元散之类为剂；身热无汗加香薷，热甚口渴，重加葛根外解肌热、内鼓胃气上行津液，渴甚加天花粉，泻甚加白扁豆。

夹食腹泻：夹食证，往往兼有风寒感袭之因，饮食伤胃，小儿较多。常因饮食过度，宿食不消，积滞肠胃，腹痛腹泻，噫气腐臭，欲吐不吐，痞闷畏食，大便泻出有酸臭气。治当消积导滞，分利小便。以保和丸方之焦山楂、炒麦芽、炒神曲、茯苓、半夏、陈皮。肉食伤加炒杏仁；面食伤加炒莱菔子，烦热加连翘。

久病腹泻：小儿腹泻日久，不论风寒暑食都能损害脾胃，痰湿横生，所谓“湿多成五泻”。风寒暑食所致之腹泻，都因湿邪为之内应。因此，症状表现为腹胀神倦，指凉虚汗，皮枯肌瘦，睡时露睛，寐则惊怖，饮食不进，形成慢脾风证和疳羸。久泻当益脾胃、扶元气，轻者七味白术散，重者参苓白术散；泄泻无度、五更泻甚，为脾传肾证。久之，导致脾肾俱败，昏睡摇头，四肢逆冷，面色青暗，大便不禁等危候。当在前方中配用四神丸：煨肉豆蔻、补骨脂、五味子、吴茱萸等。虚惫已极，配入人参、熟附子，使其泻止精生，元气回复。

辨饥饿泄

陈陶后

临床所见之慢性婴儿泄泻常以内伤乳食为多，然据余二十余年所见，母乳喂养之婴儿，因饥饿而致脾虚泄者亦不少。

如何辨别小婴腹泻是由饥饿引起的？除可依小儿是否精神活跃、睡眠深熟、体重增加来衡量，还须观察大便性状。精神活跃是指小儿醒时，双目有神、表情灵活，而不是刁吵烦躁。睡眠深熟，指白昼能安睡2～3小时，不易被吵醒。如若相距3小时以上哺乳，儿得母乳即睡，片刻又醒，或夜间常醒觅吮其母乳头，平素喜啼吵，小儿体重增加不明显，伴肌肉松弛，面色欠华。大便可一日5～8次，但每次仅有少量星星点点粪块，或随矢气而出少量粪块，其色或黄或绿，其质可稀可黏。再察其母乳房，多数大而软，经吸吮2～3分钟后，乳汁流出如滴而不成线，或有漏奶史。此儿多为母乳不足。又未添加辅食，或因小儿不愿吸吮奶瓶而自认为母乳充足。其实此儿多为哺乳不足，生化之源亏乏，日久则诸脏失养；心血虚则睡不安神而惊啼，肝血不足则烦躁刁吵，脾运不佳则成泄泻，气血津液不足则见儿精神欠活跃，面色不华，肌肉松弛。其治，首要为精心调其乳食，经谓“损其脾者，调其饮食”是也。又恐其脾虚不能受纳，最宜以七味白术散调治，大便色绿有寒者，加炮姜3片；大便少量黏液者可于首次方内加黄连3g，只用1～2剂即可；有不消化物者加消导之品，善后方中可再加山药、薏苡仁、鸡内金之属，促使脾气早日恢复，大便即可成形。

若以婴儿泄泻皆因外感风热湿邪或过食乳食，一味疏风清热祛湿，并严格控制饮食，非但其泄不愈，且重伤脾气，导致脾阳虚衰，全身精血气液亏乏，而致疳证缠身。

对重症婴儿腹泻之治疗

沈六吉

对重症婴儿腹泻，若无适当治疗，极易致脱水、酸中毒，甚至休克，而危及生命。对此症作者一向主张先用“行军散”，如系一足岁小儿，行军散1瓶（含量0.5g），分作4次，每隔3小时开水调和喂入。然后用生地黄、天冬、麦冬、鲜石斛各6g，连翘、玄参、淡竹叶各4.5g，钩藤3g，黄连1g，甘草1.5g，煎取头盅，分作 4 次，随行军散后喂下。往往在未尽剂时，患儿已不再呕吐，高热、泄泻相继减轻，手足回暖，次日按原方再服 1 剂，或酌改一二。如次日吐泻已止，热尽退，即不用行军散，仅服汤药，如此不出五六日常能康复。

叶天士云："夏令受热，昏迷若惊，热深厥深，四肢逆冷，面垢齿燥，二便不通，或泻不爽，此为暑厥，牛黄丸、至宝丹芳香利窍可效。神苏以后，用清凉血分，如连翘心、竹叶心、玄参、鲜生地、细生地、二冬之属。"按其处方，是人参固本丸(《丹溪心法》方）加减。作者见上述暑厥证，参用其法，往往获效。如见重症吐泻脱水，则就此方加金银花、白芍、鲜石斛、黄连、甘草，以淡竹叶易竹叶心，以行军散易牛黄、至宝丹。

行军散是"武侯行军散"或"诸葛行军散"之简称，治痧胀、吐泻、暑厥有效。一般药店均有出售。按本人经验，对经一般补液、抗菌疗法后吐泻不止者，用上述方法屡见功效，不失为一种简便、价廉、有速效之疗法。

毒泻要方治疗婴幼儿重症泄泻

曾自豪

2 岁以下小儿患重症泄泻，常致伤阴、伤阳或气阴两耗等危重证候，现代医学称为"中毒性消化不良"。余常用七味白术散等方，疗效欠佳。后遵叶天士："腑病宜通，通胜于补，分利湿热"法，自制"毒泻要方"，其药味是：枇杷叶、桑叶、前胡、杏仁、贝母、竹茹各 3g，荷蒂 5 个，连翘 6g，茯苓、天花粉、黄芩各 5g，川黄连 2g，白参 3g。少量多次与服，屡获良效。爰举验例，以资佐证。

陈某，9 个月。水泻 7 天，伴烦躁气促、高热渴饮而入院。患儿泻蛋花样水便，日十余次。诊为：泄泻，气阴耗伤气阳虚损型，治以清肺和胃、益气生津，予毒泻要方，服 1 剂，患儿体温由 40.3℃降至 38.4℃，喘促缓，能安眠，仍吐乳，鼻干，腹胀肠鸣。原方略予增减，两进 2 剂，热退泻止。此患儿高热、腹胀、泻蛋花样水便，为湿热内盛；渴饮、眼眶凹陷、形瘦皮瘪、尿少、舌红少津为阴津耗伤；鼻周青暗、喘促、咳嗽不爽、肢厥、指纹紫滞是气阳虚损。毒泻要方用枇杷叶、桑叶、前胡、贝母、竹茹、连翘、荷蒂、杏仁清养肺胃；黄芩、黄连、栀子清热去湿；白参、天花粉、茯苓益气生津，以养阳气来复。此方苦寒不伤胃，益气不助热，清热燥湿，升清降浊，益气生津，实为气阴两伤、湿热内盛、重症泄泻之效方。

浅谈婴儿慢性腹泻

郭锦章

腹泻是小儿最常见的疾病。但婴儿慢性腹泻则与一般的不同，往往反复发作，可迁延数月或半年以上，严重影响小儿的生长发育。余诊治这类患儿不少，综观见证，患儿一般无明显全身症状，惟大便稀薄，粪色黄绿，并有黏液和奶瓣，日行3~5次，甚或十余次。大便培养无细菌生长，检查可见不消化食物和黏液，镜检可见红细胞、白细胞少许及脂肪细胞。迁延日久，则见患儿面白形瘦，舌淡苔薄腻，指纹淡红，一派脾虚的见证。追溯治疗经过，均选用抗菌消炎，固涩止泻，未能治愈。有的患儿也曾使用温中健脾、清肠止泻或和中消导之法，腹泻时轻时重，疗效不能巩固，始终未得痊愈。家长往往辗转就医，心情甚为焦急。

余遇此证，细心揣摩，认为小儿腹泻，不论内伤、外感，总与脾运不健、传化失常有关，《幼幼集成》中说“夫泄泻之本，无不由于脾胃”。《幼科全书》谓“凡泄泻皆属湿”。说明湿浊内蕴，湿困脾阳，消化吸收功能紊乱，是腹泻的主要因素。湿邪为病，治当宣化，俟脾阳舒展，湿浊运化而泄泻自止。本证所以迁延难愈，缘由病初屡用清热消炎，伤其中阳，失去输化机宜，湿浊长期羁留，蕴郁化热，泄泻愈久，脾气愈伤，湿邪更不易除，形成正虚邪恋，中焦虚寒，下焦湿热，寒热错杂，虚实并见。证情比较复杂，故按一般常规辨治，难以取效。如单用健脾扶正，则湿热不除，泄泻难止；纯用清利祛邪，则更伤脾阳，势必中气下陷。为避免虚虚实实之弊，余采取扶正祛邪同时并举、温补清利同时兼施，改变给药方法，获得满意疗效。

内服药用：炒山药、焦白术、茯苓、泽泻、鸡内金、木香等味，益脾助运、和中化湿、性味平淡，且易服食。如见唇淡肢冷者，加干姜、吴茱萸以奋振中阳。同时配合白头翁汤，浓煎保留灌肠，使苦寒之药直达病所，不通过口服则可避免伤正。根据药性的利弊，采取不同的给药方法，既扬其长，又避其短，切中病机，故收良效。笔者体会，祖国医学注重辨证施治，必须灵活，病有千变，医亦千变，师古而不泥古，方能立于医林不败之地。

愚人千虑，必有一得

李乃庚

“圣人千虑，必有一失；愚人千虑，必有一得”。每一位临证勤思的医生，

都能用自己的体会来证明，春秋时期政治家晏婴的这句话是千古名言。

1980年夏天，门诊来了一位2岁的男孩，腹泻已两个多月，屡经输液、输血和多种西药治疗仍未痊愈，乃至形体羸瘦，近来泄泻无度，整天肛门有黄色稀水流出。因患儿病情重笃，欲收其住院，家长谓今日慕名而来只求中药一试。见家长凄苦恳切之状，深感重任在肩，遂表示尽力设法。但因患儿病情深重，实难一药而愈，嘱其务需复诊。因患儿舌苔黄腻，口渴多饮，几经消导化湿，清肠止泻皆无济于事。翻遍资料只有《古今图书集成·医部全录》中记有“泄泻无度，玉露散主之”颇为切合，遂依法炮制，患儿连服两天仍不见效。度量其病情，前思后虑，仍觉此证属暑邪湿热，胃经实火，玉露散较为合拍，今不见效是剂量不足，而患儿口渴多饮，畏服散剂。遂用生石膏、寒水石各30g，并去甘草改用滑石30g，于第4次复诊时开1剂，嘱其家长给患儿作饮料，频频多服，第2日患儿又来复诊，家长喜上眉梢，说药后口渴大减，腹泻已止。继用原方1剂，百日沉疴，就此渐愈。

5年来笔者将玉露散用于治疗小儿暑热泻，经过175例的临床观察，总有效率达93%，特别对一些重型暑热泻，常能取得立竿见影的效果。

查阅玉露散，乃钱乙首创。宋代医家的用药特点是以丸、散等成药为主，汤剂很少，钱乙为宋代名家，用药也不例外，不但讲究剂型，而且量少易服，独具儿科一格，对后世影响深远。玉露散作散剂服用，也具有这些优点。但是我们在临床中发现，凡是暑热泻的患儿，多数口渴欲饮，如服散剂，同时还需口服补液或静脉补液，不如用大剂量玉露散汤剂作饮料，既能代药，又能补液，一举两得，临床实践证明效果很好。

钱乙玉露散是由寒水石、石膏、甘草组成的。由于小儿暑热泻，多因暑邪湿热为患，治疗时不但要清暑邪，还当利湿热，一味滑石对水泻尿少的暑热泻是恰到好处的。再者暑热泻的患者，经口腔或静脉补液后常易腹胀，而甘草有甘能满中之弊，所以将玉露散中的甘草改为滑石。更改后的玉露散煎剂，澄清后色淡黄透明，无特殊气味，患儿喜欢饮服。

在实践中还有两点体会：一是量宜大不宜小；二是可暂服，不可久服。就是对数月的婴儿，只要辨证准确，我们也是给同样剂量，只是分多次频服，若伴有发热、口渴严重者，一日可服2或3剂，常能取得奇效，但是绝不可久服。如果两天之内不见效果，尽管从辨证的角度仍然认为属热泻，仍应停用玉露散，进一步查明原因，改用他法治疗，因为再服不但难以取效，而且会使患儿胃纳不振或腹痛。

小儿虚秘治验

陈治恒

1967年秋，一岁半女孩张某，自出生以来每5或6天大便一次，半岁后，竟十余天一次，用蜜煎导法才能排一次大便，每次量甚多，后经医院进行直肠灌钡检查，诊断为“巨结肠症”，想服中药治疗。余见患儿形体瘦小，发育较差，面色㿠白，腹部膨隆，舌质淡，苔白，指纹色淡。细询其母，谓在怀孕期间，常漏胎下血，7个月早产，生后患儿食乳量甚少。余窃思之，在祖国医学文献中，并无“巨结肠症”病，但据证分析，实缘于先天禀赋不足，气血虚衰，气虚则运送无力，血虚则肠失滋润，当属虚秘一类。遂处以保元汤合异功散加减，药用：人参、茯苓、肉桂、黄芪、白术、熟地黄、当归、肉苁蓉、砂仁、火麻仁、枳壳、炙甘草，嘱服后以观进退。

1周后复诊，患儿已能自行排出大便，共服5剂，余见已获效，于原方继续服5剂。

半月后，再次来诊时，其母谓在服药期间，患儿每日能自行排便，乳食亦有所增加，故续服了几剂。见其儿精神已较前为好，遂改用参苓白术散加减，以甘淡实脾，助后天气血生化之源，以期继续巩固疗效。约半年左右，其母专门带患儿来院看望，谓坚持服上药1个月多，不仅饮食有增，精神转好，而且大便亦已保持正常，遂停药观察，随后亦未见复发。

便秘一证，在临床上以中老年为多见，小儿较少。对中老年一般多分为燥热内结、气机郁滞、气血虚衰、阴寒凝结等型证治。于小儿则常因胎热壅结，或先天性生理畸形，但亦有因胎禀不足，元气虚惫，气血俱虚所致者。本例小儿则属此种情形。因而，无论是对中老年人，或者是对小儿，不能一见便秘，不分虚实，就轻率地投以泻下之剂，尤其是对小儿虚秘，必须针对病机，采取得当之治。不能拘泥于成方套法，而不知变通。小儿虚秘，也并不都属于西医所说的“巨结肠症”，而巨结肠症，也并不都可用上述方药治愈。总之，两者不能划等号。对此例治验，只能是提供一个线索，说明小儿的“巨结肠症”，亦有通过中医中药治疗收效者。

对新生儿便秘要辨饥

|陈陶后|

邻居新添一男，半月来，昼夜啼哭少眠，余过户探望，母告之：儿便秘，三五日一行，每需用蜜煎导法，故而啼吵，打扰邻居，甚感不安。余察儿，形不胖，疲倦貌，啼而无泪，面色白里透红，以指触颊，迅即以口相觅，舌质不红，且腹无膨隆。当问："母乳够乎?"答曰"够，尚有溢出。"又问："大便结乎?"母曰："棉条状，一次二三条。"又问："一日喂水几何?"母曰"以橘汁、蜂蜜化水相喂，每日约150ml。"

新生儿以母乳哺养者，每日大便当有2~4次，黄色糊状，便秘多因胃肠热结或津液不足，燥矢结于大肠所致。此儿外无热象，大便虽三五日一行，但为软条便，内亦无热矣。喂水量已足，可知既非热结亦非津枯。据其啼吵少眠、不胖、其母漏乳，可知为母乳不足、胃肠饥饿、频频思食而啼。便秘，实因肠中空虚故也。嘱其母添加牛乳以观后效，当即以2∶1牛奶相喂，儿迅速吮进100ml，弃乳即安睡4小时，其啼吵、便秘霍然而愈。至今，其母仍称余为其儿之"救命恩人"。若以此说，所治因饥而便秘之婴儿不下三十。

畏食证治琐谈

|汪受传|

畏食一症，古无斯名，有"不思食""不嗜食""不饥不纳"等记载，与本病相似。患该症不知饥饿，见食不贪，食欲不振，甚则拒食，经久而如是，并无其他外感、内伤疾病，但以厌恶进食一症为最。

本症目前在城市小儿中颇为常见。追询病史，多有食饮无时，贪吃零食，过食肥甘厚味，恣意投儿所好，甚或滥服滋补之品，使小儿柔弱之脾胃难耐，中州枢机失利。亦有胎禀不足；婴儿期添加辅食不及时，断乳后不能适应普通饮食，或病后脾气受损，未及时调理而致者。

畏食与积滞、疳证有别。畏食者进食甚少，腹坦然无苦，无饮食停聚之积滞征象。疳者干也，有气液耗损，脏腑失养明证，故面色萎黄，形体羸瘦，且可病涉他脏，产生多种兼证；畏食症患者进食虽少而精神如常，体型欠丰尚未至羸瘦，病变一般局限于脾胃，为脾之本脏轻证。

治疗畏食，以和为贵，以运为健，宜取轻清之剂醒脾气之困，拨清灵脏气以恢复转运之机，俾使脾运复健，则胃纳自开。忌壅补、峻攻，即使是对脾气、胃阴不足之畏食，补脾益气须佐以行气、开胃，以助运化；养胃育阴勿施滋腻，以免碍滞脾运。

畏食症患者一般症状不多，需细心体察分证。多数患儿见面色欠华、多食，迫食后有恶心、呕吐、脘腹作胀，大便次数少，可夹不消化物，舌苔白或腻。此属脾运失健，胃纳不开，宜予运脾开胃，常取苍术、陈皮、焦山楂、佩兰、鸡内金等。方中苍术味微苦而气芳香，性温燥，功能醒脾助运，开郁宽中，疏化水湿，张隐庵云："凡欲运脾，则用苍术。"故用之为主药。山楂宜炒制，使其焦香悦脾。苍术、陈皮主要成分为挥发油：鸡内金含胃泌素，均不耐久煎。若湿重困遏，可配以藿香、豆蔻仁、豆卷。日久脾气受损，面白光神疲，形体偏瘦，舌淡苔薄者，加太子参、怀山药、茯苓、白扁豆类补益脾气，为补运兼施法。苍术性燥，舌红少津者则去之。

有少数患儿症见面色微黄，食少口干，嗜饮凉水，便干溲黄，舌质偏红，苔少或花剥，为阴津不足，胃失濡润。胃喜润而恶燥，以阴为用，今胃燥失用，宜滋润养胃，又须注意勿用腻补碍脾及香燥劫液之品。我们常用乌梅、白芍、石斛、沙参、山药、炒谷麦芽等酸甘化阴和胃之剂。

矫治畏食，不可徒赖药物，饮食调节亦至关重要。哺乳有时，饮食有节，不吃零食，少食甘肥，多进清淡，无虚勿滥补，都是值得注意的。

治畏食当顾本祛实

蒋运祥

小儿畏食症既不同于一般食欲不振，也无明显疳积之征可凭。临床指较长时间内食欲减退或消失。我认为，因有特定的病因病机，出现相应证候，故应为独立的病。

从生理上看，食欲与纳食均关乎脾胃。胃主纳食，脾主运化。"纳"不进，则无所"运"；"运"不走，亦不"纳"。胃纳脾运，相辅相成；脾升胃降，曲尽其妙。脾胃协调，不仅机运流通，饮食渐增，津液渐旺，以至运血生精，五脏受荫。

由于小儿为稚阴稚阳之体，胃气薄弱，易虚易实。若感受外邪，或乳哺不当，特别是小儿对饮食不知自控，故饮食不当，尤为紧要。目前，不少家长，过于溺爱和无原则地顺从子女，偏嗜甘甜，少进菜蔬，或盲目添加"高营养"

品，以致引起胃气失调，脾运不健。不仅营卫气血因之匮乏，且痰滞、食积，气滞等由之而生，郁火内灼，脾阴亏耗，气阴两伤，虚实夹杂。故用消积导滞或补益脾胃之剂殊难见功效，而苦寒或推荡之味更非所宜。基此，我在临床上以理虚不忘祛实，治实当顾本虚为宗旨，自拟“增食汤”。其方由太子参、怀山药、柴胡、前胡、藿香、荷叶、乌梅、贯众所组成。方中太子参、怀山药益气养阴，助脾运；乌梅柔肝和胆，合太子参、怀山药以酸甘化阴，制肝敛阳。柴胡既疏肝利胆，转利机枢，又助运和中，去痰消滞；前胡宣散风热，下气消痰、开胃进食，“二胡”相伍，升降有序，推陈致新。藿香快气和中，醒脾开胃，振动中阳；荷叶升发清阳，贯众清热凉血，擅疗胃肠炎症。全方顾护脾阴，清热宣浊，舒展脾气。经治数十例，疗效颇好。

疳从肺治——论割脂

翟兴明

疳积之治，世书皆从脾胃论，余治疳从肺而施。

疳积，脾胃病也。脾胃者“后天之本”，脾伤不运。胃伤少纳，日久脾胃虚损，疳积成矣。脾虚不能运化精微上归于肺，致肺气虚。肺主气，主治节，肺气有推动和调节诸气的作用。气调则营卫脏腑无所不治，升降开合无不循常道；肺气虚则治节无权，下不能制肝，肝失疏泄，横逆于脾，形成肝脾不和、肝气犯胃，发生脾运胃纳障碍，升降枢机不利，终致营卫失调、气血不足，脏腑功能紊乱，形成疳积。

疳积的核心在脾，其治理应在脾，但实是事与愿违。因脾虚不运水谷，药亦难运，故难于以药取效。余用传统的割治鱼际穴治疗，意欲从肺达脾，治疗效果甚佳。鱼际穴，乃手太阴之荥穴，刺激它可激发手太阴肺经经气，发挥其循经感传和推动调节作用，促使肺气充沛，治节有权，下制肝木，肝气条达而不乘抑脾土，并能令母实而助脾运，脾气健则能运化水谷精微上归于肺以滋养肺金，使水精四布，五经并行，以供养各脏腑组织器官之所需，从而达到康复。

对疳证，有内治和外治两大法，割治属于外治法。其术简而不繁，其效优而不劣。其治疗原理为“肺朝百脉”。虽“治疳必治脾”，但“治脾先调气”。肺气调和、脾气健运，则诸疳自愈矣！

（翟润民　整理）

通腑宣肺治疗先天性巨结肠症

王足明

“先天性巨结肠症”，对于外科来说，常需手术治疗，而其手术范围广泛，死亡率较高，预后亦多不佳。吾于临床遇及2例，均用通腑宣肺法获愈。

患儿张某，37天，于1982年11月就诊。出生后3天即不能大便，进行性腹胀，每日大便需用开塞露，并多次洗肠，病势有增无减。因其家属不同意手术治疗而转来我院。诊时其腹胀膨隆如鼓，脐突筋露，伴见气促，每至午后即发呕吐，肛门亦时矢气。舌苔薄黄，指纹沉滞。外科肛查后有大量液气排出。腹部透视：“腹膨隆，肠腔广泛明显胀气”。经外科会诊，确诊为“先天性巨结肠症”。吾断属阳明腑实证，但又并非痞、满、燥、实之大承气汤证。乃腑气滞涩不通之故。肺与大肠相表里，气促者，是腑病及脏、肺气失宣。治当通腑宣肺法。《金匮要略》云：“痛而闭者，厚朴三物汤主之。”故以厚朴三物汤为主，合四磨饮子加减。药用厚朴6g、枳实5g、酒大黄5g、台乌药4g、沉香粉2g（兑）、杏仁5g、桔梗4g。方中厚朴三物汤合四磨饮子去人参理气消胀，通腑开结。再加桔梗、杏仁宣肺，意使肺气宣降，辅佐通腑之功。而杏仁别具润肠之用，增强通腑之力。服4剂后患儿即大便通畅，矢气尤多，腹胀锐减，呕吐气促消失。遂于原方加神曲5g、山楂肉5g，健脾消食，服2剂。继以麻子仁丸加神曲、槟榔、沉香、桔梗、甘草。连服6剂，患儿腹胀全消，每日自行排便。8个月后，患儿发育甚佳，其父母抱婴登门致谢。

翌年，又遇李某，3岁。素有腹胀便结之疾，近月余，饮食大进，却排便不能，所见之症除觉腹时隐痛外，与张某症状几乎雷同。予仍以理气消胀、宣肺通腑法，投之以相同方药，约半月余，该患儿诸症亦瘳。

（凌可与　整理）

小儿摆头运动症

饶宏孝

小儿摆头运动症临床少见，实属疑难杂证。1975年4月，夏姓农妇带4岁之子前来门诊。母诉：“患儿自产后1个月发生摆头，1日数次，每次头项左右摆动二十余次，两拳紧握微搐、双目上视、神情呆痴。迭经中西医多方医治，上述病状反复发生，还伴有纳呆、腹胀、便溏、神疲乏力等。余诊之：患儿面色萎黄、神情呆痴、双目不灵活、眠神异于常人，舌质淡、苔腻、脉弦细。对此痼疾，细究其病机，患儿自出生1个月发病所现临床证候为病在肝脾。病在脾虚，脾失运化，痰湿内生已无疑。而生后即病肝风，应为胎惊所致。询问其母，回忆曰："孕时曾受惊，但无产伤及脑疾史"，证实上述推论。诊为肝虚生风，脾虚生痰，风痰相搏之证。治拟涤痰化湿、平肝熄风。处方：法半夏6g、陈皮6g、茯苓12g、甘草3g、枳壳6g、竹茹6g、党参12g、当归4g、白芍4g、钩藤6g、僵蚕5g、龙齿20g、牡蛎20g。水煎温服。患儿服4剂后，摆头运动次数明显减少，每日6~10次，纳增，夜能入睡。药已中病，宗原方，再投上药7剂，迅获痊愈。随访4年，病未复发。笔者所用之方系温胆汤加味，采用温胆汤涤痰化湿；加党参以健脾益气；当归、白芍养血柔肝；龙齿、牡蛎平肝安神潜阳；钩藤、僵蚕以解痉熄风。药用11剂，使此顽痼之疾迅获痊愈，说明中医的理、法、方、药是一致的，辨证准确，施治才能达到"有的放矢"。

损其心者，调其营卫

|董廷瑶|

心脏疾患为儿科临床常见病，症见心悸怔忡、自汗盗汗、夜寐欠安，脉数或结代，舌淡苔少而润。多因患儿体质薄弱，或先天不足，易感外邪，而每见气血瘀滞不利，往往变症丛生。而桂枝龙骨牡蛎汤对阳虚营耗之心脏疾患，殊有功效。

应用本方时，凡遇汗多淋漓，加浮小麦、糯稻根、麻黄根、穞豆衣；睡梦惊扰，加龙齿、远志、茯神、朱麦冬；胸闷不适，加郁金、香附；纳少，加陈皮、佛手；阴血虚者，加生地黄、当归、阿胶、枸杞子；心气弱者，加党参、黄芪、五味子；唇舌青晦而脉见结代，加丹参、赤芍、红花、川芎；面色不华，舌淡胖者，加附子。兹举一案。

11岁男孩，7岁时曾患心肌炎，有早搏、窦性心律不齐征象，近来心悸神倦，盗汗食少，睡眠欠安，舌淡苔薄，脉软弱而有结代，脉结代每分钟6~7次。证属心阳久虚，营卫不和。以桂枝、炙甘草、五味子各3g，白芍6g，麦冬9g，龙骨、茯神各12g，牡蛎20g，大枣5枚，生姜3片为方。服7剂后，患儿悸平汗减，纳食稍增，但眠少，脉仍结代（每分钟4~5次），故原方去五味子、白芍，加阿胶9g、远志6g，续服7剂。三诊时，患儿但觉精神倦乏，脉偶有歇止，改以益气养心善后。

本例初诊为心阳受伤未复，而致脉道不利，营阴不守。治当扶助心阳，调和营卫，故选用桂枝龙骨牡蛎汤加麦冬、五味子、茯神宁心养神，其效即见。后以益气复脉为治。

桂枝龙骨牡蛎汤出自仲景《金匮要略》，原主虚劳梦交，失精之症。然据《外台秘要》所引小品方龙骨汤（即本方），指明其主治为诸脉浮动而心悸等，提示了方尚有安心调脉之功。《难经·十四难》谓："损其心者，调其营卫"，是营卫与心之阴阳有直接的关联，也是桂枝龙骨牡蛎汤用之有效的道理所在。

治"奔豚"有感

陈陶后

刘某，8岁男孩。1979年，一次看电影时，母亲发现其腹部有物时时隆起，日间，邻居老太太见其在户外玩耍，右下腹悸动，鼓起衣裤，如此时发时止半年有余，经西医检查无异常发现，治疗亦无效。

1980年4月，该患儿以胸闷、剑下时有痛感、出气不畅、如有物堵状、时而长叹息来诊。检查时发现：其右下腹悸动明显，以手按其上，有掌大处如豚之奔、浪之涌感。即询问刘母，获知上述病史。

余忆及经籍中有"奔豚气"一病，乃曰：有治，相约下周一取方，以容推敲处方。经查阅《伤寒论》《金匮要略》，并求教有经验之师，对照患儿，右少腹有"豚"作"奔"状，时有心痛，胸闷，胸中气塞、短气、长叹息，是为水气上逆，欲作奔豚之证，又似兼心阳虚之"胸痹"证，故选苓桂甘枣汤合瓜蒌薤白汤：茯苓60g、桂枝10g、甘草5g、大枣10枚、全瓜蒌15g、薤白10g、丹参15g、郁金10g，3剂。

家长如约索方时，追问病史，知小儿1975年患"急性肾炎"，在我科住院治愈，至今小便正常。1979年春，感冒后患"病毒性心肌炎"，不知是否痊愈。当即查小便常规与心电图。检查结果，小便正常，心电图报告：不全性右侧束支传导阻滞。自思：此证为心肾阳虚，心火不能下制肾水，肾水与正气相搏，有上凌于心之势，故而欲作奔豚。而西医诊断是先患"急性肾炎"，复患"病毒性心肌炎"，正好是心、肾两脏有疾，当然可导致心肾阳虚而诱发本证。服药5剂后复诊，患儿奔豚已止，心痛、胸闷、叹息未发。经追踪家访4年，未曾复发。深感先师之医理高深，经验丰富，疗效可靠。

小儿紫癜证治浅谈

廖濬泉

紫癜一病，中医古籍早有叙述，有阴斑、阳斑之分及温热、风毒之别，属于“肌衄”“发斑”的范畴。其原因由于小儿体质脆弱，脏腑气血不足，或外受风热，内蕴湿邪，导致血不循经，溢于脉外，渗于肌肤之间而成。其证有虚实、寒热之分，治有攻补温清之异。如症见发热头痛，呕吐恶心，不能进食，腹痛拒按，大便不爽带有褐色，小便短赤，下肢紫癜细小，或云集成片，瘙痒，舌红苔黄腻，脉浮滑而数。此为外感风邪，湿热内蕴，肠胃积滞不清，经西医儿科检查，诊断为过敏性紫癜（胃肠型），笔者经验用解表化湿兼和肠胃法。处方：藿香、木香各6g，法半夏、神曲、焦山楂、地榆、陈皮、竹茹、益元散各10g，赤芍、槟榔各12g，黄连4g。药后热退吐止，腹痛减，惟紫癜未退，瘙痒不已，继用下方。处方：刺蒺藜、地肤子、地榆、厚朴、大腹皮、连翘各10g，赤芍、金银花各12g，黄芩、荆芥炭各6g，薏苡仁20g，蝉蜕、甘草各3g。可连服二三剂，只要治疗及时，常应手而愈，此为常法。

曾治一女孩，年12岁，患过敏性紫癜，斑色紫黯，腹痛阵发，甚是剧烈，痛时不可名状，呕不能食，大便三日未行，肢冷面黄，鼻头色青，脉弦而紧，舌苔厚腻微黄。证属寒湿内结，脉络瘀阻，遂用大黄附子汤。处方：川附片30g（开水先煎1小时）、生大黄9g（为末冲服）、细辛4g（后下）。患儿服1剂而大便畅通，腹痛止，紫癜消退，病愈出院。

过敏性紫癜常与寒冷刺激损伤脾胃有关，阳明经为十二经之海，乃多气多血之经，胃经受损，络脉伤而血外溢，则易出现紫癜，方中附子、细辛温经散寒止痛，大黄泻实攻下，又可活血化瘀。尔后我科青年医师亦遇此证仿效运用本方，亦取得同样效果，此乃变法。

又曾治李某，男，7岁半。全身出现瘀斑出血点4个月余，鼻衄一日，量多入院，经各项检查及骨穿刺诊断为原发性血小板减少性紫癜（血小板计数（10～22）$\times 10^9/L$之间）。患儿用激素疗效不好，计划用免疫抑制剂，因畏不良反应，家属拒绝接受治疗，故邀余会诊。症见患儿面色暗黄，口唇赤红干燥，反复鼻衄不止，皮肤有瘀斑及出血点，色紫黯，纳食减少，身倦乏力，大便燥结，舌质红，脉细数。证属气虚血弱，血不归经，脾失统摄，治宜补气养血止血，兼顾脾胃。处方：黄芪20g、当归10g、白芍10g、肉苁蓉15g、枸杞子12g、怀牛膝10g、枳壳6g、莲子15g、白蔻仁6g、鸡血藤膏12g、白茅根12g、升麻6g、虎杖 10g、甘草 4g。

服药3剂，患者紫癜渐退，未有新出血点。饮食有增，大便通畅，小便短黄，鼻衄未止，舌红，脉细滑而数。证属气阴两虚，热迫血络，治当益气养阴，凉血化斑。处方：黄芪 20g，生地黄 15g，赤芍、侧柏叶、鸡血藤膏各 12g，当归 10g，升麻 6g，虎杖 10g，山药 15g，白茅根 15g，大枣 10 枚，藕节炭 5 枚。服药 6 剂后，患儿鼻衄止，紫癜全退，守上方化裁，如自汗口渴加太子参、麦冬；虚烦烘热加女贞子、墨旱莲。连用 15 剂，患儿诸恙悉平，血小板稳定在（70～85）$\times 10^9$/L 之间，遂出院继续门诊治疗 1 个月，血象恢复正常而康复上学。

按此病例以黄芪、当归补益气血；生地黄、芍药养血凉血；山药、莲子、豆蔻仁健脾开胃；鸡血藤膏、白茅根、藕节行血止血。总以补血行血、凉血散瘀为主，缘久病必有瘀，旧瘀不散，血溢不止，则新血不生，方中虎杖与升麻同用，据上海铁道医学院附属医院颜德馨主任说：“可能具有提升血小板、促进代谢与免疫的功能”。

余认为治学之道，应如孔子所谓：“学而不思则罔，思而不学则殆”。又云：“三人行，必有我师”。以上所谈，皆“一鳞半爪”，以作抛砖引玉。

肌衄 | 王静安 |

血从汗孔毛窍而出曰肌衄，发病之因一般分气血虚、阴虚火旺、或肝胃火炽。常因其反复发作而危害甚笃。余以为肌衄属实者，虽多由于火，火盛则迫气妄行，但血不循经，久必成瘀，故不治习清热凉血止血之法，多以凉血止血，辅以活血祛瘀之药，每获良效。

对出血病人用活血化瘀法是否妥当？余以为对于出血病人，不仅需要止血药，而且要用活血化瘀药，比单纯使用止血药更为重要，这是因为肌衄血溢脉外而为瘀血，瘀血不除，新血就不能归经，出血因而不能及时止住，势必导致出血不止，或出血虽暂止，但又可再次出血，此乃肌衄反复发作之因，初学者不善祛瘀之故。一味寒凉止血，多血止留瘀，甚而血不止且留瘀，若瘀血久留不去，病势日痼，治疗将更困难，真可谓没有止血治病之功。反有成瘀害人之过，用者必慎之。根据肌衄出血致瘀的病理变化，在治疗上应将止血、祛瘀两法结合应用，方能取得良效。

1981 年 10 月，余曾收治一名 10 岁男性患儿，就诊前 3 个月许，患儿出现

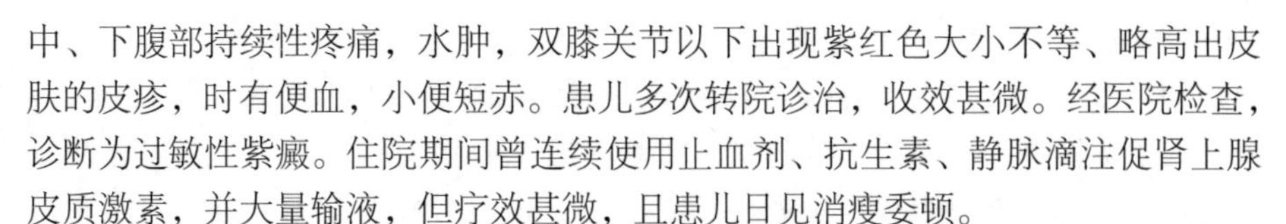

中、下腹部持续性疼痛，水肿，双膝关节以下出现紫红色大小不等、略高出皮肤的皮疹，时有便血，小便短赤。患儿多次转院诊治，收效甚微。经医院检查，诊断为过敏性紫癜。住院期间曾连续使用止血剂、抗生素、静脉滴注促肾上腺皮质激素，并大量输液，但疗效甚微，且患儿日见消瘦委顿。

余诊其脉濡数，舌红苔黄。处方以炒荆芥穗10g、生地黄15g、青黛6g、牡丹皮10g、赤芍10g、大蓟15g、小蓟15g、藕节30g、茜草15g、生蒲黄15g、炒蒲黄15g、三七粉6g。其中荆芥穗祛风；生地黄、青黛凉血；而牡丹皮、赤芍、大蓟、小蓟、藕节、茜草、蒲黄、三七粉具有凉血止血、活血化瘀的双重作用。药进3剂，患儿紫癜渐消，腹与关节肿痛以及便血等症悉减，但小便仍短赤。前方去青黛，加车前子15g，再进3剂，患儿紫癜消失，精神转佳，未再出现紫癜及便血，自觉良好。遂以生地黄10g、牡丹皮10g、怀山药15g、芡实15g、神曲15g、鸡内金6g为方。常服善后，以防复发。于1985年4月随访，其肌衄未再发生。

对于肌衄患者，用活血化瘀法虽有一定疗效，但对破血逐瘀之峻剂，则当尽量避免。对于肌衄属虚热者，当滋其不足之阴，辅以止血祛瘀之剂。对于肌衄属于虚寒者，则当补脾摄血，兼以活血化瘀之药。

治小儿暑日鼻衄之得失

陈国华

暑日鼻衄，是小儿夏季、特别是三伏之时常见的病证。此证多骤发，病前多无不适。因系肺胃受暑，损及络脉并耗伤津气所致，其临床表现为衄血鲜红，少则数滴，多则成流，日衄一次或数次，多数患者尚有不同程度的口渴、心烦、汗出、神倦肢软、短气、尿少而黄、苔薄黄、舌质红、脉数或缓弱等。伴发热者不多，更有不伴任何症状者。皆宜采用清暑凉血，益气生津之法治疗。

上述肤浅认识，是从失败的教训中得来。

1978年7~9月，笔者采用桑菊饮加黄芩、栀子、白茅根、茜草治疗本病6例，结果均以无效而告终。所以如此者，忽视患者所处的时令，未将暑与热分清也。暑与热均属阳性，皆易伤津，这是它们的相同之点；不同者，暑必发生在夏季，热则四季有之；暑必伤气，热则不然。明白了上述道理，找到了失误的原因，否定了肺热伤络的错误辨证后，笔者用党参15g、麦冬10g、白扁豆12g、五味子3g、石膏30g、知母9g、天花粉9g、赤芍9g、生地黄12g、茜草9g，组成一方，名清暑凉血生津汤，从1979年7月至1983年9月，用于临床，共治疗本病68例，除4例无效外，其余疗效令人满意。

使用上方应注意下列几点：①本方剂量是为5~7岁患儿而设，年龄小于5岁、大于7岁者，可酌情增减药量；②对汗出过多者，应加重党参之量，并更加黄芪；③对鼻衄日3次以上者，加阿胶、牛膝；④兼见不饥不食、腹胀、苔少或无者，脾胃津伤重也，宜加沙参、玉竹之类；⑤对伴高热不汗出者，上方暂不可用；⑥前证更见脘满，苔黄稍厚，挟湿轻者，宜上方去生地黄加滑石、厚朴、淡竹叶之属。若腹胀而重，呕吐频作，苔黄腻而滑，挟湿重也，上方切不可用，用之必助湿为害也。

治小儿汗证一得

胡大中

门诊常见小儿汗出过多的病证。由于家长心情焦虑，常代诉种种“虚”象，若不细加辨证，医者也会误认为是“虚汗”，反复补虚敛汗而难奏效。笔者过去拘泥于“自汗属阳虚，盗汗属阴虚”之常规，前者多以玉屏风散加味，后者常用当归六黄汤损益。但当遇到自汗、盗汗分不清，阳虚、阴虚证据不足时，则无可适从。经多年探索，大胆实践，发现不少小儿汗证根本不是“虚证”，应从实证、热证辨证论治，方可获效。

《内经》曰：“五脏化液：心为汗……”。故汗为心液，可泄于皮腠。《内经》又曰：“阳加于阴谓之汗”。心属火，为阳中之阳。可见汗出过多，首先应考虑到是阴阳偏胜，特别是阳气偏旺。有的直接原因就是心火偏旺，心热蒸液外泄；有的则因他脏之热影响及心所致。如患儿丁某，2岁，入夏以来，汗出颇多，白天动则汗出，夜晚寐则汗出，家长认为是虚汗，请熟识的中医开补药敛汗，服药多剂无效，反生痱子满身。来诊时，吾见小儿精神活泼，唇舌皆红，渴喜冷饮，小便短赤，大便尚调，夜寐不安，时发脾气，大哭大闹。吾认为汗乃心之液，夏气通于心，心经蕴热，蒸液外泄为汗，加之肝火亦旺，疏泄不过，故汗出更多。治宜清心火为主，兼泻肝火。方以黄连1.5g、穿心莲1.5g、栀子3g、淡竹叶3g、莲子心3g、生地黄10g、麦冬10g、白芍5g、胡黄连1.5g、木通3g、虎杖3g、粉甘草3g组成。患儿服药3剂，汗减寐安，再服3剂而愈。又如4岁小儿周某，做阑尾手术后，情况良好，惟家长认为术后宜大补，自购红参、蜂乳等补品给小儿服用，不久便发现小儿头汗很多，稍动或吃一餐饭即额、鼻、颈俱湿，前来求治。诊见其目睛微赤，苔浊黄腻，舌质红，脉滑数，腹微膨，大便干燥，二三天一行，小便时有米泔样沉淀。此乃肠胃湿热郁遏，循经蒸腾于上，迫液外泄，亦非虚汗，治以清化湿热，佐以消导，并嘱停服滋补之品。药后患儿大便通畅，头汗减少，原方加减数剂而愈。

治汗证宜养心

|张邦福|

忆余离校行医之初，曾治尹姓男孩，年5岁，患汗证历年，衣履常湿，夜卧尤甚，迭治未效。刻下神疲体瘦，面色少华，寐中时发惊惕哭闹。察知脉弱而小数，舌红而苔薄黄。诊后暗忖，患儿汗液外泄，无关天气冷热，又未见外感征象，当属内伤。内伤汗证，古有自汗、盗汗之分，病机则有阳虚、阴虚之殊。此儿汗出不限夜卧，可称自汗，自汗则为阳虚，然其脉舌又呈阴虚表现。骤遇此等疑似复杂病证，殊难果断。权拟当归大黄汤加浮小麦，滋阴清热，固表止汗，企望中的。服4剂不效。复更牡蛎散加党参、白术，益气实表，敛阴潜阳而止自汗，服4剂患儿病仍如昔。余再三考虑，莫能施方，自愧学医不精，经验不足，只得谦躬让贤，劝其母另就高手。

1个月后，伊母携儿来院探望病戚。余见病孩精神活泼、肌肉丰腴，遂问及汗证之治。谓经服某老农所授单方4次，汗止睡安，体质转健。单方组成是：酸枣仁、生黄芪、浮小麦各12g，鸡蛋1个，红糖适量，隔水蒸服，每日1次。

当晚，余伏案冥思苦索：黄芪、浮小麦，两次处方都已遣用，所异者，惟酸枣仁耳。翻阅《中药学讲义》，见本品具有“敛汗”功效，书中所引《本草纲目》亦云：“酸枣实疗烦渴虚汗之证”。于是，茅塞顿开，恍然悟及《内经》明训：“心之液为汗”。汗血本为同源，古有“夺血者无汗，夺汗者无血”之箴言，提示汗与血病理上密切相关。此儿汗出缠绵，势必血虚津伤。血为心所主，性质属阴，心阴不足，心阳易动，汗出更甚。血不养心，心神不宁，故出现寐中惊惕哭闹。单方内应用酸枣仁养心宁神敛汗，正系治汗之源，所谓“治病求本”是也；更添黄芪固表，浮小麦止汗，鸡蛋养血滋阴，红糖色赤入心，引药直达病所。此方药看似平淡无奇，实则法度谨严。民间老农虽未必深知医理，但方证吻合，自然桴鼓相应。此方简验，易为小儿服用。后遇类似汗证，投以本方，每收良效。追溯往事，迄今虽历二十春秋，而记忆犹新。余感受之深，非独单方之灵效，尤因“实践出真知”之难忘矣。今录此案，聊供后学借鉴。

解　颅

王静安

小儿解颅者，多见于半岁左右婴儿，因其颅缝开裂，或囟门逾期不合，或合而复开，致家长急于求诊。查其因，或由小儿先天肾气虚弱，脑髓不足，或因后天多病，肾气亏损，水湿搏结于脑髓所致。有虚，有实，或虚实互见，此医林共认也。历代主张禀赋不足者，治宜补益肾气，以本事方补肾地黄丸为优，然实能活命者罕也。盖病因虽为先天亏损，实则父母气血亏损为因，故多为肾阳不能温煦脾土，脾湿不化而生痰，肾主水，肾虚则水泛，脾虚则不能制水，水久积亦成痰；肾为气之根，肾虚则气无所根，以致清气不升，浊气不降而上犯；肾主骨，骨生髓，肾虚则髓海空虚，因之湿痰浊气乘虚而入，气血郁滞，充斥脑海致成解颅。故不能拘于补肾一法，治疗应从痰浊气血着手，以降气化痰，祛风活血。诊家不明此理，见补肾不效，则束手无策，茫茫然不知何故，而病家绝振起之望，岂不哀哉。

余于壬寅年诊治一患儿，1 岁，头大异常（头围近 56cm，按正常男孩 1 岁时头围在 45cm 左右），头颅裂缝，且日益增剧，头皮光急，青筋显露，神情呆滞，形瘦颈软，面色㿠白，目睛上吊。锦城某医院确诊为“先天性脑积液”。经友人介绍，延余诊治。观前医诸方，皆从补肾着手，服药十数剂，分毫无济。余效法先师谢铨镕，仿《伤寒温疫条辨》升降散，取其降气逐痰之力，加以祛风活血之品，处以下方：僵蚕、蝉蜕各 15g，姜黄、生大黄、杏仁、厚朴、藁本、瓜蒌皮各 6g，瓜蒌仁 15g，煎汤内服，日服 4～5 次，2 日 1 剂。又处通草 24g，香白芷、蜂房、青皮、陈皮、蝉蜕、僵蚕各 15g，川红花 6g，上药共研细末，加白酒 15ml，童便 50ml，水适量，面粉 9g 冲制糊状，剃净头发，敷于头颅（包括枕、颞、顶、额部及太阳穴），再以纱布紧束，以合为度，每日一换。1 个月后复诊，患儿头围未增。继续服原方 20 剂，历时 2 个月，往探之，果获奇效，患儿颅缝竟合，头围亦趋正常（头围 48cm），诸症皆除，活泼嬉玩，神态无异乎健者。1 年后随访，患儿头部发育趋于正常，智力、神态均佳。嗣后，余又治愈数例，皆宗上法，其效均佳。

略谈“解颅”治法

肖梓荣

“解颅”，以头缝解裂、囟门不闭、头颅大于正常同龄孩儿为特点，如隋·巢元方《诸病源候论》中云：“解颅者，其状小儿年大，颅应合而不合，头缝开解是也……”。见于现代医学中的“佝偻病”“脑积水”之类病例。临床中属“佝偻病”者，易治；“脑积水”者，难痊。然历代医家皆责其“先天禀受不足”，乃“精亏髓空，脑失其养”之故也。其治不外乎益肾气、充骨髓、滋肾精等等诸类补其先天之法，余曾师其法，治疗数例，收效不显，重温岐黄之说：“脾胃者，后天之本也，乃水谷精微生化之源泉，诸筋面骸之大主，先天之精气后补之仓禀也。故易法补其后天不足之法而获良效。脾胃乃后天之精生化之源，先天之精须后天脾胃受纳，运化水谷精微补充。而解颅者，发于纯阴纯阳之婴幼儿，始见其症，父母疑虑为“营养欠佳”，故而多喂或乱喂其厚味佳品，医者亦恐肾精不足，久投血肉有情滋腻之品，滋阴厚味之物，易碍脾胃，然婴幼儿之诸脏皆嫩，脾胃最易受损，脾胃失健，水谷不化，后天之精焉能补其先天不足耶？先天不得其充，故髓海空虚，多治不验。以重健后天脾胃，水谷精微充布，先天得其充，髓海得其养，其病自康矣。余常以“健脾益气，醒脑利水”之法，自选“健脾利水汤”：党参10g、白术10g、茯苓10g、陈皮3g、炒使君子6g、槟榔10g、炒麦芽10g、鸡内金6g、炒山楂10g、石菖蒲3g、车前草15g、木通10g、三白草10g、生薏苡仁15g、甘草6g，每日1剂，日服3～4次，见脾胃健，胃纳二便如常者，改以“健脾益气，充髓壮骨”之法，自选“健壮骨丸（或汤）：党参10g、炒白术6g、茯苓10g、炒薏苡仁15g、煅牡蛎10g、炙黄芪15g、凤凰衣5g、酥狗骨粉15g（兑服）、陈皮6g、炙甘草6g、当归6g、川芎3g。作汤剂者，水1000ml，文火煎取浓汁约50～100ml，兑入狗骨粉，每日1剂，日服3～4次。作丸者，将诸药研细末，以米饭搓成梧桐大之丸，米汤汁送服20丸，日服2次。

（谢新剑　整理）

小儿急症马脾风

廖濬泉

小儿马脾风，又称锁喉风，相当于现代医学之急性痉挛性喉阻塞。本病发作急骤，多起于夜间，翌晨即须就诊服药，方能转危为安，如稍有延误，则面青窒息，危及生命。其原因为胸膈有积热，兼寒邪深袭于肺，肺气闭塞所致。《幼幼集成》云："心火凌肺，热痰壅甚，忽然大喘者，名马脾风。盖心为午火属马，言心脾有风热也。小儿患此证最多，不急治必死"。

症见呼吸急促，呛咳，声音嘶哑状如犬吠，喉间痰声如曳锯，可以声达户外，甚则张口抬肩，鼻煽，胁肋起伏，神气闷乱，颜面苍白或青紫，频于窒息状态。

治宜辛凉解表，清火利咽，祛风化痰，用新加射干麻黄汤（作者经验方）。处方：射干 10g、麻黄 4g、紫苏梗 6g、杏仁 10g、枳壳 6g、桔梗 6g、葶苈子 10g、川贝母 10g、生石膏 15g、天花粉 6g、甘草 3g、僵蚕 10g、马宝 4g（研细末分 3 次调药）。

此方必须将药配齐，缺一不可，尤其是马宝要真的。即时煎成，频频与服，效果良好。

方用射干疗咽痹；麻黄、紫苏梗解表散寒，佐枳壳、桔梗宣肺；杏仁、贝母化痰而降肺气，葶苈子平喘；石膏、天花粉清肺胃之郁热；甘草调和诸药；僵蚕、马宝熄风豁痰，能解痉挛。

按：本病来势鸱张，前人均谓旦发夕死，虽有五虎汤、牛黄夺命散之设，但不理想，关键在于审证求因，当机立断，把握治疗机会，予以本方，则可转危为安。若稍有耽延，则难挽回生机，如患儿未立即就医，或就诊时已面现青黯，喉间痰声漉漉、气道壅阻，即将窒息，药难下咽时，为医者不能袖手旁观，应立即转喉科作气管切开术，抢救处理，切不可贻误病人。

补中益气汤加三核治疗小儿水疝

谢存柱

小儿睾丸鞘膜积液，中医称之为"水疝"。多见于 5 岁以前的幼儿，发病常是单侧性的。一般很少有自觉症状。初期很小，常不易发现。水疝增大以后，阴囊可有胀感及下坠感。水疝一般为卵圆形，因体位不同而有改变，表面光滑，阴囊皮肤正常，触之有波动，无压痛，与阴囊皮肤无粘连，界限清楚，睾丸不易触知。用手电筒自阴囊下面（或侧面）照亮，用纸卷成筒状，放在阴囊上面观察，可见到红色透光现象，称为透光试验阳性。

本病的发生与肝、脾、肾三经有关。肝脉循少腹络阴器，肝气失疏，复受寒湿，以致气滞、水湿内结而为本病成因之一；气虚中运乏力，水湿内聚，下

流阴囊而为本病成因之二。成人鞘膜积液有虚实、寒热之分，但小儿患本病多以气虚、气结为主。气虚责在脾肾，气结责在肝郁。故用益气举陷，运脾助肾，疏肝导滞，开结除湿而见效。

如吴某，3岁。发现其右侧睾丸包块两月余，经确诊为鞘膜积液。因家属不愿手术而于1973年6月延余诊治。见患儿全身情况尚好，右侧阴囊无疼痛，有弹性，右侧阴囊肿大如鸡蛋大小，透光试验阳性；食欲稍差，大便尚可，舌质淡红，舌苔薄腻，脉沉细弱。此系睾丸鞘膜积液（水疝）——中虚气陷，脾虚及肾，肝失疏泄，水湿下注，内结阴囊。故治宜补中益气，助肾蠲水，疏肝调气。拟三核补中益气汤加味：橘核10g、荔枝核15g、芒果核20g、黄芪12g、白术6g、陈皮9g、炙升麻6g、党参12g、当归12g、炒柴胡9g、白芍9g、胡芦巴9g、小茴香6g、川楝子3枚、茯苓20g、甘草6g、大枣5枚、生姜3片。此方每日煎服1剂，每剂服3次。嘱其连服10剂。当服至第八九剂时，患儿睾丸包块开始变软、缩小，服至第10剂入夜时，患儿突然哭闹不休，半夜后入睡，翌日起床时见其包块已消，睾丸大小似健侧。后为巩固又服此方2剂。12年后随访，未见复发。

气陷则水停，气滞则水结。此乃本病症结之所在。故是方旨意，全在于益脾肾，升陷气，调肝气，散滞结；阳升气调，积水自散也。

虫痛抽搐

|肖正安|

不少人体内都有蛔虫寄生，小儿尤甚。蛔虫习性善于钻孔，故有穿肠、入胆之变。蛔虫畏寒恶热，无论体内偏寒偏热，都对蛔虫不利，可使虫动不安。如偏于热，则蛔虫恶热乱窜而致腹痛，乃致穿破肠壁而入腹腔；如偏于寒，则蛔虫畏寒而相互纽结成团而致腹痛，乃致肠道梗塞不通。虫痛特点有六，即阵发痛、喜揉按、游走动、得食安、夜齘齿、吐清涎。蛔虫治法有三，即安蛔、驱虫、健脾。安蛔是疼痛剧烈所采取的一种临时治疗措施；驱虫是疼痛缓解所采取的一种治疗手段；健脾是驱虫之后所采取的一种治疗方法。蛔虫得苦则止，得酸则软，得辛则伏，故安蛔必须苦、酸、辛同用。如黄连、黄柏、木瓜、乌梅、细辛、蜀花椒之类。蛔喜腥、甘，故凡腥、甘之药及食物，于安蛔时均不相宜，然在驱蛔药中则必不可少，此为透杀。苦楝根白皮、使君子为驱蛔之首选药物，蜂蜜既有矫味之功、又有泻下之效，三者合和，是为驱虫之上品，乃仿仲师甘草粉蜜汤之意。

仲阳所论，虫与痫似，“但目不斜，手不搐也”。实则虫痛发惊搐者不乏其例。去年 12 月，有 7 岁男孩彭某，腹痛伴发抽搐 5 天。余诊得虫痛特点，采用安蛔以达镇痛目的，药用乌药、香附、槟榔、枳壳、细辛、黄柏、乌梅、川楝子、蜀花椒等，2 剂而疼痛止，抽搐停。再用中药驱虫，1 剂而下蛔虫 29 条，诸症若失，复用健脾和胃善后而病愈。

感“医不自医”

汪岳尊

同道友人龚汲古君，五十始婚，仅生一女，名尚耘。于 3 岁发麻疹，初亦平善。第 4 天清晨其邻人来曰：“龚先生惶急失常，其女病已有猝变，”予急趋视，入门，龚君谓曰：“昨晚尚正常，今晨忽疹色暗淡，神昏气促，即有闭脱之势，奈何。”余审察后曰：“现状虽恶，尚非不可力挽者。此偶感外邪，致疹毒内攻，非透发不可，然非辛凉所能为功，观其纹淡、舌淡苔白滑，无汗，与水不愿咽可征。”乃疏荆防败毒散投之。服头煎得微汗后，患儿疹色即渐现，神气皆转，败象全除，遂依次调治而愈。今年 17 岁，入中学矣。他日，龚君谓余曰：“此女之得活，当永铭故人之高谊。”余曰：“非也，此证在君治之，固亦游刃有余，特正为自己亲人，眩骇于现状，精神先乱。故俗语有医不自医之说，实经验之言。”

清热泻火治遗尿

赵逸云

遗尿，是儿科临床上较为常见的一种疾病。症状有轻有重，轻者几夜一次，重者一夜可达数次。随着患儿年龄的增长，在生活和思想上都造成极大的痛苦。本证在病因病机上多数医家认为属脾肾阳虚，因此治疗上也多以补益脾肾为主。患儿确因脾肾虚者，得药可愈。但并不尽然，我在临床上以白虎汤为主方加味治疗不少例，确也收到良好疗效，可见治疗遗尿仍应辨虚实。

1965 年曾治凉山一男孩，年方 9 岁，患遗尿已三年余，每晚必遗一二次，多达三四次，曾经多方治疗无效，患儿甚感羞愧难言，经介绍前来求治。观患儿体质壮实，面红，唇红干。平常并无他恙，食欲正常。但经细问知小孩白天活动力强，晚上睡后迷糊，不易叫醒，叫起床后神识不清，不能辨识方向，口

干喜饮，大便干燥，小便黄，舌尖红，苔黄厚微腻，脉滑数有力。此小孩实阳明胃火上炎，火热之邪蒙闭清窍，所以夜晚睡后迷糊，头脑不清而遗尿。故以清热养阴、开窍醒神为治。处以生石膏9g、黄连6g、知母9g、芦根30g、酒大黄6g、黑白牵牛子各3g、远志9g、石菖蒲4.5g、生地黄9g、玉竹15g、沙参15g、人参3g、钩藤9g、蚕沙9g、陈皮9g，并嘱咐小孩白天注意休息。服3剂后，患儿夜晚一叫就醒，有时并能自动起床，症情大减，仍宗前方3剂为丸，以资巩固。

治疗小儿遗尿，绝不能单纯从虚证论治，仍应本祖国医学“审证求因，审因论治”的原则，分清病机关键，遣方用药，才能收到满意的效果。我抓住患儿体实、面红、唇红、口干喜饮、小便黄、舌红苔黄、脉滑数有力等脉证，辨明病机之关键在于阳明胃火上炎，火热之邪蒙闭心窍所致。故以清热泻火、养阴润燥、开窍醒神为治而获速效。而且此类情况在临床中也屡见不鲜。

漫谈小儿遗尿从三焦论治

汪新象

小儿遗尿有的属于生活习惯，通过加强教育可以纠正。有的遗尿当属病态，临床上多从下焦膀胱虚寒论治，采用缩泉丸、桑螵蛸散、金匮肾气丸等治之，有的收效，有的无效。患者十分痛苦。多年来我也以温补下焦元阳法治之，无效者往往责之为服药剂数不足。但有的病人连续服药15剂之多，仍然无效，又配合灸关元、气海，效果也差。详查患者面容憔悴枯燥，口干喜饮汤水，一般情况下不出汗、全身皮肤亦有干燥多屑之象，并且易感冒咳嗽。细思三焦功能是主持水道、司理气化。水液入胃、通过三焦气化和决渎的功用，将其吸收利用后从皮肤、口鼻、膀胱等排出体外，不断吸收，不断排泄，保持水液在人体的新陈代谢。三焦功能失调，就会发生水液排泄紊乱，如果脾不散津，则水液不能上腾而口鼻干燥；上焦不能开发则水液不能充身泽毛而面容憔悴、皮肤枯燥无汗；津气不能充养肌肤则卫外功能减弱而易感冒、咳嗽。由此，我悟出对遗尿病人的治疗，除用温煦下元之法外，还要根据证情辅以升举中焦、开发上焦的综合治法，自拟温下升中开上汤，方用淫羊藿、益智仁、桑螵蛸，温煦下元而缩尿；山药、黄芪、甘草，补益中焦而升脾津；麻黄、杏仁，开发上焦而宣肺气，三焦功能协调各司其如雾、如沤、如渎之职而收治疗遗尿之功。近年来，我用此方治疗小儿遗尿伴皮肤干燥、易感冒者，每收良效。

巧辨寒痢

高省身

熊雨农老医生精于儿科，在武汉行医数十载，20 世纪 50 年代前后颇负盛名，建国后与余及同道组合诊所，同案应诊。尝谈曾治一小儿痢疾，中医皆按湿热治之不效，西医治之亦不效，迁延月余，病势加重。延熊治疗。熊亦按常规施治，略加扶正之品，仍不效。因稚阳久病，儿病危重，熊屡推不从，仍坚请诊治。诊时，误触患儿方排出之大便。突觉有清冷之感，因而有悟，遂辨证为既虚且寒，不再循“痢多湿热、痢无止法”等常规，改用调益气血，并加入炮附子、干姜、肉桂等温化之品，药到病转，小儿得救。熊老曰：“医者意也，信夫斯言”。是常规易而辨证难，辨证易而会意难也。《素问·标本病传篇》有言“谨察间甚，以意调之”，就是强调“意”的重要作用。然而，何谓意？总不外细心、大胆、谨慎、明察、深思、果断而已。为医匪易，可不勉乎！

诊余话胎黄

郭锦章

胎黄一证，为新生儿常见，有生理、病理之分，历代医家多认为受母体湿热所致，根据黄疸的色泽鲜明与晦暗，区别阳黄和阴黄，而治疗不外清利、温化两大法则，这是一般的常规治黄。然而事物总是普遍之中有特殊，少数胎黄按常规治疗，屡医罔效，延久不愈，日益加深。余遇此证，多为经西医检查治疗而病程逾月不愈者。患儿临床表现为遍身、面目尽黄，色泽不鲜，形瘦腹胀，大便灰白，小便深黄如浓茶样，神疲纳少，有的伴呕吐或腹泻。综观见症，余认为显系湿热困脾，气机受阻，肝失疏泄；胆汁外溢。湿困脾阳，日久不散，由气入血，瘀阻胆道。证属气滞血瘀，虚中挟实。法当行气化瘀，但念其婴儿初生，脏腑柔弱，如草之芽，如蚕之苗。三棱、莪术破积，桃仁、红花化瘀，嫌其峻猛，应防虚虚之弊。正虚邪实，取法必须平稳，轻以去实，缓缓图之，祛邪而不伤正，方为稳妥。同时还应考虑小儿服药困难，选药当以味淡性平之品，易于服食，才能坚持治疗，达到缓图之目的。

余根据证情，结合小儿特点，选用茵陈，郁金、鸡内金三味为主。茵陈为疏肝利胆治黄之要药，近代研究认为它有扩张胆管、排出胆汁之作用；郁金善

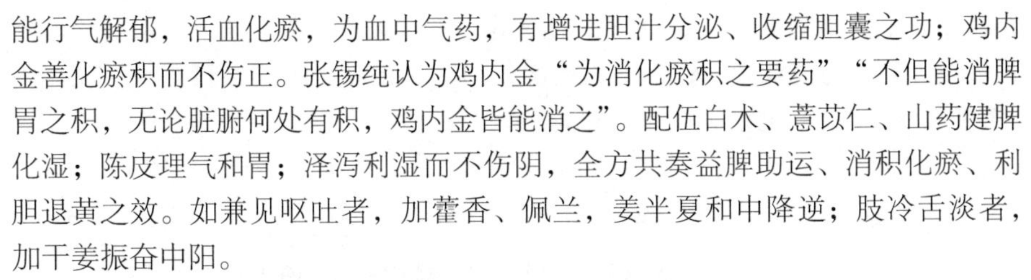
能行气解郁，活血化瘀，为血中气药，有增进胆汁分泌、收缩胆囊之功；鸡内金善化瘀积而不伤正。张锡纯认为鸡内金“为消化瘀积之要药”“不但能消脾胃之积，无论脏腑何处有积，鸡内金皆能消之”。配伍白术、薏苡仁、山药健脾化湿；陈皮理气和胃；泽泻利湿而不伤阴，全方共奏益脾助运、消积化瘀、利胆退黄之效。如兼见呕吐者，加藿香、佩兰，姜半夏和中降逆；肢冷舌淡者，加干姜振奋中阳。

余用此法治疗不少新生儿阻塞性黄疸。如一李姓患儿，38 天，出生后 12 天发现面目黄染，伴有呕吐，用中西药常规治疗，黄疸日渐加深，大便如陶土，经各种检查，确诊为“先天性胆道闭锁”，建议手术治疗，家长不愿手术，心急如焚，邀余诊治，愿意接受中药治疗。余当即向家长说明，中医治疗此症，不可操之过急，必须缓图，婴儿服药确有困难，关键是家长要树立信心，必须遵照医嘱，坚持治疗，否则半途而废。家长在“山重水复疑无路”之际，表示决心坚持治疗，并抱一线希望，盼有“柳暗花明又一村”之时。患儿前后共服 37 剂中药，疗程 40 多天，诸症消失，复查血液生化，均属正常而告痊愈。余用此法随证加减，屡治屡效。笔者体会，对于疑难杂证，必须遵照“治病必求于本”的经旨，按“虚则补之，寒则温之，补其不足，损其有余”的治疗法则，辨明阴阳，结合小儿特点，选药精当，方有较好效验。

“因时制宜”治发热

杜本生

在长期的临床实践中，我体会到，正确选用中医的“因人因地因时制宜”原则，是非常必要和很有好处的。“三因制宜”内容十分广泛，全在医者临证通变，才能得心应手。比如“因时制宜”，一般都只理解为不同季节有不同的发病特点，应采取不同的治疗措施，而实际上内容极其丰富。古代医家在这方面积有宝贵经验，说明不同时辰发病，标志着不同的脏腑疾患，决定用绝然不同的辨证论治方法；不同时间给药，同样会产生不同的效果。

1984 年春，曾治一李姓初生儿，出生 10 小时即啼哭不止，并在深夜 11 ~ 12 时开始发热，体温在 39℃以上，经西医多方检查，未发现异常，治疗不效。六七天后延中医治疗，开始亦感棘手，后来受古代“子时属胆”理论的启发，抓住患儿每于夜间 11 ~ 12 时应时发热这一特点，从胆论治，投以小柴胡汤去党参加味以和解退热，处方：柴胡 6g、法半夏 4g、黄芩 5g、甘草 3g、生姜 10g、薄荷 3g、连翘 5g、广木香 6g、荆芥 5g、陈皮 6g、小茴香 5g。另配公丁香 2g、莱菔子 8g、广木香 8g、小茴香 6g，研末以酒加小麦面调敷肚脐。内服药采取小量徐进，自发热前开始服，一日六七次，由于辨证较准，剂量较重，所以，服2 剂后患儿即热退病除。

运用五轮辨证应掌握六条原则

| 夏运民 |

中医眼科五轮学说认为，人眼的胞睑属脾，为肉轮；两眦属心，为血轮；白睛属肺，为气轮；黑睛属肝，为风轮；瞳神属肾，为水轮。临证时以验轮部的症候推测内脏病变的方法，称为五轮辨证。

医学实践证明，五轮辨证虽然方便，但是有一定的局限性。正如白睛黄染不属肺，而是肝胆的湿热；瞳神疾病不专属肾，也有属于其他脏腑的情形一样，并非所有的目病都可以按五轮辨证。因此，要准确地运用五轮辨证是很困难的，必须进一步探求他的运用规律。

经研究和实践证明，只要掌握以下六条原则，即可准确地运用五轮辨证。

1. 当症候独现某轮，全身别无显著征象。或全身出现的症候群与该轮的轮脏关系相吻合时，应按五轮辨证。

2. 一轮先病，渐及他轮时，以五行生克的道理指导五轮辨证。如白睛先现病变，后侵及黑睛者，属肺金乘克肝木之证。

3. 当数轮同病时，以其中轮脏关系与全身出现的症候群的病理相一致者辨证。

4. 当五轮无显著征象时，不按五轮辨证。

5. 当白睛出现八廓病象时，不按五轮辨证。

6. 当发现全身症候群与内脏的病变关系同眼部病变的轮脏关系不一致时，主要按全身辨证，轮脏关系可作参考。

目疾与头痛

| 王明芳 |

目为五官之首，与脑紧密相连，彼此互相影响，此目疾合并头痛之所以常见也。兹就管见所及，剖析于下。

眼疲劳性头痛，可由能近怯远，能远怯近，读书损目或久视面出现。治疗

上多用滋养肝肾、疏肝理气、祛风通络之法，投驻景丸加减方合柴葛解肌汤。

五风内障所致头痛临床表现极为典型。如由绿风内障所致者，其发病迅猛，眼珠剧烈胀痛，常引起眼眶、头额、头痛欲裂，甚者头中轰声如雷鸣，瞳神散大呈蓝绿色，眼珠硬如石。治以平肝、熄风、泻火，轻者用龙胆泻肝汤加羚羊角、钩藤、僵蚕、藿香、草豆蔻；重者用陈氏熄风丸；头痛喜裹扎、呕吐痰涎清水、四肢发冷、舌淡无苔、脉沉细者，属肝经虚寒之证，当温中散寒，降逆止呕，用吴茱萸汤加减治之；若头痛限于前额、头顶及颈项，伴有呕吐，属三阳头痛，可有柴葛解肌汤加羚羊角、僵蚕治之。

由青风内障所致者，头痛隐隐，时轻时重，眼胀痛，鼻梁酸痛，瞳神呈淡青色，多由肝肾阴虚、风火上扰而作，以滋阴降火、平肝熄风之法，用知柏地黄丸加羚羊角、钩藤、白芷治之。

眼性偏头痛，先有视物不清，眼前冒金花，或水纹波动、畏光闭目，继而出现偏头痛，连及眼眶、前额，疼痛剧烈，属血瘀、痰浊偏头风范畴，用通窍活血汤加半夏、天麻、白术、石菖蒲治之。

由针眼、鹘眼凝睛、漏睛疮、火疳等引起的头痛，系火毒郁结、热邪上攻所致，当以清热泻火解毒之剂治之，眼病愈则头痛止。

黑睛生翳（包括聚星障、花翳白陷、凝脂翳）所致头痛，多现偏头痛，系肝肺炽热，风火毒邪上攻，宜平肝泻火解毒，方用龙胆泻肝汤化裁治之。

治疗中须以辨证为本，巧施变通，不可拘泥。在药物选择上，还可根据头痛的部位选用适当的引经之药，使药直达病所，增强其治疗效果。

眼科血证

| 王明芳 |

历代对血证的治疗多系唐容川治血四法，即：一曰止血；二曰消瘀；三曰宁血；四曰补虚或补血，此乃治疗血证的一般规律。然对眼科血证的治疗略有所异。如，血灌瞳神系外伤所致者，消瘀之法应即早施用，还须选活血化瘀较峻猛的三棱、莪术、苏木、生三七粉、刘寄奴等品更易见效。若血灌瞳神而反复发作者，即现代医学所指的“视网膜静脉周围炎”及“糖尿病性视网膜病变”之类，当以凉血止血活血为主，如生蒲黄散之属，既能止血又无留瘀之弊。如果出血在 2 周以上，未见反复者，又当用消瘀之法，以达去瘀生新之目的。瘀滞积聚者，还须加入浙贝母、鳖甲、昆布、海藻、夏枯草、鸡内金等软坚散结之药，使瘀滞更易消散。

在使用止血法时，寒凉之药不可过用，因血得寒则凝，否则积滞难化，很难消散。

当瘀滞形成时，可适当加入温化之品，如肉桂、桂枝、炮姜之属，但用量不宜过大，一般5~6g为宜，此即“血得热则行”之意。此外，还须配伍行气、理气之枳壳、青皮、木香之品，更能增强其化瘀散滞之效。

又眼内血液瘀积，因走散多无去路，故难于吸收、消散，因而消瘀散结之法常较长时间地使用。但活血化瘀之品久服易耗伤正气，不可忽视。后期当以攻补兼施之法用之，不可用纯补之剂，以免造成留邪之弊。

又如对现代医学之视网膜中央静脉阻塞，治疗仍以消瘀为主。而瘀久多致水不利，故常加渗湿利水之薏苡仁、泽泻、木通、猪苓之品，有利于瘀滞之消散。实践证明，这确有相得益彰之效。

浅谈眼科泻火法

肖国士

火性炎上，目窍最高，此眼科火证之所以常见也。

眼科泻火法，用治眼科火证，堪称正法。张子和说：“泻火之法，在药则咸寒吐之下之……翳者可使立退，痛者可使立已，昧者可使立明，肿者可使立消。”就内服药物泻火而言，苦寒直折，咸寒泻下，甘寒养阴均可酌情选用。火邪最易耗血伤津，目赤，舌红，口渴，脉数，就是这一病理反应的集中表现，所以凉血滋阴对于治疗火证具有相当重要的临床意义。大便结、小便黄是火证的又一重要体征，它直接反映和影响火证的发生发展，所以泻下和渗利是泻火的重要途径和措施。生星翳、起膜障是火邪损坏眼目、影响视力的病理标志，所以退翳去障之药，常加入泻火方剂中。在使用泻火法时，千万不要忘记因势利导。“泻脏不离腑，”就是这一原则的具体运用。脏常移热于腑，泻腑更能引导火邪由脏出腑，泻腑与泻脏结合，更能收到相得益彰的效果。

眼科火证多火眼科的重证、急证，一般有发展快、兼证多、反应强烈、破坏性大的病理特点，要用大方重剂才能解决问题，否则就有珠凸睛枯的危险，所以在方剂的组合上绝大多数是多联式的，即由多个方面的药物所组成。临证时如何组方选药很值得研究。一般认为泻火药与解毒药配合用，泻火药中几个方面的药物配合，能起协同作用，可以成倍地增加其泻火解毒的功效，泻火药与凉血滋阴的药物配合，能起辅助作用，可弥补泻火药的不足之处；泻火药与泻下渗利的药物配合，能起引导作用，可引导病邪或代谢产物迅速地排出体外；

泻火药与退翳去障的药物配合，能起保护作用，可控制翳障的发生、发展，或保护眼睛的视觉功能；在泻火药中加少许辛温发散的药物，能起克制作用，可克制其寒凝的偏向，有利于病变的消除。上述的原则、原理，需要反复实践，细心领会，才能掌握。

鱼腥草巧治目疾

|吴茂慧|

鱼腥草性味辛寒，辛以祛风散结，寒可清热以解毒，故古人多用治恶疮肿毒。余师法前贤，曾用治热毒上攻于目的黑睛疾患，效果良好。如黑睛表面生翳似凝脂一片或似牙膏者；有如树枝或地图状者均可用之。如治王某，右眼凝脂翳数月不愈，痛甚。给100%的鱼腥草注射液0.5ml，球结膜下注射，每日1次，8次以后痛减红退，溃疡渐渐修复而愈。又简某，左眼树枝状角膜溃疡反复发作40年，此次发病最为急重，已用中西药物治疗数月未效，黑睛溃陷很深，疼痛彻夜不止，再三要求摘除眼球以解除痛苦，由于正值春节，试用鱼腥草注射液进行球结膜下注射以救急。不料用药数天，患者之抱轮红赤渐退，溃陷之处逐渐修复，疼痛也就随之缓解。

经临床观察，此药对蚕蚀性角膜溃疡无效。用以治疗热毒上攻的目疾，确为佳品，且进行球结膜下注射比点眼好，两者并用更好。

风热客目证治

|王林珍|

眼之为病，分内外障。内障多因肝肾阴阳失调，外障多因六淫为患。六淫中以风热客目所致目疾最多。

风性浮越轻扬，易伤人体高位。风木肝窍，其位居高，又直接与外界接触，故伤于风者，目窍先受。

风热客目，不论何轮现症，治当疏风清热，治法机制在于疏导祛邪，发散清热，使经络通利，畅载脏腑精气，上荣目窍，则目疾愈。余临床常用祛风煎（自拟方）进行治疗。方中用防风、薄荷、蝉蜕、蒺藜、柴胡祛风止痒；黄芩、金银花、板蓝根清热消肿；赤芍、牡丹皮、五味子凉血敛阴；甘草调和诸药。

邵某，双目患风赤疮痍，见证双胞睑红赤，肿如桃，但无硬结，睑肤散在少许小泡，白睛红赤，浮肿明显，自觉双目痛痒交作。治用祛风煎 2 剂，患者胞肿红赤消退，痛痒症除。

黄某，男，右眼被蜜蜂叮伤，症见抱轮红（++），黑睛 6°~7°一片翳障生，眼球力软，按祛风煎加减服 9 剂翳消，眼球硬度如常。两例病情虽然不同，治法却相同，为异病同治。

风热之邪易犯上窍，高巅之疾，非风药不能到达，因而方中组成风药众多。又因风盛火动，故配清热药，可苦寒直折祛邪。风热之邪耗津伤液，故配凉血敛阴之品，以防风热耗阴与血互结。

苦瓜霜治眼部烧伤

文日新

用苦瓜霜治眼部烧伤，包括化学烧伤或水火烫伤，效果颇佳。配制法：取未成熟之鲜苦瓜，一端切断，掏出瓜瓤子，然后灌满芒硝，再将两端用线连接密封，悬挂室内通风处，待苦瓜表面出现白色芽霜，刮取入瓶，密封贮藏备用。用时取苦瓜霜加蒸馏水分别配成5%及20%的溶液。用5%的溶液洗眼、点眼；用20%的溶液浸药棉湿敷患眼，每半小时换药一次。曾治一化工厂 19 岁女工彭平，因纯盐酸溅入双眼内及面部，痛不可忍，深夜抬来急诊。查患者前额头发、眉、睫毛被烧焦，颜面及眼睑皮肤呈点状灰黑色，眼胞红肿，热泪如汤，白睛红赤水肿，黑睛表层溃烂呈灰白色点状浸润，视力仅存光感。此乃被酸性化学药物烧伤双眼，黑白两睛受火毒破坏。急用5%苦瓜霜液频频冲洗患眼及面部，遂用20%苦瓜霜液浸薄棉湿敷。半小时洗换一次。患者疼痛逐渐减轻，第二天用四环素眼膏外涂睑内，以防眼睑胞肉粘连，同时给予黄连解毒汤内服。经用上法治疗 24 天，患者双眼红肿痛全部消失，黑睛恢复透明，面容亦未破损，双眼视力恢复正常。

苦瓜霜有泻火解毒之功，外敷局部有清凉感，易被患者接受。我们常用它治疗这类病变，每获奇效，且无不良反应。

羌防退翳

李传课

羌活、防风系辛温解表药，古今本草皆谓两药发散风寒，主治风寒外感表证，或治风湿在表者；至于退翳，则未曾言及。考《中医历代眼科方剂汇编》，统计治疗角膜翳的内服古方622首，在涉及药物309味的情况下，防风竟出现在253方中，羌活在164方里。其用药次数，可谓名列前茅。有些退翳为主的方剂，还以羌防命名，如《银海精微》羌活散、《原机启微》羌活胜风汤、《东垣十书》羌活退翳散、《普济方》防风丸、《圣济总录》防风汤、《和剂局方》防风泻肝汤等。其运用病种较广，如凝脂翳、聚星障、花翳白陷、混睛障、黑翳如珠、蟹睛、血翳包睛、逆顺生翳、阴阳翳、冰瑕翳、云翳、厚翳、斑脂翳等。要之，不论是病毒性角膜炎，还是细菌性角膜炎，不论是在角膜炎之早、中期，还是后期，均可用之。证之临床，确有效验。余逢病毒性角膜炎，不论病位深浅、翳之形状，只要白睛红赤，羞明畏日，眉骨酸痛，鼻塞流涕，苔薄脉浮等风甚于热者，均用羌活、防风，伍以板蓝根、菊花、金银花、千里光之类；若热甚于风者，羌活、防风虽为辛温之品，但伍以寒凉之药，其温燥之性受制，祛风之力仍存，亦为临床所习用。他如细菌性角膜炎，溃疡大片，甚或深陷，白睛红赤显著，也在清热泻火剂中配羌活、防风以引邪外达。若在翳之后期，病变基本修复，边缘清楚，基底干净，红赤基本消退，常配羌活、防风以升发退翳。

羌活、防风退翳之原理有三：首先从角膜翳的病因论，虽然有多种致病因素，但外邪居多，外邪之中又以风邪为主，因为风为百病之长、六淫之首，其性轻扬，易犯上窍。《素问·太阴阳明论篇》曰：“伤于风者，上先受之”。故眼外病以风邪致病者居多，而辛散轻扬类药物是驱散风邪的首选药物，羌活、防风又是首选中的首选药物。二是从眼科角度论，翳在角膜，病位表浅，对于角膜病初起者，需注重表散。如认为角膜属肝，一见角膜翳就从肝火论治，辄用龙胆泻肝之剂，可有翳膜冰伏之虞，轻则病情难愈，重则变生他证，所以《审视瑶函》说：“翳膜乃生在表，宜发散而去之；若反疏利，则邪气内搐（陷），为翳益深”。三是在翳之后期，充血减退，疼痛已消，风热之邪虽除，但痕翳将成，须用升发之品，以减轻痕翳。即使翳障日久，气血已定，也须用辛温升发之药，以焮发翳膜，促使充血，有利于翳膜再吸收。如《证治准绳·杂病·外障》指出：“邪气牢而深者，谓之陷翳，当以焮发之物，使其邪气再动，翳膜乃浮，佐之以退翳之药而能自去也”。焮发之物，即寓有羌活、防风辛温升发之药在内。

大发散治寒翳有卓效

肖国士

大发散，原载《眼科奇书》，有四味与八味之分，前者由麻黄、细辛、藁本、蔓荆子四味组成；若再加羌活、防风、白芷、川芎四味即成为后者，为治风寒目翳之首选方。但原书记载的用量很重，临床多不敢用，究竟用多少份量为佳？余采用麻黄递增法以探其量。

1968年冬，一李姓老人，因患目翳来门诊求治，自诉20年前在四川患过此病，经某医给以大剂量麻黄内服速愈，我深信麻黄能治目翳，后去过几家医院，请求开麻黄药，但都被拒绝。患者言辞肯切，不可不信。再查患者眼部翳色深沉，白睛暗赤紫胀，且有畏冷、头痛、身痛、脉沉等证，确为可用麻黄发散的寒翳。余当即选四味大发散加当归尾、赤芍以活血；加蝉蜕、木贼以退翳，投以常量，麻黄用9g。患者连服3剂，无不良反应。仍按前方，麻黄增量到15g，患者又服3剂，仍无不良反应，且自觉疼痛减轻，复查眼部翳障较前缩小，白睛暗赤稍退。仍按前方，麻黄增量到24g，连服2剂，患者自觉胸中有些不舒、头稍昏，但畏冷、头痛、身痛消失，翳障较前明显缩小，白睛暗赤基本消退。再减为常量连服5剂，患者除黑睛留有薄翳外，其他症状尽消之矣。

风寒目翳以高寒地带和山区农村多见，城市亦偶见之，为陈寒内伏传肝，郁久化火生翳，只有用辛温发散之剂，祛其陈寒，则目翳自退。此即《内经》"火郁发之"所指也。若误以为热，施寒药治疗，则雪上加霜，愈治愈剧！余常用四味大发散加味治之，屡收良效。查本方以长于宣肺气、开腠理、透毛窍、散风寒的麻黄为君；伍善于曳引至阴之邪（贾九如《辨药指南》语）的细辛为臣；藁本发表散寒，祛风胜湿为佐；蔓荆子疏散风热、清利头目为使。从而使风寒之邪，再无匿迹之所。以此为基础，再酌情加减，可通治眼部风寒湿证，而不局限于风寒目翳。

泪溢析

|李传课|

泪溢者，世人皆知系泪道阻塞之常症也。然亦有泪道通畅而流泪者，何也？此即西医学之年老体衰，眼轮匝肌收缩无力，泪液引流不畅之谓。考《素问·宣明五气篇》有"肝为泪"之论，《银海精微》有"泪乃肝之液"之说，意即泪液湿润眼珠又无流泪之弊，乃肝具制约泪液之功。今肝虚气弱，未能制约泪液，即使泪道通畅，亦可致泪溢也。余逢这类患者，常以此论为据，用补肝止泪之法，取止泪养肝散增删（本方见《银海精微》，即当归、熟地黄、白芍、川芎、蒺藜、木贼、防风、夏枯草）。方内苦寒之夏枯草，为凉肝清热之品，故

删而不用；增葳蕤仁、枸杞子、菟丝子、杜仲补肝之属。其中杜仲之用，不为世人所习知。夫《本草纲目》引王好古言，是肝经气分药，润肝燥，补肝虚。诸药合之补肝血、益肝气，肝强气足，泪液受约，则溢泪之苦自能制矣。

聚星障治验点滴 |喻干龙|

聚星障，临床极为常见，且顽固难治。据我观察，常见的有风热、热毒、阴虚三型。其中风热型多见于本病早期。因外感风热之邪上攻于目，灼伤津液，气血失调，络脉瘀滞，致使黑睛出现细小灰白星点，治宜疏风清热。常用疏风清热汤（经验方：荆芥穗、防风、柴胡、石斛、黄芩、黄连、蔓荆子、连翘、金银花、赤芍、蝉蜕、板蓝根、田字草、甘草）加减治疗；热毒型多见于本病的中期，由于风热毒邪入里，肝胆之火内炽，以致风火热毒相搏，上攻于目，致使黑睛病变迅速发展，治宜泻火解毒，常用泻火解毒汤（经验方：柴胡、龙胆草、菊花、黄芩、黄连、金银花、蒲公英、连翘、石斛、当归尾、木贼、蝉蜕、板蓝根、甘草）加减治疗；阴虚型多见于后期。由于热病伤阴，阴液亏损，导致虚火上炎，灼伤黑睛，以致患眼干涩不舒，黑睛浅层出现细小星点，或因风火热毒灼伤太重，黑睛溃烂，虽经治愈，留有翳障，治宜养阴退翳，常用滋阴退翳汤（经验方：柴胡、黄芩、知母、黄柏、生地黄、当归、白芍、石斛、木贼、苏木、蝉蜕、麦冬、决明子、甘草）加减治疗。

在治疗各型聚星障处方中，均须佐养阴、活血、退翳之品。因本病多由风火热毒一类的阳邪所致，容易伤津耗液，而用药又多苦寒清泄，故常用石斛、麦冬等甘寒养阴之品；又因风火热毒搏结，势必血热壅盛，脉络瘀滞，故常加当归尾、赤芍、红花、苏木等活血药物。退翳药物的使用宜早不宜迟，蝉蜕、木贼、决明子为必用之品。如此配合，确能及早促进黑睛病变愈合、翳障迅速消退。

内外合治眼睑基底细胞癌 |肖梓荣|

基底细胞癌是皮肤恶性肿瘤中相当多见的一种，好发于下眼睑内眦部，这可能与这里皮肤较薄，暴露较多，泪液常湿及容易受到慢性损伤有关。余采用药物内外类攻法，效果良好。如一位唐姓壮年男患，右眼睑内眦部长一黑痣，为时两年，逐渐增大突起，继则发生溃疡，易出血，经湖南医学院附属第二医院病理切片确诊为右下睑色素性基底细胞癌。余将拔毒钉插入其新生物上后，该新生物迅速坏死脱落，创面换药每两天一次，先上红升丹，后上提脓丹，内服菊藻丸及清热解毒活血的中药（生地黄、红花、金银花、黄芩、天花粉、黄柏、甘草、夏枯草、九里光等）连续治疗 58 天，临床治愈出院。余先后用此法治疗 8 例，均获满意疗效。

以毒攻毒是本疗法的显著特点。所用的拔毒钉系五虎丹制剂，又名五虎丹钉剂。制法：取五虎丹 1.3g、洋金花粉 1g，以米饭 1.3g 共捣烂，搓成每支长 4cm、中间直径 0.3cm 的梭状药钉 5 支，阴干后每支重 0.72g，每支含五虎丹 0.26g。用法：视肿瘤大小、深浅和部位，插入 1～3 个半枝，外贴普通膏药保护。五虎丹由水银、牙硝、青矾、明矾各 120g，食盐 60g，按降丹法炼制。五虎丹制剂善于去腐拔毒，插入肿瘤组织后，约 4～12 天癌瘤病灶即坏死脱落。在癌肿组织坏死脱落后，继上去腐提脓的红升丹（又名三仙丹，取水银 30g、白矾 24g、火硝 21g，按升丹法炼制、研末待用），每次以少许撒于创面，外贴普通膏药保护。每 2～3 天换药 1 次。另外用提脓生肌的提脓丹（取红升丹 2g、熟石膏粉 2g、冰片 0.5g，混合研细末）撒于疮面，以普通膏药覆盖，每 1～2 天换药 1 次，以促进创面愈合。用时口服菊藻丸，每日 2～3 次，每次25～30粒，饭后 1 小时温开水送服，禁服刺激性食物。菊藻丸的成分和制法：用菊花、海藻、三棱、莪术、党参、黄芪、金银花、山豆根、山慈姑、漏芦、黄连各 100g，重楼、马蔺子各 75g，制马钱子、制蜈蚣各 50g，紫草 25g，熟大黄 15g，共研细末，用紫石英 1000g 煅红置于 2000g 黄醋水中，冷却后将其过滤。以此醋为丸，如梧桐子大。这是笔者的经验方，能活血化瘀、软坚散结、清热解毒、祛风止痛，广泛用治各种癌肿有明显疗效，再加服清热解毒、活血散结的煎剂，丸药与煎剂并进，内外夹攻，把可能潜伏在机体内的余毒彻底清除，以绝后患。本疗法具有花钱少、疗效高、保持创面光滑平整、不损害面容和眼睑功能的优点。

（肖国士　整理）

治近视，求良方

|卯时江|

作为眼科医生，面对约占眼病 1/3 的近视患者，能否千方百计地寻求有良好疗效的治疗方法，十分重要。据报道，有人以生物制剂，如牛眼、老鹰眼或

猫眼等做成组织液，进行肌肉注射有效。但疗程太长，每天注射，多有不便，难以坚持。另有人针刺有关穴位，亦取得一定的效验，但也不易坚持。能否用中药治疗？由此我开始了艰苦的摸索。

纵览历代眼科专著，都认为该病是心阳衰少，阳不足而阴过盛，以致阳被阴遏，光华不能发越于远。主张用定志丸（远志、石菖蒲、人参、茯神）来治疗，意在培补心阳。我用原方（重用潞党参以代人参）试治，效果并不理想。我记起《内经》中“五脏六腑之精气，皆上注于目而为之精”“目者，心之使也”“肝受血而能视”“气脱者，目不明”等关于眼与脏腑经络关系的论述，不觉豁然贯通：眼与全身是有机联系的整体，一脏有损，即能致病，既已成疾，又岂能专治一脏而置他脏于不顾哉！

况祖国医学认为阴阳互根，阴阳任何一方虚损到一定程度，均可导致对方的不足，从而出现“阳损及阴”“阴损及阳”，以致“阴阳两虚”的证候。既然近视为心阳不足，且近视非一日而成，欠虚又怎能不“阳损及阴”，成为“阴阳两虚”呢？基于以上认识，我想拟定一既能五脏同治、又能阴阳并调的方子。成方“定志丸”以补气健脾安神开窍为主，重点在心，又可兼及肺、脾，正可以之作基础；补血当推四物汤，主治在心、肝，但地黄滋腻，川芎辛燥，长服不宜，故不用，专取当归、白芍以生血；补肾的方剂及药物很多，常服以平补为宜，只选桑椹子、枸杞子、女贞子三味。因此类药多能补肾明目，且“乙癸同源”，配合当归、白芍，平补肝肾之力颇强；与“定志丸”相合，又能气血相生，阴阳并调。

还考虑到长期服用，不因偶染外邪而辍药，取前人眼科制方每多加入祛风药之法，选取蝉蜕、密蒙花、刺蒺藜三味，配入方内。至此一首主治近视的方子初成，取名“加味定志复明汤”。临床根据五脏亏虚、阴阳盛衰情况，或重用阳药，补阳以配阴；或侧重滋补，养阴以合阳。据初步观察，此方对青少年假性近视、低度近视，确有明显疗效。于是求治者接踵而至，见到青少年患者的视力上升，自己感到无限地欣慰。

逍遥散治夜盲

|秦裕辉|

夜盲，古称“雀目”“鸡盲”，入暮不见，至晓复明。古人论治多从肝虚着眼。如《医学纲目》说：“雀目者，日落即不见物也，此属肝虚。”盖肝开窍于目，主藏血而司疏泄，目赖血养，以维持其“视黑白、审长短”之功能，若肝

血亏虚，精明失养，则视物昏花、入暮盲不见物。验之临床，肝虚夜盲固然多见，然亦有肝郁而致夜盲者。因肝主疏泄，若肝郁气滞，疏泄不及，致气道不利、玄府闭塞，气血精微无以上承荣目，则可出现夜盲诸症。故余治夜盲，首辨虚实。年老体弱及发育不良之青少年多属虚，治宗八珍汤加减；而形体壮实、除夜盲外无他不适者，则从肝郁论治，方选逍遥散。忆及1983年仲夏，曾治一少妇，诉双眼入暮不见，至晓复明月余，而饮食、睡眠悉如常人，劳作如故，无任何不适，观其形体壮实，舌淡红苔薄白，脉弦。余沉思良久，决意从肝郁论治，书逍遥散原方。患者服药5剂，有明显好转；续服5剂，诸症若失。始知夜盲亦有属肝郁者。

羚羊角配人参，磨眼治青盲 | 黄佑发 |

患儿王男，3岁，高热惊厥，不省人事，旬日方苏。然目已青盲，寂无所见。他处求医不治。是春三月，正值梨花初露之期，求余视诊。患者躁扰不安，啼语无休。双眼外观端好，无气色翳障，视力明暗不辨，病情重笃，治感棘手。余思其义：高热灼其津液，目失濡养而为瞀；惊厥伤其经络，玄府闭塞而成盲。此乃邪热羁留，清阳被扰所致，证属青盲。伐其太过，补其不足。取羚羊角清余热，熄风止痉，配人参补元气，养血生津。二药磨汁饮用，十日无效，守方不更，再作五饮。药罢，患儿嬉于庭院，拾得梨花一朵。明哉双眸，雅秀天真，康复如常矣！

温肝驱风治偏视 | 秦裕辉 |

偏视，乃目珠呆定于一侧，活动受限之病，祛风化痰，活血通络，平肝熄风，皆为常用之正法。

余治一张姓中年男子，1个月前不慎跌破头皮，因失血过多而昏迷。经治疗神志转清，伤口愈合。但伤愈后7天，突然右眼内斜，虽经多方治疗而无好转，故求治于余。就诊时其右眼内斜，黑睛大部分嵌入内眦，不能外展，伴头晕头痛，以巅顶为甚，恶心纳呆，舌淡苔白厚腻，脉弦缓。查前医处方，或祛风化痰，或活血祛瘀，或平肝熄风，均未能收效。根据病史及脉证分析，本病系外伤后失血过多，气血亏虚，风寒之邪乘虚而入，中于厥阴肝经，引动内蕴之痰湿，内外合邪，留滞经络所致。治当分清标本缓急，先宜温散寒邪，化痰通络以逐其邪，继之培补气血以固其本。首选吴茱萸汤合牵正散加减，方以吴茱萸10g、藁本10g、党参15g、苍术10g、茯苓15g、法半夏10g、生姜6g、大枣6g、白附子10g、僵蚕6g、全蝎5g、甘草3g。服10剂后，患者诸症明显好转。原方去吴茱萸、藁本，加黄芪15g、当归10g。患者续服20剂，诸症若失，眼球活动自如。终以金水六君煎善后，随访至今，未见复发。

偏视，系眼科疑难杂症，病因、病机复杂，有风邪中络、痰湿阻络、风热上攻、瘀血凝滞等多种证型，亦有因先天禀赋不足所致者。临证时当审证求因，灵活施治。初起治之得法，尚易收效，迁延日久，气血瘀滞，经络凝定，则药力难及。本病之病因、病机虽复杂，但风痰阻络始终是中心的病理环节。故临证时需在辨证论治的基础上，加祛风化痰通络之品，如白附子、僵蚕、全蝎、桑枝、姜黄、甘松、丝瓜络、路路通等，均可酌情选用之。

目昏非皆为虚，明目宜重开通

王明杰

眼目昏盲，一般多从精气不足论治，然效果常不尽如人意。先师陈达夫教授曾治一位姓毛的女青年，其双眼视力减退，治疗年余未效，双眼视力仅存0.08。眼外观端好，目珠时胀，两侧头部及眼外眦阵发性灼痛，伴恶风，腰腿酸痛，食少嗳气，脘痞痰多。西医诊断为继发性视神经萎缩。陈师据眼与全身症状辨证，判为三阳合病，予柴葛解肌汤原方。患者带方回原地，连服10剂，双眼视力上升到0.4。继服三十余剂，双眼视力恢复为1.5，惟头痛未愈。后以养血调肝之品收功。

或问：柴葛解肌汤属发散清解之剂，何以能收明目之效？师曰：此乃开通玄府之功也。陈师所说“玄府”，本于河间，系指广泛存在于人体内外各处的极微细孔道，为气机升降出入的道路门户。《内经》云：“五脏六腑之精气皆上注于目而为之精。”目之精明鉴物，全赖脏腑精气灌注，而目中玄府，正是精气入目的枢纽所在，通则精气上注而明，塞则目失所养而昏。此案即因风邪留滞三阳而干犯三阴、闭塞目中玄府所致。柴葛解肌汤疏解三阳风邪，则三阴不受干犯，目中玄府得开，视力自然恢复。

具开通玄府作用的药物甚多，除解表宣散一类外，还有芳香开窍、虫类通络及行气、活血、利水、化痰等多种，临证宜根据证情选用，并配合针对病因的药物。如因于寒凝者，宜温经散寒以开之，方如麻黄细辛附子汤；因于热壅者，宜清热泄火以开之，方如陈氏熄风丸(《眼科六经法要》方：牛黄、羚羊角、赤芍、玄参、菊花、紫草、僵蚕、川芎、桔梗、细辛、麝香)；因于气郁者，宜疏肝理气以开之，方如逍遥散；因于血瘀者，宜活血化瘀以开之，方如通窍活血汤。

至于确因脏腑精气不足而引起的昏盲，固应以补益为法，俾精气充足则视力可复。但因目中玄府常由失于濡养而衰竭自闭，施治亦不宜一味呆补。古代名方如明目地黄丸、益气聪明汤等，即系补益之中伍以柴胡、升麻、蔓荆子之辈，体现寓通于补之法。陈师新制驻景丸加减方（菟丝子、楮实子、枸杞子、五味子、茺蔚子、车前子、河车粉、三七、寒水石、木瓜)，在前人基础上，进一步突出了通补特色，用于肝肾精血不足所致的各种内障目病，均有良好效果。如遇郁闭较甚者，尚需酌加细辛、全蝎、麝香等峻烈开发之品，疗效始著。笔者曾以补中益气汤加全蝎治一气血虚弱目昏患者。患者服汤药十余剂后，因条件所限，遂单用全蝎一味研末吞服，数月后来信告知视力恢复正常，累计前后服用全蝎逾半斤。其目明之得力于开通，不难想见。

浅谈瞳神缩小治法

李熊飞

“瞳神缩小症”，最早见于《灵枢·玉版》，称为“黑睛小”；《原机启微》称为“强阳搏实阴之病”，论述较详，病变虽反映在瞳神，实为黄仁之疾患。

本病急性者，目忽不见，瞳神小如青葙子，金井有大量渗出物。其发病机制，因瞳神内应于肾，肝肾同源，其疾多与肝肾有关，胆附于肝，又常互相影响，故有“肝肾火旺”“肝胆风热”等因素。临床症状：自觉眼痛，头痛，流泪，羞明，视蒙。他觉抱轮红赤，神水混浊，瞳神缩小，眼珠压痛，肉轮红肿。治疗原则：在本病急性前期，多属肝胆实热，宜清热凉血，散瞳明目。治以羚角地黄汤（羚羊角、白芍、牡丹皮、生地黄、栀子、蒲公英、桑白皮、龙胆草、黄芩、金银花、蔓荆子、菟丝子、甘草)。后期阴虚精亏，宜滋阴降火，养血明目，治以滋阴明目汤（金银花、菊花、生地黄、当归、熟地黄、石斛、知母、黄柏、桑椹子、生石决明、玉竹、玄参、甘草)。

本病慢性者，多由急性转变而来，临床症状大同小异，惟病情徐缓，瞳神干缺，较为突出。治疗原则：因本病多为阴虚火旺，气血瘀滞，或兼挟湿热，故宜分别处理。如系肝胆湿热，治以广大重明汤加减（金银花、蒲公英、天花粉、木通、黄芩、生地黄、知母、黄连、桑白皮、菊花、龙胆草、六一散），以清热利湿。肝肾阴虚者，治以知柏地黄汤加玄参、麦冬、沙参，滋阴降火。

本病虽有急、慢之分，常可互为转化，如临床症状兼夹复杂者。须结合具体情况，辨证施治，余用此法达50年，随症加减，每奏奇效，故敢献诸同道而就正焉。

祛痰湿，治视惑

|魏湘铭|

视惑一证，乃视觉变异之病。究其原因，有虚有实，虚者因气血虚少，或肾精不足；实者由气滞血瘀，或停痰宿饮。余认为，本病实者多，虚者少。其中尤以痰湿内阻者，临床上屡见不鲜。凡痰湿内阻，患者便主诉眼前有云雾遮挡，多呈黄白色或褐色，仰视则上，俯视则下。看直物变弯曲，看正物反倾斜，视静物有颤动。现代借助眼底镜、裂隙灯可清楚见到眼底黄斑部有水肿及渗出，此乃痰湿阻滞之明证也。探其病机，盖因脾胃为痰湿所困，失其运化之能，致清气虚陷不展，阴霾内扰神光，遂成视惑。此一证型，余常以二陈汤合八正散投之，无不应手取效。二陈汤是治疗湿痰之常方；八正散乃清热利水之通剂。余用以治疗痰湿阻滞之视惑证，旨在利湿除痰并举。痰湿去则脾运健，脾运健则阴霾消。清升浊降，则生生之气不息矣。

1982年3月，治一男性扶某，患左眼视惑5个月，西医诊断为中心性脉络膜视网膜病，患者内服激素及血管扩张药2个月，服中药明目地黄汤四十余剂，视物变形有所好转，然眼前黄白色暗影终不除。患者起病以来，时有泛恶呕逆，胸脘满闷，头眩心悸，舌苔薄黄而滑，脉濡稍数。检视眼底，见黄斑部仍有大量黄白色渗出质，中心凹反光不显。拟二陈汤合八正散，患者服药7剂，视物较前清晰。原方再进7剂，自觉症状完全消失。遂以八珍汤加怀山药、枸杞子调理月余，患者黄斑中心凹反光恢复正常，视力为1.5。随访至今，未见复发。

单味黄连治视惑

|黄佑发|

李公老人，家住流江，务农为业。年近花甲，犹有壮容。从不问于医事。一日，突觉头晕目眩，眼前发花，无奇不有，形状万千。延医入诊，服用归脾

汤10剂无效，且心烦失眠，自语不休："蜂乎?! 蝶乎?! 入吾手足，粘吾心肺。"家人以为其癫，医更以礞石滚痰汤5剂，病不瘥。求余治。"心者，君主之官也，神明出焉。"心火炽盛，扰乱清阳而为视惑之证。嘱进黄连30g，水浸频饮，药到病除，单味而愈。迄今，患者年近古稀，视力犹佳，读书看报如常耶。

六君子汤加味治失明

王正林

李某，男，24岁，稚年父母双亡，孤独一人，饮食不节，起居不时，以致禀赋不足，脾胃受伤。月前又贪冷食，中州斡旋无能，而泄泻频作，经用西药治疗，泄泻已止，谁知半月后，眼睛干涩，视物日渐模糊，终至失明，延及两目。刻诊：体质羸弱，精神萎靡，头目眩晕，语声低微，时自汗出，心悸心慌，倦怠无力，纳谷不展，溲清，舌淡苔薄根微腻，脉大而缓。查：其左眼视力0.2，右眼视力0.1，两眼底反光为黑色，指压不高，拟诊为玻璃体轻度混浊。中医辨证：脾失健运，血不涵目。治法：健脾益气，养血。方选六君子汤加味：西潞党参15g、茯苓、苍术、白术、炙甘草、陈皮、法半夏、柴胡、黄芪、当归、生姜、大枣。

上药服10剂后，患者眩晕渐减，饮食自增，语声稍朗，体力日趋康复，两目视及3m。舌淡而嫩，脉缓，拟养血明目辈巩固，药用：甘枸杞子、杭菊花、当归、熟地黄、杭白芍、川芎等。继服10剂后，患者全身已无不适，请眼科复验其视力：左眼1.1，右眼1.0，续投杞菊地黄丸调理月余收功。

《灵枢·大惑论》云："五脏六腑之精气皆上注于目而为之精，精之窠为眼。"目之所以视乃物，辨五色，全赖于五脏六腑之精气上行贯输。夫患者幼年丧父亡母，后天失养无疑，复加饮食戕伐，中州乏于斡旋，失于升降，终至泄泻，泄则更伤气阴。"气脱者，目不明。"气血俱伤，何视之有，故初诊拟六君子汤合黄芪、当归以健脾益气补血；柴胡升阳，载药上行，冀气生则血生，气行则血行。始得二诊时，患者目已视及3m，获效匪浅。

老年眼底病应从肾论治

刘益群

老年眼底病临床比较多见，对视力的影响极大。究其原因，多由肾衰所致。

肾为先天之本，肾藏精，人体脏腑、经络、四肢百骸皆赖此滋养，老年之所以日趋衰老，无不与肾衰精竭有关。眼睛这个特殊的感觉器官，对反映人体的衰老状况更为敏感，老年眼底病位在瞳神，瞳神属肾，肾虚难滋，故老年眼底病由之而来。如视网膜动脉硬化、高血压视网膜病变、视网膜静脉栓塞、糖尿病性视网膜病变，以及老年性黄斑部变性等，大多是由于肾衰所造成的，但也与代谢障碍有关，常常影响视力，视力障碍又会加重思想负担，进一步加重衰老。

肾衰本可以引起和促进老年性眼底病，再加上七情六欲、膏粱厚味、恣嗜烟酒，则使病情更为复杂，概括之可分风、火、痰、湿等症，目络痉挛、目瞤、目㖞，甚致暴盲等，则多属风证；目系瘀热，视底红赤，目络弛张而出血，或伴有目痛、肿胀等症，则多属火证；目络瘀阻、目络弛张、视衣混浊，赤丝虬脉，血溢络外，陈旧积蓄等症，则多属痰证；眼底视衣混浊、水肿渗出等症，则多属湿证。风与火、风与痰、风与湿等又常常相兼出现，但又常与肾有所关联。如肾阴不足，无以制阳，则阳亢易动风邪；阴虚易生内热，热盛则生火证；肾气不足则无以推动血运而产生瘀阻；瘀阻难以运化则易招来痰湿。相互影响、互为因果，然其本也在肾。其调治之法，应分清阴阳虚实。如以阴虚为主，可选用左归饮、杞菊地黄丸、天王补心丹之属；以阳虚为主，可选用右归饮、桂附地黄汤、附子理中汤等。气属阳，血属阴，在调理阴阳之时，又需考虑到气血的不足。但临床所见，往往又有虚中挟实，或两脏合病，气血同亏，这就要根据病因病机、辨证分析，适当选用方药。

睑垂眼胀从痰治

王漱予

痰湿之痰，吾认为不限于咳嗽之痰，凡因脏器气化功能受阻，以致津液、湿浊聚滞，皆可成之。痰湿既可重着趋下，亦能逆经蒙上，或溢于四旁，或流于关节，其见症皆因受邪部位不同而各异，因此在临床所反应的病症较多。治痰之法也随之各异。但临证之时，切须详审病变部位，细察邪在何经、何络，以酌用适当药物。1978 年夏，岳阳纸厂宋某，眼眶胀痛 4 个月，症见双睑重垂，眼胀牵及额颧，夜甚于昼，不能成寐，检查其眼压、眼底、视力与眼部外观，均无异常，脉缓，舌苔白厚，患者经多方治疗少效。余断其病系痰浊为患，以其痰浊上逆，蒙闭清阳之窍、精明之府，故眼眶痛，胀连及额颧，不能成寝。于是，投以藿香、佩兰、豆蔻芳香化浊之品为君；人参、茯苓、萹蓄、薏苡仁健脾化痰之品为臣，佐以羌活、葛根、川芎、白芷引诸药直达病所，去胀止痛，甘草调中，服药7剂于饭后。药尽剂，患者症状消失，入睡正常。究其治愈原因，乃湿气除、痰浊化，清阳升，七窍利，则目胀痛、睑重垂、头胀不能寐诸症得解。

漫话“耳、鼻、喉”

| 干祖望 |

人言耳鼻喉科属舶来，非也。扁鹊第一个在洛阳挂牌当“耳目痹医”（见《史记》）。孙思邈第一个把耳鼻咽喉口目联系起来，号称“七窍”（见《千金要方》）。

世人罕有五官端正者，鼻中隔弯曲者占95%。

人身上发出的声音，一最“慷慨”的是鼻子的鼾声，本人不想享受，专供旁人欣赏；一最“鄙吝”的为耳朵的耳鸣，纵然同衾共枕者，也不能分聆一丝余音（不过震动性耳鸣不吝）。

“方书不载者”很多，很多。且看患有婴儿湿疹者，80%有鼻炎，表现在吮奶时停停吸吸，不能一气到底。患有慢性咽炎者，80%颈项转辗失灵，牵制不舒。

上喉科课谈制药的“煅存性”，最难达意。我因之在黑板上写以“湿→潮→润→干→燥→枯→炭→灰→烬”八字的干湿分级。说明“煅存性”在枯与炭之间。

现在谈及耳鼻喉归经属脏，真使人头绪纷纭。我教诲学生时就交待28个字，谓：“两耳肾窍肝胆附，鼻属肺经阳明过，喉咙归肺胃归咽，诸窍空清统于土”。《素问·玉机真脏论篇》云：“脾其不及，则令人九窍不通”。李东垣在《脾胃论》中更总结为一句话：“胃气一虚，耳目口鼻，俱为之病”。

阳和汤用于复杂型脓耳一得

| 谭敬书 |

《外科证治全生集》中之阳和汤，原为治阴寒外证而设，今人用于治疗慢性化脓性骨髓炎甚效，但未见有用之于脓耳者。鉴于复杂型脓耳之病理变化，实为耳部完骨之骨髓及骨质腐烂，与骨髓炎相似。故每遇阴寒凝聚之复杂型脓

耳，不论骨疡型或胆脂瘤型，余常采用本方治疗，每获良效。如经 X 线照片证实为右耳胆脂瘤型脓耳患者，周某，57 岁。1983 年 10 月来诊，主诉，自小右耳流脓，反复不愈，脓少而臭；除耳聋外，并见头晕，走路偏斜不稳；查鼓膜松弛部穿孔积脓。西医嘱用手术治疗，因其年老体弱不愿手术，前来求治于中医。询其口淡不渴，察其舌质淡嫩有齿痕，按其脉弦缓，遂用阳和汤治疗；以其脓少而臭，为相火蒸腐耳骨而成，方加黄柏、知母以降火坚阴。患者连服十剂而脓止，查其鼓膜穿孔处干燥，头晕亦减，惟行走仍向右侧偏斜。仍以阳和汤平肝熄风之品，调理两月而安。

胆脂瘤型脓耳，是脓耳中最难愈者，西医一经确诊，必用手术治疗，以彻底消除病灶，防止危重并发病之发生。用阳和汤加减治疗本病，能使中耳干燥无脓，并发症状改善或消失，使病情处于静止状态，确为治疗阴寒型脓耳之良方。

鼻　渊

张赞臣

鼻渊之名始于《内经》。《素问·气厥论篇》云：“胆移热于脑则辛頞鼻渊。鼻渊者，浊涕下不止也，传为衄衊瞑目，故得之气厥也。”由此可知，鼻渊系因气之厥逆，使胆移热于脑而成。其症为鼻根部有酸胀辛辣之感，浊涕常流，日久则发生鼻衄及视物昏黑等症。

吾于临床所见，患者因晨起受风冷而得之者不少。寒郁化火，额属阳明经太阳经，太阳有风，阳明有热，风热遏郁，邪毒羁留，致鼻膜肿胀、气道不利；湿热交蒸、浊涕不断；阳明经气不通，故鼻旁发胀；肝经上巅顶络太阳连目系；太阳、阳明风热使肝胆之火上逆，故有眼目胀痛之症；久病伤气耗津，表卫不固，正气不充，故患者头常昏晕，易罹感冒。

对本病之辨证要领有三：一辨头痛之部位。如前额痛属阳明经，巅顶痛属督脉经，颞部痛属少阳经，枕部痛属太阳经，眶上连眼球酸痛属厥阴经。二辨鼻内分泌物之性状。涕黄脓黏稠为肺火或痰热，清稀如水或如蛋白为虚寒，浓涕秽臭为邪毒甚。三辨鼻膜之色泽。淡白而水肿者，为气虚、痰湿；鲜红而高突，为内有郁火；暗红而干，突起不显，为血瘀或阴虚火旺。临床上也有一些表现错综复杂者。如有局部苍白，涕清稀，而全身内热见症者；又有局部充血，涕呈黄脓，而全身虚寒见症者，故局部辨证应与全身辨证相结合。用药时当辨真假虚实。论治时须因人而异。

鼻渊之治法以清泻为主。常用通窍、排脓、化湿、疏风、清热、止痛诸法，佐以扶正之品，因久病每易伤正，常需通调并施。通窍药中如苍耳子、石菖蒲、路路通等性较温燥，适于湿浊蕴肺者，而对舌尖红、邪热重者则不宜；荷梗适于热证鼻塞，用于黏膜红或淡红色者，而不宜于黏膜色灰有湿郁者。排脓药如天花粉性甘寒、能清热生津，消肿排脓，适用于热证；白芷辛温，则宜于风寒之证。不要一见黄脓涕就一味用栀子、黄芩清泻苦寒药，久用有碍胃之弊。头痛要按部位不同分经用药，如额部痛多选白芷、藁本；颞部痛宜用白芍、蒺藜；头顶或枕部痛可选蔓荆子；眼眶痛可加用决明子、青葙子。用补益药时尤须注意：邪热重时进补宜缓，或配以疏散药，以免留邪；脾气不足，胃纳欠佳时配健脾药以防滞；舌苔厚腻者，养阴药应免进。

吾自拟治鼻渊的基本方，名曰“辛前甘桔汤”，由辛夷花、青防风各6g，嫩前胡、天花粉各9g，薏苡仁12g，白桔梗4.5g，生甘草3g组成。每日1剂，分2次煎服。同时配合外治，吾家传方“鼻渊散”。方由辛夷花30g、薄荷叶6g、飞滑石9g、月石（风化）9g、冰片0.9g组成。共研细末，过筛后用。以散搐鼻内，每日2~3次，用于鼻渊，时流黄稠浊涕，腥臭难闻，常奏良效。一俟症情控制后，可用桑麻丸清热润肠，玉屏风散预防感冒。饮食上常食薏苡仁粥，能健脾利湿，对防治鼻渊也有裨益。遇黄脓鼻涕增多时，可加服清肝保脑丸。

治萎缩性鼻炎一得

段光周

萎缩性鼻炎是一种难治的慢性疾病。此病难在病情缠绵不愈，患者阴阳气血俱虚，加之外邪常犯，往往形成新旧同病、虚实错杂、寒热互见的局面。我认为，此病具有与虚劳相似的病机，因此当于虚劳病中探求治法。

1980年我曾治一农妇，患“萎缩性鼻炎”久治不愈，极为痛苦。常感鼻中干燥出血，香臭不辨，头昏目眩，心悸气短。察其面色萎黄，手足不温，脉象弦细，舌淡苔白。虽未至七七之年，经水早闭。面对此证，我也束手无策。细查前医用葛根、辛夷、苍耳子、薄荷等药清宣肺窍，尚属对症。现患者虽有气血虚寒见证，但鼻燥鼻衄，温药岂敢再投乎！忆《金匮要略》有炙甘草汤治肺痿之记载。此方阴阳并补，对气血两虚的肺痿病证，大有益气生津之功。肺开窍于鼻，炙甘草汤既然能起肺脏之痿，为何不可移活鼻窍之痿？《内经》云：“虚则补之”“劳者温之”，况《金匮要略》早有用小建中汤温补中气以治“衄血、手足烦热、咽干口燥”等虚热证候的先例，似与本患者的病机有相同之处，于是姑予炙甘草汤原方2剂一试。两天后病人前来复诊，面带喜色，曰：药后头昏心悸有所好转，鼻衄并未见增。我心中已有几分把握，不妨击鼓再进，嘱服原方10剂，以观后效。患者带药归乡，半年后来信告之，服药六十余剂，诸症若失，鼻中已润泽如常。

益气固表祛风法治疗过敏性鼻炎

|夏 翔|

中医书中并无过敏性鼻炎之病名记载，但“鼻鼽”的症状描述与过敏性鼻炎极为相似。早在《素问·气交变大论篇》中就有“鼽嚏”的论述。在《刘完素六书》论鼻鼽中也说“鼽者，鼻出清涕也”。“嚏，鼻中因痒而气喷作于声也”。

也有学者认为过敏性鼻炎相似于“鼻渊”。其实，并非如此。因为《素问·气厥论篇》中说：“鼻渊者，浊涕下不止也”。而这种“浊涕下不止”的症状描述，应该说更近似于副鼻窦炎，而不是过敏性鼻炎。

过敏性鼻炎的病因与肺肾气虚、卫表不固有关。如《证治要诀》中说“清涕者，脑冷肺寒所致”。《素问·宣明五气论篇》也说“肾为欠，为嚏”；另一方面又与风邪上犯鼻窍有关，故治疗原则应采用益气固本、补肺益肾法以治本，祛风宣窍法以治标，只有标本兼治才能提高疗效。在益气补肺方面，应首选黄芪，配以白术，取玉屏风散之意，而且黄芪应重用，每剂可用15～30g。在益肾固本方面，可重用补骨脂，这三味药一起应用能起到治“本”的功效。而且，有人认为黄芪和补骨脂尚有调节和抑制免疫以及增强体质的功能。在祛风宣窍方面可应用荆芥、防风、苍耳子、辛夷、地龙、千里光、白花蛇舌草等祛风药。通过临床实践体会到这些药物具有比较显著的抗过敏功效，尤其是苍耳子、地龙这二味药对过敏性鼻炎的疗效较佳。以苍耳子而言，用量较大，则效果更为显著，一般可用15～30g，用此药量并无不良反应或中毒现象发生。曾有报道，多服苍耳子会中毒。其实，这是食用大量的苍耳子仁所致，而用苍耳子煎汤服用则无不良反应发生。地龙的用量为10～15g，如用地龙做成丸药吞服则抗过敏的效果更佳。笔者曾用过敏性鼻炎方（生黄芪、防风、苍耳子、千里光、白花蛇舌草、地龙、白芷、藁本、净麻黄、补骨脂、大枣）治疗过敏性鼻炎50例，有效率为78%。

实热重症宜注意煎服药法

谭敬书

耳鼻咽喉之实热重症，诸如喉痈、喉风、鼻疔、耳疔之类，除内治与外治并用，针药兼施外，对其煎服药法尤应讲究。余凡遇此症，常先以一二剂大剂疏风解表、清热泻火、活血解毒之品，嘱连续煎熬两次，将两次药液置于5磅热水瓶中，每日4次分服，这样才能保持体内药物的有效浓度，以利病愈。如用生大黄，则宜捣碎后先置于热水瓶中，再将药液倾入浸泡，其泻火通便之效尤优于后下。如为咽喉重症，则宜将药液含浸于咽喉患处片刻，然后徐徐下咽。待病势顿挫之后，再根据其病情施治，每获良效。如患者李某，患右侧喉关痈及风热乳蛾（双）1周，吞咽困难。初起即注射青霉素，但病情未能得到控制，咽痛日增；并见发热、恶寒，小便黄短，大便1日未行。检视咽喉见其双侧喉核红肿，表面有脓点，右侧喉核外上方红肿高突，触之软陷，双颌下臖核肿大压痛，右甚；舌红苔黄，脉数。证属肺胃热毒壅盛，上灼咽喉，腐肉成脓。本拟穿刺抽脓，但患者拒绝施术，只求内服中药，遂拟清热泻火解毒为主，佐以疏风活血托毒排脓。药用防风10g、白芷10g、川黄连10g、蒲公英30g、山豆根15g、皂角刺10g、金银花15g、生石膏30g、黄芩10g、生黄芪15g、当归10g、酒大黄10g，2剂。按上述方法煎服，并辅以耳垂放血及磁疗。2日后复诊，患者喜诉喉痛显减，能进软食；检视双侧喉核红肿大减，其上之脓点消除；右侧喉核外上方仅轻度红肿，舌红苔薄黄，脉略数。热毒壅盛之势已挫，减用寒凉攻伐之品，于上方去川黄连、山豆根、皂角刺、金银花、生石膏、酒大黄等药物基础上，加白术10g、茯苓10g、甘草6g、桔梗10g，以扶脾利咽；3剂而诸症悉除。

咽头白腐未必尽是阴寒

吴仲磬

1937年我曾与三叔等食太湖红烧羊肉。不料翌日三叔即发白喉，继之妹亦传染，以年幼（5岁）拒药，竟死。旋即吾兄又得喉病，来势凶暴，咽喉起一大血水泡，窒塞喉关。当地医生以针刺泡，放去大量水、血，略适，而左侧扁桃体及悬雍垂义膜密布，已腐蚀近半，音嘶不扬，语言不清，医生无法。我先以自备吹药给吾兄频吹，以民间单方克蛇龟吸去其义膜，授养阴清热之剂，其鸱张之势始挫。而咽喉梗介不和，红晕不退，乃迭进养阴清热之品，如沙参、麦冬、玄参、知母、生地黄达2个月之久。吾兄以素体脾虚湿胜，缠绵达半载以上。更出现了与病情传变不相吻合的证候，其一，面目胸腹四肢浮肿；其二，咽喉红晕环若彩虹。一日先君忽有所悟说，“汝兄上腭及喉关内外环若彩虹，中现红晕，而喉关内多呈浮白色。此水湿之邪为阴寒所遏迫而上泛也；其遍体浮肿乃脾阳为阴寒所困，水湿之邪迫而外溢也。证候表现虽然不同，其为阴寒之气所困扰，误在阴寒之品用之过多，过久使然，殆无疑义。”遂尽撤前方，而以温阳健脾，芳香燥湿为法，方用制附片、川桂枝、苍术、白术、厚朴、姜半夏、陈皮、茯苓、泽泻、车前子等投之。药后病人遍体肿胀渐退，咽喉红晕、白腐日消。可见辨证确，功效著。阳药误人，暴而易签；阴药误人，缓而难知，不可不慎！

治失音非独治肺

朱宗云

发音嘶哑，历代从肺诊治，故有“金破不鸣，金实亦不鸣”之说，事实上失音不离乎肺，又非独肺也。例如声带麻痹，其起因有二：一为甲状腺手术时损及喉返神经，此为外伤经络，气血瘀阻；一为外感风寒湿邪，入侵经络关节以致经络阻塞，关节不利。因此，声带麻痹是痹证的一种特殊形式，其病因诚如《内经》指出的：“风寒湿三气杂至，合而为痹”。在治疗上以祛风湿为主，同时，根据“治风先治血”的原理，在祛风药中酌加活血药。再者，气为血之帅，正气强盛能推动血液运行，起到疏通经络、达邪于外的作用。因此，在治疗后期，加用补气药是很必要的。常用药物有黄芪、白术、党参、桑枝、豨莶草、丹参、鸡血藤、络石藤等。再如声带息肉，经间接喉镜检查，可见其质地柔软湿润，符合中医痰湿凝滞的见证，所以可辨为脾虚湿阻、水湿挟热停滞所致。其病因为脾失健运，不能升清降浊，则湿浊不化。湿为黏腻之邪，容易积滞，滞于声带则为息肉。治疗原则为健脾渗湿，佐以清热滋阴，临床上常选用木蝴蝶、胖大海、蝉蜕、沙参、麦冬、怀山药、茯苓、泽泻、石莲肉、车前子等药物。如果声带息肉质地坚硬，其病因是由水湿停滞发展到痰湿阻滞，治疗原则应是软坚散结。于上方加珍珠母、海蛤壳、牡蛎、皂角刺等。还有一种病人，发音低微，检查其声带，可见声带闭合不全或声带松弛，此为宗气不足，《灵枢·邪客》篇指出“宗气积于胸中，出于喉咙，以贯心脉，而行呼吸焉。”凡语言、发声、呼吸强弱均与宗气相关。宗气不足，则发音不扬。清代叶天士认为“劳损、气喘、失音全属下元无力，其气不得上注”。所以声带闭合不全或松弛，实为虚劳的一种临床表现，治疗亦应从调理全身体质入手。体质强健，宗气充足，则发音自会转宏。常用药物有黄芪、党参、白术、茯苓、甘草、山药、黄精、制何首乌、浮小麦、脱力草。由此可见，治瘖非独治肺。景岳曰："凡五脏之病皆能为瘖"，诚是言也。

治喉喑不可概投寒凉

|王 军|

音哑一证，临床常见，一般久病从治于肺肾阴虚而用百合固金汤、六味地黄汤之类。初病多责之于热邪犯肺，投清咽宁肺之桑菊等寒凉方药。

1974年，目睹先父王公厚安用大剂温补方治一喉喑病人，效如桴鼓，至今仍历历在目。

患者陈某，因脱衣感寒受凉后即患音喑，至今已两月余。投以玄麦甘桔汤及金银花、连翘、薄荷等类药物不效，而转某医院五官科。经检查为"声带麻痹"，治亦不效。复于各医院求治，不效，遂请家父诊治。

患者表情痛苦，不能口述病情，以笔代之。查其咽喉无红肿，无疼痛，舌淡无苔，脉浮缓。此系风寒袭肺，痰凝滞着。治以温经散寒，涤痰驱风。处方：小白附片60g（另包，开水先煎1.5小时）、干姜24g、细辛6g、防风15g、桔梗15g、蝉蜕15g、牛蒡子15g、麻黄9g、法半夏15g、陈皮15g、甘草6g，2剂。

第1剂药患者服第2次时已见效，2剂药服完即痊愈。其辨证之准确、用药之峻、见效之神速，实出乎意料。

声嘶失误1例

|来春茂|

1984年治一失音患者杨某，因感冒发热导致声音嘶哑。余用常规方药，连进3剂毫无寸效，再予3剂患者说话反感困难，斡旋半月，病情依然。后发展至失语，用笔代诉病情，乃知此次外感音哑，以往风痹亦复发，两下肢关节灼热疼痛，咽喉干涩。舌苔黄，边尖赤，脉细数。化验：血沉75mm/h，抗链球菌溶血素"O"试验800单位。请五官科检查：见其咽喉充血，声带闭合不全，有水肿状隆起。余思当从热痹着手，惟患者病久，肺肾阴虚，喉窍失其滋润，故干涩音哑，肺胃蕴热上蒸咽喉，故呈红肿，证属虚实互见。拟白虎加桂枝汤

兼以养阴软坚散结通音。处方：生石膏30g、知母15g、桂枝9g、威灵仙9g、生牡蛎30g（先煎）、浙贝母9g、昆布12g、木蝴蝶12g、蝉蜕9g、生地黄15g、秦艽9g、金石斛12g、嫩桑枝30g。

药尽3剂，患者说话能出音。再予3剂，吐字清楚，痹痛亦减轻。沿上法增损，患者续服21剂痊愈。经五官科镜检：声带闭合良好，未见充血及隆起。化验抗链球菌溶血素“O”、血沉均正常。

此例为余初诊失误，该病并非疑难，尽管患者未言痹痛，而余粗心大意，四诊不详，致使患者蒙受不必要的痛苦，兹特录之引以为诫。

失音从脾论治

|沈来法|

失音分虚实，暴瘖属实，久瘖属虚，前者因邪遏而致，后者因内伤而起。鉴于有“会厌者，音声之户也”“肺脉通会厌，肾脉挟舌本”“肺为声之门，肾为声之本”等论述，故而内伤之失音，皆谓伤肺伤肾，皆从肺肾论治，选方用药皆以养阴生津为是。余从医后，经实践觉言之未尽也。内伤失音者，非独肺肾而为之，脾也可为之，盖脾气散精，上输于肺，滋润于会厌，下荫于肾，中原昌隆，脾气精足，中气充肺，肺气旺盛，气击会厌，声音洪亮。脾气一虚，中气为之不足，肺气为之不盛，声音为之不扬，故失音者，亦可从脾治之。

一林姓中年男性，形体消瘦，素有腰痛咳嗽之宿疾，1年前患“肠胃型感冒”时出现音声不扬，感冒愈后，音声不扬1个月未除，辗转求医，病情有增无减，音声逐渐嘶哑，只见其张口语言，闻者难明其意。舌苔白腻，脉细弦。查阅前医用药，皆从肺肾津伤阴亏论治。余谓病初虽属实，但实中寓虚，腹泻呕吐必伤脾，脾气一伤，中气不足，肺气不充，音声自然不扬。法当从脾施治，补益中气，以充肺气。用补中益气汤加苍术，患者服10剂而声扬。继用炙黄芪大枣煎汤代茶1个月痊愈。

瘀血哽咽有验方

|储昌炳|

瘀血哽咽，常致窒息而死亡。吾得验方，可免之。

1967年夏，余夜诊赵某，男性，48岁。患者当时盖被斜卧，喘声如雷，痰声漉漉，头汗如淋，脚冷如冰，脉洪滑无伦。疑为虚痰上涌，急以卧龙丹吹之，患者得嚏而醒。后又服胆南星、枳椇子，到口即吐，不能下咽。其症虽剧，然神智清；苦于口不能言，烦躁不安。以手势示其妻，书病以吾。始知其病始曾咯血，即以昔年浏阳张勔全老医师所授验方：取银制器具两件，置火炉内烧红，令健康儿童将尿撒在煅红之银器上，以碗盛之，乘温给患者灌服一匙，令其闭口强咽，只听到其喉间作声，有物至咽而下，旋即发声。须臾汗止，诸症若失。乃揭被而起，言谈自如。如此危症，仅一单方奏此奇功，为何？童便化瘀生新，众所周知；惟淬热银器之功效更大，重以镇逆，但少为人知。

民间验方，希弗鄙其浅俚而不屑道。“博采众方”诚不失为医之道。

治声带息肉

张　魁

余自感风热，恰值老年门诊，老者多重听，非大声不能闻。仅一日，自感咽喉燥热不适，声音嘶哑。翌日，竟不能声，服药十余日罔效，遂求治本院及外医院耳鼻喉科，皆言声带息肉是也。经服药，禁声、药物喷喉，治疗半月，仍不愈，医生云非手术不能奏效。余惧，静而思之：斯痰者，多外感风邪，或高歌急语而致，病无非风热邪毒结于喉；风痰相搏聚于喉；拚力发声伤于喉，金破而不鸣，血溢而瘀阻。息肉者，有形之物，皆气血瘀阻之故也。为免除手术，乃拟方自试之：用冬桑叶、连翘、牛蒡子、玉蝴蝶以疏风清热，浙贝母、海浮石、牡蛎、夏枯草化痰软坚散结，玄参、生地黄、麦冬、赤芍、人参叶、牡丹皮养阴凉血散瘀。余服四十余剂，诸症悉除，发音如常。于耳鼻喉科复查，惊曰：息肉全消矣！何法甚效，非手术而息肉全除？余一一奉告不讳。自此凡见此病者，皆推荐余治之，皆效。长沙市卫生局干部涂某，患此疾半载有余，历治不愈，闻讯登门求治，服药近 2 个月，息肉消失，发声如常人，历两年未见复发，可见中医治喉息肉亦有佳效。

气陷失音

李子萼

甲子夏末，病者蒋某语言失音两旬余，经中西药治疗无效。前医邀余会诊，察其面色不华，困倦多寐，胸闷少气，纳呆腹胀，便溏尿清，舌淡苔腻，脉细无力，此脉此症属脾虚气陷无疑，非升补脾气不可。方用黄芪、白术、升麻、山茱萸、桔梗、柴胡、甘草、野台参、桑寄生，重用黄芪60g为主，嘱服3剂。2日后，其家属喜而告之：先生之方，大奏奇效，一剂而得音，3剂而音复如常。前医惑而问之：先生使用上药复音，其理安在？余欣然以答：上方重用黄芪合白术、甘草，以升补脾气。黄芪与寄生同用，即能升补肝气，又为填补大气之要药。山茱萸收敛气分之耗散，使升者不至复陷，柴胡为少阳之药，升麻为阳明之药，能引脾气之陷者上升，故补中益气汤配升麻、柴胡以升阳，助脾益气，桔梗能载诸药上达胸中，作为引经药。凡气分虚极者，配用野台参以培气之本。至于失音一证，有虚实之别。暴喑者，实也，多由风寒客热所致。久喑者，虚也，多因正气虚损。所谓金实不鸣，金碎亦不鸣也。此病乃脾虚气陷失音之证，君囿于肺肾虚损之说，而投以地黄汤，药不对症，曷能奏效？余用升补脾气之品，故效如桴鼓。《张氏医通》载有失音病案，亦用小建中汤培补中州而收功。可见失音一证，五脏六腑皆能致病，岂独肺肾哉。医者临证必须辨证分析，在治疗上，方能做到有的放矢。

嘶哑失音治验

诸葛连祥

1979年曾治某患，主诉因感冒音哑，丝毫不能发出语声已3年。平素无他病。望之咽喉不红不肿，舌质紫暗，目胞有黑迹，问知其眠食如常，诊得左脉滑软，右脉沉涩。我细思其病变部位在喉，为什么会失音？《素问·宣明五气篇》说：“搏阴则为喑，”且手足少阴经脉、手足太阴经脉、足厥阴经脉皆通于喉。《灵枢·忧恚无言》说：“寒气客于厌，则厌不能发，发不能下，至其开阖不致，故无音”。说明本病患者之致病与喉部经络有关，患者初病为外感风寒，寒邪入于喉部经络，与阴血相搏，血瘀气滞，遂使声音之根肾气、声音之主心气、声音之门户肺气，俱不能上通会厌与声带，故无音。诊断为寒邪闭郁、喉络瘀阻之证。治以活血化瘀、宣通开痹法。处方：川附片30g、麻黄7g、当归10g、赤芍10g、桃仁10g、红花10g、射干12g、桔梗10g、甘草10g、生黄芪12g、山豆根10g。

煎法：先用沸水煎附片2～3小时，然后放其他各药同煎，沸后15分钟即可服用。第二、三煎时，将药渣加入沸水煎15分钟，即可服用。

本病由于寒束喉部经脉，故用麻黄宣肺散寒，以解络脉郁滞；用当归、赤芍、桃仁、红花活经络之血瘀；用射干、桔梗开提肺气，引药而至咽喉，病久必及肾，且音之本在心肾，用附子扶心肾之阳以通行手足少阴经脉，更用黄芪益气升阳，助药力之上；病久脉滑，用山豆根、射干以清伏热，甘草调和诸药。以本方主攻在于瘀血，既注意消除致病之因，又按表里寒热虚实全面辨证及治疗。患者服第1剂病情好转，3剂痊愈，至今未复发。

喑痹（慢性咽喉炎）

罗 铨

喑痹是以声音嘶哑、音调低沉甚至语音不出为特征的一种疾病，常伴有喉痒、咽干、喉部微痛不适以及咳嗽少痰等表现。慢性咽喉炎多属喑痹范畴。

“咽喉为肺之门户”“肾脉挟舌本”，肺肾之气出于喉，发而为声。本病初起多因外感风寒、失于宣肃；或感风热，用药过于寒凉，使外邪闭伏。肺肾经气郁遏，日久不愈，而逐渐变为本病。

当外邪郁遏，肺失宣降，肾失温煦，则水液凝聚为痰。本病常伴有咳嗽痰阻喉中，吞之不下，吐之不出，喉部一般无焮红肿痛，此皆气滞痰凝之征。

气为血之帅，运血者气，气行则血行。外邪闭伏，气机失于条达，气滞则血瘀。患本病咽喉暗红，局部滤泡增生，声带变厚，此皆血络瘀阻之征。故气机郁遏、痰凝血瘀为本病的病变特点。

透重于清，宣散一化痰一活血为其治疗要点。外邪闭伏，当以透解为要，风寒闭伏，固宜宣散，即便风热郁遏或寒郁化热，亦多以宣散为主，佐以清热。正如《内经》所说：“火郁发之”“其实者散而泻之”，辛透重于清热，使邪有出路。笔者早年从师于云南名医吕重安医师，吕师常谓：“烂喉丹痧，重在痧而不重在喉，痧透则喉自愈”，常用防风、紫苏叶之类，总以透解为要，最忌滥用寒凉之品，惟恐气机郁遏、邪气闭伏。遵循师训，我治疗喑痹一证，以宣散郁遏之邪，畅达肺肾气机为第一要义，常用麻黄、细辛、葱头、僵蚕。麻黄轻用宣畅肺气，每用3~6g即可；细辛入肺肾，不仅能发散在表之风寒，且能透达肾经寒邪；葱头发汗解表力弱，但能通阳散寒；僵蚕轻清上扬，祛风散结。

气滞痰凝，日久成为顽痰，必用化痰软坚之品。常用法半夏、蛤粉、昆布、海藻。临床可酌用一二味。气滞血瘀，血络瘀阻，常用丹参、红花。

根据上述用药原则，我常用下述基本处方加减治疗：麻绒6g、细辛5g、僵蚕10g、桔梗15g、法半夏12g、蛤粉15g、丹参15g、红花6g、葱头2个、甘草6g。寒象明显者加小白附子（或附子）；寒郁化火，脉数苔黄者，加芦根、板蓝根、冬瓜仁。临证用之颇数，兹举病例于后：

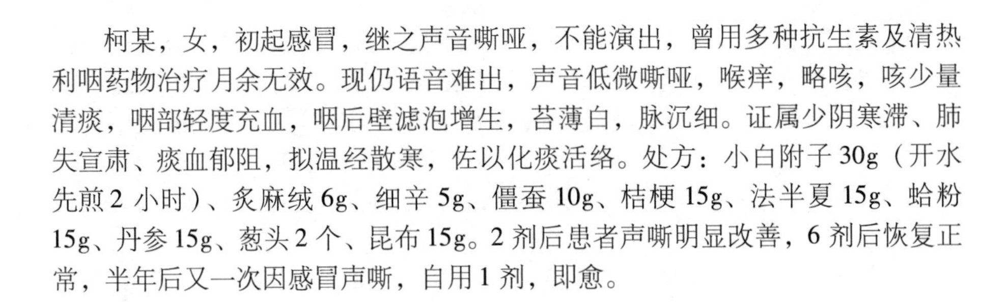

柯某，女，初起感冒，继之声音嘶哑，不能演出，曾用多种抗生素及清热利咽药物治疗月余无效。现仍语音难出，声音低微嘶哑，喉痒，略咳，咳少量清痰，咽部轻度充血，咽后壁滤泡增生，苔薄白，脉沉细。证属少阴寒滞、肺失宣肃、痰血郁阻，拟温经散寒，佐以化痰活络。处方：小白附子 30g（开水先煎 2 小时）、炙麻绒 6g、细辛 5g、僵蚕 10g、桔梗 15g、法半夏 15g、蛤粉 15g、丹参 15g、葱头 2 个、昆布 15g。2 剂后患者声嘶明显改善，6 剂后恢复正常，半年后又一次因感冒声嘶，自用 1 剂，即愈。

谈少阴伤寒喉痹

| 李传芳 |

喉痹，一称喉闭，为咽喉肿痛之统称。以外感风热、内伤阴虚为常见。临床辨之较易，治之不难。惟有少阴伤寒喉痹，其与上述症状迥然不同，临床少见，辨之较难。若治之不当，往往祸不旋踵。追忆 20 世纪 60 年代，吾随朱老毕业实习时，遇一病人，其形羸，面白无华，大便溏，日二三次，腰膝酸软，两足如冰，咽喉肿痛，自觉身热有火上炎，诊得六脉沉细而弱，舌苔薄白质淡。某医投以滋阴壮水、清热解毒剂，遂致患者心神恍惚，大便洞泄，小便自遗，下肢彻冷过膝，气息短微欲脱，六脉细弱如丝，而咽喉肿痛如故，更觉有火内焚，特来求治于朱老。朱老辨为少阴伤寒喉痹，良由下元虚惫，寒邪客其虚位，龙雷之火不安其宅，循经上越，扰于咽喉，乃致肿痛。因其火虚于下，格阳于上，故又称格阳喉痹。此乃上热下寒、肾中真寒证。治宜温补命门，引龙雷之火归于根宅，或许有救。遂处方：肉桂 4g、附片 6g、熟地黄 30g、怀牛膝 10g、炙甘草 4. 5g、干姜 4. 5g、泽泻 4. 5g、野山参 9g。嘱急煎，待汤冷后服。果然 1 剂应效，2 剂告愈。

朱老嗣后补充说，少阴伤寒喉痹，虽有咽喉肿痛，但肿痛不甚，其色较淡，并有六脉微弱，下肢厥冷，为其辨证要点。此由房劳伤精、泄泻伤肾或本体为寒而过服寒凉，伤其阳气所致。其治速予景岳举阴煎加减化裁，煎汤冷服，温补肾阳，引火归原，方有效验。

阳和汤可治喉喑

| 胡安黎 |

喉属肺系，为呼吸发声之门户，肾为呼吸之根。少阴经脉循喉咙，挟舌本。

寒邪或热邪所干，均易引起失音等病变。风寒外束失音者，当疏风散寒，使肺气宣，气机调畅，声音自复；热邪犯肺，肺热壅盛者，宜清肺泻热，热退则肺气清肃，声音清晰；阴虚者，宜滋肾水以治根本，喉喑自愈。若阴寒在里，以致寒凝血滞，脉络痹阻而成喉喑者，可用阳和汤以和阳通滞，使阴寒之凝能解，气旺则痹阻通。医者不察阴阳，不辨寒热，凡以清凉而失却疏解，则寒邪内闭，遂成喉喑重症，可不慎乎！

吾治胥某，起初口涎不止，吞咽难，语謇。当时西医诊断为“喉肌软化症”。渐因滴水难咽，27 天全赖鼻饲生活。邀中医会诊，某医曾用清喉宣肺法 1 周，仍罔效，故抬来本院吾处治疗。因见患者面如枯草，形体刮瘦，目闭不睁，似睡非睡，呼吸缓弱，唤无应声，被动翻身，小便失禁，大便已 15 日不通；查舌质淡蓝，显齿痕，苔白腻，脉象沉细微弱，一派大虚象，恐难胜任，本欲辞退，基于医务人员之天职，故收下救治。四诊合参，细察苦思，认为该患者喉喑不同一般。因其冬令下井捞手表，则风寒外束，失于温散。反误投苦寒药，以致寒邪内闭，客于少阴，上逆会厌，导致脉络痹阻，开合不得，故声音不出。《景岳全书·声喑》云“喑哑之病，当知虚实，实者其病在标，因窍闭而喑也；虚者其病在本，因内夺而喑也”。本例患者因喉喑重症，久未进食，以致脏腑无以水谷精微之养，则元气大伤。肾为先天之本，元气之根，故急宜阴阳双补，辅以培土生金法，用主治阴寒的阳和汤方意，既补肾之阴阳，又益肺脾，使闭窍开而喉喑愈。药用：熟地黄 30g、鹿角胶 16g（另炖兑汁）、桂枝 6g、炮姜炭 2g、白芥子 6g、麻黄 2g、炙甘草 3g、红参 9g、黄芪 24g、五味子 2g、麦冬 9g、细辛 1.5g、石菖蒲 9g、炮穿山甲珠 9g、法半夏 9g。鼻饲 1 剂。

翌日，患者目略可睁，神有喜色。守原方鼻饲 6 剂，脉复神佳，可坐起片刻，大便已通，小便自调。九诊时，患者可咽药汁。服药 13 剂，声开能饮食，惟语謇不清，口涎多，舌淡微红，苔薄黄，脉细弦。此阴精阳气已复，寒凝之脉络已解，治应与养阴之品参合，以防久服温热伤阴。方用：鹿角霜 12g、桂枝 6g、白芥子 3g、麻黄 2g、细辛 1.5g、炙甘草 3g、党参 12g、黄芪 12g、炮穿山甲珠 9g，以益气活血，分化痰瘀；南沙参 9g、石斛 9g、墨旱莲 9g、女贞子 9g，以滋养肝肾；石菖蒲 9g，与桂枝、麻黄配合，以巩固温化、通阳开窍之功。诸药合投，续服 16 剂，患者语音清晰，口涎止。现已 9 年，此疾未复，体质壮健。

“虚火喉痹”不可以阴虚概之

李凡成

虚火喉痹主要表现为咽中不适，微痛，干痒，异物感，灼热感以及“吭”

“喀”之声响。临床多按肺肾阴虚论治，但投以养阴清肺汤、沙参麦门冬汤、玄麦甘桔汤、知柏地黄汤之类，亦有无效者。

咽喉为肺胃之所系，经脉循行交会之处，与五脏六腑、十二经脉均有密切关系。肺肾阴虚，虚火上炎，固能导致虚火喉痹，但脾胃中虚，运化不健，痰湿内生，郁于咽喉，可致异物感或小瘰增生；脾胃中虚、清阳不升则津液难以上承，咽部失于濡养，可致咽中不适、干涩、微痛；又命门火衰，虚阳上浮，亦能导致咽中干涩、灼热感。此类喉痹岂可以阴虚概之？

1981 年曾治周某，59 岁。患“虚火喉痹”三年多。前医累进养阴之剂，仅获微效，辍药后症状如故。余观之，证属脾胃中虚，用补中益气汤加麦冬、五味子，佐以知母，4 剂即症状消失。隔 4 年后问及，谓此后很少再发。1984 年治一中年妇女，自诉咽中时冒火气，干燥、隐痛、有明显异物感半年。前医率以养阴清热剂投治，不但无效，反渐加重。细审之，证属命门火衰，虚阳上浮，先治以温肾扶阳，用真武汤加减：附子、白术、茯苓、白芍、葛根、升麻、甘草、桔梗、黄芪、党参。患者服 4 剂后，仅异物感未消，续以补中益气汤加麦冬、五味子、枳壳治疗。患者服药十余剂后，除腭弓仍稍暗晦如故、小瘰增生略减外，其他症状均消失。笔者体会，喉痹因于脾胃中虚或命门火衰者，确实不少，此类喉痹特点有三：一是咽黏膜色淡或微暗，穹隆纹清细，或仅见舌腭弓、侧索稍暗；有小瘰增生者，颗粒大而饱满，其色淡红；或有明显咽部自觉症状而无明显的局部体征。二是舌质偏淡，或淡红胖，边有齿痕，脉细缓。三是食纳稍差，下肢不温，夜尿多，大便溏，或无明显的全身症状。见此类者，治宜补中益气或温肾扶阳。《外科正宗》曾云，虚火喉症“上午痛者属气虚，补中益气汤加麦冬、五味子、牛蒡子、玄参；午后痛者属阴虚，四物汤加黄柏、知母、桔梗、玄参”；《景岳全书》亦谓：“格阳喉痹，由火不归原，则无根之火客于咽喉而然。其证则上热下寒，全无火证，凡察此者，但诊其六脉微弱，全无滑大之意，且下体绝无火证，腹不喜冷即其候也。盖此证必得之于色欲伤精，或泄泻伤肾，或本无实火而过服寒凉，以伤阳气者皆有之”。此皆经验之谈，实应为吾辈所共鉴。

喉疳的诊治

|张赞臣|

中医之“喉疳”，颇似西医之“咽喉部溃疡”。患者咽喉逐渐破溃，局部黏膜成片坏死，假膜形成，甚者饮食难进，呼吸梗阻，迁延难愈，苦不堪言。

《医宗金鉴》描述此症："初觉咽嗌干燥，如毛草常刺喉中，又如硬物嗌于咽下，呕吐酸水，哕出甜涎，淡红，微肿微痛，……肿痛日增，破烂腐衣，叠若虾皮，声音嘶哑，喘急多痰，臭腐蚀延，其痛倍增，妨碍饮食，胃气由此渐衰。"对其病因，或责之于胃阴不足，或责之于肾液久亏，使相火炎上，消灼肺金，熏燎咽喉。但据我临床所见，本病以脾滞湿困、胃火亢盛者为多。脾失健运，痰湿阻滞以致津液内亏，虚火实火相并，熏灼咽喉。咽喉为肺胃之上口，熏灼日久可引起该部黏膜溃腐。总之，本病病因主要是湿热为患，虚实夹杂，当责之于脾、肺、肝。治疗一般以清热化湿，扶脾平肝为基本法则，并佐以养阴之品。

积多年临证之经验，吾自定一治喉疳方，名之曰："喉疳清解汤。"方药：赤芍、牡丹皮、泽泻、黄芩、玄参、白薇各9g，桔梗4.5g，射干3～6g，每日1剂，水煎服。如证见脾虚湿重者，去玄参，加薏苡仁、山药、白术、黄芪等，以利湿健脾；如胃火炽盛者，加栀子、知母、挂金灯、牛蒡子等，泻火利咽；如湿热并盛，加碧玉散包煎，以清热渗湿。选用药物时，有几点须加注意：其一，选用清热泻火药不宜过于寒凉。我用赤芍、牡丹皮、黄芩，而不用川黄连、水牛角及犀角地黄汤之类，主要是虑其损脾阳。其二，化湿不选温燥之品，如半夏、厚朴之类，用之会促进溃疡恶化。一般可用薏苡仁、茯苓、泽泻一类淡渗利湿。如尿色红赤，可用清热利水之品，如车前子、木通。其三，正虚之证，可酌选补益药治疗，但在火邪未去时不宜补气，火邪去而余热未清可酌用太子参或黄芪、甘草之类。黄芪起托补作用，可促使腐溃组织排除。沙参、太子参能养胃生津，益肺，清肺，祛痰。此外，加用乌贼骨有收敛生肌之效。人中黄、煅人中白都有较好的祛腐解毒功效，对腐溃严重者可资选用。同时配合外治，使药物直达病所，力专而效捷。吾常用吹口药有：加味柳花散（生黄柏、煅人中白、生蒲黄、飞青黛各15g，硼砂7.5g，冰片0.9g,薄荷叶4.5g，共研极细末），珠黄青吹口散（薄荷叶、煅人中白、天竺黄、西瓜霜、尿浸石膏〔煅〕、硼砂各3g，犀黄0.6g，飞青黛、冰片、川黄连、生甘草各2.1g，珠粉0.9g，共研极细末）；青灵散（尿浸石膏〔煅〕30g、飞青黛3g、海螵蛸去硬壳9g、三梅片1.5g、犀黄0.6g、珍珠粉1g，共研极细末）。三药随证选用，每日3～4次，吹患处。另可用金银花12g、西月石6g、土牛膝根30g、薄荷4.5g、生甘草4.5g、煎汤多次含漱。

曾治一朱姓男青年，患咽后壁溃疡一年，溃疡面扩延至会厌及喉底。方以赤芍、牡丹皮、泽泻、黄芩、牛蒡子、连翘、佩兰梗、桔梗、车前草、生薏仁加减，连服一百余剂，配合外治，终获痊愈。

乳　　蛾

张恒泉

乳蛾是常见的咽喉疾病，临床上可分先天性与后天性两种类型，前者质坚叫石蛾，在母腹内胚胎即有，婴孩半岁或一岁时，便可从咽部两侧凹窝处见到绿豆大小的肉丸，它随着人体发育而增大，又随生理衰退而萎缩。石蛾除经常疼痛外，久病能导致关节痛、心悸、发育欠佳等。它的易发期多在5~35岁之间，35岁后发作次数减少或不再疼痛。

石蛾频发的原因：①蛾体在咽峡两侧突起，大的可挤压悬雍垂，甚至堵塞大部分咽腔，吞食时受到食物擦伤，遇外感风热即发。②壮实之体，肺胃素有实热蕴积，而咽喉为肺胃所系。一旦外感风热之邪，内外邪毒交结，即发此病。无论先天性或后天性乳蛾，在发作期，治则均以祛风清热，破瘀消肿为主。方取新加六味汤：荆芥8g、防风10g、桔梗10g、薄荷5g、黄芩12g、玄参15g、射干12g、僵蚕10g、甘草4g，一般服3~5剂。外吹朱黄散：石膏100g、雄黄20g、人中白20g、硼砂100g、冰片10g、银朱10g。上六味共研极细过绢，再装瓶备用。每克分3次吹喉，一天吹五六次。方内加麝香0.3g，取效更捷。后天性乳蛾治愈后，不易复发。先天性石蛾经药物治疗只能控制其急发症状，而蛾体并不消退，需在未发作时用割法和烙法两种手术进行根治。

割法：割前用生姜50g、葱白50g，捣汁，热开水冲泡，待温时含漱清洁咽口，用消毒的弯形小手术刀，在蛾体周围根脚划破三四处，再用姜葱汤漱涤咽口内血迹，在划破处擦上少许“硇硼散”（硇砂3g、硼砂10g、轻粉5g、雄黄10g、冰片5g，共研细末），隔7天照前法割划1次，一般3次，蛾体可全部掉落。如有残留根脚未尽的，再用烙法补烙一二次即会平坦。烙法：用银质的蚕豆大小椭圆形烙锤，置酒精灯上烧红，在残留的蛾体上烙3~6次，以烙平为度，烙后吹八宝珍珠散（珍珠10g、西牛黄3g、琥珀3g、硼砂200g、朱砂5g、广丹10g、人中白20g、白皮参50g，共研细末过绢吹喉），再以土茯苓2500g、糯米2500g共磨粉，每天早晨蒸吃100g（可按食量大小增减），放糖或油盐均可。日后患者将逐渐精神好转，体重明显增加。

长江下游与运河交叉点的喉科

耿鉴庭

中医喉科在殷商时代就有文献记载。《内经》《难经》奠定了它的理论基础；《伤寒杂病论》载有十余个专用方剂，喉科主方甘桔汤即在其中。到了隋代，《诸病源候论》记载的病种已比较齐全。尔后，《千金方》《外台秘要》《太平圣惠方》《圣济总录》所载方药逐渐增多；明代《普济方》与朝鲜《医方类聚》所载方法就更多了。清代，随着温病学说的发展，传统喉科也有了长足的发展，专科书籍层出不穷，堪称百花齐放。

温病学说兴起于江苏，喉科学说则是受温病学说的影响而逐步丰富完备起来的。可是，支派流传各有特点。在一省之内就有松江、苏州派，有无锡、常州派，有扬州、镇江以及南京的一派。

单就其一派来说，特点也很多，如有一整套的理论，有多种多样的治疗手段，每种治疗手段都有理、法、方、药。每一处方都有君、臣、佐、使。有效如桴鼓的外治药，还有蒸气、烟熏、吐法、擎拿、针刺等法，都有一定的特点。

扬州为长江运河的交叉点，不仅是经济中心，也是文化科学技术的中心，在喉科史上，早在唐代，已有广陵正师的《口齿论》。本书虽已失传，但其方法尚散传于民间。明末高邮王磐的《救荒野谱》，扬州徐尔贞的《医汇》，清初程郊倩的《医学分法类编》也都记载了一些方法。清代先后卓然成家的如包氏、耿氏、夏氏，都有一些绝招儿。如清代晚期直到解放前后，南京张泰和堂的闵小纯、镇江山巷的褚润庭，均有声誉，然皆是耿门所授。

耿氏喉科在纵的方面继承了上述地方喉科的优点，在横的方面又是旁搜博采，故对包氏、夏氏之长及苏南、安徽、浙江、湖南等的良好方法，皆能吸收融化，故能比较全面地体现长江下游与运河交叉点之喉科的特点。

另外，耿氏六代祖先由山东迁入扬州时，也带来一些秘法，如鸟扇（射干）的灵活运用，牡丹花的配伍使用，柿霜的专科应用，胡麻叶治咽喉不利；用溴吸枳花之香气散结通气；用桔杏苏汤之水蒸气治暴喑；用蛇床子烧烟熏法通关；用鲜土牛膝捣汁内服催吐等。

在扬州就地寻古训、采众方的基础上，又使祖传疗法有所发展，如用金莲花治咽关红肿，用缘萼梅柔肝生津，用芍药花瓣柔肝行血，用玫瑰理气活血。以上三者均能治咽部之异感。又如用特制的陈萝卜缨子治咽喉诸症，可收降火降气、清咽化痰、消食化滞之效；用金锁银开治咽喉阻窒；用擎拿法救急开关；

用取心包三焦之穴解结泄热；用特制之各种吹药等等，详见专著《喉科正宗》，此不一一赘述。

（戚燕如　刘慕伦　整理）

婴儿鹅口疮

张恒泉

婴儿鹅口疮是婴儿期常见疾病，尤以初生1个月内更多发。口舌生白膜，重则可蔓延到咽部，以及悬雍垂上等处，并可危及婴儿的生命。

鹅口疮的病因与先天有关。由于母亲在怀孕期嗜食煎炒酸辣等物，酿成内热，胎儿受之内蕴心脾，出生后，蕴热循经上行，熏灼口舌；或后天乳食失调，稍遇风寒，即发口舌皆白而为鹅口疮。

治疗应内服与外擦并用，内服以解表清热祛风为主。自拟钩藤汤：生地黄5g、蒺藜3g、钩藤2g、木通4g、淡竹叶3g、蝉蜕1g、甘草0.5g，不大便者加大黄2g。此为15天以内初生儿服用的量，其他可按年龄大小增减。擦口末药对消退口内白膜更为重要。

擦口末药方：硼砂50g、明雄黄20g、西牛黄3g、白皮参15g、儿茶3g、洁净人中白10g。以上六味共研细末，瓶装贮藏备用，每治愈一例鹅口疮，用3g足够，一般一二天即可治愈，个别病人二三天，治愈率高达100%，用洁净光滑的纸片醮黄豆大的末药放在婴儿舌上即可，千万不可用吹粉器或其他吹药筒将末药吹进口咽内，免呛伤咽喉、肺部等，更不能用布擦洗口舌，擦破口舌皮肉，更难治愈。

此法是我家嫡系喉科相传六代的有效方之一，经余五十多年的临床验证，治愈此病效若桴鼓。

例1：李某之子，出生15天，口舌起白点，经某医院治疗3天无效。口内白点一天天增多，连成大片，满口皆白，不吮乳。

拟方：生地黄8g、蒺藜2g、淡竹叶2g、木通4g、钩藤3g、蝉蜕1g、甘草1g，2剂，擦口末药2g，分10次擦，一天一夜即痊愈。

例2：汤姓3个月婴儿，起病7天，经当地医治无效，口内皆白，已3天不大便。

内服：大黄6g、槟榔3g、钩藤4g、木通6g、淡竹叶3g、甘草1g、蝉蜕1g、生地黄8g，3剂；鹅口末药3g，分15次抹于患处，第3天复诊痊愈。

对鹅口疮的诊断，首先要与白喉鉴别。白喉之白膜多在咽喉部，不易拭去，强拭去即出血；鹅口疮之白膜多在口唇上，如米饭样白点且易拭易生；白喉多发生在2岁以上的病人；鹅口疮则多发生在哺乳期的婴儿。

余用历代祖传的钩藤汤，以生地黄凉血解毒；钩藤、蒺藜、蝉蜕祛风清热；木通、淡竹叶、甘草清热祛湿解毒。便秘加大黄，口干加鲜石斛。外用鹅口末药脱膜清热，疗效更捷，只用半天或一天的时间，即可将口内白屑全部除掉，但必须配合内服药，否则易复发，这体现了祖国医学的整体观。

我对小儿口疮证治的体会

田儒钦

小儿口疮，包括口疳、口糜、鹅口疮（雪口）等。临床上虽将口疮分为虚、实两种类型，但小儿患此病者，常以实证多见，而虚证者甚少。

本病的发生，主要由于胎毒和心脾积热上熏于口，加之乳母乳头不洁而致口腔局部受邪引发。

小儿口疮，症虽多样，但其病理机制大同小异，在辨证治疗之时，只要根据病之轻重缓急，把握病机，往往应手取效。然虑及小儿为稚阴稚阳之体、脏腑娇嫩，形体未充，临证治疗之中，对于大苦大寒、大辛大热、攻伐峻烈及有毒之药，应慎重使用。余临证凡四十余载，在治疗小儿口疮方面，常以自拟处方——银翘薄甘散为主而取得良效。此方之药物，余认为和平无毒，是清热解毒之良品。方以金银花10g、连翘10g、薄荷3g、甘草3g为主，在治疗中，常用的加减法如下：伴有发热者（体温达38℃左右），加黄芩3g、山豆根3g、天花粉3g、射干3g、牛蒡子4.5g。

高热者（体温达39℃以上），加黄连3g、石膏12g、知母3g、黄芩3g、羚羊角粉0.5g、栀子3g。

伴湿热者（如鹅口疮），加黄连3g、黄柏3g、黄芩3g。

伴腹泻者，加葛根3g、黄芩3g、黄连3g。若兼脾虚腹泻，加四君子汤。

便秘者，加生大黄3g、玄明粉6g（冲服）。

小便黄赤者，加木通1.8g、滑石6g、瞿麦3g。

小儿易惊者，加朱茯神4.5g、嫩钩藤3g、蝉蜕1.5g。

舌白喉，重加养阴清肺解毒之品。

口腔溃烂严重者，可兼服六神丸，每次3～5丸，每日三四次。

除上述加减变通内服药外，余每每用自制吹喉散吹敷于溃烂面上。吹喉散组方配制：煅炉甘石60g、青黛80g、麝香0.4g、煅珍珠2.1g、硼砂6g、冰片3g、枯矾少许，共为细末贮瓶密封备用。

白虎汤治愈口疮　|吴昌续|

白虎汤出自《伤寒论》，本治阳明经证之方。余运用其治疗口疮，获得显效。一病友口唇生疮，血痂迭起，反复发作，迁延月余，有医用清凉之剂不效；有医用引火归原之法，亦罔效。余思口唇为脾之外候，患者绕唇生疮，系属胃热壅脾，火热上炎，致使口唇生疮不已，投以白虎汤，以清阳明气分邪热，并加鲜石斛、天花粉增强养阴生津之力。服十余剂后，久日口疮逐渐而愈。柯韵伯曾指出："然火炎土燥，终非苦寒之味所能治。经曰'甘先入脾'，又曰'以甘泻之'以是知甘寒之品，乃泻胃火生津液之上剂也"（《伤寒来苏集》）。余仿此法，选用甘寒滋润，清热生津，不用苦寒直折，防燥则伤津之弊，故用白虎汤加味而获显效。

口 疮 琐 谈　|师希尧|

中医认为，口疮系由火热之邪，蕴积上炎于口舌而发。结合临床所见，急性口疮，运用清热养阴之法，投以"玄麦甘桔汤"加减，随证加入金银花、石膏、沙参、栀子、板蓝根、黄芩、山豆根之类，确能随手而效。

惟慢性口疮，西医称慢性口腔溃疡，颇缠绵难愈，临床治疗颇感棘手。运用西医抗炎疗法，效果不理想，投以上述养阴清热之剂，亦乏疗效。20 世纪 70 年代，余曾遇 3 例此类慢性口疮病例，投以导赤散合滋肾通关丸加味治验，后每遇此证，即以此方加减治之，辄获良效。

如患者郑某，数年来每食辛辣炙燥食物则易发生口疮，一经治疗即效，从今年 2 月以来，口疮又复发生，几经治疗无效。症见唇烂斑斑，舌上溃疡，舌不能伸，灼热焦痛，言语不便，饮食、喝水俱觉刺痛，舌质赤红，口不渴，食难下咽，小便色黄频数，尿时略痛，大便一直溏薄，脉小细数，舌质淡红，舌面斑驳，伸缩困难。诊为下焦湿热久郁，邪热伤阴，虚火上炎。治以清利下焦，用苦辛并进，滋燥兼行法。方拟导赤散合滋肾通关丸加味。药用：生地黄 25g、赤芍 12g、木通 12g、淡竹叶 10g、黄柏 12g、知母 12g、肉桂 6g、半夏 15g、板蓝根 20g、青黛 6g（分服）、甘草 12g、神曲 15g，2 剂。另用：珠黄散（成药）

外敷患部。药后脉转细缓，口腔中白糜大部退去，可喝水，能进稀粥，咽喉碎痛亦减，言语已能自如。大便仍溏，一日一次。综上所见，湿邪未尽，守方再加车前子15g、滑石15g、薏苡仁30g，2剂继服。患者服药尽，即专程来告，病已获愈。余嘱其带健脾理湿之剂数剂以善后。至今未见反复。口为脾窍，舌为心苗。故口疮一证，与心脾关系密切。急性口疮属脾胃积湿生热，上熏心肺，上焦热壅所致。故投以泻黄散加减，每获良效。轻者“玄麦甘桔汤”加味亦效。慢性口疮，乃由热邪伤阴，阴火上逆，循经上扰而发（少阴之经循咽喉，挟舌本）。因其病因缘于下焦肾阴亏耗，湿热熏灼，阴火上扰，故此证除口舌生疮之外，每以兼有咽痛尿赤、口干不饮为特点。古方导赤散用之有效。合以滋肾丸，意在以知母、黄柏益肾坚阴，肉桂辛散布津，温阳益肾，引火归原。半夏、神曲燥湿健脾化痰和胃，板蓝根、青黛清肝泻火，清热解毒。因其标本兼顾，故能获良效。

口内异味证治

|饶宏孝|

关于口甘症，《素问·奇病论篇》云：“有病口甘者，……此五气之溢也，名曰脾瘅。”余曾治9例，其中脾蕴湿热证3例，湿困脾土3例，阴虚生燥、脾胃失和3例，其临床症候均有口甘，口内常觉甜味，饮水亦觉甜，头胀如蒙，脘闷不舒，身疲乏力等。口甘症责之脾胃。对脾蕴湿热证，治以清热利湿，用泻黄散方加茵陈、金银花、佩兰、薏苡仁等，3例均愈。对湿困脾土证，治以运脾化湿，用胃苓汤加减，3例均愈。对阴虚生燥、脾胃失和证，治以养阴扶正、清燥和中，用地黄饮子方加减，均愈。口凉症前人记载甚少，中医无此病名。笔者曾治疗4例，其证候均有口凉，如同含食冰条，口多清涎，痰多，饮食乏味，脘腹胀，舌质淡、苔白腻等。其中，证属痰湿阻滞中焦者2例，治用燥湿化痰法，以二陈汤方加味，均治愈。证属寒湿困脾者2例，治用运脾化湿法，以胃苓汤方加减，均获愈。通过治疗，认识到此症与脾密切关系，治宜从治脾着手，因脾开窍于口。

口麻症，早见于《赤水玄珠》，又名麻舌、舌自痹等。笔者曾治疗9例，其证候均有口舌麻木、不辨五味等。其中证属肝胆实火、伤津灼络、口舌失其濡养的3例，治用龙胆泻肝汤方加减，均愈。证属脾虚，湿郁困脾、脾失健运、聚液生痰、浊痰滞涩经络的3例，治用六君子汤方加味，一般加橘络、丝瓜络、竹茹，以健脾渗湿、益气通络，均获愈。证属七情郁结、心火灼痰、滞涩经络的3例，治用清气化痰丸方加减，以清心豁痰导火而获疗效。

口咸症，据《临证备要》云："口咸，系肾液上乘，……"。笔者认为，此肾液，指无形之水。如《景岳全书》云："元阴者即无形之水，以长以立、天癸是也。"因此，患口咸症责之肾。笔者经治11例，其证候均有口咸、纳谷不馨、头昏、腰酸、腿软乏力等。其中证属肾阳虚者5例，治用金匮肾气丸方，湿补肾阳，获效；证属肾阴虚者6例，治用六味地黄丸方，滋补肾阴，对阴虚火旺加用知母、黄柏，以滋阴降火，获愈。

口苦症，《内经》云："病口苦者，名曰胆瘅"，经治31例，其证候均有口苦、口内不适，五谷入口均感味苦，伴胸胁胀满、食少等。其中证属肝火郁结16例，治用龙胆泻肝汤方，治愈。证属肝胆不宁者5例，治以养肝清胆宁神，用酸枣仁汤方，治愈。证属肝胆火旺者6例，治以清泻肝胆实火，用当归龙荟丸方，治愈。热病中，常见口苦，未列入此症经治。

口酸症，《玄机原病式》云："酸者，肝之味也。由火盛制金，不能平木，则肝木自甚，故为酸，如饮食热则易于酸也。"经治7例，其证候均有口酸，如吃酸梅子一般，纳谷不香，伴有心烦、口干、咽干、泛酸嘈杂等。证属肝热乘脾者5例、肝热者2例，可知口酸症总与肝木自甚有密切关系，治疗当以治肝为根本。对肝热乘脾，宜泻肝清热，用左金丸方加瓦楞子、乌贼骨等以抑酸和胃，治5例均愈。对肝热者，治宜疏肝泻热，用化肝煎方加减，治2例均愈。

舌肿如杵

陈功泽

患者刘某，年逾古稀，务农为业。于1976年夏末秋初之夜，突然舌体肿大，及至拂晓已大如杵，来势之猛，大有窒息之势。全家惊恐万状，即送往医院诊治，医者见其肿而不红，不热不痛，遂信口开河断为癌症。后来我处门诊，吾子光胜前往视之，不得其解而提出质疑：《医学入门》说："舌肿满口，气不得吐者，名曰木舌……木舌者，心脾热壅也"。《内经》云："心开窍于舌，"故舌乃心之苗，心主火，说明此证属热属实，似无疑义。今患者舌肿如杵，不红不痛，则非阳热之实证可知，当如何辨治？余曰："古人指出舌根属肾，舌肿而不热痛，当属虚火，以患者年逾古稀，肾气衰，精气竭，故肾虚、命门火衰，虚阳上浮。遂以上等肉桂少许给患者含化。常人多觉燥辣不适，而确属虚火者当感口中清凉爽快。"果如余言。光胜用引火归原法，以桂附地黄汤加牛膝，命其速煎服之，药未尽剂而愈。

唇肿证治一得

|聂勋海|

唇肿，中医又称唇风。初起时口唇红肿发痒，继之肿甚，破裂流水，或糜烂结痂。此因脾胃湿热上攻所致者多见，故又曰脾风。《本草纲目》谓“脾热则唇赤或肿，湿热则唇渖湿烂。”临床多用防风通圣散收效。然因肾虚火浮，火不归宅而致唇肿者亦不少见。

曾治一干部，年逾四旬。1972 年 7 月回内地探亲，一日发现唇痒，搔触觉肿大，3 日后上下唇肿甚，发亮，某用大剂量维生素、抗生素治疗，未效。来我处就诊时，唇肿依然，部分溃破流水。询之，颜面口唇时有灼热感，下肢欠温，小便清畅，舌质红苔薄白，脉浮大而数。诊断为肾虚火浮，法当引火归原。处以肾气丸（生地黄易熟地黄）加玄参、牛膝 2 剂，服药后唇肿已消八成，再进 2 剂而痊愈。

又一乳儿，上下唇肿，吮乳困难。患儿母亲四处求治未效，心急如焚，后经他人介绍前来我处就诊。见患儿形容憔悴，神疲懒动，上下唇肿，皮肤黏膜干裂，扪之粗糙、有灼热感，舌质红，苔少而干，下肢不温、大便溏，指纹淡紫。处以肾气丸（生地黄易熟地黄）加牛膝 1 剂煎服。次日复诊，患者诸症骤减，肿消过半。嘱续服原方，患儿母亲称谢而去。

祖国医学称肾为“先天之本”，为人身阴阳水火之宅。正常情况下，阴阳协调，水火相济。一旦肾虚气浮，阳无所依，火无所附，暴厥于上，必致上盛下虚、上热下寒之候。六味地黄丸皆濡润之品，能壮火滋肾；桂附辛温之物，能于水中补火，且桂附与火同气相求，招之诱之，火必下降。此法经长期临床检验，屡用均获效。

黑毛舌辨治

|秦正生|

黑毛舌，西医认为是由于神经营养障碍、抽烟、口内酸度增加、有黑色顶端芽细胞、黑色霉菌等引起舌上之丝状乳头上皮细胞角化过度，增生旺盛而发生的。据临床报道，病例多为轻浅者，严重的就案头文献尚未见之。人体是一个统一的整体，有诸内必形诸外，局部的病变往往牵涉到整体，舌部的病变自

然也不例外。兹举一例。

尹某，27 岁，自诉 1961 年 12 月初起，自觉上腭后至咽喉部发红疼痛，时轻时重，用消炎止痛药治疗，同月中旬，发现舌根部生了很多黑毛，医生用水杨酸和酒精等给以涂擦，均未获效。黑毛日益增多，渐至满舌都有。说话时，黑毛被夹在牙缝中，舌转不灵，始转中医治疗。视其舌面的前、中、后，皆满布棕、焦、漆黑等不同程度的厚腻苔，上生很多黑毛，长约 0. 5cm 左右不等。以压舌板一刮，则黑毛根挺起如毛刷状，拂其软腭，则刺痛。患者无烟酒嗜好，但吃韭菜则黑毛增加。其脉洪大有力，乃因壮年之体，胃中积热过盛，腐浊之气不下降而上蒸于舌所致。为之处以内清胃热、外涤浊腻之剂，标本兼治之。内服生石膏 30g、淡竹叶 10g、牡丹皮 10g、细生地黄 15g、制大黄 10g 等清凉之品，以清其内在之积热，导其阳明之腐滞，外用木贼草 30g、青果核 30g 煎汤冲风化硝 10g，日漱口二三次，漱后吹以冰硼散，以洁其舌面之浊垢。内外兼施，相辅相成，7 日后，患者病减约 1/3，乃将石膏加至 60g，服至 1962 年 5 月 9 日，完全恢复正常而停药。迄今二十余年，未见复发。

舌赤治验

朱钧恺

患者曾某，女，62 岁，1984 年 4 月来诊。主诉患舌赤症已 5 年。经中西医药治疗，效果不明显。进咸味及辛辣之品，其舌即感疼痛难忍，极为苦楚。观舌鲜红如猪血状，表皮黏膜层几乎全部剥落。但细查之，并非如去油猪腰微紫之镜面舌。问之，其舌体木硬疼痛，夜间更甚。舌面干燥、唇红、鼻痛，内有灼热感；兼有烦躁、怔忡、失眠、溲赤等症；诊其脉洪而数，证属热郁营血，心火上炎。法宜清营凉血，导热下行。处以犀角地黄汤合导赤散，并辅以镇静安神之品。因无犀角，乃重用水牛角 30g 以代之。药用：水牛角、细生地、赤芍、牡丹皮、木通、淡竹叶、郁金、麦冬、龙齿、柏子仁、酸枣仁、琥珀、甘草。患者服 5 剂后，舌色稍淡，诸症略减。药既有效，仍坚守原方，而仅在龙齿、柏子仁、酸枣仁等安神药上予以加减。又服 10 剂，患者诸症均有好转。仍宗原意，加鸡子黄、珍珠母育阴。前后共服药 25 剂，舌面、舌色及舌质均已正常，病获痊愈。

此症既非瘟疫热毒内盛，也非外感温热邪入心包，乃系素体阴虚，热邪久留营血，心火上炎所致，故以清营凉血、导热下行，辅以镇静安神之法而见殊功。

木　　舌 | 田儒钦 |

舌体肿胀、强硬，自感木而不仁，不得卷缩、转动，犹如直木，病曰木舌。冯兽瞻言其状曰：“木舌者，舌忽肿大，塞满口中，硬如山甲”；奎光亦云：“……舌肿大如熟猪肝”。其言均切病状。

木舌之为病，系由心脾积热之气上冲于舌，或复感邪毒，循经上窜结于舌，热毒凝聚，不得泄散而成之。其初起，舌体渐肿，继之肿塞满口，木僵硬直，舌体活动受到限制，多流口涎，语言謇涩，吞咽困难，甚则恶寒发热，颈颔肿胀或有硬核。

对木舌之治则，光以银针或三棱针点刺舌下两侧金津、玉液二穴，令微出恶血，外用吹喉散敷之。内服药宜用清热泻脾、解毒消肿之品，药如牛蒡子、连翘、金银花、川黄连、天花粉、栀子等。有表邪者，加荆芥、薄荷；便秘者，加川大黄、玄明粉；高热者，加犀角（或羚羊角）、石膏。经治疗，一般均能获愈，预后多良好。若舌下成痈，作疮疡治。

重　　舌 | 田儒钦 |

重，即有重复之意。重舌者，舌下又生一舌而谓之。对于重舌的症状描述，陈实功云：“重舌，舌下又生一舌也”。《医宗金鉴》也曰：“重舌者，舌下血脉胀起如小舌状”。然根据重舌之异位，其名称又各有不同。生于舌下左侧之重舌，谓之为左雀舌；生于右侧者，谓为右雀舌，生于舌下左右两侧，且中间亦肿起，形如莲花瓣者，又名之曰莲花舌。概而言之，重舌，即是舌下肿胀，形如小舌状，色鲜红，舌体难以伸缩，转动不自如，妨碍言语饮食，口涎甚多。重者颔下有肿块，可伴有恶寒发热，亦易酿成脓。从颔下出脓者，不易收口，而成兜腮脓。

重舌的发病，或外感时邪结于舌下，或心脾积热结毒上蒸，或七情抑郁化火上炎，或过食炙煿膏粱厚味，蕴热聚于舌下。

对重舌的治疗，初起宜先用银针（或三棱针）点刺患处，令出恶血，外用吹喉散。内服清热解毒、活血消肿之剂，如五味消毒饮、六神丸之类。有表邪者，加荆芥、防风、薄荷；便秘者，加大黄、玄明粉。若已化脓者，宜服仙方活命饮，另用三棱针刺破脓腔，引脓外出即愈。

痰　包 |田儒钦|

痰包常生于舌系带的一侧，两侧同时发生的甚为少见，正位于舌系带上者尚未发现。痰包，为一包囊，其内容物为痰涎，犹如蛋清或豆渣样物质。其表面光滑，触之柔软，因此称为痰包。《医宗金鉴》谓此证“生于舌下，结肿于瓠，光软如绵，塞肿舌下，有妨饮食言语”。陈实功言其病因曰：“痰包者，乃痰饮从火流行，凝注于舌下，结成瓠肿”。此二说，将痰包的证因叙述甚详，故不复赘述。

对痰包之治疗较为简单，宜先用利剪剪开包囊，将其中内容物挤出排尽，外用吹喉散，即可痊愈。但不宜用针刺排痰，因为创口太小，往往因痰涎黏稠而不易排尽，隔宿即复如前状。如果包囊大如鸡卵黄状，切口后可塞入药纱条引流，一般不需内服药。

清上实下治牙痛 |张必烈|

早岁尝阅俞东扶《古今医案按》，见有一案例用六味地黄丸加一味薄荷，名其治则曰：“清上实下”，真乃画龙点睛之笔。余颇受启迪，因取其意而变其方，用熟地黄50g、杭菊花50g、生石膏12g、升麻6g、蜜糖30g，治疗肾阴虚而火犯阳明之络的顽固性牙痛，救治多例，屡用屡效，堪称良方。

牙痛治肾，肾主骨，齿者，骨之余。这是中医独特的理论与丰富的实践经验的高度统一，乃中医辨证施治之特色。

会　厌 |熊大经|

“会厌”一词最早见于《灵枢·忧恚无言》。以后历代文献皆有所记载。逮至金元，张子和在《儒门事亲》中首先道其生理功能，谓“会厌与喉上下以司开合，食下则吸而掩，气上则呼而出，是以舌抵上腭，则会厌能闭其咽矣”。此后张介宾对此也作了更加详细之记载。张氏在《类经》卷二十一中曾谓：“会厌者，喉间之薄膜也，周围会合，上连悬雍，咽喉食息之道得以不乱者，赖其遮厌，故谓之会厌，能开能合”。

消托法刍议

陈兴之

消和托是外科诸家尽人皆知的两大治则，但对于消托机制的认识，以及对消托治则的应用，就不尽相同了。有人善消，有人喜托，有人善用清凉消托，而有人喜用辛温消托。追其相异之根由，多出于对外科疾病的认识有所不同。

余认为“诸痛疮疡，皆属于火”是属真言。外症病发初期，患者血凝气滞，多呈实证；病发后期，患者阴虚火旺，多呈虚证。而有些医家却囿于病灶之深浅，外形之凹凸，肤色之红白等表面现象，断作阴阳寒热之分。因有两种认识，故而导致虽用消托，而其法有所不同。

有些医家不但在病变之中期和后期，甚至在病变之初起，以温托为要诀，忌用清凉泻其火，爱以辛温助其热，常用黄芪参术之类促其溃。如此结果，无异于抱薪救火，火势更炽，导致津液消烁，形成肌焦肉腐，难以愈敛。即便有些愈者，也常留有后患，如胬肉堵塞、脓水淋漓、窦道丛生，故一不可在病发初起，势尚轻微之时应用托法，而应积极控制其火毒发展，以消为原则；二不可在需用托法时以温托为原则，而应以积极消除火毒存在，以消托为原则。

托法有清托和温托之殊。温托之弊，上已简述。清托之利在于药多为清凉养血之品，有消托兼备，消中有托之功效。

本人治痈疽等外症，循清火之则，重视以内消为主，内消药常选用叶氏银翘散合吴氏外科心法中五味消毒饮为主方，此方有甘寒养阴之味，除具轻清达表、清凉解毒之效外，尚有不犯胃气的特点，服用者既可清火又可解毒，并能增强胃纳，资以津液，助毒外泄。余用清托药，视具体症状辨证而为。若脓出不畅，便应用桔梗汤加减，效果颇显；若舌苔薄白而腻，则选用桔梗、白芷等，化湿去腐，透脓生肌；若舌质红绛少津者，又当取乌梅、瓜蒌，伍鳖甲透骨、拔毒而泄脓，如黄精、玉竹，可健脾养胃，清热益阴，功同参芪；合欢皮、石斛可长肌续骨，和血消肿，除热养阴，胜于白术。对比之下，余见温托药有着明显的缺陷，如甲片、皂角刺攻破力猛，即是炮制亦难免损耗正气。再如参芪桂附辛燥助火，难免耗血伤津。总之使用清托药物，尽有温托药物之效，而全无温托药物之弊。

疡医琐谈

钟以泽

痈、疽、疔、疖习称外科四证。痈疡尤为外科常见之疾，全身各处皆可发生。“痈疽原是火毒生”。故治疗痈疡，清热解毒为常用之法。寒凉之剂不可过用，应适可而止，否则易致气血冰结，由阳转阴，结肿难消，溃疡难敛。

某女，初产后患乳痈，医者外用清热消肿之药，内服泻火解毒之剂，再配以抗生素，二十余天虽热退痛减，而乳部坚硬凝块不消。诊视局部不红不热，硬块如鹅蛋大，坚而推之不移，酷似恶疾。细查结块表面光滑，皮肤无异样改变，乳头无畸形，腋下无结核，非恶疾征象，此乃误治所致，施以温补解凝通滞之阳和汤加减，外用桂麝散、冲和膏敷贴，阳和凝解，经络得通，气血调达，肿硬消散而愈。

久患阳证疮疡之人，常现气虚阴亏之象，脓乃气血所化，痈溃脓泄，气血必然亏损，此是常理。然者之误也是常见之因。每据痈乃火毒为患，常以清热解毒之药付之，是未明火热之邪易耗气伤阴之理，忽略热病保津之旨，过用寒凉尅伐，阴伤及阳，气阴两虚证候即现。施寒凉之药，须中病即止，还应注意顾胃护津，防患于未然也。

阴虚证现，养阴之药必用无疑。当注意养阴之药久服有使气机郁滞之弊，可根据病情适加甘淡气轻味薄之品，可免养阴药郁滞之害。谚云：“用药如用兵”，指挥得当，自然用之如神。

仿“补盆修鞋”法

王益周

余幼时在巷口嬉戏，值补盆修鞋者，常注目其间。观其术，不外乎敲其剥落，刮其锈蚀，犹恐未彻，涂以强酸；或锉其破损，削其浮胶……总以去陈除腐为先耳。某责曰：“细孔裂隙，反使洞然。”匠谓：“锉未净，岂能补耶!?”斯时，邻童二三，操其手势，仿其呼喊，徘徊巷内，其乐如昨。

而今年逾不惑，业医十载，所治者无非外疡而已。溃破者，痈疽疔疖诸症；

渗漏者，瘘管窦道之属。若问，有治而愈，有治而未愈，或愈而复发者何也?窃以为，疮口愈合，虽与阴阳偏胜、气血盈亏、脏腑虚实息息相关，但经临床反复验证，脓腐尽与未尽当为至要。如从止漏补孔而言，似与小技相类也；如以外治大法而论，恰如卑匠无异乎。修治对比，两相映照，方悟：小技蕴医道，卑匠乃我师。

谚云：隔行如隔山。吾思：隔行不隔理。

有作手术后，伤口经久不敛者，每每形羸神萎，绿脓腥秽；或低热缠绵；或夜汗涔涔；或孔似牛眼；或如蚌肉外翻；或窦如烟卷；或管如火柴；或有线结残留；或因死骨未脱；或洞中有洞，错纵贯通，扩创七八刀而未合者，其苦痛哉，叹不胜叹。余仿效“补盆修鞋”法竟屡屡获愈也。

以上所涉及的仅外治一端。而换药之事，习以为易，实非易也。务须精诚所至，躬身以侍，观神臭气，察肉辨脓。无分节日，十年如一，庶可心会，而藉以欣慰是纯用中医中药治愈了西医西药颇感棘手的难题，赢得了病家的信赖。吾以“自爱、自信、自强”为本，为振兴中医事业，为祖国医学争光。

漫谈疔疮走黄

|唐汉钧|

疔疮走黄是疔疮火毒炽盛，机体不克防御，以致疔毒走散，入于血分，内攻脏腑而成。其典型症状有疮顶平塌低陷，疮色灰黑，干枯无脓，疮周肿势散漫，若在手臂或小腿部，则为通肿、胖肿。全身症状可有寒战高热，头痛烦躁，恶心呕吐，腹胀便闭或泄泻；可有胸胁疼痛，咳嗽痰红或咳唾脓痰；可有关节肌肉疼痛，肢体拘急，身发黄疸、瘀斑。甚则可见神识昏迷、烦躁谵妄、发痉抽搐、二便失禁等症。

姚某，男，患右手示指疔疮，脓成未熟，肿势未聚，过早切开，复加强力挤压，致疔毒走散，切口无脓，仅有暗红血水，肿势迅速扩散，向上过腕、前臂、过肘部，伴有高热寒战和疔毒传肺之症：咳嗽、胸痛、痰红等，舌苔黄腻舌质红，脉滑数，急拟大剂凉血清营泻火排毒为治，内服：生地黄30g、赤芍9g、牡丹皮9g、水牛角15g、川黄连3g、紫花地丁30g、半枝莲15g、草河车15g、皂角刺12g、鱼腥草30g、黄芩9g。

外用：金黄膏二宝丹20g（敷手指部），玉露散水调外敷（手背、前臂部），并配合抗生素静脉滴注。因细菌培养对青霉素、链霉素、四环素、红霉素不敏感而停用。经中药内外治疗近月而愈。

疔疮走黄

邓荫南

1956年秋，周墅农业社农民马某，右足大趾生疔，未予治疗，至第3日突感全身不适，呼吸困难，卧床难起，全家惊惶，即用农船送医院，经中西医会诊，断为败血症病危，急以青霉素、链霉素注射及补液治疗，抢救一昼夜，病情有增无减，乃告无法挽回，促其迅速返家，以免途中生变。及返，农业社社长许某闻讯，旋即赶至吾家商请出诊。抵马家，时已黄昏，见病者神识昏愦，鼻煽气急，张口抬肩，喉中痰声漉漉，右足大趾肿胀，内侧见粟粒脓头一个，有红筋自疮头沿胫腿入股腹。余度：此乃红丝疔走黄，毒邪内攻脏腑之险症，生命危在旦夕，开方进药恐时间不及，不若以家传验方一试，遂嘱速取家菊嫩头一握捣汁碗许，以明矾末30g和匀，徐徐灌之，局部以千锤膏外贴，约半时，患者渐渐清醒，气促痰声亦趋平息，午夜，自行小便二次，索饮米汤。至黎明竟脱险，能啜粥一碗。调理数日，毒归足趾，脓出而愈。

世人说单方气死名医。余谓单方能起沉疴。余以此方后又救治数例疔疮走黄患者，病情均较本例为轻，故而明矾均只使用15g，亦收到同样效果。

祖传验方

——顾氏疔疮虫

顾乃强

疔疮是疮中之王，其来势凶，其变快，甚者可以走黄危及生命。因此，历来有“谈疔色变”和“走马看疔”的说法。

疔疮论治，内治和外治同样重要，徐灵胎在《回溪医案》中强调“外科之症，最重外治”，先祖筱岩公也十分重视外用验方的收集和改良。顾氏疔疮虫是他取自民间验方改良提高而有卓越功效的验方之一。

疔疮虫，即是苍耳子虫，寄生于苍耳梗中，状如小蚕，具有治疗疔毒肿痛的功效。除在民间广泛流传外，在《本草纲目》中也有载录。先祖所研制的疔疮虫的配制方法介绍如下：

选用肥壮健满的苍耳虫，将整个虫体浸泡在生油中，使虫体窒息死亡而不致腐烂。7天后取出，再将虫浸入拌有朱砂及冰片的蓖麻油中数日，待虫体吸足朱砂及冰片，即成顾氏疔疮虫，以供临床随时取用。

顾氏疔疮虫，其灵妙在于虫，虫体取出放在疔疮上后，它即会自然分解液化，随着分解，虫体内饱吸的朱砂、冰片不断泄出，渗入疮头。朱砂是一味很强的祛腐提毒药，持续不断地起着提疔拔毒的作用。复因冰片芳香走窜，更可引朱砂之药力，深达疔毒根部。因此，它比常用的升、降丹粉剂敷于疔头外治，其药力要高出一筹。

漫话疔疮忌口

夏 涵

疔疮是中医的病名，发病急，病情重，变化多，容易发生毒邪走散，所以对疔疮的治疗极为重视。至于忌口，更有严格要求。疔疮为什么要忌口呢？应忌哪些食物？略叙笔者浅见。

疔疮，乃火毒之症。大多因恣食膏粱厚味、醇酒辛辣，以致脏腑蕴热、火毒结聚而生；或因感受火热之气，以致气血凝滞而成。因此，凡患疔疮者应忌膏粱厚味、鱼腥鲜发、醇酒辛辣之品。其中膏粱厚味包括两个方面：一是食物的属性；二是烹调方法。食物主要指鸡、鸭、鹅、肉食、蛋等。盖雄禽属阳，易动而散；雌禽属阴，多静而凝。肉类性温热助火，肥肉生痰湿，因此，这类食物都是助火生痰之品，故忌之。在烹调技术上，凡煎、炒、炸、烤、爆等一类的烹调方法，中医统称为炙煿。凡属炙煿的食物，性多燥热，易耗损胃阴。故疔疮当忌之。鱼腥鲜发类，鱼腥主要指鱼、蟹、虾及其他海味。鲜发是指蘑菇、笋类、咸菜等蔬菜。此类食品具有透发、动风的作用，故为疔疮所忌。醇酒辛辣类是指具有活血、发散作用的饮料和调味品，可导致疔疮扩散，尤要忌之。但是在讲忌口的同时，还要尊重病人的生活习惯，配合其胃口，否则病人有思想负担，忧思伤脾，食而不化，反而不好，因此忌口不是单纯谈哪些食物能吃，哪些不能吃。要在许可范围内讲究烹调技术，做好合口味的食物，还要说清忌口的理由消除病人的顾虑，取得配合，方能收到良好效果。

脱疽的辨证止痛

朱海龙

痈疽恶疮，痛莫过于脱疽。病情到了足趾发黑（坏死期），死骨欲脱之际，

患肢厥冷畏寒，入夜痛甚，抱足而坐，彻夜不眠，难以忍受。根据我们的临床体会，治疗脱疽，关键在止痛。只要疼痛得到控制，“恶气自化”，坏死分界线逐渐清楚，死骨随之分离，创口肉芽红活，全身症状相应缓解，是疾病向愈之征兆。按其止痛之道，不外三端：

首先要分清寒热止痛，不可一概而论。如属脱疽早期未溃或仅限于足趾坏死，痛多较轻，伴有患肢发凉，遇冷皮色苍白，被内亦不温，是寒湿凝滞经络，以致脉络拘急作痛，宜温经通络以散寒除湿；药用制附片（先煎）、麻黄、桂枝、干姜、细辛、白芍、当归、白芥子、炙甘草。晚期坏死广泛或溃疡化腐（继发感染），由于毒素和腐肉侵蚀，毒邪客于经络以致阴阳失和，气血不调，因而疼痛剧烈；往往有全身中毒症状，患肢灼痛如火燎、针刺，当用清热解毒、活血凉血，方能解其热毒；并适当补益脏腑，扶正以托毒外出，药用金银花、连翘、生地黄、牡丹皮、玄参、当归、栀子、黄连、赤芍、黄芪。

次则宜坚持活血化瘀止痛。尽管目前对脱疽的病因病机尚未完全明了，但大多数学者均认为本病是由于各种原因引起的气血不能达于四肢，筋脉失养，气血凝滞所致。故治疗以活血化瘀为主，活血化瘀不仅能扩张血管，抑制平滑肌痉挛，促进侧支循环，溶解血栓，还能消炎止痛。于辨证分清寒热的同时，属于寒性疼痛，在温经散寒方剂中，应重用活血化瘀药，丹参、桃仁、红花、当归尾、川芎、赤芍、鸡血藤、牛膝、炙乳香、炙没药、延胡索等。属于热性疼痛，在清热解毒、活血凉血方剂中，配服四虫丸（全蝎、蜈蚣、地龙、土鳖虫各等份）。

最后除内治之外，必须重视创面消炎止痛。脱疽剧痛除与严重缺血有关，在很大程度上，也与创面感染、肢端坏死密切相关。在对全身治疗的基础上，还应重视创面的消炎止痛。疼痛较轻，疮口久不愈合或腐肉不脱者，以白油膏（炉甘石、密陀僧、冰片、猪板油配制而成）外敷，有消炎化腐生肌止痛作用。局部坏死疼痛剧烈宜用复方黄连液（黄连10g、马钱子10g、30%酒精浆100ml）湿敷，有消炎镇痛功效，能较快地控制疼痛。如能掌握上述止痛的三个要领，则自能剧痛止而恶疮痊愈。

脱疽治疗的经验介绍

王寿康

脱疽，又称血栓闭塞性脉管炎，是一种慢性周围血管疾病。由于血管闭塞而引起患肢疼痛、无脉，最后坏死而脱落，故中医称之为“脱疽”。笔者运用活血祛瘀法，以失笑散为主方，灵活变通治疗本病，获得了比较满意的效果。方用：蒲黄、五灵脂、桃仁、红花、丹参、泽兰、泽泻、牛膝、当归、玄参、忍冬藤、生甘草、党参、黄芪、石斛、半枝连、金匮肾气丸。

本病按“审证求因”，不外是瘀血阻塞经脉、气血不能通利之候。主要是情志内伤、肝肾不足、寒湿外受，以致邪凝经络，痹塞不通，气血运行不畅而成，因此，“瘀血阻滞”是为本病的关键。故其治以活血化瘀为法，用失笑散为主方治疗本病收到较好的效果。

血栓性静脉炎浅说

陈慕莲

血栓性静脉炎是临床常见的周围血管病，属“脉痹”“筋痹”等范畴。病机为脉络瘀阻不通，医多以活血化瘀论治。笔者临证多年体会，此病主要为湿热致瘀，湿热蕴阻脉络，气血失畅，导致瘀血内停，湿热瘀血交结，痹阻脉络，溢于四肢而为肿为痛，或伴发热。治之失时或不当则瘀血湿浊结聚，长期肿胀不消。故辨证务须根据湿热既是脉络痹阻的病因，亦是本病病变过程中的主要病理变化，湿热不清，瘀血难除。治疗时，急性期湿热壅盛除患肢见症外，常伴有发热，舌苔黄腻，脉弦数，应以清热利湿为主，少佐凉血化瘀；慢性期湿热、瘀血并存，其证多以肿胀为主，疼痛不显，皮色暗红，局部可扪及索状物，无发热，脉细，苔白腻，治宜健脾利湿，活血化瘀佐以软坚散结。

应用清热利湿药，宜早用、重用。因静脉血栓多于12小时内开始机化，此刻如抓紧给予大量清热解毒利湿之品，如蒲公英、金银花、连翘、土茯苓、土贝母等，一则可控制病邪，二则亦可防止转为慢性或生他变。其中土茯苓、土贝母功效尤佳，每方必用。土茯苓性味甘淡平，功能清热利湿，又能入络搜剔湿热之蕴毒，一般用量15g，重者可用30g。土贝母性味苦寒，具有清热解毒、活血消肿、软坚散结的作用。余多年来共治此病百余例，十愈八九。曾治一男性患者黄某，58岁，素嗜烟酒，喜食肥腻厚味。突发左下肢疼痛肿胀，患处皮肤灼热，活动明显受限。检查：体温38.5℃，左下腹明显肿胀疼痛，股三角区压痛，左腹股沟淋巴结肿大压痛，脉象弦滑数，舌苔黄腻。外科诊断为左髂股深静脉血栓形成。曾用青霉素、链霉素、红霉素不效，每日须肌注度冷丁始能止痛。邀余会诊，辨证湿热壅盛，瘀阻络脉，治以大量清热解毒利湿药为主，药用：金银花、蒲公英、土茯苓、薏苡仁各30g，土贝母、黄芩、连翘、大黄各15g，生地黄、赤芍各15g。3剂后，病人热退、痛除，患肢肿胀明显减轻。原方去金银花、大黄，加玄参、甘草，再进5剂，诸症悉去。

在发病期，对鱼腥食物亦应禁止。古人认为：鱼腥属火，《素问·异法方宜论篇》亦有“东方之域，其民食鱼而嗜咸……其病皆为疮疡”的记载。余在1981年临证遇一患者因食鱼复发，当即有意嘱其试验3次，均在食鱼二三日后出现患肢肿胀疼痛、皮肤红灼等症状，以后发现因食鱼而复发或使病情加重的患者共11例，故不可不慎。

疽毒无神气，补养方为益

欧阳恒

疽毒患者，应知其色而察其变，临床上当别阴阳。阳证者，肿势高突，根盘收束，皮薄光泽，焮热疼痛，所谓肿溃气昂昂，不治自安康；初起治宜消散，继以内托，后期以补养调摄之，一般不会有异变。阴证者，肿势平坦，根盘散漫，皮色不泽，不红不热，属所谓疱色猪肝紫，无脓必定死；但医者的责任，便在必定死中觅生机。大凡大逾盈尺之疽毒，诸如脑疽、发背、搭手之类，年长、气血亏虚者多得之，似为阳证，实则真虚为本，若辨不明确，治不得法，致使邪毒内陷，纵有回天之术，亦恐悔之晚矣，余临证，每以内托升提之剂取效。

余曾治一男性患者，56岁，因左背部初生如粟疮，麻痒作痛，不曾介意，殊不知里有容谷，里伏如瓜之瓢，某医臆断为“疔疮”，重用苦寒药，通里攻下，犯虚虚之弊。延时十余天，患者神疲纳呆，喘息呻吟不已，察看其疮色晦滞无华，平坦散漫不聚，脓头星罗棋布，欲显而不出，脓点隙中，滋流混浊水样物。舌质淡，苔薄白，脉细而缓。此乃正不胜邪，毒滞难化渐陷，不能外泄外达所致。急投补中益气汤加黑大豆。方中人参6g另炖兑服，5剂即应。继服二十余剂，患者脓溃肿消，疮面渐收敛。所谓疽毒无神气，补益方为益。

慢性复发性丹毒治验一得

李　彪

下肢丹毒，亦称“流火”。急性者治之多易；延为慢性者，治之颇为棘手，尤以并发大脚风（象皮腿）者更难治疗。但认真诊治，亦可应手取效。一般言之，慢性复发性丹毒者，病程都以月计，多有虚而不能托毒外出。就缓则治其本言，先当补托，鼓舞正气，托毒外出。笔者常投之以四妙散。从病因而论，下肢丹毒多因湿热毒邪侵入所致，慢性者，其势虽减而仍留着不去，故利湿解毒犹是不可缺少之举。乃仿萆薢化毒汤意，取萆薢、木瓜、薏苡仁、牛膝等品，绝不可谓“炎症”而一概用苦寒解毒之属，此乃现代外科医者之大忌。以病机言，慢性复发性丹毒主要是气血凝滞，经脉不通，尤以并发大脚风者为然。所以，通络在所必用，如丹参、地龙、乌蛇肉、乳香、没药、木瓜等，皆可随证选用。由上观之，补托、利湿、通络，是本病内治中的三个主要组成部分，应共治于一炉而施之。处方一旦确定，不要随意更改，到一定时间，自会水到渠成。此外，防治足癣亦是防治本病不可缺少的一环。

论治外吹乳痈重通法

| 顾伯华 |

外吹乳痈论治以通法为主，通者，疏表邪以通卫气，通乳络以去积乳，和营血以散瘀滞，通腑实以泄胃热，此皆通也。夫乳痈一症，虽有内吹、外吹之分，但临床以产后外吹乳痈为多见。本症之成，外由产后哺乳，乳头破损，风举之邪入络，内由厥阴之气不行，阳明胃热蕴蒸。不论内因、外因，都可引起乳汁郁积，乳窍闭塞，乳络失宣。乳汁郁结是乳痈发生的重要机制。因此，“通法”在乳痈论治中十分重要。现今论治乳痈，多取瓜蒌牛蒡汤。实则应用本方只能领会其意，而不能拘泥其迹。盖此方清热寒有余，疏散通络不足。乳痈初起，若过用寒凉，多致气血凝滞，每有消而不消，成而不成，痈肿结块经久不消，迁延日久。我家论治早期乳痈，多以疏散通络为主。取用柴胡、紫苏梗疏散卫气；丝瓜络、路路通、漏芦疏通乳络，鹿角霜温散行血消肿，皆寓意于通，通则热退肿消痛止。不通势必郁久化热酿成脓，“通法”应用及时，每能消散于无形。常见产妇乳汁分泌较多，婴儿不能吮净，乳汁郁滞结块。此时有些产妇擅自中止哺乳，我认为在此阶段回乳，非但影响对乳儿的喂养，且更会加重乳汁郁结，不利于乳痈的消退吸收。急性乳腺炎患者是需要中断哺乳，还是可以继续哺乳，我的看法是：只要乳汁色白无腥味，可以不必中断哺乳，这不但不会危及婴儿的健康，且有助于乳络通畅，肿块消退。在临床上，我还经常遇到外吹乳痈病者，前因用了过多的抗生素，而成迁延性乳腺炎，乳房结块经久不消，此乃乳汁乳滞互结，阻于络道而致。治法当以和营佐以行气通络。和营活血我习用当归、赤芍、丹参、益母草，甚者尚可加入三棱、莪术破瘀散结。结块可用消坚散结。乳腺炎也可发生在哺乳八九个月，中止哺乳阶段，出现乳

房结块肿痛，甚则发热，化腐成脓。在此阶段，我主张一面取生山楂60g、生麦芽30g重用回乳，同时应用丝瓜络、路路通等通络药。回乳药和通络药合用，既有利于回乳，又有助于结散肿消。在外吹乳痈中，要算传囊乳痈最为棘手，病者可以囊囊相传，十分痛苦。我体会产后正虚，邪毒亢盛，果然是传囊发病的主要因素。除此之外，乳痈酿脓期妄投回乳，或脓成未熟过早切开，以致乳络阻塞，营气不通，导致传囊之变的因素也不可忽视。对传囊乳痈病者，我主张在非酿脓阶段给予回乳，可以阻止传囊的继续演变。同时我体会，作乳痈切开术后，凡见寒热不退、疼痛不减者，便有传囊之虞，必须慎察，警省之。仍当重在疏散通络，力求消散。

（顾乃强　整理）

排乳法治疗初期外吹乳痈

|谢德固|

外吹乳痈初期的主要病机是乳汁郁积、气血壅滞、郁久化热，形成红、肿、热、痛的肿块。法当排乳为主。排乳主要靠乳房按摩排乳，其次是内服、外敷通乳行气活血之药以助之。患外吹乳痈初期都应施行按摩方法，先用手指或掌在肿块上用力轻而匀地作回旋式摩揉，继则用双手四指托住乳房，双手拇指从肿块向乳头抹、推，然后又用右手拇指、示指、中指挤捏包块。从上而下反复施行，每日1或2次，疗效显著，轻症往往仅此治疗即可消散肿块。如郑某，产后16天，右乳房乳汁不通畅，且有鸡蛋大肿块，皮色不红，灼热胀痛。2天仅行按摩排乳2次，乳汁即通畅，肿块、灼热、胀痛消失。

对重症，可配合内服、外敷药排乳。内服以通乳药为主，辅以疏肝理气、活血消肿药，使肝气疏泄，乳窍开启，乳络通畅，乳汁畅行则肿块消散。热毒重者可辅以清热解毒药。通乳药常选穿山甲、王不留行、漏芦、木通、通草等。

外敷选用清热解毒、活血行气、除湿消肿的阳证箍围药六合丹，并加入10%的葱白捣烂如泥以通乳。《本草纲目》指出葱有通乳汁散乳痈之功。

读肠痈篇随笔

|俞大祥|

肠痈之名，最早见于《内经》，汉代《金匮要略》即有专篇论述，可见其

常见多发，自古已然；而大黄牡丹皮汤之至今应效，尤足证验其为丰富实践所锤炼。仲景笔下对肠痈的文字不多，仅有两条，是略其常而示人以变也。正以常见之病，家喻户晓，何需多省笔墨。

有谓大黄牡丹皮汤条与薏苡附子败酱散条，一主湿热，一主寒湿，宛若目前通称之两个类型，余殊不以为然。

按“肠痈少腹肿痞，按之即痛如淋，小便自调……”条，一望可知，肠痈一般无按痛如淋之状；而仲圣当时偶亦见之，故列以示人，惟恐误诊膀胱以上泌别清浊等器官，乃点出小便自调一句，真是言简意赅。余 20 世纪 70 年代初期在综合医院搞中西医结合工作，厕身手术室中。目睹个别阑尾炎病人，阑尾紫肿与输尿管相邻尤近，术前有按痛如淋之苦，是仲圣言之不谬，而剖腹直观所可证者。

昔读“肠痈之为病，其身甲错，腹皮急，按之濡，如肿状，腹无积聚，身无热，脉数，此为肠内有痈脓，薏苡附子败酱散主之”，颇不理解。1957 年余诊治一老妪所患弥漫性腹膜炎后，茅塞顿开。谓其身甲错，是失水之征；腹皮急，按之濡，谓腹部膨大而绷紧，按之濡软；其腹部隆起，全身消瘦脱水，疑其腹部有肿瘤，但详细按切检查，来发现肿块积聚，故有“如肿状，腹无积聚，”的鉴别辞句；至于身无热不是指不发热，而是肤温降低之谓；脉数，是脉象细数无力、心阳衰微之象。综合全身症状，诚为薏苡附子败酱散证，上了一堂形象教育之课。嗣后，每遇此证，辄为实习同学进行大组辅导，以证仲景之不虚此言。

去宛陈莝话肠痈

王子信

“去宛陈莝”语出《素问·汤液醪醴论篇》。明·张志聪注：“积者谓之宛，腐者谓之陈。”宛陈泛指积滞腐败之物。“去者除也，莝者斩也，速决之意。”可见“去宛陈莝”之本意，实际上就是一种攻通积滞、荡涤瘀浊的治疗方法。

肠痈之为病，其病位在脏腑。其发病多为肠腑功能紊乱，传导之职失司。其病因或为寒温不适、喜怒无度；或因大饱之后，暴急奔走；或因湿热瘀血流入小肠；或因膏粱厚味久而积热。其病变机制为宛陈壅塞于腑“不通则痛（胀）”“有阻则逆（呕）”。其治疗原则为“病急药急、病重药重”“热者寒之”“实者攻之”“在下者引而竭之”。具体说来，就是以清下为主，立足于

攻，着眼于通，重攻早通，去宛陈莝是其总则。临床所见，大部分患者在泻下3～5天之后（亦有短至数小时，或长达十余天者），体温开始下降，腹痛逐渐减轻，全身情况相继改善。此即所谓“痛随通减，热随通降，呕随通止。”可见呕、热为标，不通为本。《内经》谓“知标本者万举万当；不知标本是谓妄行”。

根据“通则不痛，痛则不通”的机制，攻通不必以便利为度，而应以痛止为宜。明·吴又可谓：“承气本为逐邪，而非耑为结粪设也。”其说亦有意也。“去宛陈莝”与攻通泻下法颇相吻合。只是在治疗过程中一定要密切观察，把握泻下的程度，次数过于频繁，则应注意防止水电解质平衡紊乱。

十数年来，余宗此法治疗肠痈凡百余例，均取得较为满意的疗效，而未尝偾事，似足证法方与疾患之的对。

搭手治疗经验谈

| 谢秋声 |

搭手系指生于腰背部的痈，以其所患部位，患者可用手触及故名，是一种较严重的外科阳证疾患。本病主要由于湿毒蕴结所致，因此，治疗须抓住利湿清热解毒这一主要环节。但在发病过程中，又应随病情进展而异。

患本病初期，恶寒发热，局部肿胀坚硬疼痛。此时用“散风托毒、清热利湿”之法，在选用清热解毒利湿药同时，着重以荆芥、防风、牛蒡子、桑叶之属散风；穿山甲、皂角刺托毒。如发热不退则用石膏、生地黄、芦根等大剂清热药，使热度下降，防止扩散。如蒋某，腰部右侧起粟状疖肿，逐渐蔓延，红肿热痛已10天。入院时检查：体温39℃，腰部右侧肿块，约10cm×10cm，上有脓头呈蜂窝状，脓水不多，局部焮红、坚硬触痛，脉滑数、苔黄腻。给予金黄膏、二宝丹外敷，内服“散风托毒、清热利湿”之剂：牛蒡子、桑叶、赤芍、荆芥、金银花、连翘、僵蚕、大贝母、穿山甲、茯苓皮、甘草各9g，蒲公英30g，皂角刺、陈皮各6g，制乳香、制没药各4.5g。服药3剂，患处脓水渐多，患者热仍不退，体温39℃，脉滑数，舌质红，苔薄黄。原方去制乳香、制没药、陈皮，加生地黄12g、生石膏30g、鲜芦根1支，继服3剂，患者体温降至正常，局部脓水亦多，脓头渐次脱落，肿痛俱减。

中期，热渐退，脓水不多，创口四周坚硬。用和营托毒法，在清热利湿解毒药之外，重用当归、赤芍、牡丹皮之类活血凉血；生黄芪益气托毒，服后脓液畅通，硬块变软。

后期，脓水渐少，体质虚弱，这时宜用扶正气、解余毒的方法。气虚者，重用党参、黄芪以益气固表；阴虚者，以石斛、沙参、天花粉养阴生津；血亏者，择用当归、何首乌之属养血补血。与此同时，兼顾脾胃，使气血有生化之源，新肉有生长之望，冀创口早日愈合。外敷生肌收口之玉红膏、桃花散。

在治疗过程中，我认为初期用散风托毒药是关键的一环，病邪炽盛，正气未虚时，用散风托毒药可使毛孔开泄，毒邪外出，未成脓者有消散之望；成脓者有早日破头出脓之功。若能抓住时机，有利于病体的康复。

流注浅谈

唐汉钧

流注有暑湿、湿痰、余毒、瘀血等四种。其临床特点是多发于四肢躯干肌肉丰厚处，肿块一枚至多枚，漫肿疼痛，皮色不变，可伴形寒身热。治则，邪热炽盛时以凉血清热解毒为治；脓肿消散吸收或呈迁延性炎症时，以和营消肿清热利湿为治。我体会，经此治疗，流注多能消散吸收，但在消散吸收期间，仍需注意休息，否则已经消散的流注肿块又会复发增大。

俞某，16 岁，右大腿余毒流注。半月前手部疔疮不慎碰跌扭伤，引起疔疮毒邪扩散，当夜就发生寒战高热，右大腿内侧肿块疼痛，影响步履。虽用青霉素、链霉素等抗生素治疗，症情未见减轻，体温升高至 40℃，白细胞总数 $30 \times 10^9/L$，中性 0.92，入院检查发现右大腿内侧肿块 $14cm \times 15cm$，皮色不红，抚之微热，压痛明显，手指触诊无明显波动感，苔黄腻，舌尖红，脉滑数，小溲黄赤，大便干结，三日一行。该病系疔毒邪热流窜经络，走注营血，致气血瘀凝逆注于肉里，热胜肉腐成脓，治当凉血清热解毒消肿。

内服：生地黄 30g、赤芍 9g、牡丹皮 9g、紫花地丁 30g、金银花 12g、连翘 12g、当归 12g、黄柏 12g、牛膝 12g、泽兰 9g、丝瓜络 9g，新消片 10 片分吞。

外敷：金黄膏、红灵丹，2 日 1 换。

经治 1 周，体温下降至 39℃，右腿肿块较前缩小，苔黄腻渐化。乃气血瘀凝，邪毒未清，改拟和营清热利湿消肿。

内服：当归 12g、赤芍 12g、牡丹皮 9g、生地黄 30g、黄柏 9g、泽兰 9g、牛膝 12g、防己 12g、萆薢 12g、赤茯苓 12g、忍冬藤 12g、丝瓜络 4.5g。

1 周后肿块缩小成核桃大，后因患者不遵医嘱，下床剧烈活动，致使肿块又复增大，继用上述药物治疗，并强制休息，10 天后肿块全消。

漫话缩脚流注

方致和

缩脚流注即化脓性髂腰肌炎（髂窝脓肿）。其病来势急骤，有大腿吊紧收缩，挛缩成直角或锐角体位的特征。在发展过程中，大体上可分三个阶段：早期约 10～13 天，主要症状为恶寒发热，髂腰部牵掣酸痛，大腿吊紧上缩。中期为身热渐衰，面皖无华，神疲乏力，呈不消不溃等虚性症状（偏于阳虚），此期约为 1 个月左右。后期为成脓期。热势衰而复盛，肿痛增剧，有波动触及，须经切开排脓后始渐向愈。

在诊断上除了掌握发热、下肢挛缩、髂腰部压痛明显、舌苔白腻等主要症状外，有必要和缩脚肠痈、缩脚滑痰、肚角流注、胯间流注、肾俞流注等作出鉴别，以免误诊。

一般早期有表证者，当以疏风散邪为主，佐以和营通络化湿清解为法，可用荆防败毒散加减施治。

中期出现阳虚症状时，则宜以助阳化湿、温经通络为主，佐以和营托毒为法。临床上常用当归、赤芍、牛膝、桃仁、黄芩、金银花、川厚朴、穿山甲片、鹿角霜、金匮肾气丸之类颇有成效。

后期已届成脓之候，当选择适当部位切开引流。溃后治宜平补气血，清解余毒为治疗原则。可用四妙汤（黄芪、当归、金银花、甘草）进治。

治疗本病的关键在中期阶段，必须注意患者全身的阳虚症状，及时施用助阳化湿、温经通络之剂，不要为诸痈疮疡皆属于火的教条所惑，也不要受消炎解毒所误，则治愈之期，一定不会太长。

环形脱出内痔治疗点滴

查龙华

环形脱出内痔，是痔中比较难治的一种。一般多采用切除及分段结扎等治疗方法，但很难避免并发症和后遗症。我在农村巡回医疗时，从眼科治疗倒睫的“潘氏内翻矫正术”中得到启示，产生了用连续结扎注射明矾儿茶液治疗环形脱出内痔的想法，经过反复实践，不断改进，十几年来在门诊治疗数百例，效果很好。有简、便、廉、好等优点。一般分两次手术治疗，每次作一侧。患者取侧卧位，术侧向下，屈曲两膝，以硫柳汞液或新洁尔灭进行肛门常规消毒；在术侧沿齿线上缘注射0.5% ~1%盐酸普鲁卡因2 ~4ml，使肛缘局部浸润麻醉，用组织钳夹住内痔部分，稍向外、下方牵拉，将约50cm长的7号黑丝线穿入的弯圆针（针上的线要一长一短，短的一般约有9cm长）从痔的上极行针，深达黏膜固有层，至齿线上缘约0.2 ~0.3cm处穿出后，引出一段数厘米长的缝线，在靠近针尾处剪断缝线，将短线环绕结扎痔核。再将长线穿上弯圆针，在相距约1cm处如上法进针，引出缝线，在靠近针尾处剪断缝线，将短线两端提起，结扎紧，如前法直至半侧缝扎完毕，最后一针的结扎方法与第一针相同；接着将结扎线头相互交替打结。最后在缝扎部分的痔核上注射明矾儿茶液（5%儿茶和15%明矾加水消毒配制而成）使其隆起变色；术毕将痔核还纳，填以消炎止痛膏棉花条，敷上消毒纱布即可。

这种治法系慢性机械性切除，创口呈环形切面，加入注射明矾及儿茶液，具有消炎、止血、收敛、脱水等作用，以致痔核萎缩，坏死而脱落，没有涉及皮肤、肌纤维，不损伤齿线，符合正常的生理功能，胜过环切除，故未见术后疼痛、出血、直肠黏膜脱出、肛门狭窄、尿潴留等不良反应，是门诊治疗环形脱出内痔的一种较好的方法。

痔瘘圣手，医德感人

王维烈

成都已故著名痔瘘专家黄济川老师，行医七十余年，为无数的痔瘘患者解除病痛，在蜀享有盛誉。20世纪50年代后期，黄老年过九旬，仍不时为一些严重复杂的患者亲手诊治，其耐心细致、认真负责的医疗作风，不分贵贱亲疏，一切为了救死扶伤的高尚医德，至今仍然铭刻在我们后学的心里。

犹忆1957年底，有一周姓中年农民，患复杂性肛瘘已十余年，穿肠漏粪，穿孔达百余处之多，所余皮肤全呈乌暗色，脓液淋漓不尽，内裤经常被污，在一定的距离内就能闻到其特异的臭气，患者呈慢性病容，极度消瘦，严重影响了生产劳动和生活。

当年10月患者来院求治时，门诊医师束手无策，不欲接诊。黄老得知后，欣然答应给予医治，在安慰病人坚定治疗信心的同时，亲自拟定治疗方案。黄老说患者两臀已穿百余孔，从外观上看很复杂，但我们绝不能被其表面现象所难住，要抓住此病的主要矛盾，找准内口，处理好主管道，所谓“大河无水小河干”的道理，其他管即能迎刃而解。

该病人由于得到黄老的关怀，亲手给他探准了主管道和内口，挂上了通往肛门内的正线（系黄老每年一次亲自煮的药线）后，又相继在肛门外挂了很多偏线，越时半年，患者终于痊愈。

这种不怕脏臭、不嫌贫贱、细心负责、勇于救人的医德医风，始终是我们后辈学习的榜样。

拔核之术治瘰疬

|肖梓荣|

"瘰疬"，即淋巴结结核。其病多发于颈部两侧，历代医家对其论述甚多，证治亦较繁杂。余弱冠师医，厚得名师指点，习用外治"拔核"之术，内治"扶正化痰软坚消结"之法，收效满意，积验甚众，爰致数语，不敢自秘。

外治拔核法：以火针刺入瘰疬中央，深至2分即出，复用拔毒钉（白降丹0.5g，米饭适量，搓成两头尖之钉状，长约3cm，粗如寸钉，凉干坚硬即可）顺其针眼插入2分，敷以神仙膏，7日即可将瘰疬拔出。再以红升丹换药，隔日1次，数日创口愈合而愈。此法用之于未溃者。若溃破者，则以红升丹换药可愈。

内服结核小金丹：白胶香15g、乳香10g、没药10g、姜半夏15g、生黄芪30g、党参30g、土贝母15g、夏枯草15g、制马钱子10g、玄参30g、山慈姑15g、煅牡蛎30g、百部15g、海藻30g、三棱10g、莪术10g研细末，炼蜜为丸如梧桐子大，每次20粒，每日2次。温开水送服。

（谢剑新　整理）

因时制宜瘥肠结

|李　彪|

肠结，系言肠道气机闭阻，反顺为逆者，亦为"肠梗阻"。肠属六腑，泻而不藏，动而不静，降而不升，实而不满，喜通降，恶滞逆。或因食积，或因寒凝，或因热闭，或因湿阻，或因瘀滞，或因虫聚阻塞，肠道气血痞结，通降失调，反顺为逆，乃为肠结。论其治则，通里攻下，是为正宗耳。然可拘于通下乎？一患者柳某，暑月劳累，夜着凉席，是夜腹痛，时发时止，伴有呕吐，渐见腹满，肠鸣有声，或见肠型，精神倦怠，呻吟不止，头微汗出，四肢不温，

大便未解，矢气不通，小便短少，苔白腻，脉濡缓。腹部 X 线检查，有多个液平面，断为肠结（急性肠梗阻，疑有肠扭转）。患者过虑，欲求中医主治。细研此案，显为暑湿内阻，中焦不运，升降乖违也。仿藿香正气散，取芳香化浊、理气调中法，药用藿香 10g、厚朴 10g、大腹皮 10g、法半夏 10g、陈皮 6g、茯苓 10g、白术 10g、全瓜蒌 15g、炒莱菔子 10g，嘱煎 2 剂，分 4 次，2 小时 1 次。患者误听，2 剂一次顿服，未逾 4 小时，腹痛渐止，矢气已通，效如桴鼓。诚非笔者所料。考其原因，药属平淡，然切中病机，加之 2 剂一次顿服，有斩将夺关之势，故病霍然而愈。由此观之，凡治一病，全在因病、因证、因时制宜。柳某发病于夏月，暑湿最盛，法用芳香化湿，理运中州，气机枢转，升者升，降者降，故通也。

屡治膝痹话四神

俞大祥

鹤膝风是一种常见的非化脓性的膝关节疾患，以其患膝粗隆，胻腿枯细，有似鹤类之膝而名；喻嘉言谓属痹病范畴。其病来渐，日久之后，每致关节僵直，形成残废。执匕之工，无不忧心孔疚。

余抗战胜利归途，偶于豫皖交界大别山麓，目睹效方验例，乃采而珍藏；返苏之后，屡试屡效，而叹其神；几经查考，系出鲍相璈《验方新编》，其药仅黄芪、石斛、牛膝、远志四味，故名四神煎。

方用大量黄芪为君，在于益气以达行血利痹之功；仲圣黄芪建中汤、黄芪桂枝五物汤皆以黄芪统率全方治疗虚劳血痹之病，已有前鉴；而《本草思辨录》更概括为“补虚通痹，芪之专司”八字，尤辨之明矣。若与桂枝相比，桂枝虽能逐营卫中邪，不能益营卫之气，能通营卫之流，不能濬营卫之源，而黄芪既有补益营卫之功，又具疏利营卫之机，宜其较桂枝尤胜一筹。本病因虚而邪滞，黄芪正能展其所长，何况量大力宏，通痹之效自更足可观。

至于石斛，依水石而生，近世皆用于滋阴生津，尤以滋养胃津为主，溯之《神农本草经》早有除痹记载，甄权谓治腰脚软弱，皮肌风痹、骨中久痛，则石斛显然亦具补虚除痹之能。再综观古代临床，宋《太平圣惠方》备载很多石斛散，皆以石斛为君治疗各种虚劳痿痹，及清陈士铎《石室秘录》《辨证录》更有蒸膝汤、散膝汤、张真人神方等方剂以辅黄芪而普治鹤膝，足证已为临床所习用。

牛膝能活血通脉，舒筋利痹，且其性善下行，宜于腿膝诸病，本为案头常

识；然进而穷其所以，恐亦未能尽答。昔读《本草述钩元》杨时泰认为牛膝之所以能疗寒湿痿痹，全在于能导三阳经气下降，濬三阴（肝、脾、肾）化源，使三阴气血充盈，则痹塞自易能除，并提出三阳之不下行，亦本于水谷之气不能并宗气以下，而卫气先亏耳；牛膝导行下降作用，尤必需充沛之卫气营气为其后援，方能克奏其功，否则徒恃牛膝之孤军奋战，亦难冀显效；今本方牛膝佐之于大量黄芪之侧，正好一以补气而一以导行，可谓相辅相成，而其效自得益彰。

再论远志一味，吾又每用于安神益智、利窍祛痰方面，然稽诸古籍，亦常施之于疮科领域，如《日华诸家本草》谓其长肌肉，肋肌骨；《本草纲目》亦称其治一切痈疽。张山雷则更具体介绍用于寒凝气滞，痰湿入络所发之痈疽，其效甚捷，认为味苦入心，气温行血，而芳香清冽，又能通行气分，显系一味疮疡良药。北京已故名医王文鼎也经常教导后学，谓此味最能健膝，而用之要量大（15g），是本方所以择用远志为使，固有其一定的临床基础。综观全方，药简力专，组合严谨，极尽益气通痹之能事，洵非一般蠲风逐寒之剂所能望其项背。余以叹其神而不禁饶舌乃尔，无非欲借医话一角，以彰其用。

治烧伤宜清凉　|黄德彰|

烧伤，看来有水火之异，但其高温灼伤肌肤之理则同。小伤易治，大者难医。

1942年毕业后，到灌县石羊场工作。遇一农村老妇被火烧伤，左侧上下肢及头发均焦。于是求教高习之老师，示以《医宗金鉴》清凉膏方。并谓水烫效亦好。以后遇烧烫伤之较大者，用之无不收良效。1952年，我在新都县卫生院时，农机所用土法溶铁铸造农具，吊炉绳忽断，工人陈某跌卧地上，满炉铁水倾泄烫伤，顿时右侧肩、背、臀部、右下肢足踝烧成重伤，抬入病房，立即用棉签蘸清凉膏涂于伤处，用清凉膏纱布盖上。病人醒来自述口干，伤处不痛有清凉感。给予输液及葡萄糖口服，病者痛苦顿失。自此，每日换药一次，不及10日，患者伤口相继而愈，最后仅留足跟、臀部深度烧伤处不易愈合，经植皮治愈，且无瘢痕。1965年笔者的未满4岁小孩被水烫伤，当涂上清凉药膏后，患儿疼痛若失而安卧。

清凉膏出自《医宗金鉴·外科心法》，笔者将麻油易菜油，疗效甚佳。

砒枣散治疗皮肤癌

周一先

砒枣散，又名赤霜散，有的地方又称黑仙丹，是治疗走马牙疳的古方，至今仍为疡医所习用。1960年以来，余用该药治疗皮肤癌30多例，部分病人经治愈后重作活检，结论为癌细胞有萎缩现象。

砒枣散应研极细，用菜油调为浆糊状，直接涂在癌变部位皮肤上，涂时宜超越边缘0.5cm；涂药后第2天，癌变周围有充血和水肿，并有少量分泌物，要立即换砒枣散，肿势和分泌物即会减退；如果砒枣散结硬于疮口之上，就不必每天更换，可以3~7天换药一次，总的痊愈期较长，有一例超过100天。

过去本方是以红枣去核，纳入白砒，用麻线扎紧，置瓦上用炭火煅，初起有白烟，继冒青烟；烟尽，枣外稍有白色，即离火放入有盖瓦盆或有盖瓷盆、瓷碗均可；不令泄气，候冷，研极细末即成。目前的改良法不用火煅，只需将砒枣放入恒温箱，用120℃以上的温度，安放12天以上，枣已成炭而硬，即可研末候用。

将砒枣散初步用于治疗皮肤癌，效果还是可以的，曾做活检的几例，都有癌细胞萎缩的结论，说明皮肤癌并非不治之症。祖国医药宝库里蕴藏着丰富的宝藏，只要我们大家振奋精神，努力发掘，一定能为人类的医疗保健事业作出进一步的贡献。

瑶医治蛇伤，疗效分外高

周　萍

1969年夏，我率医疗队进入宜章莽山瑶族居住区。某日，一汉族农民奔至驻地求医。见其右手肿胀，肘关节以下遍布水疱，灼痛难忍。主诉为竹叶青蛇所咬。随用蛇咬伤成药内服外涂，半日后，其疼痛稍减，但肿胀不消，虽用三棱针于伤处针刺引流，但流出毒水甚少。乃改用瑶族草医介绍的治蛇伤经验，取生草乌一枚，蘸酒磨汁，于肿处上界绕手臂涂上一圈，5分钟后，患者伤口流出黄色毒液甚多，肿胀随之消退。在场目睹者赞叹不已。

据云：瑶胞凡遇竹叶青蛇咬伤，立刻嚼服米粒大生草乌一块；若为五步蛇（蕲蛇）所伤，立即嚼服地金莲一粒，即可保无虞。考地金莲为天南星科植物，

生草乌为毛茛科植物，二者均有大毒，无病误服，轻则麻木肿胀，重则致伤性命。而用治毒蛇咬，竟有此卓效，弥足珍贵。吾长江流域上游，少数民族聚居较多，如能采其所长补吾所短，不亦善乎。

吴海清外治法举隅

吴鉴明

先父吴海清老中医（1915～1979），悬壶五十载，师法前贤，灵活变通，每能出奇制胜，爰追记二则，以饷同道。

昔有李姓患者，20岁，妊娠5个月，于下午3时许突然发生前阴剧痛，入夜更甚，犹如刀割，夜半始缓解，翌日上午渐止，然下午1时许又发作如初，即抬至医院诊治。经妇产科、泌尿科检查无阳性指征，茫无应策。先父察其舌苔润白，脉弦迟，十指厥冷，尿清长，均一派寒象。阴器乃足厥阴肝经所络，参照其疼痛、下午发作并加重，夜半至上午缓解的变化，足见是证阴盛阳虚，法当温阳散寒。清代吴仪洛《本草从新》有“玉茎作痛，乳香、葱白等分，捣敷”之言，此二药皆可入厥阴肝经，乳香去风定痛，活血消瘀，葱白通阳散寒。斯方颇切病机，虽其病所男女有异，亦不妨一试。遂取葱白一握，乳香10g研细，共捣融，蒸热摊消毒纱布上，令贴外阴。不意半小时后患者痛果缓解，再2小时全止。时及傍晚，患者已能轻松步行回家。

《内经》云：“肝病者，平旦慧，下晡甚。夜半静”。因日至下晡，阴气渐甚，添助寒邪，且申酉时分金气最旺，金能克木，促使肝经病势加重。及至夜半，一阳萌生，自此阳胜阴衰，有利于寒邪消散。且亥子时分属水，水能生木，水主疏泄条达，能使肝经之病稍安。如此阴阳胜复，五运生克的规律，病人机体应之，故有病势呈现下午发作、夜间加重、夜半至上午缓解的变化。

蜂蜜加味灌肠通便秘

先父受仲师蜜煎导法的启迪，临床遇虚人便秘或津伤肠燥“虽硬不可攻”之证，喜在蜂蜜中加入乌梅、升麻二药灌肠。盖乌梅合蜂蜜，酸甘化阴，既能通润，又可收敛下迫之肝气，对于便秘腹胀，兼肛门坠迫者甚为相宜。六腑以通为用，佐以升麻，寓欲降先升之意，如此通畅气机最捷。高某之妻，40岁，自汗，苔燥，脉浮，大便秘结已4日。下腹胀痛，后阴坠迫，苦于欲大便不得。用果导片、开塞露未效。先父改用乌梅15g、升麻15g，煎浓汁，兑蜂蜜100g，令保留灌肠。须臾，患者肠鸣漉漉，畅下宿粪良多，而诸恙悉平。

改良剂型话六合

谢德固

我院已故名老中医吴介诚先生以黄柏、生大黄、白及、乌梅、白芷、薄荷、乌金、面粉、蜜、沸水创制的六合丹用治外症，疗效显著。吴老在研制中选用胶黏滑腻的白及，黏着性能良好的面粉，柔而濡泽的蜂蜜及沸水作赋形剂，使之具有软糯黏滞、不易干燥的特点，外敷患部且有凉爽柔润的舒适感。因其软糯黏滞，则药易固于患部，不易干燥则患部药气氤氲不绝，保证了六合丹能持续地发挥疗效。临床上观察到，即使用与六合丹同样以蜜水调制的洪宝膏、如意金黄散、冲和膏后，第2天换药时，敷药往往干结成块或已干燥散落，难冀药物在24小时内持续发挥作用。

六合丹赋形剂给人以启迪：欲使箍围药充分发挥药效，赋形剂当选用白及、面粉、蜂蜜、水这类物质，使箍围药具有易固于体表，不易干燥，患部又有舒适感的优点。

下病上取，通调三焦

——治水疝之一法

王天位

笔者曾遇一张姓小儿，年6岁，患水疝，两侧阴囊肿大若小皮球状，外观紧绷光亮，得病已有月余。服用过中、西消水利尿药多种，然肿势日甚。此显然属水气聚留下焦之候，故拟化气行水法，试投五苓散2剂，罔效。窃思：水疝者水气为病，水气者津液所生，津聚则病为水，水行则复归于津。津液在体内贵乎流通，疏陈布达，升降出入是其常态，其代谢必赖于肺、脾、肾三脏的功能配合，水疝虽病在下焦，实为三焦通调失常之故。因水聚日久化热，患儿还表现为口渴舌红、饮水不多等水热互结之症。在此之际，非宣上导下则三焦不通，非清热化气则水热不散。拟方：麻黄5g、桔梗9g、车前子9g、白术9g、茯苓12g、陈皮9g、知母30g、黄柏6g、上肉桂1.5g，2剂。方中桔梗、麻黄宣肺开上；茯苓、白术、陈皮健脾畅中；知母、黄柏、车前子清热导下，合为宣肺化气，通调三焦之剂。次日上午家长陪同患儿前来，谓其愈病心切，已将2剂汤药并作1次煎服，于昨日黄昏开始服用，夜间连进数次。晨起观察，见患

儿水疝消退殆尽，阴囊收缩也恢复常态。疗效如此神速，使我和病家同为惊叹。我想，若不是“谨守病机，各司其属，有者求之，无者求之”（《素问·至真要大论篇》）的古训，岂能开出这张下病上取、通调三焦的处方！

生脉散术后应用一瞥

刘盛斯

余会诊术后病人，多有发热、自汗、口渴、面色苍白或潮红、神疲肢倦、舌淡红、脉细数等气阴不足之象。揆其所由，约略有三：手术失血，伤津耗液，因血以载气，气随血行，阴血丢失，气亦随散，此其一；人身脏腑组织密切联系，互相影响，而手术刀钳，固可祛邪，但亦常致气血失和、气阴损伤，此其二；手术之后，余毒未净，尤能继续蚀气耗阴，此其三。对比类患者，常据不同的兼症，以生脉散灵活加味投之，获效理想。盖以党参甘温，能补脾肺之气；麦冬甘寒，可养肺胃之阴；五味子酸温，既可生津，又能敛失之气，故服3～6剂，即可收效。现略陈述具体运用法。

1. 术后畏食　此与手术损伤气阴及久卧损气有关。若兼脾胃气虚，合用六君子汤；兼胃阴不足，联用益胃汤；有脾湿内蕴者，可酌以一加减正气散或半苓汤合用。

2. 术后呕吐　腹部手术后，气机逆乱，多有胃气不和之象。若气阴不足兼胃逆呕吐者，常用生脉散合二陈汤获验。

3. 术后血尿　手术之后，余邪未净，热移膀胱，损伤脉络可致尿血。曾治黄某，女，13岁。于“阴道下段成形术”后3日，因反复血尿，经用抗感染、对症止血等治疗未见好转，中医辨治为气阴亏虚，热移膀胱，损伤脉络，以生脉散合小蓟饮子加减投之，3剂后患者精神食欲好转，导出尿液色淡清亮。又4日，一般情况良好而出院。

4. 术后腹痛　手术之后，气阴未复，余毒留滞，蕴生湿热，气滞血阻，瘀塞脉络，不通则痛，故术后腹痛，极为常见。用生脉散、香连丸、金铃子散加味治疗。

此外，笔者尚以本方配合麻子仁丸治疗术后便秘；配合化痰肃肺之品，治疗术后咳嗽，获效亦捷。总之，生脉散益气养阴，对于术后气阴亏损未复者，极为合拍，是一理想的基础方。尽管本方有“邪气未尽，不可误用”之禁，但个人认为，只要扶正祛邪兼顾，配伍得当，则不会有闭门留寇之弊。

治疗骨折十要十不要

易珍瑜

骨为干，骨折以后会丧失其支撑作用而影响身体的运动功能，治疗方法众说纷纭。《伤科汇纂》记载：“接骨由来法不同，若能洞达其中意，妙法都在掌握中”。我将临床所得，概括为十要十不要，常识不忘，得益匪浅。

一要体贴病人、医患合作。医生关怀体贴病人至为重要，视他病为已病，交待病情。不要恐吓病人而造成病人精神紧张，增加复位困难。

二要详细诊察病情，分清受伤机制，了解骨折移位方向。不要不分骨折性质，不辨气血虚实而草率复位。

三手法要逆创伤机制进行，使骨折端回归原位。不要顺受伤趋势而加重骨折移位和软组织损伤。

四牵引要顺伤肢畸形拔伸，然后再按伤肢轴线牵引，牵引力要持续、稳妥、充分，才能达到“欲合先离、离而复合”的目的。不要盲目牵扯，如骨折重叠未解除而急于复位，势必“复而不合。”

五固定要松紧适度，维持骨折端复位后的良好位置，血肿严重的，固定要松些；肿胀消退的，适当紧些。不要企图依靠夹板、压垫纠正，骨折断端错位而捆扎过紧，使伤肢持续严重肿胀，能延缓骨折愈合和软组织的修复。

六压垫要厚薄适当。不要过厚而造成压迫性溃疡。

七要力争解剖对位。不要忽视骨折自我修复塑形能力，在解剖对位困难的情况下，只要纠正旋转、成角畸形，即可达到功能对位，且比多次反复手法复位的效果要好。

八手法操作要轻巧，不要暴力、蛮干。

九伤肢要顺乎肌肉自然放置，不要使肌肉紧张牵拉，以致骨折再度移位。

十要筋骨并重。不要忽视筋、肉对骨折的修复作用，做到动静结合，动其筋骨，活其血脉能促使骨痂生长、功能恢复。

夹挤上颌系带治疗腰骶关节痛

詹经山

腰骶关节痛，为骨伤科临床之常见病症。疼痛可牵及臀部，常延绵难愈。

其病因有因外伤所致，亦有因风、寒、湿邪侵袭而成。系督脉经络气机失调、气滞络阻、肌筋失养、关节功能紊乱之症。

余10年前临床检查伤员之际，遇上颌系带有鱼卵状黄色结节者，乃持止血钳夹挤结节待尽，患者突感腰骶部痛除收到了能翻身屈伸活动之奇效。嗣后，凡遇斯症，若有结节，依法夹挤，轻症无需汤药辅治，重者则可助针药一臂之力，使之痊愈。

为何夹挤系带能疗斯病？究理溯源，乃系带、腰骶部均属督脉络道，因而破其结节，则督脉经络通，气机周流复始，其症乃消。

若非斯病之腰痛或腰腿痛诸病，用之无效。

皮鞋固定也能治疗足趾骨折

熊昌源

前年秋，一位木工师傅右足拇指末节骨折，无移位，吾欲给其用铝板固定，但其拒不接受；改行石膏固定，亦不愿意，迫不得已，嘱其穿皮鞋。次日，其人即着皮鞋进山去买木料。一月余后再见到他，其右足拇指疼痛、压痛（包括间接压痛）均消失。嗣后，余先后按此法又治愈了数例足趾骨折患者。

皮鞋比较硬，穿着后对骨折有一定的固定作用，实践也证实了这一点。又因皮鞋合脚，穿脱方便，病人可正常生活，比石膏、铝板固定都要舒适，患者亦乐于接受。由此可见，如何运用皮革制品来作为骨折的外固定材料，是值得研究的一个问题。

望 眼 诊 伤

张录初

望眼诊伤，是中医伤科的一项独特的诊断方法。《跌打妙方》云："凡受伤不知左右，……即看眼珠"。余自临证以来，常以细视双目，来验伤之有无及轻重，然后投之方药，多能应手奏效。

罗某，女，年近半百，于1975年仲夏就诊于余，诉头痛难举，昏昏欲坠，耳鸣目眩，足胫酸软，着地行走如履棉地。有时头痛剧烈，并伴有右侧面颊部放射性痛麻感，甚至口眼抽搐拘急，常日发十数次不等。某医院诊断为多发性颅神经炎，多方投以针药治疗而罔效。查其形体瘦弱、表情痛苦、面色皖白、脉象沉细而涩，舌质淡嫩、边缘紫暗、中央略有白苔。细观其双目，白睛青紫晦暗、满布星状瘀点。经察目审证，合参脉舌，疑有脑气震伤，遂追问其病史，果真有击伤头颅史，且昏迷十数分钟。因未能得到及时治疗，以致血瘀阻络、风扰清窍，拟用通窍活血汤合牵正散加杭菊花、岗梅、蔓荆子、生牡蛎等，并重用川芎15g。患者进药7剂，病势有好转，二诊续服7剂，病势大减，后坚守原方，其中麝香易白芷30g，连进50剂后，白睛星状瘀点消失，上述诸症悉除。再拟归脾养心汤剂善后。后曾多次追访，患者病未复发，并能坚持全日工作。乃宿伤多年，愈于一旦，诚察目医伤，效如桴鼓也。

古方巧用，妙治颌脱

蒋兴磊

此系祖父在世时，用取嚏法巧治的一例奇案。发人深省，爰录于此，以飨同道。

患者某男，年四旬。一日，由于下颌骨脱位而求治于余祖父，问其由，乃呵欠时张口过猛所致，已经数医按压推拿，未得复位。观之，下颌脱出，向前移位，口不能合，食不能嚼，涎流口角，待轻轻欲探时即呼痛远拒，其脉细而无力。诊毕，祖父静思自语："此案既肌肿拒按，骨僵失灵，岂可盲目硬复哉！当以柔制刚，顺水推舟，可望效也。"遂取来热湿毛帕令患者先敷于患处，片刻后即以通关散(《丹溪心法附余》方）吹鼻，吹后患者顿时喷嚏连作，频频不已，嚏时忽听得"咔嚓"一声，脱出之下颌骨即自行复位，后嘱其闭口半小时收功。余思之，如此难治之下颌关节脱位，不费吹灰之力，不动手而自复，是非学富识广者，岂能应变而神效哉！

补脾治创伤久溃不敛

孙之镐

忆昔余在某医院进行临床带教时，曾治一老妪，患左胫腓骨中下1/3开放性骨折8个月有余，往者采用石膏夹板外固定，创口长期换药和反复运用多种抗生素，并加服数十剂清热解毒的中药以助"消炎"。且创伤久溃不敛，骨质外露，全身情况日渐衰弱，精神欠佳，纳呆食少，经X线照片检查，虽无死骨形成，但骨痂生长亦不明显。后经我院实习医生换药，见其创面清洁，肉芽组

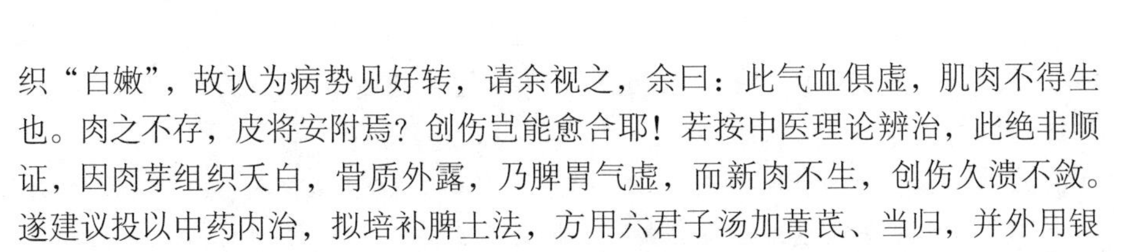

织“白嫩”，故认为病势见好转，请余视之，余曰：此气血俱虚，肌肉不得生也。肉之不存，皮将安附焉？创伤岂能愈合耶！若按中医理论辨治，此绝非顺证，因肉芽组织夭白，骨质外露，乃脾胃气虚，而新肉不生，创伤久溃不敛。遂建议投以中药内治，拟培补脾土法，方用六君子汤加黄芪、当归，并外用银灰膏、九华膏交替换药，又经月余治疗，患者创口始现红活鲜润，创面肉芽组织长平，再经点状植皮而愈。经X线照片检查，骨折端亦有少量骨痂生长。

综观上述病例，前者运用中医治疗，是以现代医药辨病之观点使用中药，遂不问其病之属寒属热，或虚或实，动辄用多种寒凉药来“消炎”，致创伤久溃不敛。后者则是以中医气血、脏腑、经络之理论为指导，进行理脾胃助气血，故新肉即生，创口自敛。

由此可见，中医治病一定要以中医的理论为指导，切勿为现代医学的病名或治疗手段所惑，否则，每致偾事。临证时，应把握病机，既注意全身情况，又重视局部病变。考虑病人机体正气的强弱与邪正斗争的关系，分清虚实，辨别阴阳，辨证施治，方能达到治愈疾病的目的。

四肢骨折内治

施维智

四肢骨折后，除了及时地进行手法整复和正确的敷贴夹缚外，均须进行内治，其目的是促使骨折愈合，功能恢复。

闭合性骨折初期：由于经脉同时受伤，气血离经，以致局部肿胀、疼痛。治宜宁血消瘀，使内出血及早停止以减轻积瘀。方药可选：鲜生地黄9g、三七末2g、花蕊石9g、生蒲黄9g、当归尾9g、京赤芍6g、牡丹皮6g、制乳香5g、制没药5g、炒延胡索9g、生山楂9g、生枳壳5g。

一般1~2天内出血停止，但离经之血凝结成瘀，肿胀疼痛，宜活血化瘀，促使肿胀消退，经脉通畅，气血得以正常运行，充养筋骨。方药选用：当归尾9g、自然铜9g、土鳖虫9g、络石藤5g、制乳香5g、制没药5g、炒枳壳5g、生山楂9g。上肢加桑枝15g，下肢加川牛膝9g，作为引经药。

中期：约7~10天后。经过活血化瘀的攻法治疗，正气势必损伤，而内留之余瘀，来必尽化，应根据正虚兼有余瘀的情况，用和营续骨法，由兼滞者行而和之，逐步过渡到兼虚者补而和之，使攻不伤正、补不滞瘀，以求未尽的余瘀继续消散、损伤的筋骨及早连接。方药用：全当归9g、赤芍5g、川芎5g、红花5g、骨碎补5g、自然铜9g、鸡血藤9g、陈皮5g、炒枳壳5g，上肢加桑枝

15g、松节9g；下肢加怀牛膝9g、五加皮9g。逐步减自然铜、红花，加川断9g、补骨脂5g、生地黄9g、熟地黄9g。

后期：多有气血和肝肾的亏损，特别是严重的骨折以及老年人骨折，往往会出现患肢功能恢复迟缓、局部虚肿或肌肉萎缩，皮肤清冷，脉虚软，舌淡白，治宜益气养血，温补肝肾而壮筋骨。方选：党参9g、黄芪9g、当归身9g、熟地黄9g、白术6g、白芍6g、川芎5g、续断9g、补骨脂9g、肉苁蓉9g、陈皮5g、砂仁2g、千年健5g，上肢加桑枝15g；下肢加怀牛膝5g。

开放性骨折的特点是气散血失，皮毛为卫气之所统，破其皮肤，气先漏泄，受伤之初，出血过多者，元气必伤，常可出现面色㿠白、肢冷自汗等虚脱之象，宜用独参汤急救。血止后出现心烦口渴、发热自汗、舌光绛、脉虚数，乃阴虚生内热，津液耗伤，宜益气养血，血足者津生，心烦口渴、发热自汗均可迎刃而解。方用：党参9g、黄芪9g、全当归9g、白芍6g、生地黄9g、川芎5g、酸枣仁9g、天花粉9g、炒儿茶5g、制乳香5g、制没药5g、远志肉5g、生甘草3g。

中期与后期，如无伤口感染等并发症，其治疗一般与闭合骨折相似。但某些病例，由于初期出血过多，阴血耗伤，至后期出现午后潮热、面䪼戴阳、患肢虚肿发热、皮肤光亮等阴虚之证时，宜益气养血、育阴补肾。处方：党参9g、黄芪9g、当归身9g、白术6g、白芍6g、枸杞子9g、生地黄9g、制首乌9g、川续断9g、杜仲9g、山茱萸5g、龟版12g、陈皮5g。

三期分治，有其一定的原则性和规律性，但不能机械地划分，如体质的强弱、部位的不同、男女老幼等，都应予以重视和考虑，所以初期以活血化瘀为主，但对供血不足部位的骨折，积瘀不重的，则化瘀不能过重，免伤其正，更须及早滋补，断端才能接续。后期当补，但儿童及青少年骨折，后期无虚象的，则不必施补。总之，在临床实践中，应随机而变，灵活运用，不能拘泥。

少女外伤切勿攻伐太过

孙之镐

凡外伤之证，必使血脉受伤，恶血留内，壅于经道，气血不得畅流，而致瘀血实证。《素问·至真要大论篇》云：“血实宜决之”。故外伤早期，治当以活血祛瘀为先。若不祛瘀，则令留邪伤正，贻害非浅。然而临证所见，外伤亦有虚证，如不详审细察，过用尅伐药物，必致变证多端。

忆二十余年前，余刚从事伤科临床工作，曾治一陈姓少女，患骨盆骨折，遂按所学的理论和治疗原则给予施治，先令患者卧床休息，并遵《内经》：“有

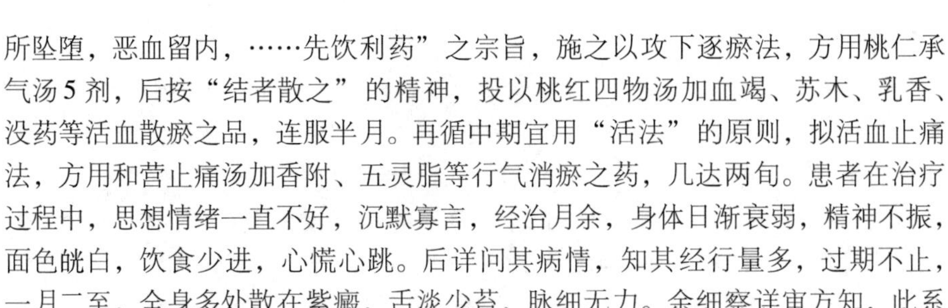

所坠堕，恶血留内，……先饮利药”之宗旨，施之以攻下逐瘀法，方用桃仁承气汤5剂，后按“结者散之”的精神，投以桃红四物汤加血竭、苏木、乳香、没药等活血散瘀之品，连服半月。再循中期宜用“活法”的原则，拟活血止痛法，方用和营止痛汤加香附、五灵脂等行气消瘀之药，几达两旬。患者在治疗过程中，思想情绪一直不好，沉默寡言，经治月余，身体日渐衰弱，精神不振，面色㿠白，饮食少进，心慌心跳。后详问其病情，知其经行量多，过期不止，一月二至，全身多处散在紫癜，舌淡少苔，脉细无力。余细察详审方知，此系少女肾气未充，伤后失血过多，过用尅伐药物，而致脾肾两虚，冲任不固，统摄无权，而成崩漏，遂改用归脾汤合胶艾四物汤加减，服用月余，方见患者精神好转，饮食渐增，经行正常。

本例外伤患者，早期似属瘀血实证，但骨盆骨折，瘀血较甚，且失血亦多，故应属虚实参半之证，治宜补而行之。因早期虚实辨证不清，妄投攻下逐瘀之药，以致正气大伤。且因少女肾气未充盈，冲任失养，血海为之不足，亦系体虚之证挟实，不宜专主攻下，奈余过用攻尅之剂，遂使胞宫失约，冲任不固，脾失统摄之权，遂成崩漏，以致伤病未已，新病复起。又少女具有怕羞的特点，医者知其常而不识其变，治其伤而不顾其体，使之一味攻伐太过，而致变证丛生，贻害非浅。为此，医者治伤，必须掌握病人的全身情况，知其常而识其变，审因辨证确凿，方不误事。

桂枝汤亦可用于骨伤科

肖朝曦

桂枝汤为《伤寒论》113方之首，加减运用颇多。不少医家认为桂枝汤既可治表，又可治里。既能治内科病，又能治外科病。余常以桂枝汤治疗骨伤科疾病，亦获良效。

颈、肩、臂、肘部诸损伤，多出现肿胀、酸麻胀痛、关节活动不利等症状。且多发于上肢背侧，此为手三阳经所司，桂枝汤善开腠理，解肌走表，温阳通里而利血脉，若配以活血之剂可温通逐瘀，消肿止痛，佐逐风湿之品可以温阳舒筋，祛风止痛而利关节，故对颈肩上肢的落枕、扭挫伤、风湿劳损以及颈椎病等，用上方出入加减治疗多获较好疗效。

某翁，68岁，患右肩肩凝症半年余，曾经针灸、推拿、可的松封闭多次疗效不显，经用桂枝6g、白芍10g、生姜10g、甘草10g、大枣10枚、丹参15g、姜黄15g、鸡血藤10g、制川乌6g，内服兼外用熏洗患肩，教给其自动锻炼法，

1个月后告愈。

余每用桂枝汤化裁治疗急性腰扭伤，常获良效。因为腰背为太阳经循行之路，扭伤致瘀，经气不通而疼痛。用桂枝汤疏通太阳经气，解太阳之邪，加泽兰、地龙、乌药、沉香、大黄等理气活血，使瘀去经络通畅而病痊。

若以桂枝汤原方加黄芪30g以上，佐虫类通经活血药，如土鳖虫、地龙、蜈蚣治疗筋瘫症，效果也很明显。如有一小儿行肱骨髁上切骨术后，桡神经牵拉伤3周未见好转，经服用上方15剂，完全恢复。该方以黄芪益气升阳，合桂枝汤振奋脾阳以达四末，再配善攻窜走入络之虫类药，使筋瘫迅速恢复。

芍药甘草汤是桂枝汤之变方，在伤科临床上用其治疗非神经根性坐骨神经痛，时获奇效。我治一汽车修理工，坐骨神经痛15年，曾到各地用过多种手法及药物治疗罔效。余以白芍30g、生甘草30g、全蝎3g、蜈蚣1条、当归10g、鸡血藤15g、牛膝10g、独活10g。仅服5剂，患者即获痊愈。此方，白芍苦酸入肝，甘草甘而入脾，酸甘化阴，养血柔肝缓急而止痛。牛膝、鸡血藤、当归养血活血；全蝎、蜈蚣入络搜风解痉，使陈年痼疾一朝而解也。

脑震荡后遗症用“逍遥”

孙之镐

脑震荡，又称脑气震伤、脑海震伤，属头部内伤的范围。脑震荡后遗症是指有的脑震荡伤员经过一段时间的治疗后，仍有头痛、眩晕、失眠、疲乏、记忆力减退，以及情绪不稳等自觉症状，一般检查不出器质性的病变。对于这种情况，有人称为脑震荡后神经衰弱症。

脑震荡后遗症，虽属全身脏腑功能失调的病证，但其临床主要症状是眩晕持续不止。《素问·至真要大论篇》云：“诸风掉眩，皆属于肝。”可见本病的发病与肝脏有密切的关系。因肝主疏泄，恶抑郁而喜畅达，凡脏腑皆须肝之疏泄正常。肝的疏泄畅达，升降自如，清者上升，浊者下降，眩晕自能解除，故余诊治此病，多从疏肝解郁入手，常用逍遥散加味治之。如曾治一女工许某，因车祸致头部受伤，当即昏迷十数分钟，送某医院抢救，诊断为脑震荡。然遗留头晕年余，伴有失眠多梦、胸闷叹息、多忧喜虑、郁闷难伸，投中西药多种，然治疗罔效。余诊之，为脑震荡后神经衰弱症，属肝郁气滞型，宜疏肝解郁，方用逍遥散加郁金、香附、石菖蒲之属。经治疗月余而愈。

脑震荡后遗症，其病位虽在脑，但按祖国医学辨证论治的整体观念，脑病不独治脑，而从肝论治，以疏肝解郁的逍遥散治之。然“逍遥”还需医“开导”，故在运用药物治疗的同时，注意做好思想工作，进行必要的劝慰开导，务使患者心情舒畅，以利肝气的条达。故运用逍遥散方舒肝解郁与医生的劝慰开导相结合，是治疗脑震荡后遗症不可缺少的两个方面。

十痒十法

徐宜厚

痒是普遍存在的一种特殊感觉。剧烈瘙痒而影响劳作的事例，屡见不鲜，为此，综合医籍，参合一管之见，分述十痒十法如次。

风痒：痒感偏于头面部位居多，重则遍布周身。宜宣散法。偏热则皮肤搔破，血痕点点，用浮萍、蝉蜕、炒牛蒡子、薄荷、桑叶、杭菊花；偏寒是冬重夏轻，用麻黄、桂枝、细辛、威灵仙、羌活、独活、苍耳子、防风等。

湿痒：痒多发生在下肢、外阴、趾缝处，皮疹以丘疹、水疱、渗出、糜烂为主。宜清利法、兼热用茵陈、滑石、白鲜皮、萹蓄、金钱草、豨莶草；兼寒用路路通、海桐皮、萆薢、苍术。此外，炉甘石、孩儿茶、白螺壳、花蕊石、煅石膏、枯矾等外用，均有收湿止痒功效。

虫痒：痒由虫生，发生在指（趾）缝、肛周、股内和乳房皱襞处，白天虫潜不动，夜间辗转爬行，故奇痒难忍，搔破则滋水外溢，且有传染性。宜杀虫法。用蛇床子、芜荑、雄黄、硫磺、大风子、蟾酥、轻粉、槟榔等外用。

热痒：痒无定处，自觉灼热刺痒，状如芒刺针扎，偶酿脓疖。宜清解法。气分热用生石膏、知母、寒水石、黄芩、玄参；营分热用犀角、羚羊角、绿豆衣、连翘；热炽化毒用野菊花、金银花、蒲公英、紫花地丁；热挟湿毒用黄柏、海金沙。

燥痒：患者以老年人或阴虚血亏居多。皮肤干痒，时有糠秕状鳞屑脱落。宜润燥法。用何首乌、天冬、山药、枸杞子、沙苑子、干地黄、胡麻、白芍、阿胶、当归等。

毒痒：既有因药毒致痒，又有因疮毒未聚的麻木奇痒。宜用解毒法。前者用绿豆衣、甘草、胡黄连、蒲公英等；后者用金银花、紫花地丁、蜀羊泉、重楼。此外，疫毒之痒用人中黄、紫草、板蓝根等。

食痒：暴食或过食鱼虾、蟹、牛、羊等，还有油荤、马齿苋之类蔬菜，皆能使皮肤发痒，重则会出现心烦意乱之症。宜消磨法。用神曲、广木香、山楂、乌药、谷芽、麦芽、鸡内金、生大黄等。

瘀痒：痒由血瘀所致。痒时非要搔破血溢不可。宜化瘀法。兼热用生地黄、牡丹皮、地榆、茜草、败酱草；兼湿用花蕊石、路路通；兼寒用三七、乳香、苏木、血竭、泽兰。

酒痒：痒由饮酒引起，但随汗液或小便的排出，痒感也随之减轻，乃至消失。宜醒酒法。用白豆蔻、香橼皮、砂仁、葛花、丁香、煨草果从肌解；还可用泽泻、猪苓、白茅根利小便而清。

虚痒：因虚作痒，并不少见。宜补虚法。血虚作痒，夜间尤重，用熟地黄、阿胶、桑椹子；气虚作痒，随寒热变迁而加重，用黄芪、白术、党参；阳虚作痒，多发秋冬，用黑附块、山茱萸、仙茅、淫羊藿；阴虚作痒，皮肤干枯不润泽，用沙参、麦冬、石斛、鸡子黄。

总之，痒症虽多，贵在症对药精，不要一视瘙痒，妄投风药，其结果非但不能止痒，还会引起筋挛之弊。慎之。

百花轻宣疗皮病

徐宜厚

在历代本草著作中，花类药物治疗皮肤病的记载颇多。明代李时珍著《本草纲目》一书，比较集中地反映了花类药治疗皮肤病的重要成就。比如，风热面肿用辛夷花；皯疱疲黯用旋覆花、凌霄花、蜀葵花、马兰花、李花、梨花、木瓜花、杏花、樱桃花、桃花；面疱用凌霄花、曼陀罗花、桃花；白发变黑用石榴花；丹毒用金银花；风瘙疹痱用苍耳花、苦楝花；疣、痣用芫花；恶疮用金银花、黄芩花；杨梅疮用金银花、野菊花、槐花；风癞用杨花、凌霄花；热疖用葵花、荷花；瘑疮用桃花；软疖用白梅花；秃疮用黄葵花、桃花等。近代名医赵炳南教授创凉血五花汤（红花、鸡冠花、玫瑰花、凌霄花、野菊花）颇有特点，治疗玫瑰糠疹，多形性红斑、红斑狼疮等皮肤病常获卓效。

花类药为什么能治疗众多的皮肤病呢？我的体会是：花类药皆质地轻扬，大多能升能浮，能宣能透，具有轻而扬之的功用，属“十剂”中轻剂范畴。皮肤病多与心、肺关系密切，肺主皮毛；心主血脉。不论六淫外客肤表，或热郁营血，均能导致皮肤疮疡的发生。因此，既取花类药的轻扬宣达之性，透邪于外；又用花类药的甘辛或酸之味，活血凉血解毒，以安其内，常能获效。

一般来说，凡病变在颜面部位，如酒糟鼻、痤疮、口周皮炎、日光性皮炎、单纯糠疹、红斑狼疮等，多因肺胃积热，宜栀子金花丸加凌霄花、炒槐花、葛花、红花、辛夷花、黄芩、生石膏等；病变在躯干部位，如急性点滴状银屑病、急性荨麻疹、夏季皮炎、玫瑰糠疹、猩红热型药疹、急性皮炎等，多因外邪客

袭肤腠，甚则气血两燔，宜用白虎汤加金银花、野菊花、白茅花、红花、凌霄花、白扁豆花、炒槐花、绿豆衣、炒牡丹皮、炒牛蒡子等；病变在下肢，如结节性红斑、丹毒、硬红斑、小腿湿疹、癣菌疹等，多因湿热互结，蕴而化毒，毒溢于肤，宜泽兰汤加金银花（或忍冬藤）、炒槐花、山茶花、款冬花、旋覆花、赤小豆、马鞭草等。上述诸症中兼有营血受灼（皮肤焮红、壮热不退）者加金银花炭、生地黄炭、玄参、羚羊角、犀角、紫草等；兼有热炽化毒，毒蚀肤表（脓疱、溃烂、灼热、剧痛）者加黄花地丁、紫花地丁、连翘、赤芍、炒黄连等。

总之，花类药其质轻扬，味甘辛性温居多，酸寒次之。大凡血得热则行；风得辛则散；酸能柔肝，寒能胜热。用之恰当，驱邪从卫而宣，从气而清，从血而散，故凡见红斑、瘀斑、丘疹、结节之类皮疹的多种皮肤病，加用花类药治疗，效果确佳。

治瘾疹小议

| 蒋海源 |

“瘾疹”见《内经》，后世又称隐疹、风疹块、赤白游风、风丹等名，现代医学称为荨麻疹。

余行医三十七载，治瘾疹数以千计。来诊者皮肤红多白少，红者乃风热相合，热伤血分；白者乃风寒所客，袭于肌肤，且色白者，极易风寒郁而化热，由白转红，色鲜赤。遵前人“治风先治血，血行风自灭”之法，遂投性味甘寒之紫草，因其功长于凉血，解毒透疹；辅甘淡渗利、清热解毒之土茯苓；佐祛风止痒之刺蒺藜；合祛风、除热之苦参。四药合参，凉血解毒，祛风止痒，透疹消斑。风热偏盛者，加清热解毒之金银花、连翘，凉血祛风之焦栀子、牡丹皮、赤芍、生地黄、薄荷、蝉蜕。挟有水疱、渗液之风热兼湿者，加清热解毒之金银花、连翘、栀子、蒲公英，渗湿止痒之白鲜皮、地肤子、茯苓皮；渗液多者，取药渣煎汁，加少许明矾淋洗。血虚生风，疹色不赤，延绵不愈，加养血之四物或当归、黄芪；兼见皮肤干燥，脱屑如糠，宜加濡润之黑芝麻、玉竹之类。

20 年来，遵循此法，疗效确有提高，是谓“治风先凉血，血宁风自灭”良可信也。

欣喜之余，作歌而吟：

瘾疹汤[①]治荨麻疹，紫草苦（参）土（苓）蒺藜成；
“血宁风灭”为理论，专治热、湿、血虚型。

血虚补血加归芪，四物蝉蜕效亦奇。
风热银翘蝉薄荷，重加犀角[②]地黄（汤）宜。
风热兼湿银翘蒲，蝉肤栀藓茯苓皮。
一二两煎口服好，三煎加矾洗更灵。

注：①瘾疹汤，原名抗敏汤；
②犀角，作者均以焦栀子 15～20g 代之。

皮药治风癣举隅

|欧阳恒|

皮药治皮病有象形之意。药材之皮部用药，取其“以皮行皮”，治疗风癣，效如桴鼓。

风癣如云片，搔之则起白屑，形似今之玫瑰糠疹，临床较常见。其皮损好发于躯干、四肢，为椭圆形玫瑰色的斑丘疹，表面附有糠秕样细屑，伴有轻度到中度瘙痒。不少病者病程迁延，瘙痒剧烈，日久不愈。

余曾治一患者谢某，女性，患风癣两年，经西药治疗时瘥时复，近又出现红色斑丘疹，略高出皮面，被覆少许白色鳞屑。余先以养血祛风剂不效，继则改用健脾除湿，疏风和血之多种皮药治疗，诸如陈皮、茯苓皮、姜皮、大腹皮、桑白皮、地骨皮、牡丹皮、白鲜皮、黄芪皮、土槿皮、扁豆皮、蛇蜕、蝉蜕等，守方服到 54 剂，患者皮肤光滑如常，追访 3 年未再复发。

补中益气治瘙痒

|雷声远|

皮肤瘙痒系多发常见病，多因风、湿、热、虫、血虚与血热所致，然气虚者也非鲜有，笔者屡以补中益气汤治之，效若桴鼓。

患女刘某，年 20 岁，患皮肤瘙痒年余，求治于余。诉说初起病于四肢，继至全身，形如针眼小疹，奇痒难寐，每次病发后伴上腹部痛，纳差、呕吐，曾两次以“过敏性皮炎”“胃炎”住院，但出院未至半月再作，后改服中药，几经易医，均以上述病因治之，药进百剂而无效。余观其小疹布及全身，奇痒难耐，心烦不安，面色不华，舌淡胖，苔白薄，大便溏而腹部绵绵喜按，脉沉无力。拟用补中益气汤加高良姜，重用人参、黄芪，药进 5 剂，其病若失。

张景岳说："夫百病皆生于气，正以气之为用，无所不至，一有不调，则无所不病。"脾为后天之本，生化气血之源，脾运胃健，源泉不竭，四肢百骸皆有所养，邪勿能害。此证乃脾胃升降失常，运化失职，卫失输养，卫外无权，治运中州而各症迎刃而解。此为探得源头活水来，故《内经》有"治病必求其本"之训。

墨旱莲治稻田皮炎好 |张受喜|

长江流域是水稻之乡，凡种稻者在抢插晚稻的夏秋两季，无不为稻田皮炎所苦。余在基层医疗单位目睹不少农民因手足发痒，溃烂流水而辍工，耽误农时，深感不安。

余自思索：病者以青年农民居多，在水田中接触水毒之物，诸如化肥、农药、各种微生物的分解产物等刺激皮肤，加之长时间浸泡在水中，致使皮肤腠理不密，外邪与气血相搏，而成本病，因此从本草专著中挑选清热凉血、滋阴解毒之墨旱莲，况且取材极易，适合农村推广。于是取鲜墨旱莲汁100ml，加入散热止痒的冰片0.5g（研细），搅拌均匀，外涂皮肤患处，一日数次，连续5～7次，即收良效。

细 皮 风 疹 |徐宜厚|

细皮风疹一症，似丘疹性荨麻疹，是幼儿在夏秋两季最常见的皮肤病之一。病者以3～5岁或8～12岁的居多，在腰骶、四肢诸处常能见到纺锤状红色风团，顶见丘疱疹，痒甚，搔破偶尔毒染糜烂；部分患者纳食欠佳，大便干燥，腹胀不适，舌质淡红，苔薄白。结合舌诊，究其病因，内责脾气虚弱，卫外失固；复遭风热客袭肤腠而成，故论治不可单纯宣透。笔者姑拟健脾固表、化湿散风法，投用验方枳术赤豆饮。药用：土炒白术、炒枳壳、防风、蝉蜕、荆芥、茯苓皮等健脾以固中宫，微宣肤表之风热，使之邪有出路；配赤小豆、冬瓜皮既助茯苓、白术以化湿浊，又清营血郁热，有利于皮疹的消退。兼有剧痒酌加地肤子、苍耳子以驱风止疮；毒染成疮酌加金银花、绿豆衣以清热解毒。前者有"诸疮宜散"之意；后者有"诸毒宜聚"之旨。

疮疹从痰论治一得

朱曾柏

丁某，男，6岁。患疡疹3个月不瘥，多番医治耗资而罔效。越两月，疡疹剧，疹大如豆，弥漫成片，遍布全身，头面尤甚，渗水如胶，气腥臭，糜烂浸淫。人见之，皆侧焉！疡疹虽糜烂不止，然瘙痒不甚。症之难辨者详于脉，脉之难辨者凭于舌。望舌时，患儿口中秽垢黏腻之气扑鼻，询其二便，其父告曰："粪便稀溏，气臭如败卵"。

疡，皮肤溃烂，生疹之总称。其辨有三要：瘙痒甚者风甚；痛热多者血热（或阴虚血热）；糜溃不止、脂水黏腻如胶者，乃痰湿作祟。湿遏既久，聚而为痰；痰湿化毒，凝聚于皮肤肌腠，腐伤气血，发为疡疹。

"风过花丛气亦香"，疡气腥臭，口中秽浊，溏便如败卵，痰毒痰热外溢之症谛也，当以化散痰湿之法为治，苟若辨识有误，滥用清热消炎剂，自不啻以溉滋渍，雪上加霜。

楚地仲夏，虽炎热如焚，然湿气亦弥漫于六合之间，热与痰湿合，痰湿又复恋热，其势如污泥入油，致使疡疹延宕不愈，病势日剧，姑拟化痰祛湿解毒一试。

蒲公英20g、紫花地丁15g、连翘15g、苍术6g、荆芥6g、天花粉15g、象贝母10g、薏苡仁30g、土茯苓10g、明矾6g（外擦用）、蜈蚣1条、甘草6条，上药由仙方活命饮、连翘金贝饮以及五味消毒饮三方增损化裁而成，同时用药液擦洗疮面，以期内外分消。

小儿阴阳稚弱，有眚之躯，脾胃暗耗，故服药量宜少，更不能使其极，但需少少频饮，即重剂之轻用耳，恰似微风拂熙，以轻剂而取重疾，化散肌腠中留伏之痰毒。

一周后复诊，其父快慰，以驱代骥负子，言药力神奇……云云。其时患儿疮痂痊愈，稚丽之气外露，雀跃喜人，与诊前判若二童子也。

胎敛疮琐谈

徐宜厚

胎敛疮似"婴儿湿疹"，是婴幼儿常见的皮肤病。因其初发时皮肤损害多

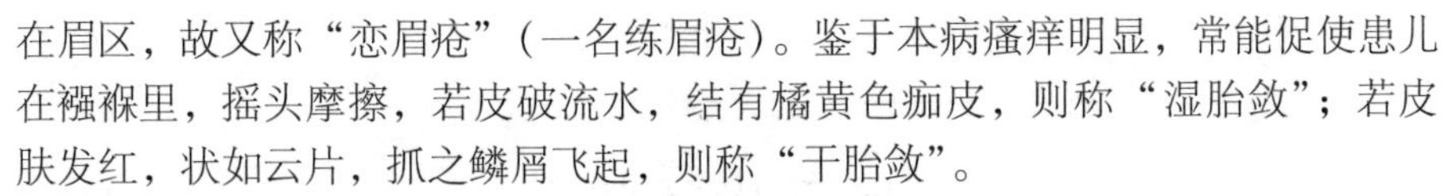

在眉区，故又称“恋眉疮”（一名练眉疮）。鉴于本病瘙痒明显，常能促使患儿在襁褓里，摇头摩擦，若皮破流水，结有橘黄色痂皮，则称“湿胎敛”；若皮肤发红，状如云片，抓之鳞屑飞起，则称“干胎敛”。

我对胎敛疮的认识，既宗审证求因，又重脏腑功能。前者从皮损特点出发，诸如红斑、丘疹、丘疱疹，甚则脂水浸淫，无不与脾弱失职、湿窜肤表有关；或由心火偏亢，胎热扑肤所致，此乃古人分干、湿胎敛之由来。对斯证之治，要顾及婴幼儿脏腑娇嫩，气血不充，难以胜任大苦大寒之味。姑宜清心导赤、扶脾化湿法。口服自拟验方：三心导赤饮。药用莲子心 6g、栀子心 3g、连翘心 3g、土炒白术 6g、炒薏苡仁 10g、玄参 6g、生地黄 6g、车前子 6g、车前草 6g、甘草梢 3g、灯心草 3 扎、赤小豆 10g、砂仁 3g（后下），水煎取浓汁，当茶饮之。加减法：皮肤发红，干痒加凌霄花 6g、炒槐花 10g；皮肤湿烂，毒染发痒加茵陈 10g、赤茯苓 10g。

方用三心，直清心经客热；生地黄、玄参养阴以潜上浮之胎热；白术、薏苡仁、砂仁扶脾以化湿，重在健运中宫；车前子、车前草、甘草梢同用，取其解毒以导湿下行；赤小豆活血退斑以消除皮损。药虽平淡，但其功效卓著。

四仁汤治扁平疣

龚景林

扁平疣，俗称瘊子，通常长在青年男女的颜面，影响美容而给患者带来苦恼。在临床中，余拟四仁汤治之，奏效甚快。

李某，男，初诊时见其颜面、双手背等处遍布高粱米大小的扁平丘疹，淡褐色，表面光滑，扪之坚硬，无痒痛感已 4 年有余，虽经多方治疗，收效甚微。姑拟“四仁汤”（薏苡仁 30g、冬瓜仁 30g、桃仁 10g、杏仁 10g），水煎服。外用白附子 15g、大青叶 15g、败酱草 30g、蜂房 10g，煎水 1000ml，过滤，用药液擦洗患处，每日 1 次，每次 10 ~ 15 分钟，皮损以发热、发红为度。5 剂后，患者扁平疣全部脱落而获痊愈。

本病多因气血失和，凝滞郁于肌肤，或腠理不密，风热束肺，湿热内蕴脾胃，风热与湿热相搏于肌肤而生。方用薏苡仁“上清肺热，下理脾湿”，通利血脉；冬瓜仁祛湿泻热；桃仁消炎解毒，行皮肤凝滞之血；杏仁解肌散风，制气宣肺以通泄。诸药相伍，切中病机。不过，除了内服药外，还当采用外洗药，使之疏通腠理、通利血脉，有利于加速疣的脱落。

谈秃发辨治

陈治恒

秃发，亦名“鬼剃头”，为临床常见病之一。

由于发之营润，全赖精血以滋养，故发为血余和肾之外华。凡属老人，由于精血日衰，发亦随之转白和脱落，此乃自然衰老现象，并非病候。若属中青年人，突然出现发秃落成片，则为病候。

秃发之证，有虚有实，而虚有虚之所在，实有实的原因，如果不加辨证，实难获得治疗效果。

近些年来，余治此种病人，通过仔细辨证，本着审证求因、审因论治的原则，凡属精血不足者，则用补肾填精之法；若偏于肾阴不足者，常用二至丸、六味地黄丸加减；若偏肾精亏损者，则用肾气丸、右归丸之类加减；若属气血亏虚者，常用八珍汤之类以补益气血；若属心脾气血不足者，又以归脾汤加减，若属中焦痰浊阻滞，则以和胃化痰为法，方用温胆汤之类；若属湿热中阻，则以宣化湿热为治，常以甘露消毒丹加减；若属瘀血阻滞，又当本活血通络立法，常用通窍活血汤治疗。一般都能收到较好的疗效，其中尤以实证见效较快，虚证则要一定时间。此外，新发初生之时，可外用生姜切片擦之，有促其生长作用。亦可配合祛风燥湿之药煎水外洗，如苍术、白芷、明矾、苦参、黄柏、荆芥、地肤子之类。

经方治皮肤淀粉样变有效

王槐卿

皮肤淀粉样变一病，原因不明，无特殊疗法。我就临床所治，每获效验，特将临证拾遗，笔录于下。

患者李某，男，自述1936年在山西做地下工作时，昼夜繁忙，时露宿荒野，渐感皮肤瘙痒，双胫伸侧逐渐起针头大丘疹。数年后丘疹日渐变硬、隆起成片。1955年经北京协和医院确诊为“皮肤淀粉样变”，间断治疗未有好转。患者抱着试探心理求治于中医。

观其皮肤粗厚、色泽暗褐，表面隆起密聚状皮损如癞蛤蟆皮样，瘙痒剧烈，抓痕累累，夜难入眠，食少乏味，少气懒言，舌肥苔薄，脉滑无力。此乃顽疾，权且

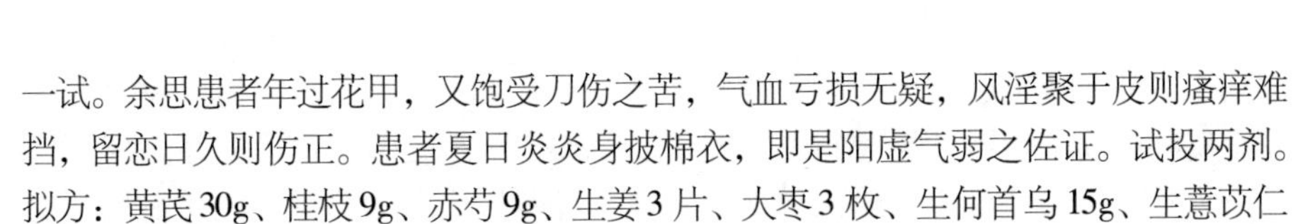

一试。余思患者年过花甲，又饱受刀伤之苦，气血亏损无疑，风淫聚于皮则瘙痒难挡，留恋日久则伤正。患者夏日炎炎身披棉衣，即是阳虚气弱之佐证。试投两剂。拟方：黄芪30g、桂枝9g、赤芍9g、生姜3片、大枣3枚、生何首乌15g、生薏苡仁12g、白鲜皮9g、蒺藜9g、苦参9g、生甘草4g，水煎，一日3次服。

3日后，患者喜形于色，进门便说："1剂药后能安稳入睡，多年难得；第2剂药后，全身轻松，瘙痒减轻，现在基本上可以忍受，决心继续治疗。"并问及饮食忌宜。我认为，此病经久不愈，是禁忌太多、气血生化不足造成的，古人说"药补不如食补"，所以不必过多忌口，但已忌口多年，还宜稳妥增加为宜，不可急图，患者欣然应允。效不更方，患者连服上方1周，瘙痒全止，双胫皮损松软，再治半月丘疹明显消退，皮损范围显见缩小，1个月后丘疹退完，皮损趋平，不痒，并能进多种食物。嘱其续服原方以尽全功。半年后患者从山西老家来信告知，照原方又服半月，病已痊愈，随访10年未复发。

翻花疮治验

谢秋声

翻花疮，亦称鳞状细胞癌，较一般癌肿发病年龄为高，并且极易溃疡和感染，多以手术切除为治。祖国医学认为此病多因风邪客于经络，瘀血浊气凝滞所致；或肝火血燥而成。我根据中医理论，先后治愈两例。

案一：李某，女，87岁。3个月前，右颧面部发现黄豆大结节状赘生物，色红，高出皮面，无痛痒感觉。两周后中央结节溃破，向四周浸润，边缘隆起，呈环堤状外翻，经市肿瘤医院病理切片，为"右颧面部鳞状上皮细胞癌Ⅰ级"。来诊时，患者面容憔悴，精神萎靡，面部右颧肿块核桃大，表面高低不平，呈菜花样增殖，色灰褐，周围红肿，中央溃破，有浆液渗出，奇臭，颌下淋巴结有黄豆大、压痛。脉细数，舌质红、苔白根黄腻，辨证乃风邪客于经络，血瘀痰湿凝滞。药取丹参、当归、赤芍、川芎、桃仁活血化瘀；茯苓皮、泽泻、薏苡仁健脾利湿；干蟾皮、蒲公英以解毒；僵蚕散风消结；三七粉活血止血，日服1剂，外敷金黄膏、桃花散，2日一换。患者服至20剂，右颧肿块自行脱落2/3，残留部分质地转软，渗液减少，但有口干、舌质红、苔薄黄。此余毒未消，阴液亏损，故原方去三七粉，加生地黄、石斛、黄芩、芦根等清热养阴之品内服，继以玉红膏、桃花散外敷。1个月后，患者的肿块全消，渗液已止，淋巴结缩小，精神良好，原病灶处再行病理切片，右颧部表皮无显著病变。

案二：罗某，男，79岁。左足底被鱼骨刺破，未作处理，引起感染，形成溃疡，在外院换药近一年，创口仍不愈合。经长征医院病理切片为“左足底鳞状上皮细胞癌Ⅰ级”转至肿瘤医院，曾以冷冻合并抗生素治疗，左足底溃疡性鳞癌无好转，局部呈大片坏死，不能着地，特邀余诊治。但见其左足肿胀，跟部外侧缘鸡蛋大菜花样增殖性肿块，约5cm×5cm×2cm，周围红肿，中央糜烂坏死，浆液渗出，味臭，左腹股沟触及肿大淋巴结，大如蚕豆，压痛，舌质淡，苔薄腻，脉濡细。辨证乃气血不足，湿热瘀血化毒。急则治其标，故拟和营化瘀、利湿解毒之剂，药用生地黄、当归各12g，赤芍、丹参、川牛膝、金银花各9g，蒲公英、白花蛇舌草、汉防己、茯苓皮各30g，赤小豆60g，干蟾皮6g，制乳香、制没药、甘草各4.5g，日服1剂。外敷金黄膏、千金散，3日一换。2周后患者创面腐肉已净，疼痛明显减轻，尚能步行，饮食，二便正常，薄腻之苔已化，舌质胖，边有齿印，脉滑。予以益气化瘀、利湿解毒之剂，在原方基础上去制乳香、制没药、汉防己，加党参9g、黄芪15g。外敷玉红膏、千金散、桃花散各等分。五诊时患者创面缩小，脓水已尽，新肌渐生，淋巴肿退。再拟原法巩固，历时两个半月，计服六十余剂，患者左足平复痊愈。

对上述2例随访至今，未见复发。通过对本病的治疗，我体会案一病位在上，责之风邪，重在活血散风，后有阴虚之象，故以养阴清热利湿解毒收功；案二病位在下，责之湿热，重在化瘀利湿，后有气虚之证，又以益气化瘀利湿解毒告愈。

脱发证治六法

龚景林

脱发是皮肤科常见的一种多发病，祖国医学称为“斑秃”“油风”“鬼剃头”等。笔者治疗脱发证归纳为六法。

1. 滋补肝肾法　肝藏血，肾藏精，精血互生，肝肾同源。若肝肾不足，精血虚少，发失所养而致脱发。患者头顶部出现大小不等的斑秃区，境界清楚，皮肤正常，表面光滑。证见头晕目眩，耳鸣如蝉，腰膝酸软，夜寐不安，面色无华，口唇淡白，舌质淡红，苔薄白，脉沉细无力。治宜滋补肝肾。拟七宝美髯丹主之。方中首乌、补骨脂、枸杞子、菟丝子滋肝补肾，养血生发；茯苓健脾交心肾；牛膝强筋骨，并引药入肾；当归补血。诸药相合，肝肾得以滋补，则水火相交、气血调合，肾气充沛，精血盈满，头发重生。

2. 益气补血法　由于气血不足，发失濡养而脱发。患者头发稀少脱落，斑秃或全秃，甚则眉毛、腋毛、阴毛亦同时稀少脱落。证见少气懒言、乏力自汗，

面色皖白或萎黄，心悸失眠，头晕眼花，舌淡，脉细弱。治宜益气补血，方选归脾汤主之。方中党参、黄芪、白术、甘草甘温补脾益气；茯苓、远志、枣仁、龙眼、当归甘温酸苦补血，养心安神；木香理气醒脾，使补而不滞。诸药相伍，故气血盛，上荣于发，则发再生。

3. 清肺化湿法　由于平素过食膏粱厚味，肺胃蕴热，挟湿上蒸而致脱发。患者头面部光亮，头顶毛发脱落较快，甚至成片脱落，形成斑秃或全秃，局部有少许绒细毛发附着，容易脱落，头部皮肤常有油脂，头屑且多，常反复发作。证见胃纳欠佳，口渴喜饮，大便秘结，小便黄赤，舌质红，苔黄腻，脉弦滑或濡数。治宜清肺化湿，方拟枇杷清肺饮去人参以清肺胃之湿热，使湿热之邪从皮毛而解；加白蒺藜祛风止痒，且去头屑；何首乌、旱莲草补肾荣发；薏苡仁、茯苓能渗水湿，并导饮下降。上药合用，肺胃之热得以宣散，湿浊之邪得以疏泄，则乃发新生。

4. 疏肝解郁法　由于肝气郁结，血行失畅，不能濡养头发，导致发落不生。患者头发逐渐脱落，形成斑秃或全秃。证见情绪抑郁，心烦易怒，太息频作、胸闷胁胀，妇女有月经不调或痛经。苔薄白，脉弦细。治宜疏肝解郁，拟柴胡疏肝散主之。方中柴胡疏肝解郁，使枢机运转而阳气透达；芍药、川芎、香附、枳壳、甘草养血柔肝，理气活血、调经止痛。诸药配伍，肝郁得舒，血流得畅，故不治发而发自生矣！

5. 活血祛瘀法　由于气滞血瘀，脉络阻滞，久留而致血虚，发无所养而脱发。患者突然成片脱发，病程较长，伴有头痛、多梦，且面色黯晦，舌边有紫色瘀点或舌色暗红，脉涩或微细。治宜活血祛瘀，拟通窍活血汤主之。方中赤芍、桃仁、红花活血化瘀；姜枣补脾益胃以生血，瘀消血生则血液充沛；麝香(可以藁本代之)、老葱辛香通窍而达巅顶；黄酒上行有祛瘀散结、通经活络和营卫之功；川芎辛温升散行气活血。诸药相伍，瘀血祛，新血生，发乃长。

6. 祛风润燥法　由于腠理不密，毛孔疏松，风邪乘虚而入，日久化热化燥，发失滋养荣润所致。患者头发成片脱落，并有痒感，病程较短。证见头晕失眠，舌淡红，苔薄，脉数，治宜祛风润燥，方取神应养真丹主之。方中当归、川芎、白芍养血润燥；天麻、羌活、木瓜疏风止痒；熟地，菟丝子补肾生发。合而成方，养血润燥，风祛痒止，发自复生。

用桃红四物汤治疗脱发

许雪君

脱发一症，临床常见，多属血虚精亏，药用何首乌、熟地黄、枸杞子、黄精、菟丝子、黄芪、党参等补肾填精，益气养血之品。但亦有瘀血所致者。余遇一青壮年脱发，服多方不效。症见其头皮油脂分泌多，头发湿润，呈块状脱发，脉细涩，治以活血祛瘀，佐以生发，方用桃红四物汤加味（桃仁 10g、红花 6g、赤芍 10g、当归 15g、熟地黄 15g、川芎 6g、丹参 15g、刺猬皮 6g、侧柏叶 10g、甘草 3g）。服 7 剂后，患者头皮油脂分泌减少；继服 20 剂，脱发已止；后用补肾益精之品，10 剂善其后。2 个月后患者告之，新发渐生，此师王清任之意，瘀血不除，血络阻塞，必破瘀始能生新。

辨证取穴八法

杨兆民

针灸立法处方遣穴之原则，必须建立在辨证论治的基础上。因证立法，辨证用穴，施针施灸，或补或泻，方能治病疗疾。

针灸用穴的原则，古今虽无专书论述，但在《内经》《难经》《针灸甲乙经》《针灸大成》等医籍中阐述颇为精辟。如《内经》中的“病在上者下取之，病在下者高取之，病在头者取之足，病在腰者取之腘”“病在左者取之右，病在右者取之左”，以及《难经》中的“春刺井，夏刺荥，季夏刺输，秋刺经，冬刺合”等取穴原则，至今仍然袭用。金元四大医家之一的李东垣根据《难经》“阴病行阳，阳病行阴，故令募在阴，俞在阳”之病机学说，首创了“从阳引阴，从阴引阳”“脏病取俞，腑病取募”的取穴规律，为针灸治疗脏腑病提供了理论依据。至于近代通用的“局部取穴，邻近取穴，远道取穴”规律，是在前贤经验基础上的综合，在临床确实行之有效。本人汲取古今辨证取穴之规律，总结出“辨证取穴八法”，提高了疗效，保证了患者的安全。

辨证取穴八法是：①“虚则补上，实则泻下”。《内经》云：“百病之生，皆有虚实，而补泻行焉。”补虚泻实乃治病之大法，但临证时取何穴补之、何穴泻之？我则以“陷者举之”“高者抑之”之意，凡属虚证取病所上方之穴为主，推而上之，升阳举陷补其虚；凡属实证取病所下方之穴为主，引而下之，导滞泄邪泻其实。②“新则取末，久则取本”。病有暴病、久病，取穴亦当远近。病之初起，邪气新客，未根深于脏腑，故可取四关、四末之穴，即《内经》“荥输治外经”之意；久病邪恋，元气乃伤，阴阳形气不足，其治宜取躯干之穴，即脏病取俞，腑病取募以及脏腑、气血所属之八会穴，调脏腑之气。③“动则求远，静则求近”。《内经》云：“听其动静，知其邪正”。凡气实、气郁之证，多走而不守，动而不静，应求四肢远端之穴；凡气虚、血滞之证，多邪

气留恋，静而不动，取穴应以头身之局部或邻近穴。④“急则治根，缓则治结”。病有标本缓急，穴有根结本标。《内经》说：“不知根结，五脏六腑，折关败枢开合而走，阴阳大失，不可复取。”故凡病急先治标，取手足根部、本部之穴以缓其急；凡病缓治本，取头身之结部，标部穴以图其本。

辨证取穴八法，取意于《内经》《难经》，验证于临床，三十年之一得也。

针灸取穴贵精忌滥 |喻喜春|

《内经》刺病，仅用一二穴，仲景疗疾取穴多为一处，《针灸甲乙经》所载也多为一病一穴。唐秦鸣鹤刺百会出血治愈高宗头痛，宋王执中仅用三里一穴治愈其母脚肿，明王肯堂刺足跟出血治愈冻疮，清郭右陶总结一生的经验，定全身十大部位为刮痧刺络之处，每取一二有效。古人在临床的基础上总结出四总穴、千金十穴、马丹阳天星十二穴等，皆为最重要的穴位。近有人报道，进行针麻时，先取八十余穴，最后筛选出独用内关一穴极佳。

余曾统计古今针灸典籍，即歌赋19篇，现代针灸书籍中治疗篇3种，得出十四经中最常用的穴位：肺经——太渊、尺泽；大肠经——合谷、曲池；胃经——足三里、天枢；脾经——三阴交、阴陵泉；心经——神门；小肠经——后溪、肩中俞；膀胱经——肺俞、脾俞、肾俞、大肠俞、委中；肾经——太溪、照海；心包经——内关、曲泽；三焦经——外关；胆经——风池、肩井、环跳、阳陵泉；肝经——太冲、行间；任脉——天突、中脘、气海、关元；督脉——百会、大椎、命门。即在十四经三百六十一穴中最常用的为三十余穴，可知常用经穴之概要。余喜遵古人经验取穴，首先比较古人多种取穴法，择其最重要者而用之，如迎香治鼻疾，足三里疗胃病，天枢调整胃肠不和，三阴交治疗小便诸疾，环跳疗脚软等，针刺浅，取穴少，疗效高，深受国内外病人的欢迎和赞赏。选择最常用、最重要的穴位，用时宁少勿多，宁精勿滥，一矢中的。这样，既能减轻病人针刺时的痛苦，又便于总结用穴的经验，更能促使对针灸技术上的精益求精，这是我三十多年来取穴的体会。

如何选有病之穴 |黄其波|

前人只说某穴主某病，而不说某穴有某病。其实，针灸的奥妙之处，就在于后者。为什么临床上根据针灸有关文献或教科书去取用穴位，有时却未必能收到应用的疗效，这就是穴中无病。所以临床选穴，必须在有关的经脉循行部位找到有病之穴，其效方能捷如桴鼓。因为它体现了某一组织或器官于发生病变时，必然通过经络反映到体表有关循行部位的特定俞穴上来。海特过敏带和我国现在日益增多的医学诊断方面的经络压诊点，都与此类似或具有同理。20世纪20年代山西王可贤对穴中有病说过一段话，已先得我心。他说："古人以穴治病，吾今以穴寻病。有病可用针，无病即已矣，何碌碌为无益之事也。"

至于古人有"气至病所"之说，这对客观掌握针治疗效，确是一大要诀。有病之穴，给予针治，得气快，其针感多能迅速传至病变部位；或者下针瞬息间症状即见缓解。否则，若穴中无病，纵使局部得气，也难至病所，更谈不上坐收预期疗效。现举一例以说明之。对上述问题，虽不足以概其全貌，亦可见一斑。

患者方某，女，21岁，呃逆频作已2个月。病起于脑部被击伤，伴有头昏、胸闷、腹胀、纳呆、夜难入睡。当时住院，西医诊断为癔病性呃逆，经中医、西医、针灸等治疗以及采用语言暗示或威慑，均未见效，始来就诊。审证求因，为肝郁难舒，瘀邪阻膈，以致胃气不得下行。乃以穴寻病，取足阳明和背部俞穴探查，发现膈俞和足三里触指即啃啃呼痛，尤其对膈俞稍为着力按压则叫嚷闪避而呃逆随之缓解。遂取此二穴用针，患者之呃逆不仅一次痊愈，而且伴随的诸症也迎刃而解，随访至今未见复发。

从上述病例还说明了一个问题，临证寻找藏病之穴，要做到有的放矢，就必须首先分析病机，作出正确的诊断，然后按其有关经脉体表循行的部位，阳陷阴脉，顺次点压，则垂手可得。可以说以此察病，病无循情；以此治病，病可速愈。针家不可不知。

"石门"穴可针灸

蒲忠录

古书中有"石门"穴为妇女禁穴之说，若针之，则"妇女终身孕不成"。我认为此种观点值得商榷，不能生搬硬套。下面谈谈个人的体会。

患者杨某，33岁。因经期劳累着凉，当晚小腹痛甚，先用止痛针，内服调经丸，病不减，次日来急诊。见其重病容，两脉沉细，苔淡白润，四肢发凉，即悬灸石门、足三里、中脘，患者病势逐渐缓解，步行回家，连续3天，病告痊愈。

陈某，20 岁，未婚。半年来经期提前，量少色紫，腰腹胀痛，经妇科诊断为“痛经”，经服药打针疗效不显，转来针灸治疗。查患者面赤唇红，苔黄微燥，脉沉弦，用泻法针刺石门、三阴交、期门，痛即止。连续针刺 5 天，巩固疗效，并嘱患者每月经前来针灸 3 次，共治 3 个月。后随访一年，患者痛经未再复发。

1957 年春，一个 30 多岁的藏族妇女要求针灸避孕。因患者体健、经期准，经针石门、次髎、合谷、气海，用泻法，每经前针刺 3 天，4 个月后，经停 40 天，妇科检查确诊怀孕，作人工流产。

1959 年夏，33 岁的汪某，经期已逾 20 天，既往身体健康，经妇科检查诊断为怀孕，建议做针灸流产。针石门、三阴交、合谷、次髎，用泻法，连续针灸 5 天无效而做人工流产。

于某，16 岁，月经正常。因学校劳动较累，此次经来较多，少腹痛，妇科治疗 3 天效果不明显，改用针灸治疗。见患者面色皖白，困倦，目眩，喜热饮，胃纳差，脉沉细，苔淡白少津。灸石门、足三里、中脘、百会、肾俞，当天下午经量减少。连续治疗 7 天，患者经净，身体基本康复。

综观以上病例及个人点滴体会，对石门穴的认识必须根据每个病例的具体情况，决定针之补与泻、深与浅，或针或灸，或针灸并用。对妇女的崩漏、月经障碍、月经不调，相应配以辅助穴位，疗效是令人满意的。再者，根据经络学说原理，凡能引动胎气的穴位，无论是针灸、推拿治疗，都必须持稳重的态度。

经外奇穴之我见

戴念方

我在上海学医时，常听老师讲：针灸能治奇病。当时我对针灸并无认识，只是觉得好奇。到学针灸时，确实看到治愈很多奇怪病症，更增加了我的好奇心，对经外奇穴特感兴趣。临床运用，也常见奇效。今略举数穴，以供参考。

“四神聪”在百会穴前后左右各开 1 寸。针时针尖向外。治头顶痛及眩晕症、癫痫等均获效。可谓奇穴之一也。

“太阳”穴在眉梢与眼角外成三角形凹陷处。治头痛、近视眼、红眼病、面瘫等有效。可谓常用奇穴之二也。

“印堂”在两眉之间，针尖向下刺，治失眠、鼻塞、鼻衄均有效。可谓常用奇穴之三也。

“腰眼”，在第四、五腰椎之外侧左右凹陷中，治风湿性腰痛、腰扭伤等效果好。可谓奇穴之四也。

“四缝”双手除拇指外，四指掌面之第一指骨与第二指骨横纹缝的两头，双手共16穴。用三棱针消毒后急刺，挤出黄色液体。治小儿疳疾，每日1次，每刺3～5穴，即有效，可谓奇穴之五也。

“膝眼”在髌骨下两侧凹陷中。治急、慢性膝关节炎，膝扭伤等有效。可谓奇穴之六也。

“中魁”在中指第一指尖上屈指取之。曾治一小孩，3个月大，呕吐不止，经中西药治疗无效，其母找某名医，谓小孩过小，不宜针灸，遂来我处，即为其灸“中魁”，各灸3壮，如米粒大，艾绒将燃至皮肤时，急用手指按熄。连灸3天，痊愈，至今已三十余年。此穴可谓奇穴之七也。

“三脘穴”与三焦

唐　星

上脘、中脘、下脘三个穴位，合称为“三脘穴”。它们与三焦有密切的关系。

上脘穴能治疗咳嗽、哮喘、呃逆、流涎、吐血、心痛等上焦病症。中脘穴能治疗胃痛、肝脾肿大、腹泻等中焦病症。下脘穴能治疗下腹痛、便血、尿血等下焦病症。

李时珍在《本草纲目》中对三焦的论述写到：“上主纳，中主化，下主出”。这是对三焦广义的归纳。从胃脘部的生理功能来看，上脘（胃上口）主纳，中脘（胃中）主化，下脘（胃下口）主出，这是狭义的概括。从三焦与三脘的生理功能以及三脘穴能治三焦的病症来看，似乎“放大则为三焦，缩聚则为三脘”。可谓三脘为三焦之“缩影”。

百会穴临证一瞥

翟兴明

百会穴功能有升阳固脱、平肝泻火、开窍熄风之能。临床运用广泛，疗效敏捷。它可用于虚证，又可用于实证；可用于慢性病，又可用在急症中；既能升陷，又能潜降。它何以有此作用呢？这要从它所属的经脉和所居的部位谈起。

它位居巅顶至高点，各经在其下，各穴布其周，有居高临下之势，可朝百脉，理诸经；其在经脉上属督脉，督居八脉之首，与任脉相衔接，两脉一居前，一在后；一属阴，一属阳，阴阳相济，诸经协调，百病不生；否则，阴阳失调，营卫不谐，脏腑亏虚，疾病生焉。余曾治一周岁张姓男孩，因发热9小时许未治疗，体温骤升至41.2℃，神志蒙眬，两目上窜，喉间痰鸣，四肢抽搐而惊风作矣。此乃风热之邪兼挟痰浊上蒙清窍而然，治宜泄热定惊、开窍醒神。穴取百会、人中、大椎、曲池、涌泉、劳宫。手法：泻法。另取十二井穴用三棱针刺出血。针后患儿神清、痰消、风止，两小时后体温下降至39℃。此时再给予针刺百会、大椎、曲池以泻热，针毕汗出，4小时后热退身和而愈。盖小儿惊风一证，热邪居多。缘小儿为“稚阴稚阳”之体，神气儒怯，易虚易实，易感易发，且易康复，故一旦感邪即易高热。因热风起，因风痰生，因痰生惊。治之欲止其惊，祛痰为先；欲祛其痰，必熄其风；欲熄其风，首退其热，所以退热为当务之急！故取百会为主穴，百会属督脉，督为阳脉之海，泻之可平肝泻火，醒神开窍；配人中调阴阳而醒神速；配涌泉水火济而降热快。大椎、曲池配主穴而热邪散；劳宫配主穴而心包清；十二井穴乃十二经阴阳经脉交通脉气之处，它能泻十二经之邪热以平调阴阳使窍开神清。合用之可达热泄、神清、痰消、惊定、抽搐止。又曾治一童姓患者，男，61岁，因年事已高，阴不足于下而阳偏亢于上，又因怒气伤肝，使肝阳暴亢，血气并走于上，痰随气升，气因痰阻，上蒙清窍而中风成矣。症见猝然昏仆，不省人事，痰涎壅盛，面红气粗，两手紧握，溺赤便结，脉象弦滑，血压骤升。穴取百会、人中、涌泉、丰隆、太冲、曲池、劳宫，以平息内风，使痰浊降而神志清，共针治二十余次，患者血压稳定，临床症状解除而愈。主穴百会，泻之能治诸阳气血之亢逆；涌泉为少阴之井穴，刺之能滋阴潜阳以平肝为辅穴。两穴相配，一在上，一在下，一降阳和阴，一滋阴和阳，从而维持了阴阳动态平衡，其余各穴合用，共奏降痰浊、清神志之功，使肝阳潜藏而愈。

（翟润民　整理）

“全息律”与针灸

唐　星

我国生物学家张颖清创立的“全息律”认为，生物体每一相对独立的部分，在化学组成的模式上与整体相同，是整体的缩影。

过去，针灸界仅知利用人体某些相对独立的部分（例如耳、面、鼻、足等）来诊治疾病，但对其原理没有认识清楚。“全息律”科学地阐明了人体相对独立的部分能够诊治疾病的原理，而且泛指人体任何一个相对独立的部分（例如：前臂、下肢等），均是人体的缩影，均能诊治疾病。我国医学科研人员通过大量临床实践，已证明“全息律”在人体上是基本适用的。如手厥阴心包经的大陵穴、内关穴、间使穴、郄门穴均能治疗有关心脏方面的疾病，这是很容易理解的，是理所当然的。但是，为什么大陵又能治口腔疾病？为什么内关是治疗心脏疾病最常用的显效穴？为什么间使又能治疗胃病？为什么郄门又能治痔疮、脱肛呢？这些问题都是很难回答的。然而，“全息律”能使这些难题迎刃而解。人体的前臂（从腕至肘）这一相对独立的部分，是人体的缩影，而大陵位于“头面区”，内关位于“心胸区”，间使位于“上腹区”，郄门位于“下腹区”。所以，大陵能治口腔疾病，内关能治心胸疾病，间使能治胃病，郄门能治肛门疾病。因此，“全息律”在针灸医学上，揭开了人体穴位分布之谜。

“共应论”的临床运用

唐　星

在物理学中有“共振”现象，如两个邻近物体的频率相同，当一个物体振动时，则另一个物体亦起振动的现象。

在人体，面部器官、上肢、下肢的骨骼、肌肉等，都是左右对称分布的。人体的神经走向也是沿着中枢神经系统向左右对称地分布着。中医理论中的十二条经脉，亦是左右对称的分布着。因此，可以设想：当针刺人体左侧（或右侧）的某一“经穴”（或某一部位）时，则在其相对称的右侧（或左侧）的某一“经穴”（或某一部位）可发生“犹如亦受针刺”之感应，即“共应”作用。

将“共应论”运用到针灸临床治疗中，对内脏疾患或双侧俱有病症的病人，可不采用双侧同穴针刺，而采用单侧针刺或两侧异穴针刺，其疗效相当于两侧同时针刺。例如：对胃痛患者，不针双内关、双足三里，而仅针单侧（左侧或右侧）内关、足三里；对双膝痛患者，不针双内膝眼、双外膝眼，而针一侧内膝眼、另一侧外膝眼；对两肩、肘皆痛的患者，不针双肩髃、双曲池，而针一侧肩髃、另一侧曲池。对双目近视的患者，不需要针双攒竹、双丝竹空，而仅针一侧攒竹、另一侧丝竹空；对两耳轰鸣或两耳聋闭的患者，不需要针双翳风、双听宫，而仅针一侧翳风、另一侧听宫。这种取穴方法，其疗效与双侧同时针刺的疗效基本一样。这样运用“共应论”的观点取穴，在病人身上扎的针数减半，而疗效不减，确能事半功倍。

冲任敏感人

杨升三

冲任学说是中医妇科基础理论之一，是用来概括胞宫、胞脉以及冲任经脉等整个生殖系统，阐明女性生理、病理的特殊理论，其中冲任与胞宫的作用尤为重要。

冲任二脉是奇经八脉中的二条脉络，皆起于胞中，循会阴而上，沿腹上行，络于胸，会于咽喉，外连于十二经脉，内外贯通，其经气所至则与各经相连贯，散布于周身，构成冲任在经络系统中的特殊价值。它把女性的生殖系统与整体紧密地联系起来，彼此联系，相互影响，其机体活动直接关系着女性生殖功能的发生、维护、控制、联络的枢纽。

我院妇科曾遇到一位宫颈糜烂患者，进行宫颈部上药（主要药物为冰硼散和紫金锭），因药中有麝香与冰片等芳香药，病人上药后不到2分钟，就感到咽喉部有香味，藉这种气味的冲动，可证实胞宫与咽喉之间有经络相联系。从而说明冲任是与机体各部联系的枢纽。它不只是局部的联系，而是一个有机的整体。《灵枢》论经脉成书迄今已达两千余年，前人观察经脉之细致、深入、准确，诚令人赞佩耳。

诊余话艾灸

罗济民

艾灸是我国传统的医疗方法之一。昔贤有教："为医者，不可重医轻药，或重药轻针，或重针轻灸，更不可弃灸。"《明堂序》曰："汤药攻其内，以灸攻其外，则病无所逃。知火艾之功，过半于汤药矣。"近20年来，我在临床治疗中，遵循古训，查因辨证，因证制法，因病制灸，微见其效，获其一得。

凡风证可灸

风证诸多，概言之，大抵可分内风和外风两类，其证有属实、属虚之别。风为百病之长，邪风之根。风性浮轻，善行而数变。众病之中，悉因风而起者多也。岐伯曰："凡欲疗风，则用火灸。"《千金方》中说："有肺中风者，灸肺俞、膈俞、肝俞；肝中风者，灸肝俞百壮；心中风者，灸心俞百壮，脾中风者，灸脾俞百壮。”另外，还有头风、脑风、内风、惊风、泄风、漏风等证皆可灸之的记载。头风者灸风府；脑风者灸绝骨；漏风者灸合谷、足三里；内风者，灸肾俞、关元；泄风者，灸命门、风池；惊风者灸前顶，若不愈，须灸两眉头及鼻下人中一穴。若有饮食不节，酒色过度，忽然中风，言语謇涩，半身不遂，宜灸百会、耳前发际、肩井、风市、足三里、绝骨、曲池等穴。风在左灸右，风在右灸左。凡未中风时，足胫上忽然发酸重顽痹，良久方解，此乃将中风之候也，须急灸足三里、绝骨穴。古有风生众病，众病生风之说。风为阳而生于阴，以灸祛风者，因灸能行气和血，治风先治血，血行风自灭。然而灸为火气，易伤阴，故欲灸风者，当始少渐多，不可过量，肤红为度。

热病可灸

“寒者温之”乃论治之要则，大凡寒证皆可灸之。然亦有灸可除热者。《千金翼方》曰：灸一切疟，尺泽主之。头身热，灸胃管百壮，勿针。小儿五心作热，烦躁不安，夜啼者，可灸膏肓俞、脾俞、阴交，其效屡验，但须轻灸。古有秦缓不救晋侯之疾，以其在膏之上、肓之下，针药所不及，膏肓是也。灸之则宿疴可遣，故选膏肓二穴（单灸一侧膏肓，其效不佳）；灸脾俞以益气；下焦者，其治在阴交，灸之可益真元之气，三穴合用以补正气清虚热。临证中，有乳痈初起，红、肿、热、痛，而尚未化脓者，余常以灸法治之。取其艾灸能温通经络，芳香化浊之功，以消积导滞，活血化瘀，其热随瘀之化而散。

论部施灸

凡手足三阴之脉，是五脏之气所应，手足三阳之脉，是六腑之气所应也。四肢者，身之肢干，为清阳之本；又诸阳脉皆上于头，头为诸阳之会。故灸四肢不得过量，以3～5分钟为宜，过量则血脉伤，且火气随脉而行。头部诸穴尤当慎灸，仅百会穴可重灸，以升举下陷之气。更有头维、承光、脑户等穴又当禁灸。腹中者，水容之所盛，风寒之所结；脊者，身之梁，太阳之所合，阴阳动作，冷气成疾，背又重厚，故腹中背腰灸之宜多。

针刺熏灸治疗缠腰火丹

周德宜

缠腰火丹，俗称蜘蛛疮、蛇盘疮，多由肝火湿热内蕴所致。本病起病急剧，皮肤呈水疱样丘疹，密集成群，不但痒甚而且疼痛剧烈。

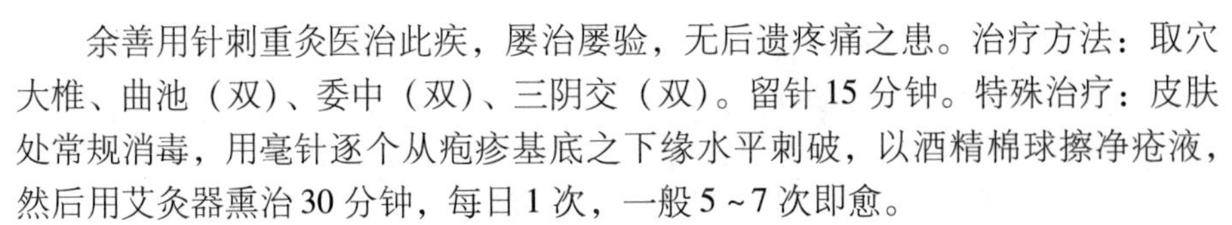

余善用针刺重灸医治此疾，屡治屡验，无后遗疼痛之患。治疗方法：取穴大椎、曲池（双）、委中（双）、三阴交（双）。留针15分钟。特殊治疗：皮肤处常规消毒，用毫针逐个从疱疹基底之下缘水平刺破，以酒精棉球擦净疮液，然后用艾灸器熏治30分钟，每日1次，一般5～7次即愈。

以上选穴，大椎为督脉经穴，可疏通阳气，泻热解毒；曲池乃手阳明大肠经的合穴，善清阳明经肠胃之邪热；三阴交为足三阴经的合穴，具养阴清热、健脾利湿之能；而委中则可清血分之毒；诸穴同用，共奏宣表利湿，清热解毒之功效。若患者并发高热，可在双委中穴处点刺放血，以除血分之邪热。另外，患处加用艾熏灸，辅助前穴相得益彰，故收疗效。

针刺厥证用三穴

| 周德宜 |

余于1967年9月遇一呼吸骤停的患者洪某，不省人事，身热肢厥，唇指发绀，脉微细数，呼吸已停，渐近濒死关头，经医院诊断为“脑膜炎”，经各方抢救无效，邀请余前去会诊。余察其病情属“火厥”之证。乃以疏解肺经郁热、开窍醒脑为治则，即取三棱针于少商穴点刺放血，又针人中、合谷穴，均用强刺激手法，不留针，起针后，患者呼吸恢复，神志渐清，化险为夷。

余之所以选用上述穴位，乃是根据古籍《肘后方》记载：“救卒死尸厥方……针人中至齿立起”。而合谷穴在《针灸秘籍纲要》中早有记载：“凡暴亡诸阳欲脱者，均宜治之”。

用针刺急救，医生曾有记载：扁鹊及其弟子以针刺治活虢太子之“尸厥”证。余根据古人的经验，结合本人之临床心得，摸索出以上三穴用于急救，每每用之，只要手法适宜，可收立竿见影之效。

（王振琴　整理）

艾条灸治疗褥疮

| 宋毅勤 |

曾治潘某，78岁，患骶间褥疮有脓，疼痛瘙痒，疮周板紧不适，不能平卧，历时5个月。

褥疮在后正中线臀裂上1.5cm处，疮内充满黄色脓液，疮周肌肤肿胀，呈紫红色，压痛明显。清疮后，测得褥疮外口为 1.8cm×1.5cm，疮底形成空壳，其面积约 3.0cm×2.5cm，突起之骶骨，已近显露。

患者于 1983 年 7 月，因病发“脑卒中”，在外院急诊留住观察时，由于护理不慎，褥疮遂成。在治疗“中风”及其后遗症的同时，对褥疮兼治不辍，曾口服、肌注抗生素，外敷九一丹、生肌散等，疮口迟迟不愈。

中医认为本病是由于局部受压，经络阻塞，导致气滞血瘀、筋脉失养，肉腐脱落，蕴酿成疮。结合《医学入门》中说：凡病“药之不及，针之不到，必须灸之”。故予以艾条灸温通为治。灸治前需清疮：用消毒镊子取少量生理盐水棉球清洗疮口，除去疮中渗液，包括脓液及坏死组织。

艾条灸的功能是温经通络，使气血流畅，祛腐生新。一次灸治后，患者疮处痛痒及疮周板紧，压痛均明显减轻，疮内脓液亦减；灸治 4 次后，上述症状基本消失，疮周肿势消，疮面见小；灸 36 次（每天 1 次）后，疮即结痂愈合。3 周后，疮痂脱落，仅留有瘢痕。

褥疮的发生是由于局部组织长时间受压、血液循环受阻，细胞缺血、缺氧，最后变性坏死、继发感染而生脓成疮。艾条灸的灸热能使血液流畅，血液供应充足，促进肉芽增长。中医认为艾条灸温经通络，舒气活血，极有道理。

失语治验

周德宜

患儿韦某，12 岁，1978 年 10 月入院。该患儿因感染引起中枢性失语，经西药多方治疗无效。余观之：患儿神疲乏力，舌不能外伸，舌质红，脉细弱，知属禀赋不足，高热耗损津液，扰动心苗所致。当治以补益气血，精心利舌。取穴：哑门、廉泉、内关、膻中、膈俞、合谷，配金津、玉液、聚泉，每日针 1 次，选 3~5 穴，不留针；金津、玉液穴点刺出血。患儿经针 1 次后，舌能外伸，针 2 次后活动灵活，针 4 次即能发音，针 7 次言语流利，还能唱歌、读书，痊愈出院。

1982 年 3 月，余在门诊又遇一男孩陈某，5 岁，1981 年 7 月突发高热，头痛，嗜睡，呕吐，失语，至县医院诊为“乙型脑炎”，经多方治疗，病情好转但留下失语后遗症，经用药物治疗 8 个月无效。余诊视：患儿体胖，舌质红，苔白腻，脉滑数，证属痰热交阻，治宜清热化痰、宣通气机。取穴：哑门、廉泉、膻中、丰隆、至阳，配内关、风池、天鼎、合谷，每次取 3~5 穴，不留针，隔日针 1 次。经针刺 8 次后患儿可发单字音，针 12 次后，发音基本正常，

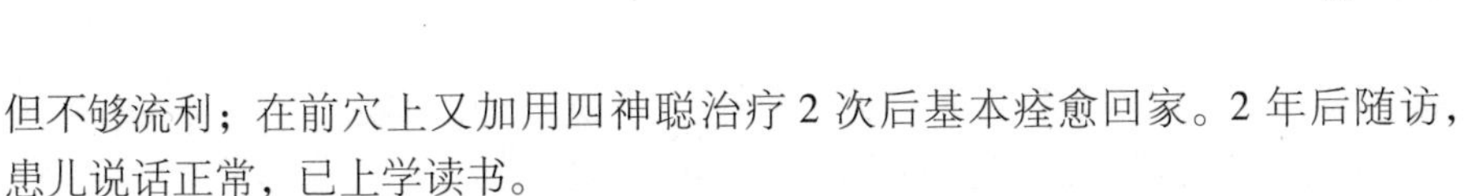

但不够流利；在前穴上又加用四神聪治疗2次后基本痊愈回家。2年后随访，患儿说话正常，已上学读书。

从上述2例失语症治疗的观察证明，针灸对本症有很好的疗效，但医生必须根据病情辨证施治，拟定处方配穴，采用适当的补泻手法，临证用之，每每奏效。

（王振琴　整理）

“发泡灸”治疗痛经、不孕

李　锄

痛经乃妇女常见病，多由月经期间饮冷、触寒所致，农妇尤多，盖因经期涉水、淋雨的机会多于城市之故。此病不仅给患者带来痛苦，发病严重者常须卧床数日，而且往往婚后不孕。

用针灸治疗痛经有较好的疗效。痛经治愈后而孕育者，亦屡见不鲜。但对病情严重、病程长久的痛经，用一般常规的针灸方法疗效不佳时，我常在征得患者同意后，采用“发泡灸”的方法予以治疗，痛经多可显著好转乃至痊愈，多年不孕而孕育者，亦不乏其人。

“发泡灸”的具体方法是：事先选取较大而平的“附片”一块，捻制底径约1cm的艾炷十余枚，备用。治疗时间宜在经前10天左右。施治时，先将艾炷1枚放在附片中心，点燃后连同附片一起置于患者“中极穴”上。俟艾炷燃尽后，即移开附片刮去灰烬，再放上艾炷，点燃后仍将附片移置穴上。如此连续更换，附片的温度逐渐升高，须嘱患者尽量忍耐，至实在难以忍受时，则将附片提起，数秒钟后再行放下。这样反复上下。灸处皮肤红晕逐渐扩大，至红晕直径达5cm以上、中央微现泛白透明时停灸，覆以消毒敷料，胶布固定。至此施治结束，约用艾炷10个左右，全程需时近1小时。

施治后数小时，灸处即起水泡，由小而大，终至直径达1～2cm。水泡宜待自行吸收，不必挑破放水（如不慎触破，亦无妨，但须防止感染）。经此法治疗后，痛经症状即逐月递减，数月后可告痊愈。如观察数月，疗效不很显著，则取“关元穴”按前法再予施治1次，亦有灸2次而获效者。如果2次发泡灸后仍无效果，我即不再予以治疗，因痛经和不孕有多种原因，“发泡灸”不可能都奏效。

这种“发泡灸”，对虚性、寒性的痛经疗效较好。有些患者在痛经治愈后，其不孕症亦随之而愈。如果排除受治者中有某些生殖系器质性病变的患者（多未检查)，则“发泡灸”治疗痛经、不孕的疗效，当更可观。但其获效的机制如何，对哪些类型无效，这些问题还有待进一步验证和探讨。

谈谈热补凉泻手法

江一平

针灸，早在《内经》上就有详述。所谓“虚则实之、满则泄之、宛陈则除之、邪盛则虚之。”这些有关针灸治疗的基本法则，流传迄今，今人又有“补泻不明，针灸不灵”之说，反映了运针时必须根据患者的证情，给予相应适当的刺激，始能奏效。

元明之后，针灸家在临床治疗时体会到捻转手法的不同与提插手法的差异，就会产生不同的针感，两者一起结合运用，就成为一种复式手法，其中针灸界十分重视的是透天凉与烧山火两种不同的操作方法。前者是以疾进徐退、紧提慢按为主，一次进针后分3次出针，手指捻转以六计算，以提法为主，适应于治疗火热实证，易产生凉感；后者是以徐进疾出，慢提紧按为主，分3次进针，一次出针，手法以插法为主，手指捻转以九计算，适应于寒证，针后易产生热感。

学者每按照上法进行施术，有时亦难获得满意的感应，故有不予置信者。我个人认为，补泻的关键，须掌握刺激的时间、强度及手法的熟练，学者不须一定拘泥古说，如上举透天凉手法一进三退，其实操作时，四退五退也未尝不可，主要看手法是否熟练，最重要的是以提法为主，可在下针后先用捻转法，使针下沉紧，然后再使用提法，就易于见效。至于烧山火法，主要点在于插法，只须感到针下沉紧，再不断加强捻转，就易产生热感。当然，也不是个个病人都能做到，如果机械地单从三进三退、捻转非得九六上来考虑，不免犯有胶柱固瑟之弊。必须全面地考虑用针的粗细、患者体质的强弱、病型的寒热和不同的穴位（委中、内关针刺易产生凉感；肾俞、足三里易产生热感）。过去，南通市已故名医徐立孙对上列补泻手法，就曾提出这样的意见。我个人也有如此体会，爰抒记之。

行气非专乎手法

王毅刚

《灵枢·刺节真邪》云：“凡用针之类，在于调气。”气调则邪去，气畅则

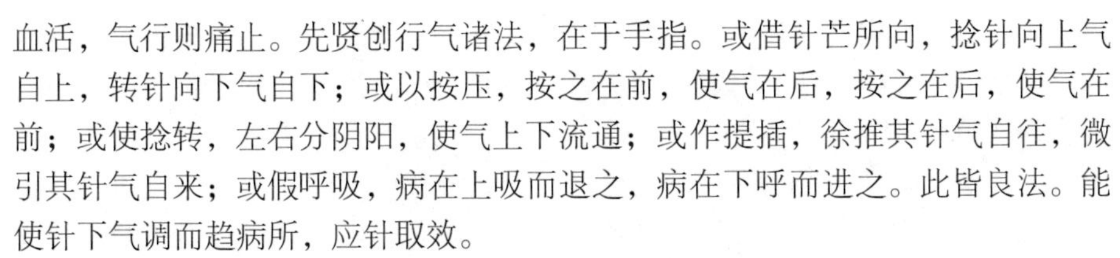

血活，气行则痛止。先贤创行气诸法，在于手指。或借针芒所向，捻针向上气自上，转针向下气自下；或以按压，按之在前，使气在后，按之在后，使气在前；或使捻转，左右分阴阳，使气上下流通；或作提插，徐推其针气自往，微引其针气自来；或假呼吸，病在上吸而退之，病在下呼而进之。此皆良法。能使针下气调而趋病所，应针取效。

调气诸法，并非全在手指。如远端取效，针下得气后令患者徐徐活动痛处，渐次加大幅度，患部之气自然流通，是一法也；让患者受针时保持安舒体位，或躺卧或俯坐，宽其胸腹，畅其膈膜，利其气上下交流是又一法也；针已得气，气不过节，令患者下意识咳气数声，或吞咽送气，病气亦随之而震，则又一法也。此皆简捷，只要叮嘱病家动作配合，便能彰其效验，兹举几例。

住院病人赵某，一日忽腹中急痛，自感气机走窜。已泻刺足三里调和胃肠，留针数分钟未见缓解。继加捻转观之，仍未效。余观病者虽平卧于床，两腿平直受针，体位不舒之故也。腹皮痉急，经气难畅达于腹中，气机仍涩滞未通。遂退针至皮下，令患者改屈膝卧位以宽胸腹。复针后，果然应手取效。

又本院工人，扛物腰部岔气，痛不可以侧。针天柱后疼痛已缓，然俯仰仍受限制。气仍未通达也。即嘱徐动两髋，至痛甚体位顿留瞬息，用力咳嗽两声。如此二三度，捷效而去。

又住院病人何某，患胸痛抽掣。予针内关，俟气上达于胸，但未效。继加捻转，嘱患者下意识地吞咽数次，徐徐送气下膈。气利而痛止。

盖疼痛症，不通之故。经络内连脏腑、外络肢节。远道取穴施针，本在调气，借经络通达脏腑。若神气朝穴，病处未通，仍未通也。患部得有舒适体位，或患部徐徐动作，或令咳气、吞咽，皆促使局部气机畅达，以迎远道之经气。有如整理堂殿，以迎来宾。气机交流，故而捷效。

谈针刺痛感

|江一平|

我于20世纪60年代曾写过一篇“针刺疼痛，未必有害”之我见，刊载于《江苏中医》，文中主要思想是说明，在正常熟练的常规操作中，针刺某些穴位，其针感是以痛觉为主，酸感为辅，但同样起着治疗作用，其中引举了针少商治喉痛、针十宣治昏迷、针通里治暴喑、针涌泉治失语、以及急救取人中、取耳穴止痛等等，其所产生的针感，皆以痛觉来调整阴阳、开窍醒脑，但引起同行中一些人的异议。他们认为针刺产生痛感，是手法不合辙，或取穴不准所

致，也举了不少例子说明。一般来讲，我以上所举例子确以痛感为主，但在身体其他部位上针刺，以上的异议也是有道理的。有趣的是，20 世纪 70 年代初，我在常熟市唐市乡巡回医疗时，遇一女性患者，约 45 岁，为她扎针，不管任何部位，均是痛感，而无酸感，但也甚有疗效。唐市卫生院针灸科两位医生也证实情况属实。所以，我们医者面对各种患者，在取穴正确、手法不差的情况下出现的痛感，也不必惊忧，痛感也治病。

用针之要，勿忘其神

王毅刚

《素问·宝命全形论篇》有“凡刺之真，必先治神”的告诫。此说告诉医者，临证必先专心致志，了解病家五脏虚实，掌握三部九候脉象而后施针。然而按病施针，行针调气，亦必留心病者，按其神气。《灵枢·官能》谓“用针之要，勿忘其神”此之谓也。盖用针之目的，在于调养神气，推动生机，借以扶正祛邪。此要求医者静观病人形态，以知精、神、魂、魄之存亡，意志之得失。临证中，每有病家未针而先生疑窦、自虑病重难疗者，宜宽其心；或病发于七情，先有神、魂、魄、意、志之伤者，宜定其志。大凡遇此症，则以治神为首务。然后借针行气而达于病所。本院针灸医生徐某素有癔症之厥。一日因恼其爱子，突然昏厥倒地。自呻苦痛，大气粗促，两手握固，不能屈伸。病发后有针合谷，外关缓其挛者；有以按摩以疏其筋者，俱未效。余往诊时，患者气息已平，神志清楚。但两手仍攥拳于胸前。此气厥使然也。肝气暴怒，疏泄失职，经脉拘急。当疏利肝胆、舒缓拘挛。取穴左中封、右丘墟透照海。并使一人逐一上下屈伸活动其足趾。再一人试掰其拘急之手指。得气后均强刺激，令酸胀达于足底。此时告病者留心足趾之动。片刻间，手指渐见松活。即佯告病家云“手动了”。患者喜闻，果然拇指松开。后照法施术，遂收全功。

后患者质于余。告之云，患者两手因厥而挛，非有所伤，乃神机被阻。今治无疾之足、动其趾，并让患者留心动作，是治神也。疏利肝胆是调气也。气调神怡，机窍洞开，故豁然而愈。其功在神，非在针也。故《灵枢·九针十二原》云：“小针之要、易难而难入，粗守形、上守神。粗守关、上守机”，此其妙也。

粗针补泻一得　|李明智|

本人在临床上对一些屡经细毫针治之未效的疾患，改用粗毫针增加补泻刺激量而奏效。如蔡某，男，38岁，于1980年9月因右膝冷痛一年多来院诊治。既往有扭伤史，曾诊断为“扭伤性膝关节炎”。屡经中西药及针灸治疗无效。其舌淡苔白，脉沉紧。辨证为寒痹。治以温行气血、蠲痹散寒。初以30号细毫针于阳陵泉（右）、足三里（右）行烧山火手法，患者膝部微有温热感，并加艾温针。每次针后患处都感舒适，但是，过几小时之后，症状又一复如故。先后针治16次，未见显效。尔后，余反复思考，认为证属陈寒痼疾，轻法温补效力尚嫌不够，非重法热补不能建其功。遂改用26号粗毫针，仍于阳陵泉（右）、足三里（右）行烧山火手法，患处即有暖烘烘之感。温针时，由于针体粗，传热快，针眼局部灸起小疱。隔日复诊，患者自诉沉疴若失。循此法再针3次，竟获痊愈。追访2年，未曾复发。

历来论述针刺补泻者颇多，但大多数从提插的幅度、捻转的角度以及频率的快慢、指力的强弱、留针时间的长短等方面来研究，对于针体之粗细则很少予以重视。从上例已不难看出，同样的手法，由于针体粗细不同，所产生的补泻刺激量是截然不同的。用药之道，无论是攻还是补，都有轻重缓急之分。针刺补泻与药物攻补其作用尽管不安全相同，但是，亦当有轻重之区别。就透天凉手法而言，同样是紧提慢按，如果采用粗针，则谓之重泻；采用细针，则谓之轻泻。就烧山火手法而言，同样是紧按慢提，如果采用粗针，则谓之重补；用细针，则谓之轻补。总之，针体粗细乃是关系到补泻刺激量大小的一个重要因素。

迟延性晕针　|江一平|

晕针，往往是由于初针病人畏针怕痛，精神紧张，或因为饥饿、劳倦、远道求医未曾休息片刻即予针刺，或由坐位不适、取穴过多、针刺刺激过强等引起。

开始时病人面色苍白、头汗欲呕，有的呵欠连连、头眩目花，即猝然跌仆倒地，使患者产生恐惧感，对针灸治疗的推广带来了一定的影响，故临床上应注意避免。

更有一种迟延性晕针，值得引起重视。它发生于患者起针后2～3分钟，此时患者往往已离开诊室，在行走时突然跌倒，出乎医者意料之外。其实，这种迟延性晕针的发生，亦都是由于施术时刺激过强，或坐位留针时间较久，加上起针时往往又要捻转针身，给予病人又一刺激，病人当时勉力可支，随即起身离开诊室，以致发生迟延性晕针。

迟延性晕针发生不多，约占全部晕针者的0.1%左右，但亦不可不知，不可不防，在诊务繁忙、病人较多、坐位针灸紧张时，如果不视患者体质强弱，手法粗暴，一律进行强刺激，搞不好，病人当即就会晕针，即使当时不晕针，也很可能引起迟延性晕针，出现意外。因此，为预防迟延性晕针，主要在施治时要细心操作，随时观察病人的面色，询问其感觉，针后嘱病人略休息片刻。愿初学者切记之。

顽症治验

余仲权

治喉肌痉挛回春有术

每读《灵枢》至“疾虽久，犹可毕也”，内心总是激动不已。回思往事，倍觉古贤说得深刻。

我带学生到崇庆县实习时，一天来了一位四十多岁的男性患者徐某。其人形瘦神苦，语言嗫嚅，对我说：“算子（即喉头）抽动16年了。”算子抽动即喉肌痉挛。这种怪症，在我行医四十多年中也是头次看到。患者原为林场工人，16年前不慎跌入雪坑，抢救出来时已经冻僵，冰雪融化后全身颤抖不止，经用药物、针灸及时治疗，颤抖停止，但喉头却上下抽动不停。病人十多年来到处求医，终未见效，辗转至今，痛苦异常。面对神情沮丧的患者，我心潮起伏，总不能令病人再失望啊！病症起于极寒凝聚，气机受阻，阴经受创。而任脉为阴经之海，阴伤未复，所以表现为任脉的廉泉、天突区抽动不息，无法控制。治疗必须调理任脉经气，或可奏功。当即让病人仰卧，针天突穴，留针20分钟，患者喉头依然抽动；又针其承浆，也未生效。这时我想患者得病十多年，四处求医都未治好，干脆“原病退还”，虚与逶迤罢了。但是，我于心不忍。救死扶伤、济世活人正是医生的神圣职责，我不能这样

做。我冷静思考，再三推敲，确认病变是在任脉，“本经有病本经求”，想到气海为全身气机枢转之穴，且具有全身强壮作用，若针气海，气机畅通，百脉和谐，必有裨益。于是我用3寸长针，深刺气海，一针下去，即有明显反应，留针半小时，患者喉头的抽动居然停止下来了！奏效之神速，不但医者难以自信，连病人也瞠目结舌，然而这毕竟是现实。为巩固疗效，以后又嘱病人每天来治疗1次，每次只针气海1穴，留针半小时。十余日后即告痊愈。针刺1个穴位，治愈十多年的患者，奇怪吗？否。《灵枢》有云：“言不可治者，未得其术也。”信乎！

强直性瞳孔散大与顽症腰痛祛病有法

针灸治病，古有典籍记载，诸贤传述；今则世间公认，万民信赖。奇怪的是一些习医之人反而忽略它，轻贱它。以为非汤液醪醴，无以为医；非圣贤秘籍，难以治病。这实在是一种偏见与误解。君不闻上古之人，衣树叶，食野果，穿无绫罗，食无佳肴，就难道不食不衣？穴居野处，无宫室之美；奔突跳跃，无道路之便，就难道不住不行？所以，人们总是在与自然作斗争中求文明，与疾病作斗争中求生存。苟非对症，虽参芪茸桂车载斗量，用之何益？使用得当，即牛溲马勃一星半点，皆为灵药。兵家曾说：运用之妙，存乎一心。当医生也是这样。效与不效，全在医生。针灸更是这样。运用不当，徒添烦恼；运用巧妙，应如桴鼓。

1983年，资中县一女青年陈某，突然暴发双目瞳孔散大，视力大减，陡觉昔日之光明在眼前模糊一片，内怀恐惧，瞻望前途，不寒而栗，苦悲不可名状。其八方奔走，众医束手，均诊断为“强直性瞳孔散大”，认为无法治疗。后经人介绍，到我处求医。我采用针刺肝、胆、胃、膀胱经诸穴，再加滚针背俞等处的方法治疗，每日1次，半个月而显效，3个月而痊愈。患者康复后，精神焕发，愉快返回工作岗位。噫，针刺之技，岂“小术”哉！

又有一青年军人，患腰痛如折，坐卧不宁，食寝俱废，难以供职。经医院拍摄X线片，诊断为“先天性脊椎裂”，多方医治无效。韶华在痛苦中流逝，患者在绝望中呻吟。后向我求治。我详细检查病人，查出痛点在第3腰椎右侧，压痛十分明显。而且病人告诉我每天凌晨3时加剧，至平旦稍解。经反复斟酌，我决定采用纳支法，每天早上替病人针刺肺经太渊穴，1个月以后患者症状完全消失。由此可见，针刺之术，未必没有大用！

按经分型针刺治疗坐骨神经痛

罗永芬

坐骨神经痛系指沿坐骨神经通路及分布区域发生的疼痛。临床表现为从臀部沿股部、小腿后侧部至足跟部发生钝痛、刺痛、灼痛或胀痛。常呈发作性加剧，夜间更明显。为了减轻疼痛，病人常采用特殊的体位，站立时身体略向健侧倾斜，卧位健侧着床，坐位重心移向健侧。在腰部脊柱两旁有明显的压痛点。

本病属祖国医学“痹证”的范围。其经络闭阻主要发生于足太阳及足少阳经，故出现沿此二经循行通路的疼痛。针刺及艾灸足太阳及足少阳经脉上的穴位，能疏通闭阻之经气，从而起到宣痹通经止痛的作用。我在治疗本证时，常按经络进行辨证归经，分型选穴。现分述于下。

分　型

1. 足太阳经型　疼痛沿大腿后面、腘窝、小腿后面至足跟部。

选穴：第2腰椎两旁夹脊穴或压痛点、承扶穴、殷门穴、委中、承山、昆仑穴。

2. 足少阳经型　疼痛从臀部沿大腿外侧、小腿外侧至足背外侧部。

选穴：第2腰椎夹脊穴或压痛点、环跳穴、风市穴、阳陵泉、丘墟穴。

3. 混合型　疼痛的部位在足太阳与足少阳两经的循行线上。

选穴：第2腰椎夹脊穴，其余穴位选择按疼痛部位属足太阳循行部位则取殷门、委中、承山、昆仑；属足少阳经循行部位则取风市、阳陵泉、丘墟穴。

操　作

针刺时根据穴位所在部位肌肉的厚薄，选择适当长度的毫针。病人采取健侧卧位，解松腰带。扎针时严格按照由腰部向脚、由上至下的顺序进行，犹如运动中的接力赛一样，使得气的感觉接续下传。针刺时，要特别注意观察针感，当第一针第1穴位针下有了针感时，把针退到皮下进行小幅度的捻转，其目的是让针感扩散，如果扩散比较局限则用循法使针感向下扩散，最好使针感扩散到臀部。然后再扎下一个穴位。每穴的操作法均如第1个穴位。在临床时还观察到，如果针刺环跳穴时针感不明显或针感不扩散时，可以环跳为三角形之顶点，在环跳穴下方距离1.5~2寸（同身寸）处，另取两点，与环跳穴共同形成一个等边三角形，然后在新选的两个点也进行针刺，一般针感即会向下扩散。

如能扩散到腘窝部则可以不针刺殷门穴，直接针刺委中或阳陵泉。依次再针刺承山穴或昆仑穴。留针 10 ~ 15 分钟运针一次。除针刺以外，亦可温针，或在留针过程中悬灸以上穴位。

按以上辨证归经选穴，仔细观察掌握针感扩散，采取适宜病人的手法，一般经治 1 或 2 次疼痛即有明显减轻。

治胸胁迸气伤重在疏通气机 |罗永芬|

胸胁迸气伤是胸胁内伤症之一，俗称“劳力所伤”“无形之伤”。多由于举重过度，或用力不当，或动作突然，以致气机骤然壅聚，气阻血滞，甚则络道瘀阻所致。发病初期见胸胁闷胀痛，用力呼吸、咳嗽及打喷嚏时其痛加重。继之则疼痛加剧，呈间隙性刺痛，局部检查无青肿，但有压痛。如医治不当，易致缠绵反复。我治疗此症时，主要选足少阳胆经之丘墟穴、手少阳三焦经的外关穴和胸胁部之阿是穴。用 28 号 1. 5 寸毫针先刺双侧丘墟穴，得气后将针提至皮下（天部）捻转，在捻转针的同时令患者作深呼吸，并在其呼吸过程中探察胸胁部的痛点，在该痛点标上记号后即停止捻转。紧接着在双侧外关穴处扎针，得气后留针 5 ~ 10 分钟，在留针过程中可以运针 1 或 2 次，在运针时令患者作深呼吸，自觉疼痛减轻则可出针（双侧丘墟及双侧外关穴之针同时取出）。然后在胸胁部所标记的痛点上拔火罐，留罐 5 分钟左右或罐内皮肤呈紫红色即可取罐。一般经上述方法治疗 1 或 2 次后，即可治愈。

为何上述穴位对胸胁迸气伤有良好效果呢？因所选之丘墟穴为胆经之原穴，足少阳胆经之脉从头走足，经脉循行于胸胁之内外；外关穴为手少阳三焦经之络穴，手少阳三焦经之脉从手走头，其经脉布膻中循属三焦。根据经脉所过、主治所及的道理，故丘墟配外关能疏通胸胁部阻滞之气机。再在胸胁部之阿是穴拔罐，以起到气至病所、疏通壅滞的作用。在这 3 个穴位上针刺及拔罐合用，能协同发挥疏通胸胁部气机的效应，从而使止痛的效果增强。

针刺为主治疗急性腰扭伤 |罗永芬|

急性腰部扭伤是一种常见病症，是由于人们在生产劳动、日常生活中用力不当，腰部的肌肉、肌腱、韧带等受到牵拉，使气血运行受阻、瘀滞而发生腰部疼痛、肿胀以致活动受限的病症。一旦腰部发生扭伤，为防止疼痛加重，患者常强忍咳嗽、喷嚏，痛苦非常，严重者生活不能自理。本症如果治疗不当，常会导致经常性腰痛。

我在临床工作中，应用针刺和火罐治疗急性腰扭伤取得良好效果。其治法是：先让病人两手交叉抱在胸前，取双侧手三里穴进针，得气后留针，在留针过程中让病人自己（如病情重、体质差者需由医生或家属扶着）做前后、左右的腰部活动。同时间歇作下蹲运动 10～20 分钟，当病人自觉腰部活动比针刺前灵活，疼痛亦有所减轻时出针。出针后，即让病人取俯卧位，在腰部选择阿是穴或双侧肾俞穴进针，得气后拔罐，留罐 5～10 分钟，或待罐内皮肤呈紫红色时取罐、出针。一般治疗 1～3 次可以痊愈。

为何选择手三里穴呢？手三里穴属手阳明大肠经。手阳明大肠经脉从手走向头部，循行在大椎穴处与督脉相交。督脉能总督诸阳经；又膀胱经脉从头走足，其经脉循行于背腰部之两侧，亦在大椎穴处与督脉相交会，故当针刺手三里时，不仅能疏通督脉之经气，亦能疏通膀胱之经气。在留针过程中再加上自动或被动地活动腰部之肌肉，以增强腰部经气的运转。次取腰部之肾俞穴或阿是穴扎针拔罐，则可加强气至病所，从而更好地发挥散瘀滞、通经气的作用。

偏枯宜燮理阴阳

| 王毅刚 |

中风偏瘫，起于卒中。所遗经络形症为半身不遂。《内经》谓之“偏枯”，《诸病源候论》称“半身不遂”，《三因方》称“左瘫右痪”。先贤诸家，已多论述。如《医林改错》记叙本病肢体瘫痪与口眼㖞斜有“交叉现象”。云：“凡病风左半身不遂者，歪斜多半在右，病右半身不遂者，歪斜多半在左”。以“人左半身经络上头面从右行，右半身经络上头面从左行，有交叉之义”。《医学纲目》云本病偏枯乃经久不愈”，经脉不禀水谷之气”以致瘫肢痿弱而枯。《针灸甲乙经》还记载瘫痪非仅见废弛不用，而有筋腱挛缩。云症有“两手挛不伸及腋”“手瘈偏小筋急”“肘屈不及伸”等。

针灸治瘫，今人多取阳经独治，如少阳、阳明二经，取穴如肩髃、曲池、外关、合谷、环跳、足三里、阳陵泉、悬钟等。以阳主动也，活血通络，祛痰逐瘀，此固理也。然未尽经意。

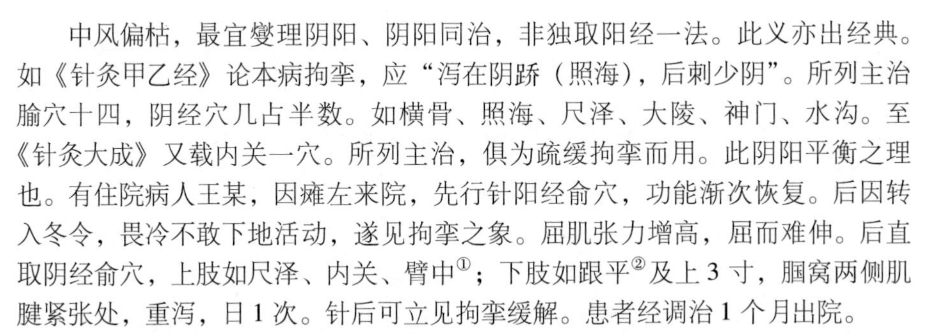

中风偏枯，最宜燮理阴阳、阴阳同治，非独取阳经一法。此义亦出经典。如《针灸甲乙经》论本病拘挛，应“泻在阴跻（照海），后刺少阴”。所列主治腧穴十四，阴经穴几占半数。如横骨、照海、尺泽、大陵、神门、水沟。至《针灸大成》又载内关一穴。所列主治，俱为疏缓拘挛而用。此阴阳平衡之理也。有住院病人王某，因瘫左来院，先行针阳经俞穴，功能渐次恢复。后因转入冬令，畏冷不敢下地活动，遂见拘挛之象。屈肌张力增高，屈而难伸。后直取阴经俞穴，上肢如尺泽、内关、臂中①；下肢如跟平②及上 3 寸，腘窝两侧肌腱紧张处，重泻，日 1 次。针后可立见拘挛缓解。患者经调治 1 个月出院。

中风偏瘫多见于脑血管意外后遗症。元神之府为病，病涉阴跻、阳跻二脉。初起软瘫，后即拘挛，“阳缓而阴急”之谓也。故宜阴阳同治，视其阴阳缓急之多少，选定腧穴，切不可拘执“阳动阴静”之教条。

注①②臂中、跟平为新穴。见上海中医学院《针灸学》，1974，人民卫生出版社。

对中风后腿膝无力，不忘“治痿独取阳明”

马瑞寅

《内经》有“治痿独取阳明”之说，成为千年古训。临床用之，确实有验。中风有中脏腑、中经络之别，及至后遗症期，每见腿膝无力。针灸取穴，大凡环跳、风市、阳陵泉、太冲或加委中、飞扬、昆仑等穴，多以太阳、少阳两经为主（足太阳膀胱经、足少阳胆经）。

余二十多年来，通过临床反复琢磨，发现治中风后遗症、腿膝无力取穴之道仍不应忘“治痿独取阳明”。此说并非独用阳明经穴并摒弃其他经穴，环跳、风市、阳陵泉、昆仑等确是下肢治痿要穴，不可轻废，而是在使用这些穴位的同时，宜加用气冲、髀关、伏兔、足三里、解溪、内庭等足阳明穴位，配合应用，相得益彰。

已故中国戏曲学院史老先生，1981 年秋中风，嗣后腿膝无力，步履艰难。1982 年春请余诊治，初时一人不能上楼，需人扶持。余知史老已经针刺环跳、阳陵泉等穴，故改用气冲、髀关、伏兔、足三里、解溪、内庭等穴位，并在髀关、伏兔、足三里予以温针 3 壮。初次针后即感患肢轻松，十多次后能一人登楼。当时有友人邀史老去游姑苏，史老欣然前往，竟健步登上虎丘，说明“治痿独取阳明”确有指导临床的价值。

针灸“天突”治哮

彭荣琛

案1：高妇，年近五旬。体弱而瘦，患支气管扩张、肺气肿。每年冬春则发哮喘，已十余年，常用葡萄糖合氨茶碱静脉推注予以控制。今秋又发，由其夫车推而来，见其喘息不止，张口结舌，半日方能一语，即取针灸治疗，患者愕然曰：针中装有药水否？答：无。问：何以能取效？吾笑而答曰：请试即知。随针天突穴，进针约1寸，留针15分钟。翌日，患者步行而来，未言先笑，说昨天回家路上即觉胸宽气匀，遂下车步回。惊金针效应，要求再针。吾初治得手，颇为自得，遂仍针天突穴，进针约2寸，见针体随动脉跳动而摆动，虑其摇动太大，气不易聚，影响留针效果，故向外出针约5分许，针体仍有轻微摆动，并未介意。留针15分钟后而去。不到半小时，患者突然由人伴送来院，脸色发白，气喘再发。曰：离院不及500米，突感胸闷心慌，随之气急而喘，全身出冷汗，故返院求诊。经查无明显异常，仅血压略低。猛想起针天突穴时针体跳动情形，担心主动脉弓被刺伤，一时颇为紧张，但限于条件，无法进一步检查，只能留其观察，并先针内关，后针膻中以作调整，轻针浅刺，不敢离去半步，1小时后患者心平气和，哮喘若失，患者复笑而去。半月后，路遇患者，言当天针后除略有胸闷外，病未再发。天突一穴治哮喘，早为世人共知，但疗效之好，非亲睹者不敢置信，而针之不当，则变化之剧，亦令人瞠目结舌，恐更为人少知，学而难精，证此为自训，亦为后学之鉴也。

案2：高男，年近五旬。瘦弱体虚，1965年冬，受寒而致哮喘，同时脱肛。脱肛不能坐，哮喘又不能卧，故惶惶不可终日，数日未眠，颇有束手待毙之念。恰我和许某在该地进行现场教学，闻讯即趋看望。见其发热恶寒，面红气急，瞪目张口，哮声不断，见我们到来，以手自指胸口，下指臀部，说话断续，大有气脱之状。诊其脉细数，望其苔薄质淡，匆忙间无药可用，遂取艾为绒，纸卷为条，回旋灸百会穴约10分钟，并拟补中益气汤加五味子、诃子等3剂。回程路上，想想不妥；升阳举陷，颇有气上遏肺之弊，再用方药补剂，岂不雪上加霜，若药证不确，病人壅补致死，后事难料。翌日清晨，即与许某赴病家看望。见其阖门而闭，敲门不应，我二人不寒而栗，叫苦不迭。半晌，方有答声，继闻床板咯咯声，鞋子拖沓声，门呀然开启，见患者尚睡眠惺忪。见我等进屋，忙让坐倒茶，说昨半夜肛门收上，哮喘减轻，竟上床酣睡，以致不知医生到来。至此，我与许相对而望，两心方安。嘱其速去拣药，3剂后，竟热退哮平。后再灸百会穴，一冬未再发病。

针刺治疗肠癌呃逆

马以鼎

呃逆一病，古名为“哕”。《内经》有“胃为气逆为哕”“病深者其声哕”等论述。其证为：气逆上冲动膈，喉间呃呃作声，声短而频，令人莫能自制。究其病因，虽有寒热虚实之分，但总由胃气上逆动膈而致。笔者曾治一久患肠癌、正气亏虚而致呃逆的患者，取得满意的效果。

患者罗某，1984 年因长期便血，曾切片检查诊断为直肠癌。1985 年复查：直肠指诊，距肛门 2cm 处，可触及菜花样肿块，住院手术，术后化疗，用药第 3 天，突发呃逆，连声不止，痛苦不堪，呕吐频频，呕吐物始为饮食物，继则吐水汁，色呈土红，间有瘀血块。经用中西药，仍不能阻止呃逆呕吐，证候渐趋恶化。病人面色萎黄，精神疲倦，少气懒言，昏沉欲寐，呃声低沉无力，气不得续。问其痛苦，以手比划，胸脘闷乱，手足欠温，舌淡苔白中厚，脉沉，细弱无力。余用宽膈和胃、降逆调气法，取足三里（双）直刺 2 寸，内关（双）直刺 1 寸，天突向下斜刺 1.5 寸，巨阙向下斜刺 1 寸。进针得气后，留针 1 小时，其中间歇行针（每 10 分钟 1 次）保持一定的刺激量，以增强疗效。其具体手法：足三里（补泻兼施）、内关（补法）、天突（泻法）、巨阙（补法），针后约 40 分钟，患者呃逆止，吃稀面条一小碗，安然入睡，次日未再呃逆、呕吐。后以中药调理脾胃，体力渐复。11 天后，偶又复发呃逆，仍以前法施治，针后即止。

针刺消腹水

夏治平

1971 年春，一位姓沈的学生介绍自己治疗小儿肝硬化腹水的经验是，针刺足三里、肝俞、胆俞、期门、日月、水分透气海、三阴交、阴陵泉等穴，结果腹水消除。两年内断续针灸，维持了效果。本法既用了俞募配穴法，也用了远近配穴法，但对其疗效，人们还是将信将疑。

同年夏天，我遇一名 30 岁男性患者，患血吸虫肝硬化腹水、肝肾综合征，脾已切除。其腹大如鼓，四肢瘦削，不能平卧，也不能转侧。当时双方的心情都是聊尽人事而已。我重复了沈同学的办法，但背部俞穴已无法针刺，于是采用了其余俞穴。针刺5日后，患者腹部中央已凹进去一些，说明其腹水已开始减退。隔了1周，见患者腹水又增加，当即为之针刺水分透气海时，针感向下放射到其外生殖器尖端，当晚其尿量即多，随之腹水消减。显然，水分透气海是治疗腹水的关键。嗣后，每天水分透气海，加阴陵泉，考虑证属本虚标实，故配合艾条灸，10天为1个疗程，休息5天再进行第2个疗程。2个月之后，患者腹水基本消失。

由此可见，古人认为水分可以分水，即有利尿消肿作用，在临床上得到了验证。但有些书籍认为该穴“腹部水肿病患者不宜针”，实有商榷之必要。

针刺治绦虫病腹痛

|肖木生|

1966年，余在援阿拉伯也门共和国期间，遇一也门妇女罕某，年34岁，因患绦虫病服阿的平驱虫未下，持续腹痛，时缓时急，已达30小时，由家人抬来求治。诊见其腹痛绕脐拒按，脐左下腹隆起，大便两日未解，形体消瘦，坐卧不安，证属虫积腹痛之候，施针双侧手阳明经合谷、曲池、下合穴上巨虚，足阳明经合穴足三里，配三阴交、百虫窠，留针15分钟，每隔5分钟行针（泻法）1次，当第2次行针后，患者主诉腹痛基本消失，似有便意，复行针1次，取针入厕坐盆，解下绦虫一条（状似小半便盆玉带面，冲洗后放置石棉瓦上测量，虫长4.5m），患者顿觉轻快，含笑鸣谢而归。

谈遗尿、尿潴留的针灸治疗

|马瑞寅|

遗尿一症，临床常见。常规的针灸疗法可针气海、关元、足三里、三阴交、太溪、水沟等穴，对小儿遗尿效果尚好。但对成年人的顽固性遗尿，效果不佳。宜改用腰骶部穴位如命门、肾俞、八髎等穴，针刺后连续温针3次。如用5寸长针直接深刺“盆丛”（详见《上海中医药》杂志1981年11期）也颇有效。

某些患者因夜间经常发病，睡前精神特别紧张，可将针灸毫针自制成5分长的揿针，埋入长强穴，外面加胶布固定。夏天埋二三天，冬天可埋一周。临睡前自己用手按压针柄，给予刺激。夜间即可停发。

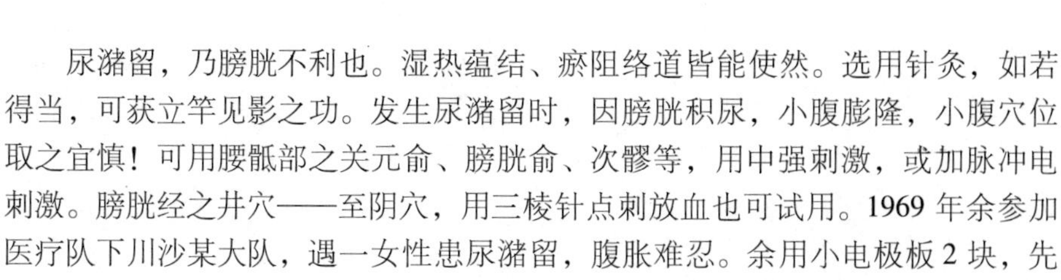

尿潴留，乃膀胱不利也。湿热蕴结、瘀阻络道皆能使然。选用针灸，如若得当，可获立竿见影之功。发生尿潴留时，因膀胱积尿，小腹膨隆，小腹穴位取之宜慎！可用腰骶部之关元俞、膀胱俞、次髎等，用中强刺激，或加脉冲电刺激。膀胱经之井穴——至阴穴，用三棱针点刺放血也可试用。1969 年余参加医疗队下川沙某大队，遇一女性患尿潴留，腹胀难忍。余用小电极板 2 块，先于温盐水中浸湿，置左右水道穴，上用小沙袋压紧，接通 G6805 电针仪，予低频点送刺激，见其腹部随着电刺激之频率而跳动，这种有节律的跳动，对排尿有促进作用，不一会儿病人即自行排尿。以后又治多例有验，不失为治尿潴留的一种简便、安全又有效的疗法。

针刺关元、三阴交治遗尿 ｜高玄根｜

遗尿症，又称夜尿症，多见于 3 岁以上儿童。我认为遗尿症多与足三阴经、任脉以及肾、三焦、小肠、膀胱功能失常有关，常选小肠募穴，足三阴、任脉交会穴关元和足三阴经交会穴三阴交，进行针刺治疗。得气后，留针 20 ~ 30 分钟，每周 2 次，10 次为 1 个疗程。以温补肾阳，益气固脬，获得了较好的疗效。余曾系统观察 230 例，其中痊愈（遗尿完全控制）的 92 例，显效（遗尿减去十之八九）的 29 例，好转（遗尿减去 1/2 以上）的 78 例，无效（遗尿次数无变化）的 31 例，总有效率为 85. 5%。在痊愈的 92 例中，除 11 例经过 2 ~ 4 个疗程治疗外，余皆为 1 个疗程；显效的 29 例中，除 10 例经 2 或 3 个疗程治疗外，余均在 1 个疗程内取效；好转的 78 例中，除 15 例经 2 或 3 个疗程治疗，余均治疗 10 次以内即获得进步；无效的 31 例中，有 20 例经 4 ~ 10 次，11 例经 20 ~ 30 次治疗。如一女性患儿，12 岁，自幼睡中遗尿，每晚二三次，尿常规检查正常，取关元、三阴交（双）针刺，留针 20 分钟，治后夜尿即减少，以后每隔 10 天针刺 1 次，共治疗 5 次，观察 2 年遗尿未复发。

刺络治疗红斑性肢痛症 ｜喻喜春｜

中医无红斑性肢痛症之病名，但按其证候属于血实、血热、血痹、脉痹之类，多发病于寒冷季节。很多省市报道过这种病例，患者多为男性，症状多出现在双侧足趾端、双手、双耳。主证为双侧患肢末端阵发性发红、疼痛，局部血管跳动增剧，皮肤发热，轻度水肿，止于踝、腕关节附近。平时患部皮肤发绀，遇热疼痛加剧，遇冷则稍缓。阵痛经数分钟或数小时自止，反复发作，夜间更频，出汗多。治疗常用冷敷、止痛片、局部环状封闭或肾囊封闭，最后不得已作交感神经节切除以缓解症状。

余治此病4例，皆用刺络法迅速治愈。如一例13岁女孩，因下冷水后该病发作已2周，经服用止痛片和封闭、维生素注射治疗均无效，准备作腰交感神经节切除。其症为双足至踝阵发红赤，焮痛，脉搏增强，浸在冷水中则痛稍减。其皮肤因日夜浸泡水中而发皱、糜烂。其母守候身旁，数分钟换水一次，昼夜不休。我立刺其趾尖及三阴交各出血数滴，一刺痛减、二刺体安、三刺病愈，数日即出院。

又一例男性，40岁，住深山之中，在雪地赤足行走后当夜睡中发病，双足阵发性发红、麻痛、水肿，两耳亦发红疼痛，痛作数分钟自止，止后数分钟又作，用雪和水敷后痛减片刻。我往诊时患者已发病5日，面垢、唇干、力竭，脉弦滑数，苔根略黄。即刺趾尖、耳尖，各出血十余滴，引邪热外出，一刺知、二刺安、三刺已。

另一例男性，30岁，腊月双足发病，经刺趾尖3次而愈。1985年3月一例70岁的男性病人，雪后发病已2个月，我让住院医生给其施以趾和趺阳脉刺络，二刺而平，5次即痛止。

此病症状典型，诊断不难，治疗以血实宜决、血郁宜除、血热宜凉为原则。刺络能清热凉血、活络祛瘀、引邪外出，故最宜治疗此证。

刺络治疗登山后头痛

|喻喜春|

旅游黄山者，爬山后常见腰腿酸痛，膝关节、踝关节扭挫伤和头痛。斯证所见之头痛，病人多无头痛病史，每因长途旅行，睡眠少，高山上强紫外线照射，过奇险处的精神紧张，加上爬山后的疲劳而引起。有的血压稍微升高，心跳略有加快，脉多实而涩，苔白薄，额、颞静脉充盈怒张，攒竹、太阳穴处出现压痛。西医称为血管神经性头痛。中医则认为是血气上冲，络脉瘀滞所致。临床对此症宜于刺络，且一刺即已。如詹姆斯女士，年35岁，加拿大人，来中国旅行已半月，由北京至黄山坐车两昼夜，睡眠少，旋即登山又两天，回寓时头痛剧烈，但无呕吐、无项强，脉实涩，苔薄，颞静脉充盈，血压略高于平常。

即与点刺充盈的小络脉，双侧各出血约0.5ml，2小时后其痛止。又一日本妇女，37岁，登山回来后头痛不可支，脉弦涩，苔薄，颞部络脉盈实。证为血气上冲、头部络脉瘀滞所致。治以泻血行瘀，通络止痛。点刺双侧络脉，各出血十余滴，当即痛止。故大凡登山所致诸症，多有气滞血瘀，以刺络活血行瘀，为一良法也。

针肾俞穴治霍乱

|秦正生|

1888年季夏，吾淮霍乱流行，旦发近夕便有许多人死亡，闻者莫不为之色变，一日晚8时许，叩门声急，吾启门视之，乃南街邻人樊某，谓其9岁女患霍乱症，到仁慈医院诊治，打针给药回家后，仍危在顷刻，请予往救，吾至，见举室仓惶。视病人目暗眶陷，罗纹麻瘪，烦躁不安，周身汗冷，声低息微，附耳始闻，口渴饮入即吐，便如米泔状，频频从肛门流出，苔白腻，舌质淡，脉沉细微欲绝。当谓险象毕具，无能为力矣。余忽忆及肾为先天之本，命门之阳气，乃人体一切阳气之本，对各脏腑组织起着温煦、生化作用。也就是说，肾阳能振奋全身各种功能，如若激发之，或可有效。于是为之试刺右肾俞穴，岂料旋捻约2分钟，患儿大便即渐渐转黄、转稠、转少；捻至六七分钟时，便汗利两止，精神见好，乃将针拔去。翌早9时复诊，患儿尚手冷至肘、足冷至膝。复为之处以益阴敛阳、理脾益气之药，2剂而竟全功。嗣后又遇近似病症两例，皆如法而愈。

“同步”刺内关抢救脱证治验

|杜晓山|

1983年除夕下午，一位九旬老人由其家属陪同来院诊治。老人于2个月前患中风，右侧手足偏瘫，诉右侧髋关节剧痛，因疑股骨胫骨折，遂邀伤骨科医师会诊。在查诊时，患者突然暴脱，面色变白，呼之不应，心跳、脉搏、呼吸均骤停。即请急诊室医师会诊，一面施针灸抢救，取人中、十宣、足三里、涌泉诸穴，针毕仍无起色。我考虑心主神明，心主血脉，立即与另一位医师取双侧内关，“同步”（180°）频频捻转，约2分钟后，见患者有缓慢呼吸，扪及脉搏，听及心音，血压回升，面色逐渐好转，稳定后当晚出院。

针灸治验趣谈十则

傅少岩

火郁头痛

一男子，年近半百，在其“百会”穴右侧近旁，日夜乓、乓、乓地跳痛不息，听之无声、摸之不觉，达13年之久。起初感觉异常难受，长期失眠，伴头晕，头发稀疏早已秃顶。曾到不少大医院诊治，都说是少见的“怪病”，或者说是“神经官能症”，进行各种治疗均不见效。

患者阳旺面容，目见红丝，有时稍觉口苦，舌质红润，苔薄淡白微黄，脉细长有力，血压正常，不嗜烟酒，其他无不适。此乃“肝胆郁火，上扰清窍”。“脑为髓之海”，治疗上故取足少阳胆经的“髓会绝骨（悬钟)”穴，配手少阳三焦经之络“外关”穴，行凉泻手法，以“疏泄肝胆之郁火，清涤髓海之邪热”。针刺第1次后，患者自觉头脑轻松、症状减轻。隔天再针刺第2次，可以安睡。共针治3次，长达13年的“怪病”悄然若失。当时随兴吟诗：多年怪病一针除，祖国医学奇绩殊。勤操苦练出技巧，须知针下有功夫。

癔病失音

一癔病女患者，情志久郁、悲恐过甚而失音，说不出话来，异常痛苦。医者只用毫针刺其两足“涌泉”穴，徐徐捻转，施以平补手法，应手而愈，当即说出话来。这是“气厥”。患者因为久病而元气不足，肺肾亏损，气机逆阻，津液不能上承咽喉。“肾为气之根”，故针刺足少阴肾经之井穴，开窍救逆，切证以治。

猪骨卡喉

一农妇，新春携孩归宁探亲，娘家给其吃猪肉面时，小孩争食，不慎一块猪骨卡在喉下，吞吐不得。以手探咽引呕也无法吐出，以致喉头、颈项剧肿，中午肿及头面和胸乳，不能吞咽和言语，病情危急，由家人抬来医院急诊。

患者面色苍浮，嘴唇紫肿，颈项肿平胸乳，呼吸急促，阵阵恶心，吐出淡红色血水，伴有憎寒发热，脉浮滑疾数，以手示头痛、胸痛。此因“异物塞咽，气逆上焦，兼感风寒”。急以“通塞利膈，宽胸顺气”为治。先取长针刺“天突”穴3寸，并针左手“合谷”穴，再刺右手“内关”穴，患者自指有物上冲

欲吐不出。令众人扶持患者坐起，乃以雀啄术强刺内关、深刺天突穴至 5 寸，加强捻针，患者哇啦一声，吐出一块比大红枣还大的猪骨和面食浊物。猪骨因刀砍，边缘呈锯齿状。再经 X 线透视未见异物，只见食管上段左前侧破裂寸许，纵隔障气肿合并皮下气肿严重。即收入住院经治 26 天而获痊愈。

中毒虚脱

一山村男青年，误食毒蕈中毒，因其身体素来健壮，当时没有发作，次日下午先感头痛、身痛、口干、恶心、腹胀、癃闭。继而大汗，面色苍白，四肢厥冷，呼吸浅促，瞳孔散大，脉细无力，血压下降。傍晚待我们趋车赶到时，其病情继续加重。

虽是立秋节气，晚上十时半以后，山城阴寒彻骨。患者此时冷汗不止，张口，气息微弱，脉微细缓，肘膝以下冰凉，神志不清，血压下降，用尽各种抢救药品，血压依然迅速下降，出现严重虚脱（中毒性休克），急宜“回阳救逆，强心生温”。拟用大剂参附汤灌服，无奈夜半山城取不到人参，只好急用针灸。大家同时动手协作，温灸百会、关元、气海、神阙、足三里等穴，另外持续针刺内关穴，行热补手法，隔 5 分钟捻针 1 次，直到十二时半以后，患者病情开始好转，血压逐渐回升，神志转清，汗止，四肢回阳。午后，患者脱险获救而愈。

新产妇阴道外翻

一青年纺织女工，临产入院分娩。由于早春寒冷，胎儿过大而难产，时间过长，耗伤气血，产后子宫全脱出，阴道外翻，会阴水肿，二便不利，又感冒风寒，头痛、身寒、发热，坐卧不安。经妇产科多方治疗未效，第 3 天邀请中医会诊。

患者面色苍白，口干不饮，舌质淡，苔白薄，脉浮数而弱，子宫挺出，阴道壁外翻呈紫瘀色，少许恶露从子宫口溢出，前后二阴连会阴剧肿，状若覆钵，呻吟不已。此乃“寒侵产门，气虚下陷”。急宜“暖宫温肾，升提固脱”。采用温灸百会、关元、足三里、玉门头，重点温灸子宫口，直到患者自觉子宫内有温热感，阴部舒适为止。次日患者症状大减，水肿消退，子宫和阴道回缩，可以站立。连灸 3 次患者痊愈出院。

舌纵不收

5 岁小儿得热病后，经治高热虽退，但仍心烦不安，舌伸口外紫肿不能收缩。此名“舌纵”。因为邪扰心神，余热内郁心脾。一般只须用毫针深刺内关穴即效，若脉洪数，热邪尚盛者，则取三棱针刺中冲穴放血，“清心泄热”而安。

阴暑寒闭

久坐地下室工作的人，盛暑闷热，偶感暑气，头目眩胀，猝然昏倒，恶心、口干唇燥、无汗、身热，且又面色苍白，四肢厥冷，脉沉细数。此为中暑。这是因为阴寒外来，暑热壅闭，即民间俗称“寒闭”者。急将病人移至凉爽通风处仰卧，取毫针速刺其人中、印堂穴，用三棱针刺委中、曲泽穴放血，开窍启闭，清暑泄热；同时用食盐一把（约50g）填敷脐（神阙穴）上，取小枣大艾炷置脐上，隔盐灸3～5壮，温阳救逆，待病人汗出，四肢回温，其他诸症亦随之而解。

外伤暴聋

一中年男子，被莽汉重打耳光，当时脑中轰鸣如雷，眼冒金星，昏倒在地，被抬在一个静暗处，待他清醒过来，耳内暴鸣，头重眩晕，心烦懊恼，恶心，口干。数天后，家属送来医院，经检查两耳鼓膜均凹陷，右耳更剧，并有血迹，耳壳和耳门有紫瘀血肿，诊为内耳外伤，反复用药无效。两个半月后，就诊于中医科。患者病容苦寂，耳鸣重听，辨声音不清楚，烦躁，口干苦，舌质红，苔淡黄略厚，溲赤，便结，脉弦滑细数。此乃外伤暴聋。因为暴震伤肝，肝胆火逆，损伤血络，燥伤肾阴。余取毫针微刺外关、中渚、翳风、耳门和听会等穴，平补平泻手法，留针半小时，镇熄肝风，疏泄胆火；并配太溪穴，补肾养阴，潜阳聪耳。针治3次后，开始见效，13次后患者听力进步，共针灸26次，基本痊愈。

右膝扭伤

老妇夜晚下楼，不慎失足滑下两级，因而扭伤右膝，当时疼痛难以移步，次日右膝紫肿疼痛，第3天傍晚剧痛，局部肿胀灼热，所用药物无效，故要求针灸治疗。

患者素有风湿性关节病史，脉细数，口干不渴，舌润红少苔。这是扭伤筋络。先给局部按摩，舒展筋脉，再针刺“天应”3处（以痛为俞）、散瘀活血、行气止痛，局部出针后，即刺其右手背“腰腿点”，得气后强刺捻转，令患者伸屈患肢，开始伸屈时剧痛难忍，连伸屈膝二三次，疼痛骤减，持续活动10分钟后患者自觉舒适，当晚安睡一宿，次日即能下地行走，肿消痛失。

小儿蛔厥

8 岁女孩有虫积，素来瘦弱。3 天前突然上腹剧痛，出汗，面色萎黄，就地服止痛药缓解，第 3 天送来医院看病，发现黄疸，上脘疼痛拒按，诊为胆道蛔虫症，收入住院。经观察 3 天，患者黄疸加深，上腹胀闷疼痛加剧，发热 38 ~ 39℃之间，并吐出活蛔虫 1 条，考虑进行手术治疗。因患儿过于衰弱，家属担心危险，故邀请中医会诊。诊见其舌质红，苔干老黄起刺，恶心，口干苦，溲黄赤，大便酱黑，脉细数，指纹紫赤达气关，全身发黄，目如橘色，身热，肢凉，头额有汗。此乃“胆蛔阻塞，中腑瘀热，邪侵阳明之腑，胆汁外溢而成为黄疸。”治宜“利胆排蛔，通腑清热”。取毫针先开曲池、内关、梁丘、胆囊穴，四肢各针一穴，再针利胆穴（作者经验穴），进针刺入其腹壁脂肪层后，沿右肋边缘平卧针向外下刺 1.5 寸深（成人可略深），强刺捻转，留针 5 ~ 10 分钟，捻转二三次即出针。针后患者腹胀痛减轻，至晚热退，思饮食，次日早餐进粥一碗，精神好转，下午大便解出半截变黑的死蛔虫 1 条，诸症悉减。后 3 天患者黄疸见退，出院回家调养，略进中药运脾消导之剂而康复。

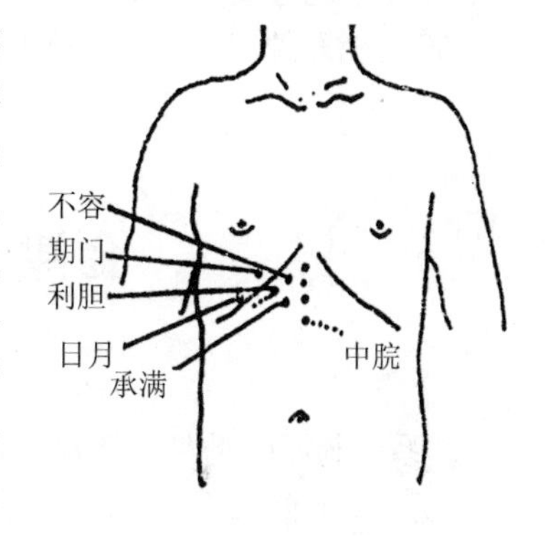

拙著《临床实用针灸歌》选：

胆道蛔虫叫蛔厥，阳陵泉下胆囊穴，

利胆下针沿肋刺，内关梁丘上脘接。

附：利胆穴示意图

针灸催产　|杨柏如|

余友魏某之妻临产，住入医院产科，子宫口已开全而胎儿久未娩出，医生为防胎儿窒息，决定立行剖腹产术。魏颇谙中医，曰：在进行手术准备之际，请试行针灸催产，余遂受邀前去。傅山曾言：“催生者，因坐草太早，困倦难产”。又云：“难产者，交骨不开，不能生产也”。今患者滞产之理，一者初产妇缺少经验，临产用力过早，致体力徒耗，冲任气血受损，胞宫无力，及至当用力之时，气已虚乏，难以着力，所谓“坐草太早，困倦难产”也；二者初产之妇待产之时，情绪每因恐惧而紧张，以致会阴肌难启，即所谓“交骨不开，不能生产”也。“交骨”乃产道骨盆诸骨之总称，但非必“不启”，实乃肌筋拘急之故。傅氏对此证遣用“加味芎归汤”，方中川芎、当归和血缓肝，龟版、发灰滋肾潜阳，共奏弛缓会阴肌肉和肝气之急迫，故有治疗滞产之效用。

窦汉卿通玄指要赋载云：昔宋太子偕徐文伯出苑游，逢一妊娠妇女，君臣判其所妊相左，文伯乃请为针刺堕胎，泻足三阴交，补手阳明合谷，其胎应针而落，判别遂明。揆之经脉，正常人阳明经多气多血，肝、脾、肾三经多血少气，妊妇尤然。合谷，手阳明经之原穴；三阴交，肝、脾、肾三经之交会穴。泻三阴交、补合谷，乃虚下实上治法，亦即缓下之肝气急而实上之阳明以助其气也。余遂仿徐文伯之范例，亦先用泻法针刺其三阴交，然后用补法针刺其合谷，产妇随即顺产一女婴，免去剖腹之苦。此为针刺催产之实例。

金津、玉液至贵谈

周福荣

金津、玉液二穴，藏津多液，为医家所共知。二穴所藏，俗称“华池之水”，系于肺而根于肾。其穴位在舌下之左右，舌为心之苗，足少阴肾经挟舌本，足太阴脾经散舌下，故二穴所藏，非独与肺肾有关，且能与脾阴互滋，与肾水互济，引肾水上抑心火，合脾土同养肺金。

程国彭谓此“华池之水”引而咽之，能治真阴亏损，阴虚火旺诸症，并赞其是“治阴虚无上妙方”。方载《医学心悟》，方法是：常以舌抵上腭，令华池之水充满口中，乃正体舒气，以意目力送至丹田，口复一口，数十乃止，每日二三次，称此为“吞津液”法。此是引华池之水以缓火刑，取其坎离交媾、水火既济之意也。《素问遗篇·刺法论》有法：“所有自来肾有久病者，可以寅时面向南，净神不乱，思闭气不息七遍，以引颈咽气顺之，如咽甚硬物，如此七遍后，饵舌下津气无数”。此是引华池之水以滋肾阴，循金水相生之法也。上述舌抵上腭，引舌下津而咽之者，即金津、玉液二穴所藏。而此种引咽津液之法，其源于丹家，原意本在养生，后引其治病，既合乎医理，又顺应自然，法简而效彰。余留意观察，凡健康婴幼儿，舌常抵上腭，阴囊常紧缩，此乃阴阳互生、水火既济之外征也。舌为心之苗而藏金津、玉液；前阴为肾之窍而寓真气元阳，心火肾水，阴升阳降，源源不竭而生化无穷，故婴幼儿生机较成人旺盛。余好静喜健身，幼习“八段锦”等，后拘于多种不便，只于工作疲劳之后，随身取式，单以舌轻抵上腭，意守脐下丹田，以嘴频频鼓漱，引液吞津，浇灌下焦。

每次练后自觉内焚诸宁、五脏清静、精神充旺、头目清灵。临床见津枯血弱等有形之液亏乏而无形之火妄动、且药难速效者，即授予此法辅佐，获益者不少。

津气不足

授课辛劳、引吭高歌之时，肺气顿开，气激唾失则津随气耗，积日一久，津气暗损，或歌后气乏；或课后口干，常以抬肩深吸以提气，频频饮水以润喉。病家有借人参、蜂蜜补益者，有服玄参、麦冬、生地黄、胖大海类润燥者。虽能暂缓其标，却难固复其本。如用上述“吞津液”法2~3个月，可使津气来复，饮食增加，口干、咽燥、声嘶症状改善。坚持不懈，其效明显。

血　亏

贫血者如见燥证，最是难过。津少食不香，肠枯便不畅，或肌肤糙、时烦热、心不宁。凡慢性失血者，多是血不归经、气不摄纳，治疗亦是随失随补、随补随失，久而久之，燥自内生。有形之血，体亏之人，非药食可以峻补。惟自养津气，取华池之水以开胃口而养脾阴，则精气足而气血生，气血生而燥自平。亦所谓“壮水之主，以制阳光”。

不　寐

心血亏损，血不养心，昼夜烦而不寐，时而诸梦纷纭，疲乏烦躁，甚者神情不合，时露言行差错。此法除引肾水以养心，降心火以平躁外，且有修心养性的作用。如能按法施行，对多种失眠，特别是对心肾不交（失眠而兼有腰酸、心悸者），疗效更加明显。

指按“天宗”的妙用

曹仁发

天宗穴属手太阳小肠经，位于肩胛骨冈下窝的中央。手太阳小肠经经脉起于小指外侧端，循手臂后缘向上经肩关节绕引肩胛部与大椎相交会，其支脉沿胸锁乳突肌向上至面颊部。

指按天宗穴局部有强烈感应，并可循小肠经循行路线向上扩散到颈项部，向下可扩散到手臂后外侧。临床上运用按天宗穴治疗落枕、颈项强痛和肩臂痛、手指发麻等症有良效。操作简便，易于掌握。兹将具体操作方法介绍于下：

患者端坐，手臂自然下垂。术者站于其背后，一手扶住其健侧肩部，另一手用拇指面按压其患侧天宗穴，其余四指扶住肩胛冈上方助力，然后拇指逐渐用力下按，并作缓缓揉动。如用于落枕、颈项强痛、转动不利者，按揉的用力方向要偏于颈侧，同时嘱患者缓缓转动头颈；若用于肩痛、手臂酸胀发麻者，则按揉的用力方向要偏于肩侧，同时嘱患者缓缓摇动肩关节。一般持续 1 ~ 2 分钟，症状即可缓解。

指按“缺盆”治胸胁内伤作痛

王 惠

《内经》曰：“气伤痛，形伤肿”，无形之气受伤后多致痛证，人之胸廓内涵肺脏，主司呼吸，最关至要，一旦损伤（多为努力屏气，外力挤压碰撞），即可引起气滞作痛。临证可见胸胁窜痛，痛无定处，甚者，不能咳嗽，呼吸亦痛。此证较为难治，按照气滞血瘀辨证用药，短则半月，方见转机。余在临证之余，常思再三，从中悟出气滞者是气机阻滞不通，而肺主气，司呼吸，于是联想到锁骨上窝中点有一“缺盆”穴，此部有颈横动脉、锁骨上神经，深部为锁骨下动脉，臂丛神经径路，刺激该穴可以通经活络，调理气血。以指压代替针刺，是谓指针，不仅方便，还可免除损伤重要血管之虑。余先在自身试验用指压缺盆，向内下方压迫，触及第一肋骨时，有胸部胀闷，甚则背部作胀，并略有麻木感觉。偶尔咳嗽，向下放散感尤为明显，至今临证应用十余年，治疗数百例，验之屡效。曾治徐某，因努力屏气突发胸部刺痛，不敢呼吸，若咳嗽则蹲地抱胸，其状十分痛苦，经他医用行气活血类药物治疗半月余，胸痛不见减轻，求治于余。余给予指压双侧“缺盆”，嘱其先呼吸三四次，称胸部胀得难忍，又令其咳嗽数次，术毕病人胸痛已减大半，此为救急之法，并给予理气活血类方药以善后。先后施术 3 次，患者的痛苦若失。运用此指针法，配合辨证用药，较单纯药物治疗效果明显。

双手循经掣痛治验

肖木生

病者陈某，年 38 岁。患肺结核病，两肺发生广泛性病变，有豆渣样空洞，1959 年仲秋住院行抗结核治疗 3 个月余，忽一日出现双手从肘至拇、示指掣痛不止，如是已两昼夜，用止痛药及封闭疗法不效。诊见患者形体羸瘦，颊红唇

焦，皮毛枯槁，血脉不营，咽痛声嘶，短气喘咳，痰带血丝，舌红少津，双手自肘循肺经至拇指旁及手阳明示指掣痛，不能近物，用棉杆轻抹则剧痛惊呼不已，太渊穴处尤为敏感。

思该病者患肺结核迁延日久，证属肺阴耗损极甚，血不营经，经脉失养所致。治以滋阴润肺，营经通络为法，组方内服调治。鉴于目前以疼痛为急，力荐针灸主治。乃施针双侧太渊、合谷、孔最、偏历，行补法，留针 15 分钟，针后其痛立止，旁观者赞叹不已，住院年余未见复发。

试问，何以针此四穴能收其止痛捷效？因其痛自肘循肺经至拇指而旁及手阳明示指，手太阴与手阳明具有表里连属关系，肺原太渊穴处痛觉敏感，正合《灵枢》“五脏有疾，应出十二原”之说。“原”即本源，与三焦关系密切，三焦乃原气之别使，导源于肾间动气，通上达下，和调于内外，关系整体气化功能和脏腑功能活动。故宗“五脏有疾，取之十二原”之经旨，取肺经原穴太渊、手阳明大肠经原穴合谷，目的在于振奋三焦原气，激发和调整其脏腑功能。且由于郄穴治本经循行部及所属脏腑急性痛症最有效用，络穴在表里经之间起纽带作用，善治表里两经病证，针刺肺经郄穴孔最、大肠经之络穴偏历，以和调内外，营经通络止痛，如此原穴、络穴、郄穴配合使用，故能随手奏效矣。

胸胁迸伤探源

| 罗志瑜 |

胸胁迸伤又称“岔气”“闪气”，祖国医学历来把它列入气血、经络伤，归属于内伤的范畴。但从其病因、临床表现和预后来分析，主要是伤筋和骨缝开错所引起，损伤性质还是筋和骨，仍属于外伤的范围。究其病因、病机，多数因强力举重、推车上桥、跳跃攀高、挑抬重物不当以致伤筋和胸肋或肋椎关节骨缝开错。伤筋主要是胸壁附着肌损伤，局部渗水渗血，造成瘀血停滞，致使胸胁胀满疼痛；而骨缝开错，则是因强力引起的自体损伤，以致胸肋或肋椎关节半脱位，当呼吸咳嗽时因胸廓活动，使肋骨端刺激肋间神经而发生胸胁部痛无定处的症状。其治疗以舒筋通络、活血散瘀、整复错缝、消肿止痛为原则。手法用推、揉、拨、摩胸胁部以舒经通络、活血止痛；背法并令患者配合咳嗽，通过胸廓扩张运动以整复错缝；擦胸胁部以散瘀消肿。一般治疗 1 或 2 次，症状即能缓解。如果是气血经络的内伤，仅用手法不可能获得如此快速的效果。而且从迸伤的病因来分析，胸胁部没有受到外力的打击，发生内伤的可能是极少的。愚见望同道指正。

推拿临证随笔

|李　良|

余用推足三里治久呃逆，每每获效。如患者郭某，从1983年6月开始，每月在月经前10天左右即呃逆频频达10～15天之久，如此已一年余。影响其进食、入睡，妨碍休息和工作。在乡、区医院诊断为膈肌痉挛，用中西药物治疗均未见效。于1984年8月来我院就诊，我遂刺耳针交感、神门、胃、枕、膈，配体针内关。留针10分钟，其呃逆未止，所以乏效，均因经气逆上不降所致。余遂用拇指指腹推按足三里穴位，手法由轻到重，当我拇指着力重按穴位时，其呃逆立即消失而痊愈。随访半年病未复发。

又，王某，73岁，1976年8月，因胃病住院继发呃逆症，经用中西药物及转移病人注意力等方法治疗均未见效。邀余往治，见患者慢性病容，神清，呃逆频作，呃声低沉，纳差倦怠，手足欠温，舌淡苔白，脉弱。证系脾胃阳虚，生化之源减少，升清降浊失常，胃中浊气上逆，必须导气肃降。让患者仰卧床上，余用拇指指腹按推患者足三里穴位，手法由轻到重，推按10分钟许，其呃逆胃痛消失。当晚睡眠安然，次早纳谷增进，从此养息而渐痊愈。

余用拿人迎、扶突治疗癔病，亦有佳效。如：朱某，男，33岁，因突闻其妻同婆母吵架，猝然倒地，闭目不语，四肢抽动时重时轻，打针补液两天未愈。余望患者发育、营养尚可，检其脉搏、呼吸、体温、血压均无异常，颈软，四肢关节活动良好，但不能自主摆动，忽屈忽伸。遂诊为癔病。让患者仰卧，余用两手拇、示指指腹分别置于患者人迎、扶突穴位，并将拇、示指相向（抓住患者颈前两侧胸锁乳突肌）用力拿捏，患者神志恢复而痊愈。

又，岳某，23岁，其母代诉：患者早起与婆母吵架，被夫打骂而后突然倒地，闭目仰卧，口中咒骂声重复不休。于1972年7月晚饭后抬送县医院，被诊为癔病而收住院。经补液、镇静等治疗，两天不效，转来我院诊治。见患者仰卧、闭目不动，口中咒骂声不休。其母问她不理，推她不醒亦不动。余用两手拇、示指指腹分别置于患者颈前两侧人迎、扶突穴位，将拇、示指腹相向（抓住其颈前两侧胸锁乳突肌）用力拿捏，导阳明气机顺接，立即使患者恢复了神志，随母步行还家。

“一指禅”推拿治疗不寐

王纪松

患者余某，男，25岁，患不寐16年有余。因幼年稚童时家遭劫难，担惊受怕，夜不敢寐，入枕则胡思乱想，夜阑则噩梦缠身。日久，酿成“不寐”。每日浅睡2～3小时，晨起头晕乏力，动则心慌，忧郁寡欢，懒懒欲睡。长年少寐，又素忌荤食，体虚羸瘦。曾四处寻医，遍服中西良药，终未奏效。遂来吾处，渴望“一指禅”推拿能妙手回春。吾见其面色皖白，毛发无泽，形体消瘦，爪甲不华，眼睑晦暗，苔薄质淡，脉细无力，参合病史，断为气血两虚，血不养心之不寐是也。

治疗虽当宁心安神，然吾之愚见，来者幼年成疾，昔年气血未盛，脏腑未坚，且素家贫，失其调养，致“后天之本”失职。吾本业师“惟健其脾，遂养其血，宁其心，安其神”之教诲，拟健脾和胃，疏理气血，佐以养心之法首治。首选：推中脘、揉天枢20分钟；推伏兔，按揉大腿部胃经，按揉足三里共10分钟；推心俞、肺俞、脾俞、胃俞5分钟；拿风池、风府1分钟。推拿手法向以“重泻轻补”论之，故治虚证，强调手法以“柔和为贵”。

用上法治后，患者当即觉头晕欲跌，疲乏无力，昏昏欲睡，此为体虚不应手法之象。翌日复诊，余施手法更轻，且以推揉中脘主取之。三诊时诉，夜能熟睡4小时，噩梦消失，头晕减轻。吾见其面色转红，精神转佳。且治后手法反应消除，遂增安神醒脑之法。选：推印堂、睛明、太阳，抹前额，抹眼眶，拘太阳，拿肩井等。经12次推拿治疗，患者睡眠每夜增至6～7小时，能食鱼肉之荤，诸症均得到改善，症告痊愈。

（梅　犁　整理）

针灸医话数则

张沛霖

治哮喘

1. 外感之喘，必动静皆喘　用针灸治喘，必先辨新感旧疾，新感重苔，旧疾重脉，而后辨发病之与动静。尝治宋某，哮喘多年，每发必又哮又喘，1981

年冬，忽痰鸣气喘，虽经中西合治，用激素输液常通宵达旦，发作仍不得休止。余诊其脉弦滑已过寸口，舌苔腻中隐黄，观其动静坐卧都不得安定，是动则喘，静亦喘，旧疾又添新感，外邪壅肺宜乎发喘不得止，欲治喘当以治肺，治肺又当治痰，拟开手太阴使肺气肃降，清足阳明以降痰浊，开则用浅，针宜从卫置气，泻必从阴引阳，取鱼际、孔最、丰隆、条口，复取风池以泄风邪，一治而哮喘俱减，脉象弦滑之势亦轻，再取膻中、天突、身柱、列缺、鱼际、丰隆，清肺肃痰，八诊后，患者已哮鸣尽消，复取益肾润肺以善其后。

2. 虚喘治肾肺，当辨脉气虚实　虚喘其病在肺，其源在肾，肾不纳气之虚喘，好静而恶动。针灸治喘，必先辨脉象之正邪盛衰，而后定治肺治肾，何虚何实。1983 年曾治叶某之虚喘。他长期住院达 2 年之久，喘息倚坐，好静不好动，虽起立必喘急不已，两寸口弦紧而两尺部尤虚，寸口弦紧为有浮阳，故眩晕、烦闷不得安，午后并有烦热，盖肺阴已伤，才有上浮之虚热，当从督脉固上越之阳，以身柱补之，而后泻鱼际以平其热，取偏历以助肃降，最后取关元以固肾，一治而气急顿静，病者为之惊叹不已，再诊，复取内关益阴敛阳助肺降痰湿，连治 3 个月，久坐倚息之人，竟能缓缓散步于廊。

治冠心病

1. 治血先治气，气行血自行　冠状动脉硬化性心脏病（冠心病）多见血不养心，心电图示 ST 段压低，取手厥阴活血每能改善诸症，若伴气滞重于血滞，常仅能一时有效，必先治气，而血养才能自复。余治冠心病患者李某，因心电图异常，胸闷、气短、心悸、心烦而来针灸就诊。诊其脉濡而无力，按之不足，并诉长期泄泻，体重不断下降，曾不断治以活血行瘀不效，即按气不率血而气滞血瘀治，其要在气，即取膻中、气海、中脘、大横、阴陵泉以补之；取太渊、大陵、内关以通心肺之气，连治未及 3 个月，患者体重已增加 5kg，其心电图亦转正常。

2. 对急心痛，暖取足少阴，清取足阳明　心病之急心痛，甚者常一厥不已，脉从细数至细促，甚至脉不出。曾治金某在作报告后，突然一阵胸痛，顿觉天旋地转，即送医院抢救，已昏迷，心电图示心肌梗死，经治内关仍诸症不减，待其清醒即细察胸部阳明之里、少阴之外痛不可触，肢清而胸热炙手，即按少阴之厥速泻涌泉，针才下，患者顿觉如释重负而疼痛减轻，继之取照海以善其后，每日 3 次，2 日后已见其心电图改善，深叹针灸之妙在有中医理论之指导。

3. 针可治人，亦可治兔　前年为针灸治冠心病曾以动物作实验，取垂体前叶素强使兔心供血不足，并从中测算致兔心缺血之时间与用药量，并以心电图监之，针内关、膻中、神门，可明显延长引起动物心脏缺血的时间，并可使缺血之心提早恢复供血。显然，针刺在动物实验中同样可以发挥其辨证论治优势。

治中风昏迷

脑溢血血络未安，勿轻易施针刺开窍。习见治脑出血患者昏迷，好施针人中开窍之法，并自以为能。实则对脑出血所致昏迷者，开窍只会导致出血加重。每见此，我即为之痛切。经过读神经科书籍知晓，对脑络之溢血，只可减轻颅内之压力，针灸也仅可配之因势利导，对脉洪大而数、并见眼压稍高者，可速刺关元引火归原，常可减轻脑病之后遗症；若脉已失神或见促脉，亦可取麝香艾热温涌泉，以导血下行，切不可强行开窍。

谈用药之轻重

李孔定

病证有轻重之分，用药也应有轻重之异。疾病如来犯之敌，用药如用兵攻守。敌众力强，我必以大军应战；敌寡力弱，我岂可割鸡用牛刀！所以，一般地说，兵无常数，除大毒药外，药无常量。

仲景先生在这方面为我们树立了典范。如以芍药为例，桂枝加芍药汤、桂枝加大黄汤、小建中汤均用至6两；而麻黄升麻汤仅用6铢。汉制24铢为1两，6两折合144铢，是6铢的24倍。如以甘草为例，炙甘草汤、桂枝加人参汤、小建中汤均用至4两；柴胡桂枝汤、柴胡加芒硝汤均只用了1两，后者仅为前者的1/4，如以药味为例，有少到一味的，如甘草汤、一物瓜蒂散、文蛤散；有多至23味的，如鳖甲煎丸。仲景先生是在故弄玄虚、哗众取宠吗？否！他是明审病情，深通药性，审时度势，恰当用药。用轻用少，无力微之弊；用重用多，无伤正之嫌，可谓“规矩方圆之至也”！

余在临床用甘草组方，一般只用10~12g。一次遇一妊娠5个月之妇，突发上脘剧痛，医以常量之“椒梅理中汤”与服，经日无效，转就余诊。余审其病情急剧，处方宜大宜专，方能顿挫其势。为书乌梅60g、花椒3g、甘草30g，意取乌梅以安蛔，甘草以缓急，蛔安急缓则痛不作，故均重用。一服痛减，尽剂痛止，胎孕无犯。

目睹今之少数医者，有不问病情如何，千篇一律地开大方，并以“兵贵神速”自誉者；亦有不问病情如何，千篇一律地施小量，并以“四两拨千钧”自矜者。两种处方形式，都是一种不察病情，不识药性、不负责任的医疗作风。

现改成都武侯祠赵藩撰书之联以谏之：

能攻书则偏颇自消，从古知医非故步；
不审势即重轻皆误，当今临证要深思。

谈中医的多剂型多途径给药

徐有玲

中医治病并非仅仅是服汤剂，如汉代张仲景的《伤寒论》，治津液不足，大便硬结难下，用“蜜煎导而通之”。宋代严用和的《严氏济生方》治诸疝，外用盐半斤，炒极热，以故帛包熨痛处。明代缪希雍的《先醒斋广笔记》治中暑、大小便不通，用田螺3枚捣烂，入青盐3分，摊成膏，贴在脐下1寸即愈等等。可见古代著名中医治病，重视多剂型多途径给药，对我启发很大。早在20世纪50年代，我鉴于中医对休息痢（阿米巴痢疾）单纯用口服药物，疗效不够理想的情况，倡导口服与灌肠并用的新疗法。休息痢虽病久不愈，耗伤正气，但湿热邪毒滞留肠道，病根在肠，因而率先采用了汤药口服与中药灌肠相结合的方法，疗效显著提高，在症状体征消失、大便性状恢复正常的同时，大便阿米巴滋养体亦转阴。其灌肠中药用：白头翁、苦参、黄柏、金银花、滑石各60g，浓煎成200ml，保留灌肠，每日1次。

中毒性消化不良，病属中医“泄泻”范畴，病儿腹泻频频，腹中雷鸣，下利清谷，多属脾肾阳虚泄泻。我认为“神阙”为任脉本经穴位，任脉是“诸阴之海”，“任”有任受之义，即任脉能受纳手足三阴的脉气，为足太阴脾、足少阴肾的主要通道。采用温里祛寒的公丁香、肉桂、白胡椒，等分研末，以蜂蜜调和为丸塞神阙穴（脐中），以加强脾胃功能，从而达到加速温中止泻的目的，这种外敷神阙与口服灌肠并用的综合疗法，其疗效较单用口服药者为优。

近年来，我们对关格（慢性肾炎尿毒症），采用中药参麦注射液、丹参注射液静脉滴注，以益气活血；大黄、当归浓煎成200ml，保留灌肠，以通腑泄浊；结合口服汤药，疗效较前确有明显的提高。

临证违时用药小议

高 德

天人相应，人与自然息息相关。人之生理顺应四时之序而变，随一日十二

时辰序进而异，人之病理亦同此理。故随四时之移变顺时用药，或宜或忌，殊为重要。如春宜升发，忌过温补；夏宜清暑益气，当忌辛燥；秋宜淡渗利湿，最忌滞腻；冬宜温补，尤忌辛寒。对此常理，医者每每遵奉而不敢违乖，故为其常。但临证违四时之宜忌用药，即如春用温补、夏用辛燥、秋用滋补、冬用辛寒之变例，并不罕见。

曾治一老翁严冬外感，其症见发热重恶寒轻，鼻塞流浊涕，咳嗽吐黄痰，口略干渴，小便稍黄，舌质红苔白，脉象浮滑。前医以高年伤寒，其病在表，循常法以五积散加减治之。二诊时病人恶寒不除，口干思饮，时时心烦。以风温表证不解有化热之势，改用银翘散加黄芩。服药2剂，初服觉舒，药尽外邪即解，经调理获愈。

另一壮年男性，时值盛夏来诊，主诉下半身寒凉若冰，入夜尤甚，虽气温达38℃，必以重衾裹护方能安寝。询之饮水不多，舌质淡红，脉象细涩。此证属血虚寒凝，即予当归四逆汤。由于时值酷暑，不宜辛燥，方中细辛、桂枝用量甚微，且嘱药性温热，服后有不良反应即当停药。3日后复诊，患者述3剂服尽，未见不良反应。故大胆予当归四逆加吴茱萸生姜汤并加制附子，连服二十余剂，诸症日渐缓解。

以上违时用药之例虽极一般，但提示临证用方遣药，不可不顺时之宜忌，亦不能不知违时用药之权变。违时用药实系依病人所患病证立法而定。究其冬病温、夏病寒之因，主要有二：其一，病人素质有异。素为寒体，虽盛夏感邪患病，证属虚寒，当不忌温补；素体阳盛，虽严冬外感得疾，证为风温，或受寒而化热，则不忌辛凉或苦寒。此依证用药，虽变实常。其二，原发病因与引起人体病理的性质不相一致。其外感寒邪而入里化热；虽受外热而引动体内之虚寒，均应依证用药，切不可舍证而顺时。可见，用药不可不知天时，又不可拘于天时而不辨病人所患之病证。凡临证能全面权衡病人、病证、天时者为良医。

君臣佐使琐谈

禹新初

主病之谓君，佐君之谓臣，应臣之谓使。其中将“臣”与“佐”混为一谈，殊不可解。

历代医家对君臣佐使，虽各人体会不同，但对臣、佐混为一谈均无异议。如张景岳认为，君药味数少、分量重；佐君者谓之臣，味数稍多而分量稍轻；

应臣者谓之使，数可出入而分量更轻。张隐庵认为，《神农本草经》计360种，以上品120种为君，主养命以应天，无毒；以中品120种为臣，主养性以应人，有毒无毒；以下品120种为佐使，以应地、多毒，不可久服。独喻嘉言认为，药性论以众药之和厚者定为君，其次为臣为佐，有毒者多为使。此说殊谬。设若削坚破积，大黄、巴豆之辈，岂得不为君耶！

后者清代康熙时名医，衡山熊良廷撰著的《加注医方集解》一书，其中所引《内经》原文对于君臣佐使的含义有很大出入。如所引《内经》云："主病之谓君，辅君之谓臣；反君之谓佐；奉君之为使。"君、臣、佐、使，含有主、辅、反、奉之义，其义较长。但遍查现存《内经》各种版本，均无此言。可能系错简脱落所致。

熊氏认为："《内经》制方，不离君臣佐使，先点君药主病，次选臣药辅君，又次拣使药以听君臣差遣，然后凉入佐品，以斡旋君臣气性之偏，庶使病邪去而药毒不留，后易善而元易复也。反者，气性与君性不同也。不同者，如君性寒而佐性热，君性补而佐性泻，君性急而佐性缓，君性暴而佐性和也。"似此，处方时首先考虑君药、臣药、使药，然后考虑佐药，含义明确，思路井然，较景岳、隐菴、嘉言之说有过之而无不及。

当然，熊氏之言系一家之言，或未可为据。在此之前，《柏斋三书》亦有类似的见解。如云："主治者君也，辅治者臣也，与君相反而相助者佐也，引经及引治病之药至于病所者使也。如治寒病用热药，则热药君也。凡温热之药，皆辅君者，臣也。然或热药之过甚而有害也，须少用寒凉药以监制之，使热药不至为害，此则所谓佐也。至于五脏六腑及病之所在，各须有引导之药，使药与病相遇，此则所谓使也。"柏斋此言，对臣、佐意义的诠释，当有所本，虽未引《内经》原文，亦可以熊氏之所引证之。

忆昔阅读古典方书，有云某方主治某证，方中各药均协调，独有一二味药相戾者，或率皆予以加减或指摘。观此，始知多因不明臣、佐意义所致。

组方遣药弊端种种

周少逸

组方遣药是中医治病的手段之一，但它是在辨证论治的基础上，结合季节、地理、个体差异等因素，灵活运用，以求达到预期的目的。实践中亦有事与愿违者，究其因甚多，兹略举数端。

方药未改，剂量有变。临床上辨证无误，按是证用是方，未取效者有之。

查方药虽与证合，但剂量有出入，失去组方原意，其功效必异。如桂枝汤用于太阳中风，若重用芍药则变为桂枝加芍药汤，为治太阳病误下，腹满时痛者；若桂枝重用则成为桂枝加桂汤而治奔豚。又如桑菊饮、银翘散之治外感风热，药量比例变通过大，其效亦差。故运用经方、验方时应注意各药用量之比。

方药组成，精炼周密，用之得当，其效如桴鼓。曾治数例柴胡桂枝各半汤证，病期均逾半月，但其证仍在，投上方乃验。又如用某方治某病（证），因随证加减时，误删主药或辅药，既不成方，收效必微，方药组在法则，不可偏废。

未究病因，未求其本。疾病的发生发展，有形于外，有藏于内，必须洞察表里，审证求因，立法施药。临证中有未效者，其因之一是未求其本。更年期妇女，时时升火，烘热汗出，若以调和营卫论治，药不中肯，必难取效。若以冲任虚损论治，疗效甚佳。

轻重缓急、主次不分。病有先后缓急，治分先后主次。若临证稍事疏忽，必致方药杂乱，顾此失彼，怎能中的。

药力不专，难达病所。纵观方药，与证尚符，为何疗效不显？其因之一，乃药力不专之故。有云："有是证用是药"，此言无错，殊不知药有专长，其效不一，力薄效微，力专效显。如治阳明里实证用三承气汤通腑泻热；治阳明经热盛，投白虎汤清热生津，见效均速。故医治疾患，宜选用药力专，作用大者，务求药达病所，冀乎药到病除。

倡导精方简药

|张琼林|

个别医者出于好心，全面照顾，用药往往易取难舍，易多难少，形成十几味或几十味泛泛无主的大方。或辨证不明，胸无定见，因症增药，运用"药海战术"者，亦屡见不鲜。殊不知药杂则力不专，且能互相牵制。企图面面俱到，终致事与愿违，而犯了"治病不知药方"之忌。药贵精专，法重配伍，先贤传统制方，每以味少量足者居多，其针对性强，能以击中要害。据统计，8 味药以内的方剂，《伤寒论》占 94.7%；《金匮要略》占 92.7%；《肘后方》占 82.2%；《普济本事方》占 72.2%；《世医得效方》占 76.3%；《医学衷中参西录》占 86.2%……。唐太宗气虚下痢，百药无效，服用牛乳汤（牛奶、荜茇）治愈；欧阳修久泻不敛，法罄技穷，服用车前子散、米饮汤，霍然；黛蛤散止

嗽神奇，还免了太医李防御问罪之死(《医说》)，足见精方简药，效专力宏，有利于提高疗效、总结经验，并能节约药材，所以值得提倡。

用方服药琐谈

李济仁

择方不易，用方更难。选方如同选兵，用方如同布阵。若选方精良，而用方失法，亦难克敌制胜。故用方之法，医者不可不究。如能全面运用理论知识以指导用方和服药，常可获事半功倍、出奇制胜之效。今就此略叙一二。

其一，要注意据证选择方药剂型，方药剂型多种，作用特点各异，显效或快或慢，作用时间或长或短，汤、散、膏，凡须灵活择用，切勿惟汤是从。如治胃炎和上消化道溃疡，与治体表的痈疡疮疖有相似之处，应选用散剂空服，且服后 2 小时内不进食为善。这样，药散在胃内停留时间较长，充分发挥局部性保护和治疗作用，犹如外证之外敷药一样，从而提高疗效。我常以乌贝及甘散与黄芪建中汤改散交替服用，以治疗胃部虚寒性溃疡，获效甚捷。

其二，要选择最佳服药时间。《内经》曰："阳气者，一日而主外，平旦阳气生，日中而阳气隆，日西而阳气已虚，气门乃闭"。又曰："夫百病者，多以旦慧昼安，夕加夜甚"。这说明人体气血阴阳之生理活动与病理变化无时不处于动态之中，故服药也应结合这些特点，选择最佳时间，以充分发挥其功能。如治肝病，以睡前服药或服药后即卧床休息疗效最好，因"人卧血归于肝"，药物的有效成分是溶解在血气中发挥作用的。

其三，数方并用时要定时分服。疾病多种多样，病情错综复杂，常有一人同患数疾，或新疾、旧病交织，有时治疗须多方兼顾。对此，应定时分服，避免药物相互拮抗。如治一妇人崩漏，其证夹瘀，但失血已久，正气早虚。治当祛瘀补虚，我以八珍汤补气益血、失笑散祛瘀止漏，分开服用，以避人参与五灵脂相畏之戒，药后即效。

方药重叠随笔

陈松筠

《内经》13 方，《伤寒论》112 方，以及《金匮要略》诸方，用药极为精简。唐宋以后，《千金方》诸书所载方剂，药味既多又重复，如"韩信将兵，

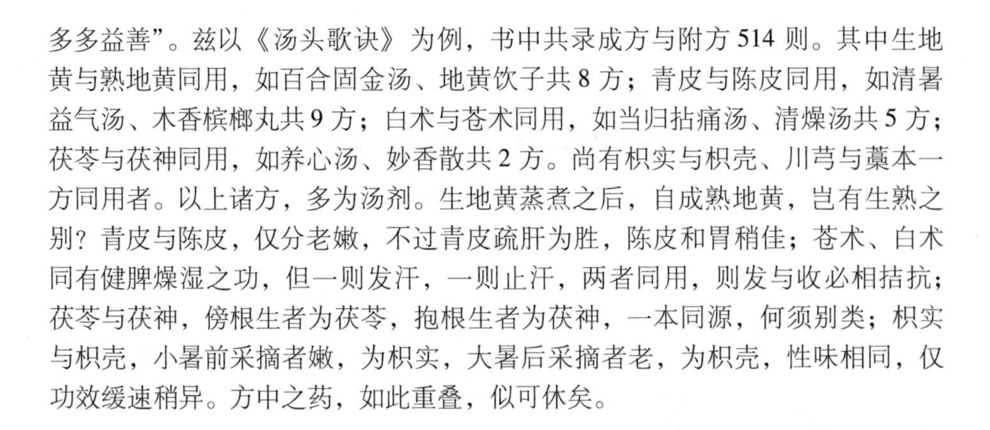

多多益善”。兹以《汤头歌诀》为例，书中共录成方与附方514则。其中生地黄与熟地黄同用，如百合固金汤、地黄饮子共8方；青皮与陈皮同用，如清暑益气汤、木香槟榔丸共9方；白术与苍术同用，如当归拈痛汤、清燥汤共5方；茯苓与茯神同用，如养心汤、妙香散共2方。尚有枳实与枳壳、川芎与藁本一方同用者。以上诸方，多为汤剂。生地黄蒸煮之后，自成熟地黄，岂有生熟之别？青皮与陈皮，仅分老嫩，不过青皮疏肝为胜，陈皮和胃稍佳；苍术、白术同有健脾燥湿之功，但一则发汗，一则止汗，两者同用，则发与收必相拮抗；茯苓与茯神，傍根生者为茯苓，抱根生者为茯神，一本同源，何须别类；枳实与枳壳，小暑前采摘者嫩，为枳实，大暑后采摘者老，为枳壳，性味相同，仅功效缓速稍异。方中之药，如此重叠，似可休矣。

研究复方重要

| 贝叔英 |

“治偏痛冲剂”来源于清代陈士铎《辨证录》中的“散偏汤”。它由川芎、白芍、白芷、白芥子、柴胡、香附、郁李仁、甘草8味药组成。数年来用以治疗偏头痛症已达数百例，疗效相当显著。

川芎一般用量3～10g，但该书原方剂量达30g之多。《本草衍义》曾说：“芎䓖今人所用最多，头面风不可阙也，然须它药佐之”。为了探讨治疗偏头痛有效是否为一味川芎的作用，我们曾用单味川芎注射液和冲剂的前身“治偏灵针剂”作对照观察，结果证明“治偏灵针剂”的疗效远比单味川芎注射液为好，并且没有不良反应。在用4只狗作药理实验过程中，单独使用川芎注射液的剂量仅超过一倍，实验狗就发生抽搐等中毒现象；而“治偏灵针剂”的剂量加大到3倍，实验狗竟未发生不良反应。这说明本方除川芎在起镇痛的主导作用外，其他各药，如柴胡、香附、白芥子理气涤痰，散结和解；白芍、郁李仁、甘草柔润缓急，诸药合用，相辅相成，红花绿叶，相得益彰，既能加强镇痛功效，又避免了不良反应，说明使用中药复方的优越性。因此，当前研究中药，弄清其化学成分、结构式是必要的。但是，怎样进一步发挥祖国医药学传统的理论优势，挖掘历代用之有效的大量中药复方，使它们更好地为振兴中医事业服务，为人民健康造福，似乎更为重要。

药物剂量应有规范

|李浚川|

当前中医药的流弊之一是处方剂量混乱，毫无规范可言。特别是以竟相用大剂量为能事，各行其是，不受任何制约。忽视教科书之规定固不待言，即国家颁行的《药典》也不屑一顾。医者每以重剂而矜高手，患者则见而赞其胆识，以之相沿成风，愈演愈烈，莫之能制。诚然，多数植物药其性缓和，稍重无妨。而多数矿物药（有毒者除外）或动物贝、甲类，均质地重而又难溶于水，用量虽大至数倍乃至十倍，亦未尝有害。然而以偌大分量之药剂投入一般煎药罐中，虽不太满，也所余无几，因而加水不多，煮沸即溢，再煎则干，药物之有效成分不能充分利用。如此不仅造成药物之极大浪费，且于医疗毫无裨益，甚至适得其反、贻患无穷。嗟夫，费药误病，莫此为甚！余为之痛心疾首，不得不大声疾呼者，以此。

用药轻重小议

|屠揆先|

药量的大与小，本来应按病邪的轻或重为准则而定，即温邪之较轻者，在剂量上可以小一些；温邪之较重者，在剂量上宜大一些，似是无可争论之处，但亦有认为小剂量可以治大病者，其理由是《内经》载有“轻可去实”，吴鞠通在《温病条辨·上焦篇》银翘散条下有“药重反过病所”之说。其实，“轻可去实”应解释为药物之质轻味薄者，可祛在表之实邪，不应看作是用轻小剂量治大病。至于“药重反过病所”之说，更有值得思考之处。因为药物有一定的性味、主治和归经等作用。主升的药毕竟主升，主降的药毕竟主降，因药量的轻重不同，产生的作用不同是理所当然的。但不可能因用量的多寡而改变药物的本性。如瓜蒌仁主降，不会因多用了而变为主升。桔梗主升，不会因多用而更为主降。因此，温热病在上焦时，不会因用治上焦温病药物的量较重反而失效。当然，邪之轻者，可以按吴氏在用银翘散中的说明进治，不一定要用大剂量。如温邪较重时，银翘散的用量必须加重，甚至还要配合其他清热药物。不要因吴氏“药过病所”之说而有所掣肘。笔者认为吴氏“药过病所”之说，只能认为是轻邪不需用重剂的解释，不能作为所有上焦温病都不能用重剂的规

律。又如吴氏说："芩、连里药也，病初起未至中焦，不得先用里药，故犯中焦"。此说亦值得怀疑。据笔者多年来的临床体验，黄芩为清上焦肺热之良药，有时于银翘散中加用之，其解热之效更著。黄连能清心经之火，亦可清上焦之热，按脉证分析，只要确实是温热病，必要时可以加用黄芩、黄连。"故犯中焦"或"引邪入中焦"之说，在笔者的临床工作中未有所发现。笔者于治疗重症风温时（大叶性肺炎或小叶性肺炎），用大量银翘散，再加黄芩、一见喜而取效。未见"引邪入中焦"。故我认为吴氏"药过病所"及"故犯中焦"之说，只能作为轻病用重药者戒。因为轻症用大剂量药物，不仅浪费药材，或不免伤正。但绝不能认为上焦温病之重者，用小剂量药物即可，从而造成杯水车薪之差。

汉药之秘在药量

| 黄绳武 |

辨证、立法、处方、用药固然关键，然用药之剂量亦不可忽视。如组方的药味相同、药量不同，其功效迥异。如《伤寒论》中小承气汤和厚朴三物汤之别。日本人渡边熙说："汉药之秘，不可告人者，即在药量。"一语道出真谛。如辨证精当，处方用药丝丝入扣，惟剂量多寡被忽视，不但达不到治病的目的，反而变生他证。更有甚者，妄以重剂以取速效，结果功未获奏，害已随之。临床上如此种种，屡见不鲜。余曾治一少女，年方 18 岁，素来月经不调，经行淋漓不尽，此次突然经行发热，已历 7 日，体温均在 38℃左右，而太阳穴痛，口苦，身痛，以胸胁为甚，月经量少，色黯如渣，便溏尿黄，舌暗苔腻，脉弦细数。曾服感冒冲剂、清热解表汤药、病毒灵等无效。余观之，患者素来经行淋漓，必重伤精血；经行发热，无恶风、鼻塞、咳嗽等表证，而反以汗解，然解表之药辛而发散，伤津损液，重虚其虚。经行之时，血室正开，经血外泄，肝血骤虚，外邪乘虚而入与正气相争，搏于血室，虽无腹痛经断，但经行量少，色黯如渣，伴口苦，两太阳穴痛，胸胁不舒，可见病在少阳，热入血结，但血结不深。治热入血室一证，虽有血丝但不宜一味活血攻破，恐伤正气。虽有外邪不宜辛散解表，恐发散伤阴，只宜和解。当务之急在于透邪外出，拟小柴胡汤和解少阳，加荆芥炭引血归经，赤芍清热活血，直入血分治其血结。处方：柴胡 12g、黄芩 10g、荆芥炭 6g、生姜 2 片、大枣 5 枚、党参 12g、甘草 6g、赤芍 10g。第 3 日复诊，患者体温仍在 38℃以上，余症有增无减，仅腻苔消退。药证吻合，缘何不效？余细问病者，方知当天服第 1 剂后，体温下降，身胸亦

觉舒展，患者治病心切，第2日连服2剂，故今晨体温升高，余症增剧。余细细琢磨，柴胡功效甚多，其用多途。然取用不同之功效，其用量应随之而异。疏肝解郁只宜轻量。升阳举陷亦应少少与之，解肌退热又宜重剂。虽言重剂，但不宜过量，且要因人而异。叶天士在疟门113例中均弃柴胡而不用，认为柴胡劫肝阴。余认为柴胡虽性味苦寒，但主升主浮乃升散之药，至少不养阴，过服柴胡必有耗阴之弊。患者本已津血大伤，现又过服柴胡，何能托邪外出！观患者仍口苦、胸胁痛、两太阳穴痛、尿黄。可见病仍在少阳，必变其法而治之，非大补阴液不足以培补耗损，托邪外出，必滋阴之中行和解之法。处方：白薇10g、玉竹12g、青蒿10g、赤芍10g、荷叶一小块、晚蚕沙10g、生牡蛎20g、连翘10g、甘草6g。今去柴胡改用青蒿，亦入少阳之经，舒肝气，透少阳之邪外出，其味苦性寒气禀芳香，芳香而具有苦寒性者，除此别无他药，适于血虚而有热之人，而无劫阴升肝阳之弊。白薇凉降，入肝经清血热，退热又利小便。余在临床上对肝郁化火者，往往用白薇清解肝经郁热，亦能治邪在半表半里而兼阴虚者。明《本草经疏》载有“凡温疟、瘅疟久而不解者，必属阴虚，除疟邪，药中加白薇主之则易瘳。”玉竹柔润，味甘多脂，能养阴生津清热。玉竹、白薇乃治阴虚外感之加减葳蕤汤主药。以上三药同用，意在滋阴与透邪并举。余味皆对症用药。服药后患者体温连连下降。第2天体温正常，阴道出血转红，3天后诸症消失。

古方今用杂谈

王足明

经方、时方是古代医学家长期医疗实践的结晶，用以疗今病，无疑有效。然今古相去甚远，移年履革，疾病多变，若泥于古方，不知加减变通，非但难效，反疑古方不能治今病，是谓胶柱鼓瑟。吾于临床中喜用古方，但以有是证便用其方为原则，更主要的是视病情轻重缓急、标本先后灵活化裁。或一方之中药味损益，或一方之中药量增减，或合数方之药为一方，或改丹散为汤，或易汤丸为膏。于是者，临床中才能得心应手，奏效迅捷。

如天王补心丹是治疗心阴亏耗之有效方剂。药由生地黄、天冬、麦冬、当归、柏子仁、酸枣仁、党参、玄参、丹参、五味子、远志、茯苓、桔梗、朱砂组成。现今常用于治疗神经衰弱、神经官能症、某些心脏疾患及精神分裂症后期等属于心肾阴虚的患者。临床以心悸、心慌、烦躁失眠、多梦健忘、精神疲倦、虚热盗汗，口舌生疮、遗精便结、舌红少苔、脉细数等为特征。吾于临床

运用时，常改丹为汤。因嫌其药味偏多，加之天冬、柏子仁之功效分别与麦冬、酸枣仁基本相同，故一般弃天冬、柏子仁不用，因其主治阴液亏耗，故生地黄之用量最重，而桔梗为引药，用量最轻；茯苓有益心安神之效，但有渗利伤阴之弊，用量宜酌减，且常以朱砂拌之，能获养心安神之效；心悸心慌、失眠多梦之甚者，当加重酸枣仁，另益龙齿；虚热盗汗，常加煅牡蛎、浮小麦；胸前疼痛，重用丹参，甚或加少许乳香、没药通络止痛。大便燥结之甚者，去酸枣仁，重用柏子仁、玄参。如此等等，于一方中之变通，可见一斑。

又如桑菊饮辛凉解表，本为治疗外感风热、邪在肺卫之方。临床每遇高热不解、咳嗽气喘、鼻翼煽动、烦躁口渴、大汗或无汗、舌红苔黄、脉滑数等属现今之肺炎患者，无分男女老少，吾于该方之中均加入麻黄、生石膏两味，常常取得药到病除之效。实质上，该方即由原方麻杏石甘汤、桑菊饮组合而成，是二方合用之意。

再如治胃脘痛。若见上腹痞闷疼痛、嗳气频作、嗳后较舒、伴见呕哕等胃失和降者，吾常以旋覆代赭汤、百合汤、丹参饮三方合用；若上腹疼痛、痛连两胁、心烦善怒、口干口苦等肝郁犯胃者，则常以四逆散、百合汤、金铃子散合用；若胃脘骤痛、形寒畏冷、肢冷不温、口和不渴等客寒犯胃者，又常以香苏散、良附丸、芍药甘草汤、百合汤等合用，均可取得满意疗效。

以上乃吾数十年来运用古方治疗今病之点滴经验，虽不足挂齿，但冀乎抛砖引玉矣。

（凌可与　整理）

从银翘散袋泡剂谈保持传统剂型的意义

| 汪新象 |

银翘散是《温病条辨》治疗太阴风温初起的首方，验之临床，效果令人满意。原方剂型为散剂。散者，散也，即用散剂微煮取其轻扬之气以散上焦卫分风热病邪之意。原书称之为辛凉平剂。

1948 年春初，四川古蔺县龙山镇，适逢风温流行，多数患者因贫病交加，无钱医治，为了解除病员的疾苦，减轻费用，我乃仿银翘散的制法和服法，加入藿香以芳化表湿，滑石淡渗里湿，每用 30g 以芦根汤煮服，治病甚众，效果良好，费用低廉，远近传扬。解放后 20 世纪 50 年代初，温病流行，山区西药少而价高。无论门诊或下乡巡回医疗，投此散而获痊愈者十之六七。

将银翘散变成汤剂，效果也好。可是 20 世纪 70 年代以来，银翘散的剂量无限增大，不仅将原书三四天的量作为一日量，而且把金银花、连翘各30g倍加为各60g，自谓加强清热解毒功效，殊不知汤剂久煎，药效挥发，疗效并不比散剂每用30g理想，同时浪费药品增加病人的负担。

目前中成药厂已将本方制成片剂、丸剂，服用方便，但生效不如汤剂快。有人用紫苏叶、葱白等煎汤吞服，确可加快生效速度。但汤、丸合用也较麻烦。

甲子仲冬我出差昆明，途中感染风热。喜友人送我重庆中医研究所精心研制的银翘散袋泡剂，每包不足5g重，开水泡服，其药液橙黄色而透明，清香可口，且效果良好，我认为这对中药剂型改革是一个突破，既保持了散剂的传统，服用方便，效果良好，又省药料和费用，具有经济效益和社会效益。如果能将古代许多临床效果肯定的煮散剂（如四逆散、五苓散、藿香正气散、逍遥散、天水散、人参败毒散、五味异功散等），仿照银翘散袋泡剂的方法进行剂型改革，对于保持和发扬中医特色，发展中医学术，振兴中医事业，一定会做出贡献。

谈谈泡药的应用

王秋琴

传统服汤药之法，人皆煎之，吾临床二十多年来，每每采用“泡”法。

药物各自具有“气”与“味”，根据病情，有重用其气者。有重用其味者。病在上时，往往需让药物上行，药物不煎而“泡”，它重用药物之气，药被滚水一泡，其气便清轻上行。无论感受风寒或风热，或肺胃阴液不足，症见咽痛或咽干、口渴欲饮、咳嗽、鼻塞、喷嚏、鼻流清涕或黄浓涕、目赤、头痛、口舌糜烂等，均可采用不同方药泡服之。若感受风寒，症见头痛、鼻塞、喷嚏、流清涕等，用紫苏叶3g、生姜2片、苍耳子3g、白芷5g、葱白3根。若感受风热，症见咽痛、头痛、流黄涕、喷嚏等，用金银花4g、麦冬3g、桔梗2g、生甘草3g、辛夷4g（或苍耳子4g）、薄荷叶2g、桑叶6g（或荷叶10g）。若阴液不足或兼有风热、咽喉干痛，予玄参5g、麦冬5g、桔梗3g、生甘草3g、沙参5g。若肺胃有热，致口舌生疮、糜烂，予石膏10g、金银花5g、玄参10g、胖大海3～5个、生甘草3g。若兼大便干结，加生大黄3g；口渴欲饮，予玄参5g、麦冬5g、沙参10g、天花粉6g、乌梅3g。

方法是：将药备好放入杯中，取沸水倒入后，加杯盖（与泡茶同法），10分钟左右便可饮用。其法方便，只要有开水处，便可坚持服药，尤其适于外出旅游及出差的外勤人员。泡药之剂量小，药味少，节约药物，病轻邪微者，用此轻剂，更为合拍。

读“勿药有喜”后

王明辉

夜读医书，偶涉《易经》，中有“无妄之疾，勿药有喜”之句，阅后浮想联翩。

医之与药，如形影相随，有医即有药，药原为治病而设。但古今某些医师或病者，却无病而用药，攻伐无辜，殊属可叹。

人有病，当以药石攻邪或养正，若体健无病而妄投药石，则非惟无益，反可伤害正气。故无病则不用药，此为上策。《易经》有云：“无妄之药，不可试也”，即此之谓。

有人谓：“有病该药补，无病更好补”。此言不对。有病不一定用补药，正虚虽可补，但虚有阴、阳、气、血之别，切不可血虚补阳，阴虚补气，南辕北辙，药不中病。无病更不可嗜补，因补气、补血、补阴、补阳，诸药品种繁多，功效不一，若补之不当，非仅不能受益，更可变补药为“毒药”而伐体，不可不慎之又慎。古人云：“药补不如食补”，观此，则知食补近人生理，易收实惠；无病之药，切不可试。

近世有提倡治疗试验者，当某病难确诊时，医以对某病的有效药试治，如以砷、汞剂试治梅毒，以氯霉素试治肠伤寒等，愈则可赖以确诊此病，故又名为药效诊断。从中医“勿药有喜”的论点来衡量，此类药疗试验应尽可能不用。因为，幸而治愈，亦难确诊为某病，不幸不愈，则更可能横生他疾，故“先议病,，后议药”的医家古训，为喜作药疗试验者投了一剂“醒脑药”，理应从中获得有益的启发。

处方务求正规

许子建

1959年秋，学员马某患太阳病，头痛，项背强，恶寒，不汗。就诊，我处以葛根汤加味，复诊时患者自诉，服上方后症减，惟出现呕吐。我想方中无涌吐药，为何呕吐？随后向药房查询，始知将方中“甘葛”，误认为“甘遂”了。

1963年秋，我到安徽省合肥市参加会议，当时有杨姓患者求治。我返回昆明后，患者来信叙病索方，我寄去的方中写有“败酱”一味，旬日后，患者来信询问："败酱"是否即"腐败之酱"？我复信把败酱的科属、形态及性味功效一一说明，并表歉意。查《神农本草经》在中品里收载有"败酱"，故处方写做"败酱"，并无错误。但某些地区的中药店，对"败酱"不甚熟悉，因而不配方，耽误治疗。为了避免对本品药名产生误解，从此我写处方用"败酱"时，则改写为"败酱草"。

常见有某些医生处方，写山药为"毛条"或"光条"，写肉苁蓉为"大云"。这些都是商品别名，并非中药正名，不可混用。更有写"茯苓"为"茯0"者，有写远志为"小草"者。"小草"固然是远志的别名，但药店不知，误认为"小草"即甘草之细小者，将它配入方中，岂不误事！凡此种种，所见不鲜，故中医处方，务求正规、药名要写正，剂量要写明。

中药名的避讳

许子建

在封建社会里，为了避皇帝的讳（即皇帝的名字），凡写作文章、著书立说，以及使用人名、地名、药名等，都必须避让帝讳。

例如，楚汉时，有个谋士名蒯通的，他原名蒯彻。后来因汉武帝名叫刘彻，史家为了避"彻"字之讳，便将"蒯彻"改称为"蒯通"（"通"字和"彻"字，意义相同）。

又如《伤寒论·太阳篇》（宋本273条）："必胸下结鞕"句，原系"胸下结坚"，后来由于隋文帝名杨坚，避"坚"字之讳，改为"鞕"字（"坚"和"鞕"，字意相同）。

常山（在今河北省境），原名"恒山"，因汉文帝名刘恒，避"恒"字之讳，则改称为"常山"（"恒"与"常"同意）。到了南北朝时，北周武帝灭北齐之后，仍复恒山原名。

金代著名医学家张洁古，据《金史·方技传·张元素传》："三十七，试经义进士，犯庙讳下第"。——即因在试卷中冒犯已故皇帝的庙号而未被录取。

像这些避讳的事例，历朝各代都有，不胜枚举。再联系到中药药名来查考，也很突出。

清圣祖康熙皇帝，名"爱新觉罗·玄烨"，为了避"玄"字之讳，凡使用"玄字"时，应一律改写为元（"玄"与"元"，读音相近）。如中药的"玄参"，则改称"元参"；"玄胡索"，改写为"元胡索"；"玄明粉"改为"元明粉"；"玄精石"，改做"元精石"。

此外，如旧社会的启蒙读物《千字文》（相传为南朝·梁·周兴嗣撰），开头一句“天地玄黄”，也相应改为“天地元黄”。

时至今日，凡中药由于避讳而改名的，应一律归还本名为是。如上述的玄参，玄胡索，玄明粉、玄精石等。

服药方法琐议

张笑平

众所周知，影响中医治病效果的因素甚多，治疗及时与否，审因度势准确与否，立法组方恰当与否，乃是其中三大关键性因素；而诸如所选用药物的品种、剂量、炮制、配伍、方剂的剂型、服法，汤剂的煎法等等，也是不容忽视的因素。仅就服法而言，为了使不同的方剂能够针对不同的疾病更好地发挥治疗作用，《伤寒杂病论》曾在其所载绝大多数方剂的方后语中详注服法，或予含咽，或予顿服，或一日 1 次、2 次、3 次、4 次分服，或昼夜分服，或逐次加量服，或抢在疾病发作前服，或温服，或分借浆水、酒等送服，或更于服后啜热稀粥或多饮暖水等，可以说这是从服法上对辨证施治所作的补充。

清代徐灵胎为突出服法的意义，进一步指出：“方虽中病，而服之不得其法，非特无功，反而有害”。乍听起来，似乎言过其实，但若证之于临床，此话实有道理。比如，对于已伴有频繁呕吐的梅尼埃综合征等病症，惟有缓缓呷饮药汁，病人才能受纳；倘予顿服，非但加重呕吐，而且耗散气阴。对于肺炎、中毒性细菌性痢疾等危重病症，又只有增加服药次数，缩短服药间隔时间，才能维持血液中的有效药物浓度；反之，若仍沿用一日一剂、早晚分服的服药方法，势必难以控制或扭转急剧发展的病势。我在采用一日一剂、早晚分服方法治疗冠心病、早搏等病症过程中曾发现，尽管辨证无误，药证不悖，诸症已趋明显好转，然患者却诉每于晚上进药前的一段时间内诸症竟常反复。思之良久才悟出这一反复乃因服药间隔时间过长所致，遂改嘱一日进药一剂半至两剂，三至四次分服，前述“反复”即获消失。不过，绝不能将两剂并作一剂早晚分服，因为这样既无助于维持血液中的有效药物浓度，又易使其中某些攻邪峻品引起毒副反应，可见增加每剂药量与增加服药次数意义不同。

此外，我根据时间生物学所揭示的各种节律变化的原理和一日内阴阳自然消长的规律，对于辨证属于阳虚或阴虚的病证，需分投补阳或补阴方药者，曾试用清晨或傍晚一次服药法，似比常规服药疗效更好，惟病例尚少，有待进一步探索。不论怎样说，当前不据病情轻重，病势急慢，方药峻缓而一律予以 1

日1~3次分服的方法，实有碍于疗效的提高，应亟待改变。

“成方医”误人说

黄少华

发掘宝库，振兴中医，为我辈志士同仁之重任，当勤求古训，严谨治学，精心临证，审谛覃思为是，然医林中无道之人多矣。

有的同道，临诊省疾，谈笑风生，诊病处方之速实令人惊诧，病家病情述之未尽，医者方药处之已毕。更有甚者，惟省事之图，不问童叟男女病证异同，凡感冒，皆予感冒茶；诸眩晕者均给天麻丸等等，如此，人称“成方医”是也。古人尚感“医之病，病方少”，我等岂可千病百证，皆以“中成药”临证？况“中成药”亦应辨证才是。反此，轻者病必不除，重者病益重笃，甚者终至不救，此前车之鉴，必当谨守。

笔者得遇一证，深知“成方医”误人之举。

王某，男性，年近花甲，因工作发奋，耗血伤心，突发左半身不遂，患肢拘挛不伸，筋脉紧硬，辨证乃气血亏虚、筋脉失养之属，处补阳还五汤予之。患者服药1周，不效。重观其脉症，患前症不疑，只是血（阴）虚之证益甚，仍拟前方重用黄芪，取益气生血之意，服5剂，仍不效，且患肢拘挛有所加重。余大为不解，反复推敲，不得其果。一日偶至病所，见患者服用大活络丸，详问某医所嘱，每日3次，已服数盒，医曰“所治必效，服数盒保病愈”，余大悟矣。

中风偏枯之手足不用有拘挛和弛软两种证型。就拘挛而论，临床常见的有筋脉失养和风痰阻络之分。对肝风内动、风痰阻络者，大活络丸可治；而气血虚弱、筋脉失养者，实为大活络丸之禁忌。所以然者，以金石虫类温燥耗阴伤血故也。

古人有训：“夫任医如任将，皆安危之所关，废四诊者，犹瞑行之瞎马。”

上工良医，代有人在，未见一病诸因皆以一种成方药而成名者。病有寒热虚实，药有汤丸——膏散，汤剂急用而善走上解表，丸者缓也而善行下入内，散剂多走中焦或外用，皆各司其守。固非耳目之所察，须详审而分之。

改革剂型，为发展祖国医学的重要一步，然万变不离其宗，辨证施治，辨证施药（剂型）为临证之首务。得此者，得道也；失此者，悖道也。成方医者，当不思之乎。

经方时方不可偏废

| 沙一鸥 |

有的医家习惯用经方，有的喜爱用时方，正由于其运用各自有得。用得经常，用得纯熟，对某一方一药的利弊得失，能掌握其正、反两方面的作用，得心应手，深信不疑，就形成了偏爱，这是事理之常，原毋足怪。至于后世硬列他们为经方派、时方派，已属多事，而他们自己有时也相互指责，相互讥讽，这就是偏见了。其实，时方是在经方基础之上发展起来的，他们有着继承和发展的关系。经方药味少，配伍精当，功专效宏，这是古人集经验之大成，得之匪易，应当尊重。但有时古方不能包罗万象，不能解决所有疑难复杂的症情变化。后人在原有基础上，有所创造，有所发挥，这是事物的发展规律。例如《伤寒论》治太阳病用麻黄、桂枝解表，但麻黄、桂枝不能尽治所有外感之邪。后世医家，在分别风寒、风温的基础上，增加了荆芥、防风、柴胡、葛根之辛温，桑菊饮、银翘散之辛凉，同样能起开腠理、祛外邪的作用，这就弥补了《伤寒论》之不足。忆在丹阳随父学医时，先父喜用经方，曾治一董姓暑温患者，其形体素丰，病起发热胸闷，开始用栀子豉汤，热未解，因其舌苔黄腻水滑，佐以芳香宣化，舌苔水滑见退，但仍有汗热不解，烦渴多饮，脉滑数，遂用白虎汤，药后患者渴饮见减，而胸闷表热仍甚，舌边红、苔黄腻。乃中焦痞阻，气化不宣之象，以半夏泻心汤化裁，用生姜、半夏、黄芩、黄连之属。后病家未邀复诊，知已转请贺季衡诊治。贺治时症，颇负时誉，探知贺于苦辛通降法中加用凉膈散15g，药后得溏酱色大便颇多，烦热胸闷顿减。先父大加叹服。盖病已为无形之湿热，与有形之积滞相纠结，此时如用承气，则有药过病所之嫌，凉膈散既有芒硝、大黄之导滞荡积以清其在里之热，又有薄荷、栀子之轻宣以清其在表之热，复有黄芩、连翘、淡竹叶以清其膈上之热；妙在不用汤而用散，无重浊寒凝之弊，有轻可去实之功，确属丝丝入扣。于此益信经方与时方是互为补充，各有妙用。旨在对证，不可偏废。医家的正确态度，应该是“勤求古训，博采众方。”

治病用药，贵达病所

| 俞大祥 |

“药到病除”，向为称誉医术高明的颂辞。但医之临床治病，也惟有药达病

所，才会有桴鼓之效。45 年来，余深有体会。姑举治骨槽风为例，按疡科规律，人体头面诸恙当属风邪为病，以其色白漫肿，着骨隐痛之象，则显系寒痰凝滞可征；再核其邪之所凑，浅则中于阳明（颜面、齿龈），深则着于少阴（齿牙，骨槽）。因此，治疗的惟一措施，当是祛除风寒痰凝，而取效关键。完全在于药力是否能够达于病所。如若随手拈上几味祛风化痰之品，其药力不能深达阳明、少阴，则势必隔靴搔痒，难奏确效。像一般荆芥、防风之类，虽有疏解太阳风邪之功，但犹缺乏追踪搜剔之能，倘使配合白芷、白附子、细辛诸品，或入阳明以祛风痰，或入少阴以逐寒凝，则风寒凝痰自无藏匿之所。余如僵蚕、赤芍，皆能散结除痹，可以佐用以收相辅相成之功。

病机是决定处方守变的关键

张笑平

目前有不少临床报道都列有“随证加减”一项，其实，这种做法有悖于辨证论治精神。因为中医遣方用药莫不是在辨证论治指导下进行的，虽然辨证所依据的主要是症状，但辨证结果所得之证，已远非单一症状，而是就患者在特定时空环境中各种因素和条件及其相关表现作出的总概括。其中病机才是证的核心所在，也是使一证区别于另一证的主要标准，所以历代医家才反复强调证变方变，证不变方也不变，而方与证变与不变的关键又在于病机是否发生变化。这就充分说明了临证遣方用药的根据是病机而非症状。如《金匮要略》为热盛吐衄和胃热呕吐证分别所出的泻心汤和大黄甘草汤两方，其中就未用一味直接针对症状的药物，而是紧扣病机进行组方的，这也是辨证施治有别于“头痛医头，足痛医足”对症设治的关键所在。由此而来，只要病机不变，不论症状如何变化，都可谨守一方而治之，正如《伤寒论》所指出的应用小柴胡汤的依据乃在于“‘有柴胡证’，但见一证便是，不必悉具”。而金匮肾气丸一方之所以被用于治疗诸如癃闭与遗尿，浮肿与消渴之类具有相反症状的疾病，就是因为这些疾病都存在病机属于肾阳亏虚这一证型。所谓异病同治和双向调节作用也都是基于此而提出的。当然，如某些症状的增减足以导致病机的改变，那么，其时所遣方药无疑也当随之变化，即所谓以方之变以应证之变，《金匮要略》为胸痹实证因症状增添而致三种不同证型所设的栝蒌薤白白酒汤、栝蒌薤白半夏汤和枳实薤白桂枝汤三方即属此例。这里进行方药加减的依据似乎是症状，实际上仍着眼于病机。

临证遣方用药都存在着守与变的问题，即是自拟方药，也当据其疗效的优

劣而决定守或变。不过，对慢性病的治疗如同炊水一样，惟以坚持到一定的程度才可能由量变导致质变，以使水沸腾，病痊愈，所以只要所用方药符合病机，纵然症状改善缓慢，仍需守而治之。切忌变幻不定。至于选用古方，则应守中有变，守变结合。因为包括经方在内的每一首古方，都是历代医家在特定条件下对具体病证进行具体实践的经验总结。都应当有其特定的适应证，通常只适用于某一特定证或其某一特定方面。因此，全符者即可原方授之；部分相符者则可变通用之。如我对辨证属于厥阴头痛的病例，均投以吴茱萸汤治之，其效确如桴鼓；而对辨证属于湿热两胜的急性黄疸型传染性肝炎和急性胆囊炎等病，几乎又均投以茵陈蒿汤加味治之。惟前者常加马鞭草、田基黄、垂盆草之类，而后者多增用龙胆草、蒲公英、炒枳壳等品，以使之更加切中病机。

麻黄的妙用

| 郑惠伯 |

麻黄的三大功用为发汗、平喘、利水，在临床上疗效是可靠的。据笔者的临床经验，麻黄的功用远远不止上述三种，其用途甚广。麻黄除用于治风寒表证、外感喘咳、风水浮肿等证之外，对重症肌无力、颜面神经麻痹、多发性神经根炎后遗症、遗尿及子宫脱垂等病，也都有很好的疗效。笔者并非单用麻黄治之，而是在辨证立法的基础上，于方中加入麻黄，即见奇效。

重症肌无力属于中医痿证范围。1959 年曾治 1 例。患者系女教师，三十余岁。其咀嚼肌、吞咽肌、眼肌都麻痹，每日饭前必须注射新斯的明，才能咀嚼吞咽。中药曾用温补脾肾之类，如黄芪、附片、党参、白术、仙茅、淫羊藿、当归、川芎及人参再造丸，疗效不明显。后于方中加入麻黄，剂量由 6g 增至 15g，患者病情大有好转，最后不用新斯的明，亦能自己进食。

颜面神经麻痹，中医谓风中经络，多以牵正散为主，辅以针灸治疗，有一定疗效，但收效缓慢。曾治何某，已用牵正散加味及针灸治疗 1 周无效。便在原方（白附子、全蝎、僵蚕、蝉蜕、防风、荆芥、当归、川芎、桂枝、白芍、白芷）中加入麻黄、葛根，服 3 剂患者颜面即牵正。此后，凡遇此病，开始就加入麻黄，疗效明显提高。

笔者治疗多发性神经根炎后遗症，将麻黄加入补阳还五汤中，经对多例的临床观察，均获较好的疗效。

遗尿是小儿常见病，多为肾气不足，膀胱虚寒。常用方如缩泉丸、桑螵蛸散，有一定的效果，但很难速效。如加入麻黄，收效即快。

用麻黄治子宫脱垂的来历，乃四川忠县黄天星医师用加味乌头汤治风湿痹，于无意中治愈老年妇女多年不愈的子宫脱垂（三度下垂），后在我区推广，曾治愈近百例二至三度子宫下垂。其方中有麻黄24g，笔者曾将麻黄减量，则效果较慢；若去麻黄，则基本无效。其方如下：黄芪24g、麻黄24g、二乌共15g、川芎12g、白芍12g、黄芩12g、生地15g、甘草6g、蜂蜜60g。

麻黄的以上妙用，古今已有所论，非笔者独创。至于麻黄的广泛运用，尚有不少新的苗头，如用于心率过缓、抗过敏、脑血栓等。麻黄的临床应用，还有一些奥妙，非笔者管窥所能见其全貌也。

大汗用大剂麻黄取效之验谈

龚子夫

麻黄发汗、麻黄根止汗之说，几乎尽人皆知，“有汗不可用麻黄”亦成为戒条。而大汗用重剂麻黄取效者亦有之，特录于后：

江西名老中医姚荷生教授于抗战期间曾遇一名四十余岁患者，男性，常近酒色，炎暑外出经商，中途步行，双足灼热难忍，于清溪中欣然洗濯，顷刻间脚痿不能任地，遂抬回家中，延姚诊治。见其榻前堆置毛巾甚多，频频拭汗，尤以下肢为甚，但双足不冷，亦不恶风，口微渴，食纳、二便以及神色、舌苔均无特殊表现，脉尺沉稍欠流利。姚老根据季节、病史判断其属于《内经》所谓“湿热不攘”“着则生痿躄”者无疑。但据大汗、脉尺沉以及患者的生活史，当兼有肾虚。以苓桂术甘汤合二妙散化气行湿兼清热而不碍正虚之法，自以为考虑周全，私心窃慰。谁知患者连服6剂，仅汗出稍减，足痿毫无起色。患者焦急难耐，欲请“草药郎中”，但此医常以猛药治疗顽疾，又未敢轻易领教，故而拜托姚老主持判定。姚自忖无能速效，半出虚心，半出好奇，不得不于另室窥之。未几，草医果来，一见未及问病，即指患者脚曰：“你这是冒暑赶路，骤投冷水得的呵！”姚已叹其诊断之神，及闻其不但确有把握治愈，并刻期3天下床行走，更觉得有观其处方之必要。见其药用满纸，几达二十余味，反复玩味，似不出麻（黄）杏（仁）苡（仁）甘（草）大法，另草药外敷未见写处方。患者见处方后，对麻黄用至2两深有顾虑，草医有所察觉而申言：“照本意要用4两，你们害怕，今用2两绝不可少”。为此，患者坚称姚老如不作主，绝不进服。姚老根据现场见闻，再三考虑，该草医既然认识本病的发病原因，用药又无原则性的错误，况大汗用麻黄《千金方》早有先例，但恐万一大汗亡阳，嘱其预备参末，以防不测。患者闻之，认为有备无患，立即进药，与此同时也敷了草药。服药后大汗顿减，下床行走，一如预言。姚老叹服之余，只有暂时归功于无法探询之外敷草药。谁知不久，气候更加炎热，居室主人之姨妹，素业冒暑营生，突遇暴雨，两脚痿废，其子背负登门求诊于姚老，亦见其汗出淋漓。仓促之间，乃授前例而用之麻杏苡甘汤合三妙散（麻黄连根节用量仅24g）1剂，翌晨患者即能步行复诊，取效之速，超出前例。细思本例与前例比较，起病为短，但并未使用外敷草药，可见原以为归功于外敷草药，其实未必尽然。现在虽时隔四十余年，姚老对此仍念念不忘。

考古代名医善用麻黄者，首推张仲景，从其配伍的麻黄方剂来看，无汗用麻黄的方剂固为多数，但有汗用麻黄的方剂亦有成例，如麻杏石甘汤证之”“汗出而喘”、越婢汤证之“续自汗出”等，不过两方有汗用麻黄皆以石膏配伍，而且石膏的剂量超过麻黄剂量的1/3或1/2。石膏为里药，麻黄为表药，里药重于表药，自然就影响了麻黄解表发汗的作用。而草医所开的处方并无石膏，麻黄剂量又远远超过了历代文献所载。如此大剂量的麻黄不仅未发汗，反而起到了止汗的作用，这对麻黄的用量和功用确实是一个新的发现，说明麻黄既能发汗又能止汗，具有双向的作用。汗出有虚实之分、闭脱之异，凡表虚自汗、阳虚自汗、阴虚盗汗以及一切脱证的自汗，麻黄当在禁例；上述两个病例，凡遇暴热暴冷使人体经络、腠理骤然闭阻，以致邪正相搏过甚，内闭已极以致汗出淋漓，这种汗势出之较猛，通过大剂麻黄使经络腠理之闭阻得以疏通，从而汗出自止，或许有人问，闭证多无汗，何以反汗出？我认为闭证有轻重缓急之分，如属骤因剧烈刺激者多为重闭证，物极必反，内闭过甚，正邪相搏，故反汗出。因此，辨证必须明病机，才能达到审证求因、审因论治的目的。

细辛治鼻鼽之应用

| 朱宗云 |

细辛首见于《神农本草经》，谓云能利九窍。细辛辛香能通鼻窍，味温能温肺。临床上一些风寒外感患者，常有打喷嚏、鼻流清涕的症状，此时若用细辛，即能使症状迅速改善。患者张某，感冒3日，鼻流清涕不止，且喷嚏连连，清涕日湿手帕数块，由于揩鼻频频，鼻部皮肤泛红，患者不堪其苦。3日来连用银翘散方，患者虽发热恶寒减，但清涕仍不止。再予原方中加细辛1.5g，仅服1剂即清涕转稠转少，打嚏显减，2剂即愈。细辛治疗流清涕之神效，由此可见一斑。

细辛是否如《神农本草经》所说的“久服明目利九窍，必无是理，盖辛散升发之药，岂可久服?”话说得亦有些道理。辛散升发之药有耗伤正气之弊，但这只是问题的一个方面。临床上若配伍得当，却又另有一番功效。《本草新编》说：“必须佐之以补血之药，使气得血而不散也。”余用细辛治疗过敏性鼻炎，配以黄芪、当归、补骨脂、五味子、制首乌等补气血，益肝肾之品。服用数月疗效良好，并无耗伤正气之副作用。如患者戚某，患过敏性鼻炎多年，每日晨起打喷嚏几十次，集体宿舍同事戏之曰：“起床钟”，鼻流清涕，以致有时用手帕多达十多块。平时畏寒乏力，腰膝酸冷，脉细尺不足，舌淡红，辨之为肺脾肾虚寒，处方为生黄芪 9g、党参 9g、白术 9g、白芍 9g、五味子 1.5g、细辛 1.5g、生地黄 12g、熟地黄 12g、栀子 9g、川续断 9g、牡蛎 30g、补骨脂 9g、制狗脊 9g。本方加减连续服用 1 个月，患者打喷嚏及流清涕明显减少，两天仅用一块手帕。当然，尽管将细辛列入“上品”，但毕竟是治病之药，而非滋补之品，陈修园认为“上品无毒之药，何不可多用?”这种看法是过于片面了，如果没有疾病，把细辛作为“轻身长年”的强壮药长期使用，显然是不妥的，甚至是有害的。

关于细辛的用量，《本草别说》提出：“细辛，若单用末，不可过半钱匕，多即气闷塞不通者，死”。而陈修园提出相反看法：“辛香之药，岂能闭气?”，认为可以多服，久服，这两种说法，哪一种符合临床实际呢？应该是第一种，细辛含有挥发油，如果研粉吞服，5 分（1.5g）已足够有余，若入汤煎服，剂量可稍大些，亦不必超过 1 钱（3g），因为临床应用细辛剂量 0.9 ~ 1.5g，即能收到良好的疗效。余曾治一女病人，鼻痒作嚏且流清水涕，有时眼眶、耳内作痒难忍，因其从事外事工作，在外宾面前挖鼻搔目，甚为不雅，以致影响工作。予以细辛 1.5g、黄芪 9g、党参 9g、辛夷 3g、栀子 9g、菟丝子 12g、芡实 9g、补骨脂 9g、茯苓 12g，患者服 20 剂后症状明显好转，可见只要药证相符，四两可拨千斤，不必用大剂量。再者，据现代药理分析，大剂量细辛对心肌、平滑肌有直接的抑制作用，所以《本草别说》：“多食气闷塞不通者，死”的记载，是有科学根据的。

细辛辛温，阴虚火旺者忌用，若本是气火上浮，误投温散之细辛，祸即旋踵。某患者患干燥性鼻炎，医者不察投之以细辛，1 剂即咽燥鼻衄。还有一患者，素体胃火偏盛，近日外感风寒，鼻流清涕，疏风药中加细辛一味，2 剂即涕净，然继之则口疮频发满口，后用玉女煎收功。细辛耗阴升火，用者不可不察。

“火炉”话藿香

黄少华

医道之要，在于辨证施治，施治之要，在于因人，因时、因地制宜。然此三者，临证时须合参细辨，不可偏废。

余春夏日临证，用藿香者，十之八九。有后学者私曰：“此乃藿香先生。”余不以为然。因古人有训：“上下之位，气交之中，人之居也。”此因时、因地制宜之谓，敢不谨守之？

己未年夏。袁某就诊，症见高热头痛，兼恶风寒，肠鸣腹泻，日行 8 次，泻下秽水，临厕昏倒。因高热为其主症，似可“热者寒之”，急治其标。细审其脉证，实属风寒袭表，湿浊伤脾之证。拟辛温解表，芳香化湿法，予藿香正气散加味，日两剂，分 4 次服，4 剂而愈。有莫测者诧曰：藿香乃辛温芳香之品，盛夏见高热证，复用辛温，岂不违“因时制宜”“用温远温”之戒？答曰：只知其时，未辨其地也。

武汉地处长江中游的千湖之乡，每至夏日，酷热难熬，究其原因，是为烈日上曝，水湿下蒸，且地势低洼，散热不易，故闷热异常，人皆以火炉名之。湿为祟也，凡此，各病家无不兼见身首裹闷不适者。

藿香辛温，其气芳香，乃祛湿辟秽，快气和中为功。为醒脾快胃，振动清阳之妙品，暑湿时令之要药。武汉夏日多湿为地域气候特点，时逢暑令，若拘于“用温远温”而筛去祛湿辟秽要药藿香，岂非愚哉！

若用性凉之品，湿得寒凉，阴邪更生，湿不去，热不解，高热之标证不去，脾胃清气之本不复，病必不愈。

暑夏之时，湿盛之地，病外感者，藿香可解表；病内伤者，藿香可和中；无病者，亦可清暑快气，故余家中常备之。

“因时制宜”“用温远温”，是为辨证施治之常法，然亦有“用温近温，因地制宜”之变法，统筹兼顾，融会贯通罢了。否则貌似辨证，实为管窥。此治学者戒，医家忌也。

核桃肉能散风寒表邪

陈文忠

核桃即胡桃也，其肉一味，皆以温补为用，不知其犹具解表之功也。吾祖母早年与丁甘仁老先生有交往，素谙医理，喜与人方便，人多敬之。余每患头痛、发热、恶寒感冒之证，先佬必予“胡桃散”冲服取汗，汗出必解。此法当时民间妇孺皆知，以为解散风寒之良剂。胡桃散，即将核桃肉捣烂，约取一、二匙，加红糖一匙。服法：热开水冲调一碗，乘热顿服，服后盖被取汗，汗出而解。考证古籍，清代王孟英《饮食谱》已论及胡桃肉能散风寒。曾读野翁方（《本草纲目》）治风寒无汗、发热、头痛，取核桃肉、细茶、葱白、生姜等分捣烂，水煎温服，覆衣取汗。足见核桃肉能解表散风寒之说，信而可证。笔者浏览今日方书，未涉此功久矣！惟恐淹没，故特表而出之。

谈葛根汤的临床应用

陈治恒

葛根汤出自仲景《伤寒杂病论》，其主治证有三：一是风寒表实无汗而兼邪客太阳经输的项背强几几证；一是风寒侵袭太阳，寒水内趋，合于阳明的自下利证；一是风寒外束于表，表气闭郁，里之津液不得宣行的欲作刚痉证。虽然三者见证各不相同，病机趋向各异，但总由风寒客表所致，故均可用辛温发汗解表、升津液、舒经脉的葛根汤主治。

又，葛根汤在《伤寒论》中尚有加减法各一，一是原方去麻黄，加桂枝、芍药的用量，即桂枝加葛根汤，以之治风寒表虚有汗，而兼邪客太阳经输的项背强几几证；一是原方加半夏，即葛根加半夏汤，以之治太阳与阳明合病，胃气上逆而不下利的但呕证，虽然这是仲景运用本方的举例，但它却体现了“病皆与方相应者，乃服之”的原则。

在临床上，余常用本论中用法，或用原方，或以之加减，以治多种疾病，只要切合病机，疗效十分令人满意。

本院职工徐某，因气候转冷，衣着单薄，感受寒邪，当晚便感头痛、发热、恶寒、无汗，翌晨起床时，又觉项背拘急，俯仰不能自如，即来求余处方。诊其脉浮紧。此属风寒表实，兼邪客太阳经输之候，遂拟葛根汤原方 1 剂与之。患者服药 2 剂，诸症皆愈。

患儿李某，1 岁。1 个月前因受凉后发生腹泻，日解青绿色泡沫样大便七八次，微咳，先后曾经中西医诊治，一直未愈，今已 1 个月余。察其患儿山根色青，鼻流清涕，发育尚可，苔白舌质正常，指纹青色。窃思此证起于受凉，明系风寒侵袭太阳，内合阳明，使大肠传导失司的太阳与阳明合病，于是按法处以葛根汤原方与服，2 日后前来复诊，谓服药后腹泻已减为每日 3 次，嘱续服

前方1剂，即愈。

何某，2个月前右眼突然发红，厂卫生科作“红眼病”治疗未效，遂转去某医院眼科检查，诊断为“树枝状角膜炎”。由于患者平素喜吸土烟，疑为烟碱中毒所致，经用西药治疗1个月多，病情有增无减。随后，又去某中医院眼科诊治，给服祛风清热，佐以活血化瘀之剂，亦无效果。察其患眼红丝满布，清稀眼眵甚多，苔白，舌质正常，脉弦紧，不渴，二便如常，惟患侧目眶及头部时而剧痛不已。余本非专业眼科，但根据上述脉证分析，若属烟碱中毒，岂能一目受害?！当系风寒之邪客于三阳之经，郁阻经络日久，不得外散之候。故拟葛根汤去麻黄，加羌活、防风、白芷、柴胡、藁本、川芎、当归尾等味，以解散三阳经郁滞之邪，嘱其服后忌风，并注意观察病情变化。次日下午，患者又来复诊，喜告余曰，服药后疼痛大减。余见药已中病，效不更方，嘱续服2剂。再次来诊时，患眼红丝渐退，头及目眶已不疼痛，后经调治月余而痊愈。

栀子豉汤合藿香正气散用验

王文雄

成都地卑而多湿，故湿邪害人最广。尤在夏至节气前后，是时炎暑流行，雷雨时至，湿热郁蒸，人在气交之中，最易感而发病。其证每见面色晦黄，四肢困倦，精神短少，胸满脘痞，身热而烦，或自汗体重，或汗不得出，口渴而不欲饮，脉象濡弱，舌上如苔，或苔黄厚而干。粗视之，以其患者面黄而少神，脉象无力，易误为虚，又以其舌干而易误为津伤，而予以益气生津之剂，必因药味之滋，使湿热遏而不解。我治此证，每选用栀子豉汤合藿香正气散化裁。

栀子豉汤为《伤寒论》方，主治热邪留扰胸膈所致之虚烦懊侬证。方中栀子苦寒以泄热，淡豆豉轻浮上行，化浊为清，功能宣透解郁，且能敷布胃气，二药配用不仅能透解上焦之热邪，亦能宣化中焦之湿热。《和剂局方》藿香正气散为祛湿解表、辟秽化浊之剂，夏令常用之治感受不正之气而病者。该方药性以辛温、苦温、甘淡为主，具有宣表邪、疏气机、调升降、辟秽浊之功能。与栀子豉汤合用，则邪热得透，湿气得化，气机得畅，清浊得分，湿热二邪得以分解而不致遏郁。因气化通畅，津液敷布正常，其舌苔亦可由干转润，腻苔可渐化。应用时或加杏仁以利肺气、助其宣通气机之力；若表证不显可去紫苏叶、白芷；高热无汗，加薄荷或香薷；呕恶加生姜，热重于湿者去陈皮、半夏，加芦根、青蒿、黄芩；湿重于热者去甘草，加蚕沙、石菖蒲、荷叶；小便不利，加六一散。

总之湿热郁遏，气机不畅，升降反作，则脏腑功能失调，而变证多矣，证情最杂。故在对湿热证用药时，必须选用流动之品，以透、宣、舒、化、渗、清为要，使阳气得以通畅。栀子豉汤与藿香正气散的配用，正是抓住了这个要领，故用之每验。

（刘采倩 整理）

麻黄消水肿是利尿而非发汗 |屠揆先|

自从张仲景创用越婢汤治风水浮肿，沿用千载，咸推崇为有效经方。《内经》《金匮要略》所论风水证候与现代医学之急性肾炎的浮肿有许多相同之处。故急性肾炎之浮肿，其脉证适宜用越婢汤者，用之亦辄效。古方越婢汤中之主药麻黄为发汗药。因《内经》有“开鬼门”（发汗），《金匮要略》有“腰以上肿当发汗乃愈”之说，故治水肿方中之麻黄，皆认为其主要作用是发汗。但笔者多年来的观察，发现麻黄虽为发汗药，但用于水肿病，能获得浮肿消退之病例，几乎无一例有出汗现象，都是用麻黄后，小便量显著增加而浮肿消退，不是得汗而肿消。因此，笔者认为凡是古方用麻黄为主的治水肿方，都应看作是麻黄的利水功能，而非麻黄的发汗作用。

辛温亦可治“炎症” |冯有麒|

“辛温”亦可治西医所称之“炎症”，此乃余1964年临床实习时，聆庚孚老师所教。验之临床，笃信不疑。

患者孙某，1977年4月冒雨田间劳作，暮则恶寒发热，咳嗽气促，肢体重痛，意以淋雨受凉，未予介意。翌日，身若燔炭，咳逆倚息，唾痰多而稀，口干不欲饮。经某医院诊为“肺炎”，用西药抗菌消炎效果不显；继用大剂苦寒清热解毒之中药治之，热势稍减，咳喘略缓，然反增胸满而噎，小便不利。后迎余往治。询之，患者乃酒客多湿之体，贯苦于唾痰涎；舌体肥胖，苔白厚腻，脉浮而滑。此系素有饮邪内停，又为风寒外束，内饮外寒，纽结难解，乃小青龙汤证是也。然其失治已久，病机趋向于里，故投以小青龙汤去麻黄之过于表散，而加杏仁宣肺利气以定喘除满，增附子温暖脾肾而利水止噎。患者服药2

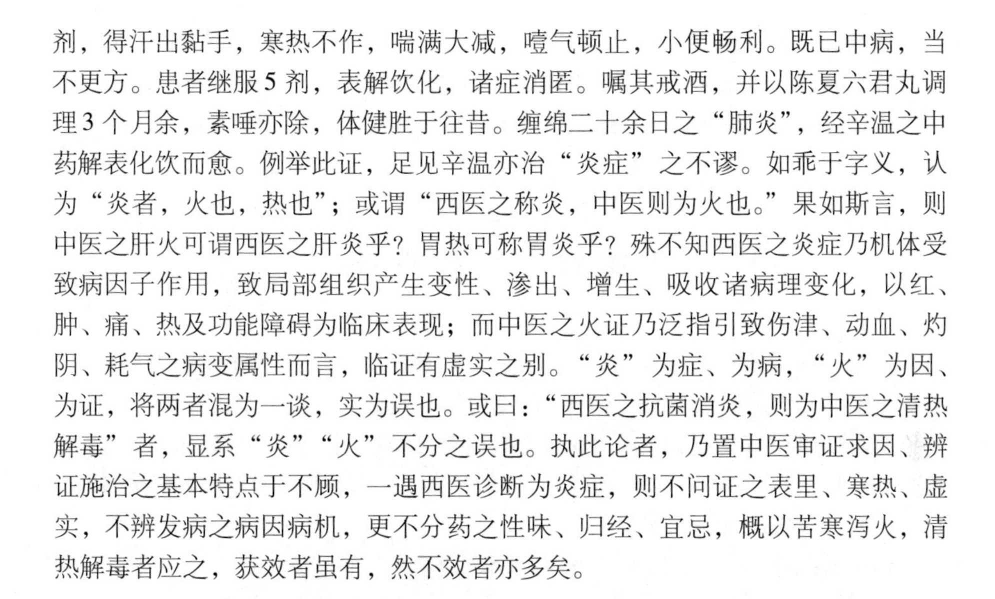

剂，得汗出黏手，寒热不作，喘满大减，噎气顿止，小便畅利。既已中病，当不更方。患者继服5剂，表解饮化，诸症消匿。嘱其戒酒，并以陈夏六君丸调理3个月余，素唾亦除，体健胜于往昔。缠绵二十余日之“肺炎”，经辛温之中药解表化饮而愈。例举此证，足见辛温亦治“炎症”之不谬。如乖于字义，认为“炎者，火也，热也”；或谓“西医之称炎，中医则为火也。”果如斯言，则中医之肝火可谓西医之肝炎乎？胃热可称胃炎乎？殊不知西医之炎症乃机体受致病因子作用，致局部组织产生变性、渗出、增生、吸收诸病理变化，以红、肿、痛、热及功能障碍为临床表现；而中医之火证乃泛指引致伤津、动血、灼阴、耗气之病变属性而言，临证有虚实之别。“炎”为症、为病，“火”为因、为证，将两者混为一谈，实为误也。或曰：“西医之抗菌消炎，则为中医之清热解毒”者，显系“炎”“火”不分之误也。执此论者，乃置中医审证求因、辨证施治之基本特点于不顾，一遇西医诊断为炎症，则不问证之表里、寒热、虚实，不辨发病之病因病机，更不分药之性味、归经、宜忌，概以苦寒泻火，清热解毒者应之，获效者虽有，然不效者亦多矣。

辛温散郁热

王明杰

辛温药物多燥热伤津，火热证候用之似属火上添油。然而临证遇“寒之不寒”者，酌情加用或经改投辛温之品，常可收热散火消之速效。

例如《眼科宜书》四味大发散（麻黄、细辛、藁本、蔓荆子、老生姜）与八味大发散（前方加羌活、防风、白芷、川芎）即属此类，临床用于眼泡红肿、睑缘赤烂、黑睛生翳等眼病之服寒药不愈者，常有奇效，不用寒凉则火热自消。如一患儿双目红肿，自觉眼中灼热，痒涩难当，刺痛羞明，舌质红苔白腻，曾服疏风清热泻火药不效，投八味大发散加减，患者服6剂而痒痛止，红肿退。

辛温之品用治火热证，似与“寒者热之”的原则相左，前人对此曾从“甚者从之”“火郁发之”“升阳散火”“引火归原”及“反佐”等不同角度立论阐发。个人认为，从火热证的病机特点来看，其实质当在于开郁通阳。因为阳气郁遏是火热病机中的一个重要环节：一方面，阳气运行障碍而蓄积蕴聚易于化热化火；另一方面，火热为患易于导致阳气郁结，从而形成火愈炽则郁愈甚、郁愈甚则火愈炽的恶性循环。据此，开通阳气郁遏便成为火热证治疗中不容忽视的一个问题。如郁较轻者，投以寒凉清热，郁亦可随之而解；但郁较甚者，则不开其郁结，难消其火热，便非单凭寒凉之品所能取效。辛温药物通过辛味的行散与温性的流通，能产生较强的开通郁结作用，因而有助于多种火热病证的解除。当然，由于辛温之品有助热伤津之弊，临床时应视火与郁的偏盛，恰当掌握寒凉药与辛温药之比例，方不致偾事。

大黄救人屡建奇功

郑家本

大黄始载于《神农本草经》，谓曰："主百病，除寒热邪气，逐五脏积聚，留癖……"。沿用至今已两千多年，是我国重要药材之一，也是古今医家的常用药物。张仲景在《伤寒论》《金匮要略》中就有40首方剂用大黄。近人更有发挥，如有单用生大黄治疗急性胰腺炎者，有用小量大黄长期服用延年益寿者，总之，其功之殊，比比可见。

但俗云："大黄救人无功"。此论之起，拙见其来有四：一则有医者为迎合病人及家属的心理，或为避免医疗纠纷，往往于抢救重危病时，择选价昂珍稀之品，如人参、鹿茸、牛黄、麝香等所谓"名贵"药材，纵抢救不成功，家属也"心安理得"，且云："命该尽矣"。久之，则"无功"论逐渐成矣。二则社会上存在药源广、即是"贱药"的错觉。大黄药源充足，如四川盆周山区奉节县，地处长江三峡瞿塘峡口，举世闻名的夔门一带即盛产马蹄大黄（川军），且质地优良，颇受外商欢迎，年产量在数十万斤以上。若大黄与人参、牛黄产量相等，"无功"论可能不会出现。三则爱用贵药、爱服贵药者（特别是公费医疗者）有之，认为药价越贵、疗效越好。而大黄价格便宜，所以被视为"无功"。四则大黄有将军之称，常被喻为势不可挡的勇夫，因此，医者，患者畏而远之。

大黄果真无功吗？事实胜于雄辩。我师郑惠伯主任中医师对急黄病证，无论便秘与否，均予大黄，排除毒素，先发制病，提高了抢救成活率。余辛酉年春抢救王某，吐血不止，头痛如劈，烦躁欲死（上消化道急性大出血伴高血压危象），单用生大黄30g煎服，服后2小时，泻下黑色粪水半面盆，顿时血止，险象解除。又如余乙巳年夏诊治刘某湿温病（肠伤寒）患儿，高热6天，神昏谵语，大便不爽，苔黄厚腻，脉滑数。经中西医诊治，体温（41℃以上）不降。前医均恐"下之则洞泄"或"下后肠易穿孔"，未敢泻下，余根据"治者不可畏而不用"，在前医所拟的菖蒲郁金汤内加酒大黄9g，意在"釜底抽薪"，药后3小时，患儿泻出果酱状大便，量甚多，顿时热退神清。"大黄之力虽猛，然有病则病当之"此诚大黄救命之例证。对儿科"肺胃热炽"的高热证候，余常在拟方中配以大黄，疗效显著提高，均未见有引邪深入之弊，对癫狂属实火者，

常首用生大黄30～60g，荡涤痰热，当大便日行5次以上时，狂乱可止，再随证治之，每取良效；在治尿毒症、急腹症、败血脓毒症等急性病证时，大黄更有用武之地，“夺关斩将”，屡建奇功。

或云：大黄仅有“推墙倒壁”“将军”之能，而无“深谋远虑”“军师”之策。吾曰：否。如甲寅年春，余治柳某臌胀（肝硬化腹水），宗“虚因实而难复，实以虚而益猖”之旨，在辨证处方中，连续使用酒大黄1年有余，每日6g，计总量3000g以上，患者之肝功能及蛋白定量均恢复正常，病基本治愈。随访8年，未见其因长期服大黄而产生后遗症，现仍能参加体力劳动。可见“有病则病当之，恒用多用亦不妨”。

综上可见，大黄不仅能重剂救命于顷刻，亦能小量长期使用于疑难重证。药无贵贱之分，对证即为佳品。故曰：大黄救人，屡建奇功！

巧用大黄治久痢

|王辉武|

方书尝谓，大黄苦寒泻热，攻下通便，又治下痢赤白，里急腹痛，多用于热痢初起，肠道湿热积滞不化，诚有效验。然而，久痢寒热错杂，虚中挟实者，是否可用大黄呢？据余临证所验，答案是肯定的。

因久痢迁延，反复发作，病邪入络，易致血瘀气滞，痰湿郁结，常见里急后重、便黏液脓血等症，临证选用木香、枳壳调气则后重自除，然黏液脓血则不易除尽，不少久痢患者在接受治疗过程中，诸症均已好转，惟大便表面的黏液难除，现代医学所称的“慢性痢疾”“慢性肠炎”都常有此状，中医认为乃瘀血之故，治疗颇为棘手。此刻若巧用酒大黄活血祛瘀，多能见效。其巧者有三：一曰巧制。一般不用生大黄，必须酒制炒炭后用，初用见大便次数太多者，要求炒炭存性，不能马虎，如药店无酒大黄炭出售，可以自制。方法是：将生大黄片用黄酒均匀喷淋，稍焖片刻，置锅内文火炒黑，取出晾干即得。二曰巧用。剂量宜控制在6～10g，不能太大。并应先小量试投，待患者适应后再逐渐加大用量。三曰巧服。即用粉剂吞服（可装胶囊）效果比水煎剂效果好，但剂量须酌减。

经观察，大黄酒制炒炭后，其苦寒泻下之力较弱，活血化瘀作用较强，用后几无腹泻反应，小剂量酒大黄还具有健胃作用，因此久痢有瘀者，可在辨证的前提下放胆选用，凡寒热错杂者合乌梅丸，脾肾阳衰者合双补汤(《温病条辨》方)，脾虚气弱者合参苓白术散等，对改善症状、增进食欲、缩短疗程、减少复发有一定作用。

大黄止衄有殊功

李传芳

余治疗重症肌衄、鼻衄，常用大黄，屡建殊功。如某女，22 岁，自幼患肌衄伴鼻衄。在南京诊断为“原发性血小板减少性紫癜。”多次住院，以输血、激素、加味犀角地黄汤等治疗，血小板虽由 34×10^9/L 上升到 76×10^9/L，但嗣后仍复发。1978 年初夏，余诊之，四肢及胸腹部满布疏密不匀之瘀点及大小不等之紫癜，压之不退色。兼有鼻衄，面晄神疲，心烦少寐，心悸气喘，口干少饮，大便干结，六脉细数，舌红少苔。每届月信，淋漓难止。血小板 35×10^9/L，红细胞 29×10^{12}/L，血红蛋白 68g/L。诊为阴虚血少，血热妄行，脉络瘀阻证。治以滋阴养血，凉血化瘀法。处方：水牛角 30g、生地黄 30g、牡丹皮 15g、赤芍 15g、蒲黄 10g、阿胶 10g、茜草 15g、仙鹤草 30g、连翘 15g、龟甲胶 10g、制首乌 15g。进药 20 剂，患者鼻衄止，肌衄逐渐消失。血小板上升到 73×10^9/L。原方去水牛角，加鸡血藤胶 10g，患者又服 15 剂，血小板上升到 81×10^9/L。停药观察 3 个月后，因熬夜烦劳，肌衄、鼻衄又发，血小板降至 36×10^9/L，皮肤瘀点、瘀斑此落彼起。再次邀余会诊，以上方参入大黄粉，每日 3 次吞服。患者进药 10 剂，皮肤瘀斑、瘀点逐渐吸收，递减激素至停用。出院前血小板上升至 84×10^9/L。嘱出院后单服大黄粉。1 个月后复查血小板上升至 107×10^9/L。随访 4 年未发病。4 年后孕育足月临产。分娩时亦安然无恙，出血不多，血象正常。

按大黄味苦性寒，不仅可清泄热毒，破积消滞，而且可化瘀止血。其性降而不升，最善通降攻决而无留邪之患。余反复验之临床，大凡热瘀结于血分，气火逆于血分，或胃火内炽，或大便秘结，内火拂郁，循经上越而致衄者，用之最宜，缘其能迅折气火逆扰之势，使气顺、火泄、血宁、瘀化，故用以止血治衄，每建殊功。

大黄治全身浮肿

杨柏如

余少时，一堂弟，约 7 岁，患全身浮肿几达半年之久，皮肤晄白娇嫩，几欲出水，不知其病起于何因。乡间无医药，惟赖单方验方冀其幸中。谁知药不

对症，愈治愈沉疴。一日，家中请得一草医。他貌有难色，视之良久，乃曰："此病不治必死，治则或可生还，只是关隘险甚，不敢施治耳"。我叔祖道："病已至此，亦只好死马当活马医，死无怨言"。那草医即取生大黄一大块，命煎汤顿服。服后患儿下泻如注，浮肿全消，经饮食调理而愈。今已五十余年，现作海员驰奔于各大洋中。

回顾此证，似为肾小球性肾炎。其本为肾热，标为脾肾阳虚，脾肾阳虚尿闭而浮肿，氮质血症亦日增。用大黄解下焦之肾热，是谓治本，且有消水及解氮质血症之毒的作用，水消后再调理脾胃则脾肾之阳得复，故愈。

自余为医，凡遇尿毒症而体力能支者，恒用大黄解毒消肿，多能延长病家生命。

大黄小议

张新基

大黄素以泻火、荡积、解毒、祛瘀而著称，有斩关夺门之力，前人誉之为"将军"。世人用之，其证不离"实""满"，即拨实火、实积、实毒等而有腹满便秘者；更有甚者以腹满便秘为唯一用药指征。大黄之用，实存其一。笔者仅从非便秘者用大黄，略陈心得，以广其用。

寒凝胁痛伴有便秘者，仲景制大黄附子汤，然笔者在临床上对于大便未结者用之亦立效，且未见泄泻。

《神农本草经》言大黄有"推陈出新"之功，故有"黄良"之名。对于便血瘀暗、状如柏油者，近人喜用大黄，屡有报道。对于此类患者，无论有无便秘，笔者每用大黄15g、白及30g，服之二三剂，大便由黑转黄，远血告愈，再以他法酌情调护。仲景治血痹虚劳而定大黄䗪虫丸、百劳丸，方中皆有大黄，亦未以便秘有否作为标准，可谓深悟"推陈出新"之真谛也。

大黄清热除湿之力亦不弱。胃热脾湿，湿热互结之黄疸，多无大便燥结之症。仲景以茵陈蒿汤、大黄硝石汤、栀子大黄汤主之，沿用至今，用之多效。其意在大黄泻热除湿，通因通用，使湿热从二便而出。因此，对于胆道结石患者，笔者在辨证施治基础上酌加大黄，以利中正之腑，效果增强。

有人曾创清宁丸，仅大黄一味，作为老年保健常用之物，祈图彭祖之寿。老年习用大黄，近时屡有报载。据述少量常服，能荡陈出新，祛病延年。此深得六腑以通为顺、气血以和为顺之旨。盖六腑不通、气血不和，百病生焉。胃不通则呃逆呕吐，饮食不入；胆不通则寒热并作，黄染作痛；肠不通则大便秘结，腹痛由生；膀胱不通则小便淋漓难下；气血不通则气滞血瘀，等等。而将军之能，使六腑通畅、气血和顺，由是非便秘者长期少量服用，自然有一定的好处。

用大黄者，不可畏其猛，亦不可只拘于“实、满”而不用于它证。应以大黄之能，度临床之证，有是证用是药，万不可裹足不前；或执伍有大黄之成方治病，亦不可因其无便秘而轻易去之，以埋没“将军”之功用。

巴豆制剂用于急症

李石青

罗谦甫谓：“守常者，众人之见，知变者，智者之事”。变，有变法、变通的含义。张景岳云：“疑虑既生，而处得其善者，曰智”。早年，闻已故前南京市中医院副院长濮青宇介绍，其师名医张简斋处理一急症病人，系缠喉风，痰鸣、呼吸呈窒息状，汤药不及，临时取雄黄丸(《圣济方》：雄黄、郁金、巴豆)，患者速吐痰涎，始脱险境，赞其颖慧达变。余聆其言，收益匪浅。忆1978年秋，傍晚时分，表兄来寓，急邀出诊，见其子在室中乱走，或伏卧于榻，呻吟不止，诉腹中胀痛，数登圊，不得更衣，察其舌苔稍腻，脉细滑。思脉滑多主痰积食滞，余素知其平时善食，仓促中见其家有小儿保赤丸，方中有巴豆，嘱服之，须臾患儿即解大便，殊畅，诸症若失，此亦变通之例。联想到目前中医院普遍设有急诊，巴豆制剂除上述雄黄丸、保赤丸外，其他如备急丸、三物白散、紫园(《千金方》)等，剂型小，用量少，作用快，但药房皆不具备，岂不误事。

芦荟疗胁痛

程华容　张人英

芦荟性味苦寒，入肝、胃、大肠经，功能泄热导滞、杀虫，用于肝经实热所致的头晕，头痛、耳鸣、烦躁、大便秘结等症，也可用之驱杀蛔虫。从临床实践看，芦荟治实热胁痛疗效可靠。如本地一位老中医临证时，凡谓胁部灼热疼痛者，皆于处方中酌加芦荟；《开宝本草》也谓芦荟能治“胸膈间热气”。

芦荟所疗胁痛，当以肝胆蕴热所致者为宜，其临床见证是胁痛、脘胀、苔黄口苦、泄泻、小便黄赤。现代医学所谓急性、慢性胆囊炎、胰腺炎，具备上

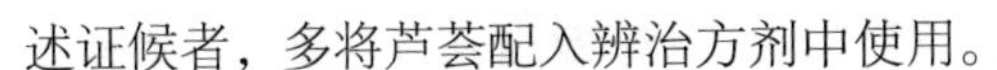

述证候者，多将芦荟配入辨治方剂中使用。

胁为肝所主，肝胆属木，木为火郁，其气不疏，势必导致脾胃升降失常，故肝胆蕴热之胁痛常伴便秘腹泻。因此，笔者体会，以芦荟疗胁痛时，其人便秘与否，不是使用芦荟的主要标志，而舌苔黄、舌质红、口苦、小便黄赤等足以为据。须慎者是素体脾虚，又患胁热疼痛时，芦荟当与苍术相伍，同入汤液中，以制其苦寒伤胃之弊。

至于芦荟入汤剂的用量，成人以 1.5g 为宜，多至 3g，不可过量。如若过量，常致腹痛、腰痛、小便异常等，故当慎之！

药贵采经拾贝 |俞大祥|

祖国医学几千年来一直以师授及私淑相承，对学术观点，多囿于一家之言，虽然各有特长，但也难免有狭隘之弊，而临床用药亦有同病，致使良药卓效，淹而不彰，良可惋惜。

石斛借水石而生，其味甘平，一般皆知其能滋阴益胃，除热生津，最为温热家所赏用，但考之《神农本草经》："主伤中、除痹、下气、补五脏虚劳羸瘦"，《甄权》："治男子腰脚软弱……逐皮肌风痹、骨中久痛，补肾益力"，则石斛显有补虚除痹之能。溯诸临床运用，宋《太平圣惠方》第 19、29、30 诸卷，已备载诸多石斛散，皆以石斛为君，以治各种痹证。清·沈金鳌《妇科玉尺》亦善用石斛牛膝汤治产后腰腿痛，是石斛补虚除痹之功，固早为历代医家所珍视。

余在 20 世纪 50 年代初期，涉猎上刊书籍，取而用之临床，确有神效。是更说明吾辈对一些常用药物的运用知识也还明浅思短，狭隘欠宽，尚须博览群书，采经拾贝，以尽其用。

生绿豆能治疗毒疮疖 |汪 济|

我偶然从别人闲谈中得知生绿豆能治疗疮。心想：绿豆，善清热而解诸毒，又随地可取；疔疮乃火毒重症，何不试试？恰逢次日，张某来诊，见其腿上起一疖肿，形如丁钉之状，微红而硬痛。我嘱其将生绿豆 30g 捣细末而用开水冲服。他按法连服 3 次，迅即肿消痛减。此后，凡遇疔毒或疮疖初起者，我皆授以此法，多能奏效。但对就诊过晚而红肿已盛或成脓者，疗效欠佳。

小议柴胡退热的剂量与服法

彭培初

对柴胡的退热剂量历来是有争议的，有说轻可祛实，有说重用才有效果。仲景《伤寒论》中用柴胡半斤以退热，根据柯雪帆副教授的考证，汉制半斤相当于今之 125g，由此可见，欲使柴胡起退热效果，剂量宜重。我们经临床实践，每日用柴胡 30～120g，退热作用明显，且无汗出淋漓，也无升火烦躁等所谓升阳劫肝阴的副作用。另外，对柴胡退热的服用方法也有讨论的必要。一般常用的服法是 1 剂药分头煎或煎 2 次服用。就其所起的作用来讲，这是不够理想的。仲景用小柴胡汤和解退热，并强调每日 3 次的服法以加强退热效果。我们临床用柴胡治肺炎高热的病人，开始用常规每日 2 煎的服法，效果不佳，后来改用柴胡每日 120g 分 4 次服用，退热作用明显提高。经临床反复实践，我认为重用柴胡 120g 分 4 次的服法，至少对以下两种类型的疾病用之有明显的作用。其一是对病毒性感冒出现高热，应用中药发汗退热，效果比单纯用西药明显。风寒者，用荆防败毒散加减；风热者，用普济消毒饮加减。其二是对大叶性肺炎出现高热起伏，伴胸闷泛恶等症的病人，用小柴胡汤加减，对消退高热、消散肺部炎症是有一定效果的。另外，柴胡在方剂配伍中的作用不同，也有以轻取实的作用。如用大柴胡汤加减治疗胆囊炎、胆结石、急性胰腺炎等，以通下清理湿热为主，用少量柴胡疏肝利胆即退热的，也有用柴胡配合甘温补益以退虚热的，甘温除热方剂补中益气汤即是轻可祛实的例证。

吴棹仙老师论升麻鳖甲汤之用法

李克光

四川已故名老中医吴棹仙，自幼勤奋好学，精研古典医籍，虽至晚年，仍能记诵《内经》《难经》《伤寒论》《金匮要略》诸书。吴老从事临床六十余年，实践经验相当丰富。他治病善用经方，时常古方新用，别具匠心。忆 1966 年 4 月友人雷某面部发斑，四处求医均未见效，后经某医院反复化验，查见红斑狼疮细胞，遂确诊为红斑性狼疮。病人久慕吴老盛名，再三托我邀请吴老会

诊，经征得吴老同意后，于5月初诊视病人，见其颜面斑色鲜红，以鼻部及两颧尤为明显，略呈蝶形，舌质红而少苔。切诊其六脉皆滑数有力，病人自述患处有烧灼感，奇痒难禁，且肢体疼痛，时发寒热。吴老细审脉证，认为此病可按《金匮要略》阳毒发斑论治，当以解毒透斑为法，并嘱我代书升麻鳖甲汤全方加入金银花一味。一周后复诊，病人谓服药5剂后，面部红斑赤色渐退，发热、体痛等症亦大为好转，惟汗出较多，精神疲乏，切诊其脉稍见细数。吴老处方仍用前方去蜀椒、雄黄，加生地黄、玄参二味。此后病人持续服此方数十剂，斑色逐渐消退，全身症状基本缓解，能坚持上班工作。随访至1984年冬，病情从未复发。我趁诊余之暇，曾就此一病例求教于吴老，《金匮要略》治阳毒用升麻鳖甲汤全方，而治阴毒反去雄黄、蜀椒，历代医家多有怀疑，对此应如何理解？吴老答云：阳毒、阴毒皆属温毒，治法皆当解毒透斑，切不可从阳证多热、阴证多寒予以曲解。仲景制升麻鳖甲汤，其要旨即重在解毒活血，惟阳毒病显于外，利在速散，故方中用蜀椒、雄黄，取其辛散解毒之力，以领诸药透邪外出，观《金匮要略》方后有云服之“取汗”，具见此方确有透解之功。阴毒反去雄黄、蜀椒者，以邪毒深入，难从表散，故不如直用鳖甲、当归合升麻、甘草以入血分，清解深伏之热毒。此论以陈修园《金匮要略浅注》较为明晰，可供参考。而徐洄溪先生亦认为此方蜀椒辛热，阳毒用而阴毒及去之，于是疑其有误，岂非智者千虑，亦有一失者哉。笔者闻吴老高论，不惟疑团顿解，且深感吴老不但精读医经，即历代名家注释之得失，亦能详加评阅，了然胸中，再验之于临床，乃能收妙手回春之效。其治学之刻苦，学风之朴实，诚不愧为后者之楷模。

用升麻拾偶

| 彭开莹 |

升麻一味，气味俱薄，轻清上浮，甘辛微寒，辛发散，寒清热，甘入脾，因脾气主升，故升麻常为太阴脾、阳明胃之引经药，能升举脾胃清气。自金元以后，一般医家用作升提、升阳，治疗中虚脾弱、阳气下陷之证。有用作治斑疹、咽喉、疮疡、热利者，取其发表透疹、散风解毒之功；亦有用其清热、解毒、凉血，有升清降浊之效。张仲景首先用升麻治阳毒，后人又有“无犀角，升麻代之”之说，用于治肌衄，可知此非取其温阳升提之用。有医家以升麻具升提作用，用于虚寒下利者，但有“升不过七”之说，必与大量培补脾土止泻之方同用，虽得小效而自喜，以为属升麻之功，其实无意中贬低了健脾补土各

药的作用。殊不知，升麻是一味较好的清热解毒药，于高热、发斑、咽喉肿痛、牙痛、疮疡、发热下利，以及外感温病热盛不退时，恒获良效。愚经临证，如麻后痢体虚兼湿热者，清其湿热，可加升麻使麻毒升提透出，所谓因势利导也。治疝（昆布、海藻、橘核、荔核、川楝子、升麻）用升麻，有升举之力。治牙痛（细辛、骨碎补、蒺藜、薄荷、连翘、荆芥、牛蒡子、猪牙皂、升麻）用升麻，有载诸药性达病所之效。治肌衄（阿胶、鳖甲、玄参、仙鹤草、升麻）用升麻，有清热凉血之功。治发斑，常与生地黄、牡丹皮、赤芍等配伍。治咽喉赤痛，则与牛蒡子、玄参等配合。治疮疡，配以连翘。治阳毒，伍以鳖甲。治热利，当与黄芩、黄连、芍药、金银花、枳实同用等等。医者仅守其升提之论，不思其余，弃之不用，实可叹矣！

清热止衄话羚羊角

杨乔榕

羚羊角善能平肝熄风，清热解毒，明目镇惊，人所共知。然而本品尚有清泻肺火，截邪止衄一途，未为众医关注。清末名医费伯雄独得其全，善发古人之幽微，济众生之疾苦，自创“豢龙汤”一方，治疗肺热鼻衄，功效卓著。吾人效之，多数患者均能一剂而痊。推而广之，是方用以治疗痰浊化热之哮喘，咽喉肿痛之症，效同鼻衄。

本品性味咸寒，《神农本草经》列为中品，主治恶血注下，善能明目益气，安定心神，治疗夜寐不安。还疗伤寒湿气，热在皮肤，风温剧毒，伏在骨间；并除邪气，惊梦狂越，噎食不通，以及子痫痉疾。惟其价值昂贵，非不得已方能用之。或可用山羊角代替，量加十倍，功效稍逊。

今举一案以资佐证。尤某，学生，近周来参加体育活动，每日经受烈日暴晒，汗出过多，又食肥甘饮食。突发鼻衄，经中西医治疗2日无效，血流甚多，每天约流50～100ml左右，压迫止血，亦难止住，求余诊治，查患者面色萎黄，口唇干燥，尿短黄，大便干，鼻有干血痂，舌尖红赤，苔黄少津，脉数。证属肺热鼻衄。宜清热解毒，凉血止血。方用豢龙汤加减：羚羊角10g、生地黄20g、石斛15g、麦冬10g、川贝母10g、沙参20g、夏枯草15g、炒黄芩15g、侧柏炭20g、白茅根20g、荆芥炭15g、藕节15g，1剂水煎服。服药2次，患者鼻衄止，二便调和，纳佳。随访至今未发。

玉女煎“如神”之妙

李鸣真

玉女煎为张景岳所制。张氏谓本方“治水亏火盛，六脉浮洪滑大，少阴不足，阳明有余，烦热干渴、头痛、牙痛、失血等症，如神如神”。本方有白虎汤之主药石膏、知母，以清阳明之热；合增液汤之主药地黄、麦冬，可滋少阴之水；另加一味牛膝，可导热下行。

本方能治阳明有余。足阳明属胃，手阳明属大肠而与肺经相通，故能泻肺胃火热。用治头痛，当以前额痛为宜，因前额属阳明；设为偏头痛，则病在肝经，可用本方酌加厥阴引经之品。用治牙痛，以牙龈肿痛为宜，以手足阳明经布于上下齿龈；而龋齿蛀蚀疼痛，则不甚妥。用治失血，亦须辨析，如肺热能致鼻衄、咯血，胃热所致齿衄、吐血、肌衄，自有良效；而病不在肺胃两经，证乃因气虚不摄，或血瘀不得归经者，自必罔效。此外，本方对胃热所致口疮、口臭，疗效亦佳。

本方又治少阴不足。足少阴属肾，手少阴属心。少阴不足，即心肾阴虚。举凡暴病热盛，耗损心营，或久病肾阴虚，火热亢盛，证属水亏火旺，虚实夹杂，本方皆宜。本方唯不宜用于纯属虚证患者，以本方之大剂知母、石膏泻火力强，用之将有虚虚之弊。临床上运用地黄时还应注意，如原方中的熟地黄，其性味甘温，若火盛为主，血热妄行，以生地黄易之，既可滋阴，又可凉血，似更合拍。如病久阴虚为主，火热不盛，仍可生熟地黄合用，或仍用熟地黄，重在滋阴。

余用本方加减治疗水亏火盛诸证，每获良效，略举数例可见一斑。

一男性偏头痛患者，用西药治疗效果不显。察其脉滑大。舌红苔黄，大便干结，投予本方，用生地黄合小承气汤、失笑散加减（如加夏枯草泻肝）。服数剂后，患者便通热减，头痛亦轻，去小承气汤续服数剂，头痛大减出院。

一男性鼻衄患者，口服及注射止血药剂无效，虽用纱布填塞鼻腔，衄血亦自鼻咽后流入口腔，病家甚感惶恐，延余诊视。察舌红苔黄，脉象弦滑，沉取不足。予本方加茜草炭、蒲黄炭、地榆等，并重用生地黄，其出血症状迅速得到控制。

一男性口疮患者，反复发作，数年不愈，曾至外省访名医求治，仍然无效。察脉弦细，舌苔微黄，予本方加玄参、玉竹、黄连、天花粉等，取得显著效果。

过去余阅中医医案，对“如神”等词常不以为然，以其有夸大之嫌。景岳玉女煎方，组方严谨，适应证广，如辨证加减用之得当，疗效甚捷，称之“如神”，亦非溢誉。

黄连阿胶汤证治刍见

范春如　姜达岐

黄连阿胶汤是仲景所制治少阴病的方剂。《伤寒论》云：“少阴病，得之二三日以上，心中烦，不得卧，黄连阿胶汤主之。”少阴病的提纲症状为“脉微细，但欲寐。”为什么黄连阿胶汤证与此截然两端？盖以少阴心肾为水火之脏，其病变有寒化、热化两途：邪从寒化，则阴盛阳衰，故“但欲寐”；邪从热化，则阴虚阳亢，故“不得卧”也。

根据我的体会，黄连阿胶汤主证之“烦”，乃是少阴一阳来复之兆。所谓“二三日以上”，是指一候左右的时间。少阴证见脉微细，但欲寐，如能经候不死，而反见烦不得卧，且无厥逆面赤，汗多而躁的阴盛格阳之证，也无脉结代，心动悸的心气衰竭之象，则此烦不得卧，乃系心火亢于上，肾水衰于下，邪正相争所致。故本方用黄芩、黄连泻上焦邪热（考：仲景凡用黄芩、黄连，必有邪热存在，如诸泻心汤之治热入成痞、黄连汤之治胸中有热等都是），阿胶以补心肾阴血，鸡子黄养心，白芍敛阴。综合全方，泻阳之有余，补阴之不足，邪正兼顾，行伍井然。故不论伤寒、温病，凡病后余邪未尽而阴液已耗，审证投之，可谓屡验屡效。

诚然，黄连阿胶汤为治少阴病正虚邪实之方，但如善于运用，则又可应变多端。曾治顾姓妇，下痢月余，始则赤白相杂，继则纯下脓血，日十余次，低热持续不退，心烦不寐，舌质红，苔略黄，脉细数，重按尚有力。证属下痢伤阴而阳热尚炽，投以本方重用黄芩、黄连，减去鸡子黄，加入生地黄、甘草、白头翁、贯仲炭、金银花炭等味。患者服 2 剂即泻痢顿减，夜能安寐，低热亦退，再酌加养胃和中之品，调理半月而瘥。又如一内伤患者，诵读劳神，患失眠症，病已半载，百药罔效，甚至彻夜不寐，脉形两寸细数，手心发热，两足欠温，形体消瘦。证属心阳独亢，肾阴暗耗，用本方黄芩、黄连少量，意在抑阳以存阴，加入生地黄壮水以制火，并伍以甘草、肉桂、半夏、秫米等品，患者服数剂而愈。可见本方用之中的，其应如响也。

“血热宜凉”之我见

马剑云

前人尝谓久病治瘀，怪病治痰。而个人经验认为“凉血”同样能解决许多难题。近代方书以“犀角地黄汤”为清热凉血的代表方剂，取其有泄热解毒、凉血益阴、活血止血的综合作用，抢救热入血分的重症。其实，凉血法的运用早已不限于血分证，表证高热用银翘散加玄参能防止化燥伤阴。栀子豉汤之所以能治热入胸中，虚烦不眠，乃栀子凉血之功。人之发热，不论在表在里，浮脉与数脉皆是血热鼓荡之象，用适量凉血药可以提高疗效，凉血不避其早，古方有例。龙胆泻肝汤治肝胆实火，大黄牡丹皮汤治湿热肠痈，这两首方剂中的凉血药占有重要位置，是为范例。余曾治浸淫疮患者，用四妙丸合羌活胜湿汤，服3剂不应，再留心察舌，见黄腻苔下舌质赤甚，血热之象也，遂酌减原方风药，加入玄参、牡丹皮、赤芍等凉血药，患者服3剂显效，再服3剂而痊。因湿热上蒸引起的口疮，龈肿、目赤，用局方甘露饮甚效，该方凉血滋阴，宣肺利湿，于治法上看似对立，实际上已在湿邪化火的条件下取得统一。仲景茵陈蒿汤及栀子柏皮汤为治疗黄疸的要方，两方都有凉血的栀子，余治疗湿热黄疸证，每在方中加板蓝根、凤尾草而获捷效。

至于虚损杂病，用凉血药的方剂亦多。如炙甘草汤证“脉结代、心动悸”，此证应与血热干扰有关，方中重用生地黄（古方用1斤），旨在凉血益阴，营阴和调，心阳自振。又如吴鞠通的增液汤是通过凉血减少体内津液的消耗，从而达到肠津来复，排便通畅。

阳盛因其动而致血热，阴虚因其耗而致血热；实热为外邪之化、虚热为阴损之变。临证细察，见微知著，血热并不难辨，有血热就宜凉。不过，治表证热盛用凉血药为佐使；治气分里热用凉血药为臣；治营血证用凉血药为君。以上例举的先贤著名方剂中的凉血药为主、为辅，在治疗上起着关键的作用，不可低估。

略谈泻肾之方药

潘文奎

肾实证在《内经》中已见其候，但有论无药，《金匮要略》始载有治肾著、肾积之方，至《千金方》立泻肾汤之名，嗣后利肾汤、清肾汤相继创立，在

《太平圣惠方》中共有泻肾之方6首，是为集泻肾方之冠。

泻肾方剂大体可分为清肾之剂、利肾之剂、温泻之剂三类。清肾之剂主要用于肾实热证或肾之相火，以《千金方》之泻肾汤及张锡纯之清肾汤为代表；利肾之剂主要用于肾气郁滞，水结壅塞之肾积、肾胀、肾满、石淋等病，以《金匮要略》之肾著汤、《类证治裁》之加味葵子散及《太平圣惠方》之榆皮散方为代表；温泻之剂主要用于阴寒水湿犯肾、病发奔豚或寒湿停聚，以《金匮要略》之桂枝加桂汤及《简要济众方》之巴戟天丸为代表。

泻肾并非泻肾之本脏。清肾是清降肾经邪火，并非熄命门之火；利肾则是通利水湿之邪，不是伐其肾精，正如李梴所曰："肾本无泻，此言泻者，伐其邪水邪火也"。故泻肾之药主要有两大类：一类是淡渗利湿之品，常用茯苓、泽泻、冬葵子、榆白皮等。在《笔花医镜》中有"泻肾猛将猪苓，次将泽泻、知母、赤苓、薏仁"之说。当兼有实热之象时，可取滑石、石韦、木通、瞿麦等；当气郁壅塞之际，则首选冬葵子、榆白皮。《本草纲目》载有："冬葵子、榆白皮，气盛而壅者宜之"的说明。在用利肾之剂时常配石菖蒲、细辛，加强肾之气化作用，以助逐邪之力。另一类是清热泻下之药，常用羚羊角、大黄、芒硝、黄芩、知母等。此时常以磁石为伍，以镇摄其上炎之势，且有安神定志之功效。当兼有湿热之象时，常用玄参、苦参；当虚火上炎之际，则投知母、黄柏。此时又以地黄、芍药、麦冬为伍，以敛其燔炽之龙火、顾护肾阴。

肾实证在临床上并不罕见，历代医书上记载的邪在肾、肾中风、肾中寒、肾胀、肾著、肾积、肾水、肾热、肾实热等，都是肾实之病证。余曾以《太平圣惠方》之榆皮散方化裁，用利肾之剂并纳入桂心、乌药治愈1例肾实水结之证的肾结石患者。也曾以《太平圣惠方》泻肾赤茯苓散方之意治疗1例肾热水积所致的急性肾炎患儿，其状如卧蚕之眼睑浮肿渐消，蛋白尿、颗粒管型渐次消失。在后期方剂中加入地黄、山药，寓有六味地黄丸之意，以固肾脏之本，未酿成慢性肾炎的延续。其他如以清肾汤治疗梦遗、萆薢分清饮治疗淋浊、知柏地黄汤治疗肾之相火，均是临床多见之案例。所以不要拘泥于前人"肾无泻法""无泻肾之药"之说而妄自否定泻肾之法。

知母镇静作用琐谈

胡建华

知母不仅能清热，还有非常好的镇静作用，这是我从前人的经验和自己的临床体会得出的认识。试举张仲景的方剂为例：酸枣仁汤用酸枣仁合知母治疗虚烦不得眠，取其滋阴养心安神；白虎汤用石膏合知母治疗发热、汗出、烦渴引饮，用以清胃泻火除烦；百合知母汤治疗百合病“如有神灵”，用以养阴清热镇静；桂枝芍药知母汤在祛风化湿通络药中配以知母，治疗“诸肢节疼痛”，以加强镇痛作用等等。我在临床上治疗精神分裂症、狂躁不宁、毁物伤人、头痛不寐，常用甘麦大枣汤加生铁落、石菖蒲、远志、生天南星等，并重用知母、大黄以养心开窍，泻火宁神，可获一定的疗效。治疗关节炎肢节疼痛、得温痛减、口干咽燥，常用桂枝、川乌、赤芍、白芍、知母、生地黄等寒温并投，确有较好效果。此外，在治疗神经官能症、三叉神经痛等病时，见失眠、恐惧、头痛、烦躁之症，均可结合辨证施治，采用知母治之。

从我与酸枣仁的缘分谈起

|马有度|

说起酸枣仁，和我还有一段缘分哩！20世纪50年代初期，我在重庆广益中学读书，因严重失眠、头昏、心悸，坚持学习日益困难，只好休学。先后至几家医院多方求医，做过心电图等多项检查，服过巴甫洛夫合剂等多种药物，但收效甚微。于是家母携我请一位老中医诊治，他处方中的第一味药就是酸枣仁。我连续服药10剂，病情竟一天天好起来，因而相信中医确能治病，并有特殊效验。高中毕业后，我的志愿就是报考中医学院，从此与中医事业结下了不解之缘。

酸枣仁，是治疗虚烦惊悸、夜不安眠的良药，历来认为只能用炒酸枣仁。也有人认为生酸枣仁只能治多眠，如《本草图经》指出：“睡多，生使；不得睡，炒熟。”究竟是不是这样？

以往，我用酸枣仁治不寐，一向遵照惯例用炒制品，或入汤剂，或单用粉剂睡前吞服，均有效果。后来亲自到药房参加配方工作，才发现药房屡次所配酸枣仁，皆是生品，因而悟出生酸枣仁亦能安眠。我素来夜寐欠安，于是自用生酸枣仁粉6g睡前吞服，果然奏效。继而在编著《医方新解》的过程中，又见《中华医学杂志》和《药学通报》所载动物实验报告，证明炒酸枣仁和生酸枣仁均有镇静作用。于是对生酸枣仁也能安眠更加深信不疑。

那么，用酸枣仁安眠，究竟生品与炒制品何者为优？古今许多医家的经验都提示熟者为优。例如，李时珍说：“熟用疗胆虚不得眠。”近人焦树德也说：“我治失眠是用炒酸枣仁，最好是新炒的。”于是我又自用新炒酸枣仁粉6g睡前吞服，安神效果确较生品为优。且动物实验也证明，炒酸枣仁的镇静作用优于生品。说明古人用炒酸枣仁配入归脾丸、天王补心丹等传统名方，确有道理。

但仲景的酸枣仁汤中却未注明用炒制品，又是何道理？原来在煮法上颇有讲究："以水八升，煮酸枣仁得六升，内诸药，煮取三升。"酸枣仁先煎，久煮亦熟矣！现代使用酸枣仁汤，一般均以炒酸枣仁入药，当然也就不必先煎了。倘用生品，仍当遵照仲景先煎之旨，或捣碎入煎，方能奏效。

酸枣仁配延胡索的启示 | 马有度 |

我一向以为，城市中人容易失眠，1959 年下乡除害灭病，才知农村干部中不寐患者也为数不少。边远农村，缺医少药，我首先想到的方子，自然是医圣的名方"酸枣仁汤"。但全方价格较贵，便将主药酸枣仁炒香研粉，嘱患者自采夜交藤、鸡血藤煎汤送服，居然获效。初战小胜，心中大喜，便自称为"枣仁双藤方"。以后每遇虚烦不眠者，或单用此方，或酌情配伍，亦多获效。

1969 年我带领学生下乡巡回医疗，见农村痛证甚多，仓促之间，每用醋炒延胡索粉 6g，开水送服，日服二三次，多有良效。有些病人求效心切，往往倍用顿服，不仅疼痛迅速缓解，而且昏昏入睡，因而悟出延胡索似有安神之效。

为了弄个明白，于是查阅历代本草文献，但均未见有延胡索能安神的记载；又查古今医案，亦无用其治疗不寐的报道。后来，从一份内部资料中得知，将延胡索的有效成分试用于失眠患者，取得一定效果。此后，每遇虚烦不得眠者，便在"枣仁双藤方"的基础上，再加入延胡粉，果然收效更捷，而且头昏、头痛的症状也迅速缓解。欣喜之中，又自称此方为"双粉双藤方"。有的病人无法煎药，便减去双藤，仅用双粉，同样取得良好的安神之效。

这些零散的经验提示，酸枣仁和延胡索在安神方面似有协同作用。继而约请研究单位进行药理实验。果然，酸枣仁的浓煎液和延胡索的有效成分，在镇静催眠方面确有协同作用，随着剂量的增大，其协同作用尤其明显。于此似可说明，凡在临床实践中确属有效者，必有其科学道理。

钱乙方临床运用的体会 | 廖濬泉 |

宋代钱乙，字仲阳，为中医儿科的一代宗师，著《钱氏小儿药证直诀》，创方 117 首。刘跋说："乙为方博达，不名一师，所治种种皆通，非但小儿医

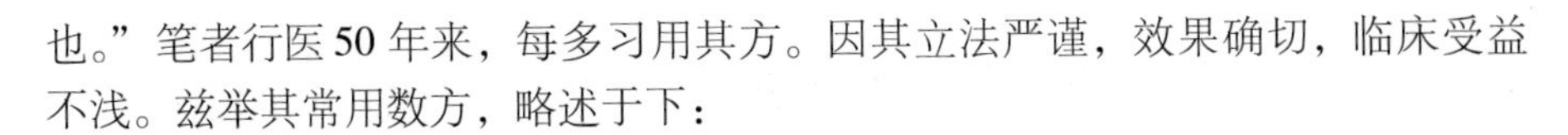

也。”笔者行医50年来，每多习用其方。因其立法严谨，效果确切，临床受益不浅。兹举其常用数方，略述于下：

泻白散（又名泻肺散）：原著治小儿肺盛，气急喘嗽

地骨皮、桑白皮、炙甘草各一钱，右为散入粳米一撮，水二小盏，煎七分，食前用。

按此方为治肺热郁结、干咳气喘之良方。桑白皮泻肺火而下气平喘，又能利水排痰。地骨皮清虚热而除骨蒸。甘草、粳米润肺养胃。用于内热上扰，暴咳，舌质绛红，或午后潮热、两颧发赤者为宜。

如潮热者可加银柴胡、杭白芍；气虚津伤口渴者加沙参、麦冬；痰黄脓稠者加川贝母、冬瓜仁；若外感风邪，抑郁肺气，鼻塞流涕，咳痰不爽，舌苔白腻者，切不可用。

阿胶散（又名补肺散）：原著治小儿肺虚，气粗喘促

阿胶一两五钱麸炒，黍粘子（即牛蒡子）炒香、炙甘草各二钱五分，马兜铃五钱焙，杏仁七个去皮尖炒，粳米一两炒，右为末，每服一二钱，水一盏，煎至六分，食后温服。

按此方以补肺为主，有养阴补肺、止咳止血之功。阿胶滋阴补肺，能养血止血；马兜铃、牛蒡子清肺止咳化痰；杏仁降气定喘；糯米、甘草补益脾胃。用于肺虚火盛，干咳喉痒，或痰中带血，咽喉干燥，舌红苔少，脉细数者。若寒邪束肺，湿痰凝滞，胃纳不佳，舌苔白腻者则为大忌。

益黄散（又名补脾散）：原著治脾胃虚弱及脾疳，腹大身瘦

陈皮去白一两，丁香二钱（一方用木香），诃子炮去核、青皮去白、炙甘草各五钱，右为末，三岁儿一钱半，水半盏，煎三分，食前服。

按此方温中行气，故脾土虚寒，大便滑泻者宜之。虽方名益黄、实非补脾胃之专药。笔者常用于小儿脾虚中寒，消化不良之呕吐、泄泻、腹胀等证。若呕吐者则用公丁香，腹胀满疼痛者则用木香。中焦脾胃虚寒者可合理中丸方，阳虚寒盛者再加附片或肉桂。益黄散合附子理中汤为主治脾胃虚寒，腹痛泄泻，呕吐食少，口不干渴，舌淡苔白，脉迟缓或沉细；亦治小儿慢惊风，或小儿久泻腹胀（即现代医学所谓鼓肠、肠麻痹），均有良好效果。若脾虚泄泻兼咳嗽痰多者，可用益黄散合六君子汤，其功能益气健脾，和胃化痰，为儿科常用方剂。若有外感发热，食积吐泻则非所宜。

泻黄散（又名泻脾散）：原著治脾热弄舌

藿香叶七钱、山栀子仁一钱、石膏五钱、甘草三两、防风四两去芦切焙。右剉，同蜜酒微炒香为末，每服一钱至二钱，水一盏煎至五分，温服清汁，频频饮服。

按此方为脾胃蕴热而设。栀子、石膏为方中主药。笔者常用汤剂，剂量稍加调整，栀子6g、生石膏15g、藿香9g、防风6g、甘草4.5g。适用于脾胃有热，口疮口臭，口唇焦干肿痛，或弄舌，烦热易饥，或感冒暑湿，发热烦闷，口渴便秘，舌苔黄腻等证。体虚便溏，非实火者勿用。

肉桂与桂枝的效用

|王正公|

在古代，桂枝和肉桂不分，宋元以后两者才有所区别。认为肉桂性大热，功能温中补阳，散寒止痛，主命门火衰、下焦沉寒痼冷，能引火归原，治阳气不足而致的泄痢、腹痛、寒湿痹痛、阳痿尿频等症。每与温补命门，祛寒止痛，调气理血之药同用。而外感风寒、发热头痛和肢臂关节酸痛则多用桂枝。似乎肉桂能引火归原是降剂，而桂枝辛温发散是升剂。事实上，桂枝与肉桂是同一植物，一是菌桂的细枝，一是菌桂的树皮，而且桂枝所含的药效，主要亦在皮部，中心的桂木作用很少。肉桂和桂枝无论性味与功效，都是有其共性的，其所不同的是肉桂味厚力强，桂枝皮薄力浅。那么，前人为什么视肉桂和桂枝有较大的区分呢？我认为一方面是由于前人在长期实践中，认识到两者在药力上确有厚薄，治外感发热，肌表之病，桂枝能够胜任，碰到阳气虚衰，沉寒痼冷之疾，则非肉桂不为功。另一方面是由于认为植物的枝干象征人的四肢，枝干是横行的，其性上升宣散，能宣通经络，上达肢臂。中医的类似说法很多，如头部之病用头，皮肤之病用皮。这些说法是不一定可靠的。

应灵活对待桂枝加桂汤之加桂

|汪 济|

一人患奔豚症，余用桂枝汤加肉桂治愈，数月后，其人复来，谓近感寒邪致旧病复发。余将桂枝汤加重桂枝分量以治之。其人疑之，问曰：“两次之病相

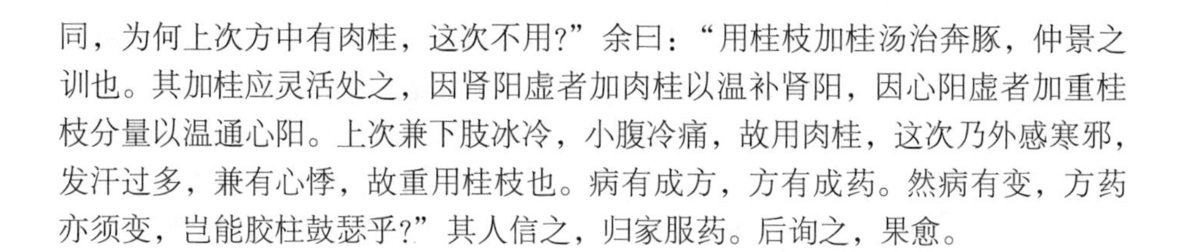

同，为何上次方中有肉桂，这次不用?”余曰：“用桂枝加桂汤治奔豚，仲景之训也。其加桂应灵活处之，因肾阳虚者加肉桂以温补肾阳，因心阳虚者加重桂枝分量以温通心阳。上次兼下肢冰冷，小腹冷痛，故用肉桂，这次乃外感寒邪，发汗过多，兼有心悸，故重用桂枝也。病有成方，方有成药。然病有变，方药亦须变，岂能胶柱鼓瑟乎?”其人信之，归家服药。后询之，果愈。

白通加猪胆汁汤治验

廖濬泉

《伤寒论》少阴篇之白通加猪胆汁汤，系回阳救逆，益阴补液的著名方剂。余用此方治疗多种垂危病症，获得较好疗效。略述如下。

例1：张某，62岁，因患左胸疼痛，心悸气短，经某医院确诊为冠状动脉硬化性心脏病（冠心病），时好时发已两年。1982年冬，因感冒发热数日，曾用中西药物未见显效，忽于半夜病情加重，邀余往诊。症见发热燥扰不宁，弃衣掀被，欲卧冷地及坐井中之状，喃喃自语，口渴思饮，食则呕吐，腹痛泄泻，四肢厥逆而颜面有赤色，目陷不睁，舌质光红，脉微细欲绝。诊为少阴病阴盛格阳证，有阳脱阴液枯涸之象，亟宜白通加猪胆汁汤。处方：

川附片30g（开水先煎1小时）、干姜12g、葱白4茎（后下）、童便50ml、猪胆汁10ml（炖温兑服）。

翌日复诊，患者发热减退，烦躁歇止，饮水不吐，四肢转温，背反恶寒，面已不红，大便溏薄，精神疲惫，舌光红少津，脉沉细无力。乃阳回阴复，属少阴阳虚里寒，治当温阳益气，固本培元，以附子汤加味。处方：

川附片30g（先煎）、白人参10g（另炖兑服）、白术15g、茯苓20g、杭白芍10g、丹参15g、檀香10g、砂仁6g（后下）。

服两剂后，患者泄泻止，能进食，惟神疲自汗，心悸，舌光红，脉沉细。系病后正虚，心气不足，守上方加减。如自汗加黄芪、浮小麦；失眠加酸枣仁、远志；胃痛加百合、台乌，调理十余剂而愈。

例2：谷某，1岁，因发热泄泻住院，诊断为中毒性消化不良并脱水，经用各种抗生素及补液后，仍病情危重，请予会诊。病已1周，症见呕吐泄泻频繁，完谷不化，发热烦躁，口干思饮，面黄山根筋青，目凹神呆，舌红少津，脉沉细无力。诊为少阴病阴盛格阳证，病势危殆，亟拟白通加猪胆汁汤，患者连服两剂而转危为安。

白通加猪胆汁汤为少阴病阴盛格阳证之救逆要方，举凡阳气衰微，伤阴脱液，皆有奇效。20世纪40年代昆明发生真性霍乱，余用本方大剂急救，治愈者数十人，无一死亡。又如用于治疗中风卒倒，小儿慢惊以及其他一切暴卒（休克）垂危之病，均获满意效果。这说明白通加猪胆汁汤实有斩关夺将、起死回生之功。

祖国医学以“治病必求于本”为原则，在邪盛正衰时，方药力求抓住症结所在，单刀直入，刻不容缓。白通加猪胆汁汤以附子、干姜大辛大热而顾其阳；葱白辛通阳气，令阴得阳而利，若专以热药治寒，寒既甚必格拒而不入，故加童便、猪胆汁滋阴降逆，以引阳药入阴。《内经》云：“甚者从之”，本方实有回阳救逆、滋阴补液之效。大多数垂危重病，皆由于阳脱阴绝，故本方之运用功效甚宏，难以尽述。

祝附子名不虚传

江克明

20世纪30年代的上海名中医祝味菊先生善于应用附子一药，用量超过一般，少则15g，大则30g以上，并有各种不同的配伍方法，收效颇佳。当时有祝附子之名盛传于沪滨。揣其擅长附子温阳之原由约有三：①从他留下来的医案中可以看出登先生之门求治者，病情大多是坏证逆候，久病阳虚之人。案语中每每强调温振心肾阳气的重要性，这是一大关键。②案语对脉诊与舌诊非常重视。病人多见有沉、迟、细、微、虚、弱、小、软、芤等阴脉，或者见有腻苔、舌淡等舌象，这都是阳虚，气血不足，或有寒湿之征。斯时必须采用温振阳气的方法治之，才能获得转机。③细究其处方，用附子温阳常常与潜阳药（如龙骨、牡蛎、磁石）或安神药（如酸枣仁等）配合同用，能使阳气振作而得以潜藏，勿致躁扰不安，深得配伍之妙。从长期临床实践中取得独到之经验，自成一家，名不虚传也。

附子煎药方法谈

王慕尼

云南地方用附子，每每以“开水先煨四小时”嘱之又嘱，究其原因主要是20世纪60年代云南刚从四川引种附子，加工炮制不得其法，蒸煮不透心，故服附子中毒死亡的事故时常发生，从此以后，用附子难免心有余悸，谈虎色变。

据近年药材部门统计，从附子的销售量可以看出，云南不是产附子的“王国”，但成了用附子的“王国”，原因之一就是用附子喜欢大剂量加长时间煎煮。

与此相反，笔者行医迄今近50年，每用附子都基本上是小剂量、冷水快速煨，临床证明有省药、省时间、高效、速效、安全之诸多好处。考仲景运用附子的方剂，最大剂量是“附子三枚”，按1枚20～25g计算，也不过80g左右；中等量2枚；一般量是1枚。加工炮制方法分“生用”和“炮”两种，生用去皮，熟用炮。煎煮方法虽未明训，但联系整个《伤寒杂病论》262方，用今天的话说也就是配合他药同时水药服。附子大热大毒，通行十二经，人人皆知，但沿用两千多年来，究竟用什么剂量能治病？什么剂量会中毒？什么剂量能致死？缺乏统一的规范，也可以说大家还都在探索。目前云南习用附子往往是大剂量（100～250g），且煎煮时间达四五小时，临证时弊病很多。谁都知道，凡是大剂量用附子者都是垂危至极的病人，在这种千钧一发的紧急情况下，再煮四五小时又怎能救急？更何况现在所用的附片都已经过加工炮制。附子应该怎么用呢？我的经验是，附子的剂量以年龄分4个等级，2～5岁用5g，6～9岁用10g，10～15岁（及60岁以上）用15g，16岁以上成人用20g。凡用附子的方剂，附子均与其他药同时下锅，加冷水用中火煎煮15～20分钟后即可服第1次，以后第2、3、4次的煎服法依然同上，为了急救方便，要先服粉剂，继服汤剂加粉剂。具体步骤是：平时将附片用细砂炒炮，研细粉备用。凡遇身凉脉绝的垂危病人，急将附片粉5g开水冲服，与此同时另用复方煎剂回阳固脱，益气救急，这是治疗急症的有效方法。

温阳止血用附子

王金城

云南中医学院前院长，已故名医吴佩衡老师，系云南四大名医之一。吴老深精《内经》《难经》《伤寒论》，长于使用经方，善用附子，胆识过人闻名全国。处方每剂附子辄用60g，重则每剂250～500g。对疑难重症，失治、误治病例，每起沉疴。故获“吴附子”雅号。吴老的学术经验已有专著论述，不再赘述。惟止血一法，笔者在吴老生前侍诊时，曾听吴老多次教诲，又历二十余年临证实践，颇多心得，深感温阳止血乃治血证的又一大法门，故录吴老所教，结合笔者体会简述如下，以供同道参考。

吴老常嘱余，对血证临床，需熟记以下二诀，细心体会，弄通含义，则可应付裕如。其一曰：“失血都传止血方，生军六味作主张，甘寒一派算良法，并未逢人用附姜。”其二曰：“血水如潮本阳亏，阳虚阴盛敢僭为，人若识得升降意，宜苦宜辛二法持”。(原载清代四川郑钦安著《医法圆通》卷四)

我个人体会，一者言其常，治出血之法，如唐容川谓“泻心即是泻火，泻火即是止血”，葛可久创十灰散亦多清凉之药。所以泻火滋阴已成为治血证常法。一者言其变，郑氏原注云：宜苦者十之一二，宜辛者十之八九。此言未免过偏，但对用常法治疗无效的病例，宜按阴阳升降气血运行的道理，采用辛温药物，温阳止血，亦可立竿见影。如吴老生前治伤寒肠出血病例，附子每剂重用到300~400g，而终于力挽狂澜，阳回血止而安。多年来，我们用温阳止血法治疗葡萄胎术后疑恶变咯血、崩漏不止，取环后反复清宫不能止血，高血压并痔疮出血不止，以及呕血、便血、尿血、衄血等病例，辨证属阳虚者，均获满意效果。阳虚出血的辨证要点为血证而兼见面色淡白无华（或夹青色），少气懒言，声低息短，自汗食少，畏食酸冷，形寒怕冷，手足厥逆，溺清便溏，口不渴或渴喜热饮，舌质淡或舌质夹青，舌苔白滑或白腻，脉象沉、迟、细、弱、弦、紧等。

温阳止血之药颇多，而附子大辛大温有毒，通行十二经，为温阳止血之要药。本草载附子性能回阳救逆，散痼冷沉寒，除风湿痹痛，原非止血专药，乃用其温肾回阳而止血。我省临床使用此药，习惯于开水单独先煎透，以口尝不麻为度。如此剂量即使每剂达300~500g，亦无中毒情况，可以放心使用。

灵芝的功效 | 何时希 |

《神农本草经》对灵芝的描述，既分六色：青芝、赤芝（一名丹芝），黄芝（一名金芝），白芝（一名玉芝）、黑芝（一名玄芝）、紫芝（一名木芝）。又以五色合五味、入五脏、治五脏之病、益五脏之气，而“久服轻身不老，延年神仙”二语，则是诸芝皆具的功能。如“安精魄、安神、保神”“不忘、强志、增智慧、聪察”等，这两个方面，我在较长时期的服用中，是略有体会的，不免从头说起。

十余年前，有同道自开封来访，以灵芝一只相赠，其大尺许，称为“百年物”，数之，得六十余轮（楞）。有些木类锯断面有轮圈，以一轮为一龄，而灵芝则高轮圈与陷下圈相间。我的理解，高轮圈为春，陷下圈为冬，当以高轮圈计龄，陷下圈可忽计也。

我既得此灵仙，姑试食之，费了很大劲儿将其切成小块，每日3g，水煮2

次，这是朱黄相间之芝，其味苦。这1斤芝大约服了四五个月，初不信其有功，而其功渐见：与老妻忆说儿时情景，忽然历历在目。我除作诊疗工作外，还编撰一些著作，虽已年迈，而思维敏捷，毫无窘涩之象。

我从开封、郑州、赣州、鼓浪屿等地，陆续买得各种灵芝，以河南者质坚薄而味苦，福建者如肥头大耳，常几只联连如笔架，味亦苦，皆黄朱色；而江西者质坚色紫，光亮如油，其柄细长如古时文玩“如意”之状。赣州产则味淡，是与众不同处。

我服灵芝二三个月，睡眠即见改善，以施用于临床，记有一女性病人，言已数年不得熟寐，处以安神镇静法，嘱服灵芝。一周后患者来谢，鞠躬致礼，谓“是生平未有之好睡也”，其狂躁之气悉平。又服灵芝血压偏高者能降，血压偏低者能升。平衡血压，我不恃灵芝为主药。如是，则《神农本草经》“安精魄、安神、保神”之说亦验了。

灵芝的服法

何时希

灵芝的服法，有一般煎煮，服后再以灵芝晒干研末，以作安眠用者；有用黄酒浸服，临睡饮一小杯者；有作针剂注射者；有浓缩口服者；有制片者。近岁上海有“珍合灵片”，系与珍珠层粉配合，更收镇静之功。据某军医院试验，以下项效果为最佳：每日用灵芝3g，先冷水浸数小时（例如暮煮则晨浸，晨煮则夜浸），浸则药力易出，煮沸后10分钟即可服。宜以大砂锅煮，服汤后渣仍存之，次日复入3g，如是至满一锅，仍可煮数次而弃去，可谓物尽其用了。

其功效，某厂医来言，以得安眠故，更年期症状亦可轻减，月经亦能调整，精神、食欲均见改善，面色亦见红润。以其价不昂，适应证多，疗效也不差，所以该厂每月向郑州订购数百斤之多。

漫谈黄精

曾立昆

本品皮色黄，肉甘润，故名黄精。山野自生，根具节盘，如生姜状，俗名山生姜。

相传唐代脂川有一富翁，虐使婢，婢逃入山，拔草根食之甚美，久食不饥。

夜宿树下，见草动疑为虎，上树避之，及晓而凌空若飞鸟。家人采薪见之告其主，设网捕之不得。或曰：此有仙骨不能服熟食耶！遂设酒于路，果来食之。食讫，遂不能去，擒而询之，指所食之草乃黄精也。

以上神话，固不可信，但黄精功擅补养，却是事实。它能补中益气，安五脏，益脾胃，润心肺，填精髓，强筋骨，除风湿。

身倦无力、头昏腰酸、脉弱舌干，属气血不足、脾肾两虚者，可用本品配制首乌、女贞子、党参、黄芪、枸杞子、当归浸酒。每年隆冬之际，每晨服一盅，诸症渐减，精神倍增。吾地农家常说，头年服酒药，次年身强壮，下田腿力大。特别是四肢风湿疼痛若失，故又称此酒为驱风健骨酒。

黄精虽能补气扶脾，但宜于气虚便结者，因黄精益脾而兼润便，故便溏者慎用。黄精又能益阴，故患温病高热后胃阴受伤，出现心烦、舌干、口渴、以及消渴而多饮多溲，皆可用本品配玉竹、麦冬、覆盆子，水煎服，服后消渴诸症消失，亦为养阴之良方。

龟睾的药效

钟新渊

龟睾丸在《本草纲目》《本草纲目拾遗》，以及医家常备的其他一些本草书中都未见记载。只在民间流传着龟睾能治小儿遗尿的说法。我通过亲尝与在临床中试用，体会到它有补肾填精的功效。有些阴虚的人吃龟睾后，在很短时间内激发性冲动，阳虚的人吃龟睾后，性冲动却不明显。此药味咸稍偏温性而不燥，功用类似龟胶。与龟胶合用，是一种平和的补肾药。可惜，龟睾不易采集。若采到龟睾后，应立即晒干或烘干，以免放置过久而变质。把龟睾制成粉末时，可加入适量山药、党参同研。一对睾丸可分三四次服完，一日一次即可。

补中益气汤能升亦能降

余亚东

补中益气汤功在补中益气，升阳举陷，学者多用以治中气下陷所引起的脱肛、阴挺、内脏下垂、久泻久痢、滑脱不禁、崩漏便血诸疾，以其能升也。余于临床还用其治阴火上攻，浊阴不降诸疾，每获良效，方悟此方能升亦能降。

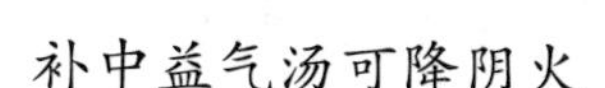

补中益气汤可降阴火

曾治张氏妇，年40岁，患高血压病十余年。常头昏眩晕，心烦易怒，近年来每于午后或夜晚突然一股热气从小腹上冲头面，顷刻面红目赤，热如火燎，口鼻气热，冲热甚则昏不知人，半小时后方苏，且口渴饮冷，脉象洪大，舌赤唇红。热气退则面白唇青，神疲肢倦，少气懒言，脉细舌淡。近半月发作频繁，日达十余次，西医诊断为原发性高血压、自主神经功能紊乱。求医多处，几未获效。余按阴火上冲论治，用补中益气汤加减（黄芪、白参、升麻、柴胡、白术、炙甘草、当归、陈皮、肉桂、龙齿、甘松、朱茯神、怀牛膝），服药12剂，患者发作次数渐减，程度亦轻，20剂后症状基本消失。去肉桂又服10剂，痊愈出院。3年来未见复发。

补中益气汤又可降浊阴

曾治黄姓叟，年近古稀。行前列腺摘除术后小便淋沥不尽，渐至点滴全无。西医诊断为膀胱麻痹性尿潴留，小腹胀痛难忍，精神疲惫不堪。余谓年老气衰，清阳不升，浊阴难降，仿提壶揭盖法，以补中益气汤加肉桂、薏苡仁、地龙治之，患者服1剂溺出，3剂畅流，后未再发。

黑故脂与千张纸

许子建

补骨脂，又名破故纸，系豆科一年生草本，入药用其种仁。据《本草纲目》引苏颂《图经本草》称："此物本自外番随海舶而来，非中华所有，番人呼为补骨脂，语讹为破故子也"。

据此，"补骨脂"与"破故纸"，实异名同药。由于它来自外来语，因而对药名的译音稍有差异，故有译为"补骨脂"者，有译为"破故纸"者，还有"婆固脂""破固纸"者，译名虽多，但品种则一。

本品性味辛、苦、温，无毒。其功效能补肾壮阳。用于治下元虚冷所致的阳痿、遗精、腰痛、冷泻以及小便频数、遗尿等症。

木蝴蝶，首见载于《本草纲目拾遗》，系紫葳科木本，入药用其膜片种仁。种仁外荚长约50～70cm，宽约6～8cm。荚内包藏无数膜片种仁，每片种仁如蝴蝶状，而本品属木本，故名"木蝴蝶"。又因每只外荚中包藏的许多膜片如薄层棉纸，故有叫它为"千张纸"的。

本品味苦性微寒，有疏肝和胃、清肺之功，故可治肝胃不和之气痛、咽喉肿痛及痈毒不散等症。

在云南地区，有些医家开处方时，习惯于将木蝴蝶写做“破故纸”，误认为破故纸是木蝴蝶膜片形状的别称。为此，则补骨脂与木蝴蝶便混淆不清，最易于使中药店（中药房）配方发生错误。

按本草所载，破故纸就是补骨脂。但按地区用药习惯，破故纸又是指的木蝴蝶。两种药品的性味、功效、主治各不相同，绝不可互换代替。

为了避免配方时发生错误，在书写处方时必须把补骨脂与木蝴蝶加以严格区分，若使用补骨脂，应写做“黑补骨脂”或“黑固脂”，勿写成“破故纸”。当使用木蝴蝶时，以写“木蝴蝶”这个正名为是。或依地区习惯，写做“千张故纸”或“千张纸”亦可，切勿写成“破故纸”。

阳中求阴话“左归”

黄绳武

明代张景岳创制了左归、右归。他提出：“善补阳者，必于阴中求阳，则阳得阴助而生化无穷；善补阴者，必于阳中求阴，则阴得阳升而泉源不竭。”针对当时偏于用辛热补火或苦寒泻火之法，景岳提出对大辛大热、大苦大寒之药要慎用的观点，即补阳不能一味单纯补阳，大队辛热之药补了阳反过来伤了阴，必于阴中求阳。反之，补阴亦不能一味单纯补阴，大量甘寒之药补了阴反过来伤了阳，必于阳中求阴。在王太仆的“益火之源以清阴翳，壮水之主，以制阳光”单纯壮水、益火的基础上，大大向前进了一步，不愧为阴阳双补之巨匠。此理论可体现在他的制方用药上，例如左归饮，在六味地黄汤的基础上，去泽泻、牡丹皮加枸杞子、炙甘草。此方之妙即在这两味药的变动上，两方虽均为滋补肾阴之剂，但补法各一。六味是三补三泻，三守三行；而左归仅存茯苓一味行药，其余皆为守药。只要有一味茯苓，整个方剂就具有流动之性，就活了。此乃动静结合，补而得法。善补阴者，必于阳中求阴，故去泽泻、牡丹皮之苦寒，因苦寒之品有弊，一则伤阳，一则苦泻伤阴，而易枸杞子、炙甘草。

综观全方，枸杞子、山药、熟地黄、茯苓均为甘平，山茱萸酸温，炙甘草甘温，可见其壮肾水不用甘寒，而用甘平偏温，体现了阳中求阴之意。

另外，本方用山药、茯苓、炙甘草补脾，补后天以滋先天。一方面脾为生化之源，精血赖脾所化，脾为中宫之土，土为万物之母；另一方面脾气散精，灌溉于五脏，洒陈于六腑。此处用这三味药补后天，亦是此方妙用之一。

若是慢性病，非一二剂药能解决问题，故用丸药以缓缓图之。左归丸由左归饮去茯苓加鹿角胶、龟版胶、菟丝子、牛膝而成。鹿角胶咸温，补督脉即补一身之阳气；龟版胶咸平，补任脉即补一身之阴。一阴一阳血肉有情之品，仍不失阳中求阴之意。妙用牛膝，滋阴防其火动，使虚火下行，潜入水中。又牛膝寓有推动之意，在全方中防其壅补致滞，一药而其用多途。左归丸较之左归饮其滋补之力更强。景岳制方用药耗尽心思，实堪后人师法。

炙甘草汤新话

|江淑安|

炙甘草汤又名复脉汤，主治心阴心阳两虚所致之“脉结代，心动悸”等证。临证用治功能性心律不齐、期外收缩、心房颤动、传导阻滞等引起的脉结代、心动悸有较好疗效。笔者多年细研，临证运用必须注意三点：

第一，处方用量要大。从临床疗效来看，用大剂量比用小剂量效果好，余常用的剂量是：炙甘草60g，生姜45g，党参30g，生地黄60g，桂枝30g，阿胶30g，麦冬45g，火麻仁30g，大枣30枚。1981年春，曾治一陈姓男患者，50岁。症见心动悸，甚时胸闷如窒，舌淡苔白，脉细而结代，前医予炙甘草汤，患者连用十余剂而疗效不显。余接治后，仍用炙甘草汤，但加大剂量，服6剂后收效显著。

第二，配伍用药要讲究。仲景方剂的配伍特点是精专。炙甘草汤中以炙甘草为主药，用以养脾胃补中气，助气血生化之源；以人参、麦冬、生地黄、阿胶、火麻仁滋阴补血，生姜、大枣，调和脾胃，桂枝温通心阳，清酒通络利脉。此方阴柔辛温并用，使滋阴而不致腻滞，通阳而不致伤阴，此其配伍之妙也。余体会，此方中如缺阿胶，则桂枝之辛温难制，病人每易药后胸烦，必须减桂枝之量；或以它药代阿胶，当推太子参为好。以其性平柔润，能益气养阴，又能制桂枝之辛温。

第三，煎服方法要讲究。《伤寒论》中炙甘草汤的煎服是：“九味，以清酒七升，水八升，先煮八味，取三升，去滓，纳胶烊消尽，温服一升，日三服。”正确的煎服法对于保证疗效关系甚大。余对炙甘草的煎服法是：取水1500ml，文火慢煎，快要煎好时，加入白酒20～40ml，或丹参酒20ml，再共煎30分钟后取汁600ml，分2～3次温服。酒如加入过早，会随气蒸发，达不到所需要求。

当归生姜羊肉汤能减轻高山反应

赵执棣

在平原生活的人们突然到海拔3000m以上的地区，会出现轻重不同的头昏、头痛、心慌、心跳、纳呆、恶心、失眠、乏力等高原反应。若到4000m以上的地区，没有不出现高山反应的。特别是冬天，在严重的高寒缺氧情况下，高山反应普遍加重。尤其是一些年纪大、体质差或有慢性疾病的人，反应更大，以致不能久留和无法生活，迫使离开高原，甚至有的人罹患急性肺水肿，高山昏迷。抢救不及时就会丧失生命。

本人1971年在海拔5500米以上的西藏阿里亚热地区工作，和所带的卫生员一起，每天早晨空腹服一碗（约200～300ml）当归、生姜羊肉汤。一年中不但头昏减轻，头痛发作减少，还能吃能睡。在那年冬天，我俩不但没有像以往那样总是要轮换人员过冬，而且还经常出诊和外出打猎，同时参加各种活动。到离开亚热区时，我俩的体重也都增加了。

泰山盘石散具有多种治疗功效

钱裔勤

泰山盘石散方系张景岳所制订的，方用黄芪、党参、当归、川芎、白芍、白术、熟地黄、续断、黄芩、砂仁、炙甘草、糯米组成。原方旨为妊娠因气血两虚致胎动不安而设，喻其安胎之功犹如泰山之稳固，盘石之坚实。笔者据方有补气血，健脾胃，养肝肾之功，推而广之，运用于临床，发现它具有多种治疗功效。

一农妇，32岁，素有肌肤瘀斑、齿衄、腘窝处有瘀血结节、且月经淋漓、血淡量少等症。近因不慎挫伤右臂，致青紫肿胀日甚，不能自缓，痛苦万状，特来求诊。投以泰山盘石汤加茜草、田三七（兑服）。患者服4剂后瘀斑及结节接近消退，伤肿显减，月经歇止。随后用原汤10剂，巩固疗效。

又治一农妇不孕，患者月经先后无定期，经血淡少，白带绵绵，腰膝酸软，神倦困乏，结婚3年无子女。夫妇曾赴江西各级医院检查，无生殖系统病变。患者先后接受人工周期、调经固冲，温补脾肾等中西药治疗3年，仍不受孕，弃治而领养一女。时至8年，遇我应诊，欲治求孕。据其脉证，首投逍遥散，疏肝达志，继用泰山盘石汤增紫河车、阿胶，于每次月经后服5～10剂，调治4次即孕，先后两胎娩男女各一。

痿躄（周围神经炎）用本方亦有效验。如张某，32岁，“感冒”3天后，突感四肢乏力，不能自主，经医院诊为“末梢神经炎”，住院15天，症无进退，回当地改由中医治疗。余以泰山盘石汤加桂枝12g、地龙10g，服7剂后四肢转温，手能微握，还可缓慢屈伸，赖杖站立。药证相符，迭进上方，加怀牛膝12g、丝瓜络10g，黄芪用25g，当归加大至15g。方中桂枝、地龙、丝瓜络、牛膝温阳通络，以治其标；泰山盘石汤气血双补，兼固脾肾，以治其本。患者连服32剂，康复如常，至今体健。

泰山盘石汤治虚劳腰痛（腰肌劳损）也常奏效。曾治顾某，患慢性腰酸隐痛一年，入夜尤甚，劳倦加剧，伴精神倦怠、短气乏力，夜尿频数。用本方加杜仲、桑寄生、附子、女贞子、徐长卿等进退，共服26剂，恢复正常工作。

此外，笔者对由于气血两亏、脾肾不足而引起的大鱼际肌萎缩，气血失荣性肢体疼痛，产后恶露不绝，崩漏，贫血等内妇科杂证，遣本方增损，均有效验。可见中医一方治多种病证，妙在方药化裁得法。

女金丹述要

汪绍懿

女金丹，又名不换金丹，始见于明代·韩懋《韩氏医通》。本方由人参、白术、茯苓、炙甘草、当归、川芎、白芍、延胡索、没药、牡丹皮、赤石脂、白芷、藁本、桂心、白薇各30g，香附450g，共16味药组成，已应用四百余年，为妇科诸疾之良方。

现女金丹已有九首功效不同的处方，效能分虚、实，治虚当中又有调补肝脾和补益肝、脾、肾之异。

女金丹以补益肝、脾、肾见长。其处方导源于韩氏女金丹，组成药味与韩氏相同的有香附、当归各60g，党参、白术、白芍各40g，茯苓、川芎各30g，肉桂20g，炙甘草、延胡索、白薇各10g。另加熟地黄、山药、阿胶、黄芪、酸枣仁、地榆、海螵蛸、益母草、黄芩各40g，杜仲、桑寄生、肉苁蓉、续断、荆芥各30g，麦冬、益智仁、三七、砂仁、陈皮、椿皮各20g，牛膝、茴香、木香各10g，紫河车、丁香各5g，炙艾叶60g，朱砂50g，共38味。

妇科病，先天之因责之于肾，后天之因责之肝、脾。女金丹着重培本，标本同施。具有温肾壮阳、补益肝脾、滋生气血、调经止带、安胎涩血之功。

通过长期临床实践证实，本方可治肾亏宫冷之月经不调、不孕症或胎动不安，以及肝脾失调，肝郁血虚所致的月经病、闭经、痛经或经行腰腹酸痛。同时治疗脾虚带下、脾不统血的崩漏下血等证。

益气养阴法在内科临床的应用

信宜莉

中医辨证论治的关键是“证”，由于脏腑相关，阴阳互根，气血同源，许多内科疾病在其演进过程中的一定阶段，常易出现气阴两虚的共同“证”。“无阳则阴无以生，无阴则阳无所长”，运用益气养阴法，不仅能起到扶正固本，促进机体重建或恢复脏腑的阴阳气血平衡的作用，还有利于截断疾病过程中正邪交争的恶性因果转换，有利于疾病的好转和康复。益气养阴法不仅可用于危重病的抢救，亦常作为许多内科慢性疾病某一阶段的基础治疗，兹举病种为例说明。

1. 慢性支气管炎合并感染，属中医支饮伏肺、外邪引动　本病初起病位在肺，久则及肾，并累及心脾诸脏，整个过程呈现因实致虚、因虚致实的因果交替，故本病以肺肾气阴两虚为本，痰浊阻肺为标，外感引发，每多化热。痰阻气滞多兼血瘀，故须标本同治，以益气养阴治本，清热豁痰治标，临床多以生脉饮合千金苇茎汤加紫苏子、葶苈子、桑白皮、地骨皮、鱼腥草、黄芩等收效。

2. 慢性心功能不全属中医“心劳”“心水”范畴　任何原因导致的心气、心阳、心阴、心血的耗损，皆可致心功能衰减，而气阴两虚往往是慢性心功能不全的病理生理学基础，及时使用益气养阴治疗能使心肺功能有不同程度的改善，若出现肾阳虚或兼瘀血、水湿时，再加入温肾活血利水之品，则可提高疗效，以生脉饮为基础方随证加葶苈子、瓜蒌壳、白茅根、益母草、三七、丹参、赤芍、茯苓、泽泻等。

3. 厥心痛，真心痛　厥心病的基本临床特征为本虚标实，本虚以心之气、血、阴、阳为基础；标实有气滞、血瘀、痰浊、寒凝之别。真心痛无严重并发症时，本虚以气阴两虚最突出，有严重并发症（心律紊乱、休克、心功能不全）时往往出现“脱”“厥”之证，其中以气脱、气阴双脱为最多见。因此，及时使用益气养阴固脱法佐以行气活血、豁痰宣痹，往往可以化险为夷，方以黄芪生脉饮合冠心基础方（师拟：川芎、丹参、赤芍、瓜蒌壳）加黄精、葛根、桑寄生等。

4. 系统性红斑狼疮　本病为自身免疫性多脏器损伤的结缔组织病，基本环

节是水亏火盛、气血瘀滞、经脉阻痹。本虚是肾水亏乏，壮火食气，精不化气，久则气伤。因此，肾阴虚气弱是本病的基本特征，同时伴皮肤发斑、灼痛而痒、关节疼痛，五心烦热、烦躁易怒、口干饮冷等一系列火毒炽盛的表现，还可有肾阴亏损、五脏失养、血脉阻闭之复杂表现。而使用益气养阴滋肾、清热活血凉血、通经活络蠲痹之法可使疾病获得缓解或好转，方用黄芪生脉饮合犀角地黄汤加青蒿、蜈蚣、当归、秦艽、桑枝、知母、女贞子、墨旱莲、玄参等。

5. 肺癌　本病属中医“癥积”范畴。由于各种原因尤以内伤七情造成人体脏腑正气亏耗，致气血痰浊日渐积聚而为癥积，其形成又进一步耗伤正气。本虚以肺之气阴两虚为主，标为痰浊、血瘀，在治疗中宜坚持益气养阴以治本；清热豁痰、软坚化癥以治其标，方以生脉饮合千金苇茎汤加黄芪、莪术、半枝莲、白花蛇舌草、重楼、川贝母、紫苏子、葶苈子、猪苓等。

黄芪小议

李浩然

耆者，长也。黄芪色黄，为补药之长，故其功效甚广。今举其作用绝似相反者计九对十八条，小议原委，供君一笑可耳。

1. 发汗与止汗　阳虚之人自汗频来，乃表虚而腠理不密也，黄芪可以实卫敛汗；伤寒之证，行发表而邪汗不出，乃里虚而正气内乏也，黄芪可以济津以助汗。汗为津液，由肺宣发，黄芪益气补肺，故有发汗与止汗之效。如肺虚汗常自出者，可酌选牡蛎散、黄芪散；气虚外感汗源亏乏者，可选黄芪桂枝五物汤等方。

2. 通便与止泻　黄芪甘温补气，入肺脾二经，脾健清升则泄泻可止。肺气充沛肃降有权则腑行自畅。如肺脾气虚之飧泄，可选升阳汤；气虚便秘可用局方黄芪汤等。

3. 利尿与缩尿　肺脾气虚，治节失司，膀胱约束无力，治宜补中益气汤加益智仁、五味子，重用黄芪升举下陷之气，恢复升降转输之能，膀胱约束之力自增，小便自得控制。其次，中焦气虚升运无力可致下焦气化不及而尿闭，治宜升清降浊兼以温肾，方取补中益气汤重用黄芪并加肉桂、通草，一升一降，气化得行小便自通。

4. 活血与止血（生血）　气血关系密切，倘因气虚则无力帅血可致血瘀。治宜益气活血，方取补阳还五汤。气虚则血失统摄而妄行，为吐衄、尿血便血、崩漏等，治当益气摄血，当归补血汤、归脾汤酌选可也。

5. 升压与降压　气虚则心力减弱，搏出血量减少，脑部及肢体供血不足，而现一系列气虚清阳失升的低血压症状，治当益气升阳，可选升陷汤、补中益气汤等。再者黄芪能增强心肌收缩力使其输出量增加，并能直接扩张血管，故黄芪又能降压。对高血压中风后半身不遂，治宜补气活血，可选补阳还五汤加味。

6. 祛风与熄风　《金匮要略》治血痹阴阳俱微如风痹状，用黄芪桂枝五物汤，治表虚外感风湿用防己黄芪汤，以及《世医得效方》治气虚外感自汗用玉屏风散等，方中重用黄芪益气固表而御风邪。此外，"营气虚则不仁，卫气虚则不用，营卫俱虚则不仁且不用"，治当益气养血以祛虚风，可选神效黄芪汤加减，此皆黄芪熄风之例，故《医学衷中参西录》谓："黄芪主大风者，以其与发表药同用能祛外风，与养阴清热药同用更能熄内风也。"

7. 升陷与平喘　心肺气虚，胸中大气（即宗气）不足则呼吸气短，动辄喘促，脉沉细微或结代，甚至气陷二便失调；如脾气下陷清阳不升，可见久泄脱肛等。治疗均宜大补其气，前者可用张锡纯升陷汤加减；后者可取升阳汤化裁，二方均重用黄芪补气，气足则其喘自平，其陷可升。

8. 增温与除热　气虚之人，气短怯寒，易于感冒。黄芪补气，气足则遍身得熙而寒象除矣。若脾胃气虚，升降失常又可产生虚热，治应大补其气，以补中益气汤加减，重用黄芪则其热自除。故李杲曰，黄芪除燥热肌热圣药也。

9. 消散与收敛　黄芪入肺脾二经，善能补气养正，故托里消毒散，内消黄芪汤等重用黄芪，令正气充旺则痈疡肿消而溃敛矣！

综上以观，凡用黄芪，便艰能畅，便泻可止；尿涩可利，尿多能缩；气陷能升，气喘可平；身热能除，身寒可却；血压高低，力能调节；内外之风，俱可应用；肿疡溃疡，消敛功同；活血止血，其揆一也；所以然者，辨证确切，黄芪善补气也。

一味莱菔子，功胜三剂药

王益谦

1936年秋，予随师陆正斋先生侍诊。一日，李堡镇有洪某因患痢，邀陆师会诊。病家事先邀约之当地名医已在等候，并初拟一方候商。陆师诊察完病人，从容查阅前医三方，然后对照亲获之四诊资料，综合分析，发表自己的见解，就前医新拟之方，举笔加上莱菔子3钱，并命即服。当时诸医中尚有表示不惬意者，孰知煎服之后，病人当夜滞下之症明显好转，开始索食。次日，请医复诊，其中某医称赞陆师曰，“一味莱菔子，功胜三剂药”。意指病人前服三方，未得取效。今方中仅加莱菔子一味，即建奇功。

洪某患痢已6日，服药3剂，胸痞纳呆、里急后重之症未得缓解，诸医咸认为高粱之体不耐消导。陆师观其舌苔中心厚腻、中脘仍有阻闷之感，乃伏暑夹滞，蕴结肠胃所致。前方祛暑化湿、调气活血之药已备，但消导之品尚缺，胃肠中无形之暑湿，凭藉有形之积滞，互相胶结，羁留不去；有形之积滞不去，无形之暑湿何消?《本草从新》谓莱菔子炒热治下痢后重、止内痛、消食除膨，所以治痢古方《援绝神丹》将莱菔子列为主药，即本此意。

谈谈海藻、甘草同用

周静芳　刘复兴

海藻反甘草，两者不能同用，属“十八反”范围，并已成为中医处方用药必须遵循的原则。但历代医家也有不被古说所束，大胆地用海藻配甘草治病的。如李时珍在评李杲医案时说：“李氏治瘰疬马刀，散肿溃坚汤，海藻、甘草两用之，盖以坚积之病，非平和之病所能取捷，必令反奇，以成其功”。其后，《外科正宗》的“海藻玉壶汤”，《疡医大全》的“内消瘰疬丸”，均以海藻、甘草为伍。现代药理实验也证实海藻与甘草配伍并无不良反应。如有毒副作用，据马山氏云：“其毒性乃是藻类粘附着河豚卵所致”。

笔者在历代医家的启发下，曾以海藻、甘草为主，自拟海甘散（海藻、甘草、贯众、当归、赤芍）以治气郁、火郁、痰滞凝结于经络，致使气血凝滞，结聚成块而为病，如瘰疬乳癖、肉瘿、肉瘤等，配合外敷以海藻、甘草为主的自拟消核膏，皆能收到显著的效果。海甘散诸药合用化痰软坚，消肿解毒，活血散结。用于瘰疬，海甘散加玄参、昆布、川芎、浙贝母、夏枯草、仙鹤草、蜈蚣等；用于乳癖肝郁痰凝，海甘散加瓜蒌壳、郁金、白芍、重楼、香附、柴胡等。冲任不调，海甘散加鹿角霜、蒲公英、柴胡、瓜蒌壳等；治肉瘿用海甘散加黄芩、皂角刺、昆布、夏枯草、重楼、蜈蚣等；治肉瘤用海甘散加三棱、莪术、姜黄、蜈蚣、海浮石等。

海甘散方中，海藻与甘草的剂量应为2∶1或3∶1，方能起到协同作用而收到相应的疗效，如剂量为1∶1（即各30g）曾发现有药后欲吐及不适感，这可能与甘草的“浊腻太甚”有关。过量的食咸能引起心血管疾患，所以使用海藻中病即止，不宜过量。

消风和胃汤

胡天雄

肠胃积滞，化生风热，症见消谷善饥，大便泄泻；或食欲呆滞，大便干结；或口渴多尿，状类消渴。此等证候，以小孩为多，总由肠胃积滞而起，下方皆可治之：谷精草30g、鸡内金10g、五谷虫10g、煅牡蛎10g、西党参10g、漂白术9g。

小儿脾虚，食欲不振，腹满便溏，形瘦体倦者，参苓白术散、异功散诸健脾方药，皆可随证取效。遇纳呆而大便干结，或腹泻而消谷善饥，则一般调理脾胃之药，皆与病情不切，惟此方消食磨积，清泄风热，最为适宜。

尝见谭礼初老医师喜用此等药治小儿腹泻甚效。经细心观察，患儿无不由肠胃积滞而起，因简练充实以为方，并扩大其适应范围，定名为消风和胃汤，治疗小儿上述诸证，随用随验，真奇方也。《素问·风论》云："久风入中则为肠风飧泄"，临床上亦当以此方治之。

侥幸之得

徐家彝

陈莲舫是上海市青浦县的前清御医，曾5次进京为光绪帝治病，均甚称旨，曾御赐"恩荣五台"匾额，闾里闻名。

某年6月下浣，陈莲舫出诊时用的画舫正起岸饰新，桐油初干。忽有苏州城内一位乡绅因其妻患脘腹胀满，饮食不进之症，诸医罔效，乃来青浦邀诊。陈莲舫急将画舫下水，携一学生走棹起程，不料未到苏州已是深夜。是夜月黑无光，东西难辨，河道水草茂密，舟行不便，将交寅时，误入死港。此港育有菱秧，藤叶茂密，缭绕舟楫，舟子奋棹行进，却是越陷越深，菱秧与舟楫擦撞，声息甚大，育菱人家离此甚近，闻声急携灯笼前来察看，见画舫新油尚未干透，即顿足说："桐油一滴，败菱一池。"何况菱秧被船桨捣得乱麻一般，所结小菱，脱落殆尽，主人不肯轻舍，一定要陈莲舫赔偿，不得已，将所带盘缠尽交主人。

陈莲舫到病家以后，即用酒饭，陈莲舫因损菱一事怏怏不乐，酒食下肚，即有醉意。及至病榻，见夫人面皖少华，呻吟抚腹，先生视其苔垢，两脉沉伏，

认为是痰湿食气互积为患，前医虽与消导，奈车薪杯水，病重药轻，所以无效。乃于消导药中加入攻下之品，先生念药，学生书方，末后又忆及损菱一事，无意中脱口说出："桐油一滴"，哪知学生却将此四字写在末尾作为药引，交与病家兑药，迨至陈莲舫省悟，已不可追及，犹豫之间，不敢遽离病家，不意药后患者呕出宿积，又得畅便，病竟霍然。

秦伯未先生所著《药物学讲义》一书中载桐油气味甘微辛寒有大毒，入肺、大肠二经，能吐风痰，解砒毒。一时失误，反得良效，真侥幸耳。

五苓散减肥降脂有殊功 | 来春茂 |

肥胖可能引起许多合并症及内分泌代谢的紊乱，并且常直接或间接地伴发许多疾病，如高血压病、糖尿病、动脉粥样硬化性心脏病、结石等，以致影响劳动力及有引起过早死亡的危险。

余用《伤寒论》五苓散方防治肥胖症，确有奇效。

曾治一冠状动脉硬化性心脏病肥胖患者，男，44 岁，体重 75kg，胆固醇 380mg、β-脂蛋白 1200mg，甘油三酯 240mg，有胸闷、气短、烦躁等症状，经服五苓散 4 个月，复查患者体重减为 70kg，血液化验亦降至正常范围。患者已戒除烟酒，并配合体育锻炼，少吃厚味，症状消退，自觉一身轻快。

本方为温阳化气、健脾利水之名剂，《金匮要略》用于治痰饮，余仍遵原书制散剂与服。药用：猪苓、茯苓、泽泻各 30g，白术 60g，桂枝 18g，每次服 3 ~6g，早晚各服 1 次，温开水送下。白术用量倍加，因为肥胖及冠心病、高血脂患者，均为久病中虚之人，白术补脾益气，服用耐久。《本草通玄》载：白术补脾胃之药，更无出其右者……土旺则清气上升而精微上奉、浊气善降，而糟粕下输……"。所以，白术不仅能利尿而且能润通大便。

五苓散之所以能减肥降脂，除恢复患者的正常生理功能外，是否通过大小便排除体内的废物以及过剩的胆固醇血脂，还有待进一步观察。

蟋蟀、蚯蚓治尿闭 | 陈文正 |

余在 1984 年 12 月治一急性肾炎病人龚某。因素罹胃溃疡病，常年服药，消瘦，不能从事体力劳动。近来偶感风寒，先觉一身重着，酸痛无力，继觉眼睑浮肿，初不以为意，渐至全身肿胀，乃致肚腹胀大，腹围竟达96cm。请余诊治，多次运用宣肺、温通、活血散瘀、清热解毒利水等中西药，反致7日小便涓滴不出，病人腹胀气急，不敢吃喝，病家惶然，医计已穷，时值绵雨，道路泥泞，不便转院。余偶忆师训，不妨一试。急取蟋蟀两个（焙枯研细），鲜红蚯蚓1两（洗净泥沙加白糖2两化水）和蟋蟀粉一次顿服，几分钟后，患者解出小便约300ml，再服一次又解出小便，危急已除，经治疗3个多月始告痊愈。古人云：千方易得，一效难求。前人的经验，哪怕一方小法，学之却能济人垂危、拯人沉疴，此即明证。

用药经验拾零

李兰舫

白芷治胃脘痛，白芷辛温芳香，行足阳明戊土，味辛能散，可行郁结之气；气味芳香，能化湿浊之邪；性温气厚（厚则发热），有温中散寒止痛之效。白芷用于湿浊阻中或寒凝气滞的胃脘痛，颇合病机。对胃阴不足之证，用小剂量白芷，与沙参、麦冬、乌梅、白芍等酸甘化阴药为伍，既能动静结合，理气机以助阴津生化，又可避免滋润滞中之弊。一般用蜜水炙用，以制其升发之性。小量用5g，可行气健胃，增进食欲；重剂用10g左右，能温中散寒，理气镇痛。

石膏治中风。出血性中风（脑溢血）证，多由于水不涵木，风阳上亢，或肝阳化风挟痰火上扰。血升气逆，载血上行，血菀于上，溢于络外则成斯症。余常于辨证施治方中加生石膏30~60g，以清金伐木，降逆除烦，收效颇捷。考石膏体重气轻，甘辛而寒。重可降逆下气；寒能清热泻火。气降火平，血循于经，可杜其妄行外溢，且可预防脑溢血后之血瘀发热及肺部感染症。

益智仁可引起鼻衄。1981年秋，余治一例12岁男孩遗尿症，投以缩泉丸煎剂，方中用益智仁12g。服药后患儿鼻衄如泉涌，停药后衄止。复诊时察其苔脉，并无阳热体征，余意前次出血，乃病情巧合，仍予原方加煅龙骨、煅牡蛎以增强潜降收涩之力，但药后又见鼻衄。详询其母云患儿素有便燥之症，半月前患肺炎，始悟其为素体肠燥津亏，风温热邪又复伤阴。《本草从新》云："血燥有热者，不可误入"，信不诬也。医者临证，苟不四诊合参，详于审辨，每易偾事。

医话三则

陈　华

麻黄汤可以退黄

仲师麻黄汤，知其方者多而用其方者少。皆因其“发汗峻剂”禁例多条而畏之。其实，用之得法，诚有益而无弊。余初行医亦畏之，他日随师出诊，见一风寒表实证患者即处以荆防败毒散。师曰：此伤寒表实之证，用麻黄汤最妙。患者服后果效。余遂敢运用。

1976年冬晨出诊，老叟农夫呻吟在床，问其病由，知其近因兴修水利汗出当风，复淋大雨；夜间感觉不舒，继而怕冷，盖被二床无济于事。一身酸痛，心中烦闷，饮食不思，小便涩少。坐而视之，举家惊恐，其面目黄染如橘，形体亦然。舌苔薄黄少腻，脉象浮紧而弦，此乃伤寒表实发黄之证。或问：伤寒表实证有发黄乎？虑其师言诚可有之。所谓“无汗，小便不利，身必发黄”者，此之谓也。麻黄连翘赤小豆汤本为此而设，然此证寒之有余而热之不足，且发表之力逊者，料难逐邪！遂投以发汗峻剂麻黄汤大散表邪，加茵陈10g利尿退黄。药仅2剂，患者诸症悉除。余曾以此法治类证三例，均效如桴鼓。倘按图索骥，但投清利退黄之品，则肤表愈闭，黄染益深，病有增而无减且生变。若此者，非怪药之罪，实乃医之过也。

桑菊饮可消臌

《温病条辨》桑菊饮，通称辛凉轻剂，主治风热犯肺卫之证。然笔者用作消臌，其效亦彰，今述于此，供同道参考。

患儿刘某，10个月，降世35天因便秘腹胀住院月余，诊为巨结肠症。其胀秘惟用灌肠之法可解，但隔天复作如故。改服广木香等行气之品2剂，初服有效，再服愈胀，遂带病出院寻医。延余诊时顽疾逾9个月。此次大便已月余未解，腹胀如鼓，时有干咳，咳则胀甚，神疲形羸，舌苔中心薄腻稍黄，指纹紫滞隐见命关。

师曰：肺与大肠相表里，肺气下降则推行大便，肺气不降则大便弗通。譬犹试管装水，两头空空则水自流；若以手指按住上口，则水不下流。此病形在肠，病根在肺。宜治肺。投桑菊饮以辛凉宣肺开塞，加台乌1.5g，意在旋转气机，推动滞气。患儿服2剂病减，服12剂臌消胀除；续以参苓白术散6剂善后。追访5年，健康无恙。然医者之奥妙，辨证施治是也。若拘于气臌惟行气之法，便秘惟泻腑之方，非但病不除，反为害大矣！

六君子汤可涩精

《医学正传》六君子汤，主治脾胃不健、饮食不思等症。然余用作涩精，亦获良效。1974年夏日曾治欧某，患遗精数年罔效，多则二日一次，甚则每天皆作，若与女人同坐则自遗涟涟。常感神疲乏力，纳差便溏，记忆力减退，经西医多次检查无异常发现。舌淡无华，苔白而腻，脉濡不数。辨为脾虚湿盛，投六君子汤加藿香6g、砂仁6g，服3剂见效，9剂而愈。追访2年疗效巩固。又1980年仲夏以此法治年轻村民李某，服十余剂遗精止，次年喜添千金。

夫遗精之疾，多责之肾家，理当固涩为法。然临证千变万化，不可拘泥。仲师曰："观其脉证，知犯何逆，随证治之"，这是中医治病的准则。肾为先天之本，犹树之有根；脾为后天之本，乃昌盛之源。惟后天振奋，资源充足，则先天受益，遗精之疾不涩自止。余所以治脾者，其义就因于此。

药话五则

王希知

其一 治咳嗽之用杏仁，常事也。殊不知咳嗽经久，肺气虚散，而杏仁之泻肺，须善用之。朱丹溪谓："杏仁泻肺气，气虚久咳者，一二服即止"。是以肺气虚散者，有宜干姜、五味子，有宜五倍子、五味子，皆含补与敛之义耳。朱氏又谓五倍子能治老痰，佐他药治顽痰，临床酌加，获效更捷。

其二 《活人书》云："治胸中痞满，用桔梗、枳壳，取其通肺利膈下气也"。按：实则取其升降气机之法也。盖桔梗主升，故有舟楫之称；枳壳主降，即唐氏所谓诸子皆降之意。故杏苏散、败毒散等皆用之。临床治咳嗽不爽，胸闷隐痛，用此法以调畅上焦气机，胜于一般顺气止咳也。

其三 罂粟壳长于收敛。咳嗽经久，肺虚气散，非敛不愈者可用；咳嗽初起不可用。遗精经久、玉关不固而滑泄者可用；遗精初起下焦有火者不可用。泻痢经久、邪去正伤、肠滑脱肛者可用；泻痢初起不可用。

其四 天冬入肺兼入肾，润燥而兼清痰之下源。盖痰之标在脾肺，其本在肾。按天冬能清热保肺，下通于肾，观此，则天冬治痰乃治本元不足，虚火所生之胶痰也。此与外感咳嗽、痰饮咳嗽，风火痰喘等之稠痰，均迥不相同。

其五 治痰有用润法者，然润亦有别焉。瓜蒌清润；紫苏子温润；莱服子消润，麦冬补润；杏仁散润；各有不同，是在善用耳。

《伤寒论》方用半夏

何国璧

仲景《伤寒论》112方中，使用半夏的有18方之多。初步总结其使用规律有以下五方面：其一，降逆止呕：如葛根加半夏汤治邪气外盛，里气不和，胃气上逆呕吐；小柴胡汤用半夏，和胃降逆而除烦呕。其二，消痞散满：半夏泻心汤、小陷胸汤，皆以半夏配伍黄连组成辛开苦降、消痞散满之剂，治疗心下痞满。其三，祛痰蠲饮：小青龙汤为外寒内饮而设，以半夏辛温入脾经，燥湿祛痰蠲饮。其四，开胃行津：竹叶石膏汤乃益气生津之剂，用半夏以开胃行津。其五，散结利咽：半夏善治少阴客邪咽痛；苦酒汤疗少阳水亏，虚火上炎，咽喉肿痛成疮。二方均用半夏，辛性泄散，以散结利咽。

一味半夏经仲景精心配伍，治证多端。笔者在学习张仲景用半夏之经验后，用半夏配伍蒲公英、玄参、麦冬、桔梗、甘草等药，治疗慢性咽炎，阴虚痰结之证，常获良效。

十枣汤治疗悬饮的煎服法

江淑安

某夜与一同道闲聊，谈及十枣汤治疗悬饮，历代医家颇有验案，但近时医者应用较少。同道追忆曾治一例，用大戟、甘遂、芫花各1g，加入大枣10枚，煎服后不久，患者腹痛甚剧，呕吐频作，家属惶恐。用方对症，却出现如此反应，是何原因？细阅方书，知为煎服法有误。应该是三药研末，另煎枣汤送下，清晨空腹服。不久，吾亦遇一悬饮患者，病已月余，胸透发现左胸有液平面。查阅病历，曾用蒲公英、鱼腥草、郁金、瓜蒌皮、延胡索等清热开胸药十余剂，胸痛等症依然。思胸痛系饮停为患，水饮不去，诸症难除。观患者正气尚强，适用十枣汤。处方用大戟、芫花、甘遂共研细末，取1.5g，用面皮包裹，另大枣10枚煎汤，于清晨空腹送服。患者服1剂后，泻两次，胸部如卸重物，疼痛顿减，精神尚佳，续服1次，腹泻4次，胸痛等症十去八九。再次胸透，液平面消失。改用健脾利水药善后获愈，未再复发。说明十枣汤的运用，只要辨证准确，讲究煎服法，是可立即收效的。

生天南星的药效比制天南星好

胡建华

天南星是一味治疗多种疾病，应用范围颇广的良药。它的熄风解痉等作用，不仅考据于文献，亦可验证于临床。

《神农本草经》称本品为“虎掌”。并指出：“主心痛，寒热，结气，积聚，伏梁，伤筋痿拘缓”。由于其苦、辛、温、有毒，故认为具有辛烈开泄之性，以致临床使用范围日益狭窄，诚属可惜。为减轻其毒性，在炮制时用清水浸漂，加生姜、明矾腌拌后淘洗，直至入口无麻涩味为止。但经这样处理后，有效成分丧失殆尽，药效亦随之而降低。我长期以生天南星广泛应用于临床，通过数以万计的人次实践，从未发生过中毒现象和其他副作用。

本品的熄风解痉作用颇佳。凡动风抽搐、晕厥之症，均可结合辨证处方使用之。我长期用生天南星配合全蝎、蜈蚣（二虫均以研粉或制片吞服为宜）、钩藤、地龙、白芍、丹参、石菖蒲、远志等治疗癫痛，取得较好的效果。此外，用于治疗震颤麻痹而见肢体震颤，与全蝎、蜈蚣、僵蚕、钩藤等同用；治疗耳源性眩晕而见景物旋转、眼球震颤，与菊花、枸杞子，墨旱莲、石菖蒲等同用；治疗面神经麻痹而见口眼㖞斜、面唇抽动，与全蝎、僵蚕、白附子等同用；治疗半身不遂，肢体麻木疼痛，与补阴还五汤同用，均有一定效果。

生天南星还能镇静止痛。凡狂躁、失眠、头痛等症，均可适当使用生天南星。我常用本品配合炙甘草、淮小麦、大枣、生铁落、大黄、知母、百合等治疗精神分裂症之狂躁不宁者，确有良效。此外，治疗三叉神经痛、血管神经性头痛，可与全蝎、蜈蚣、川芎、丹参、红花等同用；用以熄风解痉，化瘀止痛，亦常能获效。

生天南星有较好的化痰、镇咳、平喘作用。对各种咳喘痰多均适用。例如治老年慢性支气管炎气急，咳痰不爽，本品可与小青龙汤相配，如治感冒咳嗽，久而不愈，可与止嗽散同用，均能提高疗效。我在60年代初曾以麻黄、射干、生半夏、生天南星、炙紫菀、炙百部六味药配制成“麻干片”，治疗哮喘咳嗽，收效颇佳。

生天南星兼能散结消肿。我常用莪术相配，治疗腹腔肿块；与海藻、昆布相配，治疗甲状腺肿大、颈淋巴结核，使患者的胀痛逐步减轻，肿块缩小，有的还渐渐消散而愈。

总之，生天南星的药效确实比制天南星好，且无明显的副作用。

薏苡仁清痰 | 钟新渊 |

1983年9月末，我得了一次感冒，初愈后，每日清晨仍咳黄色浊痰，历时一周，有增无减。我担心痰浊不清，引起它病。暗自思量，找一味善药来清除痰源，黄色浊痰是湿热酿成，我就选用薏苡仁清化。每日取薏苡仁50g煮粥，连吃3天。果然，咳痰逐日减少，尿量增多，湿热从下泄去。我素来脾肾不足，薏苡仁淡渗寒滑，虽然有利于清化痰热，但却使我溲时余沥点滴，有时自流而难予约束。可见善药也非十全。于是，在薏苡仁粥中加入10枚大枣，连吃4天，痰浊尽去。从此以后，我对肺热痰浊重者，常用薏苡仁治之，效果多佳。

薏苡仁祛湿清热，不仅能治痰热，对治水肿也很适宜。对小儿肾炎，不论初中末期，皆可用之；不论是否脾虚，均可加入大枣同煎。单用薏苡仁，量要大一点，每次20~30g较为适宜。一般用生薏苡仁，但个别的吃生薏苡仁会导致腹泻，此时则宜炒用。

金沸草散琐言 | 江尔逊 |

余早年体弱，薄受风寒辄咳，每以止嗽散、杏苏散、六安煎等取效，而有一次遍尝诸方，都了无寸效，咳嗽频频，咽喉发痒，痒必咳嗽，迁延旬余。查阅方书，见陈修园《医学从众录》云：“轻则六安煎，重则金沸草散”。乃试服一剂，咳嗽、喉痒即止。余讶其异，遂施诸他人，亦收捷效。数十年来，余治咳嗽，毋论新久，亦遑论表里寒热虚实，恒喜用此方化裁。有的病者咳嗽缠绵2~3个月，遍用中西药物乏效，服此汤数剂而愈，因叹其佳妙而授他人，以至辗转传抄，依样画葫芦，竟亦屡有霍然而愈者。无怪乎有人将信将疑而言曰：“似此平淡之方药，而效验尚堪夸者，其理安在?”

余窃思咳嗽固多，无非肺胃之病。观《内经》揭咳嗽之总病机为痰涎或水饮“聚于胃关于肺”六字，可谓无余蕴矣。方中主药金沸草，乃旋覆花之茎叶，余常用其花。谚曰：“诸花皆升，旋覆独降”，其肃肺降胃、豁痰蠲饮之力颇宏；其味辛，辛者能散能行，故能宣散肺气达于皮毛，一降一宣，肺之制节有权矣；其味咸，咸能入肾，故能纳气下行以归根，俾胃中之痰涎或水饮息下行而从浊道出，不复上逆犯肺，肺自清虚矣。再者，方中寓有“芍药甘草汤”，酸甘合化，滋养肺津，收敛肺气，现代药理研究证实它能缓解支气管平滑肌之痉挛。余用此方治愈之咳嗽不知凡几，深知方中诸药均可损益，惟旋覆花、芍药、甘草三味为举足轻重而不可挪移之品，故特表而彰之，平淡乎？妙用乎？惟明者察之！而临证之顷，损益之妙，又存乎一心也。若风寒咳嗽，不论久暂，可迳用本方，其喉痒咯痰不爽，似燥咳而实非，可加桔梗；风热咳嗽，去荆芥、前胡，合桑菊饮；燥热咳嗽，去荆芥、前胡，合贝母瓜蒌散；痰多而清稀，合二陈汤；痰黄而夹热，加黄芩，或合泻白散；兼喘，合三拗汤；痰壅气促，上盛下虚，去荆芥、前胡、合苏子降气汤；咳嗽日久，无明显外证，合止嗽散；脾胃虚弱，合五味异功散；反复感冒者，合玉屏风散。究之，本方固为治风寒咳嗽之代表方，然因其能准确地针对咳嗽之基本病机，故尔通过灵活化裁，通治诸般咳嗽，尤其适用于久咳不已而诸药罔效之辈。临证者曷必不屑一试之，以有采于刍荛之言欤？

（赵典联　整理）

小青龙汤新识

赵致镛

曾治一老媪邓某，85 岁，患“肺胀”卧床不起久矣。余诊时，其面壁而卧，咳喘呻吟不已，动则尤甚，饮食几废。脉浮大弦硬，重按则细微似无，舌质胖大红绛，无苔少津。检阅前医处方，皆清热祛痰降气之套药。吾断为阴阳两虚，阴寒水饮凝聚，上乘阳位，虚中夹实，阴证似阳。投小青龙原方，生白芍增至 30g，加生山药、附片、肉桂各 30g。服药 1 剂，喘嗽减半，饮食略思。嘱用前方再进 6 剂后，喘嗽悉平。

或问：此证既无外寒，何以用小青龙之辛散欤？唐宗海曰：“气生于水，即能化水，水化为气，亦能病气。气之所至，水亦无不至焉……。设水停不化，则太阳之气不达而汗不得出，内则津液不升，痰饮交动，此病水即病气矣。”张锡纯亦说：“水散为气，气可复凝为水。”故“小青龙是寒动其水证。”小青龙汤“散心下之水气，借麻黄之功，领诸药之气布于上，达于下，达于四旁，内行于州都，外行于六腑，”而“药力周到，能入邪气水饮互结之处而攻之，凡无形之邪气从肌表出，有形之水饮从水道出，而邪气水饮一并廓清矣。”

由是可知，小青龙汤证之本质乃是无形之水气遭遇寒邪（外寒或内寒），

凝聚还原为有形之浊水。其寒饮客于皮毛肌腠，则为身重疼痛之溢饮；其内若于心下，上犯胸膈，则为咳逆倚息之支饮。故小青龙汤非仅为外寒立法，实乃温散阴寒浊水之妙方。张机用桂枝去芍药加麻辛附子汤治气分水肿，取“大气一转，邪气乃去”“离照当空，阴霾自散”，均同出一理。因本证真阴亦亏，故方中“重用山药以峻补真阴，阴足自能潜阳；而佐以附子之辛热，原与元阳同气，协同芍药之苦降，自能引浮越之元阳下归其它。”（张锡纯语）

总之，水性属寒但并非全等于寒，寒散气行则水饮亦行，这就是我对小青龙汤治疗原理的认识。

漫话云南虎潜丸

汪绍懿

虎潜丸以虎骨及其强筋健骨、育阴潜阳之功而命名。首见于元代朱震亨《丹溪心法》。该方由虎骨1两、龟版4两、熟地黄2两、白芍1两半、知母1两、黄柏半斤、陈皮2两、干姜半两、锁阳1两半，共9味药组成。600年来，以治肝肾阴亏的痿躄证闻名。迄今虎潜丸已有15首处方。

云南的虎潜丸是一首治疗虚痹证的奇葩，该方导源于明代龚信“健步虎潜丸”，组成药味与龚氏相同的有：虎骨、龟版、熟地黄、白芍、牛膝、杜仲、补骨脂、附子、白术、党参、黄芪、薏苡仁、木瓜、防风、羌活、独活、黄柏各30g，五味子、酸枣仁、枸杞子各10g，当归40g。另加入珍珠草、桂枝、苍术、防己、地榆、芡实、山药、沙参、石斛、干姜、茯苓、菟丝子各30g，川芎20g，共34味。

方中珍珠草为丽江地区茅膏菜科植物——茅膏菜的球茎。性味甘温有毒，善长祛风通络，行血止痛，用于跌打损伤、风湿性关节炎见长。与防风、羌活、独活、桂枝、苍术、防风、薏苡仁、木瓜共成祛风湿、散阴寒、通络宣痹之意；附子、干姜、虎骨、杜仲、龟版、菟丝子、枸杞子、补骨脂同温肾阳；党参、黄芪、茯苓、白术、芡实、沙参、石斛同行补益脾气；四物牛膝调肝血，共奏培补肝肾之功。

据《滇南本草》载，地榆能定痛，酸枣仁、五味子养心安神；黄柏泻相火；防干姜、附子化燥劫阴，均为佐药。

本方以扶正为主，扶正祛邪并举，具有温阳补肾、调养肝脾、祛风胜湿、散寒开痹之功。其组方严谨，层次分明，既吸取了丹溪、龚氏虎潜丸之长，又有自己浓厚的乡土特色，实为补虚宣痹之良方。

云南虎潜丸问世一百余年来，对于素体虚弱，腠理空疏，受风、寒、湿三气痹着于筋骨、腰膝、肢体关节等处，表现疼痛、酸楚、重着麻木，屈伸不利，步履艰涩，苔白或腻，久不愈者，如类风湿性关节炎、坐骨神经痛、慢性风湿性肌炎等，效如桴鼓。

重用晚蚕沙治湿温 |吴子腾|

王孟英曾制蚕矢汤、燃照汤，立法用药简捷，切合临床，先祖父藻江和家父培生平素最喜用之。因地处皖南山区，夏秋之交，阴雨绵绵，霪雨一过，烈日暴晒，湿热交蒸，湿温最多。

据我家经验，熔蚕矢汤与燃照汤于一炉，重用晚蚕沙，多者50g，少者20g。蚕矢，味甘辛性温，擅于祛风除湿。先祖父认为其性清凉甘淡，禀桑叶清香之余质，具芳香轻清之气，最能化浊辟秽，除湿解热，对湿罨中、下二焦与湿热裹蒸难透所致的日晡潮热，胸腹灼热，脘痞腹胀，头重肢酸，口干不思饮，小溲黄短，大便艰难，苔白厚中黄，黏滞板腻等证候，用之最为得力。因其集桑叶之余质，故量小难达其力，且禀冲和之性，对气阴两虚而湿热郁蒸、缠绵不解的病人，尤具有它药所不及之力。当以晚秋所产的蚕矢为佳，故称其为晚蚕沙。我家世代沿用七八十年，并未发现有性温偏燥之弊。同时配用清水豆卷、佩兰二味。清水豆卷为黑豆经清水浸泡发芽，阴干而成，质重而变为气轻，具甘平之性，入脾胃，走肌表，分利湿热，集徐缓之力以奏功。由于其能和胃，调理中气，故对湿温不解，气阴已虚，久延时日的病人用之既能化湿解热，又能和胃而护正。用量在15～20g之间。佩兰，我们常取其叶、梗、子一同使用，配豆卷共助蚕沙以化湿解热，宣达中下，使湿热胶锢之势，得以分离，湿去则热孤。家父培生称此为“燃照细探湿热因，蚕沙豆佩切中情”。我们以此三味为主药，再结合辨证加药。湿偏重者加通草、滑石、厚朴、茯苓类；热偏重者加黄芩、黄连、栀子、淡竹叶类；气滞腹胀甚者加枳壳、法半夏、厚朴等；兼暑者加六一散、鲜荷叶、鲜薄荷、鲜扁豆花等；兼下利赤白者加黄芩、黄连、葛根、白头翁等；出现白痦者加连翘、芦根、蝉蜕、淡竹叶等；湿蕴膀胱，酿成癃闭者加车前子、萹蓄、冬葵子、赤苓、甘草梢等；湿热内蔽心包，出现神寐谵语、舌绛苔腻，加钩藤、羚羊角、鲜石菖蒲、竹叶卷心等。临床往往不尽如此，亦有诸证同见，更有出险入夷，又复波折的境遇。1963年初秋，时在家父侧囊诊，治一例29岁农民，因冒雨耕种，又复烈日暴晒，感受湿热之邪，复食生冷瓜果，寒暑交中，骤见面色惨青，汗泄如雨，四肢厥冷，呕吐频频，腹痛阵阵，下利如注，脉伏不见，急于温中疏远，行滞化浊。药用制附片10g，淡吴茱萸、陈皮、淡干姜各6g，白茯苓、制半夏、川厚朴各9g，佩兰、煨木香各9g，豆蔻3g，炒神曲12g。进1剂，患者肢温汗止，呕泻不作。病家以为已经转机，辍药停治。逾一星期，其父急急来找，告云：病又复凶，发热不退。急往诊，病人身热不退，面污如油，舌苔黄厚中间灰色，脉濡弦而数。主诉头重胸闷，四肢酸痛，口干不欲饮水，大便软而不畅，小便黄浊而少。此乃生冷之邪虽解而湿热之气郁蒸，乃停药过早，复蔓于气分所致。予晚蚕沙50g，清水豆卷30g，佩兰10g，栀子、黄连各6g，法半夏、厚朴、滑石、木通各10g，赤茯苓15g，鲜石菖蒲10g。患者进3剂，身热见低，却胸腹灼热，口干唇焦，苔仍黄厚微燥，上方去厚朴、石菖蒲、半夏，加麦冬10g，天花粉12g，葛根8g。患者进3剂，灼热除，尚口干不思食，肢怠乏力，胸腹仍痞满。予蚕沙、豆卷、佩兰、茯苓、薏苡仁、麦冬、枳壳、天花粉等，继续服5剂，诸症渐渐解除，饮食能进。其中大剂量蚕沙起了决定性作用。

蜈蚣临证得失谈

刘复兴　周静芳

有些人因畏蜈蚣之毒性而不敢用于治病，殊不知“蜈蚣走窜之力最速，内而脏腑，外而经络，凡气血凝集之处皆能开之。性有微毒而专善解毒，凡一切疮疡诸毒皆能消之。”（《医学衷中参西录》）。故每遇内科或外科疾病，尤其是顽固性疾患，均喜用蜈蚣（不去头足）数条（视病情年龄而定，1~5条不等）治之，故有“蜈蚣医生”之称。

余曾治杨某，患偏头痛数年，虽经中西药治疗，症情未能彻底治愈，且发作时疼痛越更加剧。诊时见其素体肥胖，面色暗滞，舌淡胖苔薄白，脉弦滑。此为痰湿阻络，上扰巅顶。处方：附片30g、陈皮10g、法半夏15g、川芎30g、蜈蚣5条，以化痰通络，搜风逐湿。患者服数剂而愈。随访3年未见复发。

又治张某，患白癜风4年余，经用中西药仍常见复发。经人介绍来诊，问及所用药方为生地黄、牡丹皮、紫草、生槐花、土茯苓、白鲜皮、大青叶等。药证尚符，惟患者素体壮实，面色焮红，灼热鳞屑层积，脉弦略数，舌红苔黄。说明血多热煎熬成瘀，不能濡养肌肤所致。故于原方中加赤芍药以“通顺血脉、缓中、散恶血，逐贼血”（《名医别录》）；蜈蚣、乌梢蛇以大举搜风去恶血，化风毒壅于血分之病，凡气血凝集之处皆能开之，瘀去新生，气血调和则病去而体安。

蜈蚣用之不当，也能造成变证。患者李某，头皮起红色小瘰数日瘙痒，有黄水少许溢出，结黄痂。舌红苔黄微腻、脉弦数，此乃风湿热为犯，发为风湿疡，治宜清热利湿，祛风止痒。予龙胆泻肝汤加减，方中加蜈蚣3条。但患者服药2次后，头皮瘙痒难忍，黄水泛发如擦头油，造成了利湿而湿不除，祛风而湿反盛的现象。即嘱其停药，以龙胆草、苦参、白头翁、仙鹤草外洗患处，以清热燥湿，杀虫止痒。上方去蜈蚣，风波方平。上述变证是蜈蚣用之不当所致。正是：微风散湿湿自平，疾风搜湿湿反盛。因此，大凡湿热壅结于肌肤，跃跃欲出之时，拟清热利湿酌加疏风之品，使邪从下、从皮毛腠理而出。而蜈蚣走窜之力最速，犹如洪水泛滥之时，风助水威，可加重病情，不可不慎。

雷公藤传奇

李志铭

相传“神农尝百草，死于断肠草”。几千年来，人们对于“神农”献身医药的精神，充满了敬佩与婉惜之情。

蒲松龄的名著《聊斋志异》中，有篇“水莽草”的故事。描写一个姓祝的书生，因路途口渴，正好遇见卖茶的美丽少女，饮茶一杯，顿时腹痛难忍，中毒身亡。原来此茶是用水莽草泡的。祝生死后，变成了“水莽鬼”。但他不肯“找替身”害人，反而救助了许多中毒之人。由于他的正直，终于受到人们的称赞并获得了美满的爱情。

什么是断肠草、水莽草？李时珍在《本草纲目》里有记载：“莽草，又称芒草、鼠草，此物有毒，食之令人迷罔，故名。”又在钩吻条下论述：“钩吻即胡蔓草，今人谓之断肠草是也……，生滇南者花红，呼为火把花。岳之谓之黄藤。……入人畜腹内，即黏肠上，半日黑烂，又名烂肠草。

据笔者考证，莽草、钩吻、黄藤、火把花，都是有毒之品，民间都有“断肠草”之称。故不少人把它们混为一谈。其实，火把花是昆明出海棠，黄藤则指雷公藤，它们俩是一对“孪生姊妹”，同属卫茅科雷公藤属植物。莽草是木兰科八角属植物，钩吻是马钱科胡蔓属植物，不能加以混淆。

雷公藤作为内服药应用，仅有十多年的历史。湖南岳阳有座“黄藤岭”，漫山遍野长着雷公藤。当地人寻短见（轻生）时，只需服下六七枚雷公藤嫩芽，就可丧生。十几年前，有个被麻风病折磨得痛苦不堪的青年，特地找到此山，采了一把雷公藤煎服一碗，想从此了结生命。不料服后上吐下泻，昏睡了一天，不但没有死，反而觉得全身轻快，病痛去了大半。这个“绝处逢生”的故事传到某麻风病防治院，医生受到启发，于是试用雷公藤煎剂内服治疗麻风病，果然获得了意外的成功。

1973 年，湖北省洪湖县人民医院根据用雷公藤治麻风病的有效经验，制成“雷公藤合剂”，内服治疗类风湿性关节炎，取得了良好疗效。1976 年湖北省成立雷公藤研究协作组，开展了对雷公藤的药理、药化、生化、毒性及剂型等的研究工作，研制成“雷公藤片”。实验证明雷公藤提取物有抗炎、免疫抑制、抗肿瘤、舒张血管和类似激素样作用。临床观察一千多例，总有效率为 91% ~ 95%。1980 年 12 月通过了省级鉴定，与会专家代表一致认为，“用雷公藤，治疗类风湿性关节炎疗效显著，该项研究成果达到国内先进水平，应予推广应用。”此项研究成果获得 1980 年度湖北省科技成果二等奖。湖北省雷公藤研究协作组发表的多篇论文引起了医药界的重视。从而，全国许多地区都相继开展了对雷公藤的研究工作。

仅仅十多年的时间，雷公藤从一株默默无闻的民间草药，成为颇有名气的“药坛新秀”。由人人惧怕的毒草，变成了倍受欢迎的良药。

郁金丁香配伍隅见

宋知行

“丁香莫与郁金见”，为十九畏之一。但一些医案与成方却有两品相配者。如《张聿青医案》中有用治胁痛、脘痛、噎膈等，《王旭高医案》中则用于治呃逆；《和剂局方》有木香分气丸，近代则有治肝硬化的验方亦同时使用郁金与丁香。可见其间颇有值得商榷之处。

其一是两品相合，借其性反互激，以求开郁结而定痛势。盖郁金主入心肝，行气解郁，凉血祛瘀。前贤谓其辛散苦泄，善能条畅上下。若肝气调达，自能疏利中土，而由气畅血，则可通滞散结。丁香之性，温中降逆，暖肾助阳。古云其能使气归于胃，使胃阳振，气化行，升降出入自无不利。由此可知，在郁金之苦辛散泄，行滞活血方面，以丁香之辛温快气、通阳开郁配合，似有相得益彰之效。

其二是两品之用，又与病症的部位有关。丁香入胃为用已述，然郁金擅治胃口作痛，且有启辟幽门之功，提示了它们在胸膈肝胃局部区间的特有作用。

前面列举的各案和成方，窥测其意，也是利用两药的相畏之机，以求疏通降逆而已。

于肝胃气结之壅逆作痛，运用郁金、丁香以开郁除痛，颇有功效。曾治一男性少年，为胃窦炎、胃和十二指肠溃疡。其症：清晨和午后时有脘痛，得食稍缓，但每周辄有二次剧痛，气攻胁肋，牵及背脊，痛甚踡屈滚翻。平时经常心懵吐酸，脘胀嗳气，脉濡带缓，舌边尖红，苔白中厚。以其为肝胃失和，气滞湿阻，予戊己合良附加味。患者服药后月余，心懵嗳气得缓，平时疼痛转轻，但阵痛发作的情况仍见。以脉舌略同，辨为气湿交阻，肝胃不调，乃予戊己加入郁金、丁香。患者连服两周，阵发性剧痛消失，从此不发。诊治半年后复查，见其胃窦炎显著好转，溃疡则好转不多。从本例看，以常法调治，诸症减轻，但壅逆阵痛未解；嗣后参入郁金、丁香，其效颇著。因方中无其他定痛专药，似可推知两药有其作用。

当然，郁金、丁香之相畏，流传已逾千年，其产生谅有一定依据，不能轻易否定。个人管见，祈请指正，而临床之际，尚应审慎为宜。

四逆散之妙用琐谈

郑艺文

四逆散方出自《伤寒论·少阴篇》，原论主治少阴病四逆，其人或咳或悸、小便不利，或腹中痛，或泻利下重。

景岳有言："凡用药处方，最宜通变，不可执滞。"斯言给我启发不少，多年临床实践印证仲景方，其为用多不限于原论，若能领会其理法而化裁之，常能扩大原方之用途。从其方注随证加味，便可窥见其应变之灵活性。昔贤沈尧峰以此方加味为疏肝散，解肝气之郁结；局方逍遥散以此方加减而治肝郁脾虚诸证。

近世医家运用此方主治之病种日益增多。凡证之属于少阳而兼见四肢厥逆者，此方即为有效。寒热交作，既非太阳表证，又无阳明里证，但有微渴、心烦、溺赤，而诉四肢厥逆，脉不浮而沉细数者，不论男女老幼，用之皆效。笔者常以是方合玄参、贝母、牡蛎，以治马刀挟瘿及淋巴结炎，有迅速消散之效。本方加川楝子、紫花地丁、红藤、金银花、连翘等，治疗急慢性肠痈，一般效果良好。外感头痛，并诉肢冷、心烦而脉不浮紧，略弦细数者，本方合栀子豉汤，用之良效。业师陈逊斋先生，尝用是方治小儿厥逆，既无可温之寒，又无可下之热者，用之疏畅其阳，而收调节体温之效。老友龚志贤医师，在《名老

中医之路》中，报道其得文仲宣医师传授是方加味治阑尾炎之疗效甚佳，此与我之临床实践可以互相印证。

《伤寒论》虽谓本方主少阴病四逆，窃以为并非少阴病，不过因其有肢冷、脉沉细等类似少阴脉证而已。此证之厥逆不甚而微温，脉沉细而兼数或弦。其厥为阳厥，被外寒郁闭而然，其机制与脉滑而厥之白虎汤证及阳明里实热深厥深之承气证，各各不同，宜据脉证而细辨之。

妙哉！柴胡疏肝散之配伍

|王希知|

妙哉！柴胡疏肝散之配伍。其配伍之妙者，若柴胡为疏肝主药，惟恐其升举阳气太过而致肝用阳盛反伤肝体之阴，而以酸寒平抑肝阳之白芍伍之，取其柔肝敛阴，以制柴胡升阳之太过，取阴阳同用之意耳，此妙之一也。气滞者，气机升降失调所致也，乃用柴胡之升，伍以枳壳之降，俾升降得调，则气滞得畅矣，取升降同用之意耳，此妙之二也。《内经》云："肝苦急、急食甘以缓之"。甘草伍白芍，酸甘同用，取柔肝缓急之意，此妙之三也。至若香附伍川芎者，《本草正义》谓香附"香气颇浓，皆以气用事，故专治气结为病"。《本草纲目》谓香附"盐水浸炒则入血分而润燥"。又云："得芎穷、苍术则总解诸郁"。《本草衍义补遗》谓川芎"四物用之以畅血中之气"。《药品化义》谓川芎"使血流气行，为血中之气药"。是以香附之伍川芎，取气血同用之意，俾气行血活，则郁解而胁痛可除矣，此妙之四也。综观此方，既能使肝用之气滞得畅，又顾及肝体之阴勿伤，诚两全之妙方也。

体阴用阳说"逍遥"

|黄绳武|

"逍遥"二字，出自《庄子·逍遥游》，取方名为逍遥散，含有疏达之意，木郁达而诸症皆解，心情舒畅，故有逍遥之名。此方最早载于宋《太平惠民和剂局方》是由《伤寒论》中四逆散衍变而来。后世的加味逍遥散、黑逍遥散等均由本方加减化裁而成。

逍遥散乃和解方，以养血为主，调气为先，是调和肝脾、培土疏木之主方。《内经》曰："木郁达之，遂其由直之性。"是故治疗上首先要顺其条达之性，开其郁遏之气，并宜养肝血以健脾土。此方配伍精当，全方由当归、白芍、柴胡、薄荷、茯苓、白术、炙甘草、煨姜组成。前四味对肝，后四味对脾，虽重点是治肝气抑郁，但用药比例则肝脾相等，因肝脾二者相互为用，脾得肝木之疏泄则运化有常，肝木得脾土之培育而调节有度。

逍遥散既为疏肝达郁之主方，肝气抑郁，常有气郁、气滞，一般认为至少要用香附、青皮、川楝子、郁金、延胡索等行气药，但全方竟无一味理气之药，是何道理？因肝藏血，主疏泄，体阴而用阳、即肝以阴血为体，而能调节一身之气机为用，肝气郁结，一方面影响藏血，一方面又易化火动风阳。行气之药，多较辛燥，如香附、川芎等辛燥之药助阳而伤阴，非但不能去病，还会适得其反。王孟英说："然理气不可香燥也，盖郁怒为情志之火，频服香燥，则营阴愈耗矣。"治此等之症，常以柔肝之法，以柔济刚。故方中只用柴胡一味来疏肝达木。柴胡苦平为厥阴之报使，本为气分药，入气能疏气解郁，以气治血，即通过调气而治血分病。又因其入肝经，肝为血脏，故又能入血分，行血中之气。从药的升、降、浮、沉来看，柴胡主升，如补中益气汤中用柴胡配升麻，升发清阳之气。此处用柴胡来疏肝解郁，恐防不够，而加薄荷少许，薄荷为辛凉解表之药，此处为何加之？且方中他药均有剂量，唯独薄荷无分量，只用少许（解表时用之大抵3～6g）又为何故？盖薄荷一则辛凉入厥阴肝经，可以凉肝，一则芳香可以解郁，但毕竟为辛凉解表之药，故用之不宜太过。有些医生不了解其妙用，开方时往往舍而弃之。殊不知此药虽少而量轻，但其效用颇大，常有出奇制胜之妙。由于木郁影响肝藏血，故用当归配白芍以滋养肝血，肝血充足，肝阴濡润，则肝郁自解。同时用白术、茯苓、甘草以健脾，助土升木。为何用煨？因脾为湿土，肝郁侮脾，脾土失运则湿聚，故以温中燥湿。这样脾土得健，生化之源泉不竭，血足养肝，则肝郁自解。

可见古人制方，思虑入微，用心良苦。

白芍临床应用一得

夏　翔

芍药为一味古药，在《诗经》中早就有所记载。《神农本草经》对芍药已有较为全面的认识，认为芍药具有"主邪气腹痛、除血痹……止痛"等功效。自陶弘景开始，将芍药分为白芍药和赤芍药；历代各医家均认为白芍具有养血补阴、柔肝止痛的功效，而赤芍的功效主要为凉血行瘀，消肿止痛。故《本草求真》说："赤芍与白芍主治略同，但白则有敛阴益营之力，赤则有散邪行血

之意，白则能于土中泻木，赤则能于血中活滞”。芍药一直是一味临床上的常用药，而且适应证很广。如汉代张仲景所著《伤寒论》《金匮要略》中的桂枝汤、小建中汤、芍药甘草汤、小青龙汤、四逆散、桂枝芍药知母汤、当归芍药散等有名方剂，都是以芍药作主要药物的。其他历代医药家以芍药作主药的名方也很多。如痛泻要方、犀角地黄汤、逍遥散、四物汤、芍药汤等。余在临诊时也体会到，芍药（主要是指白芍）是一种应用范围极广、临床效果极佳的药物。各个脏腑、各个系统的许多病症都能用白芍收效。如以呼吸系统来说，对哮喘患者应用小青龙汤或其他肃肺降气平喘的方药时，重点配合白芍则可增强其平喘的功效。这是因为白芍通过柔肝，加强肝木的疏泄作用，以助肃肺降气而奏平喘的功效。同样，对虚喘的患者在应用补气益肺方药的同时，配以养血柔肝的白芍，也能提高其疗效。对消化系统疾病，应用白芍的范围就更广了，对溃疡病来说，小建中汤是良方，如欲使其疗效更为显著，一定要重用白芍，甚至可用至60g或90g。对食管、胃、肠痉挛以及过敏性结肠炎患者可用白芍配合白术、香附，木香等而获良效。以心血管疾病来说，对冠状动脉硬化性心脏病、心肌炎等患者，可用白芍配合丹参、党参、麦冬等药物，以加强补心活血、养血补气的功效（药理学证实白芍具有降压作用）。以运动系统的疾病来说，如治腓肠肌痉挛或其他肌肉痉挛，可重用芍药甘草汤，若再配合地龙、全蝎等虫类祛风药则更为有效（药理学证实白芍具有镇痛、抗惊厥等作用）。再如对偏头痛、妇科痛经、外科手术后疼痛等病证，都可应用白芍进行治疗。如果在处方中按常用量（9～15g）应用白芍效果不显著，可重用至60g或90g，则疗效更佳，且没有发现不良反应。

湿病活血能增效

王辉武

湿邪为病，临证颇多，尤以我国长江流域地处卑湿，病湿者更为常见。传统认为，湿乃阴邪，其证多缠绵难愈，以致迁延日久而变证蜂起。因此，长期以来虽斫轮老手，亦苦于湿病之缠绵而难获速效。

治湿病能否在原来治疗规律的基础上，提高疗效、缩短疗程呢？这是一个值得研究的课题。近年来，笔者为此曾作了一些探索，发现了一点苗头。通过临床观察，可在辨证论治的前提下，少量加用活血药，能明显地缩短疗程，可使湿病不至于缠绵不去。

湿之与水异名同类，不论外湿和内湿均与水有不可分割的关系，吴鞠通明确地指出："湿之质即水也"，而水与血在生理上相互为用，病理上互相影响，倘脏腑气机失调，水液运化失常必生湿浊，水湿停留，既影响新血的化生，又妨碍血液的正常运行，水湿与血瘀互为因果，致使病情不易速已，这是一些与"湿"有关的疾病迁延难愈的重要因素之一。

唐容川说，"治水即以活血，活血即以治水"（《血证·汗血论》），根据这一提示，在临床上治疗外感类湿、湿温、湿痹以及各种杂病兼湿者，如能将祛湿法与活血法同用，则可大大提高疗效。似可以说："治湿离不开活血，而活血可促进湿去"。

余治王某，1个月来，头昏闷胀，上腹胀满，纳差倦怠，小便黄，大便稀，午后低热，脉弦，苔黄而腻。查前方不外以三仁汤、甘露消毒丹等，未见好转，并谓湿温初起，病本缠绵，难求速效，嘱患者慢慢服药观察。余思之，前医辨治无误何以无效呢？此乃湿邪滞血之故，于是，拟三仁汤全方加红花6g、泽兰10g。患者服3剂诸症悉减，而腻苔渐退，惟大便不畅，胃纳尚未恢复，再进一加减正气散加红花3g，3剂而收功。

此外，有痰饮上逆，喘促心悸，小便短少、下肢浮肿、苔厚腻多津、口唇发暗者，此阳虚痰湿为患，亦可在真武汤中加红花、丹参、赤芍等，对于改善症状确有好处。余验所见，对于现代医学所称之伤寒、急性肾炎、慢性肾炎、慢性肝炎、早期肝硬化、肝硬化腹水等，通过辨证凡属湿浊为患者，不论有无瘀症所见，均可佐以活血，常有湿随瘀去之妙。当然，如有明显出血倾向、体弱以及孕妇等，则又当别论。

地榆治血崩

陈之初

伯母孔氏，务农。解放前，分娩次数多，曾患血崩症，大出血，自称多可盈盆。面色苍白，神疲乏力，困顿在床，气息奄奄，病情危急。但家贫，无钱就医购药。邀余诊治，要求给以廉、便、验之方，乃提民间常用之地榆一药。

地榆在丘陵山区常可找到，羽状复叶似榆，春夏长出茎杆约1米许，其上结果如小红枣，颇易辨认。地榆别名玉豉、酸赭、酢枣等，属蔷薇科。以根入药，性味苦酸微寒，功能凉血止血。

余上山坡采得地榆根后，洗净，取一握（约20g），放在锅腔灰中，烧之存性如炭，入沙锅加水煎透，取汁，加红糖予以适量内服，伯母血崩乃止。

清热止血之佳品

——莲子心

屠揆先

莲子心自《温病条辨》清宫汤中采用后，临床上一贯用于清心安神，对其止血作用极少注意。相传清代末年有一宦者，阅文牍至深夜，口甚渴，嘱仆人烹茶。仆人年迈，视力模糊，误将莲子心当作茶叶，烹之以进。宦者饮后觉奇苦，审视壶中，为莲心而非茶叶，不禁愕然，知为仆所误。宦者素有肠风便血之症，久治未愈。自夜间误服莲子心汤后，次日大便下血显著减少，宦者略知医药，想到莲子心苦寒清热，可能对肠风便血有治疗作用，于是每日用莲心煎汤试服，不到10日，便血即愈。从此，莲子心善治便血便传扬开去。笔者每遇便血而颜色鲜红者，常用莲子心10g，加入汤药中煎服，取效颇捷，说明莲子心确为清热止血之佳品。

芦荟的新用途

孙　浩

芦荟是一味常用的内服中药，性味苦寒，有凉肝泻火之作用，用于治疗头晕头痛、耳聋耳鸣、躁狂易怒等肝经火热证，亦可用于外治疮、癣。但用其外敷止血，于古今方书中尚未见到。

1968年春，一王姓患者，因患急性粒细胞性白血病住入县医院内科病房，其时患者严重贫血，两口角各有一绿豆大的破溃，血流不止，衣襟、枕巾均为血染。入院后紧急止血、输血，但出血仍未止，贫血亦未改善。经全科讨论，一致认为对此患者，补血固属急需，而止血尤显迫切。患者体质衰弱、口角溃烂一时不易愈合，遍用内治、外敷止血敛疡药均不见效，请口腔科医生会诊，仍不能得到控制，即邀我用中药止血。

余选家传止血药——芦荟3g，研成细末，撒于口角溃烂处，随即沾血溶化如胶，形成一层薄膜，紧贴皮肤，从而出血停止，约4～5天，此两处溃疡自然愈合，患者病情缓解后出院。

卷柏止血，洵有殊效

李 彪

卷柏异名九死还魂草，系卷柏科植物，为多年生草本，春秋采收，而以仲春绿色质嫩者为佳，全草入药。性味辛平，入足厥阴，少阴血分。生用行气活血，可治跌打伤痛、腹痛、哮喘、月经闭止；研粉外敷，可止金疮出血。笔者经验，生用亦能止血，并非非炒用不可。家乡一老妪，内痔出血，屡服单方十余首，皆罔效。偶然相识，询余有何方？嘱用卷柏30g与瘦肉同煎，服汤食肉，两服即止。诸如此例，凡百余验。气虚者，与黄芪配伍；便结者，与草决明同煎；脾虚者，与大枣相配；肾虚者，与枸杞子煎服；出血太多者，伍入当归补血汤；血脱者，与独参汤相配；大便不爽者，与地榆、金银花同煎等，皆有良效。

卷柏止血，非止于此，尿血者亦可采用。属于热者，加入小蓟饮子；属于阴虚有热者，加入知柏地黄汤中；属于心火下移者，加入导赤散中；泌尿外科术后出血者，随证加入，效果之好，常令人叹服。其他对吐血，金疮出血亦有效验。由上可知，卷柏止血，非同一般，尤宜于内痔出血，无论寒热之证，虚实之体，皆可服用，且药价低廉，饮用方便，全草开水泡服，亦具同效。

止血妙药——童便

龚子夫

谈起“人尿”入药，似乎不卫生。其实，人尿之功，有妙不可含之处。在祖国医学文献中有关人尿入药的记载颇多。如李时珍《本草纲目》对人尿的应用就有详细的论述：“人尿释名为输回酒、还元汤，气味咸寒无毒，主治：止劳渴，润心肺，止吐血鼻衄，滋阴降火甚速……”。

江西名老中医姚荷生教授患空洞型肺结核。1983年夏天，气候闷热，姚老因参加会议较久，散会，突然鲜血从口中汹涌而出，半小时内约吐血1000ml，见者甚为惊骇，学院领导提出急送医院抢救，姚老却镇定自若，到家即命家人收集童便，连服3碗，当晚吐血即显著减少，次日黎明血已全止。学院领导亲见如此大量吐血未作其他处理，完全靠人尿一味转危为安，深以为异，叹为不传之秘，姚老直言相告曰：人尿止血之功民间传之久矣，不但自身屡试屡验，用于他人同样是立竿见影。旧社会窃贼偷饮街头留尿自治棒伤出血，伤愈而毫

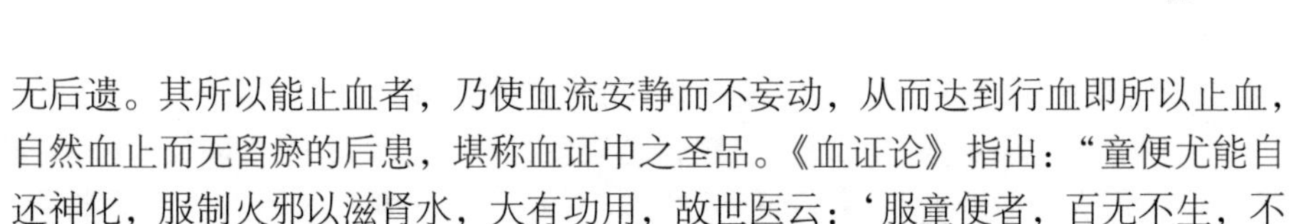

无后遗。其所以能止血者，乃使血流安静而不妄动，从而达到行血即所以止血，自然血止而无留瘀的后患，堪称血证中之圣品。《血证论》指出："童便尤能自还神化，服制火邪以滋肾水，大有功用，故世医云：'服童便者，百无不生，不服童便者，百无不死。'洵不诬也"。童便以选择7岁以内无病之童尿为好。

最近我院内科病房有一位72岁的高血压、冠心病、支气管扩张大量吐血患者，经用多种止血剂均未能止血。请中医急会诊，余见患者面赤如妆，形体肥胖，口吐鲜血不止，大便结如羊屎，小便短赤，咳嗽少痰，舌红少苔，满口鲜红血迹，脉沉弦间歇，烦躁不安，情绪十分紧张，静脉注射止血剂亦无效。余筹思再三，脉证合参，断为肝火乘肺，迫血上行，决意从平肝潜阳，凉血止血着手，方选犀角地黄汤加味，但时值午夜，购药不便，征得家属同意，立取人尿一碗，冲服五倍子末2g，当晚连服3次，翌晨患者血已止，仅时有痰中带血少许，为紫红色血块，此乃离经之瘀血，鲜血已未再出，乃于原方（犀角地黄汤）中加茜草10g以行瘀止血。为巩固疗效，除服药外，仍用人尿冲五倍子末继服3天，续用六味地黄汤出入以善其后。

"人尿"止血，既不留瘀，又符合简、便、验、廉精神。似此历验良方，奈何以其形秽而弃置不用哉！

白鹅血治癌别具新法

来春茂

1974年名老中医张梦侬在《新中医》第3期发表了白鹅血治癌的病例后，我曾采用他的方案治疗1例确诊为胃幽门窦部癌的患者，疗效良好。每当他来诊时均诉说购买白鹅困难，并且价昂，服用亦不方便，但饮白鹅血后，自觉胃脘舒适，故能坚持先后宰白鹅14只（张老介绍的方法：一人将白鹅两翅及两腿紧握，另一人将其颈宰断后，令患者口含颈部饮其热血，为7日1次）。患者未服白鹅血及汤药前，已瘦削如柴，因进食稀少，食后胃部撑胀疼痛，甚则呕吐夹有血液的食物，经治疗4个月余，饮食每餐能进3两（150g），肌肤日渐润泽，面有喜色，症状逐步消失，观察两年一如常人，仍参加农业劳动。

1984年余诊治我院李医师之母，68岁，因患直肠癌，经X射线摄片检查，已发现肺部有转移病灶，故未行手术，患者面容憔悴，食少纳呆，胃腹冷痛，大便赤痢状，口臭并咳逆稠痰，带有血丝，咽干舌燥，苔黄垢腻，脉沉细，梦多烦躁，小便短赤，我用白鹅血配合中药汤剂，令其服至1985年4月，患者精神良好，饮食增至如往常一样，咳嗽、胸痛、血痰已消失，经胸片复查，肺部病灶未见发展，每日解大便一次成条状，清晨能坚持步行锻炼。

白鹅血的服法：只需两只大白鹅，每周轮换一次，在翅膀内侧找较粗的血管抽血，每次可取鲜血 50～60ml，抽后取下针头，趁热注入口内，徐徐咽下。如此一年来，两只大白鹅仍均健壮地生活着。

附注：患者服白鹅血后大便未见色黑。

四物汤浅识

杨升三

四物汤见于《和剂局方》，乃从《金匮要略》胶艾汤衍化而来，为补血常用方，为妇科理血调经之要方，占诸方之首位。本方组织缜密，配伍精当，主辅分明。方中当归入心脾生血，地黄入心肾滋血，芍药入肝脾养血，川芎入肝与心包行血。其中地黄、芍药为血中之血药，乃滋腻之品，当归、川芎为血中之气药，具有阳和之气，使地黄、芍药得当归、川芎之温运，则补而不滞；当归、川芎得地黄、芍药之调剂，则血行不伤血，四药合用，刚柔相济，阴阳调和，可见古人组方之妙也。苟能精思立方奥旨，熟谙配伍微义，自能尽变化之巧。用之临床，血虚能补，血滞能行，血枯能润，血溢能止。欲补血则重用当归身，活血重用当归尾；柔肝重用白芍，祛瘀宜用赤芍；清热凉血重用生地黄，滋阴养血重用熟地黄。临床运用当以唇爪无华、舌淡、脉细为辨证要点。凡腹泻便溏，脾虚胃弱者慎用。

明代武之望以春生、夏长、秋收、冬藏四时生物之功喻“四物”意于其间，按四季增损药物，如春倍川芎加防风以散风寒、除湿痹；夏倍芍药加黄芩以清热燥湿，泻肺清肠；秋倍熟地黄加天冬以养阴清热润肺；冬倍当归加桂枝以补阳散寒，温通血脉。师古而不泥古，效捷临床，可谓药物增损之巧也。

余临床多年，运用本方时，根据妇科经、带、胎、产各期病变之不同阶段，配伍补气、升提、活血、止血药物，随机巧化，以应诸病之变。一般血虚，用熟四物汤（又名阴四物汤），方中当归、熟地黄宜重用，川芎、白芍次之。血枯严重者，辛香走窜之川芎少用或不用，血滞较甚者，以生四物汤（又名阳四物汤）。方中当归、川芎等量用，白芍易赤芍；熟地黄易生地黄。若血热者生地黄宜重用；血瘀者宜用当归尾，重用赤芍，生地黄分量宜轻，以防凝滞之弊。月经前期宜用生四物汤，月经后期要用熟四物汤，胎前宜用地黄、芍药、当归，川芎用量宜轻或不用；产后以川芎、当归为要药，芍药、地黄视病情而定。这些规律在临证时可以化而裁之，推而行之，触类旁通矣。

理中汤趣谈

蒋立基

我在临证时，见到一些西医所说的慢性盆腔炎、附件炎、经前期紧张症、更年期综合征、慢性前列腺炎等患者，常伴头痛头晕、耳鸣眼花、失眠多梦、心悸健忘、焦虑不安、心中懊侬、胸胁闷胀、血压不稳，或出现一些莫可名之症状。施调肝法，诸如疏之、散之、平之、熄之等，常少效验。但用近代名医张锡纯理中汤加减治之，却能应手取效。

理中汤由生黄芪、党参、白术、生山药、天花粉、知母、三棱、莪术、鸡内金组成。谓治"一切脏腑癥瘕，积聚、气郁、脾弱、痞胀、不能饮食"。单从药物主治看，是一张益气养阴、活血消癥方剂，何以能疗肝失疏泄之证？此情初惑不解，经查文献方知。肝经藏血又主疏泄，调畅气血之运行，敷和阴精津液之输布，调节精神情感活动。近代研究亦谓，自主神经功能紊乱与肝失疏泄密切相关。从理论上讲，直接调肝，毋庸置疑。《血证论》云："载气者，血也；而运血者气也"。气与血相互维系。今血瘀而气滞，惟活血通络以调气，实乃图本之治。以活血为手段，以调气为归宿，则是调气的一种变法。又因本方健脾运，益脾阴而开胃进食，资气血生化之源，使气血充盛，阴精满盈，冲任通盛，进而发挥"渗诸阳，灌诸精"之职，则诸疾自平。

闲话"益母胜金丹"

刘炳午

益母胜金丹方，出自程氏《医学心悟》一书，由熟地黄、当归、白芍、川芎、丹参、茺蔚子、香附、白术、益母草等药组成。

用原方治疗月经不调属不寒不热者。余1964年随名老中医朱老卓夫学习，识得此方。临证以来，每遇妇人血海空虚、经水不调或半月一行，或经期十余天淋漓不断，似热非热、血虚有瘀者，予益母胜金丹补血安冲、化瘀调经，无往而不效。

又治妇人流产后，血海空虚，瘀血停滞，小腹阵痛，按之则剧，似血非血，淋漓不断，予益母胜金丹加茜草根炭，可血止痛宁。

何以此方如此速效？余细揣摩，妇女属阴，以血为主，胞宫有瘀，血海难聚；血海空虚，胞宫气滞血凝，相互为用。是方以四物汤补血安冲，使空虚血海得以填补；白术健脾以滋化源；香附理气；丹参、益母草、茺蔚子化瘀调经止痛，虚实两治，标本兼顾。

小学教师刘某，人工流产后十余天，小腹阵痛，按之则剧，似血非血，淋漓不断，续请妇科医生检查后拟再次行刮宫术，病者有顾虑，要求服中药治疗，余予以益母胜金丹 3 剂而病愈。

紫草小用

|文日新|

1978 年秋，宁乡干部张某晚上散会回家，不慎踩着一只癞蛤蟆。癞蛤蟆头部射出毒汁，溅入张某双眼内，当即剧痛、眼内发红流泪、视力突然模糊。无奈，深夜去县人民医院求治。医生少见此症，仅以药水冲洗，但无好转，仍疼痛难受，便建议求治于余。查其双目白睛混赤肿胀，热泪如汤，沙涩疼痛难睁。余回忆往年所治 3 例蟾酥入眼患者，每用紫草煎汁点洗即愈。遂用紫草 1 两泡水，扬之待凉洗眼，另以紫草煎汁点眼。患者经洗点之后，红痛大减。随后又用黄连解毒汤加紫草煎服 5 剂即愈。《本草拾遗》云："紫草性苦涩凉，可解疔疮毒，治蛇虫蜇伤，故用以治蟾蜍毒汁伤眼，亦取奇效。药虽平淡，用之得法，可收急效。

凤尾草治疗雷公藤中毒

|朱佑武|

雷公藤俗名水莽草、烂肠草、断肠草等，含有极强的神经毒。雷公藤中毒，常难救治。

1965 年秋，曾得双峰县王材同志传授，用鲜凤尾草 0.5～1kg，水煎服，救治雷公藤中毒十余例，均获成功。

时值 1975 年夏天，某日傍晚，我所陈医生称：下午在长沙市某医院参加会诊，对一例雷公藤中毒而濒于死亡的病人，颇感棘手。余荐此方。同时，联想三七有治节段性坏死性小肠炎之效验。故嘱用凤尾草 500g 煎水与患者频服。用田三七 3g，研末，予患者分 3 次冲服。陈医生欣然采纳，连夜与药，患者遂得救。

跋

长江流域，包括七省一市及西藏自治区，历来是中华民族文化的摇篮，新兴科技的策源地，更是中医中药兴旺发达、学术流派争相斗妍的好地方，历代名医层出不穷。著名中医药学家华佗、李时珍、喻嘉言、叶天士、吴鞠通、唐容川，以及近代名医冉雪峰、蒲辅周、程门雪、黄文东、任应秋等人就生长在这块土地上。他们探幽发微，承先启后，精益求精，各树一帜，在我国医药学发展史上留下了光辉的一章。建国以来，长江流域十多万中医药工作者，继承、宏扬了先辈们的治学精神和医学成就，集中外古今之医学大成为我所用，努力攀登，在理论研讨、临床和实验研究等多方面，不断进取，硕果累累，一些前所未有的新成果、新经验相继推出，对中医学术的进步和发展起到重要的作用。为了让这些宝贵的财富流传于后世，造福于人民，我们在中华全国中医学会中医理论整理研究会的统一组织下，编写了这部《长江医话》。其目的就是将近代长江流域广大中医同仁的各科临床经验、学术理论和研究成就的精华荟萃，进行一次简明扼要的历史性的总结交流，以展示这个地区中医学术繁荣的一个历史断面。

本书的征稿和组稿工作得到了西藏、云南、四川、湖北、湖南、江西、安徽、江苏、上海等八省一市卫生厅（局）与中医学会的高度重视，通力合作。长江流域的广大中医撰稿十分踊跃，名老中医争相献绝，中壮年中医不甘落后，截至1985年6月底止，共收到稿件3300多份，约300多万字。但因本书篇幅有限，我们只得精挑细选，好中择优，共辑成约76万字的文稿编成此书。这些稿件文笔精炼，记述真实，一篇篇短文凝集着作者平生的心血，内容丰富多彩。既有名老中医独特的学术见解和娴熟的临床技艺，也有一代新秀融会古今、弘扬新说的杰作；既有伤寒派重用大剂姜、附起死回生的拯危治验，也有湿热派清宣透达以治大病的轻灵手法，更有色彩斑斓的民族医药。所有这些，充分显示了长江流域近代中医学术百花争艳的繁荣景象，它们将给今人以启迪，给后学以借鉴。

编写这样一部地域广阔、作者众多、内容丰富、兼收各家的集体著作，是一个难度较大的系统工程。但由于严密的组织领导，加之全体编委的奋发努力，整个工程进行得有条不紊。1985年8月，全体编委集中昆明，对每篇稿件都经过认真的三次审议和复查，而决定最终取舍，成为本书的第一稿，为本书奠定了坚实的基础。此后，在主编詹文涛和副主编李明富的亲自领导和参与下，根据中华全国中医学会总会专家提出的意见和出版社的要求，又邀请段光周、陈陶后、信宜莉（编委办公室主任）、王辉武四位编委，三次

集中于昆明、成都、北京，对书稿进行了大量的技术性的审编工作。他们为本书的早日付梓贡献了很大的力量。

在本书编写过程中，还得到了云南省中医学会、昆明铁路中心医院、成都中医学院、湖北中医学院，以及长江流域许多著名专家学者的大力支持，在此一并致谢！

本书的计量单位以法定计量单位为基本依据，同时对所引用的中医古典著作中的方药剂量及针灸推拿专业沿用的特定计量单位，仍按原计量单位标注。

《长江医话》编委会